K o r e a n
Counter-Terrorism

한국 對테러학

위협과 대응

권 순 구

法 文 社

머 리 말

우리나라에 테러리즘(Terrorism)의 의미가 처음으로 알려진 것은 지난 1981년 9월 30일 "제24회 서울 올림픽 경기대회(Games of the XXIV Olympiad Seoul 1988)" 개최지로 서울이 결정되면서부터다. 그때까지는 요즈음 의미의 테러 대책은 주로 북한이 대남적화통일 전략의 일환으로 자행한 무장공비의 침투가 주요 대상이었다. 그러나 1988년의 올림픽 유치가 확정되고 대회를 준비하는 과정에서 국제테러에 대한 대비가 현안이 되었다. 특히 1972년 독일 뮌헨올림픽 당시 팔레스타인해방기구(PLO: Palestine Liberation Organization)의 검은 9월단(Black September)에 의한 이스라엘 선수촌 인질테러 사건으로 이스라엘 선수 11명이 살해되어 평화의 제전(祭典)인 올림픽이 피의 제전으로 되었다는 사실로 인해 국제테러에 대한 준비가 본격적으로 시작되었다고 할 수 있다. 당시 미국 CIA의 도움으로 국제테러조직에 대한 정보와 이에 대처하기 위한 갖가지 테러 대응기법에 대한 소개가 우리나라에 있었다. 이러한 준비과정에서 처음으로 법적 체계가 마련된 것이 대통령 훈령 제47호로 제정된 「국가대테러활동지침」으로 Ⅲ급 비밀로 분류된 책자였다. 여기에서 우리나라의 국가대테러 대응체제와 관계부처별 및 소관 분야별 임무가 분장되고 시행되게 되었다.

필자는 그때부터 이 책을 저술하는 오늘까지 거의 35년을 이 대테러분야에 종사해오고 있다. 서울올림픽을 한 건의 안전사고도 없이 무사히 치러 당시 국제올림픽위원회(IOC) 사마란치(Juan Antonio Samaranch, 1921~2010) 위원장으로부터 그때까지의 역대 올림픽 중에서 가장 안전올림픽으로 모범이 되었다는 칭찬을 받았고, 이후 1993년 대전엑스포, 2000년 ASEM과 G20 정상회의, 2002년 한·일 월드컵, 2012년 여수 엑스포 등 우리나라에서 개최된 소위 세계 3대 메가이벤트(mega-event)인 올림픽과 엑스포·월드컵 등을 안전사고 없이 무사히 치러냄으로써 행사의 성공개최에 조그만 일익을 담당하는 역할을 하였다. 지금도 세계 각국에서 대규모 국제행사 안전대책에 관한 한국의 경험 노하우를 배우기 위해 꾸준한 정보협력이 진행되고 있다. 특히 2016년 3월 대테러 관련자 모두가 바라던 「테러방지법」이 우여곡절 끝에 제정됨으로써 우리나라도 명실상부한 대테러에 관한 법적·제도적 장치가 마련된 국가가 되었고, 실무적으로 해외에서 불미스러운 몇 건의 테러사건이 있었지만 국내에서는 주목되는 테러사건이 발생되지 않아 그나마 한국이 국제테러의 안전지대로 꼽히고 있다. 그러나 현재 우리나라를 둘러싸고 있는 국내외 테러환경을 종합해 볼 때 곳곳에 위협요소가 산재해 있고, 일부는 테러사건으로 현실화되고 있는 실정이다. 따라서 대테러업무에 30여년을 종사해 온 필자로서 이러한 위협에 대한 여러 요인을 분석하고 이에 대한 적절한 대응책을 제시함으로써 앞으로도 테러 없는 대한민국이 되기를 바라는 마음에서 『한국 대(對)테러학』을 저술하게 되었다.

우선 이 책은 그동안 우리나라에서 출판된 여러 종류의 테러와 대테러 관련 책이 대부분 외국의 테러사례와 대책을 소개하는 데 중점을 두고 있어 독자의 입장에서 손에 잡히지 않는 내용이 대부분이었다. 그래서 이 책은 철저하게 우리나라의 입장에서 테러 위협이 무엇이고 어떻게 대응을 해야 하며, 미래에 어떠한 테러 양상이 전개될 것이고 이에 대한 대응 전략은 어떻게 수립되어야 하는가에 초점을 두었다. 즉 우리나라에 대한 테러위협과 그 대응을 주제로 하였다.

책은 크게 네 부분으로 나누었다. 제1부는 총론으로 테러의 일반이론을 소개하였고, 제2부는 위협으로 우리나라에 테러위협이 되는 요소를 정리하였으며, 제3부는 대응으로 이러한 테러위협에 대한 대응정책을 다루었으며, 제4부는 필자가 생각하는 미래의 테러위협 양상과 대응전략을 제시하였다.

첫째, 총론에서는 테러에 관한 일반이론으로 테러의 개념, 테러의 역사와 변천, 테러의 본질에 관한 이론 등 다른 관련서적에서도 설명되고 있는 내용을 소개하였다.

둘째, 위협 파트에서는 우리나라에 대한 테러위협을 크게 북한, 국외 위협, 국내 취약성 등 세 부분으로 보고 내용을 정리하였다. 가장 큰 위협인 북한에 대해 북한을 바라보는 시각을 소개하고 북한에 의한 대남테러의 역사, 전담조직, 대남테러 지속 가능성을 대남전략 측면과 내외부 환경 측면으로 나누어 살펴보았다. 국외 위협으로는 해외출국자 증가에 따른 테러 피해의 증가, 해외 파병, 공격적 선교활동, 재외동포와 해외진출기업의 증가로 인한 테러피해의 증가 사례를 살펴보았다. 국내의 테러 취약성은 종북세력 등 내부의 적(敵) 문제, 불법체류자와 외국인 범죄 문제, 이슬람 문화, 묻지마 범죄 등을 테러 위협요소로 보고 거론하였다.

셋째, 대응 파트에서는 둘째 파트에서의 테러 위협에 대한 대응을 다루었다. 우선 우리나라의 대응으로 현 「테러방지법」에 의한 대응체제, 부처별 임무, 테러 예방과 대처 및 복구 등 단계별로 진행되는 대응 활동을 소개하였다. 또한 「테러방지법」에서 언급하고 있지 않은 테러범죄의 수사에 대한 내용을 문제점과 함께 별도로 다루었다. 또 국가중요행사에 대한 안전대책을 국내외 사례와 함께 자세히 소개하였다. 또한 대응 수단으로 정보의 기능, 민간경비, 다문화정책, 언론의 역할 등 테러사건에 대한 직접적인 대응보다는 간접적으로 중요한 위치를 차지하는 요소를 거론하였다. 마지막으로 대응에서 역시 중요한 국제적 공조를 다루었다. 국제테러에 대한 대응은 철저하게 국제적 공조 하에 수행되어야 하기 때문에 좀 자세히 소개하였다. 우선 대테러 관련 국제조약(14개) 및 기구를 다루었고, 세계 지역별로 추진되고 있는 대테러 관련 협력 내용을 미주지역, 유럽지역, 동남아시아지역, 중동지역 등으로 나누어 소개하였다. 아울러 대테러관련 선진국인 미국, 영국, 독일, 프랑스 등 4개국과 동양에서 가장 모범적인 대책을 강구하고 있는 일본 등 모두 5개국에서 추진되고 있는 대테러 관련법제, 대테러 관련기관, 대테러부대 등을 설명하였고, 마지막으로 UN과 미국 · 영국 등의 국가에서 실시하고 있는 국제테러단체 및 테러지원국가 지정 내용을 살펴보았다.

넷째, 미래 테러위협 전망 및 대응전략에서는 장차 우리나라에서 발생할 수 있는 테러 양상을 예측해 보고 이에 대한 적절한 대응전략을 제시하였다. 우선 사이버테러로 이는 현재도 가장 많이 일어나고 있는 테러범죄로 대응도 물리적 테러와는 다른 개념과 방안으로 대처해야 하는 전문분야다. 여기서는 미래에 더 많은 사이버기술의 발전으로 첨단 테러수법이 자행될 것으로 예측되는 분야로 간주되어 이 파트에서 간략히 소개하였다. 우리나라에 대한 사이버테러 위협 실태 및 대응을 다루었다. 또한 우리나라에 대한 미래 테러 양상으로 예상되는 이슬람과 기독교의 갈등, 자생테러의 출현, 북한의 대남테러 등을 테러위협으로 보았다. 특히 북한의 대남테러는 지금까지와는 달리 국지적 전쟁의 양상인 군사적 공격의 감행이 예상되어 소프트 타겟(Soft Target)을 대상으로 하는 테러로 다루기는 어려운 측면이 있어 군사도발 양상으로 전망해 보았다. 이러한 미래테러 양상에 대한 대응전략으로는 법과 원칙, 보복의 원리, 공정한 사회, 다양성과 공존 등 네 가지 주제로 접근해 보았다.

아무쪼록 이 책은 우리나라의 대테러관련 정책을 수립하고 계획하는 담당자나 실무적으로 현장에 직접 투입되는 요원들에게 일독을 해줄 것을 권하고 싶다. 좀 더 넓은 시각에서 대테러 정책을 입안하고, 현장에서 좀 더 현실감 있는 목적의식을 갖고 대테러업무에 임하기를 바라는 마음에서다. 또한 대학의 대테러 관련학과에서 대테러를 가르치고 배우기를 원하는 교수와 학생들에게 테러에 관한 전반적이고 국제적인 안목을 갖게 되는 계기가 될 것으로 기대한다. 여러 가지로 부족한 점이 많지만 강호 선배제현(江湖 先輩諸賢)의 아낌없는 격려와 질타를 부탁한다. 미흡한 부문은 추후에 추가로 정정・보완해 나갈 것을 약속한다.

2018년 5월
평택대학교 연구실에서
저자 권 순 구

차 례

I 총 론

Ⅱ 위 협

Ⅲ 대 응

Ⅳ 미래 테러위협 전망 및 대응전략

부 록

총 론

여기서는 대(對)테러에 관한 일반이론을 다루었다. 일반 다른 저서에서도 다루고 있는 내용으로 테러의 정의와 테러의 역사, 테러의 본질에 관한 일반 이론을 소개한다.

제1장에서는 테러의 정의에 관한 내용으로 테러의 개념에 관한 것으로 아직도 국제사회에서 의견 일치를 보지 못하고 있는 부분이다. 국제사회에서 일반적으로 정의하는 테러의 개념과 우리나라에서 2016년 테러방지법에서 규정하고 있는 테러의 개념을 소개하면서 테러의 목적 · 대상 · 수단 측면에서 나름대로 개념화하였다.

제2장에서는 테러의 역사와 변천 사항을 소개하였다. 카인이 동생인 아벨을 돌로 쳐 죽이는 고전적의미의 테러에서 시작하여 18세기 프랑스 혁명에서의 근대적 의미의 테러와 지난 2001년 9 · 11테러로 시작된 뉴테러리즘에 이르기까지를 테러의 변천과정을 다루었다. 아울러 한국에서의 테러리즘의 전개과정을 소개하였다.

제3장에서는 테러의 본질에 관한 이론을 다루었다. 일반적으로 테러의 본질에 관한 이론은 파농의 폭력이론에서부터 사회적 · 심리적 이론, 국제정치구조 이론 등 다양하다. 그 중에서 현대 테러리즘을 가장 설명하고 있는 국제정치구조 이론을 좀 더 상세히 고찰하였다.

제1장

테러의 정의

오늘날 테러의 개념에 대해 국제적으로나 학문적으로 통일된 의견이 존재하지 못하고 있다. 이는 우리나라의 경우 1909년 10월 26일 중국 하얼빈역에서 안중근(安重根, 1879.9.2.-1910.3.26)의사의 이토 히로부미(伊藤博文)의 폭탄살해 행위를 의거(義擧)로 부르고 있지만 일본의 경우 테러사건으로 취급하고 있는 사례와 같은 이치다. 세계 곳곳에서 이와 같은 테러가 수시로 발생하고 있지만 테러를 행하는 입장에서는 독립운동이나 민족해방운동 등과 같은 이유로 정당한 무장투쟁의 일환으로 주장하고, 피해를 당하는 측에서는 용납하지 못할 테러행위로 규정하고 있기 때문에 테러에 대한 통일적인 개념을 규정하기가 쉽지 않다는 것이다.

여기서는 테러에 대한 정의를 현대 국제사회에서 일반적으로 규정하고 있는 내용을 소개하고, 우리나라의 경우 지난 2016년에 제정된 「테러방지법」에서 규정하고 있는 테러의 정의에 대해 자세히 살펴보았다. 그리고 테러의 목적과 대상, 테러 수단 등의 측면에서 필자 나름대로 정의를 시도하였다. 이를 바탕으로 테러의 유사개념으로 일반 형사범, 게릴라전, 정치범죄, 해적행위 등과 어떻게 구별되는지를 살펴보았다.

제1절 테러의 개념

오늘날 세계의 많은 국가에서 테러로 인한 공포와 인명 피해로 불안한 생활을 하고 있다. 지구촌 국제뉴스의 많은 부분이 이러한 사건 사고에 할애되고 있다. 오늘날 세계가 테러로 많은 고통을 감내하고 있고 이의 해결을 위해 각 국가가 노력하고 있는 단면을 엿볼 수 있다. 국제적인 공조와 협력이 필요한 시점이다. 테러에 대한 뉴스와 대화가 일상화되고 있지만 정작 테러에 대한 정확한 정의를 말하려면 국제적인 전쟁이나 한 국가의 지역분쟁과 구분이 되지 않는 것이 사실이다. 일반적으로 우리가 신문지상에서 흔히 볼 수 있는 단어인 "테러(terror)"의 어원은 본래 라틴어 "terrere"에서 유래한 것으로 그 의미는 '공포', '커다란 공포' 또는 '죽음의 심리적 상태'(psychic state of great fear or dead)를 의미했다. 즉 공포를 본질적인 요소로 하고 있다. 이 같은 테러라는 용어와 개념은 1789년 프랑스혁명과 자코뱅당의 테러시대(1793-1794)부터 사용되었는데 당시 혁명정부의 주역이었던 당통(G.J. Danton), 로베스피에르(M.F. I de Robespoerre) 등이 공화파 집권정부의 혁명과업 수행을 위하여 왕권복귀를 꾀하던 왕당파를 무자비하게 암살, 고문, 처형하는 등 공포정치를 자행하였던 역사에서 유래한다. 즉, 단순한 개인적인 암살이라든지 사적 단체에 의한 파괴 등이 아니고, 국가 권력 자체에 의한 강력한 지배 혹은 혁명단체에 의한 대규모의 반혁명에 대한 금지와 억압을 일컫는 것이었다.

우리가 일상생활에서 자주 사용하고 있는 테러는 영어로 terror 혹은 terrorism의 의미로 받아들여지고 있다. 이때 terror와 terrorism의 의미를 구분하여 terror는 공포를 조성하는 폭력행위 자체를 의미하고, terrorism은 테러의 포괄적인 의미를 내포하는 보다 광범위한 의미를 말한다고 하는 학자도 있고, terrorism의 약칭으로 terror를 말한다고 하는 학자도 있으나 여기서는 특별히 구분하지 않고 terror 혹은 terrorism을 같은 의미로 구분 없이 사용하고자 한다. 공포를 조성하는 행위를 의미하든 전반적인 공포에 관한 의미를 내포하든 테러로 사용하고자 한다.

Ⅰ. 국제사회의 테러 정의

국제적으로는 테러에 대한 개념을 체계적으로 연구하고자 하는 시도가 있었는데 대표적인 사례가 1988년 슈미트(Alex P. Schmidt)와 용만(Albert J. Jongman) 두 학자가 테러관련 연구자를 대상으로 테러리즘의 정의에 관한 설문조사를 실시하여 109개의 개념 중에서 가장 사용빈도가 높은 용어 22개를 찾아 그 통계적 결과를 『정치 테러리즘』(Political Terrorism)이라는 책으로 발표하였다. 핵심 내용은 22개 용어 중에는 폭력 또는 무력(83.5%), 정치(65%), 공포(51%), 위협(47%)이라는 의미와 심리적 효과와 영향(41.5%), 희생자와 목표물의 불일치(37.5%), 조직화된 행동(32%), 전략 전술의 한 방법(30.5%) 등이라는 의미가 모두 내포되어 있다는 것이다.[1)]

UN의 경우 오래전부터 이러한 성격의 국제테러리즘에 대한 대응방안의 마련에 노력을 기울여왔다. 본격적인 시도로서 1934년 국제연맹(League of Nations)에서 「테러리즘의 방지와 처벌을 위한 국제협약(안)」이 3년간의 노력 끝에 국제조약으로 채택에 성공했으나 테러에 대한 개념 규정에 이견이 생기면서 발효되지는 못했다. 1963년 이후 국제사회는 또다시 UN과 전문기관의 주도하에 테러행위의 방지를 위한 14개 국제조약과 4건의 수정안을 채택하였으나 모두 특정한 테러의 유형을 개별적으로 규제하는 내용이고, 현재까지 국제테러에 대한 일반적이고 포괄적인 규제를 내용으로 하는 국제조약은 만들지 못하고 있는 실정이다.[2)] 이처럼 유엔을 중심으로 국제테러리즘의 방지를 위한 포괄적인 국제조약 체결의 최대 난관은 테러의 개념 정의가 통일되지 못하는 것이다. UN의 전신인 국제연맹이 1937년 채택한 「테러리즘의 방지와 처벌을 위한 국제협약(안)」에서는 테러를 “어느 국가에 대한 직접적인 행위로 개인이나 일반 공중(公衆)에게 공포심을 불러일으키기 위해 계산되거나 의도된 범죄”라고 정의했다.[3)] 국제연맹의 후신인 UN에

---

1) Alex P. Schmidt, Albert J. Jongman et. al, *Political Terrorism: A New Guide to Actors, Authors, Concepts, Data Bases, Theories, and Literature*. New Brunswick, Transaction Books, 1988, pp. 5-6.

2) 유엔의 「포괄적 테러방지법」 제정에 관한 논의 내용은 제9장 제1절 참조.

3) Sherman Kent, *Strategic Intelligence for American World Policy*, Princeton University Press, 1949; League of Nations Convention (1937).

서도 1949년 8월 12일 제네바회의에서 전쟁 기타 무력분쟁에서 부상자·병자·포로·피억류자 등을 보호하기 위하여 채택된 「제네바협약」(Geneva Conventions, 일명 적십자조약)의 추가의정서에서 테러개념이 언급되고 있다. 1977년 6월 8일 체결된 제Ⅰ추가의정서(국제적 무력충돌의 희생자 보호에 관한 의정서) 제51조 2항은 "민간인과 같이 일반 주민은 공격의 목적이 되어서는 아니 된다. 민간주민들 사이에 공포심을 퍼뜨리는 것을 주된 목적으로 하는 행위 또는 폭력의 위협은 금지된다"고 규정하여 테러(terror)라는 용어를 사용하고 있다. 1994년 12월 9일 유엔총회 결의 49/60을 통해 "국제테러 근절을 위한 조치에 관한 선언"(Declaration on Measure to Eliminate International Terrorism)을 채택하면서 테러를 "일반 공중이나 특정 단체 또는 특별한 사람들에게 정치적 목적 등으로 공포 분위기를 조성하기 위해 계산되거나 의도된 범죄적 행위로, 어떠한 정치적·철학적·이념적·인종적·종교적 또는 그 어떠한 구실을 달더라도 정당화될 수 없는 행위"라고 이해하였다.[4)]

2001년 발생한 미국의 9·11테러 직후인 2001년 9월 12일 UN안전보장이사회는 안보리 결의안 제1368호를 채택하면서 "9월 11일 뉴욕, 워싱턴 D.C.와 펜실베니아에서 발생한 끔찍한 테러공격(terrorist attacks)을 가장 강력한 어조로 규탄하면서, 그와 같은 행위들을 다른 어떠한 국제테러리즘의 행동(any act of international terrorism)과 같이 국제 평화와 안전에 대한 위협으로 간주한다"라고 하여 테러를 테러리스트의 공격과 국제테러리즘의 행위를 구분하여 사용하였다.[5)] 2004년 UN안전보장이사회도 안보리 결의안 제1566호에서 "민간인들에게 의도를 가지고 사망 또는 중대한 신체 상해 또는 인질로 삼기 위하여 일반 대중이나 개인에게 공포를 일으키거나, 협박하거나 정부 또는 국제기구에 의무 없는 일을 하게 하거나 못하게 강요하기 위하여 하는 범죄행위"를 테러로 규정하였다.[6)] 하지

4) General Assembly, A/RES/49/60, 9 December 1994, 84th plenary meeting.
5) 원문은 다음과 같다. "Unequivocally condemns in the strongest terms the horrifying terrorist attacks which took place on 11 September 2001 in New York, Washington,D.C. and Pennsylvania and regards such acts, like any act of international terrorism, as a threat to international peace and security", S/RES/1368(2001).
6) 원문은 다음과 같다. criminal acts, including against civilians, committed with the intent to cause death or serious bodily injury, or taking of hostages, with the purpose to provoke a state of terror in the general public or in a group of persons or particular persons, intimidate a population or compel a government or an international organization to do

만 현재까지 UN차원에서도 테러에 대한 통일적 개념 정의는 이루어지지 않고 있는 실정이다.

미국의 경우 9·11테러 직후인 2001년 10월 25일 소위 애국법(US Patriot Acts)을 제정하여 동법 제808조에 연방테러범죄에 대한 정의(Federal crime of terrorism)를 규정하고 있다. 이 정의는 기존의 연방법 제18편 제2331조(18 U.S. Code Chapter 113B - TERRORISM)에서 규정한 국제테러와 국내테러에 대한 정의를 다소 보완한 것이다. 기존의 연방법 제2331조에서는 “국제 테러(international terrorism)”란 민간인을 협박 또는 강요하거나, 협박이나 강요에 의해 정부의 정책에 영향을 미치게 하거나, 대량 살상, 암살 또는 납치를 통해 정부의 행위에 영향을 주기 위하여 미국 연방이나 주(州)에 대한 형법을 위반하는 폭력적인 행위 또는 인명에 위험한 행위로서 미국 또는 미국의 영토 관할권 밖에서 발생하거나 위협 또는 강압하려는 자 또는 망명 요청자 또는 망명하려는 지역 등에서 목적달성을 위한 수단 등이 다국적 요소로 이루어져 있을 때를 말한다고 규정하고 있다. 또한 “국내 테러(domestic terrorism)”란 민간인을 협박 또는 강요하거나, 협박이나 강요를 통해 정부의 정책에 영향을 미치게 하거나, 대량 살상, 암살 또는 납치를 통해 정부의 행위에 영향을 주기 위하여 저질러지는 미국의 영토 관할권 내 형법상의 범죄행위로 규정하고 있다.[7]

---

or to abstain from doing any act.

7) 원문은 다음과 같다. 18 U.S. Code § 2331 - Definitions

(1) the term “international terrorism” means activities that-

(A) involve violent acts or acts dangerous to human life that are a violation of the criminal laws of the United States or of any State, or that would be a criminal violation if committed within the jurisdiction of the United States or of any State;

(B) appear to be intended-

(i) to intimidate or coerce a civilian population;

(ii) to influence the policy of a government by intimidation or coercion; or

(iii) to affect the conduct of a government by mass destruction, assassination, or kidnapping; and

(C) occur primarily outside the territorial jurisdiction of the United States, or transcend national boundaries in terms of the means by which they are accomplished, the persons they appear intended to intimidate or coerce, or the locale in which their perpetrators operate or seek asylum;

(5) the term “domestic terrorism” means activities that-

(A) involve acts dangerous to human life that are a violation of the criminal laws of

이를 바탕으로 애국법 제808조에서는 연방테러범죄에 대하여 정부의 조치에 영향을 미치거나 정부의 조치에 보복할 의도를 가지고 협박·강요하는 행위를 테러로 규정하면서 그 구체적인 행위의 유형을 35가지로 다음과 같이 자세히 열거하고 있다. ① 항공기 및 항공시설 파괴, ② 국제공항에서의 폭력해위, ③ 해상 및 육상의 특별사법 관할지역에서의 방화, ④ 생화학 무기에 의한 범죄, ⑤ 의회·내각 및 최고 법원 관계자의 암살 및 납치, ⑥ 핵 물질 관련범죄, ⑦ 플라스틱 폭발물 관련범죄, ⑧ 정부재산에 대한 방화·폭파로 인명의 사망이나 위험 초래, ⑨ 각 주(州)간 거래에서 사용되는 시설에 대한 방화 및 폭파, ⑩ 위험 무기로 연방시설물 공격 중 살해 또는 살해 시도, ⑪ 해외에서의 살인, 납치, 상해 음모, ⑫ 전산망 보호 위반행위, ⑬ 미국 공무원 현지고용원 살인 또는 살인 미수, ⑭ 외국인 공무원, 공식 방문자 및 국가 보호인물 살인, ⑮ 통신시스템 파괴, ⑯ 해상 및 육상 특별사법 관할권 내의 건물 또는 재산에 대한 침해, ⑰ 에너지 시설의 파괴, ⑱ 대통령 및 관련 직원의 암살 및 납치, ⑲ 열차 전복, ⑳ 대중교통수단에 대한 폭력 행위, ㉑ 국가방위 물자·지역·설비의 파괴, ㉒ 해상 항행구조물의 파괴, ㉓ 해상 고정 시설물의 파손, ㉔ 해외에서의 미국 국민에 대한 살인과 공격, ㉕ 대량살상무기의 사용, ㉖ 초국가적 테러행위, ㉗ 테러 분자를 숨겨주는 은신처 제공, ㉘ 테러범 및 단체에 대한 물질적 지원, ㉙ 고문, ㉚ 핵 시설 및 연료 파손, ㉛ 항공기 불법 납치, ㉜ 위험한 무기를 사용한 항공기 승무원 공격, ㉝ 항공기 내 폭발성 또는 방화 장치 및 생명을 위해하는 무기 사용, ㉞ 항공기내 형법상의 살인 및 살인 미수 행위, ㉟ 각 주(州)간 가스 또는 위험한 액체 파이프라인 시설물 파괴 등이다.[8] 이처럼 미국의 애국법은 테러의 대상으로 항공기, 공항, 항공시설, 해상 구조물, 국제적 보호인물, 통신시설, 대중교통수단, 승무원을 제시하고 있고, 테러의 수단으로는 플라스틱 폭발물, 대량살상무

---

the United States or of any State;

(B) appear to be intended－

(i) to intimidate or coerce a civilian population;

(ii) to influence the policy of a government by intimidation or coercion; or

(iii) to affect the conduct of a government by mass destruction, assassination, or kidnapping; and

(C) occur primarily within the territorial jurisdiction of the United States.

8) SEC. 808. DEFINITION OF FEDERAL CRIME OF TERRORISM. 참조.

기, 방화 장치, 위험 물질 · 도구 등의 사용이나 은신처 제공과 같은 테러범이나 단체의 지원 행위 등을 동시에 규정하고 있다. 특히 전산망 보호 등을 규정하여 사이버테러를 테러의 범주에 포함하고 있다.

또한 미국의 경우 정부 부처별로 테러의 정의에 대해 다소 차이를 보이고 있다. 국무부의 경우 테러를 대중에게 영향을 미치게 하기 위하여(to influence an audience) 전투가 준비되지 않은 목표에 대하여(non-combatant targets) 가하는 계획적이고 정치적인 폭력(premeditated, politically motivated violence)으로 정의하고 있다.[9] 즉, 정치적인 목적을 위하여 전투요원이 아닌 일반인을 대상으로 계획적인 공격을 가하는 행위를 테러로 규정하고 있다. 국방부의 경우는 테러리즘의 목적을 정치적 · 종교적 · 이념적으로 확대하고 있어 국무부의 정의보다 확대된 개념으로 사용하고 있다.[10] 미국의 대표적인 사법기관인 연방수사국(FBI)의 경우 테러리즘의 목적에 정치적 외에 사회적 목적을 추가하여 "정치적 사회적 목적을 추구하기 위하여 정부나 시민, 특정집단 등 그 밖의 모든 것을 위협하고, 강압하기 위하여 사람이나 사물에 대하여 불법적으로 가해지는 부당한 압력 또는 폭력"(Terrorism is the unlawful use of force and violence against persons or property to intimidate or coerce a government, the civilian population, or any segment thereof, in furtherance of political or social objectives.)으로 규정하고 있다. 또한 여러 개별법에 따라 테러에 대한 정의를 다르게 규정하고 있는데 대표적으로 연방 형법(Federal Criminal Code)은 "일반시민을 협박하거나 강요할 의도로 행해지고 그러한 협박과 강요로 정부 정책에 영향을 미치려고 하고, 대량파괴 · 암살 · 납치 등의 방법으로 정부의 활동에 영향을 끼치려는 행동으로 미국의 영토관할 내외에서 행해진 제반 활동 또는 미국 연방 또는 주 형법을 위반하는 생명을 위협하는 제반 행동"이라고 규정하고 있다. 또 국가테러대응센터(NCTC:

---

9) US Department of Homeland Security Act of 2002 Congress of USA Title 22 of the United States Code, Section 2656f [d]"premeditated politically-motivated violence perpetrated against non-combatant targets by sub-national groups or clandestine agents, usually intended to influence an audience".

10) The United States Department of Defense defines terrorism as "the calculated use of unlawful violence or threat of unlawful violence to inculcate fear; intended to coerce or to intimidate governments or societies in the pursuit of goals that are generally political, religious, or ideological." Within this definition, there are three key elements - violence, fear, and intimidation - and each element produces terror in its victims.

National Counter Terrorism Center)는 테러를 "미리 계획되고, 준국가 또는 비밀조직에 의하여 행해지고 종교, 철학 또는 문화적으로서의 상징적 동기를 포함하여 정치적 동기로서 비전투원들을 대상으로 행해지는 폭력 행사"라고 정의하고 있다.[11)]

유럽연합(EU)의 경우 꾸준히 테러에 대한 이론적 연구와 실천적 대응을 강구하고 있다. 2002년 6월 13일 유럽연합은 테러를 '일반인에게 공포심을 조성하여 어느 나라나 국제기구로 하여금 부당하게 어떤 행동을 하게 하거나 또는 어떤 행동을 못하게 하려는 의도에서 본질적으로 폭발물, 수류탄, 로켓, 자동화력 그리고 폭탄 우편물 등을 사용하여 사람과 재산에 위해를 가하는 제반행위'라고 정의하여 정치적 동기 등의 목적 부분은 거론하지 않고 대상(민간인)과 사용된 폭력적 방법에 중점을 두어 현실적으로 개념을 정의하였다.[12)]

이슬람 국가에서의 테러의 정의는 좀 더 복잡하고 상대적인 양상을 가져 미국·이스라엘과 팔레스타인은 서로를 테러주의자라고 비난하고 있다. 1998년 4월 22일 이집트 카이로에서 개최된 아랍국제회의(Arab Convention on the Suppression of Terrorism)에서 아랍 국가들은 테러 그 자체는 비난하면서 '동기나 목적을 불문하고 개인이나 집단이 불법적으로 사람에게 공포를 조성하여 그들을 해치거나, 그들의 삶, 자유 또는 안전에 위협을 가하거나, 환경 훼손이나 공공 또는 개인적 재산에 손해를 끼치거나 점령하거나 국가 자원을 위태롭게 하는 어떠한 행동 또는 폭력의 위협'을 테러로 규정하였다.[13)] 그러면서도 '아랍 국가의 이익에 반하는 행위가 바로 테러행위이고, 아랍지역 이외 그리고 아랍인들 이외의 사람들에 대한 것은 테러가 아니다'라는 견해를 밝히면서 나아가 아랍국가의 영토의 순수성을 보존하려는 노력이면 무장투쟁을 포함한 어떤 행위라도 테러행위가 아니라고도 선언하였다. 하지만 아랍세계에서도 통일적인 테러의 개념 정의에

---

11) United States Code, Chapter 113B of Part I of Title 18. Section 2331 of Chapter 113b.
12) EU 2002. Council framework decision (2002/475/JHA) of 13 June 2002 on combating terrorism. 참조.
13) Any act or threat of violence, whatever its motives or purposes, that occurs in the advancement of an individual or collective criminal agenda and seeking to sow panic among people, causing fear by harming them, or placing their lives, liberty or security in danger, or seeking to cause damage to the environment or to public or private installations or property or to occupying or seizing them, or seeking to jeopardize national resources.

도달하지 못하고 있는 실정이다.

Ⅱ. 우리나라의 경우

우리나라는 2016년 3월 3일 제정된 「테러방지법」(정식 명칭, 국민보호와 공공안전을 위한 테러방지법)에서 테러의 개념에 대한 정의를 법률로 정하였다. 동법 제2조(정의)에 의하면 테러란 국가·지방자치단체 또는 외국정부의 권한행사를 방해하거나 의무 없는 일을 하게 할 목적 또는 공중을 협박할 목적으로 행하는 것으로 크게 다음의 4가지 행위를 나열하고 있다. 구체적으로 보면 ① 사람을 살해, 상해, 체포·감금·약취·유인하거나 인질로 삼는 행위, ② 항공기나 선박 운항을 방해하거나 관련시설을 파괴하는 행위, ③ 자동차 등 운송 수단이나 공공시설, 연료 수송시설, 공중 이용시설 등에 대한 폭발이나 이용 제한 행위, ④ 핵이나 방사성 물질을 이용하여 사람의 생명과 재산을 위태롭게 하거나 이러한 시설의 정상적인 운전을 방해하는 행위 등이다. 좀 더 세부적으로 살펴보면 다음과 같다.

첫째, 사람을 살해하거나 사람의 신체를 상해하여 생명에 대한 위험을 발생하게 하는 행위 또는 사람을 체포·감금·약취·유인하거나 인질로 삼는 행위

둘째, 항공기 관련 행위 중 ① 운항중인 항공기를 추락시키거나 전복·파괴하는 행위, 그 밖에 운항중인 항공기의 안전을 해칠 만한 손괴를 가하는 행위, ② 폭행이나 협박, 그 밖의 방법으로 운항중인 항공기를 강탈하거나 항공기의 운항을 강제하는 행위, ③ 항공기의 운항과 관련된 항공시설을 손괴하거나 조작을 방해하여 항공기의 안전운항에 위해를 가하는 행위

셋째, 선박 또는 해상구조물과 관련 행위 중 ① 운항 중인 선박 또는 해상구조물을 파괴하거나, 그 안전을 위태롭게 할 만한 정도의 손상을 가하는 행위(운항 중인 선박이나 해상구조물에 실려 있는 화물에 손상을 가하는 행위를 포함한다), ② 폭행이나 협박, 그 밖의 방법으로 운항 중인 선박 또는 해상구조물을 강탈하거나 선박의 운항을 강제하는 행위, ③ 운항 중인 선박의 안전을 위태롭게 하기 위하여 그 선박 운항과 관련된 기기·시설을 파괴하거나 중대한 손상을 가하거나 기능장애 상태를 야기하는 행위

넷째, 사망·중상해 또는 중대한 물적 손상을 유발하도록 제작되거나 그러한 위력을 가진 생화학·폭발성·소이성(燒夷性) 무기나 장치를 다음 각각의 어느 하나에 해당하는 차량 또는 시설에 배치하거나 폭발시키거나 그 밖의 방법으로 이를 사용하는 행위 중 ① 기차·전차·자동차 등 사람 또는 물건의 운송에 이용되는 차량으로서 공중이 이용하는 차량, ② 위에 해당하는 차량의 운행을 위하여 이용되는 시설 또는 도로, 공원, 역, 그 밖에 공중이 이용하는 시설, ③ 전기나 가스를 공급하기 위한 시설, 공중의 음용수를 공급하는 수도, 전기통신을 이용하기 위한 시설 및 그 밖의 시설로 공용으로 제공되거나 공중이 이용하는 시설, ④ 석유, 가연성 가스, 석탄, 그 밖의 연료 등의 원료가 되는 물질을 제조 또는 정제하거나 연료로 만들기 위하여 처리·수송 또는 저장하는 시설, ⑤ 공중이 출입할 수 있는 건조물·항공기·선박으로서 위에 해당하는 것을 제외한 시설

다섯째, 핵물질, 방사성물질 또는 원자력시설과 관련된 행위 중 ① 원자로를 파괴하여 사람의 생명·신체 또는 재산을 해하거나 그 밖에 공공의 안전을 위태롭게 하는 행위, ② 방사성물질 등과 원자로 및 관계 시설, 핵연료주기시설 또는 방사선발생장치를 부당하게 조작하여 사람의 생명이나 신체에 위험을 가하는 행위, ③ 핵물질을 수수·소지·보관·사용·운반·개조·처분 또는 분산하는 행위, ④ 핵물질이나 원자력시설을 파괴·손상 또는 그 원인을 제공하거나 원자력시설의 정상적인 운전을 방해하여 방사성물질을 배출하거나 방사선을 노출하는 행위로 규정하고 있다. 이러한 우리나라의 테러정의는 학문적인 의의보다는 법의 집행에 필요한 구체적인 행위를 나열한 것으로써 의미가 있다고 하겠다.

이러한 테러방지법에서의 테러의 정의는 지난 2008년 제정된 「공중협박 자금법」[14](정식 명칭, 공중 등 협박목적을 위한 자금조달행위의 금지에 관한 법률)에서의 정의를 거의 그대로 사용한 것이었다. 당시 이 법은 우리나라가 2004년 2월 17일 비준한 「테러자금조달의 억제를 위한 국제협약」을 이행하기 위하여 국내 입법을 제정하는 과정에서 당초 법률 제정 초기에 「테러자금 조달 금지법」의 명칭으로 국회에 제출되었으나 테러에 대한 개념의 정의가 모호하고 인권침해 우려 등으로 많은 논란 끝에 테러자금이라는 용어 대신에 "공중 등 협박자금"이란 용어를 사용하였다.[15] 당시 이 법 제2조의 "공중협박행위"의 개념 정의가 현재의

14) 현재는 「테러자금금지법」으로 명칭이 바뀌었다.

테러범죄와 해석상 거의 동일하다고 볼 수 있는데 '국가 · 지방자치단체 또는 외국정부의 권한 행사를 방해하거나 의무 없는 일을 하게 할 목적으로 또는 공중에게 위해를 가하고자 하는 등 공중을 협박할 목적으로 행하는 다음 각 목의 어느 하나에 해당하는 행위'라고 규정하여 현재의 테러방지법과 같은 내용으로 규정되었다. 다만 「공중협박 자금법」에 따르면 공중협박행위로 인정되기 위해서는 특정 단체를 강요할 목적이 있거나 대중을 협박하기 위한 목적이 있어야 하는데 현재의 테러범죄는 이러한 목적이 있는 경우는 물론 행위 자체가 공중에게 협박이 되는 경우에도 적용된다는 점에서 약간의 차이가 있을 뿐이다.

우리나라의 테러방지법이 제정되기 이전에는 「국가대테러활동지침」이라는 대통령 훈령으로 국가 대테러에 관한 모든 사항을 규정하고 있었다.[16] 이 훈령 제2조 제1호에서는 "테러라 함은 국가안보 또는 공공의 안전을 위태롭게 할 목적으로 행하는 다음 각목의 어느 하나에 해당하는 행위를 말한다"라고 규정하면서 ① 국가 또는 국제기구를 대표하는 자 등의 살해 · 납치 등, ② 국가 또는 국제기구 등에 대하여 작위 · 부작위를 강요할 목적의 인질억류 · 감금 등, ③ 국가중요시설 또는 다중이 이용하는 시설 · 장비의 폭파 등, ④ 운항 중인 항공기의 납치 · 점거 등, ⑤ 운항 중인 항공기의 파괴, 운항 중인 항공기의 안전에 위해를 줄 수 있는 항공시설의 파괴 등, ⑥ 국제민간항공에 사용되는 공항 내에서의 인명살상 또는 시설의 파괴 등, ⑦ 선박억류, 선박의 안전운항에 위해를 줄 수 있는 선박 또는 항해시설의 파괴 등, ⑧ 해저에 고정된 플랫폼의 파괴 등, ⑨ 핵물질을 이용한 인명살상 또는 핵물질의 절도 · 강탈 등의 9가지 유형을 열거하고 있었다. 이러한 행위의 유형을 열거한 것은 국제적인 형사법적으로 합의된 테러의 개념이 존재하지 않는 만큼 우리나라도 테러개념을 적극적으로 규정하기보다는 법집행에 필요한 구체적인 행위유형들을 구체적으로 열거하여 규정하는 소극적인 방식을 취하고 있는데 이는 학문적인 의의보다도 법집행을 위한 하나의 기술로 보인다.

---

15) 이만종, "공중협박자금 조달금지법의 체계론적 고찰", 『한국치안행정논집』 제7권 제1호(2010), pp. 29-30.

16) 훈령이란 행정조직 내부에 있어서 권한의 행사를 지휘 · 감독하기 위하여 발하는 행정명령으로서 훈령, 예규, 통첩, 지시, 고시 등 그 사용명칭 여하에 불구하고 공법상의 법률관계 내부에서 준거할 준칙 등을 정하는 데 그치고 대외적으로는 아무런 구속력도 가지는 것이 아니다(대법원 1983. 6. 14. 선고 83누54 판결).

현행 테러방지법은 종전의 「대테러활동지침」과 마찬가지로 테러의 정의를 열거식, 소극적으로 규정하고 있는 점에서는 미국의 애국법(US Patriot Acts) 규정방식과 비슷하다고 할 수 있다. 다만 테러방지법의 테러 정의는 좀 더 유형을 구체화하였고 "외국정부의 권한 행사를 방해하거나 의무 없는 일을 하게 할 목적" 또는 "공중을 협박할 목적"이 추가되었다는 점에서 의미가 있다. 그러나 여전히 테러의 정의규정과 관련해서는 '테러'의 유형을 열거식으로 정의를 하였기 때문에 행위유형에 대한 별도의 처벌규정이 구체화되지 않는다면 결국 형법상 일반범죄로 처벌받게 될 소지가 있다.

Ⅲ. 테러에 대한 개념

이처럼 테러에 관한 정의는 국가별로 한 국가 내에서는 담당기관별로 다르게 규정하고 있는 것이 사실이다. 이는 학문적으로나 법집행의 실무적으로나 살인, 방화 등과 같이 범죄행위의 유형에 따라 일률적으로 규정할 수 없는 좀 더 복잡하고, 정치적인 의미를 가지며, 테러를 바라보는 시각에 따라 다양한 정의를 규정할 수 있다는 것을 의미한다. 그럼에도 불구하고 테러의 구성요소를 하나하나 살펴 연역적인 방법으로 개념을 도출하는 것이 편리하다는 주장이 유력하게 제기된다. 일반적으로 인정되는 테러의 구성인자로는 5개 요소가 있다.[17] 첫째는 피해자(victims)이다. 테러의 피해자는 민간인이나 비전투원이다. 테러의 가장 큰 특징 중 하나가 무장을 하지 않은 일반시민들을 대상으로 자행된다는 것이다. 테러의 경우에는 무고한 일반시민들은 상징물, 수단 또는 소위 '더러운 존재'(corrupt being)로 테러조직의 목적달성을 위해 정조준된 것에 지나지 않는다. 이처럼 테러는 고귀한 인간 그 자체를 수단으로 삼는 반인륜성 때문에 용납될 수 없는 범죄라는 공통된 비판을 받는다. 두 번째는 목표물(target)이다. 테러의 형식적인 직접 목표물은 피해자들이지만 그들은 단지 위협적 메시지를 전달하기 위한 통로에 불과하고 궁극적인 목표물은 정부 지도자들이다. 세 번째는 의도(intent)이다. 테러는 명백한 의도를 가지고 있다. 그 의도는 1차적으로 일반 시민들을 협박하거

17) Walter Laqueur, 1996, "Postmodern Terrorism: New Rules for an Old Game", *Foreign Affairs*, Essay September/October 1996 Issue Terrorism & Counterterrorism Theory.

나 위협하여 엄청난 공포를 확산시키는 것이다. 네 번째는 수단(means)이다. 테러는 공포를 최대한으로 조장하고 자신들의 행위를 가급적 널리 알리려고 폭발물, 독가스, 인간 자살폭탄 등 상상을 초월한 비전통적 군사무기를 사용한다. 테러 조직은 가장 극적인 효과를 달성하기 위해 다양한 폭력적 방법을 동원한다. 다섯 번째는 동기(motivation)이다. 테러는 일반적인 폭력과 달리 분명한 어떤 동기를 요소로 한다. 그 동기가 이념적, 종교적 그리고 민족적 이유를 내포한 정치적 동기인 것이다.

여기서 테러의 개념을 정리해 보면 몇 가지 공통점을 찾을 수 있는데 첫째, 테러의 목적(target)에서 정치적 · 이념적 · 종교적인 성격이 있다는 점에서 금전적이나 개인적인 원한 · 보복을 목적으로 하는 일반 형사범죄와 구별된다. 둘째, 피해대상(victims)이 무장을 하지 않고 있는 일반시민이거나 공공시설물(소위 soft targets)을 겨냥하고 있다는 점에서 게릴라전이나 국지전(局地戰)과 구별된다. 셋째, 테러의 공격은 장기간 치밀한 계획(intention)에 의해 자행된다는 점에서 우발적 범죄(일명 묻지마 범죄)와 구별된다. 넷째, 대중에게 공포를 조성하여 소기의 목적을 달성하고자 한다는 점에서 일반적으로 비폭력 · 평화적 방법으로 목적을 달성하고자 하는 정치범 또는 확신범과 구별된다고 하겠다. 따라서 이러한 점을 감안하면 테러는 정치적 · 이념적 · 종교적 등의 목적을 위하여, 무장을 하지 않은 일반 대중이나 시설물을 상대로, 공포를 조성하여 소기의 요구사항을 달성하기 위한 조직적이고 계획적인 폭력이라고 정의할 수 있을 것이다. 다만 이러한 여러 개념적 요소가 혼재되고 복합적인 양상을 보이는 오늘날의 세계적 테러 추세를 감안할 때 테러의 개념이 분명하게 확정되지 못하고 있는 점은 모두가 인정해야 할 것이다.

제2절 테러의 유사 개념

Ⅰ. 일반 형사범

테러범과 가장 유사하고 구별이 어려운 범죄 중 각국의 형사법에서 규정하고 있는 죄인 일반 형사범이 있다. 이는 나타나는 행태는 테러범과 유사하지만 목적이 개인적인 원한이나 욕구 또는 금전에 있다는 점에서 구별된다. 일반적으로 형사범도 범행을 위한 사전준비가 되어 있지만 테러범에 비해 상대적으로 미흡하고 우발적이고 충동적인 범죄가 다수를 차지하기 때문에 이러한 형사범을 테러범과 비교하기는 무리가 있다. 다만 최근에는 우리나라를 비롯한 세계 각국도 피해자를 특정하지 않고 불특정 다수를 상대로 자행하는 소위 "묻지마 범죄"가 기승을 부리고 있어 이에 대한 대책에 골머리를 앓고 있는데 이러한 묻지마 범죄는 그 목적이 사회 불만에 있는 경우가 많아 이를 테러에 포함시켜야 한다는 주장이 있다. 이러한 묻지마 범죄의 개념은 학문적으로 정착된 용어가 아니다. 실제로 미국에서 1980년대부터 소위 무동기 범죄(無動機 犯罪, motiveless crime)라는 말이 나타나고 있었고 주로 보수적인 정치인이나 언론 등을 통해 언급되고 있었다.

국내에서도 이러한 묻지마 범죄를 증오범죄(hate crime)로 설명하면서 범인과 피해자와의 인과관계가 없고 범행의 동기가 피해자의 행위와 불일치한다는 데 이의가 없다. 우리나라에서 '묻지마 범죄'라는 용어가 처음으로 등장한 것은 2003년 발생한 대구지하철 방화사건으로 이를 계기로 언론에서 처음으로 사용되었다. 이러한 용어는 법률적인 용어도 아니고 학문적으로 정립된 것이 아니라 언론을 통해 알려진 것이다. 즉 명확한 동기가 없이 때와 장소, 상대를 가리지 않고 무작위로 불특정 다수인을 상대로 살인이나 폭력을 행사하는 범죄를 뜻한다. 범행 동기가 불명확하고 불특정 다수를 대상으로 하면서 범죄행위가 잔혹하다는 점을 특징으로 한다. 이러한 묻지마 범죄라는 용어 대신에 무동기 범죄, 이상동기 범죄(異常動機 犯罪, nonspecific criminal), 증오범죄, 무차별 범죄(random violence), 불특정 다수에 대한 범죄 등으로 용어를 개념화하려는 시도도 있다.[18] 다만 묻지마 범죄의 공통점으로 동기가 불분명하다는 것과 불특정 다수를 대상으로 한다는 두 가지 점에서 지금까지 없었던 범죄의 유형임에 틀림없다. 특히 불특정 다수를 대상으로 하고 있다는 점에서 테러범죄와 유사성을 가진다. 일반 형사범인 살인, 강도, 강간과 같은 강력범죄에서는 범행의 원인을 특정할 만한 분명한 목적과 동기가 명확한 데 반해 아무런 인과관계가 없는 불특정 다수를 대상으로 하여 일반시민들에게 범죄 피해의 두려움과 불안을 초래하고 하고 있다는 점에서 공포를 유발하는 테러와 아주 유사하다. 우리나라의 대검찰청에 따르면 매년 한 해 동안 발생하는 묻지마 범죄는 연 평균 50여건에 달한다고 발표한 바 있다.[19)]

Ⅱ. 게릴라전

게릴라전(guerrilla warfare)은 전쟁의 역사와 함께 가장 오래된 싸움의 한 형태이다. guerrilla라는 용어는 스페인어의 guerra(war)와 illa(little)의 합성어로서 어원으로는 ‘조그마한 전쟁’ 혹은 ‘소규모 전쟁’(a little war)을 뜻한다. 이러한 게릴라전의 시작은 나폴레옹(Napoleon)의 스페인 침공에 대해 스페인 사람들이 저항을 한 것으로부터 시작되었다고 하는 설도 있으나, 1809년 영국의 웰링턴(Arthur W. Wellington)을 지원하여 이베리아 반도에서 프랑스군을 몰아내는 데 큰 공을 세운 스페인과 포르투갈의 비정규군을 게리예로스(guerrilleros)라고 부른 데 기인한다는 것이 정설이라고 한다.[20)] 당시 프랑스군은 병력이나 화력면에서 월등히 우세하였으나 스페인과 포르투갈의 비정규군인 게리예로스의 기습공격에 속수무책으로 당하다가 결국 1495년 패배하고 물러나고 말았다.

이러한 구체적인 사례는 세계 전쟁사에서도 많이 볼 수 있는데 가장 대표적인 것이 중국의 모택동을 중심으로 하는 공산당과 장개석을 중심으로 하는 국민당 간의 투쟁, 유고슬라비아 티토(Josip Broz Tito)의 빨치산들과 나치 간의 해방전쟁, 그리고 알제리의 혁명군과 프랑스 군대 간의 투쟁 등을 들 수 있다.[21)] 중국

18) 정연대 · 이윤호,“묻지마 범죄담론의 사회 구성과 영향: 묻지마 범죄에 대한 비판적 검토와 대안적 접근”, 『한국경찰연구』 제12권 제1호(2013), pp. 213-246.
19) 묻지만 범죄관련 자세한 내용은 제6장 제4절 참조.
20) 최진태, 『대테러학원론』, (서울: 대영문화사, 2011), pp. 23-27.
21) Osanka 외, 세계 편집부 편역, 『현대 게릴라전 연구』(서울: 세계, 1985), p. 20.

의 경우 이러한 게릴라전을 유격전(遊擊戰)이라고 불렀고 계급전쟁과 혁명전쟁을 아우르는 민족해방전쟁으로 격상시켰다. 해방전쟁의 목적이 외세의 지배로부터 해방에 있다면, 공산정권의 수립을 위해 현존 정권의 타도를 진짜 목적으로 하여 혁명전쟁이라고 불렀다. 러시아의 경우 러시아의 공산화 혁명을 위한 내전에서 적군인 러시아 정부군에 대해 벌인 게릴라전을 빨치산전이라고 불렀는데 이를 레닌(Vladimir Lenin)은 "빨치산 투쟁은 대중운동이 무장봉기 단계까지 성숙하였을 때, 그리고 내전에 있어서 큰 전투들 간의 간격이 단축될 때에 생겨나는 불가피한 활동 형태"라고 정의하였다. 일반 대중들이 비록 무기가 없다 할지라도 대중을 선동하여 무기를 탈취하고 구속된 동료를 구출하며 정규군에게 돌을 던지는 등의 저항을 하여 혁명과정에서 부차적이며 보조적인 수단으로서 적극 활용할 것을 주문하였다.[22] 이러한 레닌의 주장은 일종의 테러와 같은 폭력으로 아군을 직·간접적으로 돕는 것이라고 정의하였다. 이처럼 모택동의 유격전이나 레닌의 빨치산전은 공산화 혁명투쟁을 위한 게릴라전이라는 데 이의가 없다. 이처럼 게릴라전이라는 명칭은 일종의 총괄적이고 일반적인 의미이고 전개된 나라와 지역에 따라 빨치산전은 러시아에서, 유격전은 중국에서처럼 불리게 되는 지역적 특색이 있다고 하겠다.

세계의 전쟁사를 살펴보면 어느 나라든지 인접국의 침략을 받았을 때나 소수 집단이 다수 집단에 의해 궁지에 처해 있을 때에는 이러한 게릴라전이 일반화되었다는 것을 알 수 있다. 이는 게릴라전의 장점인 소수의 병력, 군수물자 지원의 용이성 및 전장(戰場)에서의 신속한 기동성 등이 효과를 발휘할 수 있었기 때문이다. 또한 게릴라전은 일종의 비정규전(非正規戰)이라 할 수 있는데 비정규전은 글자 그대로 정규전에 대한 반대의 개념으로 정규군(正規軍)이 아닌 자에 의해서 수행되는 전쟁이나 전투를 뜻한다. 이때 정규군이라 함은 한 국가의 통치체계 속에서 해당 국가원수의 통수를 받고, 그 나라의 국방부에 의해 조직되고 훈련된 군대를 말한다. 정규군 조직에 속한 사관, 부사관, 사병은 해당 국가에서 정식 군인으로서 신분을 보장받으며 제복을 착용하고 국방의 임무를 수행하는 상비군(常備軍)을 말한다. 이에 비해 비정규군은 정규군이 아닌 자로서 전시에 임시로 군인의

22) Vladimir Lenin, *Revolutionary Guerrilla Warfare*(Chicago: Precedent Publishing Inc., 1975), pp. 187-188.

임무를 수행하는 비상비군을 말하는데 이들을 앞에서 본 바와 같이 게릴라, 빨치산, 유격대원, 민병대 등으로 칭한다. 그렇다고 정규군이 비정규전의 임무를 수행할 수 없는 것은 아니다. 정규군이 비정규전을 수행하기 위해서 각국은 모두 특수전 부대를 보유・육성하고 있다. 이들은 정규전 외에도 전문적으로 비정규군의 전투를 수행하기 위해 특수훈련을 받고, 이들이 수행하는 특수전과 비정규군의 전투행위는 양상은 비슷하다 할지라도 정규군이 수행한다는 점에서 전투행위의 주체, 수법에 따라 정규전과 비정규전이 구분될 수 있음에 유의해야 할 것이다.

우리나라도 역사적으로 볼 때 고구려시대의 수나라, 당나라와의 전쟁시 대다수 전투가 이러한 게릴라전의 성격으로 전개되었고, 조선시대 일본과의 임진왜란과 구한말(舊韓末)의 의병활동, 그리고 일제 강점기의 독립군에 의한 일본군에 대한 전투도 이러한 게릴라전의 형태로 펼쳐졌다. 이는 모두 게릴라전의 범주에 포함할 수 있을 것이다. 특히 고구려가 싸웠던 방식은 우리나라가 전통적으로 구사해온 방어위주의 수세후공세(守勢後攻勢)의 전법으로 이일대로(以逸待勞)와 청야입보(淸野立保)이다. '이일대로'는 적을 아군 작전에 유리한 지역까지 유인하여 적의 피로도를 높이고 병참선이 길어져서 전투력을 감소시키고, 아군은 미리 편성된 방어진지에서 충분한 휴식과 훈련을 하면서 공격하는 전술이다. '청야입보'는 전략적 요충지에 견고한 성을 구축하고, 기지화한 후에 주위에 경작지를 두어 유사시 식량을 거두어 성에 들어가 장기간 방어전에 대비하는 현대의 군사용어로 표현하면 '거점중심의 종심방어'라고 표현할 수 있다. 이러한 청야입보(淸野入保), 이일대로(以逸待勞)의 전법은 적이 침입하면 모든 식량을 없애거나 성으로 반입한 후 성을 통하여 장기적인 저항에 돌입함으로써 적의 군량 확보를 어렵게 하고, 적을 우군지역 깊숙이 끌어들여 피로하게 한 이후에, 적이 지쳤거나 퇴각을 할 때 공격하여 격멸한다는 개념이다. 고구려시대에 정립되어 수・당과의 항쟁에서, 고려시대에는 거란 및 몽고와의 항쟁에서도 적용되었다.[23]

이에 반하여 테러리즘은 정치적 목적을 가진 단체가 체계적인 폭력사용과 사용위협을 통해서 공격대상에게 공포심과 심리적 충격을 가함으로써 목적달성을 추구하는 행위이다. 테러리즘은 행위를 통한 선전을 목표로 하기 때문에 테러범들은 공격행위가 보다 극적이고 잔인해야 효과적이라고 간주하고 있으며, 극적

23) 박휘락, 『전쟁, 전략, 군사 입문』(서울: 법문사, 2005), pp. 156-157.

효과를 위해 텔레비전을 포함한 다양한 대중매체를 교묘하게 이용하고 있다. 특히, 텔레비전은 테러리즘에 따른 공포를 동시에 수백, 수천만의 가정에 직접 전달하며, 시청자들에게 테러범의 요구사항이나 정치적 목표를 분명하게 전달해 주는 수단으로 선호되고 있다. 게릴라들과 달리 테러범들은 무장을 하지 않고 있는 일반 대중을 공격대상으로 하고, 공격양상도 동시에 무차별적으로 이루어지게 된다. 공격형태도 단기적이고 산발적인 특징을 가지고 있는데, 이는 테러범의 활동무대가 주로 인구밀집지인 도시란 환경과 연관되어 있기 때문이다.

이상과 같이 게릴라전과 테러리즘은 정치적 목적달성의 수단으로 이용된다는 유사성을 가지고는 있으나 본질에 있어서 커다란 차이를 보이고 있다. 테러리즘은 게릴라 단계와 비교할 때 규모 면에서 작은 집단에 의해 자행되며, 폭력행사의 대상에 있어서도 게릴라전이 무장을 하고 있는 군인이나 경찰을 대상(hard target)[24]으로 폭력을 자행하는 데 비해 테러리즘의 공격목표는 비전투원인 민간인을 주 대상(soft target)으로 하고 있다. 또 게릴라전은 주로 전시(戰時)에 정부에 의해 구성되었지만 정규군의 외형을 갖지 않은 전투원이 수행함에 반하여 테러리즘은 일반적으로 평시에 테러집단이 자행한다는 점에서 차이가 있다.

Ⅲ. 정치범죄

정치범죄(political offence) 역시 개념에 대한 일치된 정의는 없으나 일반적으로 한 국가의 정치 체제 변혁이나 국가의 대내외 정책의 변환 등을 목적으로 국가적 법익을 침해하는 범죄다. 순수한 정치범죄와 상대적 정치범죄로 구분되는데 전자는 단지 기존의 정치적 질서를 침해하는 행위로 반역이나 혁명과 쿠데타의 음모, 금지된 정치단체의 결성 등 행위 자체가 정치적인 의미를 갖는 범죄이며, 후자는 정치적 질서의 침해에 있어서 살인이나 방화 등 일반 형사범죄의 요소가 포함된 것을 말한다. 정치범죄와 테러범죄는 모두 정치적 목적을 위해 활동한다는 점에서 비슷하지만 목적을 달성하기 위한 수단과 방법에서 다르다. 즉, 테러

24) hard target과 soft target의 용어는 상대적인 것으로 soft target은 테러의 공격대상으로 보호받지 못하거나 무장을 하지 않은 일반 시민이나 병원이나 학교 같은 공공시설물을 뜻하고, 반대로 hard target은 무장을 하고 있는 군인이나 군시설물을 뜻한다(위키백과).

범죄는 이러한 정치적 목적을 달성하기 위한 수단으로 주로 공포를 조성하는 폭력에 의존하는 데 반해, 정치범죄는 일반적으로 비폭력·평화적 방법으로 목적을 달성하려는 경향을 보인다는 점에서 차이가 있다.[25)]

앞에서 본 바와 같이 일반 형사범죄에 비해 테러범죄의 가장 큰 개념적 특성은 개인의 원한이나 보복이 아닌 정치적 목적을 띠고 있는 것으로 볼 때 테러범죄와 정치범죄의 관계를 어떻게 볼 것인가가 문제이다. 즉, 정치적 목적을 위해 행동함으로써 죄가 되는 정치범죄는 그 동기와 목적, 해당국가의 정치적 상황, 행위의 행태 등을 기준으로 할 때 구분이 다소 모호하다 할 수 있다. 특히 상대적 정치범죄의 경우 살인이나 방화 등 일반 형사범죄의 요소가 포함되어 있어 더욱 구별이 어렵다 하겠다. 따라서 일부 학자는 테러범죄를 상대적 정치범의 일종으로 인정해야 한다는 견해도 있다.[26)] 그러나 정치범죄가 기존의 정치적 제도나 체제의 변혁을 요구하는 것이 본래의 목적임에 반해 테러범죄는 정치적 주장을 위해 대중을 상대로 심리적 공포를 조성하여 목적을 달성하려고 한다는 점에서 구별되는 개념으로 보아야 할 것이다. 특히 테러범죄에서 사용되는 폭력은 시민의 생명과 신체에 대한 중대한 위협을 가하는 아주 체계적으로 계획된 행위임에 반해 상대적으로 정치범죄에 수반되는 폭력은 정치적 목적 달성을 위한 우연한 또는 사소한 것이라는 점에서 테러범죄와 구별된다.

일반적으로 식민지배 상태에 있는 국가의 국민이나 지도자가 정치범죄의 한 형태로 이루어지는 저항권의 경우는 어떻게 볼 것인가가 문제다. 통상 '저항권'이란 용어는 중세시대 왕정이나 일당독재 등 억압상태에 놓인 피치자들이 단합하여 그러한 체제를 변화시키려는 시민들의 권리를 의미하는 것이다. 여기서는 국제정치의 측면에서 식민지배에 항거하는 '자유의 투사'들의 저항권을 의미하는 것으로 유엔 헌장의 민족자결의 원칙에서 보듯이 타국에 의한 식민지배의 억압을 받는 경우에 저항권이 인정되어야 함은 당연하다. 이러한 정당한 권리의 행사를 보호받는 '자유의 투사'들이 식민 제국주의 억압자들에게 항거하기 위하여 실시하는 폭력행사를 어떻게 볼 것인가? '자유의 투사'들이 행하는 폭력행위는 민족의 생존권을 위한 억압에 대항하는 행위이기 때문에 어떠한 행위이든지 정당한 것인가?

25) 최진태, 앞의 책, p. 26.
26) 안경환, "테러리즘과 그 법적 대응책", 『치안논총』 제11집, 치안연구소, (1995), p. 449.

이러한 식민제국주의 억압이란 과거 제2차 세계대전 당시의 스페인, 영국, 독일, 프랑스, 미국, 소련 그리고 일본 등은 세계 곳곳에 많은 식민지를 두었고, 오늘날에도 이스라엘의 가자지구와 요단강 서안지구 등의 팔레스타인에 대한 억압, 쿠르드족의 독립을 거부하고 있는 터키 · 이라크 · 이란 · 시리아 등의 경우, 인도와 파키스탄의 캐시미르(Kashmir) 지역의 경우, 러시아의 소수민족들에 대한 억압, 중국의 티베트와 신장 위구르 지역 등의 경우를 식민제국주의 억압의 예로 들 수 있다.

우리의 경우 일제 식민지 당시 안중근 의사의 의거가 정당한 항거에 해당하는가? 이때 적용되는 논리가 소위 '정당한 전쟁'에 관한 것이다.[27] 이는 전쟁을 정의(正義)라는 도덕적 관점에서 과연 어떤 전쟁이 정당하고 부당한지를 논하는 것으로 다음과 같은 8가지를 기준으로 삼는다. 전쟁이 허용되는 경우는 ① 정당한 명분(a just cause)이 있어야 하고, ② 합법적인 권위(a legitimate authority)가 있어야 하며, ③ 공식적인 선언(a formally declared)이 있어야 하며, ④ 평화를 가져오기 위한 의도(a peaceful intention)가 있어야 하며, ⑤ 최후의 수단(a last resort)이어야 하며, ⑥ 성공 가능성(hope of success)이 있어야 하며, ⑦ 상대방 공격에 대한 비례성(proportionality)이 있어야 한다는 것이다.[28] 이러한 조건들이 갖추어져야만 비로소 그 전쟁은 정의로운 전쟁이 될 수 있는 것이다. 이러한 기준에 입각하여 안중근 의사의 의거가 과연 정당하였는가를 살펴보면, 첫째 정당한 명분은 일본 제국주의자들이 강제로 조선의 국권을 강탈하여 식민통치를 실시하고 있는 상황으로 국권의 회복을 위한 안중근 의사의 무력투쟁활동은 충분히 명분을 갖추었다는 평가다. 둘째, 합법적인 권위는 국제적인 합법성을 가진 주체에 의한 선전포고나 분란에 개입하기 위한 것을 의미한다. 안중근 의사는 조선인으로서 당시 대한제국의 통치자인 고종의 친서를 받아 조직한 대한독립군의 대원으로 지휘를 받아 실시한 행동으로 합법적인 권위가 인정된다. 셋째, 공식적인 선언은 사전에 충분히 공지해야 한다는 의미다. 안중근 의사의 경우는 저격을 사전에 알리지 못한 것은 그리할 경우 소기의 목적을 달성할 수 없다는 불가피한 사정으로 보아야 할 것이다. 넷째, '올바른 의도'라는 것은 테러단체나 제3자의 외부의 개입이 없이 피해 당사자가 직접 폭력을 행사해야 한다는 것이다. 안중근

27) 정당한 전쟁에 관한 상세한 내용은 제12장 제2절 참조.
28) Walter Wink, "Beyond Just War and Pacifism", 『War and Discontents』(Washington, D.C: Georgetown Univ. Press, April 1996), pp. 111-112.

의사는 조선인으로서 피해의 당사자고 민족의 일원으로서 '자유의 투사'로 활동하면서 충족되었다고 평가된다. 다섯째, 최후의 수단 여부는 국권을 빼앗기고 국어교육 운동, 국채보상운동, 의병활동까지 실시하였으나 일제의 끈질긴 방해로 더 이상 지속할 방법이 없어서 최후로 이등박문의 저격을 선택하였으므로 충분히 타당성이 있다고 할 것이다. 여섯째 '성공 가능성'은 안중근 의사의 거사 이후 윤봉길 의사를 비롯하여 수많은 애국지사들이 의거를 뒤따랐고, 이에 감동한 장개석 총통도 이후 임시정부를 적극적으로 지원하였고, 이어진 카이로 회담에서 한국의 독립이 명시적으로 채택되는 등 이러한 활동이 계기가 되어 한국의 광복이 오는 계기가 되었다. 일곱째 비례성의 원칙은 안중근 의사의 경우 하얼빈에서 이등박문을 사망에 이르게 하고, 기타 3인에게 부상을 입혔는데 이들 4명 모두 정당한 공격의 대상으로 나머지 피해는 단 한명도 발생하지 않은 것이다. 일곱째 '비례성'은 폭력의 행사가 민족에 대한 억압 행위에 비례하는 것인가의 문제로 이등박문의 경우 우리의 국권을 강탈하고 민족을 억압하는 행위에 비하여 그러한 식민통치 계획을 수립하고 강요하여 시행한 식민지배의 총책임자로 그에 대한 폭력행위의 결과로 피해자를 사망에 이르게 하였다고 할지라도 비례의 원칙에 어긋나지 않는다. 결국 안중근 의사의 하얼빈 의거는 '정의의 전쟁'의 6개 요소에는 모두 합치되나 세 번째 조건인 사전 고지의 경우는 소기의 목적을 달성하기 위한 부득이한 경우로 이해하는 것이 일반적이다.[29)]

이처럼 정치범죄의 경우 상대적 정치범죄나 저항권의 경우 테러와 구분하기에 사실상 어려움이 있어 이 문제에 대한 국제사회의 통일적 의견이 수렴되지 못하는 원인이 되는 점을 이해해야 할 것이다.

Ⅳ. 해적행위

해적행위의 개념에 대한 국제협약상 최초의 정의는 1958년 제정된 공해협약 제15조에서였고, 그 정신을 계승하여 1982년 제정된 「해양법에 관한 국제연합협약」(UNCLOS: United Nations Convention on the Law of the Sea) 제101조에 명

29) 조홍용, "테러와 저항권의 구분 기준에 한 연구: 안중근 의사의 하얼빈 의거를 중심으로", 『한국군사학논집』, vol.71, no.2(2015) pp. 19-46.

시가 되어 있다. 이 규정에 의하면 해적행위라 함은 "민간선박 또는 민간항공기의 승무원이나 승객이, 공해상의 다른 선박이나 항공기 또는 그 선박이나 항공기내의 사람이나 재산에 대하여 또는 국가 관할권 밖의 장소에 있는 선박·항공기·사람이나 재산에 대하여, 사적인 목적으로 폭력·억류·약탈행위를 하거나 이에 자발적으로 참여하거나 또는 이들 행동을 교사하거나 고의적으로 방조하는 행위"를 말한다.[30] 구체적으로 우선 해적행위의 주체는 민간선박 또는 민간항공기이다. 범행의 장소는 공해(公海) 또는 국가관할권 밖의 장소에서 이루어져야 하므로 국가의 영해에서 행해지는 약탈행위는 국제법상의 해적행위가 아니다. 공격의 수단으로 다른 선박 또는 다른 항공기를 사용하여 공격하는 선박 또는 항공기와 공격받는 선박 또는 항공기가 따로 존재해야 한다. 또한 해적행위의 목적은 사적인 것이어야 하고, 세부적인 행위의 유형은 폭행, 억류, 약탈 및 이에 자발적으로 참여하거나 이를 교사 또는 고의적으로 방조하는 행위를 포함한다. 즉, 해적행위란 사적인 목적으로 공해상이나 국가의 관할권이 미치지 않는 곳에서 두 척의 선박이 관여한 사건으로 볼 수 있다. 다만 최근 발생하는 해적행위의 경우 공해상이나 국가의 관할권이 미치지 않는 지역이 아닌 정치적 불안이나 내란으로 한 국가의 통제력이 못 미치는 영해에서도 발생하고 있고, 다른 선박이나 항공기를 이용하지 않고 자기가 탑승하고 있는 선박 또는 항공기를 탈취하거나 거기에 실린 화물을 빼앗은 행위가 발생하고 있어 이를 해적행위로 봐야 하는지에 대한 논란이 있다.

해상테러와 구분을 해보면 첫째, 해적행위는 어떤 선박의 승객이나 선원에 의해 다른 선박 또는 그 선박의 승객이나 적재화물에 대해 자행되는 범죄행위를 전제로 하고 있으므로 공격하는 선박이나 공격받는 선박 두 개의 선박이 필요하다는 점에서 선박수의 제한이 없는 해상테러와 구별된다. 둘째, 목적에 있어서 해적

30) 제101조 (해적행위의 정의) 해적행위라 함은 다음 행위를 말한다.
(a) 민간선박 또는 민간항공기의 승무원이나 승객이 사적 목적으로 다음에 대하여 범하는 불법적 폭력행위, 억류 또는 약탈 행위
(i) 공해상의 다른 선박이나 항공기 또는 그 선박이나 항공기내의 사람이나 재산
(ii) 국가 관할권에 속하지 아니하는 곳에 있는 선박·항공기·사람이나 재산
(b) 어느 선박 또는 항공기가 해적선 또는 해적항공기가 되는 활동을 하고 있다는 사실을 알고서도 자발적으로 그러한 활동에 참여하는 모든 행위
(c) (a)와 (b)에 규정된 행위를 교사하거나 고의적으로 방조하는 모든 행위

행위는 사적 목적을 위하여 폭력행위가 자행되고, 테러는 정치적 목적이나 이념적·종교적 목적 등까지 확대되고 있다. 셋째, 해적행위는 공해상 혹은 국가관할권이 미치지 않는 장소에 위치한 선박이나 항공기에 대한 불법적 폭력행위란 점에서 내수, 영해, 접속수역, 배타적 경제수역, 대륙붕, 공해 등 해역 위치에서 제한을 받지 않는 해상테러와는 구별된다. 참고로 국제해사기구(IMO: International Maritime Organization)가 1988년 제정한 「해상항행의 안전에 대한 불법행위 억제를 위한 협약」(UN해양법협약, SUA: Convention for the Suppression of Unlawful Acts against the Safety of Maritime Navigation)에서 해상 테러행위에 대한 정의를 최초로 규정하였다. 동 협약 제3조에서 다음과 같이 범죄를 나열하고 있다. 우선 고의적·불법적으로 ① 무력 또는 무력의 위협 또는 기타 형태의 협약에 의해 선박을 억류하거나 선박에 대한 통제를 행사하는 행위, ② 선박상의 사람에 대하여 그 선박의 안전운항을 위험에 빠뜨릴 가능성이 있는 폭력행위를 실행하는 행위, ③ 선박을 파괴하거나 선박 또는 그 화물을 훼손하는 행위로서 그 선박의 안전운항을 위험에 빠뜨릴 가능성이 있는 행위, ④ 선박을 파괴할 가능성이 있는 장치나 물질을 어떻게 해서라도 선박에 설치하거나 설치되도록 하거나 또는 그 선박 또는 그 선박의 화물을 훼손하는 행위로서 그 선박의 안전운항을 위험에 빠뜨리거나 위험에 빠뜨릴 가능성이 있는 행위, ⑤ 항해시설을 파괴하거나 혹은 심각하게 손상시키거나 그 운용을 심각하게 방해하는 행위로서 선박의 안전운항을 위험에 빠뜨릴 가능성이 있는 행위, ⑥ 자신이 허위임을 아는 정보를 교신함으로써 선박의 안전운항을 위험에 빠뜨리려는 행위, ⑦ 위와 같은 범죄행위 또는 그 미수와 관련하여 사람에 상해를 입히거나 살인하는 행위 등을 규정하고 있다. 또한 이러한 범죄의 미수행위, 타인을 교사하거나 공범행위, 이를 강요하거나 위협하여 선박의 안전운항을 위험에 빠뜨릴 가능성이 있는 행위 등이다.[31)]

31) 원문은 다음과 같다. The Convention criminalises the following behaviour:

1. Seizing control of a ship by force or threat of force;
2. committing an act of violence against a person on ship if it is likely to endanger the safety of the ship;
3. destroying or damaging a ship or its cargo in such a way that endangers the safe navigation of the ship;
4. placing or causing to be placed on a ship a device or substance which is likely to destroy or cause damage to the ship or its cargo;
5. destroying or damaging a ship's navigation facilities or interfering with their operation

다만 최근 국제해사기구는 해상범죄를 해적행위와 선박에 대한 무장강도(武裝强盜, Piracy and Armed Robbery against Ships)로 나누어 해적행위는 위에서 본 UN해양법협약 제101조를 따르고, 무장강도에 대해서는 '한 국가의 관할권이 미치는 범위 내에서의 불법적 행위를 의미한다'고 하고 있다. 즉 공해상에서 일어나는 불법적인 범죄행위는 해적행위로, 한 국가의 항구나 영해 내에서 발생하는 불법적인 범죄행위는 해상 무장강도로 보고 있는 것이다. 따라서 국제해사국(IMB)은 해적행위를 '절도 혹은 그 밖의 범죄행위를 의도하고 자신의 행동을 실행하기 위하여 무력의 사용을 의도하거나 무력을 갖추고 다른 선박에 승선하는 행위'라고 정의하는데, 이는 공해상을 항해중인 선박에 대한 행위뿐만 아니라 항구와 정박지에서 정박하고 있는 선박에 대한 행위 및 정치적 동기를 가진 테러범의 행위도 포함하고 있다는 점에서 해상테러와의 구분이 모호해지는 경우가 있다. 또한 「아시아에서의 해적행위 및 선박에 대한 무장강도 행위퇴치에 관한 지역협력협정」(ReCAAP: Regional Cooperation Agreement on Combating Piracy and Armed Robbery against Ships in asia)에서도 제1조 제1항에서 해적에 관한 정의를 "민간선박 또는 민간항공기의 승무원이나 승객이 사적 목적으로 공해상의 다른 선박 또는 그 선박내의 사람이나 재산과 국가관할권에 속하지 아니하는 곳에 있는 선박, 사람이나 재산에 대하여 범하는 불법적 폭력행위, 억류 또는 약탈 행위, 어느 선박 또는 항공기가 해적선 또는 해적항공기가 되는 활동을 하고 있다는 사실을 알고서도 자발적으로 그러한 활동에 참여하는 모든 행위"와 "이의 교사와 고의적 방조행위"까지를 해적행위라 규정하고 있다.[32] 또 국제민간항공기구

---

if it is likely to endanger the safety of the ship;

6. communicating information which is known to be false, thereby endangering the safety of the navigation of a ship;
7. injuring or killing anyone while committing 1 - 6;
8. attempting any of 1 - 7;
9. being an accomplice to any of 1 - 8; and
10. compelling another through threats to commit any of 1 - 9.

32) 원문은 다음과 같다.

1. For the purposes of this Agreement, "piracy" means any of the following acts:

(a) any illegal act of violence or detention, or any act of depredation, committed for private ends by the crew or the passengers of a private ship or a private aircraft, and directed:

(i) on the high seas, against another ship, or against persons or property on board such ship;

(ICAO: International Civil Aviation Organization)에서도 해적행위를 "사적 목적을 위해 민간 선박 또는 항공기의 승무원 또는 승객에 의하여 공해상 또는 어떠한 국가의 관할권도 미치지 않는 장소에서, 다른 선박 또는 항공기에 대하여 행하여진 불법적인 폭력행위를 포함한다"고 정의하고 있다.

이처럼 해적행위의 개념에 대하여 여러 견해가 있으나 해상범죄행위 유형 중 하나로 사적인 목적을 위해 자행되는 점에서 해상테러와 근본적으로 차이가 있다고 할 것이다.

(ii) against a ship, persons or property in a place outside the jurisdiction of any State;

(b) any act of voluntary participation in the operation of a ship or of an aircraft with knowledge of facts making it a pirate ship or aircraft;

(c) any act of inciting or of intentionally facilitating an act described in subparagraph (a) or (b).

제2장

테러의 역사와 변천

여기서는 테러의 역사와 변천 과정을 다루었다. 테러의 역사로 성경에서 나오는 카인이 동생인 아벨을 돌로 쳐 죽이는 고전적의미의 테러에서 시작하여 18세기 프랑스 혁명에서의 근대적 의미의 테러와 지난 2001년 9 · 11테러로 시작된 뉴테러리즘에 이르기까지의 테러의 변천과정을 살펴보았다. 1960년대에 시작되는 현대적 의미의 테러는 미국과 소련을 중심으로 하는 냉전시대에는 이데올로기에 의한 좌익 테러리즘과 민족해방 테러리즘이 왕성하던 시기였다. 이후 1990년대 탈냉전 시기에는 국제사회가 종족 · 종교 · 문화 등의 차이에서 기인한 각종 분쟁의 발생과 더불어 국제적으로 연계된 초국가적 위협이 새로운 위협으로 부상되었다. 따라서 냉전시대에도 민족적 · 문명적 갈등이 지속적으로 있어왔으나 탈냉전시대에 본격적으로 표면화되면서 이해관계 대립이 격화되었다. 특히 이슬람 세력에 의한 9 · 11테러가 뉴테러리즘이 등장하는 결정적 계기가 되었다. 뉴테러리즘의 등장 배경과 특징을 자세하게 다루었다.

우리나라의 경우 테러리즘의 전개는 서두에서 살펴본 것처럼 지난 1981년 "제24회 서울올림픽" 개최지로 서울이 결정되면서부터 본격적인 국제테러의 준비가 시작되었다고 볼 수 있다. 그때까지의 테러는 주로 북한이 대남적화통일 전략의 일환으로 자행하는 무장공비의 침투가 그 주요 대상이었다. 이러한 의미의 우리나라에 대한 테러의 역사는 북한에 의한 대남테러의 연속이었다고 말할 수 있다. 이러한 북한의 대남테러는 지금도 계속되고 있는 우리나라의 위협이 되고 있다. 이후 1990년대부터 우리 기업의 해외진출이 활발해지고 우리 국민의 해외여행이 자유화되면서 해외에서 체류하는 우리 국민의 수가 증가하자 재외국민에 대한 국제테러가 수시로 발생하게 되었다. 또한 베트남 전쟁을 시작으로 걸프 전쟁, 대테러전쟁 등에 해외 파병이 증가하고 있고, 한국교회의 공격적 선교활동도 해마다 늘고 있어 이로 인한 테러 피해도 날로 증가하고 있다. 그 원인과 과정을 살펴보았다.

제1절 테러의 기원

인류의 역사에서 테러가 언제부터 시작되었는가의 문제는 보는 각도에 따라 다양한 이론이 존재한다. 혹자는 인류의 기원에서부터 찾기도 한다. 구약성서인 창세기 제4장은 인류의 시조로 아담이 나온다. 여기에 따르면 아담은 카인과 아벨이라는 두 아들을 두었는데 카인은 동생인 아벨을 시기한 나머지 돌로 쳐 죽였는데 이것이 인류 역사상 최초의 살인으로 기록되었다. 이때부터 카인을 최초의 살인자이자 테러범으로 보아 테러의 기원으로 보는 견해도 있다.[1)]

고전적 의미의 '조직적인 폭력의 사용'으로 정의되는 테러리즘은 기원전부터 있어왔는데 BC 44년 3월 14일에 있었던 로마 황제 줄리어스 시저(Gaius Julius Caesar)의 암살은 로마의 귀족계급들이 정치적 목적을 달성하기 위해 자행된 일종의 테러로 볼 수 있고, AD 66년부터 77년 사이에 팔레스타인 종교집단들이 시카리(Sicarri)라는 테러단체를 결성하여 로마의 통치에 협력하는 유태인들에 대한 공격을 자행하기도 하였는데 이를 테러로 보기도 한다.

11세기에서 13세기 사이에는 주요인물의 암살이 성행하였는데 당시 페르시아에 흩어져있던 이슬람 과격 종교단체들은 종교의 자유와 교세 확산을 위한 수단으로 암살자(Assassins)를 고용하여 기독교 고위 지도자들을 살해함으로써 공포분위기를 확산시켰다. 이들은 막강한 군대를 보유하고 있는 기독교의 십자군에 정규전 방식으로 대항하는 것은 불가능하다고 인식하고, 장기적이고 지속적인 테러리즘 전술을 이용하였다. 이러한 암살자인 테러범들은 철저한 비밀을 유지하면서 군사령관, 지사, 칼리프 등을 살해하는데 가담하였고, 이 과정에서 전사한 자들은 순교자로 추앙받기도 하였으며 이들의 투쟁은 영웅으로 미화되었다. 이처럼 처음에는 종교적인 선교를 위해 시작된 테러가 이후에는 세계 도처로 급속히 전파되었다. 16세기와 17세기에는 포악한 정치를 행하는 군주는 살해해도 좋다는 소위 폭군시해론(暴君弑害論)으로 이어졌으며, 18세기에는 프랑스 혁명의 공포정치로 발전하여 현대적 의미의 테러의 개념이 등장하는 계기가 되었다.

1) 이 부분은 최진태의 앞의 책(pp. 28-31) 내용을 재정리한 것임.

일반적으로 근대적 의미의 테러의 기원을 테러리즘이란 용어가 최초로 사용된 때로 본다. 이것은 1798년 프랑스에서 발간된 사전인 『Dictionnaire of the Academie Francaise』의 증보판에서 테러리즘을 "조직적인 폭력의 사용"으로 명명한 때로 본다. 이 사전에서 언급한 테러리즘은 1793년부터 1794년까지 계속된 프랑스 혁명을 의미하는 용어로서 사용되었고 당시에는 테러리즘이 공포 정치라는 동의어로 인식되었다. 이 시기의 테러리즘은 국가가 정치적 억압과 사회 통제를 위해 합법적인 권력을 가진 지배층에 의해 행하여지는 국가 테러리즘(State Terrorism)의 성격을 띠고 있었다. 이러한 테러리즘은 위로부터의 테러리즘(Terrorism from the above)으로 불리기도 하였으며 이후에는 정반대의 개념인 아래로부터의 테러리즘(Terrorism from the below)이 전 세계적으로 일반화되었다. 이후 1861년부터 1865년까지 진행된 미국의 남북전쟁이 끝난 후 미국에서는 정부에 도전하는 일부 극우파 남부인들이 KKK(Ku Klux Klan)라는 백인우월주의 단체를 결성하여 남부 각주의 재건론자들을 협박하기 시작했고, 이 단체는 지금도 과격 테러단체로서의 명맥을 유지하고 있다.

19세기 후반부터 20세기 초기에 서유럽과 러시아, 미국 등지를 활동무대로 하던 무정부주의(無政府主義, anarchism)자들은 테러리즘을 그들의 최우선 행동강령으로 채택하였다. 이들은 혁명을 위한 정치적 · 사회적 변화를 효과적으로 달성하는 데 가장 좋은 방법은 요인 암살이라고 믿었다. 이러한 신념 아래 세르비아의 청년 프린치프(Gavrilo Princip)는 오스트리아의 페르디난드(Ferdinand) 황태자를 살해하였고, 이 사건은 세계의 역사를 바꾸어 놓은 제1차 세계대전으로 이어졌다. 20세기에 들어 테러리즘의 목적과 실행방식이 크게 변모하여 극우에서 극좌에 이르는 수많은 정치운동에 공통으로 나타나는 하나의 특징이 되었다. 히틀러(Adolf Hitler) 치하의 나치 독일이나 스탈린(Joseph Stalin) 치하의 소련 등 전체주의 국가에서는 국가정책 달성의 주요 수단으로 채택되기도 하였다. 이들 국가는 국민들에게 공포분위기를 조성하여 국가의 정치 · 경제 · 사회 목표 및 국가 이데올로기에 대한 충성심을 고취시키기 위한 수단으로 체포, 구금, 고문, 사형 등을 무수히 자행하였다. 제2차 세계대전이 끝나고 수많은 신생국들이 탄생한 20세기 중반에는 식민제국에 대항하는 민족운동의 수단으로 테러리즘이 활용되기 시작했고, 일부 지식층과 급진주의자들은 자유와 해방을 추구하기 위한 수단으로서의 테러리즘 사용을 합리화하기도 하였다.

제2절 테러의 변천

오늘날 현대적 의미의 테러는 1960년대부터라고 할 수 있다. 이는 1964년 팔레스타인 해방기구(PLO: Palestine Liberation Organization)의 등장으로 국제사회는 1948년 5월 14일 이스라엘 건국으로 촉발된 팔레스타인 난민들의 문제로 극심한 진통을 시작한다. PLO는 난민이 된 자신들의 처지를 유엔 및 강대국에 수없이 호소하였으나 해결의 실마리와 국제적 동조가 없자 국제사회를 향한 본격적인 테러를 감행하였다. 1968년 7월에 하바시(Geoige Habash)가 이끄는 팔레스타인 해방인민전선(PFLP) 소속의 테러범이 이스라엘 항공기를 공중 납치한 이래 1968년과 1972년 사이에 절정을 이룬다. 1968년 한 해에만 35건, 1969년도에도 무려 85건이나 발생하여 주당(週當) 약 2건의 항공기 납치사건이 발생할 정도로 빈번하였다. PLO는 이를 통하여 국제적인 관심과 여론을 집중시킬 수 있었고 국제테러리즘의 효과를 널리 인식시키는 계기가 되었다. 이로써 PLO에 의한 항공기 테러라는 새로운 테러 수법이 등장하였고, 비무장의 무고한 민간인들이 주로 희생되는 참극이 연출되었다. 또한 이 시기에 발생한 최악의 테러사건은 1972년 검은 구월단 소속의 테러범에 의해 자행된 서독 뮌헨올림픽 선수촌 테러사건이다.[2] 특히 이 시기에는 테러의 희생자가 몇 사람에게만 한정되는 것이 아니라 무고한 제3자와 민간인들이었고 이들에 대한 납치 인질, 무차별 살상, 여객기 납치, 공중 폭파 등 아주 야만적이고 반인륜적인 잔혹한 행태의 테러가 전개되었다.

이처럼 테러리즘이 점차 국제화되어 가면서 미국·서독·이스라엘 등은 공동대처의 필요성을 절감하여 1976년을 고비로 대응책을 강화하면서 미국의 델타포스(Delta Force), 독일의 GSG-9, 영국의 SAS 등 대테러부대가 창설되었다.[3] 이 당시 러셀(Charles A. Russell)과 밀러(Bowman H. Miller) 교수는 팔레스타인, 일

---

2) 이 사건에 대한 자세한 내용은 제7장 제5절 참조.
3) 세계 각국 대테러부대 상세한 내용은 제9장 제2절 참조.

본, 독일, 우루과이 등의 지역에서 발생한 테러범 약 350명을 직접 면담 조사하여 그 특징을 1977년 밝혔다.[4] 첫째, 테러범의 연령은 주로 22세에서 25세까지가 가장 많고, 테러범을 뒤에서 조정하는 지도급은 40세에서 50세가 가장 많았지만 30대 또는 60대도 있어 골고루 분포되어 있었다. 둘째, 성별로 볼 때 일본적군(日本赤軍, JRA: Japanese Red Army)파의 지도자 '시게노부 후사코'(重信房子, 68세)와 리라 칼라드(Lelia khalid)를 제외하고는 지도급의 대부분은 남성으로 구성되어 있었고, 행동 대원 역시 여성도 상당수 있었으나 남성이 대부분을 차지하고 있었다. 여성들은 주로 정보 수집이나 은신처를 제공하는 역할을 담당하고 있었다. 셋째, 가정의 생활수준을 보면 테러범의 2/3가 중산층이나 상류층에 속하고 있고 이들의 과반수이상의 부모들이 전문직, 정부 관리, 외교관, 군 장교, 목사 등 그 사회에서 지식인에 속하는 부류에 있었다. 또한 테러범 대부분이 그 도시에서 오랫동안 거주하고 있는 가정에서 성장했다. 넷째, 테러범의 교육수준은 높은 것으로 나타났다. 대부분이 대학 교육을 받은 경험이 있고, 상당수가 대학원이나 전문교육을 받은 것으로 나타났다. 특히 테러범의 지도급 인물은 교육 수준이 더 높고 직업도 엔지니어, 의사, 변호사, 언론인, 경제학자 등 지식인으로 분석되었다.

1980년대에 들어 전 세계적인 경제성장의 추세가 이어지자 선진국에서 활발하게 활동하던 극좌조직이 서서히 퇴조하였다. 때마침 1989년 11월 베를린 장벽이 붕괴하면서 시작된 공산진영의 붕괴는 이러한 극좌조직의 쇠퇴를 더욱더 부추기게 되었다. 반면 리비아를 중심으로 하는 중동의 국가지원 테러가 두드러지게 나타났다. 대표적인 사건이 시아파 과격단체인 회교지하드(Al al Islam: Islamic Holy War Jihad)조직이 이란 정부의 지원을 받아 1983년 4월 18일 베이루트 주재 미국대사관을 폭탄트럭으로 공격하여 미국인을 포함한 63명을 살해하는 사건이 일어났고, 또 이들은 1983년 10월 23일 레바논에 주둔하고 있는 미해병대 사령부와 프랑스군 사령부를 자살폭탄 트럭으로 동시에 공격하여 299명의 사상자가 발생하였으며, 1984년 9월 19일 동 베이루트의 미대사관에도 자살폭탄 트럭을 돌진시켜 12명이 사망하고 60명이 부상당하는 등 악명을 높였다. 1980년대의 테러의 가장

---

4) harles A. Russell Ph.D. & Bowman H. Miller Captain, *Profile of a terrorist*, (Published online: 09 Jan 2008), pp. 17-34.

큰 특징은 공격대상이 주로 일반인이며 무차별적이고 대형화되었다는 점이다. 테러수법 면에서는 주로 차량폭탄 공격으로 폭탄차량을 몰고 돌진하는 자살 차량폭탄테러가 유행하면서 피해도 대형화되었다. 이유는 과학의 발달로 무기체계가 고성능화되어 파괴력이 강화되었고, 테러범들이 대중이 집결하는 공공장소에서 불특정다수를 공격대상으로 선정하였으며, 국가지원테러가 증가하였기 때문이었다. 이때 미국은 이라크, 이란, 리비아, 수단, 시리아 등 중동 5개국과 쿠바, 북한을 포함한 7개국을 테러지원국가로 지정하여 각종 제재를 가하였다.[5]

베를린 장벽붕괴

1945년 제2차 세계대전에서 패전국이 된 독일은 소련군이 진주한 동독과 서방 연합군이 진주한 서독으로 나뉘어 분할 통치되었다. 그러다가 냉전체제가 굳어지면서 1949년부터는 동서 양쪽에 독립된 정부가 들어서 분단이 공식화하였다. 1960년대부터는 미국과 소련을 중심으로 하는 국제적 냉전 기류에 편승한 서독의 이른바 할슈타인원칙에 따라 대결 국면이 조성되어 동독은 베를린에 서독의 왕래를 금지하기 위하여 시멘트 장벽을 둘러쌓았다. 이후 1969년 서독의 브란트(Willy Brandt) 총리가 동방정책(Ostpolitik)을 추진하여 할슈타인원칙을 포기하였고, 1972년대부터 1987년까지 약 15년간 동독과 서독은 34차례의 협상을 통해 과학 기술, 문화, 환경 등에 관한 협력체계를 구축하고, 민간인의 교류가 활발하게 이루어졌다. 그러나 동독 정부는 이러한 변화에 소극적으로 대처했고 이에 실망한 200여만 명의 동독 사람이 서독으로 탈출하면서 1989년 9월에 시작된 민주화 요구 시위는 한 달이 넘도록 계속되었다. 이 과정에서 동독 공산당 서기장 호네커(Erich Honecker)가 사임하였고, 마침내 1989년 11월 9일 베를린 장벽의 문이 열렸고 망치와 삽을 들고 나와 장벽을 허물어뜨리기 시작하였다. 이렇게 장벽이 무너지자 2만 명이 넘는 사람들은 서로 부둥켜안은 채 기쁨을 나누었고, 다음해 1990년 12월 2일 합법적인 선거를 통해 마침내 콜(Helmut Kohl) 총리가 이끄는 통일 정부가 탄생하면서 분단된 지 41년 만에 동독과 서독이 하나로 통일이 되었다.

1990년대에 이데올로기 대립의 냉전이 종식되면서 그때까지의 국제질서가 미국과 소련을 중심으로 하는 양극화에서 탈냉전의 다극화로 재편되었다. 즉 소련을 중심으로 하는 사회주의권의 붕괴로 그동안 성행하던 이데올로기에 의한 좌익

---

5) 테러지원국가 지정관련 상세한 내용은 제9장 제4절 참조.

테러리즘은 급격히 쇠퇴하였다. 국제사회는 종족·종교·문화 등의 차이에서 기인한 각종 분쟁의 발생과 더불어 국제범죄 네트워크와 연계된 초국가적 위협이 나타나게 되었다. 아울러 국가의 통제력이 약화된 구소련이나 동구권 등 사회주의 국가에서도 테러가 빈발하면서 좌익 테러리즘의 퇴조와는 대조적으로 민족주의와 분리주의에 의한 테러리즘이 증대되었다. 그 이유는 냉전시대에도 민족적 갈등이 지속적으로 있어왔으나 잠재되어 있던 것이 탈냉전시대가 되자 표면화되면서 각 민족 간의 이해관계 대립이 격화되었다. 특히 인도, 터키, 스리랑카 등지에서 민족주의와 분리주의에 의한 테러리즘이 기승을 부렸다. 또한 미국과 소련의 강대국으로부터 군사·경제적인 지원이 감소하고 기존 정부의 정권기반이 약화되자 남미, 동남아, 아프리카 등지에서는 각 정파 간에 정치적 주도권을 장악하기 위한 테러가 급증하고 있었다.[6] 중요한 것은 냉전체제가 와해되면서 테러의 주체와 대상·목적 등이 불분명하고, 그 수단이나 방법에 있어서도 조직적이거나 계획적이지 못한 불특정 다수인을 대상으로 자행되는 무차별적인 테러가 새롭게 등장했다는 점이다.

지구촌이 세계화되고 테러리즘도 국제적인 성격으로 변화되면서 공격대상이 국가보다는 오히려 기존의 체제 자체를 부정하거나 적대감을 표현하는 방법으로 탈국가적 테러가 발생하였다. 이 당시 전반적인 테러의 발생 건수는 줄어드는 추세였으나 테러 수법이 불특정 다수를 대상으로 하는 무차별적인 양상을 보여 피해 규모에 있어서는 더욱 대형화되고 대량 살상의 결과를 초래하였다. 대표적인 사례가 1995년 미국 오클라호마(Oklahoma) 폭탄테러와 일본 도쿄에서 발생한 옴진리교의 사린가스 공격이다. 이 두 사건으로 미국에서 168명이 사망하고 680명이 부상당하였고, 일본에서 13명이 사망하고 5,000명 이상이 부상을 당했다.[7] 이때부터 테러가 과거처럼 정치적으로 특정 인물이나 계층, 정부 요인이나 군사시설 등 특정한 목표를 대상으로 하지 않고 불특정 다수의 일반 시민들을 표적으로 삼는 방식으로 바뀌었다. 불특정 다수를 대상으로 하는 만큼 피해가 광범위하고 사용하는 수단도 고성능 폭탄이나 확산력이 뛰어난 독가스 등 훨씬 다양하고 위협적이었다.

---

6) 지역분쟁에 관한 상세한 내용은 제3장 제4절 참조.
7) 옴 진리교 사린가스에 관한 상세한 내용은 제9장 제3절 참조.

마침내 2001년 9월 11일 빈 라덴이 이끄는 알카에다(Al Qaeda)에 의해 자행된 미국의 9·11 테러사건은 지금까지의 테러 규모나 수법에서 상상을 초월하여 소위 뉴테러리즘(new terrorism) 시대가 도래하는 결과를 나았다.

제3절 뉴테러리즘의 등장과 특징

뉴테러리즘(New Terrorism)이란 개념은 1999년 미 국방부 등의 후원을 받는 미국의 민간연구기관인 RAND연구소에서 처음으로 사용한 용어로 지금까지 발생한 전통적 의미의 테러 수법이나 양상, 피해 규모면에서 많은 차이를 나타낸다고 하여 붙여진 이름이다. 이를 지금까지의 Old Terrorism과 구별하여 New Terrorism이라고 명명하였다고 한다.[8] 이러한 뉴테러리즘의 등장은 지난 2001년 9월 11일 발생한 소위 9·11테러사건으로 미국의 세계무역센터에 대한 민간항공기의 충돌이라는 전대미문(前代未聞)의 비행기 테러사건이 대표적 사례이다.[9]

지금까지의 테러는 통상 테러를 감행하기 전이나 범행 후에 자신의 주체를 밝히거나 암시함으로서 테러조직의 목적과 목표를 뚜렷이 하고, 테러조직은 매우 계층적이어서 조직의 지도자가 행동대의 구성에서 테러작전의 계획과 실행의 명령까지 모든 것을 계획하고 주도하여 테러를 감행하였다. 따라서 이러한 테러조직의 색출이나 테러범 체포 등 범행에 대한 응징의 대상을 특정하고 대처하는데 상대적으로 용이하였다. 이에 반해 뉴테러리즘은 테러조직과 지도자가 상징적으로 존재하고는 있으나 실질적인 행동대의 조직이나 운영은 분화되어있고, 지역간, 세부조직 간에는 사이버상의 네트워크로 연결되어 있어 대상을 특정하기가 매우 어렵고 이러한 테러조직에 대한 군사적 응징도 쉽지 않은 특징을 보인다. 테러조직상으로는 네트워크에 의한 비전형적, 여러 국적의 테러범들이 함께 행동하는 다국적적(多國籍的)이고, 테러수법도 지금까지의 대상자 암살, 비행기 납치, 건물 습격·폭파 등의 방법과는 다른 사이버, 전자무기, 생화학 등 주로 첨단과

8) Bruce Hoffman et al. *Countering the New Terrorism*, (Rand Corporation, 1999).
9) 미국의 9·11 테러 사건에 관한 세부내용은 제12장 제2절 참조.

학기술을 응용한 신형 전자무기 등을 사용한다는 것이다. 좀 더 구체적인 특징을 살펴보면 다음과 같다.[10]

첫째, 전통적인 테러의 경우 테러집단이 독립국가 건설, 제국주의체제 타도 등 구체적인 목표와 이념을 가지고 있었고, 테러를 자행한 뒤 통상 성명을 통해 자신들의 조직이나 얼굴을 알리면서 요구조건을 떳떳이 밝혔다. 그러나 뉴테러리즘에서는 극단주의자들이 서방에 대한 반감 및 신 식민주의 반대 등 추상적인 이유를 내세워 공격을 감행한다. 범행 후 정체도 밝히지 않고 구체적 요구조건도 제시하지 않아 색출과 검거가 매우 어렵다. 테러를 자행하는 뚜렷한 목표나 요구조건이 불분명하고 테러를 감행하는 공격 주체가 불명확하여 추적이나 색출이 곤란하다는 것이다. 테러집단 자신과 비호세력의 존재감 과시를 위해 요구조건 제시도 없고 정체를 밝히지 않아 소위 '얼굴 없는 테러'(faceless Terrorism)로 구체적인 테러조직을 특정하기 어렵다는 것이다.

둘째, 테러조직이 그물망 조직으로 무력화가 곤란하다. 과거의 전통적인 테러조직은 카리스마적인 지도자가 지배하는 수직체제의 집단으로 최상층의 지도부를 제거하면 테러조직을 무력화할 수 있었다. 하지만 최근의 테러조직들은 네트워크 구조를 지닌 보다 복합적인 조직방식에 기인하고 있다. 이런 조직 방식은 지도부의 지배력이 덜 미치므로 조금 더 자율적인 활동이 가능하기 때문에 어떻게 움직이리란 예측이 힘들어진다. 그리고 이런 조직은 수뇌부나 지도부를 검거하기 위한 위장잠입이나 침투와 같은 기존의 대처방식이 크게 효과를 보지 못하기 때문에 소탕도 어렵다. 테러를 자행한 조직이나 단체가 여러 국가 및 지역에 걸쳐 사이버상의 네트워크로 연결된 집단으로 조직의 지도자나 거점이 다원화되어 테러조직의 와해가 어렵다. 뉴테러리즘은 여러 국가에서 다양한 세포조직이 사이버로 암암리에 연결되어 있어 하나의 중심을 제거해도 또 다른 중심이 그 역할을 대신함으로 조직을 제거하기가 어렵다. 실례로 오사마 빈 라덴(Osama bin Laden)의 알카에다 조직은 빈 라덴이 2016년 3월 11일 사살되었음에도 여전히 세계 각국에 세포조직을 가지고 있어 지금도 활동하고 있다.

셋째, 테러의 수단으로 첨단 생활도구를 이용한다. 과거의 테러도구로 사용된 폭발물이나 총기가 아니라 우리 주변에 항상 존재하여 일상생활에 사용되고 있는

10) 이인태, 『끝없는 테러공격』(서울: 책과 나무, 2016), pp. 29-39.

비행기나 주유소, 운반차량 등 첨단 생활도구를 사용한다는 것이다. 그래서 테러범으로 중산층과 사회 엘리트 등 인텔리들을 활용하여 수법이 지능적이다. 1990년대까지의 테러 행동대원들은 대부분 그가 속한 사회의 소외계층 출신으로 기초교육조차 받지 못한 경우가 많았으나 뉴테러리즘 시대에는 비교적 풍요로운 중산층 출신으로 대부분 고등교육 이상의 학력 소지자들과 타국에서 이민으로 정착한 가정의 2세들도 많다. 중산층 및 인텔리 출신 인원들의 참여로 테러도 지능화되고 있다. 이들은 첨단 생활도구를 이용하여 지능적 수법으로 테러를 실행한다. 뉴테러리즘 시대의 대표적인 사이버테러도 컴퓨터 통신기술을 이용하여 국가기간통신망에 침투하여 소프트웨어를 마비시키는 행태로 자행된다. 전기・철도・항공관제 등 국가의 기간시설에 침투하는 이 같은 사이버테러는 빈도와 가능성이 날로 증대하고 있고 그 위험성과 피해의 범위가 상상을 초월하고 있다. 따라서 사전예방이나 색출이 아주 어렵다. 특히 이러한 주변 생활도구를 활용한 테러수법은 테러도구를 현장에서 조달하여 즉각적으로 이용하는 소위 '비지속성 테러'(unsustained terrorism)이기 때문에 이에 대비하거나 대처하는 시간이 절대적으로 부족하다. 9・11테러에서 보듯이 민간 여객기를 납치, 빌딩에 충돌하기까지 40-50분 만에 상황이 종료되는 것이다. 따라서 사실상 효과적인 대처가 불가능하다.

넷째, 피해가 상상을 초월한다. 전통적인 형태의 테러리즘은 요인의 암살이나 납치, 상징적인 건물의 점거같이 제한된 대상이나 공간에 대한 테러로 피해가 상대적으로 적게 발생하였다. 그러나 뉴테러리즘의 경우 뚜렷한 목적을 가지고 수행되는 것이 아니라 적에게 피해를 입히는 것 자체가 목적으로 일반 대중이 이용하는 공공 시설물을 대상으로 하여 전쟁수준의 무차별 공격으로 그 피해가 상상을 초월한다. 테러 공격방법이 대량살상을 위한 것으로 엄청난 양의 폭탄을 몸에 두르거나 차량에 탑재한 후 자폭 순교하는 형식으로 자살폭탄을 감행하거나, 핵 및 생화학적 대량살상무기를 이용하려 한다는 것이다. 즉 뉴테러리즘에는 수많은 사람을 한꺼번에 극적으로 살상함으로써 보다 쉽게 그들의 목적을 달성할 수 있다는 전략적 판단이 내포되어 있는 것이다.

다섯째, 공포를 극대화하기 위해 현대의 정보화 도구를 최대한 활용한다. 9・11테러 사건에서 볼 수 있듯이 테러 현장의 생생한 화면이 실시간으로 전 세계에 전파됨에 따라 공포가 최고조로 확산될 뿐만 아니라 피해의 대형화로 대상국의 최고 통치자에게 최대의 정치적 부담과 곤경을 안겨준다. 이전의 테러사건의 경우 사건현장에 전문 협상팀이나 진압 특공대의 투입으로 대부분 해결이 가능하였으나 뉴테러리즘에서는 피해가 국가적 재난의 수준으로 대형화됨에 따라 최고 통치자의 결심여부가 중대한 변수로 작용하여 상대적으로 정치적 부담이 증가한다. 현대는 개방화 시대로 언론에 대한 상황 통제가 어려울 뿐만 아니라 지구촌 어느 한 곳에서 발생한 사건들도 전 세계로 신속하게 전파된다. 지구촌의 어느 한쪽에서 발생한 사건도 국제적 언론과 SNS 등의 통신매체를 통해 지구 반대편에 실시간으로 전파되기 때문에 공포가 전 세계로 확산된다. 이러한 사건의 신속한 전파는 사람들로 하여금 공포심을 갖게 한다. 그래서 뉴테러리즘 시대의 테러범들은 이를 적극적으로 이용하고 있다. 미국의 9·11테러 사건의 경우에도 사건의 실시간 보도를 통해 세계의 수많은 사람들이 테러에 대한 위협과 공포를 느끼게 되었다. 한편으로 이러한 전 세계적인 공포의 확산은 뉴테러리즘에 대한 UN 등 국제사회가 공동으로 대응하는 계기를 촉진시키는 긍정적인 효과도 주었다. 이러한 영향으로 세계 각국들은 동시에 테러에 대한 대응조직과 관련법 정비를 서두르는 부수적인 계기가 되기도 하였다.

뉴테러리즘의 원인으로는 크게 원리주의, 반문화 현상, 러디이즘(Luddism)이라는 세 가지를 들 수 있다. 첫째, 원리주의(Fundamentalism)는 근본주의라고도 하는데 이는 이슬람교도, 카톨릭교도, 신교도, 유대교인들 사이에 존재하는 종교적 신념을 말한다. 주로 문제가 되는 것은 이슬람 원리주의(Islamic fundamentalism)이다.[11] 신자들이 이러한 원리주의에 집착하는 이유는 종교가 그 사회에서 소외된 자들을 대변하고 있기 때문이다. 즉 마땅히 받아야 할 몫을 차지하지 못하고 있는 사람들의 목소리를 대변하는 역할을 하고 있기 때문에 종교 부흥과 현대의 세속적 생활 방식 사이에 기본적 갈등이 존재한다. 둘째, 반문화(反文化 counter-culture) 현상이란 소외된 사람들끼리 정서적으로 결속해 정서 결핍과 욕구불만을 소집단속에서 해결해 보려는 몸부림으로 나타나는 현상을 말한다. 따라서 이 현상은 사회가 기존제도의 틀로써 해결하지 못하는 문제에 대한 불만으로 나타나 가치의 상실, 기존 규범을 부정하는 대신 그들만의 철학과 이념 전파에 몰두하는 등 사회혼란을 야기한다. 실례로 1994년에 일어난 스위스 태양사원의 집단 자살

11) 자세한 내용은 제11장 제1절 참조.

로 천년왕국 숭배를 부르짖는 사이비 종교 교주가 신도들을 자멸로 이끈 일이나, 1996년 미국발 파리행 TWA 항공사 보잉 747의 공중 폭발로 인해 229명의 무고한 생명을 죽인 우익적 회교 과격 단체들의 일례로 들 수 있다. 또한 도쿄 지하철 사린가스 테러 사건을 들 수 있다. 셋째, 러다이즘(Luddism)은 기술 문명에 대한 인간의 거부를 의미하는 것이다. 영국의 산업 혁명 당시 기계 파괴의 지도자인 Ned Ludd의 이름에서 유래된 러디이즘/러다이트(Luddite)는 1818년 메리 셸리(Mary W. Shelley, 1797~1851)의 소설 『프랑켄슈타인』(Frankenstein)부터 1867년 칼 맑스(Karl Marx)의 『자본론』, 조지 오웰(George Orwell, 1903~1950)의 작품 『1984』 등이 있는데 이는 산업화나 기계화가 인간을 인간성을 상실한 기계의 노예로 만들고 그것은 다시 인간사회에 재앙을 안긴다는 논리다.

또한 자생테러(Homegrown Terrorism)도 뉴테러리즘의 원인으로 지적된다. 자생테러란 급진주의적 사고에 관련된 시민권자가 자신의 신념과 종교 등을 내세우며 자신의 나라를 공격하는 행위를 말한다. 또한 이슬람 및 급진주의적 사고에 관련된 유럽 및 미국 등의 시민권자가 자신들의 신념과 종교 등을 내세우며 자국을 공격하는 행위를 말하며 자살테러(Suicide Terror)의 형태를 띠기도 한다. 자생테러범은 대부분 그들이 속한 지역사회에서 오랫동안 거주하고 있었음에도 불구하고 이방인(異邦人, outsider)에 머물거나 지역주민들과 종교 및 인종 등이 달라 이웃과 적극적으로 어울리는 데 곤란을 겪는 등의 문제점을 가진다는 특징이 있다. 또한 유럽이나 미국에서 발생하고 있는 테러의 한 종류로 사회적으로 견고한 방어체제를 갖추지 못한 경우 자생테러의 가능성이 높아진다. 자생테러는 급진과격화(Radicalization)에 의하여 생성되고 지하드와 같은 이념에 의해 서방국가에서 태어난 젊은 남녀를 자발적 전사로 만든다. 공격 주체도 과거와 달리 국외에서 교육훈련을 받은 것이 아니라 자국 내에서 자생적으로 성장하고 급진화(急進化)의 과정을 겪으면서 습득하게 된다. 그리고 자생테러범의 활동 영역이 추상적이고 광범위하다는 점에서 국가적 차원뿐만 아니라 지역사회 수준에서도 예방책이 강구되어야 한다.[12]

---

12) 자생테러에 관한 세부적인 사항은 제11장 제2절 참조.

제4절 우리나라 테러리즘의 전개

우리나라의 테러리즘 전개는 서두에서 살펴본 것처럼 지난 1981년 "제24회 서울 올림픽" 개최지로 서울이 결정되면서부터다. 그때 처음으로 국제테러에 대한 개념과 대책이 미 CIA를 통해 우리나라에 소개되었다. '88 서울올림픽 대회를 준비하는 과정에서 국제테러에 대한 정보와 이에 대처하기 위한 갖가지 테러 대응기법에 대한 소개가 있었다. 처음으로 법적체계로 대통령 훈령 제47호로 제정된 「국가대테러활동지침」이 마련되었다. 이후 올림픽을 통해 우리나라의 국제적 위상이 높아지고 해외로 나가는 우리 국민의 수가 많아지고 해외로부터 많은 외국인이 국내로 유입되면서 본격적인 대테러업무가 자리를 잡게 되었다.

1981년까지는 요즈음 의미의 테러 대책은 주로 북한이 대남적화통일 전략의 일환으로 자행한 무장공비의 침투가 그 주요 대상이었다. 이러한 의미의 우리나라에 대한 테러의 역사는 북한에 의한 대남테러의 연속된 과정이다. 즉 1945년 해방이 되고 남북 분단으로 인한 정치적·군사적 대치상황이 계속되면서 북한이 남한 전역을 공산화하겠다는 대남적화전략(對南赤化戰略)을 취하면서 대남테러가 끊이지 않고 있었다. 북한에 의한 직접적인 대남테러는 지금까지도 진행되고 있다. 대표적인 사례로 KAL기 납북사건(1958), 1.21 청와대 기습사건(1968), 울진·삼척지구 무장공비 침투사건(1968), 휴전선 일대 땅굴 사건(1974년~현재), 판문점 도끼만행사건(1976), 최은희·신상옥 부부 납치사건(1978), 버마 아웅산 폭파사건(1983), 김포공항 폭파사건(1986), KAL 858기 공중폭파사건(1987), 안승운 목사 납치사건(1995), 강릉 잠수함 침투사건(1996), 동해 잠수정 침투 및 묵호 무장간첩 침투사건, 여수 반잠수정 침투사건(1998) 등 지금까지 4백 70여건에 걸쳐 3,738명에 이르는 주요인사와 민간인에 대한 납치와 살해, 주요 시설에 대한 파괴 등의 테러를 자행한 것으로 나타났다.[13] 북한은 이러한 직접적인 대남테러 외에도 직·간접적으로 국제테러를 지원하고 있는 것으로 나타났다. 때문에 현재 미국으로부터 테러지원국으로 다시 지정되어 있다.[14] 이러한 북한의 끊임없는 대

13) 최진태, 앞의 책, pp. 148-149.

남테러의 배경에는 1991년 소련의 붕괴와 1994년 김일성 사망, 1998년 동독 베를린장벽의 붕괴와 동유럽의 민주화 등으로 인하여 공산주의 체제 생존을 위한 전략으로 볼 수 있다. 특히 20만 여명에 달하는 비정규전 병력 외에 테러 전담요원으로 대남침투요원 4,500여명, 사이버테러 전문요원 6,800여명 등을 보유하고 있기 때문에 지금도 테러의 가능성은 줄어들지 않고 있다.[15]

1990년대 이후 해외테러가 빈번히 발생하게 된다. 우리 기업의 해외진출이 활발해지고 1989년부터 우리 국민의 해외여행이 자유화되면서 출국자 수가 날로 증가하여 재외국민에 대한 국제테러가 수시로 발생하게 되었다. 또한 베트남 전쟁을 시작으로 걸프전쟁, 대테러전쟁 등에 해외 파병이 증가하고 있고, UN의 평화유지활동(PKO)도 활발히 전개되고 있으며, 한국교회의 공격적 선교활동도 해마다 늘고 있어 이로 인한 테러 피해도 날로 증가하고 있는 실정이다. 한국을 대상으로 하는 해외테러의 대표적인 사례는 2003년 11월 이라크에서 미국 기업의 이라크 재건 사업에 하청업체로 전기공사를 맡았던 ㈜오무전기 근로자 2명이 테러공격으로 사살되었고, 2004년 5월 이라크에서 가나무역 직원인 김선일이 납치되어 살해되었으며, 2006년 3월 팔레스타인에서 KBS 두바이 특파원 용태영(42세) 기자가 팔레스타인 해방인민전선(PFLP)에 의해 프랑스 기자 등 모두 9명과 함께 피랍·억류되었다가 석방된 사건 등이 있었으며, 2007년 7월 아프가니스탄에서 선교활동 중이던 한국인 23명이 피랍되어 2명이 살해되고 나머지 21명은 43일 만에 석방되는 사건이 있었다. 또한 2000년 10월 타지크 한국교회 폭발사고로 70여명의 사상자가 발생했고, 2007년 7월 아프가니스탄의 샘물교회 봉사단원 23명 납치사건, 2009년 3월 예멘 시밤에서 한국 관광객 대상 자살폭탄 테러, 2014년 2월 이집트 시나이반도에서 충북 진천중앙교회 성지순례단 버스에 폭탄테러사건 등이 있었다. 또한 해외진출기업을 대상으로 하는 테러는 2001년 이후 2017년 말까지 총 76건에 달하고 피해의 대부분은 중동·아프리카(46건)나 아시아(29건)에서 발생하였다. 해외교포에 대한 테러는 1990년대 초 미국 LA 코리아타운에서 발생한 폭동으로 당시 한국교민이 폭동의 주된 피해자가 되었던 것이 그 사례가 될 수 있다. 또한 9·11테러 이후 미국과 우방 국가의 관계에 있는

---

14) 테러지원국에 관한 상세한 내용은 제9장 제4절 참조.
15) 북한의 대남테러에 관한 상세한 내용은 제4장 참조.

한국으로서는 국제적인 대테러전쟁의 참여로 국제테러의 표적이 되는 상황이었고, 우리나라에서 개최되는 '2002 한·일 월드컵' 등 각종 국제대회가 전 세계적 이목을 집중시키는 메가이벤트적 성격을 가짐으로써 테러의 표적이 될 가능성을 배제할 수 없었다. 또한 한국 사회가 가지고 있는 개방성으로 인해 동남아 등 외국노동자의 수용을 용이하게 하였고, 각종 이데올로기의 대립과 갈등은 이러한 국제적 테러의 대상국으로의 이목을 집중시키는 역할을 가져오게 하였으며, 마약과 같은 테러 조직의 자금루트에 동남아-한국-일본, 중국-한국-일본과 같이 한국이 중간 매개지점이 됨으로써 국제 테러조직이 개입할 가능성이 다분하다고 할 수 있다.[16]

국내 테러환경의 변화 과정으로는 다음과 같은 점을 생각해 볼 수 있겠다.

첫째, 소위 '내부의 적'(敵)으로 우리 사회의 정치체제를 인정하지 않고 부정하는 세력이 문제다. 한국에서는 과거 좌파이념에 젖은 과격 학생 운동권의 성장에 따른 이들의 활동에 주목해야 할 것이다. 1980년대부터는 시작된 이러한 과격 학생 운동세력이 1980년대 말 동유럽 사회주의권이 내부적으로 붕괴하고 1993년 문민정부가 출범하면서 좌익운동의 정당성이 크게 상실하면서 영향력도 약화되었으나 이후 좌파정권 10년과 최근의 새로운 좌파정권 등장으로 다시 재결집하는 양상이다. 1982년 3월 18일 발생했던 부산 미국문화원 방화사건, 같은 해 12월 광주 미국문화원 방화사건, 그리고 83년 9월 대구에서 일어난 미국문화원 폭파사건, 최근 2013년 소위 RO(Revolutionary Organization)사건 등이 있다. 또한 2015년 주한(駐韓) 미국 대사 마크 리퍼트((Mark Lippert, 2014-2017)가 3월 5일 세종문화회관에서 개최된 민족화해협력범국민협의회(약칭 민화협) 조찬 행사에서 피습당하는 사건도 발생하였다. 이러한 세력의 경우 계기가 되면 북한과 연계되거나 혹은 북한과 연계를 맺지 않고서도 일본이나 유럽에서처럼 지하 조직화하면서 테러 집단화할 가능성이 있고, 9·11테러 사태를 기점으로 더욱 가시화된 미국의 일방적 외교 정책에 대한 일부 국민의 반미 감정을 악용하여 세력을 재과시할 가능성이 있다.

둘째, 매년 증가하고 있는 외국인의 불법체류자 문제다. 2016년 말 현재 국내에 체류하고 있는 외국인은 총 2,049,441명으로 2015년 대비 8.5%(159,922명)가

16) 한국에 대한 해외테러 관련 세부내용은 제5장 참조.

증가하였고, 최근 5년간 연 평균 9.2%의 증가율을 보이면서 우리나라의 전체 인구 대비 체류외국인 비율도 2012년 2.84%에서 2016년 3.96%로 매년 증가하고 있다. 이에 따라 국내에 불법체류하는 사례도 증가하여 불법체류자수는 2012년 말 177,854명에서 2015년 말 214,168명으로 증가하였다가 2016년에는 전년 대비 5,197명이 감소하였다. 그러나 불법체류율은 2012년부터 2016년까지 여전히 평균 11.4%를 차지하고 있다. 이러한 원인으로 외국인이 일으킨 살인, 강도, 강간, 절도, 폭력, 마약 등 폭력범죄가 2006년부터 2016년까지 매년 평균 11%이상 꾸준히 증가하고 있는 실정이다. 외국인 폭력범죄 유발 요인은 외국인에 대한 차별과 상징적 폭력[17]으로 이러한 편견과 차별은 결국 한국과 한국인에 대한 테러를 감행하게 되는 위협요인이 되고 있는 것이다.

셋째, 이슬람 가정 증가이다. 2016년 말 현재 이슬람권에서 한국에 근로자로 들어와 체류하고 있는 외국인 중에 우즈베키스탄이 전체 외국인(2,049,441명)의 2.7%(54,490명)로 가장 많고, 인도네시아2.3%(47,606명), 방글라데시 0.8%(15,482명), 파키스탄 0.6%(12,639명), 카자흐스탄 0.6%(11,895명), 말레이시아 0.4%(7,698명) 순이다.[18] 이들 대부분은 외국인 불법체류자들과 마찬가지로 합법적인 체류자격을 획득하기 위해서 한국여성과 결혼하는 방법을 이용하고 있다. 2007년부터 2016년까지 최근 10년간 우리나라에서 외국인과 결혼하는 가정이 연평균 약 32만 가구(317,607건)로 그중 연평균 350쌍의 무슬림 남성과 한국여성 사이에 결혼이 이뤄지고 있으나 절반가량의 부부가 결혼생활의 문제로 심한 갈등을 겪고 있는 것으로 조사되었다. 외국인 노동자들이 귀화하거나 한국인과 혼인해 이들의 2세가 한국사회에서 자라면서 문화적 갈등이나 사회적 부적응을 겪을 우려가 있다. 일반 한국 학생들과 어울리지 못하고 사회적으로 고립될 가능성이 크고 결국 유럽이나 서구에서 일어나는 외로운 늑대형 테러나 무슬림들의 집단적 행동 등으로 종교적인 동기에 의한 갈등과 테러가 우리사회에서 발생할 가능성이 있다.

넷째, 이른바 묻지마 범죄의 발생이다. 즉 명확한 범행의 동기가 없이 때와

17) 상징적 폭력(symbolic violence)은 프랑스 사회학자 피에르 부르디외(Pierre Bourdieu, 1930~2002)가 창안한 개념으로 지배계급의 문화를 피지배계급에게 부과시키는 것으로 피지배계급으로 하여금 지배적 문화는 합리적인 반면 자신의 문화는 비합리적인 것으로 인식하지 않을 수 없게 만드는 과정을 지칭한다.

18) 법무부, 『2016년도 출입국 · 외국인정책 통계연보』, p. 46. 참조.

장소, 상대를 가리지 않고 무작위로 불특정 다수인을 상대로 살인이나 폭력을 행사하는 범죄로 범행 동기가 불명확하고, 불특정 다수를 대상으로 하면서, 범행의 수법이 잔혹한 것이 특징이다. 대검찰청 자료에 따르면 우리나라에서 최근 5년간 2012년부터 2016년까지 발생한 묻지마 범죄는 총 270건으로 매년 평균 54건에 이르는 것으로 파악되고 있다. 이는 한국 사회가 지난 반세기 동안 급속한 경제성장과 사회변화 과정에서 경제적, 정치적 소외집단이 발생하여 중남미의 경우와 마찬가지로 상대적 박탈감에 빠지면서 사회발전에 대한 불만을 폭력행사를 통해 해소하려는 소외자 집단이 생겼다. 이들은 비록 정치적 목적이 뚜렷하지 않아도 테러리즘으로 발전할 여지가 있고 경제발전에서 낙후되었다고 생각되는 지역의 주민이 정치력 또는 권력의 배분에 있어서도 소외되었다고 느끼는 경우, 지역성을 바탕으로 한 테러리즘이 발생할 수도 있다. 또한 무역개방과 같은 국제화 과정에서 피해를 입은 집단이 반미감정, 반일감정 등을 내세운 경제적 민족주의와 결합되면서 국내 외국인이나 다국적 기업 등에 대한 테러를 감행할 수 있다. 그리고 경우에 따라서는 노사갈등을 대화로 해결할 수 없다고 판단한 근로자집단, 외국인 노동자 때문에 직장을 잃었다고 생각하는 실업자 중에서 일부가 테러리스트가 될 수도 있다. 그 밖에 원자력 발전소나 쓰레기 처리장과 같은 시설 설치를 반대하는 주민 중 일부가 민원을 해결하려는 과정에서 과격한 테러적인 방법을 사용할 수도 있을 것이다.[19]

다섯째, 사이버테러(Cyber Terror) 문제다. 우리나라는 인터넷 환경이 세계 제일의 수준으로 지식정보화 사회로 진입하면서 생활의 편리함을 얻게 된 반면에 사이버테러의 위험성이 가장 높은 국가 중 하나가 되었다. 오늘날 이러한 사이버테러는 단순히 개인적인 호기심으로 활동하는 해커들에 의해 자행되는 것이든 네덜란드의 트라이던트(Trident)[20]와 러시아의 '지하해킹마피아' 등과 같은 범죄 조직화된 집단에 의한 것이든 정치적 목적을 달성하기 위해 조직된 단체나 불량국가에 의해 행해지는 것이든 가장 경계해야 할 테러수단인 것이다. 이들은 우리나라의 국가 기간산업이나 군사관련 통제 시스템 또는 핵발전소나 각 은행의 금융

19) 테러의 국내 취약성 세부 내용은 제6장 참조.

20) 트라이던트(Trident)는 네덜란드에서 활동하고 있는 전문 해커집단을 일컫는 말로 우리말로 삼지창(三枝槍)이란 뜻이다. 즉 뾰족한 창이 세 개로 나뉜 무기의 일종이다. 17세기 네덜란드의 어부들이 물고기를 잡기 위해 주로 사용한 것으로 알려져 있다.

통제 시스템, 항공기・철도 등의 운송수단의 통제 시스템 등에 침투하여 국가의 운영 전반에 혼란을 자초할 수 있는 것이다. 이러한 사이버테러는 앞으로 우리나라뿐만 아니라 전 세계가 공동으로 대처해야 할 국제적 관심사다.[21)]

이처럼 우리나라의 테러리즘의 전개는 북한의 대남테러에 대한 대응에서 시작하여 '88서울 올림픽 유치를 계기로 국제테러리즘에 대한 관심과 대처로 이어져 왔다. 이후 해외로 나가는 우리 국민의 수가 많아지면서 외국에서 테러의 피해를 당하는 사례가 발생하자 국외 테러가 관심이 되었고, 해외로부터 많은 외국인이 국내로 유입되면서 국내 테러가 주목을 받으면서 본격적인 테러리즘의 시대가 도래한 것으로 이해하면 될 것이다.

---

21) 사이버테러에 관한 세부 내용은 제10장 참조.

제3장

테러의 본질에 관한 이론

여기서는 테러의 본질에 관한 이론을 소개하였다. 테러의 개념에서 본 것처럼 테러는 근본적으로 양면성과 이중성을 가지고 있다. 때문에 이론적으로 테러의 본질을 명쾌하게 설명하기가 쉽지 않은 영역이다. 우선 테러리즘의 당위성을 설명하는 이론으로 폭력 이론을 들 수 있다. 즉 폭력의 사용을 정당화하고 논리를 제공하는 이론으로 프랑스의 프란츠 파농(Frantz Fanon)과 독일의 허버트 마르쿠제(Herbert Marcuse) 그리고 브라질의 카를로스 마리겔라(Carlos Marighella) 등의 이론을 소개하였다. 다음으로 테러의 발생 원인을 사회 · 심리적 측면에서 분석한 것으로 구르(Ted R. Gurr)의 상대적 박탈감 이론, 프랑스의 정신분석학자인 자크 라캉(Jacques Lacan)의 동일시 이론, Agnew가 주장한 일반 긴장 이론, 찰스 틸리(Charles Tilly)와 시드니 타로우(Sidney Tarrow)의 갈등 이론을 소개하였다. 또한 헤겔과 마르크스에 의해 발전되었고, 에리히 프롬(Erich Pinchas Fromm)에 의해 완성된 현대사회 소외론을 소개하였다.

마지막으로 현대의 국제테러리즘의 원인을 가장 잘 설명하고 있는 국제정치구조 이론을 소개하였다. 이 이론은 국제정치가 기본적으로 주권을 가진 개별 국가가 힘을 배경으로 국가이익을 추구하는 과정에서 이익의 충돌로 테러가 발생한다는 것이다. 즉 국제정치를 보는 현실주의자들의 시각이라 할 수 있다. 이 이론에 의하면 테러는 초기에는 신생 독립국들의 독립을 위한 투쟁과 민주주의 정치체제의 미숙에 따른 혼란의 와중에 일어났고, 1960년대에는 미국과 소련을 중심으로 한 냉전시기로 이념에 의한 테러가 빈발하였으며, 1980 · 90년대에는 공산권의 붕괴에 따른 탈냉전시기로 미국의 패권주의에 대한 반발로 국제테러가 빈발하고 있다는 것이다. 지금의 이슬람과 기독교의 간의 종교적 충돌과 테러가 단순한 종교적 믿음의 차이 때문이라기보다 오늘의 국제질서가 미국을 중심으로 하는 기독교의 세계관에 기인하는 데 대한 반발이라는 것이다. 아울러 대표적인 테러분쟁 지역으로 중동, 영국, 남미, 동남아, 아프리카를 구분하여 살펴보고, 러시아 · 중국 등 기타지역으로 분쟁의 내용을 살펴보았다.

테러는 양면성과 이중성을 가지고 있다. '인류의 적'이라는 시각과 정의를 위한 '자유의 투사'라는 시각이다. 때문에 고전주의나 실증주의 범죄학의 특정이론으로 설명하기 쉽지 않은 특성을 가지고 있다. 이러한 테러를 이론적으로 설명하기 위해 수많은 논의와 다양한 연구가 있어왔지만 여전히 명쾌하게 증명하기가 쉽지 않은 영역이다. 이는 테러자체의 양면성과 이중성이기도 하지만 테러조직의 양면성과 이중성이기도 하다. 오늘날 대부분의 사회현상이 이런 이중적 구조로 설명력을 가질 수 있지만 테러는 더욱 그렇다. 테러조직의 경우 2001년 영국의 아일랜드공화군(IRA: Irish Republican Army)이 무장해제를 선언하고 해체된 경우가 있기는 하지만 이는 분쟁의 발단인 아일랜드가 독립하여 문제가 해소된 극히 예외적인 사례에 해당한다. 현재 심각한 테러조직으로 여겨지고 있는 이슬람국가(IS: Islamic State)나 알 카에다와 같은 조직은 기본적으로 종파와 종교적인 문제가 양면성의 출발점이다. 즉, 이슬람 내의 시아파와 수니파의 문제, 이슬람과 기독교의 문제가 분쟁의 근원이다. 여기에 정치적인 양면성에 따라 인권과 정의의 문제도 바라보는 시각이 전혀 다르다. 테러를 민족해방이라는 독립투쟁의 일환으로 보는가 하면 잔인한 인류의 적으로 규정하기도 한다. 이러한 양면성을 극복할 수 있는 해결책은 근원적인 문제를 해결함으로써 분쟁의 뿌리를 제거하는 것이지만 본질적으로 어려운 측면이 있다. 이중성의 측면에서 테러조직은 가장 잔인한 방법을 선택함으로써 자신들을 대내외에 알리는 최고의 홍보수단으로 삼는다. 또한 내부적인 결속을 위해 테러라는 행위의 이중성을 활용한다. 심리학적인 이론을 빌리면 결국 인간의 선함과 악함의 이중성에 기인한다.

다음에서는 이러한 테러의 양면성과 이중성에 초점을 맞추어 거론되고 있는 이론을 소개한다.

제1절 폭력 이론

테러리즘의 당위성을 설명하는 이론으로 우선 폭력 이론을 들 수 있다. 즉 폭력의 사용을 정당화하고 논리를 제공하는 이론으로 프랑스의 프란츠 파농(Frantz

Fanon)과 독일의 허버트 마르쿠제(Herbert Marcuse) 그리고 브라질의 카를로스 마리겔라(Carlos Marighella) 등이 대표적이다.

Ⅰ. 파농의 폭력 이론

파농(Frantz Fanon, 1925-1961)은 카리브해의 서인도제도 마르티니크(Martinique) 섬에서 출생하여 2차 세계대전 당시 프랑스군으로 참전하였고, 이후 프랑스 리옹(Lyon)에 있는 리옹대학에서 정신의학을 전공했다. 1954년부터 1956년까지 알제리 해방운동에 참가하여 지도적인 이론가와 의사로서 활동했으며, 1960년 가나 주재 대표를 맡기도 했다. 저서로는 백인사회에서의 흑인의 모순을 분석한 평론집 『검은 피부, 흰 가면』(1954), 식민 지배 그 자체를 폭력으로 규정하고 이를 타파하기 위한 폭력사용을 옹호하고 고발한 반식민지주의 이론서이자 유럽 문명에 대한 근원적인 비판서로서 제3세계 민족운동 및 미국 흑인 해방운동에 큰 영향을 끼친 『지상의 저주받은 사람들』(The Wretched of the Earth, 1961), 『아프리카 혁명을 위하여』(1964) 등이 있다.

파농은 식민지 상태에 있었던 아프리카의 현실을 식민 지배자와 피식민 지배자 간에 폭력과 긴장이 존재하는 '식민지적 상황'으로 규정하였다. 식민지 세계란 자본주의의 규범이 긴 역사적 과정을 통해 형성된 유럽과는 달리 아프리카에서는 군인이나 경찰에 의한 폭력적인 체제에 유지되고 있어 원주민과 제3자만이 존재하는 세계로 보았다. 결국 식민지 세계는 식민 지배자가 피식민 지배자를 일종의 악(惡)으로 만들어버리는 세계이고, 식민 지배자의 세계는 군과 경찰이 통제하는 세계이며 원주민에게는 갈망의 대상이면서 동시에 증오의 대상인 세계라고 설명하고 있다. 이같이 극단의 폭력만이 존재하는 '식민지적 상황'에서 탈피하기 위해서 피지배자는 식민 지배자에 의해 억압된 원주민 사이에 열등감과 증오심을 유발하게 되고 이것은 결국 폭력적인 분위기를 자아냄으로써 시작된다고 보았다. 따라서 그는 '식민지를 면하는 것은 항상 폭력적인 상황이다. 탈식민지화는 진정 새로운 인간을 창조하는 작업이다. 식민화된 자신을 해방시켜가는 과정 속에서 진정한 인간이 되는 것이다'고 주장하면서 피식민 지배자는 폭력적 수단으로 폭력에 대항함으로써 자신들의 열등감과 절망으로부터 벗어나 진정한 인간으로서의 자존심을 회복할 수 있다고 하였다. 따라서 파농은 민족해방이란 탈식민지화의 당연한 결과다. 폭력의 수단으로써 만이 식민주의를 제거할 수 있는 유일한 방법이고 식민 지배를 받고 있는 모든 나라는 폭력을 사용하여 자신을 해방할 수 있다고 주장했다. 즉, 피식민 지배자의 폭력 사용은 자존의 성격을 지닌 것으로서 이 폭력은 항상 자기가 당한 폭력에 대한 대응에 불과한 것이고 본질적으로 폭력 위에 기초를 두고 있으며, 지배 관계와 소외를 낳은 식민지를 없애고자 하는 데 있다는 것이다.[1)]

파농은 결국 식민지 상태에 있는 나라가 독립을 위해서는 폭력이 필수적이고 본질적인 요소임을 지적하고 있다. 식민 지배자들의 특수한 이익을 상대로 보편적 이익 추구를 위해 사용되는 테러는 필연적이라는 것이다. 이러한 역사적 사실에서 볼 때 오늘날 서구 사회의 부(富)는 원천적으로 식민지 지배를 통해 약탈한 결과물이기 때문에 식민지에 당연히 환원되어야 하나 재분배에 관심이 없고 보상을 받기 위해서는 폭력이란 수단 이외의 다른 방법은 없다고 주장했다. 그러나 피식민 지배자의 폭력적 대항은 식민 지배자의 정규적인 군사 조직을 파괴할 수 있을 만큼 크지 못하기 때문에 이러한 무장 세력을 국제화시켜 국제적 차원에서 대응하면 식민 지배자들에게 더 큰 충격을 줄 수 있다는 것이다.

이 같은 저항 운동의 국제화는 오늘날 테러 조직 간의 국제적 네트워크 형성에 이론적 근거를 제공했다고 볼 수 있다. 또한 파농은 폭력이라는 수단을 통해 식민지 국민들의 각성시키고 피식민 지배자들의 열등의식을 불식시키며 절망과 허탈에 빠진 자신을 벗어나게 해줌으로써 피식민 지배자들로 하여금 자존을 회복시키는 도구로 간주하고 있다. 식민지적 상황에서 기인된 인간 소외로부터의 해방을 시킨다는 의미로 폭력을 정당화하여 유럽 국가들이 풍요가 제3세계로부터의 약탈에 기인하기 때문에 그 자체가 불명예스러운 것이고 서구 제국의 막대한 빚(debt)은 청산되어야 한다는 인과법칙을 주장했다. 폭력 사용이 목적 달성에 도움을 주든 아니든 간에 폭력 사용 그 자체가 무엇인가 긍정적인 것을 성취할 수 있다는 희망적 사고(wishful thinking)를 제공했다고 볼 수 있다. 이 이론은 자유

---

1) *The Wretched of the Earth by Frantz Fanon*, Richard Philcox (Translation), Published 2005 by Grove (first published 1961) 참조.

세계의 좌경 지식층과 지도자들에게 깊은 영향을 미쳤으며, 파농의 저서를 탐독한 일부 학생과 젊은이들이 제3세계 국가를 위해 폭력을 사용하는 것을 긍정적으로 바라보아 실제 국제 테러조직에 직접 가담하는 결과를 낳아 오늘날 테러를 옹호하는 이론적 배경으로 활용되고 있다.

Ⅱ. 마르쿠제의 폭력 이론

마르쿠제(Herbert Marcuse, 1898-1979)는 독일 베를린의 유대인의 가정에서 태어났다. 베를린 프라이부르크 대학에서 수학하고 나치가 대두하자 1933년 스위스로 망명하였다가 다음해에 미국으로 망명하여 1940년에 귀화하였다. 컬럼비아대학과 하버드대학의 연구원을 거쳐서 1965년 캘리포니아대학의 교수가 되었고 베를린 자유대학 명예교수로 재직했다. 1941년 첫 저서인 『이성과 혁명』을 통해 New Left 운동의 선봉 학자로서 세계적인 주목을 받고, 캘리포니아대학에서 철학을 강의하면서 소위 신좌익(New Left)의 선봉자로서 세계의 주목을 받았다. 특히 1968년 5월 프랑스 파리대학의 소요사건을 계기로 마르쿠제의 사회개혁 사상은 신좌익 학생운동의 이론적 토대가 되었다.

마르쿠제는 현대 산업 사회를 가리켜 통제되고 억압된 사회이며 지금까지 인간의 역사가 이룩했던 가장 풍요로운 물질적 만족을 제공해 주는 사회라고 비판했다. 이러한 사회에서 인간들을 지배하는 것은 행복의 의식인데 이것은 일종의 허위의식으로 비(非)자유를 자유로, 불평등을 평등으로, 억압을 자유로 인식하게 되며 기존 질서를 인간의 바람직한 목표로 받아들이게 한다는 것이다. 그러나 이러한 경제적 풍요가 지배하는 사회에서는 억압적인 체제를 극복하고자 하는 사회적 충동이 없어진다. 그래서 소위 '변증법적 운동'이 멈추게 되는데 이것은 바로 해방운동의 종말을 의미하는 것이고 이데올로기의 종언을 의미하는 것이다. 이는 현대의 허위적인 제도를 변혁시킬 수 있는 그리고 변혁시키고자 하는 주체를 발견할 수 없기 때문이다.

이 같이 마르쿠제의 현실관은 비관적이고 욕구 불만적이며 부정적인 것으로 20세기 중엽의 선진 국가들 특히 미국 사회의 비대한 사회적 억압의 본질을 철학적·심리학적으로 분석하였다. 그 결과 이러한 선진국의 사회구조는 물론 인간의 목표에 혁명적인 변화가 필요하다면서 서방 세계의 엘리트들이 고의적으로 소비를 촉진시키기 위해 엄청난 수요를 창출시킴으로써 오늘날 국가는 물론 인간과의 관계에서도 빈부의 차를 심화시켰다고 보았다. 즉 현대 사회는 인간의 물질적 욕구를 충족시켜 주었으며 이러한 풍요를 가능케 하는 기존의 질서는 좋은 것이라고 것으로 위장되어 있는 것을 서방 세계의 젊은이들은 자유라는 환영 속에서 지내는 것이라 주장했다.

이러한 마르쿠제의 주장은 1960년대 말 과격한 신좌익들의 사회변혁운동에 이론적 기초를 제공했고 급진적인 그룹과 학생들에게 크게 호응을 받았고 중·상류 계층에 속한 일부 젊은이들은 옳지 못한 방법으로 혜택을 받고 있구나하는 죄의식을 느끼게 하였다. 마르쿠제는 학생과 지식인들이 혁명의 잠재력을 가지고 있기 때문에 버려진 사회 하층민들이 혁명에 가담하도록 인도하는 동시에 기존 질서에 저항하여 혁명을 달성해야 한다고 주장했다. 특히 현대 사회가 기술 지향적인 사회 건설을 위해 근로자와 기업인을 상호 협력관계로 발전시켜 폭력적인 저항 관계가 사라지고 기존의 질서 유지를 위해 서로 필요한 존재가 되게 만들어 결과적으로 사회 갈등 대립의 주인공들이 오히려 화합의 역군이 되고 있다고 지적하였다.

마르쿠제의 사상은 초기에는 고도로 기술화된 사회에서 나타나는 인간관계의 소외 현상에 도전하여 사회 조직의 재구성을 통해 새로운 정치를 구현하고 이에 적극적으로 참여하는 것을 목적으로 하였다. 그러나 정치에 대한 불신이 팽배한 오늘의 세계가 전례 없는 부(富)와 권력 그리고 강력한 정보기구 등에 둘러싸인 보수적 분위기로 쉽게 변혁될 수 없음을 알게 되었고, 신좌익은 점차 직접적인 폭력 내지는 파괴 행동을 수단으로 하게 되었다. 그 결과 마르쿠제의 정치철학은 1960년대의 베트남전 반대운동, 흑인 민권운동, 실업자 시위, 빈부 차이 등에 관한 학생들의 과격운동에 활용되었고 결국 선진 자본주의 국가의 젊은 테러범과 테러조직들이 이용하는 이론이 되었다. 이에 대해 마르쿠제도 '억압받고 짓밟힌 피(被)식민자에게 있어서 합법적인 방법의 실현이 불가능하다고 판단되었을 때, 그들은 저항할 수 있는 또 하나의 비합법적인 수단을 사용할 수 있는 당연한 권리를 가진다. 그들에게는 기존의 권력 기관과 경찰, 그리고 자신의 양심이라고

하는 심판자밖에 없다. 그들이 폭력을 사용한다고 할지라도 그것은 새로운 일련의 죄악을 파괴하는 일뿐이다'라고 말함으로써 앞에서 살펴본 파농의 폭력이론을 지지하고 있다.[2]

Ⅲ. 마리겔라의 도시게릴라 이론

마리겔라(Carlos Marighela, 1911-1969)는 1911년 브라질 살바도르(Salvador)의 가난한 가정인 에밀리아(Emilia) 지역 출신의 이민자인 아버지와 아프리카 노예의 딸인 어머니 사이에서 태어났다. 1934년 폴리 테크닉 기술학교(Bahia Polytechnic School)의 토목 공학 과정을 마치고 직업적인 전투원이 되었다. 이후 정치활동을 하면서 1936년 바르가스(Bargas) 시대의 독재 정권 때 정부 전복 혐의로 경찰에 체포되어 구금과 석방을 계속한다. 1946년 Bahian PCB에 의해 연방 선거구 대리인으로 선출되어 중앙위원회의 초청으로 1953년과 1954년을 중국에서 보내며 중국의 공산혁명에 깊은 관심을 가졌다. 1964년 군사 쿠데타 이후 구금되었다가 독재 국가에 대한 무장 투쟁의 길을 걷는다. 1967년 PCB의 반대에도 불구하고 쿠바의 하바나에서 개최된 라틴아메리카 연대조직(OLAS)의 제1차 회의에 참가, 당(党)에서 추방되고 1968년 무장 단체(Acción Libertadora Nacional)를 조직하고 다음해인 1969년 총격으로 사망하였으나 이 조직은 1974년까지 운영되었다.

마리겔라는 무장 단체인 민족해방동맹(ALN: Aliança Libertadora Nacional)을 지휘하면서 얻은 경험을 통해 그가 죽기 6개월 전인 1969년 테러범들의 기본 필독서로 알려지고 있는 『브라질 해방을 위하여』(For the Liberation of Brazil)라는 저서를 완성하여 도시에서의 테러리즘 전술과 도시 게릴라의 전략·전술을 구체적으로 기술하였다. 혁명을 추구하는 조직이 성장할 수 있는 방법에는 두 가지가 있는데 하나는 불특정 다수의 대중을 일정한 방향으로 이끌어 행동을 일으키게 하기 위하여 암시·과장·상벌·선동 등의 사회심리적인 테크닉을 사용하는 것이다. 즉 특정 사고나 가치관을 심어 주는 조직적인 커뮤니케이션 활동인 선전(propaganda)과 이념(ideology)을 인민들에게 확신시키는 것이다. 다른 하나는 무

2) 마르쿠제(Herbert Marcuse) 저, 김현일 역, 『이성과 혁명』(중원문화, 2008).

자비한 폭력적 행위와 극단적·급진적 해결에 의한 것이다. 정치 위기 하에서 혁명 전략의 기본원칙은 도시 및 농촌지역에서 적이 정치적 상황을 군사적 상황으로 전환시키지 않으면 안 되도록 혁명 활동을 강화하는 것이다. 모든 사회 조직에서 불만이 터져 혁명적 테러 행위, 스파이의 처형 그리고 사보타주는 정부 당국의 사기를 꺾고, 억압을 감소시키며, 통신체계를 파괴하여 정부와 대토지 소유제의 지지자들에게 손해를 입히기 위한 전술적인 작전들인 것이다. 혁명적 테러 행위와 사보타지는 평범한 일반 국민을 죽이거나 위협하기 위한 것이 아니라 브라질 인민에 대해 독재자가 행하는 테러리즘에 대항하여 싸우기 위한 것이다. 특히 이 책 중에서 "도시게릴라 교본"(Mini-manual of the Urban Guerrilla)이란 장(章)을 통해 도시에서 테러라는 폭력을 사용하는 구체적인 방법을 제시하고 있어 후에 도시게릴라 및 테러범의 훈련에 있어 가장 중요한 교본이 되었고 1970년에 프랑스어로 변역되었을 때 프랑스 정부는 판매와 배포를 금지시킬 정도였다.

이러한 도시 게릴라의 필수적인 목표는 첫째, 경찰과 군대의 지도자 그리고 이들의 지원자들을 물리적으로 격멸시키는 것이며, 둘째, 정부 재산과 거대한 자본가, 대토지 소유지주, 제국주의자의 재산을 몰수하여 일부분은 도시게릴라 활동 유지에 사용하고 나머지 대부분은 혁명의 지속적 추진을 위해서 사용하는 것이라고 주장한다. 이러한 임무를 수행하는 전사가 갖추어야 할 기술적인 지식으로 ① 운전, 비행기 조종, 무전기, 전기와 전자에 대한 기술, ② 서류위조 기술과 화학 약품에 대한 풍부한 지식, ③ 각종 총기류에 대한 조작기술과 박격포 등 중화기 그리고 각종 폭약과 폭발물에 대한 지식, ④ 각종 무기류와 지뢰 등에 대한 수리와 제작에 대한 지식과 다리와 철도 폭파 기술에 대한 지식 등을 제시하고 있다. 또한 이들의 행동지침으로 습격, 기습과 잠입, 점령, 매복, 시가전, 사보타주와 작업포기, 탈주, 포획, 폭약과 탄약의 탈취, 죄수의 석방, 처형, 납치, 파괴공작, 테러, 무장선전, 심리전 등을 나열하고 있다.[3)]

이러한 마리겔라의 도시 게릴라 이론은 이후 중국의 모택동, 베트남의 호지명, 쿠바의 체게바라(Che Guevara)[4)] 등의 농촌거점전술(The Rural foco Tactics)에 많

---

3) *For the Liberation of Brazil(The Pelican Latin American library)*, Carlos Marighela (Author), Penguin Books (November 30, 1974), Language: English 참조.

4) 체게바라는 1928년 6월 14일 아르헨티나 중산층 가정에서 5남매 중 장남으로 태어났다. 1952년에 볼리비아인민운동에 참가하여 외국자본의 국유화에 반대하였으며, 1953년에는 부에노스아

이 활용되었다. 그러나 모택동, 호지명, 체게바라는 농촌으로부터 도시를 포위하는 소위 '농촌에서 도시포위전술'을 썼으나 마리겔라는 현대사회의 특성으로 보아 테러와 게릴라는 처음부터 대도시에서 작전을 시작해야 성공의 가능성이 높다고 보았다. 그 이유는 당시 라틴 아메리카의 농촌 게릴라 운동이 쇠퇴하고 있었고, 1967년 10월 볼리비아의 산속에서 체게바라가 사살됨으로써 농촌중심의 게릴라 활동이 도시로 전환되기 시작했다는 데 있다.

오늘날까지도 마리겔라가 제시한 다양한 전술은 세계 각지의 테러범들에 의해 사용되고 있고 은행을 습격하여 현금을 탈취하거나 기업인을 인질로 해서 거액의 인질석방금을 요구하거나 혹은 외교관이나 정부 고위관리를 납치하여 석방의 대가로 다른 정치범의 석방을 요구하는 행태가 이 때문으로 본다. 특히 테러의 조직적 사용으로 정치적 상황을 군사적 상황으로 전환하여 사회를 양극화시킴으로써 권력을 장악해야 한다는 혁명논리는 라틴 아메리카의 테러단체 등에 의해서 거의 전적으로 수용되고 있다.

제2절 사회 · 심리 이론

Ⅰ. 박탈감 이론

테러의 발생 원인을 사회 · 심리적 측면에서 분석한 것은 미국의 정치 · 심리학자인 구르(Ted Robert Gurr)다.[5] 그는 1970년 『왜 남자 반역자』(Why Men Rebel)라는 저서에서 테러리즘의 폭력의 근본 원인으로 상대적 박탈감 이론(Relative

이레스 의학대학을 졸업한 후 과테말라에서 독재정치에 반대하는 정치운동을 하다가, 1954년 멕시코로 망명하였다. 1955년 망명지 멕시코에서 자신처럼 망명하던 쿠바출신의 사회주의 혁명가들과 알게 되었으며 그 때로부터 쿠바 혁명의 승리를 위하여 함께 활동하였다. 1956년 12월 카스트로가 이끄는 쿠바 혁명가들과 함께 《그란마》 호를 타고 쿠바에 상륙한 후 바티스타 독재정권에 반대하는 쿠바혁명대대를 지도하는 군사활동으로 참가했다.

5) 구르는 1936년 미국 워싱턴의 Spokane 출생하여 1965년 New York University에서 박사학위를 받은 심리학자다. 최근까지 미국 메릴랜드 대학(the University of Maryland)의 명예 교수로 테러리즘과 국제범죄 등에 대한 자문역을 수행하고 있다.

Deprivation Theory)을 주장했다. 이 이론은 좌절과 공격이론(Frustration-Aggression Theory)으로도 불리는데 인간은 기대와 실제 간의 괴리(gulf between expectation and actual condition) 또는 가치의 기대와 가치 능력 간의 차이(gap between the value expectation and value capabilities)에 대한 인식에서 상대적인 박탈감을 느낀다는 것이다. 이러한 상대적인 박탈감은 폭력을 유발하는 근본 원인이 된다는 것이다. 이 박탈감은 혼자 개인적이기도 하지만 단체 또는 집단적일 수도 있다는 것이다. 구르는 상대적 박탈감을 초래하는 유형으로 점감적(漸減的) 박탈감(decremental deprivation), 열망적 박탈감(aspirational deprivation), 점진적 박탈감(progressive deprivation) 등 세 가지를 든다.

점감적 박탈감은 국민들의 기대 수준이 급격하게 높아진 것이 아님에도 불구하고 국민들의 기대치를 충족시켜 줄 국가의 대처 능력이 점차 퇴보하고 있는 현실에서 나타나는 박탈감이다. 옛날에 누렸던 영광이 시간이 지남에 따라 사라지고 그 당시의 혜택이 줄어들어 더 이상 누릴 수 없게 되는 경우이다. 이러한 상황에 직면하면 국민들은 그들이 지금까지 누려 왔던 혹은 당연히 누릴 것으로 기대하고 있던 가치의 상실에서 심한 분노감을 느끼고 결국 공격적으로 변한다는 것이다. 이러한 박탈감은 국가에 대한 반감으로 나타나고 결국 내전의 양상으로 나타난다는 것이다.

열망적 박탈감은 시간이 지남에 따라 국민들의 기대치는 계속 높아지는 데 반해 이러한 기대치를 모두에게 만족시켜 줄 수 있는 국가의 능력이 한계가 있어 나타나는 박탈감이다. 이 유형은 이제 막 식민지 지배에서 독립하여 근대화에 박차를 가하기 시작하는 개발도상국에서 흔히 발생하는데 국민의 기대가 국가의 능력보다 앞서가는 데서 오는 박탈감으로 자칫 대중 폭력으로 연결되기 쉽다. 따라서 대부분의 개발도상국들이 겪는 일상적이고 만성적인 불안이 이 경우에 해당한다.

점진적 박탈감이란 적어도 일정기간 동안 삶의 조건이 개선되어 왔고 앞으로도 점진적인 개선이 이루어질 것으로 기대하고 있으나 실제로는 개선이 불가능하다는 것을 알았을 때 나타나는 박탈감이다. 이 유형은 오늘날 대부분의 선진국에서 일어나는 현상으로 이념적인 변화와 체계적인 변화가 동시에 일어나는데 이를 수용할 만한 국가의 가치 제공 능력은 일정 수준에 정체되어 있어 이러한 간극에서 오는 상대적 박탈감이 사회 불만이 된다는 것이다.

구르(Ted R. Gurr)의 상대적 박탈감 이론은 사회적 기대 욕구가 현실적인 만족도를 훨씬 초과할 경우 사회·심리적으로 불만과 좌절감이 생기고 이것은 곧 폭력적 사태로 발전될 수 있다는 것이다. 이 이론은 지금까지 세계사의 흐름에서 소외되어 왔던 제3세계 국가들이 근대화하는 과정에서 나타나는 사회적 불만과 불안을 설명하는 이론으로 이용되어 왔다. 제3세계 국가들은 제2차 세계대전 이후 서구 제국의 식민지 지배 상태에서 벗어나 독립함으로써 표면적으로는 해방을 맞이한 것으로 볼 수 있으나 국내적으로 지배자에 대한 불신이 팽배하고 경제적·사회적 불평등에 기인하는 불만이 국제적으로 나타나 제국주의에 반대하는 국제 테러리즘의 원인으로 작용했고 이러한 제3세계 문제에 대한 해결의 수단으로 폭력이 정당하다는 논리로 작용되었던 것이다.[6]

Ⅱ. 동일시 이론

동일시(同一視, identification)란 사회심리학에서 사용하는 용어로 한 개인에 의해 다른 사람의 행위에 영향을 미치는 영향력을 말한다. 이러한 동일시 이론의 대표적인 학자는 정신분석학자인 프로이드(Freud, Sigmund, 1856-1939)와 이를 계승 발전시킨 프랑스의 정신분석학자인 자크 라캉(Jacques Lacan, 1901-1981)이다. 프로이드는 동일시를 한 주체가 다른 주체의 한 가지 또는 그 이상의 속성을 자신의 것으로 채택하는 과정으로 설명하면서 소위 오이디푸스 콤플렉스(Oedipus complex)[7] 개념을 만들었다. 자크 라캉은 프로이드의 이론을 발전시켜 동일시를 '거울단계'라는 개념으로 설명하면서 '자아'라는 정체감은 자신의 거울상에 대한 동일시를 통해 얻어지는 것으로 상상적인 것(the imaginary)과 상징적인 것(the symbol)로 발전한다는 것이다.[8]

---

6) Ted Robert Gurr, 『*Why Men Rebel*』, Paradigm Publishers, (2010) 참조.

7) 오이디푸스 콤플렉스(Oedipus complex)는 인간의 성장과정에서 남근기에 생기기 시작하는 무의식적인 갈등이다. 남녀 모두에 적용되는 것으로 정신 발달의 중요한 전환점이자 신경증의 발병 단계로 주목 받고 있다. 이는 남자의 경우 어머니를 손에 넣으려는 아버지에 대한 강한 반항심을 품고 있는 심리적인 상황을 말한다. 프로이드는 이 심리 상황 속에서 볼 수 있는 어머니에 대한 근친상간적인 욕망을 그리스 비극의 하나인 '오이디푸스'(오이디푸스 왕)에 빗대어 그렇게 불렀다.

8) Dylan Evans, 김종주(역), 『라캉 정신분석 사전』(서울: 인간사랑, 1998), p. 10.

이러한 동일시 개념은 하나는 다른 개인이나 단체와 같이 존재하거나 똑같이 되고자 하는 열망을 말하고 다른 하나는 좋든싫든 막론하고 자신과 동일시하고자 하는 대상목표 간에 유사성을 인정하려는 것 두 가지를 모두 포함하는 의미를 가지고 있다. 문제는 바람직하지 못한 가치나 이념을 맹목적으로 추종하거나 따르는 경우다. 이러한 바람직하지 못한 이념이나 목적을 추구할 경우 동일시 현상이 왜 테러리즘 발생의 원인이 되는가를 살펴보면 다음과 같다. 그 대표적인 사례가 1973년에 스웨덴의 스톡홀름에서 발생한 한 인질사건이다. 후에 이러한 현상을 가리켜 '스톡홀름 증후군'(Stockholm syndrome)이라고 지칭하였다.[9] 즉 인질이 자신을 인질로 잡고 있는 범인에게 연민을 느끼는 소위 공격자와의 동일시(identification with aggressor) 현상이 일어난다는 것이다. 공격자와의 동일시는 이를 목격하는 사람들로 하여금 공포에 떨게 하거나 복수심을 품게 하는 결과를 만들 수 있다. 이 과정은 소극적으로 구경하는 관중들에게 강력히 작용하여 일부 관중들에게 이러한 극단적 행위에 직접 참여하도록 하는 현상을 만들 수 있다. 이와 반대로 희생자와의 동일시(identification with victim)는 일반 대중의 관심이 인질을 당하고 있는 희생자의 운명과 동일시하고 감정 이입으로 희생자의 고통을 공감하고 있는 것이다. 테러범들은 이 점을 노리고 이를 테러의 목적 달성에 악용하고 있다는 것이다. 그러나 인질극을 목격하는 모든 사람들이 인질의 희생에 대하여 연민을 느끼는 것은 아니고 그중 일부는 테러범들이 자신들을 대신하여 적대적인 인질에게 보복해 주고 있다거나 폭력이라는 강력한 힘을 보여주고 있다고 생각하여 테러범과 자신을 동일시하는 현상도 있다.

동일시의 방법이 희생자에 의하든 혹은 가해자에 의하든 간에 이런 현상에서 발생한 테러리즘의 실제적인 사례는 미국이 1960년대 베트남전쟁에서 행한 베트

---

9) 1973년 8월 23일, 감옥에서 갓 출옥한 스웨덴의 32세 청년 잔 에릭 올손(Jan-Erik Olsson)이 스톡홀름의 중심가에 위치한 노르말름스토리(Norrmalmstorg) 크레디트반켄(Kreditbanken)라는 은행 지점을 침입, 직원 등 4명을 인질로 잡고 8월 28일까지 경찰과 대치했다. 그 사이 인질 중 한 명이던 23세 여성 크리스틴 엔마크(Kristin Enmark)가 당시 수상에게 진압경찰의 강경한 태도에 불만을 터뜨리며 범인들의 요구를 수용할 것을 요청하기도 했다. 결국 범인은 진압·체포되었고 재판에서 10년 형을 선고 받았다. 재판 도중 인질들은 범인들의 편을 들었고 우호적인 증언으로 일관해 범인은 항소심에서 형을 면했다. 이후 범인은 여성 인질 중 한 명과 약혼을 하고 2009년 자서전 『스톡홀름 신드롬』을 쓰기도 했다. 이때부터 스톡홀름 신드롬은 인질이 범인과 정서적으로 동조하는 비이성적 심리현상을 뜻하는 용어로 사용되게 되었다(위키백과).

남 농민에 대한 학살에서 찾아볼 수 있다. 당시 독일의 적군파(赤軍派, RAF: Rote Armee Fraktion)는 미국이 민주주의와 자유를 이유로 베트남 국민의 저항을 무력으로 진압하려 하고 있다며 무장한 미군의 베트남 융단 폭격은 베트남 전쟁에 대한 거부감과 분노를 불러 일으켰다. 또한 학생운동 안에서는 제국주의를 반대하는 운동과 그와 동시에 제 3세계 해방운동에 대한 움직임이 시작되었다. 1968년 2월 독일 사회주의 학생연맹(SDS: Sozialistischer Deutscher Studentenbind)은 베트남 전쟁에 관한 국제회의를 개최하여 서유럽은 제국주의의 조용한 배후 국가로 남아있어서는 안 되며 유럽 각 도시에서 제3세계 해방을 위해 제국주의와 투쟁하는 제2의 전선을 만들어야 한다고 주장하였다. 이처럼 베트남 전쟁을 계기로 운동이 점차 폭력적으로 변하게 된 것이다. 또한 테러라는 극단적인 수단을 사용하여 그 사회의 혼란을 야기하고 결과적으로 정권교체를 통해 권력을 탈취한다. 체제 전복을 위한 테러행위도 결국 이 테러행위에 대한 정부의 과도한 대응을 유도하고 혼란한 정치적 상황을 군사적 상황으로 대체하여 국민의 일상생활을 불편하게 함으로써 이를 주도하는 테러범에 대한 국민의 동일시 감정을 자극·지지함으로써 자신들의 목적달성을 추구하는 것으로 볼 수 있다.

Ⅲ. 일반긴장 이론

일반긴장 이론(GST: General Strain Theory)은 1992년 Agnew에 의해 주장된 이론으로 목표의 기대치와 현재의 상태에 발생하는 간극으로 긴장이 발생하고 이 같은 긴장이 반사회적인 행동으로 나타난다는 것이다. 이 이론은 과거 1938년 Merton이 제시했던 긴장이론(Strain Theory)에 뿌리를 두고 있지만 Merton과는 달리 계층에 상관없이 현대사회의 모든 사람에게 일어나는 일반적인 현상이라며 긴장의 개인적, 사회심리학적 원인을 다루고 있다. 즉 하류계층만의 범죄행위가 아닌 사회의 모든 구성요소의 범죄행위에 대한 일반적 현상으로 긴장을 설명하고 있다.

핵심 내용은 개인의 목적 달성의 실패, 기대와 성취 사이의 괴리, 긍정적 자극의 소멸과 부정적 자극의 출현 등이 긴장의 원인이 되고 이러한 긴장의 원인들은 노여움이나 좌절, 실망, 우울, 두려움과 같은 '부정적 감정의 상황'(negative affective states)을 야기한다고 본다. 이러한 '부정적 감정의 상황'은 약물남용이나 일상생활로부터의 일탈, 폭력, 학교 중퇴와 같은 반사회적 행동으로 나타나게 된다는 것이다. 이 이론은 긴장의 원인을 목표달성의 실패, 긍정적 자극의 소멸, 그리고 부정적 자극의 생성으로 규정하였다. 세 가지 주요 요인으로 인하여 긴장이 생기면 부정적 감정이 축적되고 이것이 친구나 자기통제력 약화 등과 매개되었을 때 범죄나 비행의 가능성이 높아진다. 특히 이민자들은 새로 이주한 곳에서 기존의 사회구성원들과 상호작용을 하는데서, 여러 가지 긴장이 발생할 수 있다. 본국에서 이주해 오기 전에 품었던 기대와 막상 도착해서 생활했을 때 차이가 있을 경우, 외국인에 대한 구조적 차별로 인한 목표 달성의 실패, 본국의 가족과 떨어져 지냄으로 인한 긍정적 자극의 소멸, 그리고 새로운 곳에서의 편견과 차별 등이 부정적 자극을 발생시켜 긴장을 유발할 수 있다. 이러한 긴장은 우울감, 분노와 같은 부정적 감정을 유발하고 자기 통제력이 약하거나 범죄성향의 친구가 있는 사람일 경우 범죄를 저지를 가능성이 높아진다. 여기서 외국인에 대한 부정적 시각이 심화되면 사회적으로 우려할 만한 수준의 제노포비아를 형성하게 되고 이는 또한 외국인에 대한 상징적 폭력(Symbolic violence)으로 표출되어 심한 편견과 차별을 가하게 된다는 것이다. 다수인 내국인들로부터 편견과 차별을 받게 되면, 외국인들은 부정적 자극의 발생으로 인한 긴장(strain)을 형성하게 되고, 이는 범죄발생의 원인이 될 수도 있다.

Agnew는 긴장을 "어떤 사람들이 다른 사람들을 그들이 원하지 않는 방법으로 대우하는 관계"라고 정의하면서 3가지 유형을 제시하였다. 첫째, '목표 달성의 실패'는 고전적 긴장이론에서 강조해온 개념으로 기대와 실현 가능성과의 괴리, 기대와 성취사이의 격차 등 목표가 좌절되는 요인들이다. 둘째, '긍정적 자극의 소멸'은 개인을 둘러싼 환경 속의 긍정적 가치를 지니는 바람직한 요소가 사라지는 것이다. 셋째, '부정적 자극의 출현'은 개인이 나쁜 자극에 노출 되는 것으로 부정적 자극에 직면하거나 예견될 때 공격성과 같은 반응이 나타난다는 것이다. 또한 긴장의 종류로 객관적 긴장과 주관적 긴장을 들었다. 객관적 긴장은 부모에 의한 아동 학대, 물질적 빈곤, 학교 성적의 저하 등과 같이 대부분의 사람들이 인정하는 긴장을 말하고, 주관적 긴장은 개인의 경험에 따라 달라지는데 즉 개인의 특성, 사회적 지위, 생활 여건 등 주관적인 기준에 따라 평가가 달라지는 긴장을 말한다. 예로서 기독교인들에게는 코란이나 무함마드에 대한 비난이 특별한 의미가 없지만 무슬림에게는 자살폭탄 등으로 반드시 보복해야 하는 상황이 될 수 있다는 것이다. 이러한 각각의 긴장요인들이 높아질 경우 우울, 불안, 스트레스 등과 같은 부정적인 감정을 가져오고 이러한 부정적 감정이 높아지면 비행(非行)과 범죄로 이어진다. 그러나 이러한 긴장은 사회에서 해소 될 수 있기 때문에 항상 비행이나 범죄로 이어지는 것은 아니다. 긴장이 비행이나 범죄로 연결될지 아닐지를 결정하는 요소가 조건요인이라고 하면서도 구체적인 조건요인에 대해서는 명확히 제시하지 않고 사회통제이론, 차별접촉이론, 사회학습이론 등과 같은 다른 범죄학이론에서 범죄원인으로 주장하는 요인들이 모두 포함될 수 있는 것으로 이해하였다.

특히, 테러리즘의 원인과 관련하여 Agnew는 집합적 긴장(Collective Strain)의 개념을 제시하면서 테러의 행위가 테러범 자신에 의한 것이 아니며 그들 둘러싸고 있는 환경적 요인 때문이라고 한다. 이러한 환경은 첫째, 높은 수준의 긴장으로 인해 일반 사람이 감당하기 어려운 물질적 손해나 자신과 가까운 지인의 죽음, 심각한 정신적 또는 육체적 공격을 받은 경험, 생활 터전의 손실, 종교처럼 자신의 정체성 및 가치관을 위협하는 압박이 과거부터 지금까지 장기간 빈번하게 부여되었고 앞으로도 예상되는 긴장들이 조성된 환경을 말한다. 둘째, 긴장이 불공정해야 한다는 것인데 이때 불공정이란 이성적으로 도저히 납득이 되지 않는 사실, 즉 국가를 위한 전쟁처럼 좀 더 큰 목적이 없는 행위를 행함에도 진행과정이 불공정하고 형법과 같은 사회적 규범을 위반함으로써 사회에 긴장을 유발하는 것을 말한다. 셋째는 강한 권력을 가진 집단이 그들과 유대관계가 약한 사람들에게 고통을 부여함으로써 긴장이 생기고 이로 인해 테러리즘이 발생한다고 주장한다. 구체적으로 종교나 인종, 사회적 지위, 지역, 국적, 정치적 이데올로기와 관련하여 권력이 강한 집단과 권력이 약한 집단 간에서 발생하는 문제로 테러로 이어질 수 있다는 것이다.[10)]

---

10) Robert Agnew, "Building on the Foundation of General Strain Theory", *Journal of Research in Crime and Delinquency*, Vol.38 No.4(November 2001), pp. 319-361.

Ⅳ. 갈등 이론

갈등(葛藤)이란 한자의 의미로 칡(葛)과 등나무(藤)가 서로 붙어서 얽혀 있는 상태를 말한다. 이렇게 서로 뒤엉켜서 따로 분리하기 어려운 상태를 갈등이라고 한다. 이 경우의 갈등은 해결하기 어렵다는 의미를 함축하고 있다. 서양에서의 갈등(conflict)의 정의는 본래 라틴어의 콘플리게레(configere)에서 나온 말로 '상대가 서로 맞선다'는 뜻이다. 즉 갈등에는 의견이 맞서는 상대가 있고, 그들끼리 이해관계가 대립하여 출동할 때 발생한다. 갈등이 중요한 이유는 단순히 개인적인 내부와 외부의 충돌을 의미하는 것뿐만 아니라 사회적 분쟁이나 나아가 국가간의 전쟁까지 갈수 있다는 점이다. 또한 사회적·국제적 갈등은 다시 개인에게 영향을 미쳐 갈등의 악순환이 생긴다. 여기서 테러리즘의 발생 원인을 이러한 갈등의 악순환 과정에서 갈등이 평화적으로 해결되지 않았을 때 이를 폭력적인 방식으로 해결하려는 과정에서 찾는 것이다. 이렇게 증폭된 갈등은 개인과 사회·국가들까지 영향을 미치다가 결국 폭력의 형태로 발전한다는 것이다.

이 분야에서 갈등을 주목한 학자가 틸리(Charles Tilly)와 타로우(Sidney Tarrow)다.[11] 이들은 2007년 『Contentious Politics』라는 저서에서 정치학적 관점에서 갈등과 집단행동에 관한 이론을 제시하였다.[12] 정치학은 이러한 갈등을 다루는 것이고, 이를 가리키는 갈등 정치로 정의하고 있다. 혁명, 사회 운동, 종교 및 민족 분쟁, 민족주의 및 시민권, 초국가적 운동 등에서 이러한 논쟁적인 정치 형태가 결합되어 발생한다고 하였다. 근대 민족국가 형성기부터 현재에 이르기까지 수백년 동안의 장기적인 관점에서 사회운동, 동원, 집단행동에 관한 의미있는 질문을 던지고 이에 대한 대답을 구한다. 저자는 이러한 다양한 종류의 논쟁에 대한 연구, 비교 및 설명을 위한 일련의 분석 도구와 절차를 제시하였다. 미국에서의 점령 시위, 홍콩에서의 자유선거 운동, 중동의 민주화, 구(舊)소련 국경에서의

11) Charles Tilly는 Columbia University의 사회 과학 교수로 2008년 사망하였고. 관련서적 50권의 저서를 집필했다. Sidney Tarrow는 코넬대학 사회학 교수로 최신 저서로는 『*Transnational Protest And Global Activism*』(Rowman and Littlefield, 2004), 『*New Transnational Activism*』(케임브리지 대학 출판사, 2005) 등이 있다.

12) Charles Tilly &, Sidney Tarrow, *Contentious Politics*, New York: Oxford University Press, 2015 참조.

무력 충돌 등 많은 역사적 사건을 바탕으로 다양한 갈등의 투쟁양상을 설명하고 있다. 즉 현대사회의 각종 정치적 갈등이 분쟁과 폭력의 형태로 분출되는 원리를 제시하고 있다.

특히 틸리(Tilly)는 자원(資源, Resource)과 기회를 강조한다.[13] 그는 자신의 이론의 주요 구성 요소를 이익, 조직, 자원 동원, 집단행동, 기회로 정의하고 이렇게 전개된 사회 운동은 권력, 억압과 촉진, 기회와 위협 등의 정치 환경에 영향을 받는다고 설명하였다. 즉 집단은 자신의 이해관계에 어떤 의식을 지니고 있는가? 어떠한 형태의 연대를 형성하는가? 어떤 전략을 구사하는가? 거시 사회적 상황은 어떻게 집단적 저항운동(protestation)을 조장 혹은 방해하는가? 등의 질문에 해답을 찾는다. 첫째와 둘째 관련 질문에는 기본적으로 조직을 자원을 모으고 목표와 전략을 정하는 구조로 파악한다. 조직된 집단과 사회성(sociability)의 관련성을 중시하여 운동장에 모인 군중의 사회성의 정도는 최하단계이고 자생단체 및 협회 회원들의 사회성은 상대적으로 높다는 것이다. 다음은 조직의 정체성과 관련하여 객관적인 특징으로 범주화된 집단을 의미한다. 즉, 남성, 여성, 흑인, 무슬림, 노동자 등이 바로 이런 범주에 해당된다. 이 두 가지 영역이 합쳐질 때 강한 사회성이 나타난다. 예를 들면 다양한 범주와 직업을 가진 회원들로 구성된 단체보다는 동일 범주의 사람들이 모인 단체를 통해 집단 정체성, 회원 간의 연대의식 및 집단행동의 가능성이 더욱 높아진다는 것이다. 셋째는 조직의 전략에 관한 것으로 합리적 계산을 바탕으로 전략을 결정한다는 것이다. 이러한 합리적 태도는 인간의 선천적인 능력이 아니라 개인의 삶의 역사에서 찾아낸다. 즉 합리성은 시장논리, 관료제, 계약제도의 발전 및 보편화과정을 통해서 현대 인간사회의 문화와 정신에 영향을 끼침으로써 역사적으로 구성되었다는 것이다. 동원된 행위자도 비용/효과의 최적화에 입각하여 비용이 이익을 초과하는 한 행동하지 않는다는 것이다. 마지막으로 집단적 저항운동에 대해 사회운동의 정치적 차원을 강조하였다. 사회집단을 정치적 결정 혹은 정책결정 기관에 접근 가능한 집단(participants)과 이러한 접근이 불가능한 집단(challengers)으로 구분하여 후자를 사회운동의 고유영역으로 설정함으로써 사회운동의 정치적인 의미를 제고하였다.

---

13) Charles Tilly, 양길현 외 역, 『동원에서 혁명으로(From Mobilization to Revolution)』, 서울프레스, 1995.

그중 참여자와 자금, 시설 등 자원을 동원하는 과정이 가장 중요하다고 보기 때문에 이 이론을 자원동원 모델(Resource mobilization model)이라고 부르기도 한다. 이는 사회운동에서 가장 중요한 것이 자원동원으로 사람들을 모으고 자원을 동원하는 것이다. 그는 정부가 완벽하게 국가를 통제하지 못할 때 단독적인 권력을 가지려는 경쟁 집단이 출현하면서 복수주권(複數主權)이 발생하며 이 충돌 과정에서 혁명 혹은 반란이 일어난다고 설명한다. 또한 국가의 통제력이 낮아지거나 이러한 경쟁 집단을 폭력적으로 진압할 때 국가 구성원의 상당한 부분이 권력을 획득하려는 경쟁자들 중 하나를 지지하거나 따르려하면 혁명의 성공 가능성이 높아진다고 주장했다. 이를 정치과정 모델(Political process model)이라고 하는데 이는 사회 운동이 어떠한 기회를 통해 자원을 동원하는지에 대한 문제이다. 결국 자원동원 모델과 정치과정 모델은 역사적으로 여러 테러조직들이 정부의 통제력이 약해졌을 때 적극적으로 활동하였다는 사실을 이론적으로 뒷받침해준다. 또한 테러조직들의 여러 가지 목표 중 정권 교체가 가장 많았다는 것 역시 복수주권의 개념과 상통하고, 자원 동원이 테러조직 등 반란과 갈등의 지속성을 위해 중요한 요인 중 하나라는 것을 설명하는 이론이다.

폭력의 유형에 따라 알 수 있듯이 항상 갈등이라는 것이 공격행위로 진화하는 것이 아니라 그 원인과 배경 및 해결과정에 따라 개인적인 공격성에 그치기도 하고 혁명이나 테러 같은 조직적인 폭력으로 나아가기도 한다는 것이다. 개인이 정신질환이나 반사회적 성격을 가지고 있지 않는 행위자라면 테러리즘은 계획을 가지고 의도된 선택일 수도 있다. 테러리즘의 정의에서처럼 특정 개인이나 조직의 이익이나 목적을 추구하기 위해 주어진 기회비용에 따라 테러리즘을 선택하는 테러범을 모두 정신질환자라고 하는 관점은 체계적인 테러 전략을 설명하기 어렵다. 자신의 목표를 위해 무차별 테러나 인종 학살을 선동하는 것을 이성적이고 정상적인 판단으로 보기 어려운 것도 사실이기 때문이다. 따라서 모든 사례에서 테러리즘을 일으키는 개개인이 합리적인지 비정상적인지를 가려 갈등의 원인을 해석하는 것은 현실적으로 불가능하다.

이처럼 갈등은 개인적이든 사회적이든 테러로 발전할 가능성은 충분히 있다. 다만 개인의 특정 성격이나 동기에 따라 갈등이 일어나지만 실제로 갈등을 일으킨 모든 개인들이 모두 정신질환을 가지고 있는 것은 아니다. 특정 목적을 이루기 위해 상세한 전략을 짜고 갈등을 일으킨 테러리즘 조직과 정부의 요원들을 모두 비합리적인 개인으로 치부하기에는 너무나 많은 반대 사례들이 존재한다. 또한 개인의 성격에 온전히 갈등의 책임을 개인이 테러리즘 공격을 할 수밖에 없게 했던 상황적 요인과 사회적 구조를 너무 가볍게 본다는 비판을 받게 된다.

제3절 현대사회 소외론

소외(疏外)의 사전적 의미는 주위에서 꺼리며 따돌림 또는 혐오나 무관심 등으로 인하여 따돌림을 당한다는 것을 말한다. 사회적인 의미에서는 개인의 문제라기보다는 사회의 구조적인 문제로 접근한다. 개인이나 특정한 계급이 특정한 상황에서 겪는 단절감이나 고통을 의미하는 것보다는 그 사회의 구조적인 문제로 인해 발생하고 지속적으로 반복되는 상황을 말한다. 주로 예전에는 인간의 권리를 갖지 못했던 노예계급, 약자인 어린이나 여성, 노동자 계층 등을 가리키는 말이었으나 현대사회에서는 이러한 약자 계층보다는 모든 인간이 느끼는 인간성의 상실 등을 의미하는 것으로 의미가 변화되어 왔다. 이러한 소외는 현대의 산업사회에서는 기술이 고도로 진보하고 물질적으로는 풍요롭고 윤택한 삶을 영위할 수 있게 되었지만 정신적으로는 인간들의 기계화 및 부품화, 군중 사이에서 느끼는 고독함, 지역사회의 몰락으로 인한 유대감 및 연대감의 상실 등으로 무력감을 느껴 오히려 안락함은 후퇴했다고 보는 현대사회의 한 특징으로 설명되어진다.

소외의 근대적 의미는 헤겔과 마르크스에 의해 발전되었고, 에리히 프롬에 의해 완성되었다. 헤겔(Georg Wilhelm Friedcich Hegel, 1770-1831)은 소외를 철학적 용어로 발전시켜 자신의 자의식을 구성하는 근본적인 실체를 타자(他者)에게 양도하는 것을 말한다. 헤겔은 이를 '주인과 노예의 변증법'으로 설명하고 있는데 주인과 노예는 하나의 자의식 속에 존재한다. 주인은 주체성을 지녔고 자립할 수 있지만 노예는 그렇지 않고 단지 물적으로서 존재하고 주인의 뜻대로 움직이는 종속적 존재이다. 주인은 노예를 점유하고 있기 때문에 노예는 주인과 자신에게 필요한 노동을 하지만 노동의 결과물인 안락함과 향락은 주인이 가져간다. 그러나 시간이 지남에 따라 주인은 자신이 가지고 있었던 주체성과 자립심을 상실하는 반면에 노예는 노동의 숙련도를 통해 자주성을 가지게 되어 결국 주인과 노예의 관계는 역전된다. 그 결과 주인은 소외되고 물적 존재에 불과했던 노예라는 의식이 주인이었던 의식을 소외시키게 된다는 것이다. 또한 칼 마르크스(Karl Heinrich Marx, 1818-1883)는 근대의 시민사회를 근본적으로 규정하는 경제를 통해 노동 형태의 분석으로 인간소외를 진단했다. 그는 노동의 형태를 네 가지로 규정하면서 첫째는 자기 노동 생산물로부터의 소외이고, 둘째는 생산 활동인 노동 그 자체로부터의 소외이며, 셋째는 인간이라는 부류가 가지고 있는 존재(이를 유(類)적 존재라 칭했다)로부터의 소외이고, 넷째는 인간으로부터의 소외라고 했다. 결국 인간은 노동 생산물, 노동 그 자체, 인간의 유적 존재로서 소외되어 인간 스스로의 본질로부터 소외되어 있다고 설명한다.[14)]

에리히 프롬(Erich Pinchas Fromm, 1900-1980)은 헤겔과 마르크스의 소외론을 비판적으로 수용하면서 '소외라는 것은 인간이 자기의 경험 가운데 자기 자신을 다른 사람인 양 경험하는 방식'이라고 설명하고 있다. 즉 자신이 행하는 행위도 자신이 주체적으로 경험하는 것이 아니라 여러 가지 사회적 요인에 의해 수동적으로 경험할 수밖에 없어 결국 인간은 자연, 사회, 타인, 자기 자신에게까지 소외된다고 말한다. 이러한 프롬의 소외이론은 현대사회의 사회병리적인 현상으로 파악하여 4가지 비생산적인 성격을 분석했다. 먼저 수용지향형 성격으로 자신들이 원하는 것을 외부의 것을 그대로 받아들이는 것으로 현대사회가 지향하는 대량소비 및 대량전달의 시대에 적합한 유형이다. 둘째, 착취지향형으로 자신의 본질과 주체성보다는 외부의 것을 지향한다. 그러나 외부의 것을 얻는 방법이 강압적이고 강제적이라는 점이 수용지향형과의 차이이고 이들은 냉소적이고 회의적이며 외부의 것을 선망하고 질투하는 경향을 지닌다. 셋째, 저장지향형으로 자기 자신 본연의 것을 스스로 지키려는 것을 말한다. 즉 외부의 것에 대해 신뢰하지 않고 외부와의 접촉을 싫어하여 강박적으로 깔끔한 사람들이나 결벽증을 가진 사람들이 이에 속한다. 넷째, 시장지향형으로 모든 것을 시장의 상품으로 판단하여 교환가치를 중요하게 여긴다. 상품과 서비스뿐만 아니라 타인과 자기 자신까지도 경제적인 가치로 판단하여 결국 인간소외라는 병리적 현상을 일으키는 가장 직접

14) 안형관, "헤겔과 마르크스의 소외에 관한 연구", 『현대사상연구』, vol.1(1990), pp. 73-130.

적인 원인이 된다는 것이다. 그는 소외를 유발하는 전제조건으로 핵심적인 것이 현대 산업사회의 구조적 특징으로 보고 이는 경제력, 관료조직, 고도화된 컴퓨터, 자동화된 기계들에 예속되어 그러한 현대의 우상으로부터 오는 모든 종류의 사상과 법칙·원리 그리고 가치 등을 무조건적으로 받아들이기 때문에 이러한 소외가 더욱 심화된다고 보고 있다. 다시 말하면, 소외된 인간은 자기 자신을 자신의 행위창조자로서 경험하는 것이 아니라 그 행위의 결과에 오히려 예속되어 오히려 그것을 우상처럼 숭배하게 된다는 것이다. 이의 결과로 인간이 자신의 고독과 무력감에서 벗어나기 위한 도피의 수단으로 폭력과 파괴라는 수단을 선택하게 되는데 이러한 인간의 파괴성도 소외의 한 양상으로 본다는 것이다. 외부세계를 파괴할 경우 개인은 고립되지만 자신을 고립으로부터 구하기 위한 최후의 가장 절망적이 시도로 테러행위를 자행한다는 것이다.[15]

이처럼 현대사회의 병리현상인 인간소외론은 양극화가 더욱 심해지면서 계층이나 계급과 상관없이 대학생이거나 혹은 실업자와 같은 낮은 임금의 생활자, 종교적·성적(性的) 소수 및 이주 노동자, 노인 등 취약계층, 일인가족, 가정 폭력에 노출된 아동과 여성, 장애인과 같은 사회적 격리자들을 두루 포함하는 개념으로 확대되었다.[16] 이 이론은 이런 광범위한 소외 집단이 테러를 일으키는 원인으로 자주 인용되고 있고, 특히 최근의 '외로운 늑대형'(lonely wolf) 테러의 현상을 설명하는 이론이 되고 있다.

제4절 국제정치구조 이론

이 이론은 국제정치가 기본적으로 주권을 가진 개별 국가가 힘을 배경으로 국가이익을 추구하는 과정에서 이익의 충돌로 테러가 발생한다는 것이다. 즉 국제정치를 보는 현실주의자들의 시각이라 할 수 있다. 국가 간의 이익의 충돌은 필

15) E. Fromm, 『Escape from Freedom』(New York: Holt, Rinehart & Winston, 1941), pp. 134-140. 331.

16) British Columbia Ministry of Health, 『Social Isolation Among Seniors: An Emerging Issue』(2004), pp. 7-18.

연적으로 전쟁을 유발하고 이러한 전쟁의 피해가 양국 국가 간에 상상을 초월하는 피해를 줄 수 있기 때문에 테러라는 소위 '저강도 분쟁'(LIC: Low Intensity Conflict)을 통해 국가의 이익을 달성하려는 목적에서 테러가 발생한다는 것이다. 저강도 분쟁이란 적대국에게 특정한 정치・군사적 조건을 받아들이도록 강요하고 영향력을 행사하기 위해 저수준의 군사개입을 하는 것으로 특수작전이나 비정규전으로 불리는 정치・심리적 활동들이 포함되어 있다. 제4세대 전쟁(Fourth Generation Warfare)이라고도 한다.[17)]

2차 세계대전 후 핵무기 등장으로 핵무기 보유 국가들의 증가는 국제사회에서 새로운 공포의 균형을 만들었고 이는 재래식 전쟁이 핵(核)의 대결로 증폭될 수 있다는 가능성을 높였다. 따라서 핵 균형 상태를 파괴하는 것은 현실적으로 위험하고 불가능하다는 인식을 확산시켰다. 이는 결과적으로 강대국 간의 직접적인 군사대결을 불가능하게 만들었고, 과학기술의 발달에 따른 재래식 무기의 파괴력 증가로 국가 간 대규모의 전쟁이 사실상 이루어 질 수 없는 환경이 되었다. 때문에 이 같은 상황에서 테러리즘의 발생은 국가정책 추구의 대안으로써 저강도 분쟁의 유용성을 높였다. 이로써 정치목적 달성의 수단으로서 국가 간 상호 직접 대결의 회피가 가능한 테러리즘의 대리 수용을 설명할 수 있는 근거가 되었다. 테러활동에 대한 정치・군사적지원은 지원행위가 은밀하고 재래식 전쟁에 비해 인력이나 장비, 재정지출 측면에서 사용자에게 비용이 아주 저렴하다는 것이다. 따라서 국제사회에서 기존 질서의 변화를 원하는 국가는 적용 가능한 저강도 수준의 폭력을 사용하는 분쟁형태를 수용하게 되었다. 2차 세계대전은 재래식 전쟁의 피해를 실감하고 그 잔혹성이 강조된 마지막 전쟁이었다. 2차 세계대전 후의 핵으로 만든 위험한 위장 평화의 균형상태는 새로운 유형의 전쟁인 테러리즘의 출현을 촉진시켰다.

또한 국제정치에서 강대국이 지배하는 세계에서 약소국가는 자신의 의사에 반해 국제적 정치 문제의 해결이 진행될 때에 강대국을 상대로 공식적이고 직접적인 군사력에 의해 대항할 수 없기 때문에 비공식적이고 간접적인 폭력에 의해서 대항할 수밖에 없는 처지에 놓이게 된다는 것이다. 따라서 약소국가가 대부분을 차지하고 있는 국제사회에서 강대국에 의해 좌지우지되고 있는 기존질서를 파괴

---

17) 저강도 분쟁에 대한 상세한 내용은 제11장 제3절 참조.

하거나 영향을 줄 수 있는 방법은 저강도 폭력의 사용 형태인 테러리즘이다. 이런 대표적인 사례가 준(準)국가적 단체로 인정받고 있는 중동의 팔레스타인해방기구(PLO: Palestine Liberation Organization)의 테러리즘 사용이고, 이를 지원하고 있는 중동 산유국들의 정치적·경제적 지지 현상인 것이다. 약소국가가 목적 달성을 위해 테러리즘을 선택하는 이유는 과학기술의 발달에 따라 엄청난 비용이 드는 재래식 전쟁에 비해 많은 이점을 가지고 있기 때문이다. 즉 한정된 투자로 적대국으로 하여금 상당한 인력과 자원을 투입하지 않을 수 없도록 강요할 수 있고, 해당 국가는 테러조직을 은밀히 간접적으로 지원함으로써 책임을 회피할 수 있다는 점이다.

이러한 테러리즘이라는 폭력은 국가 간의 인식의 차이로 이를 바라보는 시각이 모두 다르다. 이는 테러라는 폭력 사용에 대해 한 국가에서는 '잔인한 테러범'으로 비난하고 있는 반면에 다른 국가에서는 정의를 위한 '자유의 투사'로 불리는 현상을 의미한다. 이 같은 이중적인 시각의 존재는 일부 주권국가로 하여금 테러리즘이라는 수단을 통해 정치 목적 달성을 위한 합리적 도구로 간주하게 하였다. 이를 위해 테러범을 양성하고, 테러단체에 대한 무기와 자금을 지원하며, 피난처의 제공과 같은 다양한 직·간접적 지원을 하고 있으며 테러리즘을 묵인·방조하기도 하는 현상도 일어났다. 이는 결국 주권 국가의 국가이익을 중심으로 하는 국제정치구조가 낳은 결과라 할 수 있다.

특히 제2차 세계대전 이후 2000년대에 이르기까지 발생한 많은 테러사건이 주로 각 국가와 민족 간의 이익을 우선시하는 국제정치가 주된 이유가 되고 있다. 이는 기본적으로 1648년 유럽에서 웨스트팔리아 조약[18]으로 근대국가가 탄생하고 지금까지 200여개의 주권국가가 전 세계에 존재하는 데 반해 약 2천여개의 소수민족이 있어[19] 이들의 갈등과 분리 독립이 민족문제에 기인한 테러가 발생하는 원인이기도 하다. 민족주의의 강력한 출현과 종족 간의 갈등도 테러리즘의 원인이다. 이는 주로 종교적이며 종족적인 민족 간의 갈등에서 생기는 폭력 발생을 말하는 것으로 이러한 유형의 폭력과 테러리즘은 이미 1960년부터 확대

---

18) 1618년부터 신·구 카톨릭 종파를 시작된 30년 전쟁("최초의 국제전쟁"이라 함)으로 유럽인구의 ¼이 사망하고 경제적·물리적 피해가 발생하자 1648년 세계 각국 135개국 참가하여 지금의 독일인 베스트팔렌(Westfalen) 지방에서 맺은 국제조약으로 근대국가의 출발점으로 삼는다.
19) 이상우, 『국제정치학 강의』(서울: 박영사, 2005), pp. 405-406.

되기 시작하여 2000년대에 들어서면서 더욱 확대되고 있다. 인종 종교 및 지역 집단들 간의 동질의식과 단결의식이 강화되고 이에 따른 기대의 불균형 및 이해관계를 해결하는 가장 손쉽고 적극적인 방법이 폭력사용이란 인식과 연결되어 있다. 이 같은 폭력사용은 주로 종족을 달리하는 문명권 간의 문제였다. 그 대표적인 것이 동남아시아의 회교문제로 인도네시아, 말레이시아, 필리핀 등지의 문제이고, 또 다른 예는 아프리카의 종족 갈등에서 발생되고 있는 문제, 북아일랜드 문제, 팔레스타인 문제도 여기에 그 근원을 두고 있다. 또 개혁과 개방의 결과로 해체된 구(舊)소련의 대체국인 독립국가연합 내의 국가들에서 일어나고 있는 독립 시위나 민족 간의 충돌도 그 예이다.

이처럼 국제정치구조론 입장에서 보는 테러리즘의 원인은 초기에는 신생 독립국들의 독립을 위한 투쟁과 민주주의 정치체제의 미숙에 따른 혼란의 와중에 일어났고, 1960년대에는 미국과 옛 소련을 중심으로 한 냉전시기로 이념에 의한 테러가 빈발하였으며, 1980-90년대에는 공산권의 붕괴에 따른 탈냉전의 급속한 진행으로 미국의 패권주의에 대한 반발로 중동지역의 급진 이슬람단체에 의한 테러가 세계의 주목을 받은 것으로 볼 수 있다. 다음에서는 국제정치구조로 인해 테러가 빈발하는 대표적인 지역을 살펴본다.

Ⅰ. 중동지역 분쟁

1. 이스라엘과 팔레스타인 분쟁

중동지역 중 가장 첨예한 문제가 이스라엘과 팔레스타인 분쟁이다. 이 분쟁의 기원은 약 2천년 이상으로 거슬러 올라간다. 구약 성서의 기록에 의하면 기원전 13세기, 이스라엘 민족은 모세의 지도하에 이집트로부터 탈출하여 약속의 땅인 가나안(현 팔레스타인 지역)으로 귀환한 것으로 묘사하고 있다.[20] 이 팔레스타인

20) 가나안(Canaan)이란 명칭은 기원전 12세기 경 오늘날 이스라엘과 가자지구(Gaza strip)에 해당하는 지중해 연안 평원에 정착했던 에게인(Aegeans)을 지칭한다. 이들을 로마시대에 '팔레스티나(Palestina)란 명칭을 붙여 유대인들이 "가나안(Canaan)" 혹은 "유대 사마리아(Jedea and Samaria)로 불렀다. 오늘날은 이집트와 소아시아 사이에 가로놓여 있는 지중해 동해안 지방을 지칭하는 명칭으로 쓰인다(전홍찬, 『팔레스타인 분쟁의 어제와 오늘』(부산대학교출판부, 2003), p. 21.

지역에 대한 정확한 지리적 경계는 지금까지도 불분명한데 다만 1차 세계대전 이후 국제연맹이 패전국인 오스만 투르크제국(Osman Turk Empire)이 지배하던 중동 지역을 영국과 프랑스에게 통치를 위임하면서 현재 이스라엘의 점령지인 요르단강 서안과 가자지구를 포함한 한반도의 1/8정도인 27,800㎢ 정도의 면적을 가리키게 되었다. 이 지역은 기후가 건조하고 토지가 척박하며 자원도 풍부하지 않아 거의 불모의 땅으로 북쪽은 골란고원, 갈릴리 고원 등의 고산지대이고, 남쪽은 암석이 많은 준사막 지대인 네게브(Negev)지역으로 이스라엘 면적의 1/2을 차지한다. 이 땅에 대하여 유대인들이 제2차 세계대전 이후 성서의 기록을 근거로 권리를 주장하면서 이스라엘과 팔레스타인의 분쟁의 씨앗이 되었다.

국제정치적으로는 1차 대전 기간 동안 유럽 열강들이 지금의 아랍지역을 지배하기 위해 경쟁적으로 진출함으로써 분쟁의 원인이 되었다. 특히 20세기 중반이 후부터 이 지역에서 중동석유가 본격적으로 개발되면서 국제적 이해관계가 더욱 복잡하게 되었다. 당시 영국은 이 지역의 분할을 위해 프랑스와 비밀 협정인 '사이크스-피코 협정'(Sykes-Picot Agreement)을 맺었고,[21] 아랍인과 유대인에게는 상호 모순되는 외교적 약속하는 소위 '밸푸어 선언'(Balfour Declaration)을[22] 함으로써 시작되었다. 이는 단순히 아랍인과 유대인이란 두 민족 간의 대립 구조에서 비롯된 것이 아니라 영국을 비롯한 당시의 세계열강들의 중동지역에 대한 지배적 논리로부터 시작되었음을 의미한다. 2차대전 이후 팔레스타인 문제는 영국의 힘이 크게 후퇴한 가운데 미국과 소련의 영향력에 들어가게 되고, 결국 이 문제가 UN에 상정되어 아랍 측의 강력한 반대에도 불구하고 1947년 11월 팔레스타인의 약 56%를 유대인에, 약 43%를 아랍인에 할당할 것을 UN과 강대국 동의하에 팔레스타인지역을 분할하게 되었다. 이로써 1948년 이스라엘이 PLO 지역에 건국됨으로써 양 민족뿐만 아니라 주변 아랍 민족과 유대 민족 간의 생존권을 둘러싼 첨예한 대립으로 테러와 보복이라는 악순환을 반복하는 중동지역 불안을 야기하게 되었다. 450만의 팔레스타인 난민들은 옛 조상이 살던 곳으로 돌아가려는 강

---

21) 영국의 중동 전문가 마크 사이크스(Sykes, Mark)와 프랑스의 베이루트 주재 영사인 조루주 피코(Picot, George) 사이에 1916년 5월 이루어진 비밀협정으로 영국, 프랑스, 러시아가 팔레스타인을 공동 통치하기로 함.

22) 1917년 11월 2일 영국 외상 밸푸어(Balfour, James)가 영국의 유대인 협회 회장인 로스차일드(Lord Rothschild)에게 보낸 서한을 통해 제1차 세계대전 당시 유대인을 지원하기 위해 팔레스타인에 유대인을 위한 민족국가를 수립하는 데 동의한다고 발표한 선언.

렬한 소망으로 1964년 PLO를 결성하고 1972년 레바논 베이루트에 PLO본부를 설치하였으나 1982년 튀니지로 강제 이주 후 1992년에야 아라파트를 의장으로 하는 PLO자치권을 국제적으로 인정받았다(세계 108개국이 PLO를 승인). 이로써 지금까지 6차례의 중동전쟁뿐만 아니라 1964년 결성된 PLO(팔레스타인해방기구), 무장투쟁조직인 검은 구월단(Black September), 하마스(Hamas), 헤즈볼라(Hezbollah) 등이 이스라엘 무장투쟁을 계속하면서 중동지역의 불안의 근원이 되고 있다.[23)]

대표적인 테러조직으로 분류되는 헤즈볼라(Hezbollah, Party of God)는 1983년에 설립되어 핵심 요원만 500여명(평생회원 3,000명)으로 추정된다. 본부는 레바논 베카계곡에 있으며 활동 지역은 유럽, 아프리카, 남미, 북미, 중동 등 세계 전지역에 달하고 있다. 활동목표는 레바논에 혁명적인 이슬람 국가를 건설하고 비회교권의 영향력을 완전히 제거하는 것이다. 이란이 이 조직에 대해 활동 자금과 무기를 지원하고 있는 것으로 알려지고 있다. 이들이 관여한 대표적인 테러 사건은 1983년 4월 베이루트 소재 미 대사관을 차량 폭탄으로 자살 공격하여 29명이 사망하고 120명이 부상당하였고, 같은 해 10월 베이루트에 있는 미 해병대와 프랑스군의 막사를 2대의 차량 폭탄으로 자살 공격하여 미국 군인 421명과 프랑스 군인 56명이 사망하였으며, 1985년 6월 아테네로 향하는 미국 TWA보잉 727기를 납치하여 미 해군 작전요원 1명 사살, 39명의 미국 시민을 17일간 인질로 잡는 사건을 일으켰다. 이처럼 레바논에서 일어나는 테러사건의 원인은 레바논이 고대로부터 해양 민족인 페니키아 인으로 터키와 프랑스의 비호를 받은 기독교가 국가권력의 60%, 회교도가 40%(실제 인구 비례는 기독교 40%, 회교도 60%)를 차지하고 있어 시작되었다. 친미적(親美的)인 기독교와 반미적(反美的)인 회교도 사이의 갈등이 내전으로 치달으면서 1958년 미국은 해병대를 파병하였고, 1972년에는 PLO본부가 레바논의 수도인 베이루트에 설치되면서 상황이 악화되었다. 지금까지도 미국에 대한 반미테러가 끊이질 않고 있다.

하마스(Hamas, Islamic Resistance Movement)는 대표적인 이스라엘에 대한 무장투쟁단체로 팔레스타인의 정당이자 준군사조직(paramilitary organization)이다. 2006년 2월에 있었던 팔레스타인 자치 정부 총선거에서 유권자의 지지를 받아 큰 압승을 하였다. 하마스를 이스라엘과 미국, 캐나다, 유럽 연합, 일본은 테러

23) 이스라엘과 팔레스타인 분쟁의 자세한 내용은 제11장 제1절 참조.

단체로 규정하고 있으나 이란, 러시아, 터키 및 기타 아랍 국가들은 하마스를 지지하고 있다. 하마스는 팔레스타인의 대 이스라엘 무장투쟁이 일어난 1987년에 아흐메드 야신(Shikh Ahmed Yassin, 1936-2004) 등이 결성했다. 현재는 칼레드 마샬(Khaled Mashal, 61세)을 지도자로 약 9천여 명의 조직원을 두고 있다. 결성 초기인 1987년에는 요르단 강 서안과 가자 지구에서 이스라엘을 완전히 몰아내고 팔레스타인 전역에 이슬람 국가를 세우는 것을 목표로 하였다. 그러나 2009년 7월에는 1967년 국경을 기초로 한 팔레스타인 국가를 포함하는 결의안을 위해 협력할 의사가 있고, 팔레스타인 난민들이 이스라엘로 돌아갈 권리를 갖고 동예루살렘이 새 팔레스타인 국가의 수도가 되는 것을 목표로 하였다. 성향은 급진 이슬람 원리주의적인 성격으로 이스라엘에 대한 강경투쟁으로 팔레스타인의 지지를 얻고 있으나, 주변 아랍국들의 경계심을 불러일으켜 이스라엘의 가자지구 침공에 대한 주변 아랍국들의 지원 약화를 초래했다. 1991년 산하에 무장조직인 알 카삼여단을 창설하여 1993년부터 2006년까지 이스라엘에 대하여 로켓 공격 및 자살 폭탄을 포함하는 무장 투쟁을 벌였으며 이스라엘 군의 전초기지나 국경지대를 공격하거나 또는 팔레스타인 영토 내의 다른 경쟁 무장조직과 충돌하기도 했다. 하마스가 2014년 7월 이스라엘 청년 3명을 살해하자 이스라엘과 팔레스타인은 약 50일간 전투로 이스라엘군을 60여명과 하마스군 천여 명이 사망하고 장갑차, 전차, 자주포 등의 장비 손실과 미사일이 텔아비브로 발사되어 공항이 폐쇄되는 등 큰 피해가 있었다.

팔레스타인 해방인민전선(PFLP: Popular Front for the Liberation of Palestine)은 1967년 12월 제 3차 중동전(6일 전쟁)이 끝난 후에 설립되어 추정 인원은 약 천여 명이며 본부는 시리아에 있다. 주로 레바논, 이스라엘, 유럽 등지에서 활동하고 있으며 리비아, 시리아, 남예멘 등이 지원하고 있는 것으로 알려지고 있다. 활동 목표는 무장투쟁을 통해 팔레스타인에 국가를 건설하고 팔레스타인을 해방시키며 이스라엘과 팔레스타인간의 모든 협상 노력을 반대하고 있다. 주요 테러 사건은 1968년 7월 로마에서 이스라엘 텔아비브행 이스라엘 비행기 납치, 1972년 5월 일본 적군파(JRA)의 이스라엘 텔아비브 공항에대한 기관총 공격사건을 지원하여 시민 43명 사망, 1977년 10월 스페인 출발 독일 함부르크행 보잉 737기 납치 등이 있다.

아부 니달 기구(ANO: Abu Nidal Organization)는 Sabri Al-Banna가 이끄는 조직으로 1974년 설립되어 추정 인원은 500명이다. 리비아가 지원하고 있는 것으로 알려져 있고 활동 목표는 중동과 유럽에 있는 이스라엘에 대한 공격과 팔레스타인의 지도자인 아라파트을 위협함으로써 이스라엘과 팔레스타인간의 평화협상 노력을 저지시키면서 이에 동조하는 이집트, 요르단, 쿠웨이트, 사우디아라비아의 정권을 공격하는 것이다. 주요 테러사건은 1978년 친아라파트 계열인 PLO 고위간부 3명 살해, 1985년 9월 이집트 항공기를 몰타로 납치하여 이집트 특공대가 인질 구출작전을 전개하는 과정에서 60명 사망, 1986년 9월 미 PAN AM 항공사 소속 보잉 747기를 파키스탄 카라치 공항에서 납치, 1991년부터 1992년까지 북한 공작원을 초청하여 테러 교육을 시키고 ANO요원도 북한에 초대되어 평양시 용성구역 37호 초대소에서 테러 훈련을 받는 등 상호 교류하고 있다. 특히 1986년 김포공항 폭탄테러의 사건은 북한으로부터 500만 달러를 받는 조건으로 이 조직의 하부 구성원에 의해 자행되었다.

FATAH는 1965년에는 알아시아파(폭풍)로, 1971년부터 1974년까지는 검은 9월단(BSO: Black September and Revolutionary Organization of Socialist Muslims)으로 불리어진 조직으로 1957년에 설립되어 조직원은 레바논에 약 6천여 명, 세계 전역에 5천여 명으로 추정된다. 튀니지에 본부를 두고 PLO가 지원하고 있으며 목표는 팔레스타인 국가 건설과 PLO합법 기구 인정 및 이스라엘 정부 파괴 등이다. 대표적인 사건은 1972년 9월 8명의 조직원이 서독 뮌헨소재 이스라엘 선수촌 기숙사를 점거하여 진압작전 과정에서 11명의 이스라엘 선수가 살해되고 5명의 테러범이 사망하였다. 1973년 수단 소재 리비아 대사관을 점거하여 미국, 벨기에 대사 등 외교관 3명을 살해하였고, 1987년 7월 반 아라파트 팔레스타인 만화가 암살 등이 있다.

2. 수니파와 시아파의 갈등

다음으로 중동의 또 다른 문제는 이슬람 사이의 종파갈등이다. 즉 수니파와 시아파의 충돌이다. 이 갈등은 1400년 전부터 계속돼 왔다. 632년(추정) 이슬람 공동체 지도자였던 선지자 무함마드가 후계자를 정하지 않은 채 숨을 거두면서 무함마드의 혈육을 후계자로 해야 한다는 시아파와 공동체 합의를 통해 적임자를 뽑아야 한다는 수니파로 의견이 갈렸다. 이때 무함마드에겐 아들이 없었기 때문에 시아파는 무함마드 사촌이자 사위인 알리 이븐 아비 탈립(Alī ibn Abī Ṭālib, 이하 알리)을 초대 칼리프(후계자)로 추대했다. 하지만 수니파는 무함마드의 친구이자 장인(丈人)인 아부 바크르(Abū Bakr)를 추대했다. 아부 바크르는 무함마드의 오른팔로 둘째 딸을 무함마드에게 시집보내 영향력도 셌다. 결국 수니파 의견이 채택돼 아부 바크르가 초대 칼리프가 됐다. 이때부터 시아파는 큰 불만을 가지면서 갈등이 노골화하였다. 이후 시아파의 알리가 어렵게 제4대 칼리프에 올랐으나 곧 암살되었고, 그 뒤 알리의 장남 하산마저 수니파에 매수된 그의 아내에게 독살당하고, 차남 후세인도 수니파와 치른 전투에서 숨지면서 두 종파는 원수가 됐다.[24)]

이처럼 1400년 전의 원한에서 비롯한 분쟁은 지금까지 악순환을 되풀이하여 1987년 7월 발생한 사우디 메카 시위 사건으로 사우디와 이란이 국교를 단절한 이래 24년 만에 2016년 1월에 또다시 국교를 단절하였다. 이유는 사우디가 테러혐의로 사형 판결을 받고 이날 알카에다 대원 등 46명과 함께 사우디 시아파의 정신적 지도자 님르 바크르 알님르(Nemer Baqir Al-Nemer)를 1월 2일 처형하였기 때문이다. 2011년부터 계속되고 있는 시리아 내전은 시아파 정권(알아사드) 대 수니파 반군, 2015년 터진 예멘 내전은 수니파 정권 대 시아파 반군의 대결 구도다. 이런 종파분쟁의 내전은 중동의 다른 이슬람 국가에도 영향을 미쳐 분쟁을 확산시키는 원인이 되고 있다. 현재 이슬람 신자는 전 세계 18억여 명으로 수니파가 85%로 다수를 차지하고 시아파가 15%로 소수를 차지하고 있다. 중동에서 이란이 사실상 전 세계 시아파의 구심점이고, 이라크 시아파 인구는 60% 정도고, 레바논 인구의 50%가 무슬림, 그중 절반인 25%가 시아파이며, 시리아의 경우 인구 10% 정도의 시아파가 다수 수니파를 지배하면서 장기 독재 중이다. 반면에 수니파는 사우디아라비아를 중심으로 요르단, 바레인, UAE, 오만, 이집트, 터키는 물론 카자흐스탄 같은 중앙아시아의 나라, 모로코나 알제리 같은 북아프리카의 나라, 인도네시아나 말레이시아 등과 같은 동남아시아 거의 대부분의 이슬람 국가가 수니파이다. 다만 현재 활동하는 이슬람 극단주의 세력 대부분이 수니파로 알 카에다(AQ), 하마스(HAMAS), 보코하람(Boko Haram), 알샤바브(Al Shabab),

---

24) 이슬람 탄생과정 세부 내용은 제11장 제1절 참조.

탈레반(Taliban) 등이고 시아파 계열도 헤즈볼라(Hezbollah), 후티 반군(Al Houthi Rebel) 등이 있다.[25] 이는 사우디가 추구하는 와하비즘(Wahhabism)[26]이 이슬람 원리주의에 바탕을 두고 있기 때문인 것으로 보인다. 이런 종파 갈등으로 중동 전체의 격동과 불안이 지금도 계속되고 있는 것이다.

3. 예멘 내전

예멘은 역사적으로 오스만 제국과 영국에게 식민통치를 당하다가 제1차 세계대전에서 오스만 제국이 항복하자, 북예멘은 1912년에 독립할 수 있었으나 남예멘은 연합군의 일원이었던 영국이 승리하는 바람에 여전히 독립하지 못했고 제2차 세계대전에서도 영국을 비롯한 연합군이 승리하는 바람에 독립하지 못한 채 그대로 식민지로 남았다. 북예멘은 1962년에 일어난 혁명으로 예멘 아랍 공화국이 수립되면서 약 천 년간 이슬람의 예언자 무함마드의 혈통이라고 주장하는 시아파의 분파 중 하나인 자이디야흐(Zaydiyya) 이맘의 통치가 끝나게 되었다. 식민지로 남은 남예멘은 소련의 힘을 빌어 1967년에 독립하여 예멘 인민공화국이 되었다. 이후 북예멘과 대립하면서 1971년과 1977년에 두 번이나 남북 전쟁을 하였다. 결국 1990년 5월에 남북 합의로 잠깐 통일이 되었다가 권력 분배 문제와 각종 차별과 이슬람교에 관련된 사회 대혼란과 대립으로 1994년에 남예멘이 연방 탈퇴를 선언하면서 예멘의 내전이 시작되었다. 총 3번의 내전이었고 우세한 북예멘의 승리로 1994년 7월에 자유주의로 무력 통일되었다. 이때 사우디아라비아는 수니파의 북예멘을 도왔고 이후 시아파에서는 사우디와 예멘 정부를 비난하면서 분쟁의 조짐이 있었고, 2004년 예멘 정부가 시아파 종교 지도자인 후세인 바드레딘 알후티(Hussein Badreddin al-Houthi)를 체포하려고 하자 촉발되었다.

이렇게 다시 시작된 예멘 내전은 2009년 8월 예멘 정부가 북부 사다 지방에 대한 공세로 수십만 명이 난민이 발생하였고, 2009년 11월 사우디아라비아도 예멘 정부를 도와 공세를 시작하면서 113명이 전사하였다. 전쟁을 시작한 후 2009

---

25) 국제테러조직에 대한 자세한 내용은 제7장 제3절 참조.

26) 압둘 와하브(Muhammad ibn Abdul Wahab, 1703-1792)가 1745년 창시한 이슬람 복고주의 운동으로 오늘날 사우디아라비아의 건국이념이자 근대 이슬람 부흥운동의 효시이다. 당시 와하브는 이슬람문명의 주요 성지를 돌아다니면서 이슬람 사회의 병폐를 직접 경험하고 이를 바로 잡기 위해 이러한 일종의 사회운동을 주도하였다.

년 12월 14일까지 총 28회의 공습이 있었고 2014년 8월 후티 반군(Al Houthi Rebel)은 사나에서 유가 인상을 이유로 반정부 시위를 벌여 총리가 사임하고 9월에는 사나를 장악했다. 이후 2015년 1월 반군이 대통령 관저를 공격하고 대통령궁을 장악하는 등 예멘의 내전은 정부군과 후티 반군, 후티 반군과 알카에다 사이의 무력충돌이 계속되고 있다. 현재 사실상 아덴을 중심으로 한 예멘 정부와 사나를 중심으로 한 후티 정부로 분단된 상태다. 시아파 맹주인 이란만이 후티 정부가 합법이라고 인정하고 있다. 결국 이 분쟁은 본질적으로 예멘 수니파 정부와 시아파 후티 반군 사이의 분쟁으로 주변의 사우디와 이란이 개입하면서 더욱 복잡한 양상으로 변하고 있다.

또한 중동지역은 지금도 진행 중인 테러와의 전쟁으로 아프가니스탄과 이라크 전쟁이 있다. 이 문제는 제11장 제1절에서 별도로 다루기로 한다.

Ⅱ. 영국과 아일랜드 분쟁

영국은 본토인 그레이트 브리튼(Great Britain)섬과 아일랜드(Ireland)섬을 비롯한 주위의 여러 작은 섬으로 이루어진 나라로 잉글랜드(England), 스코틀랜드(Scotland), 웨일즈(Wales), 북아일랜드(Northern Ireland) 등 4개의 나라로 구성되어 있다. 1536년 웨일즈 법(The Laws in Wales Acts 1535 and 1542)에 의해 웨일즈가 영국에 포함되었고, 1707년 연합법(Acts of Union 1707)에 의해 스코틀랜드와 연합되고, 1800년 연합법(Acts of Union 1800)에 의해 아일랜드가 합병되어 소위 '그레이트 브리튼 아일랜드 연합왕국(United Kingdom of Great Britain and Ireland)'이 되었다. 이후 영국은 나폴레옹 전쟁을 겪고 빅토리아 시대에 산업혁명으로 비약적인 발전을 하여 세계 곳곳의 식민지 개척으로 대영제국(大英帝國)의 꿈을 이루게 된다. 제1-2차 세계대전을 겪고 각국의 식민지들이 독립을 하자 영국정부는 지금의 4개 나라와 연방체제 국가로 이르게 되었다. 이에 아일랜드는 1169년 영국의 노르만 왕조의 직할령이 된 이후 사실상의 영국의 통치를 받는 체제에 불만을 품고 독립 투쟁을 시작하게 되어 1916년 4월 부활절 봉기를 일으켰으나 영국군에 의해 진압된다. 1918년 신페인당이 아일랜드인의 지지를 받아 총선에서 다수당이 되자 아일랜드 공화국의 독립을 일방적으로 선언한다. 1919년부터 1921년 사이 영국과 아일랜드 양국 간에 전쟁이 발생하고 양국간의 조약(Anglo-Irish Treaty)으로 아일랜드는 영연방의 일원으로 독립하게 된다.[27] 단 아일랜드 북부의 다수 개신교도들이 정착하고 있는 얼스터 6개 지방은 분리되어 영국에 남게 되었고, 현재 아일랜드공화국은 아일랜드의 32개 주 가운데 북부 6개 주를 제외한 26개 주로 구성되어 오늘에 이르게 되었다.

이 당시 세계에서 가장 극렬한 무장투쟁을 한 단체가 아일랜드 공화군(IRA: Irish Republican Army)이다. 이 조직은 1969년 창설되어 핵심요원이 2백 명에서 4백 명으로 수천 명의 추종자들이 있었다. 본부는 북아일랜드에 있었으며 리비아 및 PLO와 미국에 있는 추종자들에 의해 자금과 무기를 지원 받았다. 목표는 아일랜드 재통일과 영국의 북아일랜드에 대한 지원의 거부다. 당시 IRA는 범세계적으로 확산되고 있는 민족주의에 편승하여 북아일랜드의 분리 독립에 대한 세계의 이목을 집중시키기 위해 영국 내 상가건물이나 산업 시설 등을 가리지 않고 파괴하고 불특정 다수인을 대상으로 한 무차별 테러를 자행하였다. 그러나 영국 정부의 노력으로 1994년 평화 회담과 아일랜드 총리와의 정상회담을 통해 북아일랜드 주민의 자치권을 인정하고 남·북 아일랜드의 통합을 위한 협정 마련에 협력키로 하는 등의 진전으로 2005년 완전 무장해제하였다. 그동안 IRA는 영국의 군, 경 등 관계자 1,100여명, 시민 640여명 등 총 1,800여명의 목숨을 앗았고 IRA 대원도 300여 명이나 사망하는 기록을 남겼다.

Ⅲ. 남미지역 분쟁

남미 페루의 좌익반군이 조직한 '빛나는 길'(SL: Sendero Luminoso, Shining Path)은 페루 공산당에서 분화된 집단 중 하나다. 1969년 대학 교수 출신인 아비마엘 구즈만(Abimael Guzman)이 페루 공산당을 탈당한 인사들을 규합하여 만든 게릴라 집단이다. 조직원들은 자신들을 페루 공산당(Communist Party of Peru)이

27) 일반적으로 The Treaty 로 알려진 Anglo-Irish Treaty는 1921년 12월 6일 런던에서 체결된 영국과 아일랜드 간 조약으로 아일랜드 독립 전쟁을 종결하고 1년 내에 아일랜드 국가를 설립할 수 있도록 한다는 내용이다. 이후 1922년 12월 6일 아일랜드 국가 헌법이 제정되고 아일랜드 독립국가가 생겼다.

라고 부른다. 미국, EU, 캐나다는 이 단체를 테러조직으로 지정하고 있다. 이 단체는 마오쩌둥 사상(Maoism)을 추구하며 농촌 지역의 소작민을 선동하여 무장 폭동을 일으켜 전국을 혼란에 빠뜨린 뒤 현 정부를 전복시키려는 반체제 단체이다. 주로 1970년대 당시에 시골과 대학가를 중심으로 활동하였는데 이때는 대놓고 총을 들고 다니지 않았기 때문에 그냥 좌파단체 중 하나로 취급되었다. 창설 이후 11년 동안 사회주의를 지향하는 지하 조직으로 활동을 하다가 1980년 선거 때 페루 공산당을 포함한 여타 좌파정당과 단체들이 선거에 참여하기로 결정한데 반대하면서 공식적으로 무장 봉기를 선언하고 게릴라 단체로서 활동을 시작했다. 신민주주의를 세우는 것을 목표로 하며 프롤레타리아 독재를 통해 그것을 이루고자 하였다. 1980년대와 1990년대 7만여 명이 목숨을 잃었던 페루 내전을 주도하였다. 전성기였던 1980년 말까지 1만여 명으로 세력을 확대했으나 1992년 9월 지도자인 구즈만이 체포되어 종신형에 처해지고, 또 다른 지도자 라미레스 두란마저 1999년 붙잡히면서 조직이 축소됐다. 설립자 구즈만은 종신형을 살면서 2010년 옥중 자서전 『나의 손 안에』(In My Own Hand)를 출판하기도 했다. 이 집단의 테러 수법은 조직 구조가 벌집 모형(Cellular Structure)으로 구성되어 벌집 구멍 단위(Cell)마다 여자 대원 1명씩이 포함되어 배달원 · 정보원 등의 임무를 수행하도록 하였다. 이들의 테러 행위는 세계에서 가장 잔인하여 12~15세의 어린이를 사상 교육으로 세뇌시켜 신규 대원으로 끌어들이는 반인륜적 잔혹성을 보였다. 콜롬비아의 4 · 19운동(the 19th of April Movement-19)과 연계되어 있고 정치적 · 군사적인 목적으로 코카인 재배 농민과 밀매업자를 보호해 주고, 세금 명목으로 군사 활동 자금을 받아내고 있다. 페루 정부는 코카인에 대한 고엽제 공중 살포로 강력히 저지하였고 '빛나는 길'을 분쇄하기 위해 수차례 정부군을 투입하여 진압을 시도했으나 피해만 속출하였다. 2013년 8월 소탕작전으로 Alipio, Gabriel 등 사령관 2명을 사살하고, 2015년 8월 Reman, Yuri 등 지도급 2명을 체포하였으나, 2016년 4월 산악지역에서 경찰차량이 이들로부터 습격당해 경찰관 10여 명이 사망하는 사건도 있었다.

콜롬비아 무장혁명군(FARC: Fuerzas Armadas Revolucionarias de Colombia, Revolutionary Armed Forces of Colombia)은 콜롬비아의 공산주의 혁명 · 게릴라 조직이다. 1964년 콜롬비아 공산당의 주도 아래 무장 혁명 단체로 창설되었지만

1964년부터 1966년까지 콜롬비아 공산당과 분리된 무장 단체로 남아 있었으며 지방 정부와 민간의 사회 기반 시설들을 주요 공격 목표로 삼았기 때문에 콜롬비아 정부와 미국, 유럽 연합, 캐나다 등으로부터 테러 조직으로 지정되었다. 1950년대 콜롬비아를 혼란의 정국으로 몰았던 라 비올렌시아 사건[28] 당시 토지 개혁을 요구하며 일어섰던 공산주의자들이 주도한 농민 운동이 계기가 되어 형성되었고, 초기 구성원 대부분이 공산주의자와 농민들로 이루어져 있었다. 초기에는 마르크스-레닌주의 이념을 바탕으로 사회주의 혁명을 추구하면서 역사적으로 뿌리 깊은 부유층에 대항하여 농민과 빈민을 구제하는 데 목적이 있었다. 천연자원의 사기업화 및 독점을 거부하고, 산업 및 금융 자본을 앞세운 경제적 제국주의를 비판하였다. 중남미에서 규모가 가장 큰 공산주의 게릴라 단체로 50여 년 동안 콜롬비아 정부에 대항해 왔다. 1970년대 마약 재배 및 밀매업자와의 연계, 인질의 몸값 요구 등으로 자금을 확보해나갔다. 주로 콜롬비아 정글 남동부와 안데스 산맥 평원 지대에서 활약하며 인질을 납치하여 몸값을 받고 석방하는 방식으로 테러를 자행하고 있다. 콜롬비아에서 일어난 테러 사건 가운데 25~30%는 이들의 소행으로 추정된다. 마약상과의 전략적 동맹 관계 구축으로 1980년대 공산당과의 관계가 소원해지자 1993년 공식 결별을 선언했다. 1985년 정부와 협상하여 애국연합(UP: Unión Patriótica) 정당을 창설하고 제도권 진입을 시도했으나, 양측의 살상 사태가 계속하여 발생함에 따라 정당은 와해되고 내전은 지속되었다. 2002년 정부와 평화 협상을 다시 시작하여 2012년 쿠바에서 열린 4차 협상에서 국토 재편성, 무장 해제, 정당 참여, 불법 마약 거래의 중단 등 6개 조항의 논의가 본격적으로 이루어졌다. 2009년 말 미국의 강력한 지원을 받은 알바로 우리베 콜롬비아 대통령의 소탕 작전으로 세력이 급속히 약화되었다. 특히 2008년 7월 2일에는 6년 4개월여 동안 FARC에 억류되었던 잉그리드 베탕쿠르 전 콜롬비아 대통령 후보가 정부군에 의해 극적으로 구출되기도 했다. 2016년 9월 24일 양측 협의에 따라 대통령 후안 마누엘 산토스와 FARC 지도자인 로드리고 론

28) 라 비올렌시아(La Violencia) 사건은 콜롬비아에서 1940년대 후반부터 1960년대 초반까지 약 십여 년간 이어진 폭력사태를 말한다. 1948년 4월 9일 자유당의 지도자 가이탄이 보고타 시내에서 총살당하는 사건이 발생하자 그를 지지했던 민중들이 분노하여 일으킨 소요사태를 시작으로 십여 년간 전국적으로 내전이 벌어져 약 20~30만 명의 희생자와 60~80만 명의 부상자가 발생했다. 결국 보수당과 자유당 양당 지도자들이 1957년 7월 국민전선(Frente Nacional, FN) 연합을 구축하면서 장기적 폭력사태가 마감되었다.

도뇨(Rodrigo Londoño)가 평화협상에 서명하였고, 내전 종식의 노력을 인정받아 산토스 대통령은 2016년 노벨평화상 수상자로 선정되기도 하였다. 그러나 최종 결정을 위한 국민투표에서 협정안이 부결됨에 따라 양측의 재논의가 진행 중이다. 2016년 미 국무부의 통계에 따르면 회원 수는 7천여 명으로 추산된다.

터키의 쿠르드 노동자당(PKK: Kurdistan Worker's Party)에 의한 테러도 대표적인 국제정치구조에서 비롯된 사례이다. 터키는 이슬람 국가 중 유일하게 OECD 회원국이면서 NATO 회원국으로 인구가 약 7,200만이다. 쿠르드족은 세계에서 가장 인구가 많은 소수 민족으로 그 수는 약 2천2백만 명이다. 중동에서 아랍인, 페르시아인, 터키인 다음으로 큰 민족으로 전체의 52%는 터키, 25.5%는 이란, 16%는 이라크, 5%는 시리아, 1.5%는 러시아 등에 뿔뿔이 흩어져 살아왔다. 이들은 16세기 이후 오스만 투르크의 지배를 받아오다가 1차 대전 이후에도 독립 국가를 세우지 못한 채 종교적으로 터키인과 같은 수니파이어서 시아파인 이란인과 다르지만 투르크인이나 아랍인이 아니라는 이유로 터키나 이라크로부터 배척당하고 있다. 가장 많이 거주하고 있는 터키의 북부와 이라크 접경지역에 약 1,500만 명이 거주하며 분리 독립과 궁극적으로 쿠르드족만의 단독 독립국가 건설을 목표로 하고 있다. 이를 위해 PKK는 1974년 마르크스-레닌주의에 입각하여 터키에서 창설되었고 약 1만5천여 명의 조직원을 가지고 있다. 시리아, 이라크, 이란 등의 지원을 받는 것으로 알려져 있다. 1978년 압둘라 오잘란(Abdullah Ocalan)의 주도로 혁명적 사회주의 건설과 쿠르드족 민족주의 노선을 취하면서 1984년부터는 터키 정부를 대상으로 계속적인 무력투쟁을 전개하였다. 1989년 민간 출신 대통령인 투르 구트(Halil Turgut Özal, 1927-1993) 취임으로 1993년 3월 정전을 선언하였으나 그해 5월 대통령의 갑작스런 죽음으로 그 정전은 파기되었다. 1999년 2월 조직 리더인 압둘라 오잘란이 케냐에서 체포되고 그해 9월 PKK 멤버들에게 투항하도록 명령하는 우여곡절 끝에 테러활동을 공식적으로 종결하겠다고 선언하였다. 주요 사건으로는 1992년 10월 터키군이 이라크의 쿠르드족 게릴라 1천여 명을 살해하자 1993년 6월 터키에 대해 전면전을 선포하고 유럽 전역에 위치한 터키 공관에 대한 무차별 공격을 실시하는 등 지금까지 테러를 지속하고 있다. 2008년까지 군인 3만2천명, 경찰 6천5백명, 일반시민 6천여 명이 사망한 것으로 집계되었다. 또한 터키정부를 무력으로 전복시키고 이란과 같은 엄격한 이슬람국가 건설을 목표로 두고 있는 레바논에서 활동하고 있는 헤즈볼라와 같은 이름의 터키 헤즈볼라(Turkish Hezbollah) 등이 있다.

스페인의 바스크 분리주의 단체인 바스크 조국해방(ETA: Euskadi Ta Askatasuna) 활동도 국제정치구조에 의한 테러사례이다. 스페인의 바스크(Basque) 지역은 대서양 연안의 프랑스와 스페인의 경계지역인 피레네 산맥 서부에 위치하고 있는 지역을 말한다. 이 지역은 로마 제국이 스페인을 정복하기 이전부터 바스크 원주민이 거주해 스페인과는 전혀 다른 전통과 제도를 가지고 있으며 언어도 바스크어는 라틴어와는 전혀 관련이 없는 독자적인 것이다. ETA는 이 지역의 분리 독립을 위해 1959년 7월 31일에 결성되었다. 초기에는 바스크 언어와 문화를 보존하는 데 비중을 두다가 1968년부터는 무력투쟁을 하는 방향으로 바꾸어 1973년에 스페인의 총리인 루이 카레로 블랑코(Luis Carrero Blanco)를 암살하고, 피레네 산맥에 거점을 두면서 영국의 IRA과 비슷한 활동을 하면서 콜롬비아의 무장혁명군(FARC: Fuerzas Armadas Revolucionarias de Colombia)과도 폭탄 제조기술 습득 등 긴밀한 관계를 유지하고 있다. 시민 340명을 포함해서 현재까지 829명이 살해되고 수천 명이 부상당하였고 수십 명을 납치해 스페인과 EU, 미국, 캐나다 등에 의해 테러단체로 지정되기도 하였다. 1939년부터 36년간 지속된 프랑코 독재 정권은 1968년 이래 바스크 형태로 간주되는 것은 모두 금지되고 처벌의 대상이었다. 이후 1975년 프랑코가 사망한 이후 1977년 자치권 획득한 이후에도 독립국가에 가까운 보다 광범위한 자치권을 요구하며 주요 정치인에 대한 암살을 기도하였다. 1987년 바르셀로나의 한 쇼핑센터에서 일으킨 차량 폭탄 테러로 21명의 무고한 사망자가 나오면서 엄청난 비난을 받고 스페인 정부와 평화 협상에 나서 휴전과 파기를 반복하다 2011년 10월 최종적인 휴전을 선언하고 2013년 1월에는 조직을 완전히 해체하였다.

Ⅳ. 동남아지역 분쟁

스리랑카(Sri Lanka)는 '찬란하게 빛나는 섬'이란 뜻으로, 인도양 해상에 위치한 섬나라이다. 포크해협(Palk Strait)을 사이에 두고 인도가 위치해 있다. 18세기 말부터 영국의 식민지였으나 1948년 2월 4일 영국으로부터 독립했다. 1972년에 국명을 실론(Ceylon)에서 '스리랑카 자유주권독립공화국'으로 개칭하고 1978년부터 '스리랑카 민주사회주의공화국'으로 변경됐다. 불교는 국교로 지정하여 보호 및 장려된다. 하지만 스리랑카가 영국으로부터 독립하면서 다수 불교계 싱할라족(74%)이 소수 힌두계 타밀족(18%)에 대한 차별정책을 펼쳤고, 이에 대한 반발로 1983년부터 타밀족의 분리독립운동이 시작되었다. 독립 직후부터 집권 싱할리족 정부는 싱할리어를 유일 공용어로 채택하고 불교 우대정책을 펴는 등 힌두교도인 타밀족의 반발을 샀다. 타밀족 역시 타밀엘람해방호랑이(LTTE: Liberation Tigers of Tamil Eelam)라는 단체를 조직하여 스리랑카의 소수민족인 타밀족의 완전독립을 주장하며 스리랑카 북부에 엘람국(State of Eelam) 창설을 목표로 하고 있다. 이때부터 정부군과 타밀반군인 타밀엘람해방호랑이의 무력 충돌로 내전이 발발하면서 폭탄테러와 암살 등이 빈발하게 된다.

2001년 12월 5일 내전 종식을 공약으로 내건 위크레메싱게(Ranil Wickremesinghe)가 총선에서 총리에 당선되면서 휴전 논의가 급물살을 타기 시작했으며 협상 개시 두 달여 만에 휴전 합의에 이르러 2002년 2월 23일 휴전이 공식 발효됐다. LTTE는 스리랑카 북동부를 중심으로 1만여 명의 전사를 거느리고 휴전과 재개를 거듭하며 내전을 이어왔으나 마침내 2009년 5월 장악했던 북동부 해안을 정부군이 점령하고 최고지도자 프라바카란(Prabhakaran)이 정부군에 의해 사살되면서 내전은 26년 만에 사실상 종결되었다. 이 같은 스리랑카의 민족·종교분쟁으로 인해 7만여 명의 사망자가 발생했다.

필리핀의 신인민군(NPA: New People's Army)은 1968년 필리핀 공산당(CPP)에서 분리되어 1969년 3월 필리핀 UP대학의 정치학 교수이자 시인이던 호세 마리아 시손(Jose Maria Sison)이 공산당 무장조직으로 결성했다. 노동자와 농민 혁명의 주체가 되어 필리핀 집권 정부를 전복하고 그들이 추구하는 사회주의 국가 건설을 목표로 한다. 테러를 통해 정부의 과도한 대응 정책을 유발시키고 정부의 무능을 증폭시켜 폭넓은 대중적 기반을 다진다는 전략을 구사한다. 주로 루존(Luzon)섬과 민다나오(Mindanao)섬을 거점으로 게릴라전을 전개하고 있다. 2002년 8월 미국에 의해, 2005년 11월 EU에 의해 필리핀공산당(CPP)과 함께 국제테러집단으로 지정되었다. 1980년대 중반까지 크게 세력을 확장하며 60개 주에 걸쳐 필리핀 전 국토의 약 4분의 1을 장악하고, 1987년에는 병력이 2만 5천여 명까지 늘어났으나 1991년 8월 철저한 무장투쟁을 주장하는 로물로 킨타나르(Romulo Kintanar) 사령관이 체포된 이후 필리핀 정부의 사면과 회유로 세력이 약화되었고, 2010년 6월 아키노정부가 출범하면서 필리핀 정부와 NPA간의 평화협상이 시작되면서 세력이 약화되었다. 비록 세(勢)가 약화됐다고는 하지만 2015년 필리핀 보안당국은 4천여 명으로 추산하고 있고 산악 지역을 근거로 도시 게릴라를 조직해 지방정부 관료들을 납치·암살하거나 자신들의 정보를 정보기관에 제공하는 첩자들에 대해 협박·납치·살해 등을 자행하고 있다. 2001년 6월과 2002년 1월 하원의원 한 명씩을 살해한 것을 비롯해 수많은 정치인, 관료, 군·경찰, 부유층, 미군을 공격했다. 지금까지 이들과 정부군의 교전으로 인한 사망자는 민간인을 포함하여 3만여 명이 이른다.

Ⅴ. 아프리카지역 분쟁

수단 내전은 지구 역사상 가장 처참한 살육전(殺戮戰)의 하나로 영국 식민지 시절로부터 시작된다. 영국은 수단 지역을 식민지화하면서 역사적·문화적으로 매우 이질적인 북부의 아랍부족과 남부의 기독교·토착신앙 부족을 하나의 통치령으로 통합하면서 분쟁의 불씨가 시작되었다. 1956년 영국으로부터의 독립한 수단은 정권을 잡은 북부의 이슬람 정부가 남서부의 흑인들을 차별함으로써 남서부 지역은 계속 낙후한 상태로 남게 되었고, 이 지역에서 발견된 석유와 우라늄 등의 풍부한 지하자원은 뿌리 깊은 반목을 더 한층 악화시켰다. 1983년부터 주로 남부 아프리카계 함족인 기독교도와 토속 정령신앙을 믿는 주민들이 중심이 되어 정부의 지나친 이슬람 정책과 차별적인 정책에 반기를 들고 남부지역의 자치권과 자원이용권 확대를 요구하면서 수단인민해방운동(SPLM: Sudan People's Liberation Movement)을 중심으로 무장 투쟁을 시작하였다. 이 전쟁은 20년 넘게 장기화되어 그동안 기아와 질병 등으로 약 200여만 명의 사망자와 400만 명 이상의 난민이 발생한 것으로 알려지고 있다. 양측은 2005년 1월 평화협정(CPA: Comprehensive Peace Agreement)을 맺고 공동정부를 구성함으로써 내전은 종식되었다. 평화협정으로 인해 내전은 종식되었으나 사회분위기는 평화와는 거리가 먼 혼란 상태를 지속하고 있다. 지난 2009년 한 해 동안 수단 남부에서 종족 간 충돌로 인해 2,500여명이 죽임을 당하고 24만 명이 피난을 갔다. 2011년 1월엔 남부지역 주민을 대상으로 분리 독립 의사를 묻는 국민 투표를 실시하여 98.83%의 찬성으로 2011년 7월 9일 아프리카의 54번째 국가인 남수단공화국(Republic of South Sudan)이 공식 탄생하였다.[29] 독립 이후 전망은 섣불리 낙관할 수는 없다. 그동안 수단의 정치 지도자들은 평화협정에 대한 이행을 하지 않았으며 정부와 반군 간 합의 도출도 힘겨웠기 때문이다. 남수단은 2013년 말 살바 키이르(Salva Kiir Mayardit) 대통령 지지세력과 마차르 추종자들이 충돌해 내전이 발발, 수만 명이 목숨을 잃고 300여만 명의 난민이 발생했고, 2016년 7월에도 정부군과 반군 출신 군인들 간 총격전이 벌어져 정부군 5명이 사망하고 반군 출신 병사 2명이 부상한 사건이 일어났다. 이로써 남수단은 내전으로 이미 경제가 파탄지경에 이르러 인구의 절반에 가까운 500만 명이 긴급구호식량에 의존하고 있고 평화협정의 당사자들이 또다시 충돌해 국가의 위기를 맞고 있다.

소말리아(Somalía)는 아프리카의 동쪽에 위치하는 나라로 1960년 영국으로부터 독립하였다. 1969년 당시 육군소장이던 바레(Barre)가 무혈 쿠데타를 일으켜 사회주의 일당독재 체제를 출범시키고 22년간 장기집권체제를 유지하였으나 1991년 1월 무장군벌인 아이디드(Mohamed Farrah Idid)가 이끄는 반군단체인 통일소말리아회의(USC: Union of Somali Congress)에 의해 축출되었다. 새로 정권을 장악한 반군들은 임시정부를 수립하고 모하메드(Mohamed)를 임시정부 수반으로 내세웠으나 곧 아이디드와 권력다툼이 일어나면서 소말리아는 내전으로 무정부 상태에 빠지게 되었다. 같은 해 가뭄으로 인해 수백만 명의 난민이 발생해 수십만 명이 굶어 죽는 등 내전상태가 갈수록 악화되자 UN에서는 1992년 4월 UN소말리아활동(UNSOM: UN Operation in Somalia)을 결의하고 PKO요원을 파견하여 대량아사를 막았다. 또한 UN은 1992년 12월 내전의 조기 종식과 물자수송로의 확보를 위해 미군 중심의 다국적군을 파견하였으나 내전에 휘말려 결국 실패하였다. 이후 12개 군벌들 간의 합의로 2000년 10월 하산(Abdikassim Salad Hassan) 대통령의 과도국민정부(TNG: Transitional National Government)가 구성되었으나

29) 김민희 외, "남수단공화국의 분리 · 독립 배경 및 전망", 『KIEP 지역경제 포커스』, 제5권 32호 (2011), pp. 1-10.

반군 세력들이 이를 인정하지 않아 내전이 지속되고 있다. 2012년 9월 10일 소말리아 연방정부의 대통령으로 하산 셰이크 모하무드(Hassan Sheikh Mohamud)가 선출되면서 20년 만에 연방정부 대통령이 선출되었으나 사실상 소말리아 전역에 대한 통제권은 상실된 상태이다. 그로 인해 납치, 무장강도, 차량테러 등 폭력이 일상화되고 있고, 아프리카에서 가장 긴 3천여km나 되는 해안선을 따라 해적들이 창궐하고 있기도 하다. 2010년 12월에도 정부군-반군 간 지속되는 교전으로 15명이 사망하는 사고가 발생했다.

아프리카의 서부 사하라지역은 북서부 대서양 연안에 있는 지역으로 1976년에 사하라 아랍민주공화국(SADR: Sahara Arab Democratic Republic)이라는 명칭으로 독립을 선언하였으나 국가로서 인정을 못 받고 있는 상태이다. 분쟁의 원인은 서부 사하라를 식민 지배하였던 스페인이 1975년 이 지역의 영유권을 포기하자 모로코와 모리타니가 서부 사하라 지역을 남북으로 분할 합병하였다. 이로 인해 앞서 1973년 5월 스페인의 식민통치에 대항하기 위하여 결성된 서부사하라해방전선(POLISARIO: Popular Front for the Liberation of Saguia El Hamra and Rio de Oro)은 1976년 2월에 마르크스주의에 입각한 사하라아랍민주공화국(SADR)의 수립을 일방적으로 선언하였다. 이에 대해 모로코는 즉각 군대를 파견하여 폴리사리오에 대한 공격을 감행하였고, 폴리사리오는 모로코와 모리타니에 대해 게릴라전을 전개하였다. 모리타니는 1978년 7월 사실상의 휴전에 이어 1979년 8월에는 영유권 포기를 선언하였으나 모로코는 여전히 서부 사하라 지역 전체에 대한 영유권을 주장해오고 있다. 이러한 상황에서 서부 사하라와 국경을 접하고 있는 알제리가 폴리사리오를 지원하면서 모로코와 알제리가 대립하는 새로운 분쟁 국면이 조성되는 등 국제전 양상의 성격을 띠기도 하였다. 1980년대에 들어 서부 사하라에 대한 국제적 관심이 높아지자 1981년 7월 나이로비에서 개최된 아프리카연합기구(AU: African Union) 정상회의에서 모로코는 주민투표를 실시할 것을 제안했으나 진전이 없자 1983년 6월 AU는 UN의 후원하에 평화적이고 공정한 주민투표 실시에 필요한 여건 조성을 위해 모로코와 폴리사리오 간에 직접 협상을 주장하는 결의안을 채택하였다. 동시에 1984년 11월 폴리사리오 측의 사하라아랍민주공화국(SADR)을 국가로 인정하자 모로코는 이에 항의하여 AU를 탈퇴하였다. 그 후 1985년부터 1988년 사이에 UN이 주도한 많은 외교적 조정 끝에 양측은 마침내 정전협정을 맺고, 주민투표를 통해 사하라 문제를 해결한다는 UN의 중재제안에 원칙적으로 동의하였다. 이에 따라 UN 안전보장 이사회에서 1991년 4월 안보리 결의안 제690호를 채택하고 '서부 사하라의 장래문제는 지역주민들의 투표를 통하여 모로코에 귀속 또는 분리 독립시킨다'고 결의하였다. 이를 위해 UN의 선거지원단(MINURSO)을 창설하고 1991년 9월부터 감시단 요원 100여명이 최초로 도착하여 평화유지 활동을 하고 있으나 모로코와 폴리사리오 간의 의견 불일치로 현재까지 주민투표가 실시되지 않고 있는데 이는 독립을 바라는 폴리사리오와 자치를 원하는 모로코 간의 이견(異見)이 작용하고 있기 때문이다.

Ⅵ. 기타지역 분쟁

코소보 사태는 유럽의 발칸반도에서 일어난 화약고로 인식되고 있다. 이는 발칸반도에서 역사적으로 중요한 사건들이 많이 발생했기 때문이다. 발칸반도는 다양한 민족의 거대한 집합소로서 1990년대에 공산권의 붕괴와 동서 냉전 종식을 배경으로 유고연방을 구성하고 있던 공화국들이 각각 독립을 선언하면서 이미 보스니아 내전 등으로 세계인이 개탄하던 인종청소의 처참한 살육이 벌어졌던 곳이다. 그중 하나인 코소보 분쟁은 코소보 전체 주민의 90%인 이슬람교의 알바니아계가 세르비아에서 분리하여 독립하거나 알바니아로 편입하기를 원하면서 시작되었다. 이 같은 움직임에 대해 세르비아가 적극 반대하여 1989년 밀로세비치(Slobodan Milošević, 1941-2006) 세르비아 대통령은 '대(大)세르비아 건설'이라는 민족주의적 기치 아래 코소보의 자치권을 박탈하게 되고, 이에 대항해 코소보 알바니아인들은 1992년 마침내 코소보 공화국을 선포하였다. 그로 인해 양측에서 무력충돌이 심화되고 국제사회는 코소보사태의 평화적 해결을 위해 코소보 내 나토 평화유지군의 주둔을 골자로 하는 평화협정을 제안하였으나 밀로세비치가 거부하였다. 결국 1999년 3월 24일부터 세르비아에 대한 나토의 공습이 감행되면서 1999년 6월 3일 유고정부는 마침내 코소보 평화안을 수용할 것을 발표하고, 6월 9일 나토와 유고군의 코소보 철군에 관한 협정에 합의함으로써 78일간 지속되던 코소보 전쟁은 일단락되었다. 그로부터 현재까지도 코소보 사태는 국제적 노력에도 불구하고 두 민족 간에 명확한 해결 실마리를 보이지 못하고 있다. 여전히 코소보를 자신의 종교적 성지이자 중세국가의 발원지로 여기는 세르비아인들과 미국의 전략적 지지를 바탕으로 독립국가 건설 후 이웃 알바니아와 함께 대알바니아주의를 실현하려는 코소보 알바니아인들 간의 긴장관계는 여전히 지속되고 있다.

체첸(Chechen)은 러시아 내의 북카프카즈산맥의 남동부에 위치해 있는 러시아 연방 내의 자치공화국이다. 주민들 대부분은 체첸어를 사용하고, 이슬람교를 신봉하고 있다. 18세기 말 팽창정책을 추구하던 러시아가 카프카즈산맥 정복에 나섰을 때 산악에 거주하던 민족들은 자신들을 지키기 위해 격렬하게 저항하였는데 그중 대표적인 민족이 바로 이들 체첸인들이었다. 이 카프카즈 전쟁은 거의 반세기 가까이 계속된 끝에 체첸은 1859년 러시아제국에 의해 강제로 합병되었고, 1920년에 자치공화국을 수립하였으나 다음해 소련군이 진주하면서 정복되어 소련에 편입되었다. 1934년 체치냐(Chechnya, 체첸인이 사는 지방)와 잉구슈인의 잉구셰티야 자치주가 합병이 되고 1936년에는 체체니아-잉구셰티야 자치공화국을 수립하였다. 그러나 제2차 세계대전 중 체첸족과 잉구슈족이 독일군을 도와 독립을 달성하고자 했다는 혐의로 1943~1944년 사이에 약 40여만 명이 카자흐스탄과 시베리아로 추방되었고 결국 체체니아-잉구셰티야 자치공화국도 해체되었다. 이들은 1957년 흐루시초프(Nikita Sergeevich Khrushchyov, 1894-1971)의 복권조치로 대부분 귀환하여 다시 자치공화국을 수립하였고, 1991년 소련 붕괴의 혼란기를 틈타 일방적으로 독립을 선언한 뒤 1992년 3월에 신연방조약에 따라 체첸과 잉구슈의 두 지방공화국으로 분리되었다. 그 후 1994년 체첸의 분리 독립 운동이 본격화하자 그 해 12월 러시아는 체첸에 진압군을 투입해 대대적인 반군 소탕작전을 감행해 수도 그로즈니를 점령하면서 제1차 체첸전쟁이 일어났다. 그러나 1996년 8월 체첸의 반군들이 러시아군을 물리침에 따라 휴전이 성립되고, 같은 해 12월 러시아군은 철수하였다. 그러다 1999년부터 체첸 반군들의 폭탄테러가 거듭되면서 같은 해 10월 러시아군이 체첸에 재진입함으로써 제2차 체첸전쟁이 발생하였다. 2002년 2월 러시아군이 수도 그로즈니를 다시 점령하고 6월에는 체첸반군의 총수인 샤밀 바사예프(Shamil Basayev, 1965~2002)가 러시아군에 사살되면서 사태는 더욱 악화되었다. 급기야 2002년 10월 23일 체첸전쟁 희생자들의 부인들까지 포함된 체첸분리주의 무장세력 40여 명이 모스크바 시내의 극장에 난입하여 700여 명을 인질로 잡은 사태가 발생, 러시아 특수부대가 진압 과정에서 강력한 마취가스를 사용함으로써 민간인을 포함하여 140명이 사망하는 사태가 발생하였다. 2004년 9월에는 북오세티야 공화국의 작은 도시 베슬란에서 무장괴한들이 초등학교를 기습해 천여 명을 인질로 잡은 후 체첸 반군포로 30여 명의 석방을 요구하다가 러시아군의 진압작전으로 어린이 186명을 포함한 331명이 숨지고 783명이 부상당하는 대규모 유혈참극이 벌어지기도 했다. 체첸문제는 오늘날 러시아에게 있어 가장 큰 문제임과 동시에 러시아의 반(反)테러 투쟁의 가장 중요한 전선으로 여겨지고 있으나 국제사회는 체첸 문제가 체첸과 러시아간의 역사적 원한, 카프카즈 지역과 카스피해 유역의 에너지자원 확보문제, 이슬람이라는 종교적 배경과 연결되어 있어 쉽게 해결될 수 없는 난제로 보고 있다.

조지아(Georgia, 혹은 그루지아, Gruziya)는 러시아 카프카즈 산맥 동남부에 위치하며, 흑해에 접해 있는 작은 나라로 1991년 구소련으로부터 독립하였다. 조지아 역시 카프카즈 지역의 다른 나라와 마찬가지로 민족 구성이 매우 복잡한데 조지아인이 전체의 80%를 차지하고 그 밖에 아르메니아인, 아제르바이잔인, 러시아인 등으로 구성되어 있다. 이러한 복잡한 민족구성으로 인해 공화국내에 3개의 자치지역을 두고 있으며, 서부의 압하지아 자치공화국과 남오세티아 자치주 그리고 터키와 인접한 아자르 자치공화국이 그것이다. 특히 이 가운데 조지아와의 분쟁 대상은 서쪽의 압하지아와 중북부의 남오세티아이다. 이들은 조지아 영토에 포함돼 있지만 실질적인 자치권을 누리고 있고 나아가 조지아로부터 분리 독립을 요구하며 무력투쟁을 벌이고 있다가 2004년 내전 발발의 위기로까지 치달았었다. 이들 두 지역은 독립에 대한 열망이 강한데다 이미 내전 등의 무력충돌을 경험한 바 있고, 러시아도 조지아의 NATO 가입추진에 대한 불쾌감으로 은연중 분리주의자들을 부추기고 있는 것으로 알려져 한층 복잡한 상황이 되고 있다. 2004년 대통령 선거에서 당선된 미하일 사카슈빌리(Mikhail Nikolozovich Saakashvili)가 친서방 정책을 추진해 러시아와 사이가 악화되었다. 2006년 조지아는 러시아 장교 4명을 간첩혐의로 체포한 후 금융제재 조치를 하는 등 강경한 입장을 보였고, 러시아 또한 품질을 이유로 2006년 조지아산 포도주와 생수 수입을 전면 중단했었다. 2008년에는 남오세티야 독립 문제를 둘러싸고 조지아와 러시아 간에 전쟁이 발발하였다. 2012년 총선에서 친서방 정당이 친러 성향 정당에게 패하면서 조지아는 러시아와의 관계 회복을 꾀하고 있다.

중국 신장(新疆)지역은 위구르족의 분리 독립운동으로 유혈사태가 끊이지 않는 중국의 화약고로 불리는 지역이다. 18세기 위구르인의 독립운동을 청 왕조가 군대를 파견해 진압한 이후 반중(反中) 정서가 뿌리 깊다. 이 지역은 유라시아 대륙의 한가운데에 위치하고 있어 고대에 서역(西域)이라고 불리던 실크로드의 중심지였다. 이 지역에 이슬람교가 전파되기 시작한 것은 10세기경이다. 위구르족은 중앙아시아의 투르크계 민족으로 현재 주로 중국의 신장과 파키스탄, 카자흐스탄, 키르기스스탄, 몽골, 우즈베키스탄 등 중앙아시아 지역과 독일, 터키, 러시아 등에도 흩어져 살고 있다. 역사적으로는 744년 위구르 제국을 세우고 고유의 문화를 발전시키기도 했으나 1759년 청나라에 편입된 이후 42차례의 독립운동을 일으켰을 정도로 갈등의 역사가 이어져 왔다. 위구르족은 1944년 동투르키스탄공화국(East Turkestan)이라는 이름으로 자치 국가를 성립하기도 했으나 5년 만인 1949년 중화인민공화국에 병합된 뒤 1955년 현재의 신장위구르 자치구가 됐다. 2천200만 명의 신장위구르 인구 가운데 절반에 조금 못 미치는 1천만여 명이 위구르족이다. 수니파 이슬람교를 신봉하는 이들은 한족과는 전혀 다른 정체성과 문화, 언어 등을 유지해 오고 있다. 중국이 1980년부터 한족 이주를 추진하여 한족이 전체 주민의 40% 가량을 차지하면서 어려운 경제 여건과 억압된 사회 분위기가 위구르인의 불만과 분노를 사고 민족 갈등으로 이어지면서 동투르키스탄 이슬람운동(ETIM: East Turkestan Islamic Movement)을 중심으로 하는 유혈사태와 테러가 빈발하고 있다. 최근 2009년 7월 197명이 숨지고 1천700여 명이 부상한 우루무치 유혈사태가 대표적이다. 지난 2008년에는 베이징(北京) 올림픽을 나흘 앞두고 위구르족 테러분자들이 신장위구르자치구 카스(喀什) 지구에서 중국 무장경찰을 향해 수류탄을 던져 16명이 사망했다. 2013년 10월 베이징 텐안먼(天安門) 광장에서는 위구르인 일가족의 차량 돌진 테러로 5명이 사망했고, 2014년 3월 쿤밍 철도역 테러로 29명이 숨지고 140여 명이 다친 사건이 있었으며, 2014년 4월 우루무치(烏魯木齊) 기차역 폭탄테러로 최소 31명이 사망하고 94명이 부상당하였으며, 2017년 2월에도 남부 허텐(和田) 지구에서 무장괴한 3명이 행인에게 무차별적으로 흉기를 휘둘러 5명을 살해하고 5명을 다치게 한 사건이 일어나는 등 중국전역에서 테러가 빈발하는 원인이 되고 있다.

카슈미르(Kashmir)지역은 한반도 크기와 비슷한 인도 서북 국경 산악지대로 인구는 약 1300여만 명의 이슬람교도가 80% 가량 사는 곳이다. 1947년 인도-파키스탄 독립 시 카슈미르 지역의 귀속문제는 해결되지 못한 상태였으나 당시 카슈미르 통치자 하리 싱이 인도로부터 각종 원조 약속 미끼로 파키스탄을 무시한 채 인도로 편입되는 사건이 발생한다. 이에 파키스탄은 강하게 반발하여 그해 10월 제1차 인도-파키스탄 전쟁을 시작으로 3차례 전쟁을 치렀다. 특히 3차 전쟁은 방글라데시 독립전쟁으로 파키스탄은 독립 당시부터 동·서로 나뉘어 종교는 이슬람교로 같았으나 민족구성이 서파키스탄의 경우에는 펀자브(Punjab)족이 절반을 차지하는 다민족인 데 반해 동파키스탄의 경우에는 벵갈(Bengal)족이 무려 98%를 차지하였다. 이들은 자치를 요구하여 현 방글라데시 수도 다카에서 반(反)서파키스탄 폭력시위를 일으키자 이를 빌미로 1971년 서파키스탄은 동파키스탄에 대한 침공을 한다. 그러자 동파키스탄은 인도에 도움을 요청하면서 인도-파키스탄 전쟁으로 비화되어 결과적으로 인도-동파키스탄 연합이 승리하면서 동파키스탄은 방글라데시로 독립정부를 수립한다. 이후 지금까지 카슈미르 내 통제지역 설정하여 군사적으로 대치하면서 수시로 테러와 충돌이 발생하고 있는 것이다.

Ⅱ 위 협

여기서는 우리나라에 대한 테러의 위협이 되는 요인을 살펴본다. 이러한 위협을 바라보는 시각으로 현실주의(現實主義)와 자유주의(自由主義)가 있다. 현실주의는 기본적으로 위협은 항상 존재하는 것을 전제로 내부의 취약성을 감소시켜야 한다는 입장인 반면 자유주의는 이러한 위협은 협력을 통하여 줄일 수 있다는 입장이다. 여기서는 기본적으로 우리나라가 휴전상태에 있는 정전국(停戰國)이라는 안보 현실을 고려하여 현실주의 입장에서 위협의 문제를 다루고 필요시 자유주의 시각을 반영하고자 한다. 우선 우리나라에 가장 큰 위협요인은 역시 북한이다. 이러한 북한의 위협은 해방이후 지금까지 끊임없이 대남테러를 자행한 전례에서 찾을 수 있다. 다음으로 우리 국민이 해외에서 당하는 테러 피해가 현실화되고 있는 실정에서 국외위협 요인을 살펴본다. 마지막으로 우리 국내의 테러에 취약한 요인을 찾아본다.

제4장에서는 북한에 의한 대남테러 위협요인으로 우선 북한을 바라보는 우리 국민의 이중적 시각에 대해 살펴본다. 북한을 과연 어떻게 볼 것인가? 평화통일을 위한 교류협력의 대상으로 볼 것인가? 아니면 자유민주주의 체제로의 흡수의 대상으로 볼 것인가?의 문제다. 이는 오늘날 우리나라가 처하고 있는 안보현실에 대한 해법과 전략에 관한 중요한 핵심 사안이자 테러대책을 다루는 기본 문제이다. 결국 지금까지의 북한의 대남테러의 역사와 대남테러의 전담조직 등을 통해 북한의 실체를 규명해보고, 대남테러의 지속 가능성을 예측해 보았다.

제5장에서는 국외 위협요인으로 해외 출국자 증가에 따른 테러피해의 증가, 해외 파병과 공격적 선교활동, 해외체류 교민과 해외진출기업의 증가에 따른 테러피해가 증가하고 있는 실태와 사례를 살펴보았다.

제6장에서는 우리 국내의 테러 취약요인으로 우리나라의 체제를 부정하는 소위 '내부의 적(敵)'과 증가하고 있는 외국인의 불법체류자 문제와 외국인 범죄의 문제, 확산되고 있는 이슬람 문화, 소위 '묻지마 범죄'의 증가 실태 등을 다루어 보았다.

제4장

북 한

여기서는 우리나라에 대한 테러의 위협요인으로 가장 먼저 북한을 꼽았다. 이유는 해방이후 지금까지 끊임없이 대남테러를 자행한 전례가 있기 때문이다. 우선 우리 사회에서 북한을 바라보는 이중적 시각을 살펴본다. 북한을 평화통일을 위한 교류협력의 대상으로 볼 것인가? 아니면 자유민주주의 체제로의 흡수의 대상으로 볼 것인가?이다. 이는 오늘날 우리나라가 처하고 있는 안보현실에 대한 해법과 전략에 관한 중요한 핵심 사안이자 테러대책을 다루는 기본 문제이다.

우선 대남테러의 역사로 그동안 북한은 우리 남한에 대하여 다양한 접촉과 교류를 지속하면서도 휴전이후 지금까지 무려 3,094회에 이르는 대남 군사 도발을 감행하였고, 항공기 폭파 등 각종 테러를 4백 70여 건이나 자행하였다. 이러한 북한의 이중적 태도는 여전히 남한에 대한 적화통일전략 전술을 구사하면서 대남테러를 자행하고 있는 현실적인 위협요인이 되고 있다. 또한 대남 테러를 전담하고 있는 대표적인 조직인 북한군의 정찰총국과 노동당(勞動黨) 산하 통일전선부(統一戰線部) 및 문화교류국(文化交流局) 등이 건재하고 있다. 또 북한의 국가목표가 노동당 규약에 명시된 '전 한반도의 공산화 통일'이라는 전략적 측면과 북한이 처하고 있는 대내외 환경 측면에서 미국과 중국의 북한에 대한 제제와 지원정책의 변화, 북한자체의 경제난과 식량난에 따른 체제위기 등을 종합적으로 고려해 볼 때 여전히 우리나라에 가장 큰 위협요인이 되고 있다.

제1절 북한에 대한 시각

북한을 어떻게 볼 것인가? 평화통일을 위한 교류협력의 대상으로 볼 것인가? 혹은 자유민주주의 체제로의 흡수의 대상으로 볼 것인가? 아니면 이러한 두 가지의 성격을 동시에 가진 특수 관계로 볼 것인가? 이 문제는 오늘날 우리나라가 처하고 있는 안보현실에 대한 해법과 전략에 관한 중요한 핵심 사안이다.

알고 있는 바와 같이 우리나라는 1945년 일제식민지로부터 해방되었음에도 불구하고 일본군의 무장해제를 명분으로 한반도에 상륙한 미국과 소련에 의한 분할통치로 남과 북이 분단되는 사태가 초래되었다. 당시 소련군은 북한지역에 '북조선 임시인민위원회'를 구성하여 1948년 9월 9일 김일성을 지도자로 하는 '조선민주주의 인민공화국'을 수립하고 북한 전역을 빠르게 장악하였다. 김일성은 마르크스・레닌주의를 받아들여 북한의 수상(首相) 자리에 올라 1967년 12월 최고인민회의에서 주체사상(主體思想)을 발표하고 이를 통치의 이데올로기로 삼았다. 이는 1946년 8월 제정된 노동당 규약에서 '조선노동당은 마르크스・레닌주의 이념을 자기활동의 지침으로 삼는다'라는 규정과 1956년 제3차 당(黨)대회에서도 재확인하였다. 이어서 1965년 4월 김일성이 "조선민주주의 인민공화국의 사회주의 건설과 남조선 혁명에 대하여"라는 연설에서 자주적 입장과 창조적 입장이라는 개념을 언급하면서 "주체(主體)"라는 용어를 사용하였고 후에 "주체사상"으로 발전하였다. 1970년 11월 당 제5차 당대회에서 당규약을 개정하여 "마르크스・레닌주의를 창조적으로 적용한 김일성의 주체사상을 자기활동의 지도적 지침"으로 선포하였고, 1972년 채택된 사회주의 헌법에서 "조선민주주의 인민공화국은 마르크스・레닌주의를 우리 현실에 창조적으로 적용한 조선노동당의 주체사상을 자기활동의 지도적 지침으로 삼는다"라고 명문화함으로써 주체사상은 북한의 통치이념이 되었다. 이후 1980년 10월 제6차 당규약에서는 "김일성 주체사상만이 당의 공식 지도이념"이라고 규정하였고, 1982년 김정일은 주체사상의 이론화와 체계화 작업을 완료하였다. 이로써 북한은 주체사상을 통하여 독재 권력을 강화하고, 3대 세습을 위한 이론적 기반으로 삼았다.

당초 주체사상은 '자기 운명의 주인은 자기 자신이며 자기 운명을 결정하는 힘도 자신에게 있다'는 이론에 근거한다. 하지만 이후에 '인민 대중이 자기 운명을 창조적으로 개척하기 위해서는 수령(首領)의 영도를 받아야 하며, 수령의 영도는 제국주의자들과의 대결전(對決戰)에서 최후 승리를 달성하고 인민대중의 혁명위업 완성을 위한 가장 중요한 것'이라는 유일사상(唯一思想)의 원리로 변질되어 완성되었다. 이러한 과정을 겪어 북한의 정치체제는 김일성 일가를 중심으로 하는 유일사상을 지도이념으로 하는 수령 일인지배체제를 완성하기에 이른다. 즉 김일성이 만든 통치이념인 주체사상을 김정일이 유일사상으로 변화시키고 김정일 시대 말기인 2010년 노동당 규약으로 김일성·김정일주의를 채택함으로써 오늘날 사회주의 국가에서 그 유래(由來)를 찾아볼 수 없는 김일성 → 김정일 → 김정은으로 이어지는 3대 세습체제를 구축한 것이다.

남한 지역 역시 해방 후 미군정에 의한 통치가 시작되면서 1948년 8월 15일 대한민국 정부가 수립되어 본격적인 식민지 청산 작업이 진행되었다. 그리고 소련의 지원과 후원으로 1950년 6월 25일 북한의 기습남침으로 시작된 한국전쟁으로 5백여만 명이라는 희생자를 낳고 1953년 7월 27일 휴전이 성립되면서 지금까지 세계유일의 분단국가라는 오명을 쓰고 남북한의 분단이 고착화되는 현실에 직면하고 있는 것이다.

그동안 남북한은 다양한 형태의 대화와 경쟁을 반복하면서 이러한 분단의 고착화를 해결하기 위한 노력이 있어왔다. 이를 크게 냉전(冷戰)의 시기와 교류협력의 시기로 나누어 볼 수 있다. 냉전의 시기는 세계의 초강대국인 미국과 소련이 자유국가와 공산국가라는 이념과 이데올로기의 대결이 극에 달한 시기로 남한과 북한이 상호 대결 대립하던 기간이고, 교류협력의 시기는 1980년대 후반 유럽 동구 공산권의 몰락에 따른 사회주의 국가의 체제붕괴에서 나온 남북한이 상호 협력과 교류가 활발했던 시기를 말한다.

냉전시기의 남북관계는 서로 상대방을 국가로서 인정하지 않는 아주 적대적인 긴장상태로 무력을 통해 남북통일을 추구했던 시기였다. 남한은 1948년 대한민국 정부수립이후 북한을 수복(收復)해야 할 대상으로 상정하였고, 한국전쟁 이후에도 무력에 의한 북진 통일정책을 지속적으로 추진하였다. 또한 1960년대는 국제적으로도 미국과 소련간의 냉전이 심화되면서 남북관계 역시 상호 경쟁하는 체제경쟁의 성격을 띠게 되었다. 그 과정에서 1972년 '7·4남북공동성명'이 발표되고[1] 이 성명은 정전협정 이후 최초의 남북한 공식 접촉 결과로서 높게 평가할 수 있는 것이었다. 이듬해인 1973년의 6·23선언과 1974년의 8·15평화통일원칙 천명 등이 연속적으로 이루어지면서 한반도에서의 평화통일을 지향하는 정책이 논의되던 때였다. 당시는 그동안의 남북한 관계가 상호 무시와 대결의 관계에서 서로를 정치적 실체로 인정함과 동시에 무력충돌에 대한 우려를 불식시키는 교류협력의 시기로 전환되는 계기가 된 것이다.

1980년대 후반에는 국제적으로 동구권 사회주의 국가들의 붕괴와 소련의 해체로 소위 냉전이 종식되는 시기로 당시 남북관계 역시 많은 변화과정을 겪게 된다. 남한은 소위 '북방정책'을 추진하여 지금까지 미수교국(未修交國)이었던 중국과 러시아를 비롯하여 여러 사회주의 국가와의 잇따른 수교로 외교무대를 넓히면서, 법적으로는 1990년 8월 「남북교류협력에 관한 법률」을 제정하여 그때까지 「국가보안법」에 따라 남북 간의 접촉이 반국가적 행위로 처벌되었던 규정을 국가안보에 영향을 미치지 않는 범위에서 교류협력을 허용하도록 하였다. 당시 우리 헌법재판소도 「국가보안법」과 「남북교류협력에 관한 법률」이 서로 충돌하지 않는다고 보면서 '현 단계에서 북한은 조국의 평화적 통일을 위한 대화와 협력의 동반자임과 동시에 대남적화노선(對南赤化路線)을 고수하면서 우리 자유민주주의 체제의 전복을 획책하고 있는 반국가단체라는 성격도 함께 갖고 있음이 엄연한 현실인 점에 비춰, 헌법의 전문과 제4조가 천명하는 자유민주적 기본질서에 입각한 평화적 통일정책을 수립하고 이를 추진하는 법적 장치가 소멸할 경우 당연히 대한민국의 주권적 권력이 북한지역에도 미치는 것이다'며 헌법 제3조 영토조항과 제4조 통일조항이[2] 조화된다고 보았다.[3] 1991년 9월 17일 남한과 북한 모두 국제연합(UN)에 가입하게 됨으로써 그 후 남한과 북한은 모두 UN에서 국가로

1) 7·4남북공동성명은 1972년 7월 4일 한국과 북한이 분단 이후 최초로 통일과 관련하여 합의, 발표한 공동성명으로 남한의 박정희 대통령의 지시로 중앙정보부장 이후락이 북한에 가서 김일성과 만나 자주, 평화, 민족대단결의 3대 통일 원칙을 합의 발표하게 되었다. 이후 이 성명은 남북 양측 모두 권력기반 강화를 위해 이용되었다(위키백과).

2) 제3조 대한민국의 영토는 한반도와 그 부속도서로 한다.
제4조 대한민국은 통일을 지향하며, 자유민주적 기본질서에 입각한 평화적 통일 정책을 수립하고 이를 추진한다.

3) 헌재결 1997. 1. 16. 92헌바6, 26, 93헌바34·35·36 등(병합), 「헌재판례집」 제3권, p. 91.

승인된 것이다.

당시 북한은 1991년 12월 13일 남북기본합의서 체결, 1991년 12월 31일 한반도 비핵화공동선언 합의, 1994년 10월 21일 북미기본합의서의 체결 등 변화된 모습을 보여주었다. 이로써 남한은 각종 후속 조치를 통해 교류협력의 기반을 마련한 반면 북한은 공산주의 체제 자체의 위기를 남북한 교류와 서방국가와의 협력으로 모면하려 하였으나 실패하고 독자적인 고립정책으로 체제위기를 극복하려 하였다. 이때 북한은 1993년 3월 핵확산금지조약(NPT: Non Proliferation Treaty)의 탈퇴와 핵개발로 독자적인 생존을 위한 정책을 추진하여 남북관계는 급격하게 경색될 수밖에 없었다. 특히 1998년을 전후하여 심각한 경제난으로 소위 '고난의 행군' 시기를 겪으면서 2백여 명의 주민이 굶어죽는 지경에 이르렀고, 외부로부터의 지원이 절실히 필요한 시점에 있었다. 이때 남한은 김대중과 노무현 정부의 소위 '햇볕정책' 내지 '포용정책' 추진으로 2000년 6월 남북정상회담과 6·15남북공동선언 등이 발표되면서 본격적인 교류협력의 시대가 열렸다. 이의 결과로 지금까지 남북한이 진행한 공식적인 남북대화만 2008년 6월까지 590회에 이르고 이를 통해 생산된 합의문건은 모두 212건이나 되었다.[4] 그러나 북한은 1999년 제1차 연평해전, 2008년 금강산 관광객 총격, 2009년 대청해전, 2010년 연평도 포격도발과 천안함 폭침, 2002년 제2차 연평해전 등 잇따른 대남도발과 2006년부터 2017년까지 총 6차례의 핵실험, 2016년부터 2017년까지 총 25회의 미사일 발사 등으로 2017년 말 현재 UN안보리의 제제를 12회에 걸쳐 받아 남북관계는 단절되고 다시 경색되게 되었다.

이처럼 남북관계는 한국전쟁 이후 약 70년이 지난 지금까지 분단체제가 지속되고 교류와 반목(反目)이 교차하면서 서로에 대한 인식이 복잡한 관계를 보이고 있다. 이는 궁극적으로 남북한이 상대를 교류협력의 대상으로 볼 것인가 혹은 흡수의 대상으로 볼 것인가의 문제이고, 같은 민족으로서 협력과 통일의 대상으로 인식함과 동시에 이데올로기적으로 대립하면서 군사적으로 대치하는 적(敵)으로 인식하는 모순적 관계에서 기인한다. 이는 남북한이 실질적으로는 1991년 UN 동시가입으로 국제적으로 그 존재를 다른 국가로 인정받고 있지만, 형식적으로는

4) 국가정보원, 『남북한 합의문건 총람』(2005) 및 통일부 남북대화사무국 홈페이지(http://dialoue.unikorea.go.kr) 참조.

우리나라의 헌법 제3조에서 전 한반도와 북한지역 주민까지도 대한민국의 영토와 국민의 범주에 넣고 있다. 대법원도 지금까지 일관되게 우리나라가 한반도의 유일한 합법정부라는 UN의 결의안(1948년 12월 12일 제3차 유엔총회 결의 제195-III호)을 인정하는 판례를 계속해오고 있다.[5] 이는 대한민국의 통치권은 현재는 휴전선 남쪽에서만 실효적으로 행사되고 있으나 북한지역에도 동일하게 적용되는 것으로 보아야 한다. 즉 휴전선의 북쪽지역은 이른바 조선인민공화국이 불법적으로 점령한 미수복지역(未收復地域)이라는 것을 선언하고 있는 것이다. 따라서 외국인이 대한민국 국적을 가지려면 「국적법」 제5조에 따라 관련서류를 구비하고 법무부장관의 허가를 얻어야 하지만 북한이탈주민[6]의 경우 대한민국으로 입국 후 곧바로 국가의 보호를 받을 수 있다고 규정하고 있다. 이처럼 북한을 대하는 시각은 안보와 통일관련 의식에 있어서 국민 대다수의 의견통일을 이루어내지 못하고 있어 우리 사회에서의 심각한 남남갈등과 이념갈등을 야기하고 있는 것이다.[7]

북한 또한 남한을 '남조선'이라 표현하는 것은 남한의 실체성을 인정하지 않는 대표적인 예이다. 북한의 현행 헌법 제9조는 "조선민주주의 인민공화국은 북반부에서 인민정권을 강화하고 사상, 기술, 문화의 3대혁명을 힘 있게 벌려 사회주의의 완전한 승리를 이룩하며 자주, 평화통일, 민족대단결의 원칙에서 조국통일을 실현하기 위하여 투쟁한다"라고 규정하고 있다. 이것은 1972년 7.4남북공동성명에서 밝힌 북한의 조국통일 3대원칙으로 북한을 북반부로 칭하면서 암묵적으로 남한을 남반부로 규정함으로써 법률적으로 남한에 대한 국가성을 부정하고 있는 것이다. 또한 북한의 노동당 강령이나 규약[8]에 남한을 무력적화통일의 대상으로

---

5) 대판 1961. 9. 28. 4292행상48; 대판 1990. 9. 25. 90도1451; 대판 1990. 9. 28. 89누6396; 서울고판 1995. 12. 8. 94구16009; 대판 1996. 11. 12. 96누1221.

6) 북한이탈주민이란 북한에 주소, 직계가족, 배우자, 직장 등을 두고 있는 사람으로서 북한을 벗어난 후 외국 국적을 취득하지 않은 사람을 말한다(「북한이탈주민의 보호 및 정착지원에 관한 법률」 제2조 제1호).

7) 김병로, "통일 및 북한인식의 변화: 불안한 복귀, 천정을 치고 내려오다", 『북한인식・통일인식・대외인식』(서울대학교 통일평화연구원, 2012), p. 11.

8) 『조선로동당 규약』 서문(2010): '인민공화국 건설을 위해 전 조선적으로 주권을 인민의 정권인 인민위원회에 넘길 것'. 『조선로동당 규약』 강령: 남조선에서 미제의 침략무력을 몰아내고 온갖 외세의 지배와 간섭을 끝장내며 사회의 민주화와 생존의 권리를 위한 투쟁을 적극 지지성원하며 우리민족끼리 힘을 합쳐 자주, 평화통일, 민족대단결의 원칙에서 조국을 통일하고 나라와 민족의 통일적 발전을 이룩하기 위하여 투쟁한다.

지목하고 있어 이러한 북한의 남한에 대한 시각이 변함이 없음을 말해주고 있다. 한반도의 적화통일(赤化統一)을 통해 소위 '김일성·김정일 사상의 유일지배체제를 한반도 전 지역에서 실현하는 것'이 북한의 대남정책 기본 목표이고, 소위 '남조선 혁명'의 성격을 '미 제국주의에 의한 남조선의 식민지 상태의 청산'과 '민족해방 민주주의 혁명을 통한 인민이 지배하는 정부 수립하는 것'으로 규정하고, '분단된 두 나라를 하나로 만드는 일'이 아님을 강조하고 있는 것으로 보아 남한에 대한 북한의 시각을 그대로 볼 수 있다.

남북관계의 특수성에 대한 규정은 1991년 체결된 「남북 기본합의서」와 우리 헌법재판소의 판결문에서도 찾아볼 수 있다. 지난 1991년 12월 12일 제5차 고위급회담에서 채택한 「남북 사이의 화해와 불가침 및 교류협력에 관한 합의서」(일명 남북 기본합의서)는 남북관계를 '나라와 나라 사이의 관계가 아닌 통일을 지향하는 과정에서 잠정적으로 형성되는 특수 관계'라고 밝히고 있어[9] 국가 간의 관계인 국제관계로 인식하지 않고 있다. 이는 합의서에는 남북이 서로 상대를 인정하여 남한을 '대한민국' 북한을 '조선민주주의인민공화국'이라고 하여 정식 국호로 서명하였음에도 상대를 인정하지 않는 모순된 태도로 볼 수 있다. 2000년 발표한 6.15공동성명에서도 '남한의 연합제 안과 북한의 낮은 단계 연방제가 서로 공통성이 있다고 인정하고 이 방향에서 통일을 지향시켜 나가기로 하였다'고 하여 우리의 통일 방안인 '민족공동체 통일방안'의 2단계인 '남북연합' 방안을 상호 인정하기로 하였다. 2007년 10·4 남북정상선언[10]에서 '남북한은 사상과 제도의 차이를 초월하여 남북관계를 상호존중과 신뢰 관계로 확고히 전환'하기로 규정하였다.

결국 남북합의서이든, 6·5공동선언에 따른 후속문서이든 또 앞으로 체결될 남북 간의 어떤 합의서이든 간에 법적 구속력을 갖는 조약으로 체결할 필요는 없으나 분단국을 구성하는 정치실체 간에도 북한을 국가로 승인하거나 남북한 특

---

9) 남북기본합의서 제1조는 "남북은 서로 상대방의 체제를 인정하고 존중한다"고 규정하고 있고, 부속합의서 제1조에서는 "남과 북은 상대방의 정치, 경제, 사회, 문화, 체제(제도)를 인정하고 존중한다"고 하고 있으며, 제5조에서는 "남과 북은 상대방의 법질서와 당국의 시책에 대하여 간섭하지 아니한다"고 규정하고 있다.

10) 2007년 10월4일 노무현 대통령과 김정일 북한 국방위원장이 공동으로 발표한 '남북관계 발전과 평화번영을 위한 선언'을 말한다. 군사적 적대관계 종식을 위한 협력과 불가침의무 준수, 종전선언을 위한 당사국회의의 한반도 개최, 서해평화협력특별지대 설치, 경의선 화물철도 개통과 안변·남포 조선협력단지 건설, 백두산~서울 직항로 개설, 11월 중 서울에서 남북총리회담 개최 등 8개항을 담고 있다

수관계에 배치되는 것이 아니다. 다만 국내적으로 법적 구속력을 갖든지 그렇지 않으면 정치적 신사협정으로 보든지 합의문건의 내용과 성질에 따라 차별적으로 대응하는 것이 지금까지의 남북관계의 현실이며 관행과도 일치한다 할 것이다. 우리 헌법재판소도 남한과 북한이 각각 국제연합에 가입해서 남한과 국제연합과의 관계에서는 남한이 국가이고, 북한과 국제연합과의 관계에서는 북한이 국가인 것으로의 효과는 발생하더라도 남한과 북한 상호간의 관계에서는 국가승인의 효과는 발생하지 않는다는 것이다.[11] 즉, 남한과 북한이 국제연합에 가입하였어도 이는 남한과 북한이 각기 국제연합과의 관계에서 국가로 승인되는 효과는 발생하나 남한과 북한 상호간의 관계에서 국가승인의 효과가 발생하는 것은 아니라는 것이다. 따라서 남북은 형식상 상호 체제 인정과 내부적으로 불인정이라는 모순된 관계가 지속되고 있는 중이다.

이러한 북한을 바라보는 시각은 북한의 대남정책의 기조와 본질이 변화되었는가의 문제와 연관되어 있다. 대표적인 것이 북한의 대남정책의 본질이 변화되었다는 주장과 기조와 본질이 변화되지 않았다는 주장이 그것이다. 먼저 대남정책의 본질이 변했다는 주장은 대남전략의 목표가 당초 '통일'에서 1990년대에 들어서면서 북한 내부의 능력저하와 사회주의권의 몰락이 가져온 국제환경의 악화로 남한과의 '평화공존'의 추구로 변화됐다"는 것이다. 이는 북한의 대남전략 기본목표가 '통일'에서 '평화공존'으로 변화했다는 것을 의미하는 것이다. 또한 북한의 대남관도 그동안 '반미'를 통한 '민족자주통일'에서 1980년대 중반이후 부터 민족대단결을 통한 경제난해소와 '전 민족적 통일전선' 구축을 염두에 두고 있다는 것이다. 또한 북한이 조선로동당규약과 헌법, 주체사상 총서, 주체사상에 입각한 남조선혁명과 조국통일 등 각종 문헌에서 대남혁명전략과 관련된 규정들을 그대로 유지하고 있으나 국내외 상황변화로 이러한 내용들이 유명무실해졌고 북한 체제 생존차원에서 변경할 수밖에 없다는 입장이다. 또 북한 지도자가 김일성 → 김정일 → 김정은으로 바뀌면서 대남정책에 차이가 있다는 입장이다. 또 다른 주장인

---

11) 헌재결 1997.1.16. 92헌바6 · 26, 93헌바34 · 35 · 36(병합), 「헌재판례집」 제9권1-2집(1997), pp. 22-23. "남 · 북한이 유엔(U.N.)에 동시가입 하였다고 하더라도 이는 '유엔헌장'이라는 다변조약(多邊條約)에의 가입을 의미하는 것으로 유엔헌장 제4조 제1항의 해석상 신규가맹국이 '유엔'이라는 국제기구에 의하여 국가로 승인받는 효과가 발생하는 것은 별론으로 하고, 그것만으로 곧 다른 가맹국과의 관계에 있어서도 당연히 상호 간에 국가승인이 있었다고 볼 수 없다는 것이 현실 국제정치상의 관례이고 국제법상 통설의 입장이다."

대남정책의 본질 불변론은 북한은 여전히 한반도 적화통일을 궁극적인 목적으로 '미제국주의자들이 점령하고 있는 남조선을 해방하는 민족해방과 인민들을 착취 계급에서 해방시키는 인민민주주의혁명을 이루는 과업'을 지난 반세기 동안 일관되게 추구하고 있다는 것이다. 이 주장은 북한의 대남정책은 변화가 없고 있다면 어디까지나 환경변화에 따른 전술의 변화로 인한 것이라는 것이다. 북한의 교류회담과 군사도발이 시기와 강도에 있어 때로는 강온 양면적으로, 때로는 중첩적으로 다양한 형태로 치밀하게 계산된 전술의 변형에 불과하다는 것이다. 이는 결국 북한을 바라보는 시각이 여전히 상반되게 존재한다는 것이다.

이처럼 지금까지 남북한의 다양한 접촉과 합의 과정에서도 북한은 지난 반세기 동안 무려 3,094회(침투도발 1,977회, 국지도발 1,117회)에 이르는 대남 군사 도발을 감행하면서[12] 지금까지 '대결과 협력'이라는 이중성이 공존하는 남북관계의 특수성을 보여 왔다. 이러한 북한의 이중성은 대남전략의 일환인 소위 화전양면전략(和戰兩面戰略)으로 교류협력을 통한 관계개선 중에도 무력도발을 시도해온 지금까지의 많은 대남도발사례를 통해 알 수 있다. 남북관계의 이중성은 북한이 자행한 대남테러와 침투·도발로 인해 초래된 것이며 대화와 협상과정에서 충돌과 무력도발을 통해 유리한 국면으로 돌파하려는 시도에서 기인한 것으로 보인다. 결국 이로 인해 오히려 지금까지의 남북관계에 역기능을 초래하였고,[13] 앞에서 살펴 본 바와 같이 남북관계가 매우 복잡하고 복합적인 양상으로 전개되고 있는 것이다. 즉, 남북한은 통일을 지향하면서도 상대방의 체제에 대한 인정여부로 대화와 협력을 추진하다가 또다시 정치·군사적 대결관계로 전환되는 등의 불안정하고 단절적인 관계를 유지하고 있는 것이 현실이다.

제2절 대남테러의 역사

위에서 살펴본 것처럼 남북관계는 특수한 상황으로 남과 북이 상호 실체를 인

---

12) 국방부, 『2016 국방백서』(2016), pp. 251-252.
13) 통일부, 『2017 북한이해』(2017), p. 135.

정하는 과정에서 대결과 협력이라는 이중적 시각이 존재한다. 그동안 북한은 남한에 대하여 다양한 접촉과 교류를 지속하면서도 휴전이후 지금까지 무려 3,094회에 이르는 대남 군사 도발을 감행하였고 항공기 폭파 등 각종 테러를 4백 70여 건이나 자행하였다.[14] 이러한 북한의 이중적 태도는 여전히 남한에 대한 적화통일전략 전술을 구사하고 있다는 반증이라 할 수 있다. 북한에 의해 자행된 테러의 역사와 사례는 지금까지 1960년대, 1970년대 등 시기별로 분류하거나 납치, 암살, 폭발 등 테러의 유형으로 분류하여 정리한 것이 대부분인데 큰 의미나 차이는 없는 것 같고 다만 소규모 군사적 충돌인 게릴라전을 테러 사례에 포함하는 것은 피해야 할 것으로 본다. 여기서는 시기별로 대표적인 사건 사례 위주로 살펴보고자 한다.

1950~1960년대 북한은 1950년대 말부터 계속된 중국과 소련의 공산주의에 관한 이념분쟁으로 양국 사이에서 고민하던 시기이다. 1962년 쿠바 미사일 위기에서 소련이 미국에 굴복하는 모습을 보면서 실망하여 독자적인 적화통일을 위한 대남전략을 위해 인민무력부(작전국)의 주도로 대남테러를 감행하게 된다. 1968년 '1 · 21 청와대 기습사건',[15] 11월 울진 · 삼척 무장공비 민간인 살해사건,[16] 1958년 KNA 민간항공기 납치사건,[17] 1969년 민간항공기 KAL기 납치사건 등이 있었다. 특히 KAL 민간 항공기 납치는 1969년 12월 11일 12시 25분 강릉에서 서울로 향하던 KAL 항공기가 강제로 납치되어 북한의 함흥부근 연포 비행장에 강제 착륙, 승무원 4명을 비롯하여 승객 47명이 납북되었다. 북한과의 협상을 통해 1970년 2월 14일 탑승객 59명 중 39명이 판문점을 통하여 귀환하였다.

---

14) 최진태, 앞의 책, p. 149.

15) 1968년 1월 21일 북한의 민족보위성 정찰국에 소속된 제124군부대 1개 소대규모인 무장공비 31명이 휴전선을 넘어 청와대 기습임무를 띠고 서울에 침투하였다. 이들은 동일 밤 10시경 세검정에서 청와대를 향하던 중 공비 출현 신고를 받고 출동한 종로경찰서장 최규식 총경의 불심검문을 받자 총격과 수류탄 투척을 하다가 당시 수도경비사령부 제30경비대대의 즉각적인 출동으로 진압되었다. 정부는 군경합동작전으로 도주한 자들을 추격하여 1명을 생포하고, 29명을 사살하였다.

16) 1968년 11월 3일 북한의 제124군 특수부대원 무장공비 120명이 강원도 삼척군과 경북 울진군의 경계지점의 해안에 침투하여 지역주민들에게 김일성 주체사상을 선전하였다. 주민 신고로 11월 3일-16일간 소탕작전을 실시하여 31명 사살, 2명을 생포하였고, 우리도 18명이 피해를 당했다.

17) 1958년 2월 16일 부산발 서울행 항공기에 승객으로 가장한 4명의 간첩들이 총기로 조종사를 위협하여 승무원 3명, 승객 28명이 강제로 납북되었다. 우리나라 최초의 항공기 납치 사건으로 같은 해 3월 8일 납치 공범으로 추정되는 7명을 제외한 26명이 송환되었다.

쿠바 미사일 위기(Cuban missile crisis)

이는 1962년 10월 22일부터 11월 2일의 11일 동안 소련의 중거리 핵미사일을 쿠바에 배치하려는 시도를 둘러싸고 미국과 소련이 대치하여 핵전쟁 직전까지 갔던 국제적 위기를 말한다. 사건의 발단은 1962년 10월 14일, 미국의 U-2기에 의한 첩보사진에 쿠바에 건설 중인 미사일 기지가 촬영되면서 촉발되었다. 미국의 케네디대통령은 즉각 소련이 쿠바에서의 미사일 기지 건설을 무력시위라고 주장하며 기지의 완공을 강행한다면 이를 선전포고로 받아들여 제3차 세계대전도 불사하겠다는 성명을 발표했다. 쿠바는 미국의 플로리다 반도의 끝에서 불과 230km밖에 떨어져 있지 않으며 미국은 이 지역에 소련의 핵미사일의 배치를 미국의 본토를 위협하는 것으로 보았다. 케네디 대통령은 이 문제를 UN안전보장이사회에 붙이는 한편 긴급하게 미주기구회의를 개최하여 소련에 대해서 핵미사일의 즉시 철거와 미사일기지의 파괴를 요구하였다. 실제로 미국은 쿠바에 대한 공중폭격과 상륙이라는 강경 작전을 계획하고 소련 상선의 쿠바 접근을 저지하는 해상봉쇄를 결정하였으며 소련이 핵미사일과 기지의 철거·파괴에 응하지 않으면 소련과의 전면전쟁도 불사하겠다고 하였다. 소련은 1962년 10월 26일 미국이 쿠바를 침공하지 않는다는 것을 약속한다면 미사일을 철거하겠다는 뜻을 미국에 전달하고, 10월 27일 쿠바의 소련 미사일기지와 터키의 미국 미사일기지의 상호철수를 제안하였다. 이에 미국은 이를 수락하면서 사태가 해결되었다. 이 사건을 계기로 미소는 냉전의 와중에서도 워싱턴과 모스크바를 연결하는 핫라인(hot line: 긴급통신연락망)을 설치하였다.

1970~1990년대 북한은 겉으로는 남북대화에 응하면서 남침용 땅굴을 휴전선 부근에 뚫고 있었다. 제1땅굴(1974), 제2땅굴(1975), 제3땅굴(1978)을 파는 등 도발을 계속하였고 1976년에는 판문점 도끼만행사건, 1970년 국립묘지 현충문 폭파미수 사건, 1974년 박정희 대통령 저격 미수사건(육영수 여사 피살),[18] 1983년 미얀마 아웅산 묘소 폭파사건[19] 등 요인암살 위주의 테러를 자행했다. 특히

18) 1974년 8월 15일 국립극장에서 광복절 기념식을 거행하던 중, 북한의 지령을 받은 조총련계 간첩 문세광이 박정희 대통령을 향하여 저격을 시도하였고, 이 과정에서 영부인 육영수 여사가 피살되었다.

19) 1983년 10월 9일 북한 특수요원들이 미얀마를 공식 방문한 전두환 대통령 일행을 아웅산 묘소 참배 시에 살해하려고 기도한 사건이다. 범인은 북한군 소좌 진용진, 대위 강민철, 그리고 대위 김치오 3명이 1조로 1983년 9월 9일 동건 애국호편으로 북한 옹진항을 출발하여 1983년 9월 23일 미얀마 랑군에 도착하여 미얀마주재 북한대사관 송창휘 3등서기관, 김웅삼, 손기훈이 살고 있는 집으로 안내되었다. 이들은 10월 7일 새벽 02:00분에 아웅산 묘지 지붕 위에다 2개의 폭탄을 설치하고, 10월 9일 아침 한국 대통령 영접을 위한 의식을 연습하는 중에 원격조정장치

1988년 서울올림픽 방해를 목적으로 1986년 김포공항 청사 폭파사건, 1987년 KAL 858기 공중폭파사건[20]을 저지르기도 했다. 1990년대에 북한은 동유럽 공산권의 붕괴와 우리나라가 중국, 러시아 등 사회주의 국가와의 잇따른 수교로 인해 국제적으로 고립이 심화되고 내부적으로는 '고난의 행군'으로 불리는 대기근에 시달리는 등 총체적 위기에 직면하여 내부적인 체제 안정에 집중하였다. 이 당시 1995년 서해에서 어선 '86 우성호'가 북한 경비정에 의해 납치되었고, 중국 연길에서 안승운 목사 납치, 무장간첩 충남 부여 침투, 1997년 김정일 전처 조카인 이한영 피살사건 등이 발생하였다. 이한영은 김정일의 전처 성혜림의 조카로 1982년 남한으로 망명하여 살던 중 1997년 2월 22일 자신이 기거하던 경기 성남시 분당구 아파트 현관 입구에서 남파 간첩 2명이 쏜 실탄에 이마를 맞아 뇌사상태에 빠진 뒤 11일 만인 2월 25일 숨졌다. 탄피가 북한간첩용이고 다른 체포 간첩의 진술로 북한 소행으로 밝혀졌다. 또한 1997년 일어난 북한 노동당 비서인 황장엽 망명 사건은 북한에 정신적인 충격을 던져 주었다. 황장엽은 주체사상을 이론적으로 정리한 북한의 대표적인 학자이자 노동당의 지도급 간부라는 점에서 그의 망명은 북한의 사상적 기반이 붕괴한 것이나 다름없었다. 북한은 이후 황장엽을 암살하기 위해 2010년 1월 정찰총국 산하 공작원 2명(김명호·동명관)과 5국(해외정보국) 소속의 공작원 1명을 선발하여 탈북자를 위장하여 국내에 침투하였으나 탈북자 신문과정에서 위장침투 사실이 탄로나면서 실패하였다.[21]

2000년 이후 북한은 2001년 미국의 9·11테러 사건으로 전 세계적으로 국제테러에 대한 공분(公憤)이 어느 때보다도 높고 국제적인 대응과 공조가 긴밀히 추진되고 있어 무고한 민간인을 대상으로 하는 대남테러는 자제하는 대신에 소규모적인 국지적 군사도발을 감행하는 시기였다. 특히 9·11테러 직후인 2001년 9월 12일 유엔안전보장이사회가 이와 같은 유사사태가 국제평화와 안전에 대한 심각한 위협이라며 규탄결의안 1368호를 만장일치로 채택하면서 종전의 테러행위(terrorist act) 대신에 테러공격(terrorist attack)이란 용어를 사용하였다. 이로

로 폭파시켰다. 이로 국빈 17명이 사망하고 14명이 부상당했으며, 미얀마 관계자도 4명이 사망하고 32명이 부상당했다.

20) 1987년 11월 29일에서 이라크 바그다드에서 서울로 향하던 대한항공 858기 민간항공기가 미얀마 안다만해역 상공에서 공중 폭파되어 탑승객 115명 전원이 사망하였다. 범인은 북한 노동당 조사부 소속의 김승일과 김현희가 저지른 것으로 밝혀졌다.

21) 김명호·동명관 사건 1심 판결문, 서울중앙지판 2010. 7. 1. 2010고합862, pp. 2-12.

써 이러한 공격을 당한 국가는 유엔 헌장 제51조상의 무력공격과 유사한 개념을 적용하여 개별적·집단적 자위권을 행사할 수 있도록 허용하는 함으로써 무력응징의 법적 근거를 마련하였다. 또한 테러의 실행·조직·후원뿐만 아니라 지원·협력·비호도 책임을 묻도록 함으로써 테러조직을 비호하는 국가에 대한 엄격한 법적 책임을 부과하였다.[22] 이에 따라 북한도 2001년 11월 21일 「테러자금조달의 억제를 위한 국제협약」(International Convention for the Supperession of the Financing of Terrorism), 「인질억류 방지에 관한 국제협약」(International Convention Against the Taking of Hostages) 등 2개의 대테러협약에 정식으로 서명하였다.[23] 이처럼 북한은 국제적인 대테러의 움직임에 적응하려는 노력을 보이면서도 2000년 중국 길림성에서 김동식 목사 납치, 2008년 금강산 관광객 총격 등의 테러사건을 자행하였으나 대남테러보다는 1999년 제1차 연평해전, 2009년 대청해전, 2010년 연평도 포격도발과 천안함 폭침, 2002년 제2차 연평해전, 2015년 DMZ의 지뢰폭발 등 잇따른 국지적 군사도발에 집중하면서 2006년부터 2017년까지 총 6차례(1차: 2006.10.9, 2차: 2009.5.25, 3차: 2013.2.12, 4차: 2016.1.6, 5차: 2016.9.9, 6차: 2017.9.3)의 핵실험과 2016년부터 2017년까지 총 25회의 미사일 발사 등을 강행하는 대남군사도발 양상을 보여왔다.

제3절 대남테러 전담조직

북한의 정치체제는 수령 1인 지배 3대 세습을 근간으로 하는 독재체제로 모든 국가권력의 구성과 행사는 수령의 지시로 시작된다. 다음의 조직 체계도에서 볼 수 있듯이 북한은 수령을 중심으로 조선노동당과 조선인민군이 있으며 우리나라의 행정부에 속하는 국무위원회가 있다. 이 국무위원회는 2016년 6월 기존의 국방위원회를 폐지하고 국방을 포함하여 통일·외교·경제로 기능을 확대하여 신

22) 신각수, "국제법적 관점에서 본 9·11 반테러전쟁", 『국제법학회 논총』, 제7권 제1호(2002), pp. 125-130.

23) 대테러관련 조약에 관한 세부적인 내용은 제9장 제1절 참조.

설된 조직으로 산하에 국가안전보위성과 인민무력성 및 인민보안성을 두고 있다. 앞으로 대남테러를 포함하는 모든 대남전략은 이 기구의 지도아래 수행될 것으로 보인다. 북한에서 대남 테러를 전담하고 있는 조직은 대표적인 것이 북한군의 정찰총국이고, 대남 공작업무를 담당하고 있는 노동당 산하 통일전선부와 문화교류국, 대남 정보 수집을 담당하고 있는 국가안전보위성 등이 있다. 다만 이러한 대남테러 전담 조직도 모두 김정은 지시와 명령으로 모든 대남테러를 계획하고 실행한다는 점에 유의해야 한다.

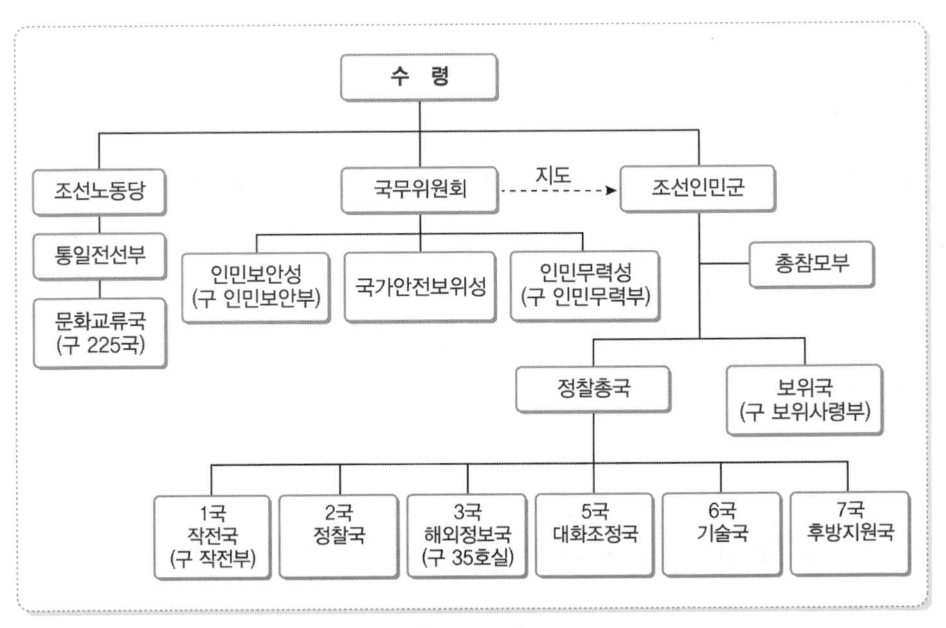

[체 계 도]

출처: 이병순, "북한의 대남혁명전략에 대한 연구"(2016), pp. 55-57 수정.

북한에서 대남 테러를 전담하고 있는 조직은 대표적인 것이 북한군의 정찰총국이다. 정식 명칭이 '조선인민군 총참모부 정찰총국'으로 2009년 2월 기존의 대남공작 기구였던 정찰국과 노동당 작전부·대외정보조사부(35호실)가 통합되어 정찰총국으로 확대 개편되었다. 이는 1964년 김일성이 대남공작 강화를 위해 연락부와 문화부, 조사부를 총괄하여 '대남사업총국'을 신설한 것과 유사하다. 다만 당시 대남사업총국이 노동당 내에 존재했는데 정찰총국은 노동당 소속의 작전부와 35호실을 군으로 끌어들여 기존의 정찰국과 통합하였다는 점에서 차이가 있다. 주 임무는 남한 및 해외에서의 테러를 총괄하면서 공작원 양성·침투, 정보수집, 파괴공작, 요인암살, 납치, 해킹·DDoS 같은 사이버 테러 등을 수행하고 있다.

정찰총국은 작전국, 정찰국, 해외정보국, 대화조정국, 기술국, 후방지원국 등 6개 부서로 나누어져 있는데 ① 제1국(작전국)은 대남간첩의 양성과 침투를 담당하면서 교육 훈련, 침투 루트 개척, 공작원 호송과 안내 등을 수행하고 있다. 인원은 5천여 명으로 추정되고 육상과 해상에 공작원 침투를 담당하는 6개의 연락소를 가지고 있다. 육상에는 사리원연락소와 개성연락소, 해상에는 동해안에 평강과 낙원연락소, 서해안에 남포와 평원연락소를 가지고 있다. 해상 침투수단으로 상어급 잠수함, 반 잠수정 등이 있고 때로는 어선을 가장한 선박으로 이용하기도 한다. ② 제2국(정찰국)은 대남 무장공비의 남파, 요인암살, 납치, 폭파, 전방 정찰대 운용 등을 담당하고 있는데 북한 정권 초창기부터 군부의 군사정보수집과 대남침투를 담당하던 부서였다. 북한은 정규전 전투력이 한·미 연합 전투력에 미치지 못하자 잠수함과 미사일 등 비정규전 전투력을 강화하면서 정찰국은 주로 유격전을 수행하고 과거 청와대 기습사건이나 울진·삼척 무장공비 침투사건, 미얀마 아웅산 묘소 폭파사건 등 요인암살이나 게릴라전, 폭파테러에 활용하였다. 인원은 4천5백여 명으로 전방과 동·서해안에 4개의 파견기지를 운영하고 있는데 함북 청진의 121연락소(일본 담당), 강원 원산의 313연락소(동해 담당), 황남 해주의 755연락소(서해 담당), 평남 남포의 927연락소(남해 담당) 등이다. ③ 제3국(해외정보국)은 남한 및 해외에서의 정보수집, 간첩공작, 국제적인 대남테러 전담하는 조직으로 과거 노동당 산하의 35호실이었다. 1962년 김일성의 대남공작 강화 지시로 신설된 부서로 주로 해외에서의 공작을 담당하여 1978년 최은희·신상옥 납치사건을 수행하였고, 1987년에는 KAL858기 폭파사건을 자행한 바 있다. 주요 활동지역은 일본의 도쿄와 오사카, 마카오, 홍콩, 중국의 선양과 상해 그리고 연변, 태국의 방콕 등이다. 또한 프랑스의 파리, 오스트리아의 빈, 아프리카의 나이지리아, 에티오피아, 탄자니아 등지에서도 활동 중이다. ④ 제5국(대화조정국)은 남북대화 관련 업무를 전담하는데 회의 조정, 대화기술 개발, 대남군사모략, 군사회담 정책수립, 회담 모니터링 등을 수행한다. ⑤ 제6국(기술국)은 사이버 테러를 담당하여 해커 양성교육, 침투장비 및 기술 개발(DDos공격), 해킹 전담조직인 110호 연구소를 운영하고 있다. 이는 향후 북한이 사이버를 활용한 대남심리전 수행이나 사이버 테러를 중점적으로 추진하겠다는 의도를 나타낸 것이라고 할 수 있다. ⑥ 제7국(후방지원국)은 제1국 및 3국을 지원하면서 해커 등 사이버를 전담하는 제128연락소, 남한 군부의 전략정보 수집기관인 198연락소, 보급을 지원하는 314연락소, 잠수정 침투를 지원하는 448연락소 등을 운영하고 있는 것으로 알려져 있다.[24]

이처럼 정찰총국을 구성하는 작전국, 정찰국, 35호실 모두가 과거부터 대남테러를 수행해 오고 있었고 실제로 테러를 감행한 경험을 보유하고 있어 향후에도 대남테러는 이 조직을 중심으로 자행될 것으로 예상된다. 즉 지금까지의 대남공작 양상이 남한 내 지하당의 구축이나 동조세력의 포섭, 합법적인 정당에 침투 등으로 추진해오던 것이 제4세대 전쟁의 일환으로[25] 요인 암살이나 납치, 다중이용시설에 대한 방화나 폭파 등으로 양상이 변화될 것으로 본다.

국무위원회는 2016년 6월 29일 최고인민회의 제13기 제4차 회의에서 국방위원회를 폐지하고 국방을 포함하여 통일・외교・경제로 기능을 확대하여 신설되었다. 이 기구는 북한의 전 분야를 망라하는 종합적 정책결정기관으로 김정은이 위원장을 맡아 국가의 전반적인 사업 지도, 간부 임명・해임, 국가 비상사태와 전시상태・동원령 선포 등의 권한을 갖는다. 이로써 국무위원회는 당과 내각의 핵심 인사, 군 행정책임자, 기밀과 정보를 수집하는 정치보위기관의 책임자가 망라된 국가 운영의 최고 권력기구가 되었다. 따라서 앞으로 대남테러를 포함하는 모든 대남전략은 이 기구의 지도아래 수행될 것으로 보인다. 또한 그때까지 국방위원회 직속기구였던 인민무력부와 인민보안부의 명칭을 각각 인민무력성과 인민보안성으로 바꾸어 국무위원회 직속으로 두었다. 인민무력성은 우리나라의 국방부에 해당하는 기구로 군 관련 외교업무와 군수・재정 등을 담당하고, 인민보안성은 우리나라의 경찰청에 해당하는 기구로 치안 유지를 담당하는 기구이다.

국가안전보위성은 우리의 국가정보원과 대비될 수 있는 조직으로 주로 간첩 및 반혁명분자 색출, 주민들의 사상적 동향 감시, 대남 정보업무 등을 담당하고

---

24) 정찰총국, 위키백과(Wikimedia Foundation) 참조.
25) 제4세대 전쟁에 대한 세부 내용은 제11장 제4절 참조.

있다. 이 조직은 1947년 2월 북조선인민위원회 보안국으로 출발하여 1952년 10월에 내무성으로 이관되었다가 1962년 10월에 사회안전성으로 복귀하였다가 1973년 5월 국가정치보위부로 설치되었고, 1982년 국가보위부, 1993년 국가안전보위부로 개칭되었다. 김정은 체제 이후인 2016년 8월 현재의 명칭인 국가안전보위성으로 바뀌면서 인민무력성 및 인민보안성과 함께 국무위원회 산하로 편제되었다. 이 기구는 당・정・군 그리고 기업소까지 파견되어 있고, 지방조직까지 설치하여 전국적인 규모를 갖추고 있다. 중앙에는 부장 아래 조직・선전・간부・검열・후방・철도 등의 분야를 담당하는 수 명의 부부장과 기능별 부서들이 있고, 산하 각 시・도 안전보위부를 두고 있다. 최말단 농촌의 리와 반까지 보위부원이 상주하고 있어 철저한 주민정보망을 갖추고 있다. 임무는 기본적으로 반탐(反探) 업무와 해외정보 수집 및 공작, 체제 저해요소 색출・제거, 대남 접촉・회담 지원 업무 등을 수행한다. 또한 한국의 경호실과 유사한 호위총국과 협조하여 김정은을 비롯한 고위간부의 경호도 맡고 있고, 아무런 법적 절차도 없이 용의자를 구속하고, 재판 없이 처단할 수 있는 막강한 권한을 갖는다.[26] 남북회담의 경우 회담요원으로 가장하여 참석하여 정보를 수집하고, 요원을 정찰국에 파견하여 대남테러를 직간접으로 지원하고 있다. 탈북자들이 가장 두려워하는 조직으로 탈북자가 계속 늘어나자 전략을 바꿔 위장 탈북자를 남한에 보내거나 기존 탈북자를 재입북(再入北)시키는 역공작도 시도하고 있다. 특히 북한과 중국의 접경지역인 동북3성에서 선교활동을 하고 있는 한국의 선교사 등에 대한 납치와 북한으로의 유인활동은 이 기구의 소행으로 보는 것이 일반적이다.

노동당 산하 통일전선부와 문화교류국도 공작 기관이다. 1978년 1월 김일성 지시에 따라 설립된 통일전선부는 남북대화 및 남북교류협력사업을 주관하면서 조총련 및 해외교포 공작사업, 대남심리전 및 통일전선공작 등 대남 선전선동 임무를 담당한다. 산하에 조국통일연구원(대남심리전・정보 분석 및 연구)과 조국평화통일위원회(조평통), 조선아시아태평양위원회, 반제민전(구 한민전), 해외동포원호위원회, 조국전선, 범민련, 범청학련 등 많은 위장 단체를 거느리고 있다. 1980년대 국내에 많이 유포됐던 김일성 주체사상 선전 책자 등 이념 서적 대부분이 여기에서 만들어졌고, 맥아더 동상 철거나 미군기지 이전 시위 등의 배후 세력으로

26) 국가안전보위성, 위키백과(Wikimedia Foundation) 참조.

의심받는 곳이기도 하다. 요즘은 인터넷과 방송, SNS를 통해 유언비어 유포 등 심리전에 치중하는 것으로 알려지고 있다.

문화교류국은 1946년 북로당 산하 '서울공작위원회'가 모태가 되어 이후 문화연락부, 사회문화부, 대외연락부, 225국 등으로 불리다 2016년 7월 현재의 명칭으로 바뀌었다. 이 기구는 간첩을 남파시켜 지하당을 구축하고 유사시에 무장봉기를 유도하는 소위 '혁명 역량'을 축적시키는 게 주요 임무다. 자체적으로 사이버전담부서를 운영하여 사이버를 통한 사이버드보크 개발 및 설치, 간첩지령, 대북보고 등 간첩교신 수단으로 활용하고 있다. 특히 국내 간첩망과 연계하여 사이버공간을 통해 악성루머 유포, 흑색선전, 대남노선 등을 선전선동하고 있다. 최근엔 북한조직 내부에 반(反)김정은 인사에 대한 테러와 암살 조직을 가동하고 있는 것으로 알려져 있다. 김정일정치군사대학과 초대소에서 10여 년간 밀봉교육(비밀교육)을 마친 간첩을 국내에 침투시켜 지하조직을 구성하고 국가기밀 탐지와 테러 등을 기도하는 조직이다. 지난 1992년 여간첩 이선실 사건, 1999년 민족민주혁명당사건, 2006년 일심회 사건, 2011년 왕재산 사건 등 여러 간첩 사건의 배후 세력으로 등장했고 1997년에는 경기도 분당에서 김정일 처조카 이한영씨를 암살하기도 한 조직으로 알려져 있다. 지난 2000년대 말 지하당 사업의 저조와 정찰총국의 신편 등으로 노동당 소속의 대외연락부를 한때 내각 소속의 225국으로 격하시켰다가 최근에 다시 노동당 소속으로 복원하면서 문화교류국으로 개편하였는데 이것은 대남공작에서 새로운 변화를 가져올 수 있는 요인이다.

앞에서 언급한 바와 같이 북한은 수령 1인 지배체제로 모든 대남테러의 계획과 행사는 수령의 지시로 시작된다. 따라서 대남테러에 영향을 주는 요인으로 이를 직접 진두지휘하고 있는 북한 최고 지도자의 성향과 지휘 스타일을 들 수 있다. 김일성 시대에는 대남테러가 노동당 대회나 중앙위원회 전원회의, 당 정치국회의 등에서 대남혁명전략의 일환으로 보고되고 당의 의사결정과정을 거쳐 노동당의 전략으로 채택하여 집행하는 형식을 행하여 졌다. 이러한 형태는 당내 의견수렴 과정을 거치면서 정교하게 다듬어졌고 당의 사업이라는 명분과 권위를 부여받아 집행 과정에 많은 출혈이 있었음에도 극복하고 줄기차게 진행될 수 있었다. 김정일 시대에는 비밀공작 위주의 형태로 자행되었다. 영화광이었던 김정일은 첩보영화를 이상적으로 생각하고 이를 모방한 납치와 테러를 무모하게 자행하여 무고한 인명이 살상당하는 사태가 초래되었다. 공작원 양성 과정에서도 남한 현실에 맞는 교육을 실시한다는 이유로 '남조선 생활관'을 건립하고 남한에서 납치해 온 청소년들을 강사로 투입하였고 해외 침투를 위해 일본인이나 동남아시아인을 납치하기도 하여 국제사회의 반발을 불러일으키기도 하였다.

현재의 김정은 지휘 스타일은 북한 주민들에게 지금도 인기가 높은 김일성의 모습을 흉내내면서 자신의 일천한 국정운영 경험을 김일성의 권위로써 대신하려는 행태를 보이고 있다. 경험 없고 나이어린 지도자라는 약점을 감추고 과단성 있는 지도자라는 평판을 얻기 위해 작금의 핵개발뿐만 아니라 무모하고 돌발적인 대남테러를 감행할 여지가 충분하다 하겠다. 특히 김정은의 대남관(對南觀)에 주목할 필요가 있다. 김정은의 유년 시절에 대남, 대미인식 형성에 영향을 미친 환경요인은 현재 잘 알려진 것이 없지만 김정일의 요리사로 10년 넘게 근무한 일본인 후지모토 겐지와 스위스 유학시절 베른국제학교 교장 페타 부리 증언에 의하면[27] 김정일은 김정은을 통 크게 키우겠다며 어린 시절부터 군복을 입고 생활하는 등 활동적이고 대담한 성격을 가지도록 양육된 것으로 알려져 있다. 따라서 김정은의 대남관은 자신이 후계자로 공식화된 2008년부터 김정일이 사망하고 최고사령관으로 추대된 2011년까지의 행적을 추적하면 어느 정도 판단이 가능하다. 이 기간 동안 북한은 남한에 대하여 고강도 군사도발을 감행했다. 2009년도 미사일 발사와 2차 핵실험(5.25)을 시작으로 2010년 연평도 포격(11.23), 2013년 천안함 폭침(3.26) 등을 자행하였다. 이 당시 김정은은 연평도 포격도발부대인 4군단을 방문하면서 "적들이 침범한다면 원수의 머리 위에 강력한 보복타격을 안기라", "싸움이 일어나면 다시금 멸적의 명중포성을 울리라"(조선중앙통신, 2016.2.26)는 등의 무자비한 지시를 했다. 이와 같은 지시로 볼 때 김정은의 성격이 심사숙고하기보다는 즉흥적이고 군사주의적 모험을 서슴지 않는 대담성을 가진 성향을 가지고 있음을 뒷받침하고 있다. 따라서 김정은의 대남관은 미국의 동맹국인 한국이 북한 체제를 위협하면서 북한의 급변사태 발생 시에는 북한을 흡수통일하려 한다는 피해의식을 가지고 있으며, 이를 극복하기 위해서는 핵무기를 개발하여 실전배치하는 것만이 북한 체제를 지킬 수 있다는 인식을 가지고 있다고 볼 수 있다.[28]

27) 데일리NK(www.dailynk.com)(2009.6.14), 신동아(2009.7.7.), 중앙일보(2011.12.23).

결국 김정은의 통일에 대한 인식이나 대남관은 과거의 것을 그대로 답습한 것으로 볼 수 있다. 즉 통일의 장애와 남북관계의 파국은 전적으로 한국정부 때문이라며 책임을 남한에 전가하고 있다. 남북관계의 근본적 개선을 주장하면서도 경색된 남북관계의 원인이 남한이 북한을 적대시한 정책 때문이며 북한의 핵실험과 미사일 발사를 한국에 대한 도발로 간주하여 제재를 가했기 때문이라며 책임을 우리에게 전가하고 있다. 따라서 남북관계 개선을 위해서는 '군사적 긴장상태를 완화하고 모든 문제를 대화와 협상으로 해결해야' 하고 '군사분계선의 심리전 방송과 삐라 살포 등 자극적이고 비방 중상하는 적대행위를 중지할 것'(로동신문, 2016.5.7)을 요구하고 있다. 또한 남북한 화합의 장애물인 국가보안법을 철폐하고 5·24조치를 해제하며 각종 대북제재를 철회할 것을 요구하고 있다. 또한 조국통일 3대원칙, 6·15 공동선언, 10·4선언은 남한에서 정권이 교체되더라도 이행해야 한다고 주장했다. 이 같은 제의는 남북관계의 개선보다는 당면하고 있는 대북제재를 완화하거나 돌파하기 위해 통일전략 전술을 구사하고 있는 것으로 볼 수 있다. 기존의 통일전략전술의 일환인 '대결과 대화의 병행 전략'으로 남한에 대한 시각이 변함이 없음을 나타내고 있다.[29]

또다른 대남테러 조직을 담당하는 핵심인물은 김영철이다. 양강도 출신의 김영철은 인민군 15사단 비무장지대 민경중대에서 군 생활을 시작하여 1968년 군사정전위원회의 연락장교로 근무했다. 1989년부터 대남업무에 본격 관여하면서 남북 군사회담 대표로 나서 해박한 대남 지식을 과시하면서 무례한 태도로 상대방에게 모욕감을 주고 필요할 때는 도움을 요청하기도 하는 등 능수능란한 협상 능력을 보였다. 2012년 대장으로 진급하였고 이후 대장→중장→대장→상장→대장으로 부침을 겪기도 하였으나 2015년 12월 김양건이 사망하자 그 뒤를 이어 통전부장 겸 대남사업담당 비서에 올랐다. 정찰총국이 출범 이후 줄곧 대남 강경테러를 주도하면서 천안함 폭침과 연평도 포격에 관여했다고 알려지고 있고 있다. 즉 김영철은 군사도발과 핵·미사일 도발을 지속하고 있는 김정은의 대남 전략 정책을 뒷받침할 인물로 평가되고 있다.[30]

---

28) 전재성, "5차 핵실험 이후의 북한 핵문제와 우리의 대응전략 방향", 『전략연구』(제23권 제3호, 2016), pp. 9-10.

29) 변창구, "김정은 체제의 대남전략", 『통일전략』(한국통일전략학회, 제16권 제2호, 2016), pp. 241-263.

이처럼 현재의 김정은의 대남관이나 김영철의 성향 등을 종합해 볼 때 북한은 남한 내에 북한 추종세력이 오랜 기간 동안 상당한 수준으로 축적되어 있고 광범위하게 확산되어 있는 것으로 평가하고 있기 때문에 이들을 활용하여 다양한 형태의 대남도발을 자행할 가능성이 농후하다.

제4절 대남테러 지속 가능성

I. 대남전략 측면

북한이 남한에 대하여 테러를 계속할 것인가? 이 문제에 대한 해답은 북한이 추구하는 국가전략의 목표와 김정은의 대남관, 대남테러 전담조직 변화, 과거의 사례 등을 종합적으로 검토함으로써 찾을 수 있을 것이다. 이를 위해서는 먼저 북한체제의 기본적인 국가목표와 국가전략을 살펴 볼 필요가 있다.

북한의 국가목표는 앞에서 살펴본 대로 노동당 규약에 명시된 '전 한반도의 공산화 통일'이며, 당면목표는 '북한지역에서 사회주의의 완전한 승리'이다.[31] 이 국가목표는 북한의 대남정책의 기조와 본질이 변화되었는가의 문제와 연관되어 변화되었다는 주장과 변화되지 않았다는 주장이 있으나 결국 국내외환경의 악화로 인한 일시적인 전술의 변화가 있었으나 분단 이후 지금까지도 변하지 않고 있다. 이러한 국가목표 달성을 위한 국가전략은 '경제건설 및 핵무력 건설 병진노선'으로 2016년 김정은도 7차 당대회에서 '경제와 핵의 병진 노선'을 '일시적인 것이 아니라 항구적으로 틀어쥐고 나가야 할 전략적 로선으로'(로동신문, 2016.5.7) 제시하였다. 이는 북한이 현재 국제사회의 대북제재가 계속되어도 핵무장을 포기하지 않고 완성하여 안보와 경제 강국을 건설하겠다는 의지로 볼 수 있다.

이러한 국가전략 아래 추진되는 남한에 대한 혁명전략은 김일성 일가의 3대 세습권력의 존속과도 연결되어 있다. 남한을 해방시키기 위한 명분으로 핵과 미

30) 중앙일보, "천안함 · 연평도 '도발 아이콘'… 김영철은 두 얼굴 협상꾼"(2016.1.19).
31) 자세한 내용은 북한연구소, 『북한총람: 2003-2010』(서울: 북한연구소, 2011), pp. 709-801 참조.

사일을 개발하는 이면에는 세습 독재권력을 유지하기 위한 방편의 일환이다. 김정은이 등장한 이후에 핵과 미사일 개발을 만류하는 측근을 무자비하게 처형하면서까지 4차례의 핵실험과 핵무기의 실전배치를 밀어붙이는 배경에는 김일성・김정일로부터 물려받은 권력을 보존하고자 하는 체제존립의 욕구의 표현으로 볼 수 있다.[32] 따라서 이러한 대남혁명전략은 북한 체제의 존립과 직결되는 것으로 기조를 끝까지 유지할 수밖에 없는 것이다. 대남혁명전략은 1964년 당중앙위 제4기 8차 전원회의에서 채택된 '3대 혁명역량 강화'인 '국제적인 혁명역량강화', '남한 지역의 혁명역량 강화', '북한 내부의 혁명역량 강화' 내용 중 두 번째인 '남한 지역의 혁명역량 강화'의 내용이다. 국가목표인 '전 한반도의 공산화 통일'을 위해 남한 지역에서의 혁명역량을 강화하는 것을 말하는데 이는 구체적으로 대남혁명전술에 의한 것이다. 세부적인 행동지침은 합법・비합법・반합법 투쟁, 폭력・비폭력 투쟁, 테러전술・게릴라전술・무장봉기전술, 대화(협상)전술 등으로 요약할 수 있다.[33] 이를 실행하기 위하여 북한은 앞에서 살펴본 124군부대, 238부대, 17정찰여단 등의 비정규전 게릴라부대를 창설하여 한국군의 후방을 교란하고 양민학살, 다중이용시설 파괴, 암살 등의 테러를 자행하여 왔다. 김정은도 2016년 5월 9일 노동당 제7차 대회 보고에서 핵개발 전략의 고수와 '자주, 평화, 민족대단결'의 3원칙에 입각한 연방제 통일방안을 주장하는 등 기존의 대남혁명전략에 별다른 변화가 없음을 보여주었다.

북한은 지금까지의 대남혁명전략의 기조를 유지하는 범위 내에서 대내외적인 환경 변화를 감안하여 전술적인 변화를 취하지 않을 수 없을 것이다. 대남전략의 수립과 집행구조가 수령 1인의 직접적인 통제 하에 놓여있는 구조에서 앞에서 살펴본 젊은 김정은의 성격과 지휘 스타일에 따라서 전략의 실행단계에서 대남테러의 양상은 달라질 것을 예상할 수 있다. 김정은의 충동적이고 공격적인 성향으로 볼 때 예측할 수 없는 대남테러를 도발할 가능성이 높다. 최근 미국 중앙정보국(CIA)은 2012년 이후 북한이 대남 테러 위협을 거론하면서 과거와 달리 추상적인 표현으로 대남도발을 언급하고 있는 데 주목하고 있다고 한다. 즉 연평도 포격도발 직전인 2010년 10월 29일 한미 군사훈련에 대해 "강력한 군사적 행동

32) 한관수, "북한 대남전략의 분석과 전망", 『전략연구』 제24권(2017), p. 126.
33) 유동열, "김정은 시대의 군사전략", 『북한』 통권 491권(북한연구소, 2011), pp. 37-43.

에 돌입할 것", "자비 없는 물리적 복수를 할 것"이라고 하면서 직접적인 군사 공격을 구체적으로 표현하였음에 반해 최근에는 "특별행동", "곧 시작할 것이다" 라고만 표현함으로써 공격의 방법과 시기를 알 수 없게 하고 있다. 북한이 김정은 등장이후 4차례의 핵실험을 아무 예고 없이 전격적으로 실시하고 장거리 미사일 발사도 발사 예정일을 수정 통보해 예측을 어렵게 한 것과 같이 상대방이 예측할 수 없는 돌발적인 도발을 가해 올 가능성이 높다.

결국 이 과정에서 북한은 한반도 공산화혁명을 위해 폭력적이고 무력적인 대남 테러리즘을 혁명전략의 중요한 전술로 선정하고 감행할 것이다. 당(黨)규약 전문(前文)과 헌법 제9조[34]는 국가지원테러리즘 이념이 민족해방과 인민민주의 혁명을 통한 한반도 공산화라는 목표를 달성하기 위한 수단이라는 측면을 밝히고 있다. 이와 같이 북한의 국가목표와 국가전략→대남전략→대남전술 체계는 남한에 대하여 지속적인 고강도의 도발과 테러를 자행할 수밖에 없는 것이 현실이다.[35]

Ⅱ. 내·외부 환경 측면

북한을 둘러싼 국제적 요인은 한반도 주변 4강의 힘의 역학관계와 관련이 있다. 특히 미국과 중국의 대북정책이 결정적이다. 우선 미국의 한반도 개입은 6·25전쟁으로 인한 것으로 북한에게는 전쟁의 실패를 가져왔고 이후 남한과의 견고한 한미동맹을 기반으로 주한미군의 한국내 배치, 미국의 핵전략자산 제공, 연례적인 한미연합훈련 등의 연대강화로 대남전략에 걸림돌이 되어왔기 때문이다. 최근 북한문제에 대한 미국의 직접적인 관여는 북한이 2006년 10월 9일 처음으

34) 북한은 2016년 5월 9일 당 7차 대회에서 노동당 규약을 개정하였는데 전문은 공개하지 않고 내용만 소개했다. 당 규약 개정 내용: △자주, 선군, 사회주의의 노선과 원칙을 일관하게 추진, △경제건설과 핵무력 건설을 병진, △청년운동을 강화하는 것을 당과 국가의 최대의 중대사, 혁명의 전략적 요구로 내세우고 청년들을 당의 후비대, 척후대, 익측부대로 튼튼히 키울데 대한 내용 등(로동신문, 2016.5.10.)

북한 헌법 제9조: 조선민주주의인민공화국은 북반부에서 인민정권을 강화하고 사상, 기술, 문화의 3대혁명을 힘있게 벌려 사회주의의 완전한 승리를 이룩하며 자주, 평화통일, 민족대단결의 원칙에서 조국통일을 실현하기 위하여 투쟁한다.

35) 제성호, "최근 북한의 대남공작 양상과 전망", 『국가정보연구』 제10권 1호(2016), pp. 182-189. 북한의 대남테러 가능성에 대한 자세한 내용은 제11장 제3절 참조.

로 핵실험을 실시한 1차 북핵위기 이후이다. 미국의 입장에서는 북한의 핵개발이 국제적으로 NPT체제의 와해는 물론 일본과 한국 등 동북아 국가들에게 핵도미노 현상의 단초가 될 것을 사전에 차단하기 위해 북한에 대한 각종 경제제재와 대화를 병행 추진해왔다. 북한의 입장에서는 지금까지 6차례의 핵실험으로 미국이 중심이 된 유엔의 대북제재에 반발하면서 핵개발을 협상카드로 활용하여 북한의 체제보장을 위한 협상을 계속해오고 있는 중이다. 북한체제의 보장과 경제난 해결을 위해 미국과의 관계 정상화에 사활을 걸고 있는 것이다. 북한의 핵문제가 북미관계의 핵심이며 대남전략 결정에도 중요한 요소로 작용한다고 할 수 있다.[36)]

중국의 지원도 북한의 대남전략에 중대한 영향을 미친다. G2 국가로 부상한 중국은 동북아에서 미국에 대한 견제와 협력을 계속하면서 소위 '북한 감싸기' 정책을 지속 추진해왔다. 북한에 대한 국제사회의 대북제재 결의 과정에서도 강경한 압박보다는 대화를 통한 해결방안을 주장하면서 국제적 제제 이행에 미온적인 태도를 보여 왔다. 특히 매년 북한에 원유와 식량을 제공하여 북한이 '그럭저럭 버티기(muddling through)'에 성공할 수 있었다. 앞으로도 북중관계에 우여곡절은 있을 수 있지만 중국은 북한을 전략적 방벽, 전략적 자산(strategic asset)이라는 인식에 변화가 없을 것이며 이러한 중국의 의도는 북한으로 하여금 대남전략 수행에 일정한 자신감을 갖게 하는 요소임에 틀림없다.

또한 북한의 내부 요인도 대남전략의 결정과정에 영향을 미치는 요인이다. 즉 북한 체제의 안정성이 중요한데 김정은 체제가 불안정하면 대남전략도 성공적으로 수행될 수 없기 때문이다. 현재 북한의 내부 위험요인은 체제 위협과 경제난으로 분류할 수 있다. 체제 위협은 김일성 시대부터 유일사상체계를 구축하여 수령중심의 영도체제로 발전되었기 때문에 거의 제거되었다고 볼 수 있다. 김정은은 2016년 5월 7차 당대회에서 국가최고의 노동당 위원장으로 추대되고, 2016년 6월 최고인민회의 제14기 3차 회의에서 국방위원회를 국무위원회로 확대 개편하고 자신이 국무위원회 위원장이 되었다. 이로써 자신의 지배체제에 위협요인으로 작용할 수도 있는 군부의 영향력을 축소하고 국가운영의 중심을 군 중심에서 당 중심으로 전환하여 유일적 영도체제를 구축하였다. 그러나 신변에 불안을 느끼고

36) 정경영, "북핵실험과 한국의 공세적 안보태세", 『월간북한』, 2016년 10월호, pp. 32-34.

있는 고위급 군장성에 의한 반란 가능성이 상존하고 있어 당분간은 '불안정 속의 안정' 상태가 지속되고 있다고 볼 수 있다.

북한은 1990년대 중반에 동구사회주의권의 붕괴, 심각한 경제위기와 식량난, 김일성의 사망 등으로 인해 최대의 위기상황에 직면하였다. 특히, 1980년대 중반부터 실시한 주체농법과 농정(農政)의 실패, 집단영농 방식에 의한 농업생산력 저하 등으로 식량난이 시작되었고, 1990년대에 이르러 자연재해와 경제난 가중, 사회주의 국가들과의 교역 축소 등으로 기근 상황을 맞게 되었으며, 2000년대 우리나라의 식량과 비료지원, 국제사회의 지원 등으로 식량생산 수준은 다소 향상되었으나 여전히 부족한 현상이 지속되고 있다. 또한 2009년 화폐개혁을 단행하여 소지하고 있는 북한 원화 및 외화를 모두 당국에 납부하고, 1:100 조치에 맞추어 모든 시장 거래가격을 강제로 내리게 하였으나 심각한 물자 부족 사태와 경제 전반의 심각한 혼란으로 주민의 불만이 높았다. 북한은 현재 국가체제 위협보다 더 심각한 것이 경제난과 식량부족이다. 국제사회의 제재로 북한은 국제 무역 의존도가 중국에만 90%나 의지해 에너지나 원자재 조달에 어려움이 있고 계획경제 자체의 모순으로 경제위기가 가중되고 있다. 1990년대 중반의 극심한 식량난으로 수백만 명이 아사(餓死)한 이후 현재까지 식량난이 다소는 호전되고는 있으나 아직도 절대량이 부족한 실정이다. 이러한 북한의 식량난은 중국의 지원으로 겨우 체제 붕괴만은 비켜가면서 주민들에게는 이의 원인을 미국의 탓으로 돌림으로써 체제결속과 핵개발에 대한 주민의 지지를 유도하고는 있으나 한계점에 도달하면 사태가 심각히 악화될 수 있다. 즉 주민통제의 이완과 일탈로 이어질 수밖에 없고 정권의 붕괴위기가 초래될 가능성이 높다. 이는 북한 이탈주민이 2016년 말에 3만 명을 돌파했으며 그들의 탈북동기가 식량난뿐만 아니라 더 나은 삶의 추구에 있음이 이를 증명하고 있다.[37] 이에 북한은 경제난과 자연재해에서 파생된 체제위기를 선군정치를 통해 극복해가는 과정에서 체제단속과 적대적 심리를 자극하기 위한 대남테러를 자행할 것이다.

이와 같이 북한을 둘러싼 미국과 중국의 북한에 대한 제제와 지원정책의 변화와 북한자체의 경제난과 식량난에 따른 체제위기가 앞으로 북한의 대남전략 결정에 중요한 요소로 작용하고 있는 것이 현실이다. 그러므로 북한은 기본적으로 우

37) 한관수, "북한 대남전략의 분석과 전망", 『전략연구』 제24권(2017), pp. 277-304.

리 정부에 대해 비타협의 강경노선을 견지하면서도 국내외 상황의 급변에 따라 수세적인 국면에 처할 경우 이를 탈피하기 위한 방편으로 전술적 차원에서 대화와 공격이라는 이중적인 노선을 병행할 것으로 전망된다. 따라서 우리는 북한이 북미관계가 돌이킬 수없이 악화되거나 협상단계에서의 주도권을 확보하기 위해서 고의적으로 한국에 대한 저강도 군사도발이나 대남테러를 자행할 수 있다는 점에 주목할 필요가 있다. 이러한 저강도 군사도발은 현재 우리 사회가 경제적인 성장과 함께 민주화 진전으로 과거보다 국가안보에 대한 생각과 호국의지보다는 전쟁공포증 같은 안이함을 가지고 있어 북한이 이를 역으로 악용하여 두려움 없이 제4세대 전쟁을 감행할 가능성이 있다.

북한은 2012년 김정은 정권출범 이후에도 지속되는 극심한 경제난과 정상적인 국가로의 기능을 회복할 수 있는 지도력의 부족으로 체제불안이 계속되고 있다. 이에 한국과의 체제경쟁에서 불리해지고 있는 상황에 대비하기 위해 핵무기 개발 및 국지도발 등의 비타협적이며 호전적인 자세를 견지하고 있는 것이다. 즉 체제생존을 위해 한반도를 전쟁 상황으로 긴장시키면서 북한 내 주민들의 적대감을 고조시켜 체제결집을 시도하고 있다. 따라서 과거 김정일 정권이 한국에서 1988년 서울올림픽을 비롯한 각종 국제행사 등을 성황리에 개최하자 국내·외에서의 요인암살과 인질납치 주요시설물 폭파 같은 테러를 감행했던 것처럼 김정은도 이러한 전철(前轍)을 모방하거나 답습하는 방법으로 대남테러를 자행할 가능성은 농후하다고 하겠다. 특히 김정은의 경우 김일성이나 김정일에 비해 상대적으로 치적(治積)이 부족하기 때문에 세습된 권력의 조기안착과 내부결속을 강화하기 위해서도 대남테러를 감행할 것으로 보인다. 핵과 미사일 등 첨단무기를 활용한 제4세대 전쟁의 일환인 물리적 테러와 함께 사이버테러도 멈추지 않을 것이다. 북한의 예상되는 대남테러의 수법이나 양상에 대해서는 제11장 제3절에서 좀 더 자세히 다루도록 한다.

제5장

국외 위협

여기서는 국외 위협요인을 다룬다. 우선 우리나라는 1989년 1월 1일 정부의 해외여행 자유화 조치 이후부터 우리 국민이 본격적으로 해외에 나가기 시작하여 외국에 체류하는 국민이 증가하면서 비례적으로 테러의 피해가 많이 증가하고 있다. 이와 같은 해외에서의 우리 국민의 테러 피해 배경에는 한국의 아프가니스탄과 이라크전쟁 참전과 관련된 원인이 있을 수 있고, 소말리아의 경우는 이 해역을 통과하는 우리 국적의 화물선이 해적의 공격으로 인한 피해로 발생된 것이다. 또한 예멘, 파키스탄, 필리핀 등의 경우는 우리 기업의 해외진출 사업으로 인한 것이다. 이처럼 우리나라 군의 해외파병과 우리 기업의 해외 진출 증가 등으로 해외에서의 체류하는 국민의 절대 수가 증가하고 체류기간이 장기화 되고, 해외 출국 횟수가 증가함에 따라 자연히 국제 테러에 노출될 수밖에 없는 현실이다.

특히 우리나라의 경우 공격적인 해외 선교로 2017년 말 현재 전 세계 170개국에 27,436명의 선교사가 해외에서 활동하고 있고, 2006년부터 매년 평균 약 천여 명씩 증가하고 있는 실정이다. 선교지역도 테러와 분쟁이 격화되어 있는 남아시아, 중앙아시아는 물론 중동과 북아프리카 등의 이슬람 국가까지 걸쳐 있어 가장 피해를 당하기 쉬운 곳이다. 그만큼 테러에 의한 피해가 높아질 수 있고, 실제로 2004년 이라크 김선일 피랍살해사건, 2007년 아프가니스탄 피랍사건, 2009년 예멘 여행객 폭탄 테러사건, 2014년 이집트 시나이반도 버스폭탄테러사건 등의 피해를 직접 당한바 있어 그 실태와 사례를 중점적으로 살펴보았다.

제1절 해외 출국자 증가와 테러 피해

Ⅰ. 해외 출국자 증가

우리나라는 1989년 1월 1일 정부의 해외여행 자유화 조치 이후부터 우리 국민이 본격적으로 해외에 나가기 시작하였다. 우리국민의 해외 출국자 증가는 우리나라의 경제가 성장하고 지속적으로 발전하면서 생겨난 일시적인 현상이 아니라 자연스러운 발전과정의 일환이었다. 당시 1989년 한 해에만 120만여 명이 출국하여 전년대비 67.8%라는 폭발적인 증가세를 기록했다.[1)]

아래 <표>에서 볼 수 있듯이 이후 계속적인 증가세를 이어오다가 2003년에 출국자 수가 처음으로 전년대비 -0.5% 감소하게 되는데 이는 미국의 9·11테러 여파로 아프가니스탄과 이라크와의 대테러전쟁으로 인한 국제적 위험이 증가하였고, 국내적으로도 2003년 2월 대구 지하철 방화사고로 192명이 사망하고 150여 명이 부상당하는 등 국내외적으로 여행을 하기가 어려운 사정에 기인하는 것으로 판단된다. 이후 내국인의 해외 출국자는 꾸준히 증가하다 2007년 천3백만여 명의 사상 최대를 기록한 이후 세계적인 경기 침체와 고환율 등의 영향으로 국제 관광 심리가 급격히 위축되면서 2008년에는 전년대비 10% 감소한 천2백여만 명에 그쳤고, 2009년에는 20%가 감소한 9백5십여만 명으로 줄었다. 이는 2008년 9월부터 시작된 미국의 부동산 버블 붕괴와 이에 따른 모기지론의 부실화(mortgage crisis)로 발생된 세계적 금융위기[2)]와 2009년 3월 발생한 신종인플루엔자와 같은 전염병 등으로 국제적 관광수요가 크게 위축한 것에 기인한 것으로 분석된다. 이후 2010년부터 다시 꾸준한 증가세로 이어져 2017년 말 현재 해외출국자는 총 2천6백여만 명으로 1989년에 비해 22배나 증가하였다. 해외거주 동포 역시 약 718만 명을 보일 정도로 우리 국민의 해외 체류가 상당히 증가하고

---

1) 한국관광공사 연도별 출국자 통계(1989년 출국자 1,213,112명, 전년대비 67.3% 증가율) 참조.
2) 2008년 초부터 발생하기 시작한 모기지 사태(sub-prime mortgage crisis)는 미국의 초대형 모기지론 대부업체들이 파산하면서 국제금융시장에 신용경색을 불러온 경제위기를 말한다. 모기지론이란 집을 살 때 은행에서 집을 담보로 돈(대략 집값의 70~80%)을 빌려 산 뒤, 나중에 천천히 이자와 함께 갚을 수 있게 하는 금융상품이다.

있다. 이에 따라 우리 정부도 2018년 6월 현재 세계 190개 국가와 수교하였고, 163개 국가에 재외공관을 개설하고 있다.[3)]

〈해외 출국자 현황(2001-2017)〉

연도	출국자 수(명)	증가율(%)
2000년	5,508,242	26.9%
2001년	6,084,476	10.5%
2002년	7,123,407	17.1%
2003년	7,086,133	-0.5%
2004년	8,825,585	24.5%
2005년	10,080,143	14.2%
2006년	11,609,879	15.2%
2007년	13,324,977	14.8%
2008년	11,996,094	-10.0%
2009년	9,494,111	-20.9%
2010년	12,488,364	31.5%
2011년	12,693,733	1.6%
2012년	13,736,976	8.2%
2013년	14,846,485	8.1%
2014년	16,080,684	8.3%
2015년	19,310,430	20.1%
2016년	22,383,190	15.9%
2017년	26,496,447	18.4%

출처: 한국관광공사(한국관광통계: 연도별통계).

Ⅱ. 테러 피해의 증가

해외 출국자와 체류자의 절대적인 수만이 증가한 것이 아니라 출국하는 목적

3) 외교부(재외공관 설치 현황) 참조.

이 다양화되고, 진출하는 국가의 수 역시 전 지구적으로 확대되고 있다. 즉 해외 출국자 대부분이 주로 관광이나 사업차 다른 나라를 방문하는 경우이고, 학생 유학이나 선교 등의 목적으로 해외 체류가 늘어났으며 이민으로 해외에 거주하는 교포가 증가하고 있는 것이 또 다른 이유다. 또한 방문하는 국가도 과거에는 주로 미국, 서유럽, 일본 등 특정 국가나 지역에 편중되어 있었지만 최근에는 이스라엘, 아프리카, 중동, 중앙아시아, 동남아시아, 남아시아, 동유럽 등 전 세계에 걸쳐 다양하고 제3세계 국가들까지 포함하는 양상을 보이고 있다. 이에 따라 그 만큼 테러의 피해도 늘어가고 있다.[4] 특히 2001년 9·11테러 이후 전 세계가 대테러전쟁을 수행하는 과정에서 한국군이 파병을 본격화하면서 국제평화유지(PKO: Peace Keeping Operations)를 위해 다국적군 평화활동·국방협력활동·UN평화유지활동 등의 임무를 수행하게 되었다. 육상의 해외 파병이 늘어났을 뿐만 아니라 소말리아 등지에서의 해적의 출몰로 우리 선박을 보호하기 위해 해상 파병도 본격화되었다. 이러한 여러 가지 이유로 해외에 체류하는 우리 국민의 수가 늘어나면서 우리 국민에 대한 직접적인 테러뿐만 아니라 국제테러로 인한 간접적인 피해사례도 증가하는 추세에 있다.

아래 <표>에서 볼 수 있듯이 2001년부터 2017년까지 해외에서 한국과 관련한 테러는 총 174건으로 집계되고 있다.[5] 국가별로 보면 총 27개 국가에서 한국 관련 테러가 발생한 것으로 나타났다. 중동지역의 아프가니스탄에서는 한국인 테러 사건이 단일 국가로 가장 많은 34건(전체의 19.7%)이 발생하여 많은 우리 국민이 피해를 입었으며, 그 다음이 이라크 25건(14.5%)와 소말리아 19건(11%)에서 총 44건의 테러 피해가 있었고, 그 다음으로는 나이지리아 15건, 예멘 15건, 파키스탄 9건, 필리핀 8건 순으로 피해를 입었다. 위 3개의 나라가 전체 테러사건의 45%로의 비율을 나타냄으로서 우리 국민에게 가장 위험한 국가들로 분석되었다. 기타 터키, 레바논, 스리랑카, 미얀마, UAE, 수단 등에서 각 1건의 피해를 입은 것으로 파악되었다.

---

4) 외교부에서는 이러한 피해를 예방하기 위해 여행경보제도를 운영하고 있다. 여행경보제도는 해외여행·체류시 특별한 주의가 요구되는 국가·지역의 위험수준과 이에 따른 안전대책(행동지침)의 기준을 안내하는 제도로 4단계로 되어 있다. 즉 여행유의(남색) → 여행자제(황색) → 철수권고(적색) → 여행금지(흑색)이다. 2018년 6월 현재 여행금지국가는 아프가니스탄, 소말리아, 이라크, 시리아, 예멘, 리비아, 필리핀(일부 지역) 등 7개국이다.

5) www.tiic.go.kr, 우리국민 피해사례 참조.

〈국가별 우리국민 테러 피해 사례(2001-2017)〉

연도	계	2001	2002	2003	2004	2005	2006	2007	2008	2009	2010	2011	2012	2013	2014	2015	2016	2017
아프가니스탄	34					1	1	4	1		3	15	8					1
이라크	25			5	7	1	1	2	1		1	2		1	3		1	
소말리아	19						1	2	6	3		6	1					
나이지리아	15					1	3	5	1	2			2	1				
예멘	15									3	3	1	6		1	1		
파키스탄	9						2		2		1	2	2					
필리핀	8		1				1		1			2		1	1	1		
리비아	6														5	1		
인도네시아	4	1	1			1				1								
러시아	3					1	1			1								
이집트	3						1						1		1			
콜롬비아	2	2																
인도	2							1	1									
네팔	2				1					1								
동티모르	2						1									1		
독일	2	1					1											

출처: 테러정보통합센터, 우리국민 피해사례 참조(피해 1건의 국가 미 표시).

이와 같은 해외에서의 우리 국민의 테러 피해 배경에는 한국의 아프가니스탄과 이라크전쟁 참전과 관련되어 있는 현실적 이유를 들 수 있고, 소말리아의 경우는 이 해역을 통과하는 우리 국적의 화물선이 해적의 공격으로 인해 발생된 것이다. 또한 예멘, 파키스탄, 필리핀 등의 경우는 우리 기업의 해외진출 사업으로 미 개척된 산유국의 석유사업 및 플랜트 공사 수주 등에 따른 해외 근로에서 오는 열악한 치안환경이 영향을 미치고 있는 것으로 볼 수 있다. 이처럼 우리나라 군의 해외파병에 따른 불만세력들의 테러 공격과 우리 기업의 해외 진출이 늘어나면서 해외에서의 체류 기간이 장기화 되고, 해외여행 및 국민 경제 성장에 비례하여 다방면으로 해외에 진출하는 횟수가 크게 증가함에 따라 국제 테러에 노출 될 수밖에 없는 현실이다.

국외에서 발생할 수 있는 테러 피해의 유형은 다음의 몇 가지로 살펴볼 수 있다.

첫째, 해외 여행객에 대한 테러위험 노출이다. 1989년 출국 자율화 조치가 취해진 이후 한국인의 해외여행은 기하급수적으로 증가한 것이 사실이다. 여행 대상 국가도 2000년 이전까지는 상대적으로 안전한 선진국인 유럽이나 미국 등 서방국가 위주였으나 최근에는 아프리카 등의 오지체험이나 예멘 등 중동국가의 성지순례와 같은 미지의 여행지를 동경하는 성향에 따라 위험지역으로 확대되고 다양화되고 있다. 이에 따라 위험에 노출될 가능성이 높아졌고, 테러리스트들의 공격 대상이 될 확률이 높아진 것이다.

둘째, 해외에 진출한 한국 기업체 및 근로자들에 대한 테러공격이다. 글로벌 경제 환경의 구도에 따라 우리나라의 글로벌 기업들의 해외 진출이 범위가 넓어지고, 진출 기업수가 절대적으로 증가됨에 따라 이들 기업체에 소속되어 해외에 상주하는 근로자들이 늘어나면서 테러에 노출될 수 있는 위험이 높아졌다. 실제로 2001년 이후 전체 해외 우리국민들의 테러사건에 관련된 기업체 및 해외 근로자의 테러사건에 연루된 경우가 전체 테러사건 174건의 76건으로 약 44%에 달하고 있는 것으로 나타났다. 물론 우리 기업인들을 노리는 이유는 주로 경제적인 이유이지만 무장조직이나 테러조직이 활동자금을 확보하려는 목적에서 기인한다고 볼 수 있다. 이런 아국의 기업인 및 근로자를 노린 피납 테러는 협상 후 인질 석방이라는 지속적인 악순환이 반복될 수 있는 가능성이 농후하다.

셋째, 해외체류 국민 중 유학생이나 교민, 해외 주재 공관원이나 선교사 등의 테러노출 환경이다. 그중 유학생은 유라시아 대륙에서의 인종차별적인 집단폭행이나 테러가 대표적이고, 해외 거주 우리교민들은 무장테러단체나 범죄단체의 표적이 되어 피랍 및 억류 후 협상을 통한 금전적 보상을 해주고서야 무사귀환하는 행태가 반복적으로 발생하고 있다. 해외주재 공관 및 공관원은 국제적인 대테러 전쟁의 동참으로 인한 반대국가의 반한 감정으로 보복테러를 당하고 있고, 선교사들의 공격적인 선교 활동은 해당국가의 현지실정을 무시한 신념을 앞세워 행동하는 것으로 현지인의 공격 표적이 되고 있는 실정이다.

다음에서 차례로 구체적인 해외 위협사례를 살펴본다.

제2절 해외 파병

한국군은 1964년 최초로 베트남 파병을 시작으로 50여년이 지난 2017년 말을 기준으로 다음의 <표>에 볼 수 있는 바와 같이 세계 12개국에서 천백여 명의 인력이 파병되어 각종 임무를 수행하고 있다. 특히 UN의 요청으로 이루어진 UN

〈한국군 해외 파견 현황(2017.12. 현재, 총12개국 1104명)〉

구분				현재 인원	지 역	최초 파병	교대 주기
UN PKO	부대	레바논 동명부대		328	티르	'07. 7월	8개월
		남수단 한빛부대		293	보르	'13. 3월	
	개인	인·파 정전감시단(UNMOGIP)		7	스리나가	'94. 11월	1년
		남수단 임무단(UNMISS)		7	주바	'11. 7월	
		수단 다푸르 임무단(UNAMID)		2	다푸르	'09. 6월	
		레바논 평화유지군(UNIFIL)		4	나쿠라	'07. 1월	
		서부사하라 선거감시단(MINURSO)		4	라윤	'09. 7월	
	소계			645			
다국적군 PKO	부대	소말리아해역 청해부대		302	소말리아해역	'09. 3월	6개월
	개인	바레인 연합해군사령부	참모장교	4	마나마	'08. 1월	1년
		지부티 연합합동기동부대 (CJTF-HOA)	협조장교	2	지부티	'09. 3월	
		미국 중부사령부	협조단	2	플로리다	'01. 11월	1년
		미국 아프리카사령부	협조장교	1	슈트트가르트	'16.3월	1년
	소계			311			
국방 협력	부대	UAE 아크부대		148	아부다비	'11. 1월	8개월
총계				1,104			

출처: 대한민국 외교부 <http://www.mofa.go.kr/ (유엔자료실)> 참조.

평화유지활동의 참여는 1991년 남북한이 동시에 UN 가입한 것을 시발점으로 하여 최초로 상록수 부대가 1993년 7월 소말리아 평화유지활동 임무단(UNOSOM Ⅱ)에 공병부대를 파견하게 되어 지금까지 세계 7개 지역에서 6백여 명의 요원이 주어진 임무를 수행하고 있다.

Ⅰ. 베트남전쟁 파병

한국군의 해외 파병은 1964년 9월 11일 의료진 지원을 위주로 하는 비둘기부대가 베트남전에 참전한 것이 처음이었다. 베트남은 BC 690년경 반랑(Van Lang)이라는 최초국가를 건국한 이후 약 1천여 년 동안 중국의 지배와 60여 년 간 프랑스의 지배, 그리고 제2차 세계대전 중 5개월 간 일본의 지배를 받아온 아픈 역사를 가지고 있다. 베트남전쟁은 제2차 세계대전에서 패한 일본군이 베트남에서 철수한 이후 프랑스의 재식민지 정책에 대항하여 시작된 독립전쟁(1946~1954년)과 독립전쟁에서 승리한 베트남이 공산화되는 것을 막기 위해 미국이 남베트남(월남)을 지원하면서 시작된 북베트남(월맹)과의 이념전쟁(1955~1973년) 그리고 미군 주도의 연합군이 철수한 이후 남베트남과 북베트남이 전쟁한 통일전쟁으로 구분되고 있다. 베트남은 1945년 제2차 대전의 승전국들이 포츠담회담에서 북위 16도선을 기준으로 북쪽은 중국이, 남쪽은 영국이 신탁통치를 하는 것으로 된 것을 프랑스가 개입하여 중국과 영국을 철수시키고 베트남에 대한 재지배를 시작하였다. 이에 베트남 독립전쟁이 시작되어 1953년 하노이 서쪽 라오스 국경 근처에 위치한 디엔비엔푸(Dien Bien Phu)전투에서 프랑스군이 패배하고 1954년 제네바에서 평화협정을 체결함으로써 종료되었다. 협정의 내용은 베트남 북위 17도선을 기준으로 북쪽은 호치민(Hồ Chí Minh; 胡志明) 정부가, 남쪽은 프랑스 주도로 총선을 준비한 후 남·북 총선거를 실시하여 통일정부를 수립하기로 하였으나 프랑스군은 총선을 3개월을 남겨 놓은 1956년 4월 일방적으로 철수했다. 이에 따라 호치민은 1955년 10월 26일 국민투표를 통해 남베트남의 베트남공화국(the Republic of Vietnam) 초대 대통령으로 선출된 응오 딘 지엠(Ngo Dinh Diem)에게 총선을 할 것을 제안했으나 지엠이 거절하였고 남베트남의 사회가 혼란스러워지자 무력으로 베트남을 통일하기로 한다.[6)]

이렇게 시작된 베트남 전쟁은 동족 간의 통일을 위한 내전의 성격이었지만 지향하는 정치체제가 하나는 공산주의 체제이고 다른 하나는 민주주의 체제라는 이념전쟁의 형태를 포함하고 있었다. 이와 함께 1964년 미국이 미소 강대국 간의 이념대결에서 공산주의 확산을 방지하기 위해 베트남 전쟁에 군사개입을 하면서 복잡한 양상으로 바뀌게 된다. 이처럼 전쟁이 미국과 소련의 이념을 위한 대리전의 성격이 되면서 장기화되자 미국은 한국에 파병을 요청하게 된다. 당시 한국은 일본의 식민지에서 독립하여 6.25전쟁 전후복구와 함께 빈곤에서 벗어나기 위한 경제발전이 국가적 과제였고, 이를 위한 필요한 자금의 확보는 베트남 파병이라는 수단을 통해 얻을 수 있는 좋은 기회였다. 구체적으로 북한의 위협에 대한 한국의 자주 국방력 강화라는 국가안보의 확보 측면, 대북억제의 핵심변수라고 할 수 있는 주한미군의 주둔과 한미방위조약의 신뢰성 측면, 6.25전쟁 당시 국제사회로부터 지원받은 은혜의 보답 등 국가이익이라는 여러 측면에서 파병의 명분이 있었다고 볼 수 있다.[7] 이렇게 시작된 베트남 파병은 1973년 3월 23일 완전히 철수할 때까지 총 8년 6개월 동안 연인원 31만 2,853명이 베트남전에 참여했다. 이 파병의 결과로 한국은 외화 획득 등 많은 경제발전을 위한 자금 확보와 베트남 실전에서 사용한 무기와 전투경험을 통한 자주 국방력 강화 등의 국가발전의 기회를 얻어 우리나라 경제의 활로를 열었고 우리군의 전투력을 획기적으로 높이는 데 기여하였다.

Ⅱ. 걸프전쟁 파병

두 번째 해외파병은 걸프전쟁 때이다. 걸프전쟁(Gulf War)의 국제적 의미를 살펴보면 중동지역은 1970년대 중반 세계 석유생산량의 60% 이상을 점유하면서 국제적인 중요성이 부각된 곳이다. 1973년 10월 발생한 제4차 중동전쟁에서 중동의 산유국들이 석유를 무기로 사용하면서 제1차 석유파동으로 당시 유가가 배럴당 2.9달러에서 11.65달러로 400%나 폭등하는 사태가 일어나게 되었다. 이러

---

6) 유인선, 『새로 쓴 베트남의 역사』(서울: 이산, 2002) 참고.
7) 구영록, 『월남전종합연구』(1974), p. 1308, "국가이익과 한국의 대외정책," 『국제정치논총』, 제31집(1992), p. 18.

한 석유의 중요성을 인식한 세계는 에너지의 항구적이고 안정적인 확보를 위해 이 지역에 대한 관심을 갖게 되었다. 역사적으로는 제1차대전 이후 오스만제국의 붕괴로 강대국에 의해 형성된 국경선과 제2차대전 이후에 강대국에 의한 국제적 타협의 산물인 이스라엘 건국에 따라 유대인과 아랍민족간의 민족주의 대립이 지금까지 첨예하게 대치하고 있는 지역이다. 이러한 중동지역에서 이라크가 이란-이라크의 전쟁으로 경제적인 어려움에 직면하자 역사적으로 쿠웨이트는 이라크의 일부분이었다며 국경을 마주하고 있는 쿠웨이트를 1990년 2월 기습 침략하였다. 내부적 원인은 양국 사이에 위치한 루마일라(Rumailah) 유전지대를 놓고 서로가 자기의 소유권을 주장하면서 이라크는 쿠웨이트가 자신들의 석유를 훔쳐가 원유 시장에 과잉 공급함으로써 유가 하락으로 이라크 경제가 파탄났다고 비난하면서 시작되었다.

당시 이라크는 세계 4위의 군사력을 보유하고 있어 하루 만에 쿠웨이트를 점령하고 이라크의 19번째 속주(屬州)로 삼았다. 쿠웨이트 왕가는 사우디아라비아로 피신하여 망명정부를 수립하였다. 이라크의 침공 직후 세계는 이를 묵인할 경우 이라크가 주변 중동국가들에 대한 원유생산량과 가격을 통제할 수 있게 되고 이는 세계경제의 불확실성을 증대시킬 수 있다고 여겼다.[8] 따라서 이라크의 쿠웨이트 침공에 대하여 UN안보리 결의에 의해 미국이 주도한 우리나라를 포함한 전 세계 34개국이 미군 43만 명을 포함하여 68만 명으로 구성된 다국적군에 참여하였다. 아랍연맹(OAU)에 소속된 사우디, 이집트, 시리아, 모로코, 오만, UAE, 카타르 등 8개국도 참여하였다. 1991년 1월 17일 '사막의 폭풍작전'(Operation Desert Storm)이라는 이름으로 반격을 시작하여 그해 2월 28일 이라크를 쿠웨이트에서 완전히 몰아냈다.[9]

당시 우리나라도 다국적군 일환으로 1991년 1월 국군의료지원단(154명)을 사우디아라비아로, 2월에는 국군수송단(160명)은 UAE에 파병하였다. 한국의 걸프전 파병은 소규모의 의료지원과 항공수송단 등 비전투부대로 이루어져 한국의 안보에 불안을 줄 정도의 영향은 없었다. 또한 해외파병을 통해 전후복구사업에 참여하고자 하는 기대는 있었으나 구체적으로 어떻게 달성할 것인가? 무엇을 협상할

8) 오기평, "걸프전 이후의 한미 안보협력 유형변화에 관한 연구", 『안보학술노총』, 제2집(서울: 국방대학교 안보문제연구소, 1991), p. 452.
9) 합동참모본부, 『이라크전쟁 종합 분석』, 서울: 합동참모본부(2004) 참조.

것인가? 하는 세부계획이나 국가전략이 없었다. 이는 걸프전에 대한 이해도나 국민적 관심도가 높지 않아 전쟁의 정당성이 UN결의에 의해 합법적인 것으로 인식되는 수준이었고, 실제 전쟁의 기여도가 높지 않았다는 것을 의미한다. 다만 걸프전 파병으로 한미관계의 신뢰상태가 지속적으로 유지되는 계기가 되었다고 말할 수 있을 것이다.

Ⅲ. 대테러전쟁 참전

세 번째 파병은 9・11테러 이후 국제적인 테러 대응에 참가를 위해서였다. 2001년 9월 11일 미국의 민간 여객기 4대가 공중 납치되어 이 중 2대는 뉴욕에 있는 110층 세계무역센터(WTC) 쌍둥이빌딩에 충돌하여 빌딩 두 개를 모두 붕괴시켰고, 비행기 한 대는 미 국방성에 충돌하여 국방성 건물인 펜타곤의 일부를 파괴시켰다. 그리고 나머지 한 대는 납치범과 승객 간의 교전으로 미션 카운티에 추락하는 전대미문의 9・11테러가 발생하였다.[10] 이 테러로 의한 사망자는 2,977명으로 일본이 1941년 12월 7일 미국 하와이의 진주만(Pearl Harbor)을 공습한 때 희생자 2,502명을 넘어섰다. 이에 미국은 9・11테러의 용의자로 알 카에다의 지도자 오사마 빈 라덴(Osama bin Laden)을 지목하고 UN안보리의 결의를 통해 NATO의 집단 자위권을 발동하여 미국과 영국으로 이루어진 연합군에 의해 2001년 10월 7일 아프간을 공격함으로써 아프간전쟁이 개시되었다. 미국이 아프간을 공격할 당시에는 빈 라덴의 개입에 대한 확실한 증거가 제시되지 못한 상태였고, 빈 라덴은 9・11테러를 부인하는 시점에 감행되었다. 따라서 미국은 걸프전쟁 때와는 다르게 전쟁의 수행방법에 대한 동맹국의 지지와 협조를 요청하였지만 전투참여를 강요하지 않았다. 당시 UN은 9・11테러에 대하여 개인 또는 집단적 자위권을 인정하는 결의를 하고 회원국 내에서 테러리스트에게 자금을 주거나 은신처를 제공하고 있지 않는지 자국 법률에 의해 점검하고 테러리즘의 자금 지원을 금지하는 결의를 하였다. 미국은 아프간을 공습한 후 11월 13일 수도 카불에 입성하면서 전쟁의 종료가 임박하자 이번엔 테러 공격을 감행할 가능성이 있는 잠재적

10) 9・11테러에 관한 세부적인 내용은 제12장 제2절 참조.

인 적국으로 이라크를 지목하고 전쟁을 이라크로 확대했다.

이라크 침공의 명분은 테러분자들이 대량살상무기(WMD: Weapons of Mass Destruction)를 보유할 경우 미국의 안보에 큰 영향을 미치게 될 수 있다는 주장을 내세우면서 테러와의 전쟁을 WMD 확산 방지까지로 확장하였다. 당시 UN의 무기사찰을 거부하고 있는 이라크에 대해 미국은 7일 이내에 결의안을 수락하고, 30일 이내 대량살상무기 보고서 제출하며 45일 이내에 UN의 무기사찰을 받을 것을 내용으로 UN안보리 결의안 1441호를 2002년 11월에 통과시켰다.[11] 당시 이라크는 걸프전 종결 후 안보리 결의안 687호(1991.4.3.)에 의거 UN무기사찰단(UNMOVIC: United Nations Monitoring, Verification and Inspection Commission)으로 하여금 이라크에 대해 1998년까지 250여 차례의 현장 조사를 실시하였지만 이라크 정부의 방해로 그해 12월 중단된 상태였다. 2003년 2월 한스 블릭스(Hans Blix) UN이라크무기사찰단장은 이라크에서 생·화학 무기와 핵무기 같은 대량파괴무기를 발견하지 못했으나 이라크가 여전히 협력하지 않고 있다고 지적했다. 이에 따라 미국은 이라크에 대한 군사공격 승인을 위한 안보리 결의안을 준비하였으나 프랑스, 러시아, 중국이 무력사용을 위한 어떠한 결의안도 안 된다는 입장을 취하자 3월 17일 "후세인과 그 아들들은 48시간 내에 이라크를 떠나라"는 최후통첩을 한다. 이를 후세인이 거부하자 3월 20일 미국과 영국의 연합군은 이라크를 침공하였다.

2001년 발생한 9·11테러에 대해 국제적 대응을 위해 미국과 영국을 중심으로 한 다국적군은 그해 10월 아프가니스탄에서 '항구적 자유작전'(OEL: Operation Enduring Freedom)을 시작했고, 한국도 그해 12월 LST 1척과 병력 171명으로 구성된 해군수송지원단(해성부대), 2002년 2월에는 의료지원단(동의부대, 100명), 2003년 2월에는 건설공병지원단(다산부대, 150명)을 각각 추가 파병하여 2007년 12월까지 임무를 수행했다. 또 2003년 3월 이라크전이 발발하자 그해 4월 30일 이를 지원하기 위해 건설공병지원단(서희부대, 575명)과 의료지원단(제마부대, 100명)을 이라크 남부 나시리아 지역으로 파병했고, 2004년 9월에는 이라크 북부 아르빌에 보병·공병·의무로 이루어진 자이툰 부대(Zaytun Division, 3,600명)가 파

11) United Nations, Security Council Resolution 1441(2002.11.8.)http://daccess-dds-ny.un.org/doc/참조.

병되어 2008년 12월까지 임무를 수행하였다. 자이툰 부대와 함께 공군 다이만부대(140명)도 2004년 10월 12일 쿠웨이트 알리 알 살렘 기지에 파병되어 2008년 12월까지 임무를 수행하였다. 2007년 7월에는 UN의 요청으로 레바논 평화유지단(동명부대, 350명)이 레바논 남부 티르시 인근에 파병되어 현재까지 활동 중이고, 2009년 3월에는 소말리아 인근 아덴만 해상에 출몰하는 해적들로부터 민간 선박을 보호하고 국제해양작전을 수행하기 위해 4,500톤급 한국형 구축함(DDH-Ⅱ)에 대잠헬기인 슈퍼링스(Super lynx) 등의 장비와 특수전 요원(UDT/SEAL)으로 구성된 청해부대(300명)가 파병되어 지금까지 임무 수행 중에 있다.

아프간전쟁은 걸프전쟁과 비슷하게 대부분의 국가들이 동참하고 유엔결의에 따라 수행되었다. 한국도 전쟁개시에 타국의 전투참여를 강요하지 않는 미국의 정책으로 군사작전이 종료된 후 비전투요원을 소규모로 파병함으로써 전후 추진된 직접적인 안보 및 경제적 목적은 결여되어 있었다. 다만 한국의 이라크 파병 이유는 WMD의 확산방지 동참과 한미동맹의 중요성이 가장 중요한 이유인데 WMD의 확산은 북한의 핵무기개발과 연관되어 있다는 것과 이라크전후에 있을 북핵문제의 평화적 해결을 위한 우리의 위치를 높이기 위한 것이었다. 특히 한미관계에서 1차 북핵문제가 발생되었을 때 미국이 북한에 대한 공격을 계획하였고, 이 계획의 중단은 한국의 반대가 영향을 미친 것과 같이 한미관계가 악화되면 미국은 독자적으로 행동을 할 수 있다는 것이다. 때문에 한미관계의 결속을 강화하기 위한 것이었다. 결국 한국의 대테러전 파병의 궁극적인 목적은 한반도에서의 전쟁방지를 위한 생존이익을 최우선으로 하고, 이를 해결하기 위해 미국의 정책에 영향을 주기 위한 것이었다고 볼 수 있다. 적어도 한국은 북핵문제가 발생되기 전까지는 현상유지를 원하는 국가이익의 영역에 있었지만 북한의 추가 핵무기 개발과 미국의 선제공격전략은 한국을 국익손실의 영역에 놓이게 만들어 전투병 파병이라는 위험성이 있는 정책을 결정하도록 한 것이라는 것이다.

이처럼 9·11테러로 인한 국제적인 대테러 전선에의 한국 파병은 그 자체로 테러의 표적이 되는 사건으로 볼 수 있다. 즉 미국 주도의 아프간과 이라크에 대한 대테러 전쟁에의 참전은 한국의 입장에서는 우리나라의 국익과 한미동맹에 기반한 우리나라의 안보현실에서 불가피한 측면이 있지만 그 대신 국제테러의 목표가 되고 있다는 사실을 부인할 수 없다. 특히 반미 감정이 거센 이슬람 과격테러단체들의 사정권에 우리가 노출되는 결과가 초래되었다. 실례로 알 카에다의 테러대상 1순위는 미국, 영국, 호주이고 2순위는 일본, 한국, 필리핀 순이라는 언론보도도 있었고, 2004년 10월에는 알 카에다의 2인자 아이만 알 자와히리(Ayman al-Zawahiri)는 알자지라 위성 TV를 통해 "우리는 미국, 영국, 프랑스, 이스라엘, 한국, 호주, 일본, 폴란드의 군대가 이집트, 아라비아 반도, 예멘이나 알제리아를 침공하기 전에 지금 반격을 시작해야 한다"고 성전을 촉구한 바 있다. 또한 "이들 나라는 모두 아프가니스탄과 이라크, 체첸 침공에 가담했거나 이스라엘의 생존을 도왔다. 더 이상 기다리지 마라. 그렇지 않으면 이슬람 국가는 하나씩 멸망하게 될 것이다"라며 이라크 파병국가를 테러대상으로 지목했다. 이러한 대표적인 사례로 다산부대 소속 통역병 윤장호 병장이 2007년 2월 바그람 공군기지에 탈레반이 가한 자살폭탄테러로 전사하였고, 2003년 11월 이라크에서 미국 기업의 이라크 재건 사업에 하청업체로 전기공사를 맡았던 ㈜오무전기 근로자 2명이 테러공격으로 사살되었고, 2004년 5월 이라크에서 가나무역 직원인 김선일이 납치되어 살해되었으며, 2006년 3월 팔레스타인에서 KBS 두바이 특파원 용태영(42세) 기자가 팔레스타인 해방인민전선(PFLP)에 의해 프랑스 기자 등 모두 9명과 함께 피랍・억류되었다가 석방된 사건 등이 있었으며, 2007년 7월 아프가니스탄에서 선교활동 중이던 한국인 23명이 피랍되어 2명이 살해되고 나머지 21명은 43일 만에 석방되는 사건이 발생하였다.

Ⅳ. UN평화유지활동(PKO: peace-keeping operation)

한국은 1991년 9월 17일 북한과 함께 정식으로 UN회원국이 되었다. 이는 6.25전쟁으로 UN과 특별한 인연을 가지고 있었고 남북한이 동시에 가입함으로써 특별한 역사적 의미를 가진다. 한국은 제2차 세계대전으로 일본이 패전하고 그 식민지배 상태에서 UN의 도움을 받아 1948년 8월 15일 대한민국 정부가 수립되었고, 그해 12월 6일 한반도에서 유일한 합법정부임을 UN으로부터 인정받았다. 1950년 6월 25일 6.25전쟁으로 한국이 위기에 처하자 UN주도하에 전 세계 16개국으로부터 지원을 받아 북한을 물리쳤다. 이러한 UN과 인연이 깊은 한국은 UN 가입 후에도 꾸준한 활동을 통해 총회 부의장, 경제사회이사회 부의장, 2001년

第56차 UN총회에서는 56번째 의장국으로 선출되었으며, 2006년에는 제8대 반기문 UN사무총장을 배출함으로써 한국의 국제적 위상을 높이는 데 역할을 다하였다. 그러나 이러한 국제적 위상에도 불구하고 한국은 여전히 국제사회의 요구에 대해 소극적이라는 평가를 받아왔다. 평화유지활동 참여하는 시기나 규모, 부대의 성격 등을 보면 필요한 적기에 맞춰 제때 파병을 못한 경우가 많았고 장병들의 안전을 우선적으로 고려하다보니 비전투병 파병이 주를 이루고 파병지역도 안전지역만을 선호한다는 곱지 않은 시각도 있었다.[12] 경제적으로도 공적개발원조(ODA: Official Development Assistance)의 수혜국(受惠國)에서 제공국으로 되었음에도 실질적인 지원 참여에 인색하다는 것이다. UN분담금으로 나타나는 경제적 기여는 2010년도의 경우 한국은 전체 예산의 2.26%를 분담하여 10위를 차지하였으나 2017년의 경우 2.04%를 분담하여 12위로 하락하고 있다.[13] 특히 2000년 제55차 UN총회에서 UN평화유지활동 분담금 제도를 전반적으로 개편하는 결의(제235호 및 제236호)를 채택하였고, 한국도 계속적으로 B그룹(no discount)으로 지정됨으로써 그 책임이 더욱 커지고 있는 상황이다.

한국은 헌법 제5조 제1항 및 제60조 제2항을 근거로[14] 1991년 유엔에 가입한 이래 최초의 UN평화유지활동으로 1993년 소말리아에 1개 공병대대 파병을 시작으로 참여 범위를 넓혀왔다. 1993년 7월 31일 소말리아 평화유지활동(UNOSOM Ⅱ)에 건설공병 252명을 파견하여 도로공사, 관개수로 등의 활동을 수행하였다. 당시 우리나라도 병력 파견과 자금 지원을 요청받고 처음에는 전투부대의 파병보다는 자금지원이 바람직하다는 판단하에 200만 달러를 제공하였다. 사태가 진정국면에 이르자 UN은 1993년 3월 '통합특수임무군'(UNITAF: Unified Task Force) 임무를 종료하고 UNOSOMⅡ를 설치하여 국가재건과 난민복귀 및 인도적 지원활동을 수행하게 된다. 이때 UN은 또다시 우리나라에 병력 파견을 요청하였고 결

12) 고성윤, "대한민국, 세계국가로 나아가는 길-평화유지활동의 전략적 활용을 통한 접근"(한국국방연구원, 2011), pp. 140-145.

13) 2017년 분담금 순위: United States(28.47%) → China(10.25%) → Japan(9.68%) → Germany(6.39%) → France(6.28%) → United Kingdom(5.77%) → Russian Federation(3.99%) → Italy(3.75%) → Canada(2.92%) → Spain (2.44%) → Australia(2.33%) → 한국(2.04%) (http://www.un.org/en/ga/search/view) 참조.

14) 제5조 제1항 대한민국은 국제평화의 유지에 노력하고 침략적 전쟁을 부인한다.
제60조 제2항 국회는 선전포고, 국군의 외국에의 파견 또는 외국군대의 대한민국 영역 안에서의 주류(駐留)에 대한 동의권을 가진다.

국 1993년 4월 23일 건설 공병 위주로 '상록수부대'를 창설하고 1993년 7월 모가디슈 북부 발라드에 파견하였다. 1994년 3월까지 연인원 2,700여 명의 병력과 1,300여 대의 장비를 투입하여 도로공사와 관계수로·학교보수 공사와 의료지원 활동 등 지역의 안정과 발전을 위해 노력하였다. 이는 우리나라의 PKO최초의 사례로 국제무대에서 우리나라 군의 우수성을 입증하는 계기가 되었다.

1995년에는 앙골라 평화유지활동(UNAVEM Ⅲ)에 198명의 공병부대를 파견하여 교량건설 등 국가재건활동에 참여하였다. 앙골라는 아프리카 대륙 남서쪽에 대서양 연안에 위치하고 있는 나라로 포르투갈 식민지 상태에서 독립을 추진하면서 구소련을 비롯한 공산진영의 지원을 받던 앙골라 해방운동(MPLA)과 미국 및 남아공 등의 자유진영의 지원을 받던 앙골라 전면독립민족동맹(UNITA)과 앙골라 해방민족전선(FNLA) 연합세력 간의 내전이 발발하게 되었다. 1975년 6월 쿠바의 군사고문단이 파견되고, 미국이 UNITA와 FNLA에 무기를 공급하는 등 내전은 국제전 양상으로 발전되었다. 1988년 3월 내전이 교착상태에 빠지자 앙골라, 미국, 쿠바, 남아공 등 관련국가가 협상을 통해 1989년 4월 1일부터 27개월간 쿠바군의 전면철수가 되면서 이전의 미·소 대리전 양상에서 정부에 대한 반정부투쟁으로 양상으로 변모되었다. 이에 1989년 1월 UN안보리 결의에 따라 평화유지활동 기구인 UN앙골라검증단(UNAVEM)이 설치되어 1992년 9월 아프리카 최초로 대통령 선거 및 국회의원 총선을 민주적인 절차에 따라 실시하였다. 하지만 선거 결과에 대한 불복종으로 내전이 재개되었고 1994년 11월에는 미국·러시아 등 국제사회의 압력과 조정으로 정전협정 이행 및 UNITA의 무장해제 등을 포함하는 루사카 평화협정이 채결되었다. UN은 이 협정 이행을 감시하기 위해 7,000명의 군 병력과 610명으로 UNAVEMⅢ라는 감시단을 구성하여 1995년 2월부터 1997년 6월까지 파견하는 과정에서 한국에 지뢰제거 임무를 수행할 전투공병 200명의 파병을 요청하였다. 이에 따라 198명으로 부대를 편성하여 1995년 10월부터 1996년 12월 철수할 때까지 연인원 600명을 파병하였다.

1999년에는 한국의 평화유지활동 참여 역사상 최초로 420명의 보병부대를 동티모르에 파견하였다. 동티모르는 16세기부터 포르투갈이 지배하다가 1914년 이후 서티모르는 네덜란드가 동티모르는 포르투갈이 식민통치를 하여왔다. 그동안 동티모르는 1974년 11월 독립의 기회를 얻게 되었으나 인도네시아의 침공으로 좌절되면서도 독립을 위한 투쟁을 계속해왔다. 1999년 9월 4일 동티모르 자치안에 대한 국민투표 결과에 대한 인도네시아의 하비비 대통령측과 군부의 충돌로 군부의 지원을 받는 독립반대파인 무장민병대 2만여 명이 독립을 지지하는 수백 명의 동티모르인을 학살하는 유혈사태가 발생하였다. 이에 UN은 이틀 뒤인 9월 6일 동티모르의 치안 회복을 위해 즉각적인 인도네시아군 철수와 국제 평화유지군 파병 제의 수락을 요구하였으나 인도네시아는 동티모르 전역에 계엄령을 선포하고 헌법 개정 이전까지는 자국의 영토임을 주장하였다. 이로써 치안상태는 더욱 악화되어 1천명 이상의 사상자와 23만 명의 난민이 발생하였다. 이 와중에 9월 12일 하비비(Bacharuddin Jusuf Habibie) 대통령은 UN제의 수용을 전격 발표하고 동티모르 내에 주둔하고 있던 군과 경찰의 철수를 시작하였으며 UN안전보장이사회는 다국적군 파병 결의안을 만장일치로 채택하여 파병함으로써 2000년 2월 1일부터 UN동티모르임시행정기구(UNTAET)가 설치되었다. 이때 한국 정부도 파병을 요청받고 처음으로 국내의 논란 및 반대에도 불구하고 보병위주로 구성된 420명 규모의 상록수 부대를 창설하여 1999년 10월 4일부터 2003년 10월 23일 철수 때까지 총 8개진 연인원 3,328명을 파병하였다.

이후에도 2005년 UN수단임무단(UNMIS) 참여, 2007년 UN레바논임무단(UNIFIL) 및 네팔임무단(UNIMIN)에 참여하였다. 지중해 연안에 위치한 레바논은 1943년 프랑스에서 독립할 당시부터 종교적인 갈등이 있는 곳이었다. 1976년 시리아군이 내전 수습 명분으로 레바논에 주둔하자 이에 대응하여 이스라엘이 1978년 레바논에 군대를 주둔시켰다. 이로써 레바논 내전은 기독교 민병대와 이슬람 민병대, 레바논 정부군, 시리아군, 이스라엘군이 서로 접전을 벌이는 복잡한 상황으로 전개되었다. UN은 1978년 3월 안보리 결의안(425호 & 426호)을 채택하고 레바논평화유지군(UNIFIL)을 설치하고 이스라엘의 군사행동 중지와 외국군의 철수를 촉구하였으나 레바논 남부지역에 대한 이스라엘의 공격이 계속되었고 2006년 7월 이스라엘과 헤즈볼라와의 교전이 발발하였다. 이에 UN은 또다시 안보리 결의안 1701호를 통해 양측의 즉각적인 휴전과 레바논 평화유지군에 대한 1만5천명의 병력증강 등 회원국의 참여 확대를 요청하였다.[15] 이때 한국도 UN의 요청에 따라 2007년 6월 전투병력을 포함한 350명으로 동명부대을 창설하여 UN평화유지

15) 국방부, 『2008 국방백서』(서울: 국방부, 2009), p. 108.

군(UNIFIL)으로 파병하여 현재까지 임무를 수행 중에 있다.

2009년에는 수단 다푸르임무단(UNAMID) 및 코트디부아르임무단(UNOCI), 서부사하라임무단(MINUURSO), 아이티안정화지원단(MINUSTAH) 등에 참여하였다.

이렇게 하여 2017년 말 현재 한국은 전 세계 10개국에 UN 평화유지활동으로 645명, 다국적군 평화유지활동으로 311명, 국가 간 협력에 의해 UAE에 148명 등 총 1104명을 파견하여 활동하고 있다. 이러한 한국의 평화유지활동에 대한 적극적 참여의 노력은 UN 회원국으로서 국제사회의 평화와 안전의 유지라는 UN의 본래 목적을 충실하게 이행하고 있다는 의지의 표현이라 볼 수 있다. 다만 이러한 UN의 평화유지활동이 국가 간의 이익이 첨예하게 대립되는 지역에서 발생하기 때문에 PKO활동이 도움이 되기고 하지만 오히려 해가 되기도 한다는 것이다. 실례로 동티모르의 경우 UN안전보장이사회의 결정 및 평화유지군의 파견과 수용까지 불과 2주라는 짧은 시간 안에 이루어짐으로써 동티모르의 실질적인 독립에 도움이 된 반면에 소말리아의 경우 초기의 안일한 대응으로 오히려 사태를 악화시켰고, 보스니아 분쟁의 경우 유엔 및 주변국이 개입에 주저하는 모습을 보여 결국 대량학살 및 많은 희생자가 발생하고 오히려 분쟁에 이용되는 모습을 자초하게 되었다. 또한 현재 진행되고 있는 UN레바논평화유지군(UNIFIL)은 약 30여 년 이상 지속되는 상황으로 2006년까지 약 2천여 명의 병력이 그해 7월부터 활동하였으나 헤즈볼라와 이스라엘 간의 교전으로 29개국 1만 5천여 명으로 확대되었다. 또 양측의 교전으로 1천2백여 명이 사망하고, 5천여 명이 부상당하였으며 피난민이 160만 명이나 발생하는 사태에까지 이르고 있다. 이 기간 중에 PKO요원도 5명이나 사망하고 16명이 부상을 당하였다. 이는 처음부터 분쟁 당사자인 이스라엘의 동의와 협조를 얻지 못하고 활동을 시작했기 때문이며 이를 극복하기 위해서는 이스라엘과 레바논, 헤즈볼라(Hizbollah) 사이의 갈등 성격을 제대로 파악하고 긍정적 영향을 줄 수 있는 권위자 및 전문가의 적극적인 활용이 필요한 시점이기도 하다.[16)]

이처럼 UN의 평화유지활동이 국가 간의 이익이 첨예하게 대립되는 지역에서 발생하기 때문에 우리의 평화유지활동 참여는 국가이익을 위해 필요한 일이기도

16) 조현행, “한국군 국제평화유지활동에 관한 연구: 해외파병 정책결정과정과 성과 분석을 중심으로”, 『정치학과 국제정치』(건국대학교, 2013), pp. 178-260.

하지만 이로 인해 발생하는 분쟁이나 테러로 한국의 PKO요원에게 피해를 줄 수 있다는 점이 주의해야 할 사안이다. 우리나라의 경우 지금까지 PKO에 대한 사고로 지난 1995년 9월 그루지야 유엔정전감시단의 일원으로 파병된 고(故) 최명석 소령이 흑해 연안에서 동료들과 함께 체력단련 활동으로 수영을 하다가 급류에 휘말려 익사한 사고가 있었고, 2003년 3월 동티모르에서 상록수부대 장병 6명이 임무를 수행하고 복귀하던 중 강을 건너던 차량이 급류에 휩쓸리면서 5명이 순직하고 1명은 실종되는 사고가 있었으며, 2008년 3월 PKO 일환으로 유엔 네팔 임무단(UNMIN)에 파견된 박형진 중령(50세)이 탑승한 헬기가 네팔에서 카트만두로 이동하던 중 기상악화로 카트만두 동남쪽 약 78km 지점에 추락하여 사망한 사고 등이 있었다.[17] 모두 직접적인 현지 무장세력의 공격에 의한 테러나 사고가 아니었지만 PKO 요원이 활동하는 지역은 모두 현지여건이 분쟁지역으로 정부군과 반군간의 충돌이 수시로 발생하는 지역이라 이러한 안전사고가 수시로 발생할 수 있다. 다만 지금도 레바논이나 남수단의 경우 반군세력이 PRT 주둔기지 주변의 언덕에서 조악한 박격포 공격을 하고 있는 실정이다. 현재까지 인명살상의 피해는 없었지만 이 경우 무장군인에 대한 공격을 비정규전의 한 형태인 게릴라전으로 볼 것인가? 테러로 볼 것인가? 하는 문제는 있다. 다만 이 경우 PKO요원에 대한 직접적인 공격보다 이러한 PKO요원을 파견한 우리나라에 대한 테러공격 목표가 될 수 있다는 점에서 해외 위협요인으로 다루고 있음을 이해해야 할 것이다.

제3절 공격적 선교활동

Ⅰ. 한국교회의 해외선교 역사

한국교회의 선교의 역사는 논란이 있으나 1908년 이기풍 목사의 제주도 파송을 시작으로 보는 것이 일반적이다.[18] 1907년 평양에서 대부흥운동이 있었고 이

17) 연합뉴스(2008.3.4.).

의 확산을 위해 제주도에 목사를 파송하였다는 것이다. 제주도 파송을 해외선교의 효시로 거론하는 것은 1900년대에 교통과 통신이 발전하지 않았던 상황을 고려한 것으로 볼 수 있다. 이기풍 목사는 1896년 8월 원산에서 외국선교사(William L. Swallen)를 만나 사례를 받고 1907년 당시 최연소의 나이로 평양 장로회신학교를 졸업하고 목사가 되어 10개가 넘는 교회를 세워 첫 번째 선교사역을 성공적으로 수행하였다.[19] 이후 1913년부터 1937년까지 중국 산동성에 선교사를 파송하여 1942년에는 교회 36개, 세례교인 1,716명까지 증가하였다. 이를 제외하고 해방 이전까지는 대부분 현지에 사는 한인을 통해 이루어 졌는데 만주와 시베리아·일본·몽고·대만 등지에서 수행되었다.

1980년대 후반부터 본격적으로 해외선교가 폭발적으로 성장했는데 이는 1989년 해외여행 자유화 조치로 인한 영향이었다. 1988년까지 해외에서 활동하던 한국선교사가 400명 미만이었는데 1989년에 들어서 1,178명으로 3배가량 증가하였다. 이후에도 해외선교사의 수가 꾸준히 증가하여 2000년 8,103명으로 세계 2대 선교국가의 자리를 차지했고 2017년 말 현재 2만 7천여 명으로 집계되고 있다.

이러한 급성장의 배경은 1988년 서울올림픽을 성공적으로 개최하면서 젊은 세대가 해외 선교에 대한 진취적 자신감을 갖게 되었고 '한강의 기적'으로 불릴 정도로 한국경제가 급성장한 후광효과다.

2005년부터 한국 선교는 새로운 전환기를 맞는데 이는 기존의 외국선교사가 떠나간 공백을 한국선교사가 채우는 방식에서 기독교가 전해지지 않은 지역에 집중해서 선교한다는 방식으로 바뀌었다. 즉 세계를 일반선교지역과 전방개척지역으로 대별하고 일반선교지역을 다시 G1지역(복음주의자 비율이 15.5% 이상인 곳)과 G2지역(복음주의자비율이 10% 이상-15.5% 미만인 곳)으로 구분한다. 전방개척지역은 F1지역, F2지역, F3지역으로 세분화하여 복음주의자비율이 0-5% 미만인 기독교 박해지역에 집중한다는 것이다. 또한 외부의 도움 없이는 스스로 복음화(福音化)할 수 없는 토착교인인 미전도종족(未傳道種族, unreached people)에 집중 선교하였다. 특히 북위 10도에서 40도 사이에 위치(10/40창: window)하는 지역은

18) 일부에서는 1902년 인천 내리교회에서 하와이 사탕수수 농장노동자로 이주했던 교인들과 미주 노동이민자들과 동행했던 홍승화 전도사를 해외선교의 시작으로 지적하기도 한다(이용완, 2007: 10).

19) 『교회용어사전』(생명의 말씀사, 2013) 참조.

아프리카의 사하라사막 북부지역과 대부분의 아시아 지역으로 세계인구의 2/3, 비기독교인의 79%가 거주하며 아프가니스탄, 알제리, 캄보디아, 이란, 이라크, 리비아, 파키스탄, 시리아 등 59개국이 속해 있다. 10/40창을 향한 한국교회의 선교는 매우 결연하여 2030년까지 이 지역에 선교사 10만 명을 파송할 계획을 하고 있다. 이러한 한국교회의 해외선교의 노력은 이해할 수 있으나 이 지역 대부분은 기독교를 배척하는 이슬람권 국가가 과반수 이상이고 전 세계 40개국 저개발국 중 18개 국가가 이곳에 속해있으며 전 세계 빈민의 82%가 살고 있어 안전에 취약하다는 것이다. 특히 테러피해의 위험성이란 측면에서 중앙정부의 통제력이 미약하고 낮은 경제수준으로 사회 안전시스템도 열악한 상태이다.[20]

Ⅱ. 해외선교사 파견 현황

우리나라의 선교사 해외 파견현황은 다음의 <표>에서 볼 수 있듯이 2017년 말 현재 전 세계 170개국에 27,436명으로 2016년도 대비 231명이 증가하였다. 2006년에서 2017년까지 12년 동안 한국 선교사는 전체적으로 12,309명(2006년 14,896명, 2017년 27,436명)이 증가하여 매년 평균 약 천여 명씩 증가한 셈이다.

〈해외 선교사 파견 현황(2006-2017)〉

(단위: 명)

구분	2006	2007	2008	2009	2010	2011	2012	2013	2014	2015	2016	2017
전체	16,616	18,625	20,503	22,130	22,685	24,001	25,665	26,703	27,767	28,326	28,395	28,584
중복인원	1,984	1,856	2,180	2,579	1,341	1,341	1,847	1,916	2,180	2,243	2,380	2,296
실제인원	14,896	17,697	19,413	20,840	22,014	23,331	24,742	25,745	26,677	27,205	27,205	27,436

출처: 한국세계선교협의회(www.kwma.org) 자료(KWMA 연구개발실).

지역별 파견 실태를 다음의 <표>에서 보면 한국 선교사들이 가장 많이 활동하는 곳은 지리적으로 가장 가까운 아시아지역이다. 전체 아시아 선교사 가운데 동북아시아·동남아시아·남아시아·중앙아시아 네 지역 합계가 15,185명

20) 이순래, "선교사 해외파송에 따른 테러상 문제점 및 대책", 『한국사회학회 심포지움 논문집』 제9권(2010), pp. 81-108.

(53%) 정도로 파송 선교사의 반 이상이 활동하고 있는 것으로 나타났다. 2015년 대비 가장 많은 증가를 보인 지역 역시 동남아시아로 318명이 증가하였으며, 이어 중동 73명, 북아프리카 58명이 각각 증가하였음을 알 수 있다. 특히 이 지역 중에서 동남아시아, 중동, 북아프리카 지역은 모두 종교적으로 이슬람권인데 이러한 지역에 대한 공격적인 선교가 여전함을 말해주고 있다. 구체적으로 동남아시아 중에서 태국이 불교국가이긴 하나 남부지역은 강성 이슬람 지역이며, 말레이시아는 이슬람의 종주국임을 자처하고 있고, 인도네시아는 90% 이상의 무슬림으로 구성된 이슬람 국가이다. 그리고 베트남과 라오스는 아직 선교의 자유를 허

〈지역별 파견현황(2017)〉

권역	활동 선교사 수		
	2017년(비율 %)	2016년	2015년
동북아시아	6,319(22.11)	6,402	6,430
동남아시아	5,893(20.62)	5,739	5,575
북아메리카	3,075(10.76)	3,015	3,196
한국	2,185(7.64)	2,011	1,906
남아시아	1,792(6.27)	1,858	1,860
중동	1,388(4.86)	1,336	1,315
서유럽	1,240(4.34)	1,282	1,368
동남아프리카	1,205(4.22)	1,213	1,200
중앙아시아	1,181(4.13)	1,218	1,203
라틴아메리카	1,170(4.09)	1,199	1,222
동유럽	1,110(3.88)	1,107	1,101
남태평양	959(3.36)	952	951
북아프리카	611(2.14)	610	553
서중앙아프리카	366(1.28)	354	348
카리브해	90(0.31)	99	98
합계	28,584(100)	28,395	28,326

※ 중복인원(복수지역 담당) 포함

출처: 한국세계선교협의회(www.kwma.org) 자료(KWMA 연구개발실).

락하지 않고 있고, 캄보디아는 무분별한 선교를 금지하기 위해 2007년 7월 '선교사 입국 금지'라는 종교법을 시행하고 있다. 또한 중동과 북아프리카 지역은 이슬람 지역으로 현재도 분쟁이 격화되고 있는데 여전히 파견 선교사 비율이 전체에서 차지하는 비율이 각각 4.86%(1,388명), 2.14%(611명)으로 나타나 그만큼 테러의 피해를 받을 확률이 높은 것으로 나타났다. 해외선교사의 안전을 위해 선교단체와 정부 관련기관과의 적극적 논의와 협조가 필요하다는 것을 알 수 있다. 특히 이러한 공식적인 통계를 훨씬 웃도는 수의 선교사가 현지에서 활동하고 있는 현실을 감안할 때 그만큼 테러에 의한 피해가 높아질 수 있음을 감안해야 할 것이다.

또한 공격적인 선교 전략이나 방법이 테러의 위협을 증가시킨다. 이슬람 국가에서는 국법인 샤리아 곧 이슬람법에 의해서 지배된다. 따라서 이슬람이 아닌 모든 종교활동은 불법이기 때문에 선교는 목숨을 내어놓고 비밀리에 진행할 수밖에 없다. 성서를 반입하는 일, 성서를 원하는 사람들을 만나는 일, 그들에게 성서를 전달하는 일 모두 은밀히 진행되어야 한다. 두세 사람이 모이는 작은 공동체를 중심으로 소수의 현지인 신자들을 대면하고, 교제를 시도하는 것이다. 그중 일부는 기독교에 관심이 있고 성서를 읽고 싶은 마음이 일어나면서 성경을 전달하고 있는 방법을 동원하고 있다. 선교사들은 본인들이 소속된 단체나 배경에 관계없이 한 팀을 이루어 현지 활동을 하고 있다. 또한 현지의 축제를 이용하는 방법을 쓰기도 한다. 금식의 달인 라마단이 끝나면서 '이드 알 피트르'(Eid al-Fitr)[21]라고 하는 축제와 매년 성지 순례가 끝나는 하지 기간에 '이이드 알아드하'[22]가 열리는데 이러한 축제를 이용하여 현지인을 사귀는 전략을 구사한다. 박해에 대처하는 방법으로 이슬람 국가의 종교 경찰의 단속을 피하기 위해 종교 경찰을 식별하는 요령을 습득한다. 입국과정에서 선교 목적으로 비자를 발급해주지 않기 때

21) 이드 알피트르(Eid al-Fitr)를 줄여서 이드(Eid)라고 부르기도 한다. 이드는 아랍어로 '축제'를 의미하며, 피트르(Fitr)는 '축제가 끝났음'을 의미한다. 라마단이 끝나는 샤왈(Shawwal, 이슬람력 10월) 첫째 날에 그 종료를 축하하는 행사로 무슬림들은 새옷으로 갈아입고 해가 뜬 시간부터 정오 사이에 각 지역에 특별히 마련된 넓은 예배장소나 또는 큰 사원에 모여서 예배를 올린 다음 서로 인사를 나누며 친척과 친구들을 방문하고 선물을 교환한다. 3일 동안 이어지는 축제의 첫날에는 가난한 사람들을 위해 납부금을 바치는 것이 의무화되어 있다(위키백과).

22) 이드 알아드하(عيد الأضحى)는 이슬람력 12월 10일에 열리는 제물을 바치는 축제이다. 한 사람이 염소 한 마리씩을 제물로 바치고, 고기의 3분의 1은 자기가 먹고 나머지는 다른 사람에게 주거나 가난한 사람에게 주게 되어 있다(위키백과).

문에 관광이나 주변의 도움으로 취업비자를 발급받아 입국해야 하며, 이외에도 상대적으로 단속이 소홀한 오지를 선교대상 지역으로 선정하고, 집회나 노상전도를 하지 않고 신앙인의 매우 헌신적이고 신중한 생활을 현지인에게 직접 보여줌으로써 이들이 기독교에 관심을 갖도록 할 것을 주문하고 있다.

최근에는 단기선교여행도 증가하고 있는 추세이다. 단기선교여행은 해외 선교 훈련을 받은 전문적인 선교사가 짧게는 6개월부터 3년 미만의 기간 동안 실시하는 단기선교(short-term mission)와 구별되는 개념으로 일반인이나 평신도가 2주 가량의 여행 프로그램으로 현지를 관광하는 것을 말한다.[23] 통상 전문적인 선교 단체가 주관하지 않고 주로 일반여행사나 개별적인 교회가 참가 희망자를 모집하고 실시한다. 이는 국내에서 2000년대부터 일어난 성지순례(pilgrimage) 붐에 맞춰 시작된 현상으로 해마다 국내 여행업계가 추정하는 성지순례 방문객은 한 해 5만여 명, 해외로 나가는 단기 선교여행이나 단기 봉사팀도 1년에 10만여 명이 넘는 것으로 추정한다.[24] 성지순례만 전문으로 취급하는 여행사도 10개가 넘는다. 최근에는 이러한 단기선교여행이 종교적인 단일목적보다 여러 가지 목적을 동시에 만족시키는 형태로 진행되고 있다. 즉 대표적인 유럽의 로마와 파리·런던의 경우 종교적 장소가 곧 역사 문화적 유적지의 성격을 지니는 경우가 많아 방문객들의 종교적 목적과 문화관광 목적을 동시에 충족시킬 수 있는 더없이 좋은 경우라 할 수 있다. 여행일정은 현지 초등학교, 교회와 고아원, 빈민학교에 대한 시설방문과 참여활동이 포함되어 있어 오히려 체험학습여행과 유사하다. 문제는 일부 개인이나 관광객은 선교를 명분으로 이슬람이나 불교 등 종교를 국가차원에서 취급하는 나라에서 무분별한 행동을 한다는 것이다. 실례로 2006년 8월에는 아시아문화개발협력기구(IACD)라는 단체가 아프가니스탄에서 '2006 아프가니스탄 평화축제'라는 이름으로 대규모 기독교집회를 개최하려 하였으나 우리 정부의 만류와 아프가니스탄 당국의 불허로 현지에 도착했던 수백여 명의 한국 신자들에게 출국 명령을 내림으로써 무산된 사례가 있고, 2013년 인도 최대 관광지 중 하나인 마하보디대탑에서는 20대 청년들이 '땅 밟기' 행사를 개최하여 논란이 되었으며, 2014년 2월에는 충북 진천중앙교회 60주년을 기념해 대규모 성

23) 『교회용어사전』(생명의 말씀사, 2013) 참조.
24) 국민일보(2014.2.22.).

지순례를 나섰다가 이집트 시나이 반도의 이스라엘 국경지역에서 폭탄 테러를 당한 사건이 있었다. 따라서 여행업계는 분쟁지역을 통과하는 성지순례 여행상품 개발은 최대한 자제하고 방문하는 곳이 여행 자제나 제한지역으로 지정한 곳이 포함된 경우 반드시 고객에게 위험정보를 고지해야 한다. 성지순례에 참가하는 교인들에게는 현지 문화나 테러정세 등을 충분히 설명하고, 테러예방 요령과 같은 신변안전 수칙을 자체적으로 심도있게 교육해야 한다.

Ⅲ. 대표적 테러피해 사례

1. 이라크 김선일 피랍살해

미국에서 9·11테러가 일어난 그 다음해인 2002년 1월 미국은 북한, 이라크, 이란을 국제사회의 '악의 축'(an axis of evil)으로 규정하였다.[25] 또한 대량살상무기(WMD)를 제거함으로써 자국민의 보호와 세계평화에 이바지한다는 이유로 2003년 3월 20일 이라크를 전격 침공하여 이라크전쟁을 벌였다. 불과 20여일 만에 이라크 수도 바그다드가 함락되고 지도자 사담 후세인(Saddam Hussein, 1937-2006)을 잡기 위해 수색 끝에 같은 해 12월 13일 후세인이 체포됨으로써 이라크전쟁은 막을 내렸다. 그러나 미군 점령 후 이라크는 이란의 지원을 받는 무장단체들이 미군과 게릴라 전투를 계속하면서 치안의 부재와 함께 극심한 혼란에 빠져 들었다. 이러한 가운데 한국은 이라크 전쟁 후 전후복구를 위해 2003년 4월 30일 서희부대와 제마부대로 명명된 총 675명의 건설공병단과 의료지원단을 이라크로 파병하였고, 이듬해 2004년 2월 13일에는 자이툰부대원 3천여 명을 추가로 파병하여 미국, 영국의 뒤를 이어 세 번째 큰 규모의 군대를 파견하였다. 이러한 상황에서 2004년 4월 5일에는 가나무역 박원곤이 피랍되는 사건이 발생하였고, 4월 7일에는 한국기독교 복음단체 총연합회 소속 목사 7명이 피랍되는 사건이 발생하였다. 5월 10일에는 요르단의 국가정보원 파견관에게 한 무장단체가

25) 악의 축(惡의 軸, Axis of evil)은 미국의 부시 대통령이 2002년 1월 29일 발표한 연례 일반교서에서 '테러를 지원하는 정권'(regimes that sponsor terror)을 가리키며 쓴 용어로 이라크, 이란, 북한을 지칭하였고, 2002년 5월 국무차관 존 볼튼은 추가로 리비아, 시리아, 쿠바 등을 언급하였다.

한국 군납업체인 가나무역 직원에 대한 테러를 자행할 것이라는 첩보가 입수되기도 하였다. 그러나 테러 발생 가능성에 관한 정부의 경고와 위험이 감지되었음에도 불구하고 가나무역 직원들은 이를 무시하고 위험지역인 팔루자 인근 기지까지 출장을 갔다. 결국 2004년 5월 31일 가나무역 직원인 김선일(34세)이 매장에 물품을 운반하기 위해 검은색 GMC차량을 타고 운전수 겸 경호원인 이라크인 직원과 함께 바그다드에서 200km 가량 떨어진 팔루자 지역을 지나던 중 무장단체에 의해 피랍되었다. 가나무역은 김선일씨의 행적을 추적하기 위하여 대사관이나 우리 정부에 알리지도 않고 직접 현지인을 통해 무장단체와 접촉을 시도하였다.[26) 6월 21일 5시(현지시간 6월 20일 24시) 이라크 현지 '알자지라' 방송을 통해 김선일을 납치한 무장단체인 '유일신과 성전'(지마아트 알 타우히드왈 지하드: Jama'at al-Tawhidwal-Jihad)은 김선일 납치사실을 공표하며 '24시간 내에 한국군의 철수와 추가파병을 철회하지 않으면 김선일을 참수하겠다'고 협박하였다. 한국정부는 알 자지라 방송을 통해 김선일 피랍사실을 알게 되었고 미군과 이라크 정부를 통하여 김선일 석방교섭을 시도하였지만 6월 22일 22시 20분(현지시간 6월 22일 17시 20분) 팔루자 바그다드 서쪽 35Km 지점에서 미군에 의해 김선일 시신을 발견하였다.

2. 아프가니스탄 선교단 피랍

2007년 7월 아프가니스탄에서 선교중인 한국인 23명이 납치되었다. 외교부는 이 사건이 일어나기 5개월 전인 2007년 2월 5일 탈레반의 한국인 납치계획 첩보를 입수하고 아프가니스탄 선교단체인 한민족복지재단에 공문을 발송하고 주의를 당부하였다.[27] 그러나 이러한 경고를 무시하고 분당샘물교회의 배형규 목사를 포함한 청년부 20명은 10박 11일 동안 단기선교와 봉사활동을 목적으로 7월 13일 인천공항을 통해 출국하게 된다. 일정에 따라 7월 14일 아프가니스탄의 수도인 카불에 입국하였고 마자리샤리프(Mazar-i-Sharif)로 이동한 뒤 7월 15일부터 18일까지 현지 알리어벗 학교에서 의료봉사 및 어린이 봉사활동을 하였다. 7월 19일에는 현지에서 안내와 통역을 위해 한인 의료봉사자 3명이 합류하여 총 23명

26) 조선일보(2004.6.28.) 참조.
27) 김성욱, "보도되지 않은 인질사건의 이면"(한국논단, 2007), pp. 24-25.

(남 7명, 여 16명)이 함께 버스로 남부 칸다하르에 있는 할라병원과 은혜샘 유치원으로 향하고 있었다. 그러나 목적지로 향하던 도중 09:00경 카불에서 170km 거리에 있는 가즈니(Ghazni) 주(州)의 카라바그(Qaragagh)지역에서 탈레반 무장세력에 의해 피랍되었다. 7월 20일 탈레반은 로이터 통신을 이용하여 21일 정오까지 아프간주둔 한국군의 철수 요구를 하면서 불응할 시 인질들을 살해하겠다고 협박하였다. 이에 우리 정부는 합동대책본부를 설치하고 이튿날인 21일 CNN 등을 통해 노무현 대통령이 직접 인질석방을 촉구하는 긴급 메시지를 발표하였다. 탈레반 대변인을 지칭하는 카리 유수프 아마디(Qari Yousuf Ahmadi)는 "7월 22일 14:30까지 탈레반 수감자 23명을 석방하지 않으면 인질들을 살해할 것"이라며 인질 맞교환을 요구하였고 협상시한을 22일 19:00까지 1차 연장하였다.[28] 7월 22일에는 현지대책반이 아프가니스탄 수도 카불에 도착하여 아프가니스탄 정부 및 부족 원로들을 통하여 인질석방 중재를 당부하였다. 같은 날 송민순 외교부 장관은 반기문 UN사무총장과 전화 협의를 통해 UN차원의 협조를 요청하였고, 반기문 총장은 아프가니스탄 카르자이(Hamid Karzai) 대통령에게 유선으로 인질사건 해결을 위한 협조를 요청하는 등의 노력하였다. 7월 24일 탈레반은 구체적으로 탈레반 수감자 8명과 한국인 인질 8명의 맞교환을 요구해 왔고, 이튿날인 25일 일방적으로 협상 실패를 선언하고 봉사단을 이끌던 배형규 목사를 살해하였다. 같은 날 피랍된 한국인 임현주가 미국 CBS와의 전화인터뷰를 통해 피랍 이후 처음으로 한국인 인질의 안부를 전해왔고, 탈레반은 아프가니스탄 내무차관의 요청에 따라 협상시한을 7월 27일 정오까지로 연장시켰다. 7월 30일 탈레반은 또 다시 아프간 이슬라믹 프레스(AIP)의 보도를 통해 협상 실패로 인질을 살해하겠다며 인질 22명 가운데 심성민을 추가 살해했다.

8월 3일 탈레반 측은 다시 한국인 여성 인질과 탈레반 여성 수감자의 맞교환을 요구해왔고 협상이 순조롭지 않자 8월 4일과 5일 계속해서 한국정부의 노력이 불만족스럽다며 언제든지 인질을 살해할 수 있다고 압박하였다. 8월 6일 송민순 장관이 사우디 압둘라 국왕을 예방하고 노무현 대통령의 친서를 전달하며 중재를 부탁하였다. 드디어 8월 10일 우리 정부와 탈레반 협상단과의 첫 대면협상이 진행되어 13일 인질 중 김경자, 김지나 여성 2명이 극적으로 석방됐다. 양측 협상단

28) "피랍에서 석방까지 41일 간의 악몽", 연합뉴스(2007.8.28).

은 8월 16일 두 번째 대면협상을 재개하였으나 탈레반은 인질석방 조건으로 탈레반 수감자 23명의 석방을 고집하는 등 우여곡절 끝에 우리 정부가 한국군의 연내 철수와 아프가니스탄에 대한 기독교 선교단 파견을 중지한다는 등의 5개항에 합의로 8월 29일 남아있던 19명의 인질 중 12명이 먼저 석방되었고, 8월 30일 남아있던 7명이 모두 석방되었다. 이들은 9월 2일 한국시간 06:35분경 인천국제공항을 통하여 전원 귀국하면서 피랍사태가 종료되었다.

3. 예멘 시밤 자살폭탄테러

2009년 3월 15일 오후 6시경으로 예멘의 남동부 하드라마우트 주(州)의 고대도시 시밤(Shibam)에서 발생하였다. 당초 9박 10일 일정으로 예멘과 두바이를 둘러보는 패키지 상품에 참가한 한국 관광객 16명은 관광 7일째인 당일 오후 인솔자 1명, 그리고 요르단 거주 한국인 가이드 1명 등 총 18명이 지프 6대에 나눠 타고 관광지를 둘러본 후, 사막에 진흙 벽돌 건물이 촘촘히 들어선 시밤 시내 전경을 보기 위해 '카잔' 언덕에 올라 일몰을 감상했다. 전날에도 시밤을 둘러봤지만, "너무 아름다운 곳이라 한 번 더 보고 싶다"며 다시 찾아간 터였다. 이때 10대 후반과 40대 후반쯤의 현지인으로 보이는 현지 남성 2명이 인사를 하며 일행에게 다가왔다. 이후 5분 정도 지나 현장에서 폭발사고가 발생해 4명의 한국인이 죽고, 3명의 예멘인이 부상당했다. 한국인 사망자 4명 중 주씨(59세) 부부는 충신교회 집사로 알려졌다. 예멘 당국 조사 결과 자살폭탄테러범은 19세 남성으로 알카에다의 일원임이 현장에서 발견된 테러범의 신분증으로 확인되었다.

이 사건 발생 사흘 뒤에는 2차 사건이 일어났다. 3월 18일 이번 사건을 수습하기 위해 현지에 파견된 정부 신속대응팀과 유족이 탄 3대의 차량이 예멘의 수도 사나의 외곽에 위치한 공항으로 이동하던 중 발생하였다. 테러범은 세 대의 차 중 두 대의 차 사이로 뛰어들면서 자폭했고 그 폭발로 인해 차량 유리가 깨졌을 뿐 인명 피해는 없었다. 예멘 당국은 3월 25일 한국인 관광객 대상 자살폭탄테러 사건 용의자 12명 중 6명을 검거했고, 모두 알 카에다 소속이라고 밝혔다. 자폭테러를 자행한 배후는 '예멘 알 카에다'(AQAP)로 지목되었다.

4. 타지크스탄 한국교회 폭탄테러

2010년 10월 타지크스탄 수도 두샨베의 은혜선민교회(담임목사: 최윤섭 50세)에서 예배시간 중인 낮 12시 반경에 신원을 알 수 없는 한 남자가 예배당 가운데 앉아 있다가 놓고 간 가방에서 폭탄이 터지면서 교회 지붕이 내려앉고 화재가 발생하였다. 이로 인해 예배 중이던 400여 신도 중 7명이 사망하고 70여명의 부상자가 발생했다. 당시 한국은 타지크스탄과 미수교 상태여서 별다른 대책을 세우지 못한 것으로 알려져 있다. 그러나 타지크스탄도 중앙아시아의 강력한 이슬람 국가로 현지 이슬람 원리주의자들의 소행으로 추정된다. 그동안에도 한국 교회의 선교활동에 대해 노골적인 협박을 여러 차례 가해왔고, 담임목사에 대한 살해 위협 등을 서슴지 않고 벌여왔다는 점을 감안할 때 공격적 선교활동에 대한 반발이 이번 폭탄테러를 통해 구체적으로 실행된 것으로 보고 있다.

5. 이집트 시나이반도 버스폭탄테러

2014년 2월 16일 한국 관광객을 태운 버스가 이집트 시나이 반도의 이스라엘 국경지역에서 폭탄 테러를 당해 한국인 3명(여행자 1명, 현지 가이드 1명, 한국 가이드 1명)과 이집트인 운전기사 1명 및 테러범으로 추정되는 남자 1명이 숨지고 14명이 부상당한 사건이다. 폭탄테러를 당한 한국인들은 충북 진천중앙교회 소속으로 교회 60주년을 기념해 대규모 성지순례를 나섰다가 공격을 당했다. 2월 11일 현지에 도착한 이들은 성지순례를 위해 터키와 이집트를 둘러본 뒤 이스라엘로 향하던 길이었다. 그 때 이집트와 이스라엘의 국경에서 검문을 위해 잠시 서 있던 버스에 갑자기 괴한이 올라타 폭탄을 터트렸고 그 자리에서 4명이 현장에서 사망하고 탑승한 나머지 승객들은 부상을 당하였다. 폭파 규모에 비해 희생자는 적은 것은 대부분의 폭발 파편이 버스 아래쪽으로 향해 승객의 하체에 맞았고, 현지 가이드 제진수(56세) 씨가 온 몸으로 테러범을 막아 희생했기 때문이라고 한다. 사건 발생 하루만인 17일 테러단체인 '안사르 베이트 알 마크디스'(ABM: Ansar Bayt al-Maqdis)가 자신들의 소행이라고 공개 선언을 하였다. 이 단체는 이집트 내 이슬람국가 건설을 목표로 2005년 결성되어 2011년부터 본격적인 활동을 한 테러단체로 2014년 11월 IS에 충성을 맹세하고 조직명을 'IS 시나이지부'로 변경하였다.

제4절 재외동포의 증가

Ⅰ. 재외동포 개념

재외동포란 일반적으로 자국의 영토 이외의 지역에 거주하는 같은 혈통을 지닌 사람과 그 후손들을 모두 지칭하는 말로서 이는 국적을 불문하고 동일한 혈통을 강조하는 의미를 가진다. 비슷한 용어로 해외체류국민은 해외에 체류하고 있는 우리 국민을 말하는 뜻으로 재외국민이라고 한다. 재외국민(在外國民)이란 우리나라 영토 이외 지역에 거주하고 있는 우리나라 국민으로서 현지 주재원, 상사원, 유학생 등을 포함하는 일시 체류자와 외국 영주권자를 포함한다. 이외에도 국외에 거주하는 국민을 지칭하는 말로 교포, 교민, 동포, 한민족 등 다양한 용어들이 사용되고 있어 의미에 대한 정확한 대상과 범위를 규정하기가 쉽지 않다.

법적으로도 명칭을 혼용하고 있다. 우리나라 헌법은 제2조 제2항에서 "국가는 법률이 정하는 바에 의하여 재외국민을 보호할 의무를 지닌다"고 규정하면서 재외국민으로 사용하고 있고, 이에 따른 후속법률인 「재외동포의 출입국과 법적 지위에 관한 법률」(재외동포법) 제4조에서는 "정부는 재외동포가 대한민국 안에서 부당한 규제와 대우를 받지 아니하도록 필요한 지원을 하여야 한다"라고 규정하여 재외동포란 용어를 사용하고 있다. 정부는 1997년 3월 27일 재외한인의 공식 창구로 '재외동포재단' 설립을 공포하면서 「재외동포재단법」에 '동포'라는 용어를 공식적으로 사용하면서 '국적을 불문하고'라는 표현을 사용해서 그 범위를 과거 국적주의를 따르던 「재외동포법」보다 넓은 범위로 재외동포를 명시하고 있다. 1999년에 「재외동포법」이 통과됐지만 당시 재외동포의 대상은 1948년 대한민국 정부수립 이후에 출국한 국민으로 한정하여 주로 일본 식민지 시대에 고국을 떠난 재중동포와 독립국가연합(CIS) 지역 동포 및 일본의 재일동포는 대상에서 제외되었다. 이런 차별적 규정에 대해 헌법재판소는 2001년 1월 기존 「재외동포법」이 헌법에 불합치하다는 판결을 했고, 2004년에 1948년 이전에 고국을 떠난 국민도 재외동포에 포함되도록 하는 개정된 「재외동포법」이 통과되는 우여곡절을 거치게 된다.

현행 「재외동포법」 제2조(정의)에 의하면 재외동포를 두 부류로 구분할 수 있다. 즉 외국의 영주권(永住權)을 취득한 자 또는 영주할 목적으로 외국에 거주하고 있는 대한민국의 국적자를 이르는 재외국민과 혈통주의에 근거해 한국국적을 가지고 있지 않은 외국국적동포를 모두 포괄하는 개념이다. 이때 외국의 영주권을 취득한 자라 함은 거주국으로부터 영주권 또는 이에 준하는 거주목적의 장기체류자격을 취득한 자를 말한다. 영주할 목적으로 외국에 거주하고 있는 자라 함은 아직 거주국으로부터 영주권을 취득하지 아니한 사람을 뜻한다. 그리고 외국국적동포는 대한민국의 국적을 보유하였던 자(정부 수립 이전에 국외로 이주한 동포를 포함한다)로서 외국국적을 취득한 자와 부모의 일방 또는 조부모의 일방이 대한민국의 국적을 보유하였던 자로서 외국국적을 취득한 자를 말한다. 따라서 재외동포의 개념이 이민 1세대에서 태어난 이민 2-3세대를 포함하는 '외국국적동포' 모두를 포함하는 넓은 의미로 사용된다고 볼 수 있다. 다만 여기에서는 테러의 위협과 피해 대상을 연구하는 관점에서 법적으로 규정된 용어를 기준으로 범위를 한국국적을 가진 재외국민을 주 대상으로 하되 우리나라 법률이 보호의 대상으로 정하고 있는 법적 현실을 감안하여 역사적 의미 등에서 부르고 있는 재외동포라는 용어를 사용하기로 한다.

Ⅱ. 재외동포 역사

우리국민의 해외 이주는 1860년대에 주로 농민과 노동자들이 국내의 가난과 빈곤 등을 피하기 위하여 국경을 넘어 중국, 소련, 하와이 등으로 이주하면서 시작되었다. 국내에서는 조선말기 삼정(三政)[29]의 문란과 북부지방의 흉년 등으로

29) 삼정(三政)이란 조선 후기에 국가에서 백성으로부터 거두어들인 전정(田政), 군정(軍政), 환곡(還穀)을 말한다. 전정은 토지세를 말하고, 군정은 군에 가는 대신에 군포를 납부하는 것을 말하며, 환곡은 춘궁기에 관청에서 곡식을 빌려주었다가 가을에 추수가 끝난 후 갚도록 하는 구제책이다(위키백과).

경제적 어려움이 가중되었고, 중국에서는 청조 말엽의 국가기강 문란으로 국경지역 경계가 소홀해졌으며, 러시아도 연해주 지역 황무지 개간을 위해 조선인들의 이주를 적극 장려하면서 간도・연해주 지역으로의 대대적인 이동이 시작되었다. 1902년에서 1904년까지 하와이의 사탕수수 농장으로 돈을 벌기 위해 노동이민이 실시되어 약 7천여 명이 이민을 갔었다. 그러나 일본이 일본 노동자를 보호하기 위해 1905년에 한인 이주를 금지하면서 중단되었다. 1910년 한일합방 이후 일제의 식민지하에 징용을 피하기 위해, 또는 독립운동을 위해 등 정치적 이유로 만주나 시베리아 등으로 고국을 떠나면서 이주가 확대되었다. 초기는 대부분 국경지대에서 농작물 거래, 사냥・채취 등에 종사했던 한인들이 건너갔고, 한일합방 이후에는 항일무장투쟁에 참여하기 위해 이주하였다. 그 결과 수십 개의 의병부대가 소련의 극동지역과 만주지역에서 활동하면서 일본 경찰과 군대를 기습공격하기도 했다. 이들 대부분이 해방이후에도 소련의 연해주와 만주에 남아 있다. 1910년부터 1945년 해방되기까지 일제하에 토지와 생산 수단을 빼앗긴 농민과 노동자들이 만주와 일본으로 이주하였고, 정치적 난민들과 독립 운동가들이 독립운동을 위해 중국과 소련, 미국 등지로 건너가게 되었다. 1931년의 만주사변과 1932년 일본의 만주국 건설을 계기로 만주지역의 개발에 한인들의 대규모 집단 이주가 이루어졌고, 제1차 세계대전으로 경제호황을 맞은 일본으로 많은 한인들이 건너갔다. 1937년의 중일전쟁과 1941년의 태평양전쟁에 투입되기 위해 대규모의 한인들이 광산이나 군수공장, 전쟁터로 끌려가기도 하였다. 이때 일제의 침략전쟁이 본격화되면서 정신대・징용 등 전쟁의 도구로서 수백만 명이 강제 이주당하여 1930년대 중반까지 구소련의 극동지방에는 약 20만의 한인들이 거주하였고, 이 당시 해외이주자는 한국 전체 인구의 4%에 해당하는 90만 명 가량이었다. 재일한인도 급증하여 1945년 해방당시에는 약 230만 명 정도에 이르렀다. 해방 후 많은 한인들이 고국으로 돌아와 1947년에는 재일한인이 60여만 명으로 급감하였다.[30]

1962년 우리정부는 「해외이주법」을 제정하고, 1963년에는 독일로 광부와 간호사 등의 인력송출을 시작하였으며, 1965년 미국으로의 이민문호를 확대하는 것

30) 국제문제조사연구소, 『해외한민족의 현재와 미래』(서울: 도서출판 다나, 1996); 김게르만, 『한인 이주의 역사』(서울: 박영사, 2005); 이광규, 『在外韓人의 人類學的硏究』(서울: 집문당, 1997) 참조.

을 골자로 하는 이민법을 개정(1965년)하는 등 처음으로 정부에 의한 이민정책이 수립·시행되었다. 이로써 한국전쟁으로 발생한 전쟁고아, 미군과 결혼한 여성, 혼혈아, 학생 등이 외국입양이나 해외 유학 등의 목적으로 미국 또는 캐나다로 많이 이주하였다. 개정된 이민법에 의해 유학생, 객원 간호사와 의사의 신분으로 미국에 건너 온 한인들이 영주권을 취득하게 되었고, 이후 이들은 한인 이민을 주도하면서 국제결혼을 한 한인 여성들과 함께 한국에 남은 가족을 초청하면서 1970년대에 들어서 급격하게 증가하여 미국 한인사회의 토대를 마련하였다. 당시 미국으로 이민간 한인은 연 3만여 명으로 6천여 명은 미군의 배우자로, 5천여 명의 아동들은 전쟁고아나 혼혈아 또는 입양아로, 또한 6천여 명은 유학생들이었다. 이들은 보다 나은 삶을 위하여 남미, 서유럽, 중동, 북미 등 세계 곳곳으로 이주가 이루어졌는데 이는 정부의 인구 감소정책의 일환과 경제발전을 위한 외화 획득 차원에서 정부의 적극적인 장려가 한몫을 하였다. 1988년 서울 올림픽을 정점으로 한국의 정치·경제적 위상이 높아지면서 해외이주자도 1970~80년대의 절반 정도로 감소하기 시작하였고 오히려 역이민하는 사람들이 증가하였다. 이주 지역도 미국, 캐나다, 호주, 뉴질랜드 등 선진국 선호 경향이 두드러지게 나타났다. 1997년 이후 외환위기를 거치면서 해외 이주가 다시 증가하기 시작하여 조기유학, 원정출산, 은퇴이민 등 새로운 유형의 이주가 발생하였다.

이처럼 우리나라의 이민의 역사는 1860년대 조선말기의 국가기강 문란으로 시작하여 일제시대 강제징용이나 독립운동을 위해, 해방 후 1960대 정부의 적극적인 장려에 의해 실시되었으나 1988년 서울올림픽을 전후하여 오히려 역이민이 증가하는 과정으로 진행되었다. 이에 따라 처음에는 주로 농민이나 노동자들이 대상자이었으나 이후 독립운동가나 징용의 대상자·정신대 등이 주 대상이 되었다. 해방 후 초기에는 간호원, 군인, 외교관, 선교사 등 특정 직무와 관련하여 해외에 주재하게 된 사람이 주로 대상자였으나 최근에는 국가 간 교류가 더욱 활성화되면서 다양한 직업군의 사람과 자녀들에게 확산되고 있는 양상이다. 부모의 직업요인 때문이 아닌 자녀 유학만을 목적으로 해외 거주를 선택하는 경우도 늘어나고 있다. 이러한 현상은 오늘날의 세계경제의 발달로 모든 국가나 민족의 경계가 사라진 글로벌 네트워크에 연결되어 있기 때문이다. 즉 국가와 지역 간의 유무형의 경계가 사라지고 있는 것이다. 이는 한 국가에 국한되었던 시장, 자본,

자원, 인력, 기술 등이 세계로 자유롭게 확장된다는 의미이다. 필연적으로 동반되는 빈번한 인적·물적 교류는 세계가 하나의 공동체라는 인식을 자연스럽게 공유하게 되었다. 기존에 존재했던 국가 단위의 사고방식과 생활양식이 차차 세계 단위로 확대되었고, 일상의 모든 영역에서 지역사회나 국가의 경계를 넘어선 글로벌한 세계적인 삶의 단위로 변화하게 되었다. 이러한 국제사회의 변화 속에서는 어떤 곳에서도 적응할 수 있는 글로벌 인재를 필요로 하게 되었다.

Ⅲ. 재외동포 현황과 특징

남북한 총인구를 7천만으로 추정할 때 2017년 현재 재외동포는 전 세계 176개 국가 740여만 명으로 남북한 전체 인구의 10.6%를 넘고 있다. 아래의 <표>에서 볼 수 있듯이 한국 재외동포의 분포상황을 보면, 아주지역에 약336만 명(전

〈재외동포 현황(2011-2017)〉

(단위: 명)

지역별＼연도별		2011	2013	2015	2017	백분율(%)	전년비 증감율(%)
총계		7,175,654	7,012,917	7,184,872	7,422,242	100	3.30
동북아시아	일본	913,097	893,129	855,725	818,626	11.03	-4.34
	중국	2,704,994	2,573,928	2,585,993	2,542,620	34.26	-1.68
	소계	3,618,091	3,467,057	3,441,718	3,361,246	45.29	-2.34
남아시아태평양		453,420	485,836	510,633	554,717	7.47	8.63
북미	미국	2,075,590	2,091,432	2,238,989	2,492,252	33.58	11.31
	캐나다	231,492	205,993	224,054	240,942	3.25	7.54
	소계	2,307,082	2,297,425	2,463,043	2,733,194	36.82	10.97
중남미		112,980	111,156	105,243	106,794	1.44	1.47
유럽		656,707	615,847	627,089	630,735	8.50	0.58
아프리카		11,072	10,548	11,583	10,849	0.15	-6.34
중동		16,302	25,048	25,563	24,707	0.33	-3.35

출처: 외교부 재외동포현황 자료.

체의 45.3%)으로 제일 많이 분포되어 있다. 그 다음은 미주 36.8%, 유럽 8.5%, 남아시아 7.5%, 중남미 순으로 분포되어 있다. 재외동포가 제일 많은 나라는 중국으로 약 254만 명(전체의 34.3%)이고 그 다음은 미국으로 약 249만 명(33.6%) 그리고 일본 11%, 캐나다 3.2% 순이다. 전체적으로 볼 때 2017년의 재외동포의 수는 2015년에 비하여 267,370명이 늘어나 3.3%가 증가하였다.

한국을 떠나 세계 각지에 거주하는 재외동포 수는 2008년 세계 경제 위기로 한때 다소 감소하기도 하였으나 이후 꾸준히 증가하여 위에서 본 것처럼 2017년 현재 약 740만 명에 이르고 있다. 거주 자격별로 살펴보면 아래 <표>에서 볼 수 있듯이 현재 전체 해외 체류 한국인 가운데 580만 명(78.2%)은 시민권 혹은 영주권을 소지한 것으로 나타났고, 161만 명(21.8%)은 단순체류자인 것으로 나타났다.

우리국민의 해외체류는 지역적으로 중국 34.3%, 미국 33.6%, 일본 11.3% 등 세 곳에 집중되어 있다. 이는 역사적으로 과거 특수한 역사적 상황 속에서 본의

〈거주 자격별 현황(2017)〉

(단위: 명)

거주자격별 / 지역별		재외국민				외국국적(시민권자)	총계
		영주권자	일반체류자	유학생	계		
총계		1,049,210	1,354,220	260,284	2,663,714	4,758,528	7,422,242
동북아시아	일본	379,940	57,718	15,438	453,096	365,530	818,626
	중국	6,602	275,338	62,056	343,996	2,198,624	2,542,620
	소계	386,542	333,056	77,494	797,092	2,564,154	3,361,246
남아시아태평양		104,071	343,346	46,115	493,532	61,185	554,717
북미	미국	416,334	546,144	73,113	1,035,591	1,456,661	2,492,252
	캐나다	57,137	28,861	25,396	111,394	129,548	240,942
	소계	473,471	575,005	98,509	1,146,985	1,586,209	2,733,194
중남미		52,412	15,234	563	68,209	38,585	106,794
유럽		30,258	56,243	36,172	122,673	508,062	630,735
아프리카		2,342	7,534	816	10,692	157	10,849
중동		114	23,802	615	24,531	176	24,707

출처: 외교부 재외동포현황 자료.

아니게 부득이 모국을 떠나 강제이주와 같은 그 국가의 정책으로 인한 것이었다. 다만 미국의 경우 개인적인 좀 더 낳은 삶을 위하여 자발적으로 이민을 선택한 자들이다. 이러한 이유로 재외동포들은 이주 시기에 따라, 이주 지역에 따라, 이민 1세대와 2 · 3세대에 따라 다양한 정체성을 가지고 있다. 세대별 특징으로 현재 미국을 비롯한 남 · 북미와 유럽 등의 경우 현지 교민사회를 이민 1세들이 주도하고 있지만, 일본은 이민 2세와 3세 그리고 중국의 경우는 3세와 4세들이 주도하고 있다. 이때 주도층이 2세나 3세일 경우에는 1세들과는 큰 차이를 보이고 있는데 일반적으로 이민 1세들은 한국에 대한 강한 애착심과 조국애를 지니고 있는 데 반해 2세들은 현재의 자신의 처지를 비교해 불만이나 어려움을 대부분 부모세대나 그 부모를 내보낸 한국에 책임이 있다고 보아 부정적인 태도이다. 그러다가 다시 3세가 되면 자기 부모들과 달리 조국에 대해 긍정적인 태도를 보이기 시작하여 1세들의 맹목적인 조국의식과는 달리 자기의 뿌리를 부정할 수 없다는 점과 그 뿌리에 대하여 부정적일수록 자기 자신에게 부정적이 된다는 것을 깨닫고 긍정적인 의식이 생기게 된다는 것이다.

우리 정부가 본격적인 재외동포에 대한 정책을 실시한 것은 불과 20여 년밖에 되지 않는다. 1996년 국무총리 직속의 '재외동포정책위원회'가 설치되면서 재외동포와 관련된 정책이 실시되었으나 전담기구인 재외동포재단을 설립한 1997년을 시점으로 생각할 수 있다. 1965년 미국의 이민법 개정으로 미국으로의 이주가 급증하면서 헌법에 재외국민 관련 조항으로 '국가는 관련 법률에 의해 재외국민을 보호할 의무가 있다'는 조항을 신설하였으나 1980년대까지 우리 정부의 재외동포정책은 재외국민에 한정된 것이었다. 1990년대 중국 및 구소련 국가와 수교 이후 동포들의 대대적 고국 방문이 이어지면서 재외동포정책이 본격적으로 논의되었고, 1997년 2월에는 「재외동포재단법」이 통과된 후 재외동포와 관련한 업무를 담당하는 재외동포재단 설립에 이어 1999년 재외동포문제를 포괄적으로 다루는 「재외동포법」이 제정되었다. 2004년 3월 국무총리를 책임자로 하는 재외동포정책위원회를 만들고, 한민족으로서의 정체성과 자긍심을 고양하기 위한 한민족의 언어와 문화의 민족교육을 실시하여 언어와 문화를 통해서 자신의 뿌리를 찾고 민족적 정체성을 확립하여 글로벌 시민으로 거주국에 정착할 수 있도록 돕는 것을 정책의 기본목표로 설정하였다. 이후 정부 차원의 재외동포 적극적인 끌어

안기 정책으로 온라인 네트워크의 활용을 기본 바탕으로 오프라인 네트워크도 지속적으로 관리되어 동포 간 글로벌 민족 네트워크 활성화를 강화시키고 있다. 또한 일본, 중국, 미주, 러시아 독립국가연합 등 재외동포 거주국과 이주 동기별로 다른 상황을 감안하여 국가별, 지역별, 분야별, 세대별로 나누어 각각의 호혜적 발전을 위한 현지 맞춤형 정책을 수립 · 시행해오고 있다. 2017년 12월에는 '제18차 재외동포정책위원회'를 개최하여 재외동포사회와 모국간 연대 강화 및 상생발전 실현이라는 비전하에 ① 재외동포의 정체성 함양 및 역량 강화를 위한 지원 확대, ② 글로벌 민족 네트워크 활성화, ③ 소외된 동포들에 대한 지원 강화, ④ 재외국민 보호 강화 및 영사서비스 혁신이라는 신정부의 재외동포정책 추진방향과 중점과제를 선정하였다. 특히 연간 해외출국자수가 2천6백여 만 명으로 해외에서의 사건사고 증가에 대비하여 재외국민 보호를 강화하기 위한 법적 기반 마련과 함께 2020년까지 보안성이 강화된 PC(Poly Carbonate) 타입의 차세대 전자여권을 도입하는 등 영사서비스 혁신을 추진하기로 하였다.[31)]

이처럼 해외체류국민이 여러 국가에 다양하게 분포하고 그 숫자가 증가하면서 국가발전에 긍정적인 요인으로 작용하는 것이 사실이지만 한편으로 이로 인해 각종 사건사고와 국제범죄 · 테러의 피해에 노출될 가능성이 높은 만큼 이에 대한 대비 또한 철저히 강구해야 할 것이다.

Ⅳ. 테러 피해

위에서 살펴본 재외동포는 외국에 체류 혹은 거주하는 대한민국의 국적자(재외국민)와 한국국적을 가지고 있지 않은 외국국적의 동포까지를 포괄하는 개념이다. 그러나 구체적인 테러의 피해를 대상으로 하는 연구에서는 주로 우리나라의 국적을 가진 재외국민만을 대상으로 한다. 이는 기본적으로 국제법적 체계가 그 나라 국적을 가진 자만을 대상으로 하여 손해배상을 다루는 법적 개념에서 유래되었다고 할 수 있다. 따라서 여기서도 재외국민에 대한 인적 · 물적 피해를 대상으로 한다. 또한 구체적인 피해 사례에서 일반적인 국제범죄로 인한 것인지 정치

31) 국무총리실 보도자료(2017.12.22.) 참조.

적 목적을 가진 테러로 인한 것인지가 불분명하고, 경제적 목적에의 사건의 경우도 그 돈이 테러자금으로 사용되는 용도인지 일반 범죄를 위한 용도인지가 불분명하여 구별이 애매하기 때문에 일반범죄의 피해 사례를 위주로 살펴본다.

일반적으로 국제범죄(國際犯罪, international crime)의 통일적 개념은 정립되어 있지 않으나 국제사회의 일반적 법익을 침해한 국제위법행위를 말한다. 전쟁범죄는 물론 평화에 관한 죄, 인도(人道)에 관한 죄 등을 포함한다. 국내의 범위를 넘어서 국제사회의 법익을 침해하는 범죄로 불법무기의 거래, 마약밀매, 인신매매, 위조지폐·여권, 밀수, 밀입국, 해적행위, 금융범죄 등이 있다. 오늘날 절도·사기와 같은 보통 국내범죄라 하더라도 정보통신의 발달에 따른 급속한 세계화와 사이버 공간에서의 영역 확대로 인해 여러 국가가 연관됨에 따라 국제범죄와의 경계가 점점 불명확해지는 경향이 있다. 특히 인터폴과 국제경찰의 개념이 등장하면서 국제간의 공조수사의 필요성과 국가 간 협력의 중요성이 점점 높아지고 있어 그 구분이 모호해지고 있는 것이 현실이다. 따라서 여기서는 해외에서 한국인을 대상으로 벌어지고 있는 국제범죄의 피해 실태를 다루도록 한다.

재외 한국인에 대한 범죄피해 관련 통계는 2006년부터 외교부에서 관리해 오고 있다. 범죄피해에는 살인, 강도, 절도와 더불어 안전사고, 행방불명 등이 포함되고 성매매, 불법체류, 마약 등에 의한 강제추행, 행려병자, 자살 등의 항목이 포함되어 있다. 다음의 <표>에서 볼 수 있듯이 재외국민 범죄피해 현황을 보면, 2006년부터 2016년까지 지난 10년간 재외국민들을 대상으로 한 사건사고는 2006년 3,191명에서 2016년 9,290명으로 매년 평균 13.5%로 급격히 증가하고 있는 것으로 집계됐다. 특히 2014년부터 피해가 급속히 증가하고 있는 것으로 나타났다.

〈재외국민 범죄피해 현황(2006-2016)〉

연도	2006	2007	2008	2009	2010	2011	2012	2013	2014	2015	2016
피해자 (명)	3191	3484	3546	3572	3780	4458	4594	4967	5952	8298	9290
증감율 (%)	30.4	9.2	1.8	0.7	5.8	17.9	3.0	8.1	19.8	39.4	11.9

출처: 외교부 재외국민 사건사고 현황자료(2017년).

특히, 다음의 <표>에서 볼 수 있듯이 지난 5년간 발생한 재외국민 사건·사고 28,269명 중 4,669명(약17%)이 살인(145명), 강도(992명), 강간·강제추행(163명), 납치·감금(502명), 폭행·상해(1,236명), 행방불명(1,631명) 등 대부분이 강력 범죄인 것으로 조사되었다. 2006년 당시 재외국민 피해는 3,191명으로 이 가운데 살인, 강도, 납치감금, 안전사고 사망, 폭행 상해, 행방불명 등 통상적인 중대한 긴급사건·사고로 인해 피해를 입은 재외국민은 1,279명으로 36.3%를 차지하는 것으로 나타났다. 이후 매년 중대한 긴급사건·사고를 당하는 재외국민 피해는 꾸준히 발생하며, 2016년 한해 전체 사건·사고 9,290건 중 1,392명(14.9%)이 중대한 긴급사건·사고로 피해를 입은 것으로 드러났다. 주목해야 하는 점은 재외국민 사고 중 살인이나 강도, 강간, 절도 등의 흉악범죄의 발생 빈도는 전체 사건 발생에 대비하여 매년 약 17%정도로 유사한 비율을 유지하고 있는 데 반해 폭행이나 상해, 납치, 감금 등의 범죄는 증가하고 있어 테러와 관련하여 눈여겨 보아야 할 사안이다.

〈재외국민 범죄별 피해 현황〉

범죄 / 연도	살인	강도	절도	강간 강제 추행	납치 감금	폭행 상해	사기	안전 사고 사망	행방 불명	교통 사고	기타	합계
2016 상반기	11	101	2,941	30	63	135	176	56	160	155	308	4,136
2015	37	192	5,765	53	119	255	299	92	335	366	784	8,298
2014	23	234	4,378	29	67	229	244	54	266	149	279	5,952
2013	30	211	3,103	41	82	252	311	61	320	152	404	4,967
2012	27	196	2,679	23	113	241	252	92	343	200	428	4,594
2011	28	159	2,584	17	121	259	207	100	367	205	411	4,458
합계 (11~15)	145	992	18,509	163	502	1,236	1,313	399	1,631	1,072	2,306	28,269

출처: 외교부 재외국민 사건사고 현황자료(2017년).

또한 다음의 <표>에서 보는 바와 같이 해외 우리국민 수감자 현황과 관련해 외국에 수감 중인 우리 국민의 범죄혐의는 2016년 기준 '마약관련 혐의'가 315명으로 가장 많았고, 살인(177명), 사기(156명), 절도(110명) 등이 그 뒤를 이었다. 또, 2016년 현재 일본에 470명, 중국 320명, 미국 263명, 필리핀 66명 순으로 수감돼 있는 것으로 나타났다. 테러피해와 관련하여 살인, 강・절도, 납치감금, 폭행, 출입국, 불법체류 등의 범죄도 거의 40%에 달하고 있어 주의가 요구되고 있다. 최근 5년의 경우 불법체류로 수감되고 있는 한국인이 증가하고 있는 현실은 그만큼 해외에서 위험한 환경으로 내몰 수 있다는 점에서 테러의 피해를 받을 가능성이 높아진다는 것으로 주목해야 할 사안이다.

〈재외국민 수감자 현황(2012-2016)〉

범죄 / 연도	살인	강도	절도	강간추행	납치감금	폭행상해	사기 등	도박	마약	출입국	밀수	성매매	교통사고	불법체류	기타	합계(명)
2016	177	80	110	49	18	79	156	21	315	21	25	10	21	24	153	1,259
2015	176	80	112	50	15	74	170	37	307	26	23	13	19	19	126	1,247
2014	170	90	110	42	17	62	165	50	318	34	23	12	13	19	132	1,257
2013	171	88	96	47	19	71	161	33	276	41	25	6	14	19	147	1,214
2012	159	85	76	35	16	66	123	29	221	43	24	7	8	12	98	1,002

출처: 외교부 재외국민 사건사고 현황자료(2017년).

제5절 해외진출기업의 증가

Ⅰ. 우리기업의 해외진출 현황

한국기업의 해외투자는 1968년 한국남방개발(韓國南方開發: Korea Development Co. Ltd.)이 인도네시아의 칼리만탄 지역에 진출한 것이 시초였다. 당시 이 회사는 285만 달러를 투자하여 인도네시아의 원목을 생산・제재・수출을 위한 현지법인을 설립하였던 것이다. 이후 한국기업의 해외투자는 1980년대 급속히 증가하여 1990년대에 들어서는 한국 자본의 해외진출이 외국자본의 국내유입을 초과하게 되었다. 이는 주로 현지의 저렴한 노동력 확보뿐만 아니라 현지시장 개척 차원에서 대기업이 적극적으로 가세했기 때문이다. 이러한 국내 기업의 해외진출의 역사 속에 현재까지도 신규법인수와 투자금액이 꾸준히 증가하고 있다. 다음 <표>는 2007년부터 2017년까지 해외에 진출한 국내 신규법인회사 수와 투자금액을 제시한 것이다. 2007년에는 해외직접 투자액이 231억 달러에서 점차 증가하여 2017년 말에는 437억 달러에 이르게 되었다. 금융위기로 인해 전 세계적인 경제침체가 있던 2009년에도 우리나라는 해외직접투자가 209억 달러에 이르렀다. 2017년 말 현재 해외직접투자 누계액은 3,248억 달러에 달하고, 해외에 신규로 설립되거나 인수된 해외법인은 전 세계 135개국에 3만 8천여 개에 이르렀다. 이는 해외 어디에서나 한국 관련기업을 쉽게 만날 수 있다는 것을 의미한다.

〈연도별 한국 기업의 해외진출현황(2007-2017)〉

연도	신규법인 수(개)	투자금액(억불)
합계	37,913	3,248
2007	6,073	231
2008	4,298	242
2009	2,675	209
2010	3,066	255
2011	2,945	295
2012	2,787	293
2013	3,037	308
2014	3,049	285
2015	3,219	303
2016	3,353	391
2017	3,411	437

출처: 한국수출입은행(www.koreaexim.go.kr) 해외투자통계 자료.

2007년부터 2017년 말까지 대륙별 한국 기업의 해외진출현황을 보면 다음의 <표>에서 볼 수 있듯이 아시아 지역이 신규법인 수 25,320개로 가장 많았고 북미 7,126개, 유럽 2,220개, 중남미 1,295개 순으로 나타났다. 투자금액 역시 신규법인 수와 비례하였는데 아시아 지역의 투자액이 1,191억 달러로 그 비중이 36.7%를 차지하여 가장 투자비중이 높았고, 북미가 870억 달러(26.8%), 유럽이

527억 달러(16.2%), 중남미 393억 달러(12.1%), 대양주 163억 달러(5.0%), 중동 72억 달러(2.2%), 아프리카 31억 달러(1%)를 차지했다. 치안이 불안한 아시아나 아프리카 지역이나 테러 위협이 상존하는 중동지역 등에 전체 신규법인 수의 약 67.7%, 전체 투자금액의 37.7%가 투자되고 있어 그만큼 국제범죄나 테러의 피해를 받을 가능성이 많을 수밖에 없을 것이다.

〈지역별 한국 기업의 해외진출현황(2007-2017)〉

지역	신고건수	신규법인 수(개)	투자금액(억불)
합계	112,410	37,913	3,248
아시아	74,691	25,320	1,191
중동	2,678	742	72
북미	18,851	7,126	870
중남미	4,596	1,295	393
유럽	7,885	2,220	527
아프리카	1,405	401	31
대양주	2,304	809	163

출처: 한국수출입은행(www.koreaexim.go.kr) 해외투자통계 자료.

구체적으로 투자 순위 상위 10개국의 현황을 국가별로 보면 아래 <표>에서 알 수 있듯이 역시 미국이 전체 투자액의 23.7%를 차지하고 있으며, 다음으로 중국이 12.7%, 홍콩이 5.7%를 차지하고 있어 위 3개 국가가 전체 투자금액의 거의 절반을 차지하고 있다. 미국에 대한 해외직접투자는 2006년 36억 달러에 불과했으나 이후 꾸준히 지속적으로 증가해 2017년까지 769억 달러로 늘어나면서 2007년 대비 약 20배가 증가한 수치다. 이는 국내 대기업이 선진기술 도입을 위해 미국 기업을 인수·합병(M&A)하는 사례가 잇따른 데다 현지시장 진출을 위한 설비투자가 증가했기 때문으로 분석된다. 반면 중국의 경우 2007년 57억 달러였던 신규투자도 점차 증가하여 2017년까지 411억 달러로 전체 누적 투자규모는 여전이 2위를 차지하고 있으나 추세는 감소하고 있다. 이렇듯 우리나라의 해외직접투자는 미국과 중국에 편중되는 현상을 보이고 있기는 하지만, 동남아시아 지역 중 베트남의 경우 투자 비중이 4.6%에 이르러 투자국 중에 5위를 차지하게 되었다. 특히 카리브해에 위치한 영국령 케이먼군도(Cayman Islands)에 대한 해외직접투자 규모도 크게 늘어나고 있는데 2007년 3억 달러에 불과했던 투자규모가 2017년에는 199억 달러를 기록해 10여년 사이 66배 가량 증가했다. 이러한 케이먼군도의 경우 버진아일랜드, 버뮤다 등과 함께 대표적인 조세피난처로 불리는 만큼 투자보다는 조세회피 목적이 더 크다는 지적도 나온다. 문제는 이러한 자금은 정상적인 투자자금이라기보다는 범죄수익이나 자금세탁을 목적으로 거래되는 만큼 범죄나 테러에 노출될 위험성이 그만큼 높고 비례해서 이로 인한 피해를 당할 확률이 높아 위험성이 많다는 것이다. 전체 투자금액이 급증한 2007년을 전후로는 인도네시아, 미얀마, 필리핀과 남미의 브라질, 멕시코 그리고 중앙아시아 지역의 카자흐스탄, 우즈베키스탄과 같은 국가들에도 투자액의 비중이 상승하고 있어 한국기업이 진출하는 나라가 그만큼 다원화되고 있어 상대적으로 테러 등 각종 사건사고의 피해의 대상으로 노출되고 있음을 예상해 볼 수 있다.

〈주요 국가별 한국기업의 신규법인 수 및 투자금액(2007-2017)〉

국가	신고건수	신규법인 수(개)	투자금액(억불)
합계	112,410	37,913	3,248
미국	17,780	6,779	769
중국	26,049	10,390	411
케이만군도	1,005	292	199
홍콩	4,491	1,343	186
베트남	13,756	4,303	150
오스트레일리아	1,127	356	130
영국	793	237	103
캐나다	1,071	347	101
네덜란드	690	139	88
싱가포르	2,358	668	84
인도네시아	4,163	1,181	77

출처: 한국수출입은행(www.koreaexim.go.kr) 해외투자통계 자료.

특히 테러위험지역으로 분류되는 중동에서 2007년부터 2017년까지 우리 기업의 해외 투자가 총 72억 달러에 달하고 있고, 그중에서 우리나라를 대상으로 하는 테러 사건이 가장 많이 발생하는 국가를 살펴보면 다음 <표>에서 볼 수 있듯이 이라크의 경우 4억 달러로 가장 많이 투자하고 있고, 예멘의 경우도 4억 달러를 투자하고 있다. 리비아 2억 달러, 나이지리아 2억 달러, 파키스탄 1억 달러를 각각 투자하고 있다. 이들 나라에서 우리 기업이 상대적으로 많은 피해를 당하고 있다.

〈테러위험지역 투자금액(2007-2017)〉

국가	신고건수	신규법인 수(개)	투자금액(억불)
합계	430	114	12
이라크	101	13	4
예멘	32	4	4
리비아	85	40	2
나이지리아	97	22	2
파키스탄	108	32	1
아프가니스탄	7	3	0

출처: 한국수출입은행(www.koreaexim.go.kr) 해외투자통계 자료.

Ⅱ. 해외진출기업의 테러피해 사례

미국에서 9·11테러가 일어나기 전까지는 한국기업에 대한 테러 피해는 발생하지 않았다. 9·11테러 이후 한국이 본격적으로 미국 주도의 국제적인 대테러 전쟁에 참여함으로써 한국도 국제테러 피해의 예외가 아니었다. 다음의 표에서 보는 바와 같이 9·11테러이후 해외에서 한국을 대상으로 발생한 테러 건수는 총 174건이 발생하였고 그중 해외진출 한국기업을 대상으로 한 테러가 76건(43.7%)이나 발생하였다. 국정원에 따르면 전 세계 진출해 있는 기업 중에서 테러 위험지역으로 분류되는 국가에 진출한 우리 기업은 약 1천 800여 개이고 여기에서 종사원 7천6백여 명이 일하고 있는 것으로 집계됐다고 밝혔다. 다행히도 2015년부터 현재까지 한 건의 테러피해도 발생하지 않았고, 피해의 대부분은 중동·아프리카(46건)나 아시아(29건)에서 발생했다. 테러 피해 유형별로는 무장공격이 38건으로 가장 많았고, 폭탄테러(15건), 납치(15건), 시설파괴 등 기타(8건) 순이었다고 한다.[32)]

〈우리 해외진출기업 피해 현황(2001-2017)〉

연도		계	2001	2002	2003	2004	2005	2006	2007
해외 테러(건)		174	5	2	6	8	7	17	16
기업 피해(건)		76	1	0	5	2	3	8	8
2008	2009	2010	2011	2012	2013	2014	2015	2016	2017
14	11	9	28	22	8	14	5	0	2
5	10	9	5	12	3	5	0	0	0

출처: 국가정보원 테러통합정보센터(http://www.tiic.go.kr/).

좀 더 구체적으로 2001년 미국의 아프가니스탄 전쟁 개시와 종료 그리고 복구시기이던 2001년과 2002년에는 우리 기업에 대한 테러가 거의 발생하지 않았다. 그러나 미국이 2003년 이라크를 대상으로 전쟁을 확대하면서 2003년 5건, 2004년 2건, 2005년 3건이 발생하였다. 이는 이라크 후세인 정권의 붕괴로 인한 정치·경제·사회 등의 모든 분야에서 혼란과 분열이 가속화되어 치안과 안전이 아주 취약한 시기였기 때문이다. 이후 후세인에 대한 공판과 2006년 사형 집행으로 보복 성전(Jihad)과 테러가 가속화되면서 우리기업의 피해도 2006년 8건, 2007년 8건, 2008년 5건, 2009년 10건, 2010년 9건, 2011년 5건이 발생하였고, 2011년 5월 알 카에다의 지도자 오사마 빈 라덴이 사살되면서 테러가 정점으로 치달아 2012년 12건으로 우리 기업의 테러피해도 가장 많았다.

이후 2000년대 국제테러를 주도했던 알 카에다는 빈 라덴 사망이후 세력이 위축된 반면 2015년부터 IS가 새로운 테러위협 세력으로 등장하면서 알 카에다와 주도권 다툼으로 상호 충돌하는 상황도 발생하고 있다. 이렇게 되면서 테러조직의 대외 공격력이 약해지는 반면 미국을 비롯한 연합군의 IS소탕작전이 효과를 나타내면서 전반적으로 국제테러조직의 세력은 약화되었다. 이에 따라 우리 기업에 대한 테러피해도 줄어들면서 2015년부터 현재까지 한건의 테러피해 사실도

32) 연합뉴스(2018.1.25.).

파악된 적이 없는 상태다.

국가정보원 테러통합정보센터의 공개 자료를 바탕으로 해외진출기업을 대상으로 발생한 테러를 지역별로 살펴보면, 1순위는 중동지역과 아프리카지역으로 나이지리아 11건, 이라크 6건, 아프가니스탄 5건, 예멘 3건, 파키스탄 2건, 레바논 1건으로 드러났다. 나이지리아에서 가장 많은 테러피해가 발생한 원인은 나이지리아의 국민 구성원이 약 250개 이상의 종족으로 구성되어 종족 분쟁이 상존하는 지역이고, 경제적으로 석유 산업을 중심으로 다소 발달하고 있지만 여전히 사회적으로 치안이 불안하다는 것이 주이유다. 2순위는 아시아지역으로 필리핀 2건, 인도 1건, 스리랑카 1건, 미얀마 1건으로 나타났다. 국가별로 피해 사례를 살펴보면 다음과 같다.

아프가니스탄 지역 내에서는 2001년부터 현재까지 총34건의 테러사건이 발생하였고, 그중에서 우리 기업을 대상으로 하는 테러는 2009년 2건, 2010년 3건, 2012년 2건으로 공격 수법은 인질납치 3건, 무장공격 4건이다. 구체적으로 2012년 7월 아프가니스탄 중부 바미얀주 소재 한국건설사 소속 현지인 근로자 3명이 차량이동 중 일시 피랍되었고, 2012년 4월 21일 아프가니스탄 북부 발크주 소재 한국건설사 도로건설 현장 경찰초소에서 무장괴한들이 현지 경찰과 경비원들과 총격전 후 도주하였으며, 2010년 12월 17일 같은 한국건설사 공사현장 사무소를 현지 무장세력이 공격하여 현지 고용 방글라데시인 직원 1명이 사망하고 7명이 피랍되었다. 또 2010년 12월 13일 아프가니스탄 북부 사망간주에서 한국건설사 협력업체 소속 우리 근로자 2명이 공사현장에서 일시 피랍되었고, 2010년 7월 22일 같은 사망간주에서 건설자재 등을 수송 중인 한국건설사 차량에 탑승한 현지인 근로자가 일시 피랍되었으며, 2009년 10월 8일 아프가니스탄 파리얍주에서 한국건설사 토목 건설장비 주차장에 무장괴한이 출현하여 임대 중장비에 방화 후 도주하였으며, 2009년 8월 2일 같은 파리얍주에서 한국건설사 도로건설 현장에서 현장사무소로 복귀중인 차량이 무장괴한들에게 강탈된 사례 등이 있다.

이라크에서는 2001년부터 현재까지 총25건의 테러사건이 발생하였고, 그중 한국기업 대상 테러사례는 2008년 1건, 2009년 1건, 2011년 1건, 2013년 2건, 2014년 1건이다. 테러 유형으로 보면 인질납치 1건, 무장공격 2건, 폭탄테러 3건이다. 구체적으로 2014년 5월 7일 이라크 남부 바스라 내 한국건설사 근무 현지인(1명)이 공사에 사용될 자재를 구매 후 공사현장으로 복귀하던 중 현지 무장괴한 6명에게 피랍되었고, 2013년 3월 19일 이라크 북부 키르쿠크 진출 한국 자원개발 업체 소속 우리근로자 2명이 공사현장에서 숙소 복귀중 도로에 매설된 사제폭발물이 터져 차량 1대가 파손되었으며, 2013년 4월 2일 이라크 중부 안바르 지역 내 한국기업 건설현장에 현지 무장괴한이 침입하여 현지 고용인 2명을 총격 살해하고 1명을 납치하였다. 또 2011년 2월 22일 이라크 북부 술래이마니아 소재 한국 자원개발업체 유전개발 현장에 현지 무장괴한이 침입하여 현지 고용 경비원에게 총격을 가해 3명이 사망하였으며, 2009년 7월 4일 이라크 사업 타당성 실사를 위해 바그다드를 방문 중이던 우리기업의 출장자들이 차량이동 도중 도로에 매설된 사제폭발물이 터졌으나 인명피해는 없었고, 2008년 3월 10일 이라크 술레이마니아에서 우리 건설기업의 시장조사단이 체류했던 '팰리스'호텔 정문에서 차량폭탄테러가 발생하였으나 당시 우리 조사단은 업무를 위해 타 지역으로 출장을 가서 피해를 모면하였다.

예멘에서는 2001년부터 현재까지 총15건의 테러사건이 발생하였고, 그중 우리기업을 대상으로 2009년 1건, 2010년 3건, 2012년 4건이 있었고, 테러 유형으로는 폭탄테러 7건, 무장공격 1건이 있었다. 구체적으로 2012년 12월 21일 예맨 남동부 샤브와주 아탁시 소재 한국기업이 운영·관리하고 있는 송유관 일부가 폭탄테러로 파손되어 원유가 유출되었거나 화재가 발생하는 등 이 지역에서만 2009년부터 2012년까지 6건의 사고가 있었고, 2012년 4월 26일 같은 지역에서 우리기업들이 지분으로 참여 중인 LNG 개발사업 가스관이 피폭되었으며, 2010년 2월 21일 우리나라 건설사가 공사 중인 사나-마립간 송전선 일부가 현지 무장 세력의 총격을 받아 절단되는 사고 등이 있었다.

나이지리아에서는 2001년부터 현재까지 총15건의 테러사건이 발생하였고, 기업대상 테러는 2005년 2건, 2006년 2건, 2007년 4건이 있었다. 테러 유형으로는 인질납치 5건, 무장공격 3건이 있었다. 구체적으로 2005년 2월 17일 바엘사주에서 지역 무장단체 소속 80여명이 우리기업 건설현장을 습격하여 아국인 근로자 1명을 납치하였으나 몸값을 지불하고 2월 18일 석방되었고, 2005년 7월 28일 아이티 포르토프랑스 소재 우리 봉제업체 직원이 무장집단에 피랍되어 1만 불을 지불한 후 이틀 만에 석방되었다. 또 2006년 1월 28일 포트하코트에서 현지에 진출한 우리기업의 아밤(ABAM)에 현지 테러단체인 니제르델타 해방운동(MEND)[33] 조직원 20여명이 침입해 총기로 위협하여 미화 30만불 상당의 현금을 탈취하여 도주하는 사례가 있었고, 6월 6일 보니섬에서 MEND조직원 30여명이 가스플랜트를 건설 중이던 우리기업 건설현장을 습격하여 우리 근로자 5명을 납치한 후 수감 중인 지도자 '도쿠보아사리'의 석방을 요구하였으나 협상을 통해 이틀 만에 전원 석방된 사례가 있었다. 또 2007년 1월 10일 나이지리아 바이엘사주에서 우리건설사 가스파이프라인 공사현장 숙소에 MEND가 폭탄을 터뜨리며 침입하여 우리 근로자 9명과 현지인 1명이 납치되었다가 3일 만에 구출되었고, 리버스주 보니섬을 왕래하는 우리기업의 통근용 보트가 현지 무장세력의 총격을 받아 이국인 직원 1명 등 8명이 부상당하고 2명이 사망하였으며, 2007년 5월 1일 바엘주 바량우비소재 우리건설사 가스플랜트 공사현장에 무장괴한들이 쾌속정 2척을 타고 습격하였으나 현지 군인의 도움으로 피해를 모면하였으며, 같은 날 리버스주에서 우리 건설사의 아팜(AFAM)화력발전소 건설현장을 무장세력 40여명이 습격하여 우리 직원 3명 등 11명이 피랍되고 현지인 2명이 사망하였으나 일주일 만에 전원 석방된 사례가 있었다.

그 밖에 파키스탄에서 2006년 2월 15일 라호르에서 대규모 무슬림 시위대가 우리 교민이 운영하는 버스회사 터미널을 방화하면서 건물과 차량 등 30억 원 상당의 재산 피해가 발생하고 현지인 직원 4명이 부상당하는 피해가 발생하였고, 2006년 10월 12일 서북부 페샤와르 소재 우리 기업 담장 외곽에서 과일박스 안에 설치되어 있던 사제폭탄이 폭발하여 현지인 1명이 부상당하였으며, 2008년 8월 22일 우리기업의 로와리 터널 공사현장에서 무장세력에 의한 자동소총 공격(10여발)이 발생하였으나 인명피해는 발생하지 않은 사례가 있었다. 스리랑카에서는 2006년 4월 19일 북부 바부니야 지역에서 건설업체를 운영 중인 교민이 자신의 사업장 부근에서 차량운행 중 도로에 매설된 폭발물이 터져 부상을 당하였다. 필리핀에서는 2006년 10월 8일 네그로스섬 실리아시에서 신(新)바콜로드 국제공

---

33) MEND는 나이지리아의 니제르델타 지역에서 활동하고 있는 무장 단체로, 영국의 식민 통치에서 독립을 선언한 1960년 지금까지 이 지역의 석유 생산이 독재정권과 결탁한 다국적 석유회사에 돌아가는 데 대한 반발로 2005년에 결성되었다. 이 단체는 니제르델타에서 석유 생산에 관여하는 기업들에 의한 환경오염을 폭로하면서 석유 통제를 국산화하고 오염에 대한 연방 정부의 보상을 요구하면서 주로 에너지 기업을 대상으로 무장공격을 자행한다.

항을 건설 중이던 우리기업 현장에 극좌단체 신인민군(NPA) 조직원 10여명이 침입·방화하여 시설물 일부가 파손되어 4천만 원 상당의 재산피해를 입혔고, 2008년 3월 29일 민다나오 마라위시 외곽에서 구리 광산개발 사업차 방문한 사업가가 무장 지역주민들에 의해 피랍 후 억류되었다가 몸값 2만불을 지불하고 두 달 만에 석방된 사례가 있었다. 레바논에서는 2007년 8월 2일 트리폴리시에서 우리 기업이 위탁 경영하고 있는 '데이트암마르' 복합발전소에 현지 무장세력이 발사한 로켓포 4발이 떨어져 인명피해는 없었으나 시설 일부가 파손되고 북부지역 일부에 전력공급이 중단되었다. 인도에서는 2007년 10월 13일 오릿사주 딩끼야 마을에서 현지에 진출한 우리기업 직원 3명과 현지 직원 2명이 공장 부지를 조사하던 중 반(反)기업단체에 의해 '툴라카이'사원에 억류되었다 석방되었고, 감비아에서는 2012년 세네갈 남부 지겐쇼로 육로 이동 중이던 우리나라 수산물 수출업자가 비그노나 인근 도로에서 현지 무장단체 조직원 10여명에게 피습 당해 차량 내 소지품을 탈취당하고 1시간 30여분 동안 억류되었다가 석방된 사례가 있었다.

이처럼 세계 각지에서 현지에 진출한 우리 기업을 대상으로 하는 각종 사건사고가 끊임없이 발생하고 있는 실정이다. 다만 이러한 경제적 목적을 위해 기업을 대상으로 하는 무장공격을 테러사건으로 볼 것인가? 하는 문제는 다소 이론(異論)이 있는 것이 사실이다. 다만 테러조직에게는 전 세계를 연결하는 조직을 관리하기 위해 많은 테러자금이 필요하고 이러한 자금을 확보하는 수단의 하나로 해외 진출기업의 근로자를 납치하는 것이다. 납치한 인질의 석방을 대가로 거대한 몸값을 요구하고 실제로 수천만 달러의 몸값을 지불해온 사례가 있기 때문에 앞으로도 이러한 기업의 현지 근로자에 대한 인질 납치는 증가할 것으로 예상된다.

제 6 장

국내 취약성

여기서는 국내의 테러 취약성으로 우선 내부의 적(敵)을 다루었다. 내부의 적이란 우리 사회의 정치체제를 인정하지 않고 부정하는 세력을 말한다. 우리나라의 경우 대한민국의 자유민주주의체제를 부정하고 이를 전복시키려고 하는 북한과 내통하고 추종하는 세력을 의미한다. 단순히 반국가단체(反國家團體)와 이적단체(利敵團體)뿐만 아니라 이들과 함께 행동하고 추종하는 세력 모두를 포함하는 개념으로 종북세력(從北勢力)으로 표현하기도 한다. 이는 북한에 대한 환상과 과도한 기대를 품은 나머지 지나치게 긍정적인 평가를 내리고, 북한을 정상적인 체제로 간주하여 대남적화노선에 동조하면서 북한식 사회주의체제를 추종하는 세력을 의미한다. 이러한 세력의 생성 배경과 처벌법규, 구체적 처벌사례 등을 살펴본다.

또한 매년 증가하고 있는 외국인의 불법체류자 문제와 그 규모와 특징, 발생원인 등을 살펴본다. 불법체류자로 인한 외국인 범죄가 증가한다. 해마다 수십만 명의 외국인이 합법적 또는 비합법적 방법으로 국내에 체류하면서 마약이나 통화위조, 밀수 및 불법밀입국 알선 등의 범죄를 저지르고 있는 것이다. 이러한 불법체류자의 문제는 비단 우리나라뿐만 아니라 유럽을 비롯한 선진 각국이 처하고 있는 공통적인 문제이다. 우리나라의 경우 경제가 발전하고 산업화와 도시화가 빠른 속도로 진행됨에 따라 단순 기능직 외국인 인력이 날로 증가하고 있는 추세이다. 이는 결국 차별과 편견으로 인한 외국인 범죄가 증가하고 우리사회를 대상으로 하는 테러의 위협이 된다는 것이다. 뿐만 아니라 확산되고 있는 이슬람 문화와 이유와 대상을 불문하는 소위 '묻지마 범죄'의 증가가 국내 테러 위협이 되고 있다. 묻지마 범죄는 명확한 범행의 동기가 없이 때와 장소, 상대를 가리지 않고 무작위로 불특정 다수인을 상대로 살인이나 폭력을 행사하는 범죄로 장차 외로운 늑대형의 자생테러범으로 발전할 가능성이 있는 만큼 주의해서 관찰해야 할 사안이다.

제1절 내부의 적(敵)

Ⅰ. 의미와 생성 배경

내부의 적이란 그 사회의 정치체제를 인정하지 않고 부정하는 세력을 말한다. 불가리아 출신 사상가인 토도로프(Todorov, Tzvetan)는 사회주의 체제의 허상을 가까이서 목격하고 비판적 입장을 고수하면서 오늘날의 서구 민주주의 체제의 위험성을 지적하면서 이를 내부의 적(敵)이라고 했다.[1] 그는 1980년대 말 사회주의의 종언 이후 2000년대에 들어 전 세계적으로 강화된 신자유주의의 병폐를 목도하며 민주주의가 심대한 위기에 처했음을 지적하였다. 민주주의의 3요소인 진보, 자유, 인민(민중, 대중)이 절대화하게 될 때 많은 문제가 발생한 역사적 사례를 거론한다. '진보'의 요소가 지나치게 강조되었던 18세기 프랑스의 혁명시기, 러시아 혁명 이후의 공산주의 시기, 최근 이라크전쟁 이후의 군사적 개입 등을 사례로 든다. 이때 정치적 이상주의가 민주주의를 훼손한다는 것이다. 민주주의의 핵심인 다양성을 하나의 가치로 단순화하는 것이 민주주의를 훼손하는 출발점이다. 또한 대중주의(大衆主義) 또는 포퓰리즘(Populism) 정치로 이슬람, 이민자 등 특정 집단을 모략하거나 외국인 혐오를 방조하거나 조장하는 선동적인 정치가 민주주의의 적이라는 것이다. 즉 오늘날 신자유주의로 인한 경제적 차별, 빈부의 차이 등으로 발생할 수밖에 없는 대중의 불만을 다른 곳으로 돌리기 위한 술책이 포퓰리즘이라는 것이다. 이런 혐오대상을 외국인, 이민자뿐만 아니라 노숙인, 실업자, 비정규직과 같은 소수자에게 계속 확산시키는 것이 대표적인 포퓰리즘 정치라고 주장한다. 이것은 대중 집회에 참석한 사람, TV 시청자와 라디오 청취자 같은 집단에게 감정적으로 호소하고, 소수자보다 다수에게 유리한 정책을 도입하며, 그럴듯한 미사여구로 대중에게 호소하고 동의를 구하면서 즉각적인 군중의 지지를 유도한다는 것이다. 이러한 포퓰리즘 정치는 민주주의의 초기부터 있어왔

---

1) Todorov, Tzvetan,(Les) ennemis intimes de la democratie, 김지현 역, 『민주주의 내부의 적』 (서울: 민음사, 2012), pp. 7-17.

지만 현대사회에서는 각종 매체의 전파력이 빠르게 확산되면서 그 영향력이 강력해져 폐해가 훨씬 크다는 것이다.

민주주의에 대한 위기 문제는 1930년대 독일 학자 칼 뢰벤슈타인(Karl Loewenstein)[2]이 제시한 '방어적 민주주의'(Defensive democracy, streitbare Demokratie)[3]에서 제기된 문제로 '민주주의의 근간을 무너뜨리려는 세력으로부터 민주주의를 스스로 방어하기 위해 민주주의에 반하는 권리나 자유・사상을 제한할 필요가 있다는 정치철학이다. 독일 기본법상 이러한 조항의 등장이 바이마르헌법 시대의 나치의 출현에 의한 민주주의체제의 붕괴를 경험 삼아 민주주의와 자유를 적(敵)에게는 허용할 수 없다는 헌법 정신에 기초하여 만들어진 것이다. 이 이론은 독일의 바이마르 공화국의 정치현실에 관한 비판으로부터 비롯되었는데 당시 독일은 정치적 자유 보장과 양질의 교육제도, 높은 지적수준을 가졌으나 파시즘의 등장으로 실패하게 된 이유를 규명하는 과정에서 생성된 것이다. 독일은 제1차 세계대전 패전으로 영토의 상실과 막대한 전쟁배상금에 따른 민족적 분노와 정치적 불만이 팽배하였던 현실 속에서 히틀러(Adolf Hitler)와 나치당이 이를 자극하고 반유대주의를 부추김으로써 대중을 효과적으로 선동하였다. 그 결과 이들은 바이마르 공화국의 민주주의체제 내에서 합법적으로 활동하며 다수의 지지를 얻게 되고, 결국 반민주적인 성향의 지도자가 민주주의의 체제를 활용하여 집권한 것이다. 일정 이상의 득표만 하면 반민주적인 정치세력도 의회에 진출할 수 있다는 민주주의의 다수결원리는 의회 과반수를 다수파가 확보하기 곤란한 경우 군소정당의 난립으로 정국불안정이 초래되고, 외견상의 합법성을 가졌다는 이유만으로 반유대인・민족주의・지도자 원리 등을 내용으로 하는 나치당의 집권이 가능하였다는 것이다. 결국 바이마르 공화국은 당시 독일의 정치적 혼란을 제대로 수습하지 못하고 민주적인 절차를 통해 민주주의를 부정하는 히틀러의 나치 정권 등

2) Loewenstein은 1891년 비교적 유복한 유대인 가정에서 태어나 Max Weber에게서 많은 영감을 받으며 법학을 연구하였다. 그러나 당시 유대인에게 적대적이었던 독일에서 학문적 열정과 성취에도 불구하고 대학에 정착할 수 없어 법조 실무에 종사하였다. 민주주의와 의회에 관한 연구를 지속하여 1931년 뮌헨대 법과대학의 강사가 되었으나, 1933년 사임하고 독일을 떠나 미국으로 망명하였다. 예일대학에서 2년간 강의 후, 1936년 애머스트 대학(Amherst College)에서 연구에 주력하여 1937년 '방어적 민주주의' 이론을 출간하였다.

3) 독일어의 방어적 민주주의(streitbare Demokratie)를 전투적 민주주의 또는 투쟁적 민주주의로 번역하는 경우도 있으나 독일에서도 wehrhafte Demokratie(방어적 민주주의) 혹은 abwehrbereite Demokratie(방어할 준비가 되어 있는 민주주의) 등으로 사용되고 있다.

장으로, 전체주의(파시즘)의 암흑기로 빠진 것이다. 이때 민주주의체제 자체가 가지고 있던 위험에 대한 경고의 성격을 갖는 이론으로 정착하게 된 것이다.4)

본래 민주주의 내지 자유민주주의는 상대주의적 세계관에 입각하여 서로 의견을 달리하는 정치적 집단의 존재를 인정하고 서로 다른 정치적 견해 사이의 타협에 의해 국가의사를 형성해 나가는 것을 본질로 한다. 자유민주주의에 있어서 이러한 타협의 정신은 정치에 있어서의 관용(寬容)을 기초로 하는데, 이러한 관용에 기초한 타협의 민주주의에는 일정한 한계가 있다. 비록 민주주의가 그 관용으로 인하여 적과 동지의 구별이 없다 하더라도 민주주의의 존재 그 자체까지를 부정하는 자에 대해서는 민주주의의 적(敵)으로 인정할 수밖에 없다는 것이다. 따라서 특정 개인이나 집단이 민주주의의 공통적 기초를 인정하지 않고 민주주의 그 존재까지를 파괴하려고 할 때에는 그것은 관용을 베풀 수 없는 내부의 적으로 간주된다. 그러므로 비록 민주주의가 개인의 자유를 존중하는 자유의 정치를 의미한다고 하더라도 '자유의 적(敵)에 대한 자유'까지를 허용되지 않는다는 것을 의미한다. 민주주의의 적들은 기존의 헌법체계를 부정하면서 다수세력으로 성장한 것이라기보다는 오히려 그 헌법의 틀 속에서 서서히 다수세력으로 성장한 다음에 비로소 헌법을 공격하기 시작한다. 민주주의에 대한 위협이 이미 정치권력을 장악한 세력으로부터 구체화된다는 점에서 방어적 민주주의의 한계가 있다는 주장도 있다. 이처럼 방어적 민주주의 이론의 요지는 민주주의 제도 내지 절차를 활용하여 민주주의를 전복하거나 파괴하려는 자들에 맞서 예방적인 조치를 취함으로써 민주주의를 방어하는 법적·제도적 장치를 의미한다. 이는 민주주의의 기초인 정당의 활동을 최대한 보장하면서 동시에 그 정당 활동의 헌법적 한계를 명확하게 제시하여 그 한계를 벗어난 정당 활동을 단죄함으로써 헌법질서를 사전적·예방적으로 수호하도록 한다는 데에서 의의를 찾을 수 있을 것이다.

또한 이러한 민주주의 위기의 원인을 포퓰리즘 정치의 극단적 형태로 파시즘의 등장을 분석하기도 한다. 파시즘은 중간계층에 있는 대중의 지지를 기반으로 하고 있지만 경제위기로 악화된 자본 축적의 조건을 경제외적 방식을 통하여 획기적으로 개선시킨다는 목표로 내적 모순을 정치의 우위를 통해 해소하려고 했다

4) Karl Loewenstein, "Militant Democracy and Fundamental Rights, I - II", *The American Political Science Review*, Vol.31, No.3-4(1937) 참조.

는 것이다. 정권을 획득하고 체제를 유지하기 위해서는 대자본가를 비롯한 전통적 엘리트계층의 협조가 필요했지만 이들에게 굴복할 수 없었기 때문에 정치적 포퓰리즘을 통해 권능을 과시하고자 했다. 즉 전통적 엘리트들을 자극하지 않는 범위 내에서 힘없는 소수자인 정신병자나 유대인 등을 적으로 돌리는 행위로 표출하였고 나중에는 침략전쟁을 벌이는 행위로 나타나 결국 포퓰리즘 정치가 등장하게 되었다는 것이다. 나치즘의 집권은 경제적 위기를 이용하여 1차 대전의 참전 병사들을 중심으로 권위주의적 지배와 폭력적 수단을 통해 문제해결을 시도한 방식으로 진행되었고, 당시 독일이 서구의 다른 국가들보다 비자유주의적이고 보다 권위주의적인 정치문화 속에 놓여 있었기 때문에 가능했다는 것이다. 이러한 결과로 오늘날도 민주주의체제가 경제적 위기와 신자유주의적 진행 속에서 여러 가지 불이익을 겪고 불안감을 느끼는 다수 주민들의 이해관계를 표출하는 능력을 서서히 상실하고 있는 현실에서 정치적 정당성의 위기를 낳고 포퓰리즘 정치가 득세할 수 있다는 것이다. 결국 포퓰리즘 정치는 기성질서 안에서 신분상승을 꾀하는 정치지도자가 국민의 주권회복과 이를 위한 체제 개혁을 약속하며 감성적·자극적인 선동전술을 바탕으로 전개하는 정치운동이라고도 하였다.[5)]

포퓰리즘은 오늘날의 복잡한 문제를 단순하고 이해하기 쉽게 단순화하여 만만한 상대를 지목하여 그에게 사회문제의 책임을 덮어씌운다. 이들은 짧고 명료한 언어와 시선을 끌기 쉽고 자극적인 이미지를 선호한다. 장기적·추상적 관점을 피하고 구체적이고 가깝고 즉각적인 것을 추구한다. 복잡하고 상호 연계된 어려운 세상 문제를 단순화하여 대중에게 제시하고 즉각적인 지지를 요구한다. 현재만 생각하고 장기적 시각, 다양한 관점, 이해관계의 갈등, 사회의 이질성을 무시한다. 이러한 민주주의의 핵심인 다양성을 하나의 가치로 단순화하는 것이야말로 민주주의 자체를 부정하는 가장 경계해야 할 내부의 적이라는 것이다.[6)]

사전적 의미의 내부의 적(敵)은 내적과 내응·통관을 모두 포괄하는 뜻이다. 즉 내적(內賊)이란 나라나 사회 안의 도둑이나 역적, 내응(內應)은 내부에서 몰래 적과 내통하는 것, 통관(通款)은 내부사정을 몰래 적에게 알려주는 것을 말한다. 우리나라의 경우 포괄적 의미에서 대한민국의 자유민주주의 체제를 부정하고 이

---

5) 서병훈, 『포퓰리즘, 현대 민주주의의 위기와 선택』(서울, 책세상, 2008) 참조.
6) Todorov, Tzvetan, 앞의 책, pp. 155-191; 민주주의 위기와 테러의 문제는 제12장 제1절 참조.

를 전복시키려고 하는 북한과 내통하고 추종하는 세력을 의미한다. 단순히 반국가단체와 이적단체뿐만 아니라 이들과 함께 행동하고 추종하는 세력 모두를 포함하는 개념으로 보는 것이다. 이를 종북세력으로 표현하기도 한다.[7] 이는 북한에 대한 환상과 과도한 기대를 품은 나머지 과도하게 긍정적인 평가를 내리고 북한체제가 최소한 대한민국의 민주주의만큼 작동하는 정상적 체제로 간주하는 사상을 가진 세력을 의미한다. 즉 북한의 대남적화전략에 동조하면서 북한식 사회주의를 추종하는 세력을 의미한다. 현재 우리나라에 이러한 종북세력의 규모는 핵심요원 3만여 명, 동조세력 30여만 명에서 50여만 명 정도로 추정하고 있다.[8] 한편에서는 종북세력의 규모를 북한과 직접 연계되어 지령을 받거나 노선을 수행하는 핵심전위단체가 30여 개, 북한 노선을 선전 · 선동하는 추종단체 160여 개, 북한 입장을 대변하는 우호단체가 1,500여개이고 세력규모로 핵심세력 3만여 명, 동조세력 30만에서 50만여 명, 우호세력 300여만 명으로 추산하기도 한다.[9]

우리나라의 종북세력의 탄생은 공산당을 추종하는 좌익활동의 일환으로 보는데 이는 일제강점기 시대에 독립운동이라는 명목 하에 마르크스 · 레닌 사상을 추종하는 공산주의자들을 의미하였다. 이들은 6.25전쟁이 발발하면서 대부분 전사하거나 철수하는 인민군을 따라 월북하거나 혹은 일본으로 밀항하였다. 그러나 일부는 국내에 남아 지하에 숨어서 공산주의를 확산시키는 활동을 은밀히 하였다. 이후 북한이 6.25 전쟁의 후유증을 수습해 나가면서 대남공산화 전략을 적극 추진해 나가자 지하에 은거하던 국내 공산주의자들은 남파된 간첩들의 지령을 받아 대학가나 노동현장에 침투하여 반정부투쟁을 선동하게 된다. 당시 이들은 대부분의 일반 학생들에게는 지지를 받지 못하고 극히 제한된 극빈가정에서 자란 학생을 중심으로 공산주의 사상학습을 하는 정도의 한정된 좌익활동을 하였던 것으로 보인다. 1958년 12월에 「국가보안법」이 전면적으로 개정 · 보완된 것도 이들의 활동에 영향을 주었을 것으로 생각된다. 1960년 4 · 19 이후 1961년 5 · 16까지는 반공체제가 일시적으로 이완되어 좌익세력들이 학생 운동권에 재침투하여

---

7) 김규남, "국가안보와 내부의 적 대응방안 연구", 『융합보안 논문지』, 제13권 제5호(2013), pp. 11-18.
8) 육군본부, "분란전과 지상전 수행방안", 지상전 연구소(2014.2).
9) 윤봉한 외, "국내에서의 '외로운 늑대'(Lone Wolf) 테러리스트 발생 가능성에 관한 연구", 『한국전자거래학회지』, 제20권 제4호(2015), p. 141.

민주인사 또는 혁신계 인사로 활동한다. 이들은 1960년 8월 북한이 제안한 연방제 통일방안의 수용을 촉구하면서 미군 철수를 주장하기도 하였다. 1961년 5·16 군사 쿠데타가 일어나자 좌익세력들은 크게 위축되었고, 1962년 9월 「국가보안법」이 개정되어 재범자는 사형까지 가능하도록 강화되면서 활동이 비노출 지하화되었다.

1970년을 전후하여 북한이 남한에 구축해놓은 3개 지하 혁명조직이 적발되어 통일혁명당 당수 김종태 등이 사형에 처해지고 중심조직들이 와해되자 좌익활동은 상당기간 동안 크게 위축되었다. 이후 북한의 노동당 대남사업총국에서는 공작원들을 계속 침투시켜 통일혁명당의 재건사업을 집요하게 추진하면서 재일교포 유학생들을 한국의 대학에 침투시켜 활동을 계속하다 검거되기도 하였다. 그러다가 1980년대 소위 민주화의 시대에 접어들면서 학원가와 노동계를 중심으로 그 세력을 급속히 확산하여 1991년 「국가보안법」을 대폭 완화하는 데 성공한다. 1990년대 초 소련 및 동구 사회주의권이 붕괴되자 이에 당황한 일부 좌익세력들은 그 위기를 극복하기 위해 네오맑시즘(Neo-Marxism)이나 트로츠키사상을 수용하여 좌익의식화를 기도하기도 한다. 1990년대 이후 좌익세력은 정치권, 종교계, 문화예술계, 언론계, 교육계, 군(軍) 등 우리사회 각계각층에 그 동조·비호세력을 침투시키는 데 성공하였다. 최근까지도 광우병을 내세워 거짓선동으로 미국산 쇠고기수입 반대투쟁을 전개하고, 천안함 폭침사건에 대한 북한의 주장을 비호하는 종북행태를 보이고 있는 것이다.

Ⅱ. 처벌 법규

이러한 체제를 부정하는 내부의 적에 대해서는 미국을 비롯한 세계 각국이 강력한 처벌법규를 가지고 있다. 다만 이러한 내부의 적에 대한 처벌은 민주주의 기본권인 집회·결사의 자유와 자유로운 정당의 활동을 보장하는 국민의 참정권과 연관되어 있어 법규의 제정이나 적용에 있어 그 나라의 역사적 전통이나 체제에 따라 다소 다르게 나타나고 있다. 예컨대 미국의 경우는 자유주의적 민주주의 전통과 그에 따른 규제의 방식이 범죄단체의 규제에 관한 법률로 나타나고 있고, 독일의 경우는 방어적 민주주의의 이론 및 2차 세계대전 이후의 새로운 나치 조직 등에 대한 대응의 일환으로 인한 것이며, 일본의 경우는 정당해산제도가 없는 현실에서 「파괴활동방지법」의 적용도 중요하지만 다른 법적 규제가 많은 것으로 이해되어야 할 것이다.

미국의 경우 연방 헌법 제3조에서 적(敵)을 규정함에 있어 자국을 상대로 전쟁을 하는 것뿐만 아니라 적을 추종하거나 적에게 도움이나 위안을 주는 행위도 반역죄로 보고 "미합중국에 대한 반역은 미국에 대해 전쟁을 하거나, 적을 추종하여 도움과 위안을 주는 행위를 의미한다"고 규정하고 있다. 이러한 헌법의 태도에 따라 미국은 건국 초기부터 간첩행위를 사형으로 엄벌하는 「방첩법」(Espionage Act)과 미국의 정부형태를 비판하거나 모욕하는 행위를 처벌하는 「치안법」(Sedition Act) 등을 제정하여 적용해 왔다. 또한 「국가안보법」(National Security Act of 1947)에는 국방정보를 수집하고 취득하여 외국 정부에 전달하는 행위를 처벌 할 수 있도록 하고 있으며, 연방헌법의 간첩죄, 정부전복죄 외에 공산주의자규제법(Communist Act), 국내안전법(Internal Security Act), 국가안전법(Homeland Security Act), 전복활동규제법(Act of control of Subversive Activities) 등이 있다. 그 밖에 범죄단체의 규제와 관련하여서는 1970년 「조직범죄통제법」(Organized Crime Control Act)이 있고 2001년 9·11테러에 대한 대응으로 제정된 애국법(Patriot Act)에 의해 새로운 포괄적 규제수단들이 이용되고 있다.[10)]

독일의 경우도 형법 제92조 제1항은 독일 연방의 존립의 침해를, 제2항은 헌법원칙의 침해를, 제80조는 평화파괴죄, 제81조는 국가전복죄, 제84조는 민주 법치국가 훼손죄, 제94조-제95조는 국가기밀 유출죄, 제98조-제99조는 간첩죄 등을 규정하고 있다. 1964년 제정된 결사법(Vereinsgestz)은 공공의 안전 또는 질서를 유지하기 위해 단체의 자유를 남용하는 단체에 대한 규제를 명문화하여 헌법적 질서에 반하면 해산을 명하고 단체의 재산을 몰수한다(동법 제3조)라고 규정하고 있다. 이는 독일 기본법은 제9조 제2항에서 "그 목적이나 활동이 형법에 위배되거나 헌법적 질서 혹은 국제적인 상호이해의 사상에 반하는 결사는 금지된다"고 규정하여 불법적인 결사는 기본권적인 보호를 받을 수 없음을 명시하고 있다. 이러한 독일 기본법 규정에 근거하여 제정된 「결사법」 제3조 제1항 제1문과 제2문에서는 "결사는 그 목적이나 활동이 형법에 위배되거나 헌법적 질서 혹은 국제

10) 미국의 대테러관련 추가 법제의 세부내용은 제9장 제3절 참조.

적 상호이해의 사상에 반한다는 점이 결사금지관할관청(Verbotsbehörde)의 처분을 통해 확인할 때에만 금지된다. 이러한 처분에 있어서 결사의 해산을 명할 수 있다"라고 규정하고 있다. 또한 동법 제4조에서는 결사금지관할관청의 조사절차와 관련하여, 공공의 안전 혹은 질서를 관할하는 관청에 대한 협조요청권, 행정법원에 대한 증인신문신청권, 증거물의 압수·수색신청권 등을 규정하고 있다. 이 외에도 금지처분과 함께 그 효과로 일반적으로 재산의 압수 및 몰수가 행해진다. 결사에 대한 금지처분이 있으면 대체결사를 만들거나 기존의 조직을 대체조직으로서 존속시키는 것이 금지되며(결사법 제8조 제1항), 금지된 결사의 표장을 사용하는 것도 금지된다(결사법 제9조 제1항). 이처럼 독일이 미국과 달리 결사에 대한 해산이 폭넓게 행해지고 있는 것은 제2차 세계대전 이후의 나치잔당을 비롯한 불법단체들에 대해서 보다 단호하게 대응해야 할 필요성을 느꼈기 때문이다. 결사법을 통해 불법결사의 금지 및 해산에 관하여 상세한 규정을 두고 있을 뿐만 아니라, 실제로 이 법에 의해 불법결사로서 해산된 사례는 수없이 많다. 최근 독일을 포함한 유럽 전역에서 확산되고 있는 신(新)나치조직이나 테러조직도 이 「결사법」을 적용하여 금지 및 해산시키고 있다.[11] 이러한 독일의 태도는 현재까지도 다양한 형태의 불법단체에 대한 대응으로 이어지고 있다. 이러한 독일의 사례는 같은 분단국가로서 공동의 유사 사례를 경험 또는 공유하고 있는 우리에게 적지 않은 시사점을 주고 있다.[12]

일본의 경우는 일본 헌법 제21조 제1항에 "집회, 결사 및 언론, 출판 기타 일체의 표현의 자유는 보장된다"고 규정하고 있다. 그러나 1952년 제정된 「파괴활동방지법」은 당시 칙령 101호 "정당, 협회 그 외의 다른 단체의 결성의 금지에 관한 건"과 "단체 등 규정령"을 전신으로 하여 제정된 것으로 폭력주의적 파괴활동을 행한 단체를 규제대상으로 하는 것이었다. 이 법의 목적은 단체의 활동을 통하여 국가질서를 파괴하려는 행위를 규제하는 것이며, 초기에는 공산당을 비롯한 좌익단체들의 규제를 겨냥한 법률로 이해되었다. 그러나 이 법률은 각종 범죄단체 등의 규제에 폭넓게 활용되었으며, 파괴적 활동을 하는 단체의 해산까지도 명시하고 있다. 동법 제7조에 의해 폭력주의적 파괴활동을 행한 단체나 이러한

11) 장영수, "이적단체 해산의 문제와 범죄단체의 해산 등에 관한 법률안의 검토", 『고려법학』 제73호(2014), pp. 92-94.

12) 독일의 대테러관련 추가 법제의 세부 내용은 제9장 제3절 참조.

활동을 선동하는 단체의 경우 계속 또는 반복해서 장래 또다시 폭력주의적 파괴활동을 할 명백한 우려가 있다고 인정되는 경우에는 해당 단체의 해산을 지정할 수 있고, 이와 관련하여 재산의 정리(동법 제10조) 등이 규정되어 있다. 그러나 지금까지 이 규정에 따라 단체를 해산한 사례는 없다. 지난 1995년 옴진리교 사린가스사건에서 이 단체의 해산이 고려된 바 있으나, 결국 구성원들에 대한 형사처벌로 문제가 종결되었고 단체를 직접 해산하지는 않았다. 또한 과거 1960-1970년대의 좌익 과격단체에 대하여 그 적용이 검토된 바 있으나, 적용시의 실효성 등 여러 사정을 고려하여 적용이 보류되었으며, 「파괴활동방지법」상 단체활동의 규제를 적용한 경우 정치적 위험이 크거나 위헌소지가 있을 수 있다는 우려 때문에 적용이 보류된 것으로 알려져 있다.[13] 이외에도 영국의 경우는 「공공비밀보호법」(Official Security Act 1989)을, 캐나다는 「국가기밀법」(Official Security Act) 등을 가지고 있고 북한의 경우도 「형법」 규정이 있다.[14]

우리나라도 1948년 12월 제헌국회에서 「국가보안법」이 제정·시행된 이후 많은 우여곡절이 있었지만 지금까지 그대로 시행되고 있다. 제정 당시부터 논란이 있었지만 이후 70여년이 지나도록 시행되고 있는 것은 대다수 국민이 「국가보안법」 존재의 필요성을 인정하고 있기 때문일 것이다. 지금의 「국가보안법」은 그동안 8차례의 개정된 것으로 1991년 5월 31일 국회 본회의에서 의결되었다. 당시 이 법의 개정문제를 두고 존치론, 폐지론, 대체입법론, 형법보완론 등의 다양한 주장이 있었으나 북한의 대남정책이 1948년 이후 달라진 것이 없고, 대남적화전략이 오히려 노골화되고 있다는 데 의견을 모아 소폭 개정하는 선에서 마무리되었다. 이렇게 개정된 「국가보안법」에서는 국가의 대외적 안전을 저해하는 외환죄(外患罪)에 속하는 유형의 범죄와 함께 대내적 안전을 보호하기 위한 내란죄(內亂罪)의 유형에 속하는 범죄, 혹은 양자의 성격이 혼합된 유형의 범죄 등을 규

13) 이승길, “외국 사례에서 본 노사관계 안정을 위한 교훈”, 『법제연구원』(2002), pp. 72-74.
14) 북한형법 제68조(반역)는 조국에 대한 반역 즉 간첩행위, 군사적, 국가적 비밀의 전달, ‘원쑤의 편’으로 넘어가며 혹은 외국으로 탈주하는 등, 조국의 국가적 독립을 침해하거나, 조국의 군사상 위력과 영토불가침에 손해를 주는 행위를 공화국 공민으로서 한 자는 사형 및 전부의 재산몰수에 처한다. 또 동법 제71조(간첩행위)는 간첩행위 즉 외국 또는 ‘반국가적단체’에 국가의 중대한 기밀로 되는 정보를 전달하였거나 또는 전달할 목적으로 이를 절취 기타의 방법으로 취득하거나 수집한 자는 5년 이상의 징역 및 전부의 재산몰수에 처한다. 특히, 정상이 중하여 국가의 이익에 중대한 손해를 초래할 수 있는 경우에는 사형 및 전부의 재산몰수에 처한다.

정하고 있다. 대표적인 내부의 적은 제3조의 반국가단체 구성죄와 제7조 제3항의 이적단체 구성죄이다. 1948년 제정 당시 「국가보안법」에는 반국가단체라는 용어를 사용하지 않고 단지 법 제1조의 본문에 "국헌을 배하여 정부를 참칭(僭稱)하거나 그에 부수하여 국가를 변란할 목적으로 결사 또는 집단을 구성한 자는 처벌한다"고 규정하고 있을 뿐이었다. 반국가단체라는 용어가 「국가보안법」에 등장한 것은 1960년 6월 10일 「국가보안법」의 제4차 개정 때의 일이다. 당시 동법 제1조는 "정부를 참칭하거나 국가를 변란할 목적으로 결사 또는 집단(이하 반국가단체라고 칭한다)을 구성한 자는 처벌한다"고 되어 있었다. 이 반국가단체의 개념을 정식으로 조문에 명시한 것은 1980년 12월 31일 6차 개정에서다. 당시 동법 제2조 제1항은 "이 법에서 반국가단체라 함은 정부를 참칭하거나 국가를 변란할 것을 목적으로 하는 국내외의 결사 또는 집단을 말한다"고 규정하였고, 이 개념은 지금까지 유지되고 있다. 단 1991년 5월 31일 8차 개정에서 기존의 반국가단체 정의에 '지휘통솔체제를 갖춘 단체'를 추가하였다.[15]

Ⅲ. 구체적 적용사례

1. 반국가단체

「국가보안법」 제2조(정의)에 의하면 반국가단체라 함은 정부를 참칭하거나 국가를 변란할 것을 목적으로 하는 국내외의 결사 또는 집단으로서 지휘통솔체제를 갖춘 단체를 말하는 것으로 규정하고 있다. 동법 제3조(반국가단체의 구성 등)는 반국가단체를 구성하거나 이에 가입한 자를 처벌하도록 규정하고 있다. 따라서 객관적으로 특정 다수인이 일정한 범죄목적을 위해 만든 계속적인 결합체로서 그 단체를 주도하는 최소한의 지휘 통솔체제를 갖추어야 하고, 주관적으로 정부를 참칭하거나 국가를 변란할 목적이 있어야 한다. 이때 정부를 참칭(僭稱)한다 함은 대한민국 영역 내에서 주권을 행사하는 대한민국 정부 이외에 별개의 통치권을 행사하는 정부의 존재를 주장하는 것을 의미하고, 국가를 변란(變亂)한다 함은 대

---

15) 제성호, "국가보안법상 '반국가단체'의 개념과 범위 - 대법원 판례를 중심으로-", 『法曹』 Vol. 647(2010), pp. 6-15.

한민국의 헌법질서 및 정체를 변경하는 것은 물론 현행 정부를 헌법에 의하지 아니한 방법으로 전복할 목적을 포함한다. 따라서 북한이 정부를 참칭하거나 국가를 변란할 목적을 가진 단체라는 점은 공지의 사실이며, 그에 관하여는 입증을 요하지 않는다는 것이 1948년 「국가보안법」 제정시부터 지금까지 변함없이 확립된 판례의 입장이다. 즉 우리나라 헌법 제3조는 "대한민국의 영토는 한반도와 그 부속도서로 한다"고 규정하고 있으므로 한반도 내에서는 대한민국의 주권과 부딪치는 어떠한 주권의 정치도 인정할 수 없고, 북한이 대한민국 북쪽의 영토를 불법적으로 점유해 정부를 참칭하고 있는 대표적인 반국가단체라는 것이다.

북한 이외의 반국가단체라고 인정한 판례는 20여개 단체가 있다. 앞에서 본 북한(조선민주주의인민공화국)을 비롯하여 전국민주학생연맹, 아람회, 남조선노동당(남로당), 재일조선인총연합회(조총련), 사회민주주의청년연맹(약칭 사민청), 한국민주회복 통일촉진국민회의(한민통), 한국민주통일연합(한통련, 한민통의 후신), 통일명당, 남조선민족해방선(남민), 국민주학생연맹-국민주노동자연맹, 제헌의회그룹(CA), 자주민주통일그룹(자민통), 남한사회주의노동자동맹(사노맹), 조선노동당 중부지역당, 1995년 위원회(애국동맹), 구국전위 등이다. 다음에서 몇 개의 주요 단체를 살펴본다.

(1) 사회주의국가 건설을 목적으로 한 단체

우리 대법원은 사회주의국가 건설을 목적으로 하는 단체를 국가변란에 해당되는 것으로 보고 이 같은 행위를 기도하는 단체를 반국가단체로 보고 있다. 지난 1992년 법원은 남한 사회주의 노동자동맹(약칭 사노맹) 사건 판결에서 "소위 민족민주혁명을 이루어 민주공화국을 수립한 뒤 반동 관료, 독점재벌 등을 숙청하고 토지 기타 생산수단을 몰수, 국유화하는 사회주의혁명을 이루어 완전한 사회주의 국가 건설"을 기도한 사노맹을 반국가단체로 판시(대판 1992.4.24. 92도256)한 바 있다.

(2) 무장봉기로 대한민국 체제의 타도를 목적으로 한 단체

대법원은 무장봉기 혹은 민중봉기에 의해 대한민국의 자유민주주의 체제를 타도하려고 기도한 단체를 반국가단체로 보고 있다. 실례로 법원은 1991년 자주·

민주 · 통일그룹(약칭 자민통)사건에서 “북한의 주체사상을 그 이념으로 하여 북한 공산집단의 남한적화통일의 전위조직인 한국민족민주전선의 강령과 지도노선에 따라 결정적 시기에 민중봉기를 유발하여 헌법이 상정하고 있지 아니한 방법으로 정권을 타도하고 외세를 축출한 후 민중이 국가권력을 장악하여 민족자주정권을 수립 한 다음 연방제로 남북통일”을 하려 한 자민통을 반국가단체로 판시(대판 1991.11.21. 91도2341)하였다. 또한 법원은 앞에서 기술한 사노맹사건에서 “전위활동가들에 의한 비합법인 선전선동을 통하여 노동자계급을 중심으로 통일전선을 구축하여 무장봉기로써 대한민국의 체제를 타도한 후 노동자계급이 국가권력을 장악”하려 한 판결(대판 1992.4.24. 92도256)에서도 수단으로써 무장봉기를 사용하는 단체를 반국가단체로 판시한 바 있다.

(3) 자유민주적 기본질서를 위태롭게 하는 단체

대법원은 우리나라 헌법의 기본이념과 사상인 자유민주적 기본질서 혹은 국가의 존립과 안전을 위태롭게 하는 단체를 국가변란을 목적으로 하는 반국가단체에 해당된다고 보고 있다. 이때 자유민주적 기본질서에 위해를 준다 함은 모든 폭력적 지배와 자의적(恣意的) 지배 즉 반국가단체의 일인독재 내지 일당독재를 배제하고 다수의 의사에 의한 국민의 자치, 자유 · 평등의 기본원칙에 의한 법치주의적 통치 질서의 유지를 어렵게 만드는 것으로서 구체적으로는 기본적 인권의 존중, 권력분립, 의회제도, 복수(複數)정당제도, 선거제도, 사유재산과 시장경제를 골간으로 한 경제 질서 및 사법권의 독립 등 우리의 내부체재를 파괴 · 변혁시키려는 것을 의미하는 것으로 헌법재판소가 판시(헌재결 1990.4.2. 89헌가113)하였다. 또한 2014년에도 민주적 기본질서는 개인의 자율적 이성을 신뢰하고 모든 정치적 견해들이 각각 상대적 진리성과 합리성을 지닌다고 전제하는 다원적 세계관에 입 각한 것으로서 모든 폭력적 · 자의적 지배를 배제하고 다수를 존중하면서도 소수를 배려하 는 민주적 의사결정과 자유 · 평등을 기본원리로 하여 구성되고 운영되는 정치적 질서를 뜻하고, 그 주요한 요소로 국민주권의 원리, 기본적 인권의 존중, 권력분립제도, 복수정당제도 등이 있다고 하였다(헌재결 2014.12.19. 2013헌다1). 실례로 대법원은 “남한사회주의노동자동맹은 그 목적, 조직, 활동 형태와 내용 등에 비추어 국가의 존립, 안전을 위태롭게 하거나 헌법의 대전제인 자유민주적 기본질서를 파괴하려는 단체로서 국가보안법 제2조 제1항의 국가변란을 목적으로 하는 반국가단체에 해당된다"고 판시(대판 1995.5.12. 94도1813)한 바 있다.

(4) 민중공화국 수립과 연방제 통일을 추진한 단체

대법원은 민중이 국가권력을 장악하여 민족자주정권을 수립하려 하거나 공산주의에 기초한 민주주의민중공화국을 수립하여 연방제 통일을 달성하려 한 단체를 반국가단체로 보고 있다. 즉, 대법원은 전술한 자민통사건에서 "… 헌법이 상정하고 있지 아니 한 방법으로 정권을 타도하고 … 민중이 국가권력을 장악하여 민족자주정권을 수립한 다음 연방제로 남북통일"을 추진하려 한 자민통을 반국가단체로 판시(대판 1991.11.22. 91도2341)하였다. 이때 대법원은 "… 비합법적인 선전선동을 통하여 노동자계급을 중심으로 통일전선을 구축하여 무장봉기로써 대한민국의 체제를 타도한 후 노동자계급이 국가권력을 장악함으로써 소위 민족민주주의혁명을 이루어 민중공화국 수립"을 기도한 단체인 사노맹을 반국가단체로 판시하였다. 또한 대법원은 1992년 '혁명의 불꽃 사건'에서 "현 정부를 타도하여야 할 대상으로 규정하고, … 그 타도의 방법론으로서 노동자, 농민, 도시, 소자산가 등 모든 민중이 단결하여 무장봉기에 의한 임시망명정부의 구성을 제시하면서 군대 및 경찰의 해체와 혁명군 창설, 자본몰수와 국유화를 통한 민중민족경제의 수립 등을 이루어 공산주의에 기초한 민주주의민중공화국을 수립하고 북한과 연방제 통일을 달성"하려 한 '혁명의 불꽃'이란 단체를 반국가단체로 판시(대판 1992.7.24. 92도1148)하였다.

(5) 민족해방 민주주의혁명의 전위부대를 표방한 단체

대법원은 1995년 '구국전위'를 반국가단체로 판시하였다. 판결에서 "스스로를 민족해방 민주주의혁명을 위한 민중의 전위부대임을 표방하면서 미제국주의 식민통치 및 현 파쇼 독재체제를 청산, 소탕하고 통일적인 중앙정부를 수립"하려 한 구국전위를 반국가단체로 판시(대판 1995.7.25. 95도1148)한 바 있다. 판결은 "구국전위는 조선노동당의 주체위업을 계승하여 김일성, 김정일 주의의 정수분자들로 구성된 민족해방 민주주의혁명을 위한 민중의 전위부대로서 미제국주의 식민

지통치 및 현 파쇼독재체제를 청산, 소탕하고 통일 중앙정부를 수립할 목으로 조직된 것으로, 조직의 체계는 3형태의 중앙조직과 지구당 조직으로 구성하며 조직활동에 전략전술 문제가 제기될 경우에는 중앙에 건의하여 중앙의 비준을 받아 집행하는 철저한 비합법 조직이며, 조직의 성격은 주체사상을 유일한 지도이념으로 삼는 김일성주의의 지하조직으로 규정하는 등의 내용을 그 규약으로 한 사실을 인정하는 바 구국전위를 그 목적, 성격, 조직체계 등에서 보듯이 북한 공산집단의 민족해방 인민민주주의 혁명노선에 따라 국가를 변란할 목적의 지휘통솔체계를 갖춘 반국가단체"라고 보았다.

(6) 반국가단체로 인정된 단체의 명칭만을 변경한 경우

이 밖에도 판례는 '사회민주주의청년연맹'(약칭 사민청), '한국민주통일연합'(약칭 한민통) 등의 단체들이 국가보안법 제2조의 반국가단체에 해당한다고 인정한 바 있다. 특히 '한민통'사건에서 대법원은 반국가단체인 「한국 민주회복 통일촉진국민회의」 일본 본부의 구성원들이 한국민주회복통일진국민회를 발전적으로 개편하여 그 명칭만을 「한국민주통일연합」으로 변경한 것에 불과하다면 한민통 역시 반국가단체에 해당된다고 판시하였다. 즉 "북한이 우리의 자유민주적 기본질서에 위협이 되고 있음이 분명한 상황에서 우리 정부가 북한 당국자의 명칭을 쓰면서 남북동포 간의 화해와 협력, 그리고 통일을 논의하기 위한 정상회담을 제의하고 7.4남북공동성명과 7.7선언 등 북한관련 개방정책 선언이 있었으며 남・북한이 유엔에 동시에 가입하고 남・북한 총리들이 남북 사이의 화해, 불가침, 교류협력에 관한 합의서에 서명하였다는 등과 같은 사유가 있었다고 하더라도 북한이 국가보안법상 반국가단체가 아니라고 할 수는 없다." 또한 "반국가단체로서 약칭 한민통으로 불리우는 한국민주회복통일촉진국민회의 일본 본부의 구성원들이 한민통을 발전적으로 개편하여 그 명칭만을 한국민주통일연합(약칭 한통련)으로 변경하였음을 알 수 있으므로 한통련 역시 반국가단체라고 아니할 수 없다"라고 판시(대판 1995.2.26. 95도1624)하였다.

이처럼 지금까지의 대법원 판례를 종합해보면 세계 유일의 분단국임을 현실적으로 인정하는 하에서 북한을 반국가단체로 보는 데 이견이 없다. 이유는 대한민국의 자유민주주의체제를 부정하면서 대한민국의 파괴와 전복을 꾀하고 있기 때문이다. 북한 외에 반국가단체로 인정하는 경우는 ① 사회주의국가 건설을 목적으로 하거나, ② 무장봉기를 통한 대한민국체제의 타도, ③ 자유민주적 기본질서의 파괴, ④ 민중공화국 수립과 연방제 통일 추진, ⑤ 민족해방 민주주의혁명의 전위부대를 표방, ⑥ 단순히 반국가단체의 명칭만을 변경하는 등으로 구분하여 판시하고 있다. 이중에서 현재도 계속활동 중인 반국가단체는 3개로 조선노동당(1960년 4월 5일 판결), 재일조선인총연합회(조총련, 1970년 11월 24일 판결), 재일한국민주통일연합(한통련, 1990년 9월 11일 판결) 등이다. 3개 단체 중 조선노동당은 북한에, 조총련과 한통련은 일본에 위치하고 있어 우리 정부의 강제력이 미칠 수 없고, 국내에서 직접 활동하지 않는 조직이라서 반국가단체로 확정 판결을 받았지만 강제력 있는 법 집행은 현재까지 이루어지지 못하고 있는 실정이다. 현재까지 소멸된 것으로 판단하는 반국가단체는 통일혁명당, 남조선민족해방전선(남민전), 재일한국 민주회복통일추진국민회의(한민통), 제헌의회(CA그룹), 자주민주통일그룹(자민통), 남한사회주의노동자동맹(사노맹), 남한조선노동당, 구국전위, 민족민주혁명당(민혁당) 등 9개 단체들이나 많은 반국가단체들이 일부 명칭을 바꾸고 더 치밀하고 교묘한 방법으로 다시 세력을 규합하고 있는 것으로 공안기관에서는 판단하고 있다.

2. 이적단체(利敵團體)

「국가보안법」은 반국가단체 이외에 그 제7조 제3항에서 이른바 이적단체 구성 및 가입죄를 별도로 처벌하는 규정을 두고 있다.[16] 동법 규정상으로 반국가단체는 앞에서 살펴본 것처럼 법에 명시되고 있는 것과는 달리 이적단체라는 용어는 명시되어 있지 않다. 다만, 그동안의 관행상 반국가단체와 구별되는 개념으로 동법 제7조 제3항의 규정에 따른 단체를 지칭하는 것으로 사용되어 왔다. 즉 용어의 의미상 반국가단체와 이적단체는 크게 다르지 않으나 법상으로는 반국가단

16) 「국가보안법」 제7조는 "반국가단체나 그 구성원 또는 그 지령을 받은 자의 활동을 찬양·고무 또는 이에 동조하거나 기타의 방법으로 반국가단체를 이롭게" 할 목적으로 단체를 구성하거나 이에 가입하는 행위를 처벌하였으나(제3항), 1991년 개정하여 "국가의 존립·안전이나 자유민주적 기본질서를 위태롭게 한다는 정을 알면서 반국가단체나 그 구성원 또는 그 지령을 받은 자의 활동을 찬양·고무·선전 또는 이에 동조하거나 국가변란을 선전·선동"하는 행위(제1항)를 할 목적으로 단체를 구성하거나 이에 가입하는 행위를 처벌하는 것으로 구성요건이 변경되었다.

체가 보다 중대한 불법성을 가진 단체인 데 반해 이적단체는 이를 지원하고 동조하는 불법단체 정도로 이해되고 있다고 할 수 있다. 객관적으로 단체의 외관과 그 결성의 목적이 확인되어야 하고, 그 결사체는 사실상 계속하여 존재함을 요하지 않고 계속시킬 의도하에 결합됨으로써 족하다. 다만 반국가단체 구성죄와 같은 지휘통솔체제를 갖출 것을 요구하고 있지 않다. 주관적으로 국가의 존립·안전이나 자유민주적 기본질서를 위태롭게 한다는 점을 알아야 하고, 반국가단체나 그 구성원 또는 그 지령을 받은 자의 활동을 찬양·고무·선전 또는 이에 동조하거나 국가변란을 선전·선동하는 행위(동조 제1항)를 할 목적이 있어야 한다. 비록 표면적으로는 정식 사회단체로 등록하여 비영리민간단체지원법이 정한 형식적·절차적 요건까지 구비하여 정부의 보조금을 지원받은 적이 있다 하더라도 실질에 있어 북한의 활동을 찬양·고무·선전하거나 이에 동조하는 행위를 목적으로 삼았고, 실제 활동 또한 국가의 존립·안전과 자유민주적 기본질서에 실질적 해악을 끼칠 위험성을 가지고 있다면, 이적단체에 해당한다.

반국가단체와 이적단체의 구별이 실질적 의미를 갖게 되는 것은 북한 및 북한의 지령을 받아서 활동하는 단체를 반국가단체로, 북한의 주장에 동조하여 활동하는 국내의 단체를 이적단체로 보는 것이 일반적이다. 그 전제는 북한을 반국가단체로 인정하고 있는 것이며, 남북 기본합의서의 채택 및 남북한의 UN동시가입 이후에는 북한을 계속 반국가단체로 볼 것인지에 대해서 논란이 적지 않았으나 우리나라의 대법원과 헌법재판소는 앞서 언급된 바와 같이 남북한 관계의 이중적 성격을 들어 북한이 반국가단체임을 여전히 인정하고 있다. 따라서 이적단체에 관한 개념도 그대로 유지되고 있고 이적단체에 관한 처벌도 지금까지 정당한 것으로 인정되고 있다. 최근에는 반국가단체 및 이적단체가 현행법에 반하는 불법단체로서 규제의 대상이라는 점은 분명하지만, 이를 어떻게 규제할 것인가에 대해 현행 「국가보안법」 개정으로 하는 방안, 이적단체 등의 해산에 관한 법을 새로 제정하는 방안, 「범죄단체의 해산 등에 관한 법」에 규정하는 방안 등의 논의가 진행되고 있다.[17)]

대법원의 일관된 판례에 따르면 이적단체란 "반국가단체나 그 구성원 또는 그

---

17) 장영수, "이적단체 해산의 문제와 범죄단체의 해산 등에 관한 법률안의 검토", 『고려법학』 제73호(2014), pp. 79-110.

지령을 받은 자의 활동을 찬양·고무·기타의 방법으로 반국가단체를 이롭게 하는 행위를 목적으로 하는 단체"라고 할 수 있다. 현재 대법원으로부터 확정판결을 받은 이적단체는 민족자주평화통일중앙회의(민자통, 1990년 8월 28일), 인천지역민주노동자연맹(인노련, 1991년 2월 8일), 노동문학실(1991년 12월 24일), 전국대학생대표자협의회(전대협) 정책위원회(1992년 8월 14일), 범민련 남측본부준비위원회(1992년 8월 18일), 범청학련 남측본부(1993년 9월 28일), 재미 한국청년연합(1993년 12월 24일), 조국통일범민족연합 해외본부(1994년 5월 24일), 남한사회주의과학원(1995년 5월 12일), 남한프롤레타리아 계급투쟁 동맹 준비위(1996년 5월 14일), 사회민주주의 청년동맹(1996년 9월 10일), 범민련 해외·남측본부 및 그 산하 단체(1996년 12월 23일), 조국통일범민족연합(범민련) 남측본부(1997년 5월 16일), 노동자정치활동센타(1997년 6월 27일), 한국대학생총학생회연합(한총련, 1998년 7월 28일), 영남위원회(1999년 9월 3일), 한국청년단체협의회(한청, 2009년 1월 30일), 6.15남북공동선언실천연대(실천연대, 2010년 7월 23일), 청주통일청년회(2011년 12월 8일), 우리민족연방제통일추진회의(연방통추, 2012년 1월 27일), 사회주의노동자연합(사노련, 2014년 8월 20일) 등 21개 단체이다.[18] 이 중 대부분은 소멸되었으나 2~3개는 명칭을 변경하여 현재도 계속 활동 중인 것으로 공안기관에서는 파악하고 있다. 또한 대법원에서 이적단체로 확정판결을 받았음에도 현재에도 계속 활동 중인 이적단체는 민족자주평화통일중앙회의(민자통), 범민련해외본부, 조국통일범민족연합(범민련) 남측본부, 청주통일청년회, 우리민족연방제통일추진회의(연방통추) 등이다.

구체적으로 몇 가지 판례를 살펴보면 대법원은 1991년 당시에도 북한이 여전히 반국가단체임을 인정하면서 인천지역민주노동자연맹(인노련)은 "현실인식, 통일이념, 목적, 사업 및 조직의 활동은 대한민국의 존립과 안전을 위태롭게 하거나 자유민주적 기본질서에 위해를 줄 뿐만 아니라, 폭력 비폭력, 합법 비합법 등 각종 투쟁형태를 적절히 배합한 반제, 반파쇼, 민주화투쟁을 전개하여 민족해방 인민민주주의 혁명을 완수하여 남한 단독으로 사회주의 국가를 건설한 다음 북한과 통일을 이룬다는 북한의 선전선동활동과 그 궤를 같이하고 있어서 반국가단체인 북한을 이롭게 하는 것이다. 그러므로 인노련은 국가보안법 제7조 제3항 소정

18) 국가정보원 안보위해단체현황(2017.12 현재).

의 이적단체에 해당한다고 할 것"이라고 판시(대판 1991.2.8. 90도2607)하였다. 가장 최근의 판례는 2014년 사회주의노동자연합(사노련)에 대해 "① 사노련이 대한민국을 자본가계급이 자본주의 경제 질서와 경찰, 군대, 국정원 등 부르주아 국가권력을 이용하여 노동자계급을 착취하는 '야만적인 자본주의 사회'로 규정하고 있는 점, ② '선거에 의한 집권', '의회를 통한 평화적 방법'에 의하여는 사노련이 목적으로 하는 노동자정부를 수립하는 것이 불가능하다고 주장하면서 의회주의와 선거제도를 부정하고 있는 점, ③ 노동자 민병대 등 무장단체를 결성한 후 그 무장단체의 힘을 통하여 자본가정부를 타도하여야 하고 소비에트(노동자평의회) 형태의 노동자정부를 세워 생산수단을 국유화하며 사회주의 계획경제를 실현하여야 한다고 주장하고 있는 점, ④ 각종 토론회의 발제문과 '가자 노동해방!' 등 표현물의 내용, 피고인들의 경력과 지위, 피고인들이 토론회를 개최하거나 표현물을 제작하게 된 경위 등을 종합하여, 사노련을 국가보안법 제7조 제3항, 제1항에 따라 처벌되는 '국가변란을 선전·선동하는 것을 목적으로 하는 단체'에 해당한다"고 판시(대판 2014.8.20. 2012도214)하였다.

이와는 달리 이적단체성이 부인된 사례들도 있는데 "이적단체라 함은 반국가단체 등의 활동을 찬양·고무·선전 또는 이에 동조하거나 국가의 변란을 선전·선동할 목적으로 특정 다수인에 의하여 결성된 계속적이고 독자적인 결합체라고 할 것인데, 이러한 이적단체의 인정은 국가보안법 제1조에서 규정하고 있는 법의 목적 등 및 유추해석이나 확대해석을 금지하는 죄형법정주의의 기본정신에 비추어서 그 구성요건을 엄격히 제한 해석하여야 한다"는 점을 강조하면서, "'98 조선녹두대'가 정치적, 사회적 쟁점들에 대하여 자신들의 입장을 밝히면서 남총련 주최의 불법시위에 여러 차례 참가하였다는 사실만으로는 그 단체자체의 본래 목적을 규명함이 없이 이적단체로 인정하기 어렵다"고 판시(대판 1999.10.8. 99도2437)한 것을 들 수 있다. 또한 그 밖에 민족통일애국청년회(민애청)가 "범민련 등에 직접 참가한 단체는 아니고, 1987년 당시 김대중 대통령후보를 지지하기 위한 청년들의 모임인 '민족통일애국청년단'이라는 명칭으로 발족된 단체로서 적어도 발족 당시 이적단체성은 없었다고 할 것이며, 민애청의 조직 목적인 조국의 자주·민주·통일이 반국가단체인 북한의 남한 혁명 3대 투쟁과제인 반미자주화, 반파쇼민주화, 연방제 통일 투쟁을 내용으로 하는 민족해방인민민주주의혁명론

(NLPDR)에 기초한 자주 · 민주 · 통일투쟁을 통한 민족자주정권의 수립이라는 목표와 같은 것이라고는 직접적으로 인정되지 아니하고, 민애청으로 명칭을 변경할 때나 그 전후에 이적단체로 변환되었다는 뚜렷한 징표를 찾아볼 수 없는" 점을 들어 민애청이 지향하는 노선이나 목적이 국가의 존립 · 안전이나 자유민주적 기본질서에 실질적 해악을 줄 명백한 위험성이 있어 이적단체에 해당한다고 보기에는 부족하다고 판시(대판 2004.7.9. 2000도987)하여 이적단체성을 부인하였다. 그리고 '일심회'에 대하여, "반국가단체인 북한의 활동을 찬양 · 고무 · 동조하는 행위를 목적으로 하는 결합체로서 이적성이 인정되나, 그 구성원의 수, 조직결성의 태양, 활동방식과 활동내역에 비추어 단체의 내부질서를 유지하고 단체를 주도하기 위한 체계를 갖추는 등 조직적 결합체에는 이르지 못하였다고 보아, 국가보안법상 이적단체에 해당하지 않는다"고 판시(대판 2007.12.13. 2007도7257)한 바 있다.

3. 통합진보당 해산

(1) 위헌정당해산제도

2014년 12월 19일 헌법재판소는 통합진보당에 대한 정당해산심판에 대하여 해산결정을 내린 바 있다. 이는 1958년 2월 25일 정부의 행정처분으로 진보당의 등록이 취소되어 해산된 경우 외에 우리 헌정사상 헌법절차에 의해 정당이 해산된 최초의 사례이다.

우리 헌법 제8조 제4항은 "정당의 목적이나 활동이 민주적 기본질서에 위배될 때에는 정부는 헌법재판소에 그 해산을 제소할 수 있고, 정당은 헌법재판소의 심판에 의하여 해산된다"라고 하여 위헌정당 또는 헌법에 적대적인 정당의 강제해산제도를 규정하고 있다. 정당해산은 특정 정당의 활동뿐 아니라 존립마저 부정하는 가장 강력한 형태의 조치로 우리의 법제 하에서 해산된 정당의 목적을 달성하기 위한 집회나 시위가 금지되며(「집회 및 시위에 관한 법률」 제5조 제1항 제1호), 해산된 정당의 잔여재산도 국고로 귀속(「정당법」 제48조 제2항)하도록 하고 있다. 정당은 오늘날 의회 민주주의에 있어 없어서는 안 되는 존재이지만 한편으로는 민주주의에 대한 잠재적 파괴자로 나타날 수도 있기 때문에 그 보호와 한계를 함께 규정하고 있는 것이다.

위헌정당해산제도는 우리 헌법이 앞에서 살펴본 '방어적 민주주의'의 실현을 위한 것으로 민주주의 자체를 투쟁의 대상으로 삼는 내부의 적들에게 더 이상 관용을 베풀 수 없다는 헌법적 의지를 보여주는 조항으로 이해되고 있다.[19] 이와 관련하여 G. Leibholz 교수의 방어적 민주주의 개념은 앞에서 살펴본 바와 같다. 즉 독일의 바이마르헌법에서의 자유란 상대적인 개념으로 다른 말로 표현한다면 보다 투쟁적인 성격을 띠는 것이고, 그 때문에 기본법에 의한 자유는 이제 절대적 무구속성이나 무책임한 자의와 동일시될 수 없다는 것이다. 우리나라 헌법상의 정당해산의 모델이 되었던 독일기본법상의 정당해산제도가 방어적·투쟁적 민주주의에 기초하고 있음을 앞에서 설명한 바 있다. 독일 연방헌법재판소는 1950년대에 사회주의제국당과 독일공산당에 대해 해산결정을 내리면서 '자유민주적 기본질서(freiheitliche demokratische Grundordnung)란 모든 폭력과 자의적 지배를 배제하고 그때그때의 다수의사에 따른 국민자결과 자유 및 평등에 기초한 법치국가적 통치 질서를 말한다. 이 질서의 기본원리로는 최소한 다음의 요소들이 포함되어야 한다고 하였다. 즉 기본법에 구체화된 기본적 인권, 무엇보다도 생명과 그 자유로운 발현을 위한 인격권의 존중, 국민주권, 권력의 분립, 정부의 책임성, 행정의 합법성, 사법권의 독립, 복수정당의 원리와 헌법적인 야당의 구성권과 행동권을 가진 모든 정당의 기회균등' 등이라고 판시한 바 있다.

정당의 자유에 대한 제한은 궁극적으로 정치적 의사형성의 자유를 유지하고 이를 보호하기 위해 불가피한 경우에만 허용된다 할 것이다. 무엇보다 정당은 국민의 정치적 의사형성에 있어 중추적인 역할을 담당하고 있으므로 정당의 자유에 대한 제한, 즉 위헌정당해산조치는 자칫 민주주의를 내세워 민주주의를 파괴하고 다수가 소수의 정치적 자유를 박해하는 수단으로 이용될 위험성을 내포하고 있기 때문이다. 그러므로 우리 헌법 제8조 제4항을 적용함에 있어 그 구성요건에 대한 엄격한 해석이 요구될 뿐만 아니라 그로 인한 효과와 비례성의 원칙을 준수하여야 할 것이다. 이러한 방어적 민주주의이론하에서 민주주의의 기초인 민주적 기본질서를 부인하는 정당이나 개인의 정치적 자유권을 박탈하는 예외적 조항의 하나가 바로 정당해산제도이다. 우리 헌법재판소 역시 "정당 해산에 관한 헌법 제8조 제4항은 민주주의를 파괴하려는 세력으로부터 민주주의를 보호하려는 소위

19) 최희수, "위헌정당해산제도에 관한 연구", 『정당과 헌법질서』(박영사, 1995), p. 445.

'방어적 민주주의'의 한 요소"라고 판시하면서도 "헌법상의 정당의 금지를 민주적 정치과정의 개방성에 대한 중대한 침해로서 이해하여 오로지 제8조 제4항의 엄격한 요건 하에서만 정당설립의 자유에 대한 예외를 허용하고 있다"고 하여 정당해산조항의 방어적 민주주의적 성격을 인정하면서도 그 행사에 있어서 엄격한 요건이 필요하다고 판시(헌재결 1999.12.23. 99헌마135)한 바 있다.

현대의 의회 민주주의에 있어서 정당이 국민과 국가기관 사이에서 국민의 다양한 정치적 의사형성에 참여하는 기능의 중요성은 정당의 설립과 활동의 자유를 정치적 기본권으로서 보장하게 되고, 정당설립의 자유는 그 당연한 귀결로서 복수정당제를 헌법상 보장하게 되는 것이다. 복수정당제의 보장은 일당독재를 부정하는 것뿐만 아니라 상이한 정치적 조건과 견해를 가진 여러 정당의 존재를 인정함으로서 다원적 정당제를 보장하는 것이다. 그러므로 야당 및 군소 정당의 존재나 정치적 이견의 존중은 복수정당제 보장의 전제가 되는 것이며 이러한 야당 및 군소 정당의 보호는 정당해산제도의 기능에 의해서 확보되는 것이다. 정당해산제도를 규정하면서 그 정당해산의 절차는 중립적 국가기관에 의한 헌법재판절차를 통해서만 해산시킬 수 있도록 함으로써 그 해산심판절차에 의하지 아니하고는 어떠한 경우에도 정당을 강제해산시킬 수 없도록 하고 있다. 정당해산제도는 자유민주주의라는 헌법의 기본질서를 수호하기 위한 것이지만 이러한 헌법질서를 수호하기 위해 불가피하게 정당의 정치적 자유를 일부 제한함으로써 비로소 가능하다는 것이다. 자유민주주의의 기본전제인 정치적 자유를 제한하는 대가로 자유민주주의를 수호한다는 것 자체가 정당해산제도의 일종의 모순이라고 할 수 있다. 여기에서 정당해산제도의 본질이라고 할 수 있는 헌법의 수호와 정당의 보호라는 양자의 대립적 가치를 어떻게 조화롭게 실현할 것인가가 헌법적 과제라 할 수 있다.

(2) 통합진보당 해산 결정

통합진보당 해산결정 과정은 2013년 5월 국가정보원이 통합진보당 경기도당에 속한 이석기 의원이 지하혁명 조직(RO: Revolutionary Organization)을 만들어 대한민국 체제전복을 목적으로 합법・비합법, 폭력・비폭력적인 모든 수단을 동원하여 이른바 '남한 사회주의 혁명'을 도모한 혐의로 이석기 의원을 형법상 내란

음모와 선동 및 「국가보안법」 위반 등의 혐의로 고발하면서 시작되었다. 이에 정부는 위헌정당·단체 관련대책반(Task Force)을 구성하여 관련 외국사례를 수집하고 전문가들의 의견을 수렴하며 통합진보당의 당령(黨令)을 분석하였다. 그 결과 2013년 11월 통합진보당의 당령 등 그 목적이 우리 헌법 목적에 반하는 것이고, RO활동도 북한의 대남혁명전략 노선을 따르는 것으로 판단·발표되었다. 2014년 1월 5일 국무회의에서 통합진보당 정당해산 심판 청구를 상정하여 심의한 결과, 그 목적과 활동이 민주적 기본질서에 위배된다며 통합진보당에 대하여 정당해산심판(2013헌다1)과 정당활동정지 가처분신청(2013헌사907)을 헌법재판소에 청구할 것을 의결했다. 이후 2014년 12월 19일 우리 헌법재판소는 헌정사상 최초로 위헌정당해산을 결정하였다.

헌법재판소의 판단은 통합진보당의 목적이나 활동이 민주적 기본질서에 위배되는 것으로 판시(헌재결 2014.12.19. 2013헌다1)하였다. 이때 민주적 기본질서에 대해 헌법재판소는 1990년에 "우리 헌법은 자유민주적 기본질서의 보호를 그 최고의 가치로 인정하고 있고, 그 내용은 모든 폭력적 지배와 자의적 지배 즉 반국가단체의 일인독재 내지 일당독재를 배제하고 다수의 의사에 의한 국민의 자치, 자유·평등의 기본원칙에 의한 법치주의적 통치질서를 말한다"고 하면서 그 구체적인 내용으로 "기본적 인권의 존중, 권력분립, 의회제도, 복수(複數)정당제도, 선거제도, 사유재산과 시장경제를 골간으로 한 경제질서 및 사법권의 독립 등"으로 이미 판시(헌재결 1990.4.2. 89헌가113)한 바 있다.

통합진보당 해산 판결의 주요 내용은 다음과 같다.

> 통합진보당이 실현하려고 하는 북한식 사회주의 체제는 조선노동당이 제시하는 정치적 노선을 절대적인 선(善)으로 받아들이고 그 정당의 특정한 계급노선과 결부된 인민민주주의 독재방식과 수령론에 기초한 1인의 독재를 통치의 본질로 추구하는 점에서 우리 헌법상 민주적 기본질서와 근본적으로 충돌한다. 또한 진보적 민주주의를 실현하기 위해서는 대중투쟁, 전민항쟁, 저항권 등 폭력을 행사하여 자유민주주의 체제를 전복할 수 있다고 하는바, 이는 모든 폭력적·자의적 지배를 배제하고, 다수를 존중하면서도 소수를 배려하는 민주적 의사결정을 기본원리로 하는 우리의 민주적 기본질서에 정면으로 저촉된다. 특히 내란관련 사건은 대한민국 영토에 대하여 주권을 미치지 못하게 하거나 헌법질서를 정상적으로 작동하지 못하도록 폭동을 일으켜 국가의 존립 자체를 위협하는 것으로서, 이석기 등 피청구인 소속 국회의원과

당원들이 내란을 선동하고 대한민국의 존립에 위해를 가할 수 있는 방안들을 구체적으로 논의한 것은 그 자체로 민주적 기본질서에 반함이 명백하다. 따라서 여전히 자신들의 시대착오적 신념을 폭력에 의지해 추구하고, 이를 구체적인 실현의 단계로 옮기려 하였거나 옮긴 내란관련 사건과 중앙위원회 폭력 사건 등은 목적 달성을 위해 조직적, 계획적으로 폭력적인 수단의 사용을 옹호한 것으로서 민주주의의 이념에 정면으로 저촉된다. 또한 정당의 목적이나 정치적 이념은 단순한 관념에 불과한 것이 아니라 현실 속에서 구현하고자 하는 실물적인 힘과 의지를 내포한다. 따라서 정당이라는 단체의 위헌적 목적은 그 정당이 제도적으로 존재하는 한 현실적인 측면에서 상당한 위험성을 인정할 충분한 이유가 된다. 내란관련 사건의 비례대표 부정경선 사건, 중앙위원회 폭력 사건 및 지역구 여론조작 사건 등 여러 활동들은 그 경위, 양상, 피청구인 주도세력의 성향, 구성원의 활동에 대한 피청구인의 태도 등에 비추어 보면, 피청구인이 단순히 일회적, 우발적으로 민주적 기본질서에 저촉되는 사건을 일으킨 것이 아니라 피청구인의 진정한 목적에 기초하여 일으킨 것으로서, 향후 유사상황에서 반복될 가능성도 매우 크다. 피청구인의 여러 활동들은 민주적 기본질서에 대해 실질적인 해악을 끼칠 구체적 위험성이 발현된 것으로 보인다. 특히 내란관련 사건에서 보듯이 이석기를 정점으로 한 피청구인 주도세력은 북한의 정전협정 폐기 선언을 전쟁상태의 돌입으로 인식하면서 북한에 동조하여 국가기간시설 파괴 등을 도모하는 등 대한민국의 존립에 위해를 가할 수 있는 방안들을 구체적으로 논의하기까지 하였다. 이는 피청구인의 진정한 목적을 단적으로 드러낸 것으로 표현의 자유의 한계를 넘어 민주적 기본질서에 대한 구체적 위험성을 배가시킨 것이다. 또한 북한과 정치·군사적으로 첨예하게 대치하고 있는 한반도 상황에 비추어 이러한 위험성은 단순히 추상적 위험에 그친다고 볼 수만은 없다. 결국 피청구인의 위와 같은 목적이나 그에 기초한 활동은 우리 헌법상 민주적 기본질서에 위배된다(헌재결 2014.12.19. 2013헌다1).

소속 국회의원 5명 전원도 의원직을 상실한다고 결정하였다. 다만 이때 통합진보당 소속의 의원의 경우 의원직을 당연히 상실하는지에 대한 이견이 있었는데 헌법재판소는 “헌법재판소의 해산결정에 따른 정당의 강제해산의 경우에는 그 정당 소속 국회의원이 그 의원직을 상실하는지 여부에 관하여 헌법이나 법률에 아무런 규정을 두고 있지 않다. 따라서 위헌으로 해산되는 정당 소속 국회의원의 의원직 상실 여부는 위헌정당해산제도의 취지와 그 제도의 본질적 효력에 비추어 판단하여야 한다”고 하며 다음의 세 가지 논거를 들고 있다.

첫째, 정당해산심판제도의 본질은 그 목적이나 활동이 민주적 기본질서에 위배되는 정당을 국민의 정치적 의사 형성과정에서 미리 배제함으로써 국민을 보호하고 헌법을 수호하기 위한 것이다. 어떠한 정당을 엄격한 요건 아래 위헌정당으로 판단하여 해산을 명하는 것은 헌법을 수호한다는 방어적 민주주의 관점에서 비롯되는 것이고, 이러한 비상상황에서는 국회의원의 국민대표성은 부득이 희생될 수밖에 없다.

둘째, 국회의원이 국민 전체의 대표자로서의 지위를 가진다는 것과 방어적 민주주의의 정신이 논리 필연적으로 충돌하는 것이 아닐 뿐 아니라, 국회의원이 헌법기관으로서 정당기속과 무관하게 국민의 자유위임에 따라 정치활동을 할 수 있는 것은 헌법의 테두리 안에서 우리 헌법이 추구하는 민주적 기본질서를 존중하고 실현하는 경우에만 가능한 것이지, 헌법재판소의 해산결정에도 불구하고 그 정당 소속 국회의원이 위헌적인 정치이념을 실현하기 위한 정치활동을 계속하는 것까지 보호받을 수는 없다.

셋째, 만일 해산되는 위헌정당 소속 국회의원들이 의원직을 유지한다면 그 정당의 위헌적인 정치이념을 정치적 의사 형성과정에서 대변하고 또 이를 실현하려는 활동을 계속하는 것을 허용함으로써 실질적으로는 그 정당이 계속 존속하여 활동하는 것과 마찬가지의 결과를 가져오게 될 것이다. 따라서 해산정당 소속 국회의원의 의원직을 상실시키지 않는 것은 결국 위헌정당해산제도가 가지는 헌법수호의 기능이나 방어적 민주주의 이념과 원리에 어긋나는 것이고, 나아가 정당해산결정의 실효성을 제대로 확보할 수 없게 된다.

이와 같이 헌법재판소의 해산결정으로 해산되는 정당 소속 국회의원의 의원직 상실은 정당해산심판제도의 본질로부터 인정되는 기본적 효력으로 봄이 상당하므로, 이에 관하여 명문의 규정이 있는지 여부는 고려의 대상이 되지 아니하고, 정당해산결정으로 인하여 신분유지의 헌법적인 정당성을 잃으므로 그 의원직은 상실되어야 한다. 따라서 이러한 이유로 헌법과 법률의 규정은 없지만 소속정당의 국회의원의 의원직 상실이 가능하다고 결정하였다. 그러나 의원의 자격유지의 문제는 국회의 자율적 결정사항으로 상실여부의 판단주체는 국회가 되어 자격심사나 제명처분에 의해서 보완될 수 있기 때문에 의원직이 상실되지 않는다고 보는 이견도 있다.

Ⅳ. 대표적 사건 사례

내부의 적에 의한 구체적 사례를 특정하기가 쉽지 않은데 이유는 우선 내부의 적을 규정하는 대상의 문제이고, 또 행위의 주체가 반국가단체나 이적단체의 행위로 볼 것인가? 단순히 그 단체에 속한 개인의 행위로 볼 것이가?의 문제를 구별하는 것이 어렵기 때문이다. 여기서는 테러의 관점에서 행위의 수법과 폭력성에 중점을 두고 대표적인 몇 가지 사례를 살펴보고자 한다.

1982년 발생한 부산 미국문화원 방화사건은 당시 최인순, 김은숙, 문부식, 김현장 등 부산 지역 대학생들이 부산 미국 문화원에 불을 질러 불은 약 2시간 만에 꺼졌지만, 도서관에서 공부하던 동아대학교 재학생 1명이 사망했고, 3명은 중경상을 입었다. 1982년 3월 18일 정오 12시~오후 2시 경 부산대학교 학생2명이 미국문화원의 담장을 넘어 잠입했고, 2시가 넘어 고신대 학생 문부식(23세, 사건의 주모자, 휴학생)과 부산대학교 학생 류승렬은 함께 택시로 현장에 휘발유를 운반해주었고, 고신대 학생 2명은 양손에 휘발유 통 총 4개를 들고 문화원 정문 앞으로 접근했다. 휘발유통을 나눠 든 4명은 미국문화원 문을 깨고 실내에 잠입하여 복도 바닥에 휘발유를 쏟아 붓고 주머니에서 미리 준비한 가스 라이터와 성냥, 나무 젓가락에 알코올을 적신 솜뭉치를 매단 솜사탕 모양의 '방화봉'을 꺼내들어 불을 붙인 뒤 건물 안으로 던졌다. 한참 뒤 '펑'하는 폭발음과 함께 미국 문화원은 불길에 휩싸였다. 인근 주민의 신고로 미국문화원이 완전 전소된 뒤 오후 4시경 소방차가 현장에 도착했고, 경찰 병력과 검찰, 대공부대가 출동했다. 문부식은 미국문화원 건너편 건물 2층 창가에 얼굴을 가린 뒤 발화 장면을 카메라와 영상장치로 촬영, 녹화했고, 류승렬은 800미터 떨어진 부산 국도극장 3층으로 올라가 미리 대기하던 대학생들 수십여 명과 함께 유인물 200-300장을 뿌렸다. 1983년 3월 8일 관련자 문부식, 김현장은 대법원에서 사형확정 판결을 받았다가 3월 15일 무기징역으로 감형되었다. 이를 계기로 반미주의 시위와 미국문화원, 미국대사관에 대한 방화, 투석, 기물파손 사건이 빈번히 발생했다.

1983년 대구 미문화원 폭발 사건은 대구에 있는 미국 문화원 정문 앞에서 폭발물이 터져 1명이 사망하고 4명이 부상당한 사건이었다. 9월 22일 21시 25분경 고등학생인 허병철이 폭발물이 든 여학생의 보조가방을 주워 근처의 대구시경 정문 근무자에게 신고하면서 삼덕동 2가에 위치한 미 문화원 앞에 더 큰 가방이 하나 더 있다고 하였다. 이에 경찰은 신고 학생과 함께 21시 33분 경 문화원 정문 앞에 도착한 순간 폭발물이 든 가방이 폭발하면서 신고한 학생이 현장에서 사망하고, 출동한 경찰 4명이 중경상을 입었다. 이후 1983년 12월 8일 부산 다대포 해안에서 생포된 무장간첩 진충남과 이상규 등 2명에게서 이 폭파사건을 북한에서 배후 조종한 소행이라고 밝혀졌다.

2013년 소위 RO사건은 우리 국회 통합진보당 이석기 의원 주도의 지하혁명조직(RO: Revolutionary Organization)이 5월 초 북한의 군사적 위협으로 전쟁위기가 고조되자 조직원 130여명이 은밀하게 회합하여 무장폭동을 위한 방안을 논의하는 등 내란을 선동한 사건이다. 북한의 주체사상과 대남혁명론을 추종하는 이석기 등 7명의 내란선동 혐의자들이 북한과의 전쟁 상황이 임박하였다는 정세인식을 가지고 전쟁이 발발하면 북한에 유리한 국면을 조성하여 대한민국의 자유민주주의 체제를 전복하기 위한 군사적 · 폭력적 실행방안을 모의하다 한 제보자의 신고로 적발되었다. 2015년 1월 대법원은 이석기 전 의원에 대해 '내란선동'으로 징역 9년을 확정했고, 2017년 6월 국정원 직원들이 압수수색영장을 집행하기 위해 사무실로 진입하려 했으나 통진당 관계자들이 이를 제지한 행위가 적법한 공무 집행을 방해했다는 이유로 징역 6개월~1년에 집행유예 2년과 당원 황모씨 등 18명에게 200만~300만원의 벌금을 선고하였다.

당시 녹음파일이나 컴퓨터 하드디스크에서 출력된 문건인 디지털 증거의 능력에 관해 많은 다툼이 있었으나 법원은 컴퓨터로부터 출력된 서류에 대해 "피고인들이 언급하는 증거들은 거기에 포함된 진술내용을 직접적인 증거로 삼아 제출된 것이 아니라 그러한 진술이 있었는지 여부, 그러한 문건이나 전자정보가 존재하는지 여부 혹은 그러한 문건이나 저장매체를 피고인들이 소지하고 있었는지 여부 등 다른 간접사실들을 증명하기 위하여 제출된 것으로 이 증거들에 대해서는 전문법칙(傳聞法則)이 적용되지 않는다"고 판시(대판 2015.1.22. 2014도10978)하였다. 즉 녹음파일이나 컴퓨터 하드디스크에서 출력된 문건 등을 증거로 제출함에 있어 각 증거에 담긴 대화내용의 진실성을 입증하기 위함이 아니라 대화사실의 존재나 문건의 소지여부를 입증하겠다는 등으로 그 입증취지를 명확히 한정함으로써 전문법칙 위반여부는 문제되지 않았다는 것이다.

이처럼 그 당시에는 디지털 증거에 대한 증거능력이 문제가 되었다. 디지털 증거는 필기구로 작성된 것이 아닌 컴퓨터 등 기계로 작성되고 그 보존 또한 기계에 의존하여 유지될 수 있는 증거로 기존의 물리적 증거와 구별된다. 특징으로는 매체의 독립성, 비가시성(非可視性)·가독성(可讀性), 취약성, 대량성, 전문성, 네트워크 관련성 등이 있어 컴퓨터로 생성되고 컴퓨터에 저장된다는 것이다. 즉, 사람의 작용 없이 컴퓨터 프로그램에 의해 자동으로 생성되는 컴퓨터 로그기록, 통화기록, 입출금내역, 웹 히스토리(Web History) 등을 말하고, 기록을 컴퓨터에 저장한 문서파일, 이메일, 인터넷 채팅 메시지 등을 말한다. 그때까지 우리 「형사소송법」 제310조의2는 "제311조 내지 제316조에 규정한 것 이외에는 공판준비 또는 공판기일에서의 진술에 대신하여 진술을 기재한 서류나 공판준비 또는 공판기일 외에서의 타인의 진술을 내용으로 하는 진술은 이를 증거로 할 수 없다"고 규정하여 소위 전문증거(傳聞證據)는 원칙적으로 증거로 삼을 수 없었다. 즉 증거로 삼을 수 있는 경우는 법원 또는 법관의 조서(제311조), 검사 또는 사법경찰관의 조서 등(제312조), 진술서 등(제313조), 가족관계증명서 등 당연히 증거능력이 있는 서류(제315조) 등이었다. 따라서 사실인정의 기초가 되는 경험적 사실을 경험자 자신이 직접 구두로 법원에 진술하지 않고 다른 형태로 간접보고 하는 전문증거는 인정할 수 없었다.[20] 따라서 재판 당시에는 자필이나 서명·날인이 있는 경우 외에 디지털 증거에 대해서는 증거능력이 없어 다툼이 있었으나 2016년 5월 「형사소송법」을 개정하여 일반 종이 서류뿐만 아니라 "피고인 또는 피고인 아닌 자가 작성하였거나 진술한 내용이 포함된 문자·사진·영상 등의 정보로서 컴퓨터용 디스크 그 밖에 이와 비슷한 정보저장매체에 저장된 것"을 포함(동법 제311조 제1항)하도록 하였고, "진술서의 작성자가 공판준비나 공판기일에서 그 성립의 진정을 부인하는 경우에는 과학적 분석결과에 기초한 디지털포렌식 자료, 감정 등 객관적 방법으로 성립의 진정함이 증명되는 때에는 증거로 할 수 있다(동법 제311조 제2항)고 하여 이러한 문제가 해결되었다.

2015년 주한 미국 대사 마크 리퍼트(Mark Lippert, 2014-2017)가 3월 5일 세종문화회관에서 개최된 민족화해협력범국민협의회(약칭 민화협) 조찬 행사에서 한

---

20) 성빈(Seong, Bin), "안보사건 판례분석에 기초한 형사소송법 개선방안연구 - 일심회, 왕재산 및 소위 RO사건을 중심으로 -", 『형사법의 신동향』 제46호(2015), pp. 249-255.

미연합사령부 해체, 평화협정 체결 등을 주장하는 우리마당통일문화연구소(약칭 우리마당) 대표 김기종에게 피습당하여 부상을 입은 사건이다. 당시 민화협은 서울시민문화단체연석회의 대표인 김기종을 포함 총 420명에게 초청장을 발송하였고, 이에 대해 현장에 배치됐던 정보관이 문제를 제기했으나 행사 관계자는 현장에서 손으로 써 준 이름표를 발급하여 행사장에 입장시켰다. 김기종은 미리 가져온 유인물 40여장을 열려있던 노정선 교수의 가방에 넣고 10여장을 건네고 일어나 메인 테이블로 이동, 식사를 시작하려던 리퍼트를 넘어뜨리고 25㎝ 길이의 과도로 공격해 얼굴에 길이 11㎝, 깊이 3㎝ 크기의 자상을 입혔다. 민화협 상임의장인 장윤석 국회의원이 최초로 범인을 제압했고 현장에 있던 사복형사들이 가세하여 범인을 연행하였다. 리퍼트 대사는 즉시 손수건을 이용해 지혈을 하고 순찰차에 올라 인근 강북삼성병원으로 이송되어 응급치료 후 오전 9시 40분경 미 대사관의 지정병원인 신촌 세브란스 병원으로 옮겨져 수술을 받았다.[21] 범인은 대법원에서 2016년 9월 28일 살인미수와 외국사절폭행, 업무방해, 국가보안법위반 혐의로 징역 12년을 선고받았다.[22]

제2절 불법체류자와 외국인 범죄

Ⅰ. 불법체류자 개념

근대국가는 국민과 영토와 주권의 3요소로 구성된다. 이때 국가는 다른 나라의 국민이 국경을 넘나드는 행위를 관리하고 통제하는 것을 주권의 영역으로 간주한다. 그래서 각국 정부는 사증(visa)・체류허가(residence permit)・취업허가(work permit) 등 다양한 제도를 통해서 외국인의 입국과 체류를 통제하고 있다. 이때 그 나라에서 이러한 합법적인 서류를 제대로 갖추지 못한 채 거주하고 생활하는 사람들을 가리켜 미등록 이주자(undocumented migrants), 비밀 이주자(clandestine

21) 미국 대사 테러 사건 세부내용은 제11장 제2절 참조.
22) 이상 구체적 사례 내용은 '위키백과' 참조

migrants), 비합법 이주자(irregular migrants), 불법체류자(illegal immigrants)라고 한다.[23] 학계와 국제기구에서는 불법이라는 표현이 그들을 범죄자로 간주할 수 있다며 불법체류자라는 용어보다는 '미등록 이주자', '비합법 이주자'라는 용어를 선호하기도 한다. 또한 불법체류자의 경우 대부분 그가 체류하고 있는 나라에서 취업을 위하여 거주하고 있는 노동자들이 많기 때문에 미등록 노동자(non-registered worker), 불법취업자라고 부르기도 한다. 이처럼 불법체류는 정식으로 입국절차를 거쳐 합법적으로 입국한 외국인이 정해진 체류기간을 넘기고도 계속 국내에 거주하는 것이거나 비정상적인 방법으로 입국한 후 국내에 체류하는 경우 또는 체류의 목적을 위배하여 거주하는 경우 등 모든 것을 포괄하는 용어이다.[24]

우리나라의 법적 규정에 따르면 외국인 체류에 관한 기본법인 「출입국관리법」은 체류외국인을 크게 체류자격 90일 이상의 장기체류자와 90일 이하의 단기체류자로 구분한다. 장기체류자는 동법 제31조(외국인등록사항)에 의해 입국한 날로부터 90일 이내에 체류지를 관할하는 출입국사무소 또는 출장소에 등록하게 되어 있으며, 동법 제17조(외국인의 체류 및 활동범위), 제20조(체류자격외 활동), 제25조(체류기간 연장 허가), 제38조(지문찍기) 등에 의해 국내에 체류하는 외국인은 적법하게 활동할 수 있다. 또한 「외국인근로자의 고용 등에 관한 법률(외국인고용법)」 제2조는 "대한민국의 국적을 가지지 아니한 자로서 국내에 소재하고 있는 사업 또는 사업장에서 임금을 목적으로 근로를 제공하고 있거나 제공하고자 하는 자"를 외국인근로자라고 한다고 규정하고 있다. 따라서 외국인은 그 체류자격과 체류기간의 범위 내에서 체류할 수 있고 별도의 허가 없이 활동하게 되면 처벌의 대상이 된다. 이러한 「출입국관리법」과 「외국인고용법」 등이 규정한 체류자격을 위반한 외국인 모두를 포괄하는 용어로 통상 불법체류외국인 또는 불법체류자라고 지칭하고 있다. 여기서는 불법체류자로 칭한다.

---

23) 설동훈, "불법체류자의 적정규모 추정", 『출입국관리국정책연구보고서』(서울: 법무부, 2006), pp. 3-11.
24) 손동권 외, 『출입국관리와 치안대책의 효율화에 관한 연구』(한국형사정책연구원, 1996), p. 40.

Ⅱ. 불법체류자 현황

1. 불법체류자 규모와 특성

법무부의 출입국·외국인정책본부의 통계에 따르면 2016년 말 현재 국내에 체류하고 있는 외국인은 다음 <표>에서 볼 수 있듯이 총 2,049,441명으로 2015년 대비 8.5%(159,922명)가 증가하였고, 최근 5년간 매년 9.2%의 증가율을 보이고 있다. 우리나라의 전체 인구 대비 체류외국인 비율은 2012년 2.84%에서 2016년 3.96%로 매년 증가하고 있다.

〈국내체류외국인 현황(2012-2016)〉

(단위: 명)

연도 / 구분	2012년	2013년	2014년	2015년	2016년
체류외국인	1,445,103	1,576,034	1,797,618	1,899,519	2,049,441
국내인구	50,948,272	51,141,463	51,317,916	51,529,338	51,696,216
체류외국인비율	2.84%	3.08%	3.50%	3.69%	3.96%

출처: 법무부 출입국·외국인정책본부(2016년 출입국·외국인정책 통계연보).

국적·지역별로는 다음 <표>에서 볼 수 있듯이 중국이 1,016,607명(49.6%)으로 가장 많고, 베트남 149,384명(7.3%), 미국 140,222명(6.8%), 타이 100,860명(4.9%) 등의 순이다. 체류외국인은 2012년 이후 연평균 9.2%증가하였고, 2012년 대비 증가율이 큰 국가는 러시아(184.9%) → 홍콩(180.8%) → 미얀마(143.6%) → 타이(119.5%) → 말레이시아(101.6%) → 캄보디아(86.2%) → 네팔(80.4%) → 우즈베키스탄(57.1%) 등의 순이다. 특히 이슬람국가로 불리는 외국인 중에 우즈베키스탄이 전체 외국인(2,049,441명)의 2.7%(54,490명)로 가장 많고, 인도네시아2.3%(47,606명), 방글라데시 0.8%(15,482명), 파키스탄 0.6%(12,639명), 카자흐스탄 0.6%(11,895명), 말레이시아 0.4%(7,698명) 등 총 149,810명으로 중국을 제외한 체류 외국인의 14.5%에 달하고 있다.

〈국가별 연도별 체류외국인 현황(2012-2016)〉

구분	2012년	2013년	2014년	2015년	2016년
계	1,447,721	1,579,001	1,801,483	1,905,860	2,061,336
중국	698,444	778,113	898,654	955,871	1,016,607
조선족	447,877	497,989	590,856	626,655	627,004
베트남	120,254	120,069	129,973	136,758	149,384
미국	130,562	134,711	136,663	138,660	140,222
타이	45,945	55,110	94,314	93,348	100,860
필리핀	42,219	47,514	53,538	54,977	56,980
우즈베키스탄	34,688	38,515	43,852	47,103	54,490
일본	57,174	56,081	49,152	47,909	51,297
인도네시아	38,018	41,599	46,945	46,538	47,606
캄보디아	24,610	31,986	38,395	43,209	45,832
몽골	26,461	24,175	24,561	30,527	35,206
네팔	18,908	22,015	26,790	30,185	34,108
타이완	30,413	27,698	31,200	30,002	34,003
러시아	11,361	12,804	14,425	19,384	32,372
스리랑카	22,354	23,383	26,057	26,678	27,650
캐나다	23,051	23,655	24,353	25,177	26,107
미얀마	9,218	12,678	15,921	19,209	22,455
홍콩	5,958	7,144	10,762	13,506	16,728
방글라데시	13,584	13,600	14,644	14,849	15,482
오스트레일리아	10,093	12,203	12,468	12,303	13,870
파키스탄	10,027	10,423	11,209	11,987	12,639
카자흐스탄	2,618	2,967	3,865	6,341	11,895
인도	8,317	9,174	10,196	10,414	10,515
말레이시아	3,818	4,960	7,165	7,698	7,698
기타	59,626	68,424	76,381	83,227	97,330

출처: 법무부 출입국·외국인정책본부(2016년 출입국·외국인정책 통계연보).

이에 따라 체류외국인 중에서 체류기간 내에 출국하지 않고 국내에 불법체류하는 사례도 증가하여 다음 <표>에서 볼 수 있듯이 불법체류자수는 2012년 말 177,854명에서 2015년 말 214,168명으로 증가하였다. 다행히도 2016년에는 단속 및 불법고용방지 홍보활동 강화, 경찰 등 관계기관 합동단속 강화 등을 통하여 2015년 대비 5,197명이 감소하였다. 불법체류율은 2012년 12.3%였으나 이후 지속적으로 감소하여 2016년에는 10.2%를 기록하였으나 여전해 평균 11.4%를 차지하고 있다.

〈연도별 불법체류자 현황(2012-2016)〉

(단위: 명)

구분 / 연도	총체류자	불법체류자				불체율
		계	등록	단기	거소	
2012년	1,445,103	177,854	92,562	83,713	1,579	12.3%
2013년	1,576,034	183,106	95,637	85,936	1,533	11.6%
2014년	1,797,618	208,778	93,924	112,788	2,066	11.6%
2015년	1,899,519	214,168	84,969	128,085	1,114	11.3%
2016년 (전년대비)	2,049,441 (107.9%)	208,971 (97.6%)	75,241 (88.6%)	132,789 (103.7%)	941 (84.5%)	10.2% (-1.1%)

출처: 법무부 출입국·외국인정책본부(2016년 출입국·외국인정책 통계연보).

90일 이상 장기체류하는 등록외국인의 경우 다음 <표>에서 볼 수 있듯이 2016년에는 2012년에 대비하여 24.5% 증가하였으나 이 중 불법체류자는 이 기간에 18.7% 감소하였다. 불법체류율도 이 기간에 평균 8.42%로 상대적으로 안정화되고 있는 것으로 분석된다.

〈등록외국인 연도별 불법체류자 현황(2012-2016)〉

(단위: 명)

연도 / 구분	2012년	2013년	2014년	2015년	2016년	전년대비
등록외국인	932,983	985,923	1,091,531	1,143,087	1,161,677	(101.6%)
합법체류	840,421	890,286	997,607	1,058,118	1,086,436	(102.7%)
불법체류	92,562	95,637	93,924	84,969	75,241	(88.6%)
불법체류율	9.9%	9.7%	8.6%	7.4%	6.5%	(-0.9%)

출처: 법무부 출입국·외국인정책본부(2016년 출입국·외국인정책 통계연보).

우리나라에 90일 이하 단기체류하는 외국인의 수는 다음 <표>에서 볼 수 있듯이 2016년에 518,902명으로 2015년 431,646명보다 20.2% 증가하였고, 2016년 단기체류 외국인 중 불법체류자수는 132,789명으로 2015년 128,085명보다 3.7% 증가하였다. 체류기간별로는 2년 이하가 45.2%, 2년 이상이 54.8%로 나타났다. 따라서 단기체류자의 경우 불법체류할 가능성이 많다는 것을 시사한다.

〈단기체류 외국인 연도별 · 기간별 불법체류자 현황(2012-2016)〉

(단위: 명)

연도 \ 기간	계	2개월 이하	~3개월 이하	~1년 이하	~2년 이하	2년 초과
2012년	83,713	2,110	1,565	13,414	11,945	54,679
2013년	85,936	2,315	2,037	12,350	13,611	55,623
2014년	112,788	7,449	6,866	25,332	13,557	59,584
2015년	128,085	3,468	2,871	24,532	37,143	60,071
2016년 (구성비)	132,789 (100%)	4,008 (3.0%)	3,715 (2.8%)	29,199 (22.0%)	23,067 (17.4%)	72,800 (54.8%)

출처: 법무부 출입국 · 외국인정책본부(2016년 출입국 · 외국인정책 통계연보).

2. 불법체류자 발생 원인

우리나라에서 이런 외국인의 불법체류자가 문제가 되기 시작한 것은 1988년 이후다. 서울올림픽 개최로 한국에 대한 국제적 위상이 높아지면서 외국인의 입국이 비약적으로 증가하였고, 우리나라의 경제가 성장하면서 단순 기능직 인력이 부족해지자 1991년 정부가 산업기술연수생 제도를 시행하면서다. 그 과정을 보면 우리나라는 과거 노동인력을 수출하는 국가 중 하나였으나 1965년의 한 · 일 국교정상화와 잇따른 경제개발 5개년계획의 성공으로 해외인력의 국내진출과 사회주의 국가와의 문호 개방, 외국인 적극 유치 정책 등으로 노동력 수입국으로 전환되었다. 특히 1988년 이후 국내 산업기술의 연수를 받기 위해 외국인의 국내에 입국과 체류가 증가하자 정부는 1991년 '산업기술연수생 제도'를 시행하게 된다. 이는 당시 1990년대 초 주택 200만호 건설 등을 추진하면서 단순노동자들의 인력부족 현상이 심각하게 나타났고, 이러한 3D업종의 인력난은 외국인력 수입에 대한 찬반논쟁을 불러일으키는 계기가 되었다. 정부 역시 부처별로 의견이 엇갈려 상공부·건설부 등 기업 및 산업체의 활동과 국제교류를 담당하는 부처에서는 수입허용을 지지하였고, 노동부·법무부·경제기획원·보건사회부 등 노동 및 출입국관리를 담당하는 부처에서는 수입반대를 지지하였다. 이러한 와중에 정부가 현실적 요구에 응하면서도 외국인 근로자 유입에 대한 적극적인 반대를 피하기 위해 선택한 것이 산업기술연수생 제도이다.

산업기술연수생 제도의 목적은 당초 해외투자기업의 현지고용 노동자들을 국내로 데려와서 기술연수를 시킨 후 현지로 돌려보내 생산 공장을 활성화하는 것이었다. 그러나 국내 제조업체의 인력난이 심화되면서 본래 취지와는 달리 외국 산업연수생을 낮은 임금을 주고 외국인 노동자로 고용한 것이다. 중소기업중앙회는 1992년 2월에 외국인 산업연수생의 연수기간의 연장과 연수대상업체의 범위를 확대해 줄 것을 요구하였고, 이에 대해 정부는 1992년 하반기부터 3D업종으로 국내근로자들이 기피하는 업종에 연수생을 들여오기 시작하였다. 그리고 1993년 12월 「외국인산업기술연수 사증발급에 관한 업무지침」을 개정하여 종전의 연수업체 대상에 주무부처의 장이 지정하는 산업체와 유관 공공단체 장이 추천하는 사업체를 추가함으로써 연수생의 도입이 증가하였다. 이 제도에 의해 1994년 5월 말부터 제1차 연수생으로 중국, 베트남, 필리핀 등 10개국의 연수생 2만여 명이 입국해 21개 제조업에서 일하게 되었다. 이렇게 되자 외국산업연수생들은 장시간의 고된 노동과 낮은 임금, 열악한 근무 환경 등으로 노동조건이 열악한 환경에 처하게 되면서 연수생의 많은 수가 사업장을 이탈하여 불법체류자로 전락하는 처지가 되었다. 가장 큰 문제점은 현장에서 같은 일을 하는데도 기술연수생이라는 신분 때문에 노동법과 산재보험이 제대로 적용되지 않았고, 이들의 사업장 이탈을 방지하기 위해 여권을 압류하는가 하면 외출도 통제하고 감시하는 등 인권침해가 사례가 종종 발생했다는 것이다. 이에 1995년 2월 노동부는 외국인 산업연수생의 보호를 위하여 「외국인 산업기술연수생의 보호 및 관리에 관한 지침」을 제정하여 외국인 산업연수생에 대해서도 산업재해보상보험, 의료보험의 적용과 근로기준법상의 강제근로금지, 폭행금지, 금품청산, 근로시간 준수 등 일부 규정의 법적 보호를 받을 수 있게 하였고, 1995년 7월 1일부터 국내 최저임금법의 적용을 받도록 하였으며, 2003년 8월 「외국인 근로자의 고용 등에 관한 법률(외국인

고용법)」을 제정하여 2004년 8월 17일부터 단계적으로 고용허가제를 실시하여 2007년 1월 전면적인 시행에 들어가게 된다. 기존 산업연수제도는 2006년까지 고용허가제와 병행하다가 2007년 1월부터 폐지되어 고용허가제로 일원화되었다.

고용허가제는 사용자가 노동부로부터 고용허가서를 발급받아 외국인 근로자를 합법적으로 고용할 수 있도록 하는 제도이다. 이는 내국인 고용기회 보호와 3D 업종 등 중소기업의 인력부족 현상을 동시에 해결하고 외국인 근로자에 대한 효율적인 관리체계를 구축하는 것이 그 목적이었다. 아울러 인력송출 비리를 방지함과 동시에 국내에 합법적으로 취업한 외국인근로자에 대해서도 국내 근로자와 동등하게 노동관계법을 적용하여 정당하게 대우하고 외국인 인력 도입 과정에서 투명성·공정성·책임성을 확보하기 위해 관리주체를 민간단체에서 국가와 공공기관으로 변경했다. 즉, 고용허가제의 실시는 기존의 산업연수생제도와 비교하면 이주노동자의 신분을 연수생이 아닌 노동자로서의 법적 신분변화를 이끌어 냈고, 연수추천 단체와 국내 인력송출 기관의 개입을 차단함으로써 공공부문이 직접 외국인력을 도입하고 관리하여 공공성을 강화하였으며, 내국인 노동자 우선 고용원칙을 제시하는 등 많은 장점이 있었다.

방문취업제는 고용허가제와 함께 2007년부터 시행하였다. 이 제도는 외국인 근로자가 아니라 1948년 대한민국 정부수립 이전에 해외로 이주한 중국 및 구소련지역 동포들에게 자유왕래를 보장하고 국내에서 단순 노무직에 일할 수 있도록 하자는 취지에서 도입되었다. 당시 중국동포들은 1988년 서울올림픽을 계기로 국내에 입국하기 시작하여 1992년 한중수교 이후 그 수가 더욱 증가하였다. 초창기 이들에게는 국내 취업활동이 허용되지 않았기에 미등록 체류 상태로 취업하는 경우가 대부분이었다. 따라서 중국동포들의 신분상의 불안전성, 미등록 체류 등의 문제로 각종 범죄와 인권침해에 노출되는 문제가 발생하였다. 이 같은 외국국적을 가진 동포들은 1999년에 제정된 「재외동포법」에 의해 우리국민에 준하는 혜택을 받게 되었으나 출입국하고 있는 약 300만 명에 달하는 재중(在中) 동포와 구(舊)소련 지역의 동포는 여기에서 제외되었다. 이유는 2-3백만에 달하는 중국동포가 국내에 일시에 유입될 경우 국내 노동시장에 큰 부담을 줄 것이라는 현실적인 우려가 있었다. 그러나 이에 반발한 중국 동포가 1999년 8월 헌법소원심판청구를 제기하여 결국 헌법상 평등의 원칙에 위배된다며 헌법불합치 결정(헌재결 2001.11.29. 99헌마494)이 내려졌다. 결국 정부는 역사적 배경 등을 감안하여 국내 노동시장의 충격을 최소화하면서도 이들의 국내 취업을 허용하기 위한 대안으로 '취업관리제'를 도입하였다. 이에 따라 정부는 2004년 법률을 개정하여 재중동포 및 구소련 지역의 동포들도 '외국국적동포'의 범위에 포함되게 된 것이다. 이때 취업관리제는 고용허가제로 통합되어 특례규정으로 시행되다 중국과 구소련 지역 등에 거주하는 만 25세 이상의 일정한 요건을 갖추면 출입국을 보다 자유롭게 허용하고 취업 허용 업종도 확대하는 방문취업제도로 변경하여 2007년 3월 4일부터 시행하게 된다. 이로써 고용허가제 때보다도 더 많은 동포 인력이 국내로 들어오게 되었다.

방문취업제는 국내에 연고가 있는 동포는 물론 연고가 없는 동포(일정한 제한)에 대해서도 그 취업기회를 확대하였고, 취업업종에 있어서도 이를 제조업 · 서비스업 등 34개 업종으로 확대 시행하였으며, 체류자격에 있어서도 유효기간 3년의 복수사증인 방문취업(H-2)을 신설하여 비자 유효기간 3년 동안 별도의 절차 없이 무제한 출입국이 가능하도록 하였다. 이에 따라 외국국적 동포의 경우 한국산업인력공단에서 실시하는 취업교육을 이수한 뒤 고용센터에 구직등록을 하고 고용센터의 알선을 받거나 또는 자율 구직활동을 통하여 사업주와 근로계약을 체결하고 취업을 할 수 있게 되었다. 사업주의 경우 일반고용허가제(E-9)와 동일하게 7일 이상의 내국인 구인노력을 먼저 실시한 후에 고용센터에 요청을 하면 고용센터에서는 구인조건에 적합한 구직자 명단을 3배수로 선별하여 제공하고 이들 중에 적합한 자를 선발하여 고용하면 된다. 방문취업제의 경우 사업주와 외국국적 동포는 고용센터 이외의 제3자로부터도 구직 알선을 받을 수 있어 이를 통한 근로계약 체결이 가능하며, 사업장 변경의 경우도 일반 이주노동자와는 다르게 신고만으로 근무처 변경이 가능하게 되어 있다.

다음의 <표>에서 볼 수 있듯이 2016년 말을 기준으로 비전문취업(E-9)으로 입국해 체류하는 외국인의 수는 279,187명인데 방문취업제(H-2)로 입국해 체류하는 외국인의 수 254,950명으로 방문취업제로 한국에 입국하여 체류하는 근로자들이 대부분(91%)을 차지한다. 따라서 단순기능인력 대부분이 방문취업제로 들어온 외국인이다.

〈단순기능인력 체류외국인 현황〉

(단위: 명)

구분	2015년 총체류자	2016년		
		총체류자	합법체류자	불법체류자
계	576,522	549,449	496,087	53,362
비전문취업(E-9)	276,042	279,187	233,620	45,567
선원취업(E-10)	15,138	15,312	9,832	5,480
방문취업(E-11)	285,342	254,950	252,635	2,315

출처: 법무부 출입국·외국인정책본부(2016년 출입국·외국인정책 통계연보).

이러한 방문취업제는 3년 이내에 출입국이 자유로우며 취업할 수 있는 업종도 건설업, 서비스업 등 다양하고 사업장 변경도 고용주의 의사와 상관없이 자유롭다는 점에서 고용허가제와는 차이가 있다. 이 제도를 실시한 이후 국내의 단순노동시장에서 차지하는 동포들의 비중이 급격하게 증가했고, 한국과 문화적·언어적 동질성을 유지하고 있어서 노동 인력으로 활용하기가 훨씬 수월해졌다. 그러나 방문취업제 역시 최신의 인터넷을 모르는 고령의 동포 입국·체류문제, 10인 미만의 영세사업장에서의 산업재해, 무연고 동포의 입국제한 등 다양한 문제로 인해 불법체류자가 양산되고 있는 것이 현실이다.

결국 산업기술연수생 제도와 고용허가제 그리고 방문취업제는 본질적으로 국내의 인력난을 해소하기 위해 외국인 근로자들을 단기적으로 노동인력으로 활용하다 돌려보내고 또다시 새로운 인력을 불러들이는 일종의 인력의 순환제이다. 이러한 과정에서 '코리안 드림'을 꿈꾸고 입국했다가 제대로 꿈이 실현되지 않아 잠재적인 불법체류 가능성이 상존하고 있다는 위험 요인이 있다.

현실적으로 이러한 불법체류자의 문제는 비단 우리나라뿐만 아니라 유럽을 비롯한 선진 각국이 처하고 있는 공통적인 문제이다. 주된 이유는 기본적으로 전 세계가 하나의 지구촌으로 개방 경제체제로 전환됨에 따라 노동인력이 경제적·사회적 등의 이유로 국제간 이동이 용이해졌다는 점을 들 수 있겠다. 우리나라의 경우 경제가 발전하고 산업화와 도시화가 빠른 속도로 진행됨에 따라 농촌의 노동인력이 감소하고, 내국인의 소득 수준과 학력이 높아지면서 대부분의 근로자가 사무직으로 진출하고 중소기업의 기능직 인력이 줄어들면서 단순노동 인력이 부족해진 것이 원인이다. 이에 따라 정부는 앞에서 살펴본 데로 산업연수생제도, 고용허가제, 방문취업제 등의 여러 가지 인력 도입 정책을 시행하게 되었다. 그러나 부족한 노동인력 확보라는 경제적인 목표만을 추구한 나머지 외국인 근로자의 체류관리나 작업 환경, 노동자 인권 등이 등한시되면서 사업장을 이탈해 불법체류자 신분으로 전락한 외국인 근로자들이 속출했던 것이다. 더구나 1992년부터 거의 해마다 실시된 불법체류자 자진 출국 및 출국 유예 등의 유화 조치로 외국인들의 국내법 경시 풍조와 불법체류자들을 3D업종의 인력난을 해결해주는 고마운 존재로 인식하는 내국인의 온정주의도 불법체류자를 양산하는 데 한몫을 하고 있다.

무엇보다도 불법체류자를 양산하는 가장 중요한 경제적 이유는 낮은 임금이다. 한국에 체류하는 외국인 노동자는 대부분 동남아 지역 출신으로 자국에서의 월 평균 임금이 우리나라 화폐로 약 25만원 정도로 국내 외국인 근로자의 월 평균 임금(약 110만원에서 150만원 정도)의 약 5배의 차이를 보이고 있다. 이러한 임금 격차로 인해 동남아 저개발국가 인력의 입국증가가 지속되는 상황에서 1992년 한・중 수교로 인한 중국동포들이 대거 입국하게 되었고 최근에는 교통수단의 발달로 중남미, 아프리카, 중앙아시아 등의 입국자가 증가하면서 이들의 국내 체류 양태가 복잡하고 다양해지고 있다. 외국인 근로자들이 많은 돈을 들여서라도 한국을 선택하지 않을 수 없고 이 과정에서 한국 입국을 위한 브로커의 송출비리가 심각하고 입국 비용을 만회하기 위해 수단과 방법을 가리지 않고 불법체류까지 감행할 가능성이 농후하다. 이런 환경에서 한국에 입국해 체류하는 외국인들, 특히 제3세계 출신 외국인 근로자들은 언어적, 문화적 장벽과 함께 인종적인 차별과 편견도 추가적으로 감내해야 하고, 상대적으로 산업 재해나 인권피해를 겪을 가능성이 내국인에 비해 높을 수밖에 없다. 강제 퇴거에 대한 불안감과 함께 노동 착취나 인권 침해, 임금 체불, 산업 재해 등을 당해도 법적 보호를 받기 어렵다는 사태의 심각성으로 인해 범죄 행위를 부채질할 수 있고, 범죄가 발생해도 외국인의 신원 파악이 어려워 범죄를 제대로 통제하기도 어렵다.

Ⅲ. 외국인 범죄

1. 외국인 범죄 발생 추이

외국인 범죄란 범죄의 주체가 대한민국의 국민이 아닌 외국인, 즉 외국 국적을 가진 사람에 의하여 행하여지는 범죄로써 대한민국의 법규에 위배되는 행위를 한 경우를 말한다. 해마다 수백만 명에 달하는 외국인이 우리나라를 찾아오고 수십만 명의 외국인이 합법적 또는 비합법적 방법으로 국내에 체류하면서 상당수 외국인이 마약이나 통화위조, 밀수 및 불법밀입국 알선 등의 범죄를 저지르고 있다. 이러한 외국인 범죄는 크게 입국과 관련된 범죄, 외국인이 국내에서 체류하는 중에 일으킨 범죄, 범죄를 목적으로 입국한 경우 등으로 분류할 수 있다.[25) 첫째, 입국관련 범죄는 불법체류나 밀입국 알선, 여권 위・변조나 사증의 위조와 같은 각종 입국서류의 부정취득 등이 있고 둘째, 국내에 체류하면서 일으킨 범죄는 살인, 강도, 절도, 사기 등 일반적인 형사범죄를 말한다. 과거에는 피의자와 동일 국적의 범죄 피해자가 많았던 것에 비해 최근에는 한국인을 피해자로 하는 흉악사건이 많아졌고 범죄 피의자의 국적이 다양해졌을 뿐만 아니라 대도시권에만 집중되었던 외국인 범죄의 발생이 다른 지역으로도 확산되고 있다. 셋째, 범죄를 목적으로 입국한 자의 경우 조직범죄의 성격을 띠고 일부는 국내 범죄조직과 연계하여 국제적 규모의 특성을 갖기도 한다. 주로 브로커에 의한 불법취업 알선, 마약이나 보석밀수, 매춘 등이 있다.

우선 다음 <표>에서 볼 수 있듯이 2016년 입국관련 범죄의 경우 152,486건으로 2015년 124,515건 대비 22.5%(27,971건)가 증가하였고, 불법고용주 등에 대한 고발건수도 2,553건으로 2015년 1,850건 대비 38%(703건)나 증가하였다. 2011년부터 2016년까지 출입국 위반 행위로 강제퇴거, 출국 명령, 출국 권고, 통고처분, 고발 등 각종 위반행위가 매년 증가하고 있다. 즉, 2011년 위반행위가 92,970건→2012년 96,799건→2013년 101,7636건→2014년 113,351건→2015년 124,515건→2016년 152,486건으로 매년 평균 11%가 증가하는 것으로 나타

25) 윤영한, "외국인 커뮤니티에 대한 치안확보 방안", 한국공안행정학회보, 제8권 제1호(2009), p. 137.

났다. 이는 관광·방문 등 목적으로 입국한 외국인들이 체류기간 내에 출국하지 않고 불법체류 하는 사례가 증가함에 따라 우리 정부의 불법체류자 단속 및 자진 출국 유도 활동, 신분세탁·허위초청 관련자 및 불법 입국·취업알선 브로커 단속, 경찰 등 관계기관과 합동 단속 등을 강화한 결과인 것으로 분석된다.

〈연도별 출입국사범 처리 현황(2011-2016)〉

연도	계	강제퇴거	출국명령	출국권고	통고처분		고발	과태료		기타
					건	금액(천)		건	금액(천)	
2011년	92,970	18,034	2,250	2,862	31,417	44,874,390	928	10,435	1,520,690	27,044
2012년	96,799	18,248	3,340	2,676	24,279	30,740,620	819	13,796	1,955,220	33,641
2013년	101,763	18,268	5,655	3,775	25,148	31,614,430	1,234	10,189	1,391,510	37,494
2014년	113,351	18,316	3,776	3,352	31,236	32,531,430	1,613	11,000	1,528,616	44,058
2015년	124,515	21,919	5,566	3,192	29,272	35,037,850	1,850	8,558	1,312,070	54,160
2016년	152,486	28,784	6,183	3,345	29,380	38,592,080	2,553	7,271	988,440	74,970

※ 강제퇴거, 출국명령, 출국권고는 통고처분 등 병과처분이 없는 경우임.
출처: 법무부 출입국·외국인정책본부(2016년 출입국·외국인정책 통계연보).

다음으로 외국인이 국내에서 체류하는 중에 일으킨 범죄와 특정한 범죄를 목적으로 입국하는 경우를 포함한 살인, 강도, 강간, 절도, 폭력, 마약 등 폭력범죄는 아래 <표>에서 볼 수 있듯이 2006년부터 2016년까지 매년 평균 11% 이상 꾸준히 증가하고 있다.

〈외국인 폭력 범죄 발생 현황(2006-2016)〉

연도	전체범죄(건수)	외국인 범죄(검거자 수)	전년대비 증가율(%)
2006	1,719,075	12,657	100.0
2007	1,836,496	14,524	114.8
2008	2,063,737	20,623	142.0
2009	2,020,209	23,344	113.2
2010	1,784,953	22,543	96.6
2011	1,815,233	27,436	121.7

2012	1,723,815	22,914	83.5
2013	1,741,302	24,984	109.0
2014	1,712,435	28,456	113.9
2015	1,861,657	35,443	124.5
2016	1,849,450	41,044	115.8

출처: 죄종별 외국인 범죄현황(경찰청, 범죄정보관리시스템, 경찰통계연보).

2. 외국인 범죄 유형별 · 국적별 발생 현황

외국인 범죄가 일반 범죄와 비교해 보았을 때 드러나는 특징은 첫째, 외국인 범죄는 범인의 검거와 증거수집, 기소 등이 어렵다. 우선 범행을 목격해도 범인을 특정하기가 어렵고, 언어장벽으로 인하여 수사진행을 신속하게 진행하지 못하여 증거가 소멸되는 등의 문제점이 있다. 둘째, 외국인들은 자국의 형사절차법과 다른 우리나라의 형사절차법에 따르는 것에 대해 거부반응을 보여 협조가 어렵다. 즉 임의출석을 거부하고 변호인이 없는 핑계로 피의자로서 진술을 거부하며 모국어로 번역하지 않는 한 서명날인도 거부하는 것이 보통이다. 셋째, 재판과정에서도 법원의 선고형량이 관대한 편이고 재판확정 후 강제출국 조치를 고려해 거의 실형을 선고하지 않는 것이 보통이다. 넷째, 범죄가 집단화 · 조직화 · 광역화되고 있다. 불법체류자들을 중심으로 범죄 집단을 구성하여 한국에 체류하는 자국인을 대상으로 불법 행위를 자행하고, 외국범죄조직과 연계하여 국제적인 규모의 범행을 저지르고 있다. 최근에는 입국관련 범죄가 증가하고 있고 이권을 둘러싼 분쟁으로 잔인한 살상이나 보복범죄가 저질러지면서 범행 수법도 대담하고 흉포화되고 있다.

불법체류 외국인이 많아지면서 이들의 약점을 이용하여 폭력을 행사하거나 살인을 교사하고 불법취업을 알선하고 대가를 챙기는 전문브로커가 생겨나고 있다. 더 나아가 국내 범죄조직과 연계하여 국제인신매매, 총기 밀반입, 외화 밀반출, 위조통화 유통, 문화재 밀반출 등의 국제범죄화하는 양상으로 변화하고 있다.[26)]

---

26) 오영근, “외국인 범죄의 실태와 대책”, 『법학논총』 제1호 한양대학교법학연구소(2004), pp. 33-34.

다음의 <표>는 외국인의 범죄유형별 발생비율을 알아보기 위하여 2011년부터 2016년까지 범죄발생 검거 인원을 범죄유형별로 합산하여 범죄유형별 발생비율을 정리한 것이다. 매년 범죄유형별 발생비율에 약간의 차이가 있긴 하지만 6년간 검거 인원을 합산하여 보면 2011년부터 2016년까지 외국인 검거인원은 전체 175,204명이다. 범죄유형 분포를 살펴보면, 외국인범죄에서 가장 높은 비율을 차지하는 범죄는 폭력범죄로서 약 30%(52,303명)를 차지하고, 그 다음으로는 교통범죄가 25%(43,804명), 사기·증수뢰·통화위조 등 지능범죄가 10.6%(18,527명), 절도가 6.8%(11,930명), 강간·강제추행이 1.6%(2,885명), 강도가 0.4%(667명), 살인이 0.3%(541명)의 순서로 나타난다. 이외에 나머지 기타 범죄는 25.4%(44,547명)이다. 이러한 분석 결과, 국내에 체류하는 외국인의 경우에는 한국사회 전반에 대한 지식이나 정보가 부족하고 내국인에 비하여 상대적으로 경제적 지위가 낮은 상태이므로 폭력범죄와 교통범죄의 비율이 높은 것으로 해석된다. 특히 최근 6년간의 자료에 근거하여 보면, 외국인의 폭력범죄가 가장 높은 비율을 차지하고 있다는 점에 주목해야 한다. 이는 외국인에 대한 차별과 멸시 등 소위 상징적 폭력에서 비롯되기 때문에 테러 측면에서 관심을 가져야 한다.

〈외국인 범죄유형별 발생 현황(2011-2016 합계)〉

범죄 유형	계 (검거 인원, 명)	비율 (%)
합계	175.204	100
살인	541	0.3
강도	667	0.4
강간·강제 추행	2,885	1.6
절도	11,930	6.8
폭력	52,303	29.9
지능범죄	18,527	10.6
교통범죄	43,804	25.0
기타 범죄	44,547	25.4

출처: 경찰범죄통계(사이버 경찰청 홈페이지, 경찰통계연보).

다음의 <표>에서 볼 수 있는 바와 같이 2011년부터 2016년까지 외국인의 국적별로 검거인원을 살펴보면 중국이 전체 외국인 검거인원의 58%(104,654명)를 차지하고, 베트남 6.7%(12,056명) → 미국 5.9%(10,615명) → 태국 4.6%(8,303명) → 몽골 4.5%(8,127명) → 우즈베키스탄 4.2%(7,556명) → 대만 1.7%(3,004명) → 필리핀 1.5%(2,759명) → 스리랑카 1.5%(2,721명) → 러시아 1.1%(2,418명) 순이다. 이는 현재 우리나라에 자국에서의 낮은 임금 때문에 취업을 목적으로 입국하여 체류하고 있는 조선족을 포함한 중국, 태국, 몽골, 우즈베키스탄, 필리핀, 스리랑카

〈외국인 범죄 국적별 검거인원(2011-2016 합산)〉

구분 / 국적	전체 범죄		폭력 범죄	
	검거자 수(명)	비율(%)	검거자 수(명)	비율(%)
합계	180,277	100	52,303	100
중국	104,654	58.1	34,988	66.9
미국	10,615	5.9	2,825	5.4
베트남	12,056	6.7	2,607	5.0
몽골	8,127	4.5	2,598	4.9
우즈베키스탄	7,556	4.2	1,422	2.7
태국	8,303	4.6	776	1.5
대만	3,004	1.7	746	1.4
스리랑카	2,721	1.5	703	1.3
캐나다	1,941	1.1	567	1.1
러시아	2,418	1.1	543	1.0
필리핀	2,759	1.5	492	0.9
파키스탄	1,508	0.9	288	0.6
방글라데시	814	0.5	226	0.4
일본	1,086	0.6	225	0.4
인도네시아	1,565	0.7	200	0.4
키르기스스탄	636	0.3	108	0.2
기타국적	11,414	6.3	2,989	5.7

출처: 경찰범죄통계(사이버 경찰청 홈페이지, 경찰통계연보).

등 동남아 저개발국가 인원이 취업과 한국생활 현장에서 갖가지 차별과 멸시로 인해 범죄를 저지를 가능성이 높다는 것을 의미한다.

다음으로 범죄유형 중에서 특히 폭력행위로 인한 국가별 검거자 현황을 보면 중국이 전체의 66.9%(34,988명)를 차지하여 가장 많고, 미국 5.4%(2,825명) → 베트남 5.0%(2,607명) → 몽골 4.9%(2,598명) → 우즈베키스탄 2.7%(1,422명) → 태국 1.5%(776명) → 대만 1.4%(746명) → 스리랑카 1.3%(703명) 순이다. 이 중에서 우리나라에 상대적으로 높은 임금 때문에 취업을 목적으로 입국하여 체류하고 있는 조선족을 포함한 중국, 베트남, 몽골, 우즈베키스탄, 태국, 스리랑카 등 동남아 국가 인원이 많은 것에 주목해야 한다. 형사정책연구원에서 2016년 7월부터 약 1개월에 걸쳐 우리나라에 거주하고 있는 외국인 1,209명을 대상으로 실시한 설문조사가 결과에 따르면[27] 외국인의 경우 상대방이 욕을 해서 폭력을 행사한 것이 가장 많았고(42.9%), 기분이 나빠서 단지 화풀이하려고(33.3%) 가해를 한 경우가 다음이었다. 상대방이 기분 나쁘게 쳐다봐서(23.8%), 그리고 차별과 무시를 당해서(14.3%) 가해를 한 경우도 폭력가해의 원인이었다. 외국인의 경우 돈이나 물건을 뺏기 위한 수단으로 폭력을 사용한 경우는 한 건도 없었다. 따라서 외국인이 폭력 가해를 하는 대부분의 상황은 상대방이 자신을 욕을 하거나, 무시하거나, 기분 나쁘게 하거나 차별을 했을 경우 발생하는 것으로 조사되었다. 즉, 외국인 폭력 가해의 원인에 대한 조사 결과 미리 계획을 한 경우는 거의 없고 대부분 기분이 나쁘거나 욕을 듣고서 또는 평상시 차별과 무시를 당해서 홧김에 폭력을 사용한 경우가 대부분이었다. 외국인의 경우 대부분 차별과 무시를 당했을 때 폭력을 행사하는 것으로 조사되었다.

다만, 우리 경찰의 외국인 범죄의 통계에서는 외국인의 국적을 16개로 분류하고 있는데 여기에는 국내 체류외국인 수가 상대적으로 많은 일부 외국인 국적이 제외되어 있다. 캄보디아와 네팔 국적이 그 대표적인 예로 2017년 12월 기준으로 약 8만여 명이 넘지만 포함되어 있지 않고 반면 상대적으로 체류외국인 수가 적은 방글라데시, 러시아, 파키스탄의 경우에는 포함되어 있어 범죄발생률 통계에 다소 허점이 있을 수 있다. 따라서 캄보디아, 네팔, 미얀마 국적 외국인의 경우에는 검거인원을 파악할 수 없기 때문에 기타에 포함된 상태이다.

---

27) 최영신 · 장현석, 『외국인 폭력범죄에 관한 연구』(형사정책연구원, 2016), pp. 114-115.

외국인 폭력범죄 유발 요인에 대한 시사점은 외국인에 대한 차별과 상징적 폭력[28]이 외국인 폭력 가해에 영향을 주었다는 것을 알 수 있다. 외국인들은 일상생활과 직장생활에서 모두 내국인에 비하여 더 차별 대우를 당한다고 인식하고 있고 이러한 인식은 외국인들이 상징적 폭력의 피해를 인식하고 있다는 것을 보여주고 있다. 외국인에 대한 편견과 차별은 외국인들이 내국인 공동체와 교류하고 유대를 형성하는 데 방해하는 역할을 하고, 이로 인하여 외국인들은 자기들의 공동체하고만 교류하고, 현지 한국 사회로부터 분리되는 결과를 가져 올 수 있다. 이러한 상징적 폭력은 외국인에 대한 편견에 기인한 근거 없는 차별이다. 이러한 외국인 폭력범죄의 특성은 외국인으로서 언어적 제약이나 불법체류의 문제, 한국의 관련 법지식에 대한 무지 등으로 발생한다. 또 문제가 발생하면 한국 경찰의 도움을 요청하기보다 스스로 힘을 모아 폭력을 행사하는 방법으로 자구책을 강구하고 있다는 것이다. 특히 외국인은 내국인에 비하여 상대적으로 공공기관(주민센터, 경찰서, 은행 등)과 직장 또는 일터에서 더 많이 차별을 받는다고 느끼고 있다. 즉 월급을 제때 받지 못하고, 상대적으로 더 많이 일하고 월급을 적게 받거나 사장이나 직장동료가 무시하거나 욕을 한다고 느끼고 있으며 실제로 신체적 폭력을 당했다는 경우도 있었다. 이러한 외국인에 대한 차별과 무시는 상징적 폭력으로 결국 범죄로 이어질 수 있다는 것이다.[29] 그리고 이러한 상징적 폭력은 제3장 제2절에서 본 Agnew (1992)의 일반긴장 이론(GST)에서 말하는 부정적 자극발생의 중요한 요소로 결국 한국과 한국인에 대한 테러를 감행하게 되는 위협요인이 되고 있는 것이다.

---

28) 상징적 폭력(symbolic violence)은 프랑스 사회학자 피에르 부르디외(Pierre Bourdieu, 1930~2002)가 사용한 용어로 지배계급의 문화를 피지배계급에게 전파하여 지배적 문화는 합리적인 반면 자신의 문화는 비합리적인 것으로 인식하게 하는 과정을 지칭한다.

29) 신동준(2012), “다문화사회 범죄문제의 사회적 맥락: 외국인 노동자에 대한 차별을 중심으로”, 『형사정책연구』, 제23권 제4호(2012), pp. 183-217; 김정규, “외국인 이주자와 범죄: 상징적 폭력과 차별”, 『형사정책연구』, 제26권 제2호(2015), pp. 305-332.

제3절 이슬람 문화

Ⅰ. 이슬람의 태동과 확산

이슬람(Islam)이란 말은 평화, 순결, 순종, 복종이라는 의미를 가진 아랍어 쌀라마(salama)라는 동사에서 파생되었다. 그 의미는 두 가지로 하나는 종교와 샤리아(Sharia, 이슬람 법) 측면에서 '창조자·절대자의 목적과 의지에 순종하고 창조주의 법칙에 내 자신을 맡긴다'는 뜻이고, 또 다른 하나는 무함마드가 쓰는 용어로 '신에게 항복한다'는 의미이다. 무슬림은 '항복의 행위를 취하는 사람'이란 의미로 이슬람의 신조를 믿는 사람들을 지칭한다. 이슬람 학자들은 이슬람이 알려지기 이전 시대를 '자힐리야(아랍어로 "무지"를 뜻한다)시대', 즉 '무지(몽매)의 시대'라고 한다. 이 시대에 아랍부족 간에 전례 없이 많은 전쟁이 일어나고 영웅호걸들이 난립했다고 하여 이 시대를 일명 '아랍시대' 또는 '영웅시대'라고도 한다. 이 시대에 무려 1,700여 차례의 부족 간 전쟁이 발생했으며 이슬람의 회임(懷妊)과 산고(産苦)의 시대라고도 한다. 지리적으로 페르시아에서 메소포타미아를 경유해 지중해로 통하는 동서 해상로가 차단되면서 아라비아반도 서부의 홍해 연안 지방이 주요한 교역로의 중심으로 떠올랐고, 이 주변에 위치한 메카(Mecca)나 메디나(Medina)에는 교역을 중심으로 하는 경제활동이 활발해져 부의 축적과 더불어 사회적 분업이 생기고 유목민과의 유대도 강해졌다. 이런 상황에서 무역권이나 대상로(隊商路)를 확보하기 위한 쟁탈전은 비일비재했다. 이러한 사회·경제적 변화 속에서 이슬람이 탄생하였다. 이슬람이 탄생하기 전에는 근·중동이라 불리는 땅은 대략 BC 6천년 경에 메소포타미아의 문명으로 유프라테스와 티그리스 강으로 둘러싸인 매우 비옥한 지역이었다. 수메르와 아카드 문명이 생겨났고, 바빌론 문명이 있었으며 활발한 정복 활동으로 마침내 메소포타미아 전역을 석권하는 대국이 되었다. 이후 BC 550년경에는 처음으로 인도-유럽어족에 속하는 페르시아 제국이 이 지역의 패권을 잡았다. 페르시아는 나일강 유역, 소아시아, 이란고원, 아프가니스탄과 인더스강까지 넓은 지역을 아우르는 인류의 첫 대제국이었다. 이리하여 이 지역의 주민들은 메소포타미아 문명부터 페르시아제국에 이르기까지 위대한 역사를 자랑스럽게 여기고 있다.

이곳에서 이슬람의 역사가 시작되는데 AD 570년경 무함마드(Muhammad)가 아라비아반도에 있는 이스마엘(Ishmael)의 후손이라고 주장하는 부족에서 출생하였다. 이때 이슬람의 창시자인 무함마드는 부모를 잃고, 할아버지까지 죽게 되자 그의 삼촌인 아부 탈립(Abu Talib)의 보호 아래에서 살면서 삼촌을 따라 낙타몰이꾼이 되었는데 당시 많은 나라를 여행하며 많은 종교 즉 기독교와 유대교 등과 접촉하게 되었다. 무함마드는 성년이 되어 무역상인이 되었고, 25세 되던 해에 카디자(Kadija)라 불리는 부자 과부와 결혼하게 된다. 무함마드는 40세에 하나님으로부터 첫 번째 계시를 받게 되고 부인 카디자, 그의 사촌 알리, 자이드와 그의 친구 아부 바크(Abū Bakr)는 그의 추종자가 된다. 추종자가 점차로 늘어나자 그를 믿지 않는 쿠라쉬(Kurash) 가문으로부터 핍박을 받게 되고 이러한 핍박을 고민하던 무함마드는 70여명의 신자와 함께 620년 9월 24일(음력 7월 16일) 메카를 떠나 북쪽으로 400km 떨어진 메디나로 활동무대를 옮기게 된다. 이것이 바로 이슬람력(曆)의 시작이며, 히즈라(hijirah)라고 부른다. 7세기 초에 알라(Allāh)에게서 계시를 받아 622년에 그의 사상을 따르는 자들과 함께 고향 메카(Mecca)에서 메디나(Medina)로 옮겨가게 되고 이 해를 이슬람교를 창시한 해로 본다.

메디나에서 무함마드는 부족 간의 고질적인 유혈복수전을 종식시키고 교세를 확장하면서 첫 신정국가(神政國家) 체제인 움마(Ummah)를 건설했다. 여기서 알라를 최종 주권자로 하는 공동체인 움마를 건설한다는 요지를 담은 ‘메디나 헌장’을 반포하고 그것을 실행하기 위해 유대인들을 포함한 모든 메디나 주민들과 서약을 맺었다. 그 후 624년부터 627년 사이에 세 차례의 큰 전투를 거쳐 메카세력을 제압하고 드디어 630년 1월에 메카에 무혈입성(無血入城)했다. 이 해를 이슬람 역사에서는 ‘정복의 해’라고 한다. 무함마드는 메디나에서 최초로 움마라는 이념공동체를 만들어 전시(戰時) 지도자로, 신의 사도로, 군 사령관으로 제정일치(祭政一致)의 모든 권한을 독차지하며 강력한 종교적·정치적 리더로 서게 된다. 그곳에서 당시의 주도 세력인 유대교를 몰아내고 메카에서 세 번의 전쟁 끝에 승리하여 숨을 거둔 630년까지 아라비아반도 거의 대부분을 통일한다.

이슬람의 확장은 A.D. 632년 창시자 무함마드가 죽으면서 계속되었다. 무함마드가 죽었을 때 정해진 후계자가 없어 4명의 칼리프(khalifa, 후계자의 뜻)가 연이어 권좌에 올랐는데 이 시기를 '정통 칼리프 시대'라고 한다. 그들은 모두 무함마드와 같은 쿠라이시(Quraysh) 부족 출신으로, 메디나를 수도로 삼고 무함마드가 남긴 선례를 따라 나라를 통치하려고 노력했다. 초대 칼리프는 아부 바크르(Abū Bakr, 632~634), 2대는 우마르 이븐 알카탑(634~644), 3대는 무함마드의 사위인 우스만(644~656), 4대는 무함마드의 또 다른 사위인 알리(657~661)였고, 그 뒤를 이어서는 우마이야 왕조(661~750)가 시작되었다. 그 이후 이슬람 제국은 압바스 왕조를 거쳐, 티무르 제국, 오스만 제국으로 강성해져 그 세력이 해상으로 홍해(Red Sea)와 페르시아만(灣)에서부터 동아프리카의 남쪽 소팔라(Sofala)까지, 육지로는 동쪽으로 인도, 실론, 말레이시아, 인도네시아, 그리고 중국에까지 확장되었다. 15세기 말경에 이르자 이슬람은 인도양 해상무역의 독점권을 차지했고 그 배후의 지역에서 일어나고 있는 대부분의 상거래를 장악하였다. 이 시기에 몽골제국이 무섭게 진격하여 무슬림 지역을 점령했지만 오히려 이슬람화가 되었다. 그리고 1800년대와 1900년대에 오스만 제국과 몽골제국이 멸망하였다. 20세기 진입과 함께 중동의 이슬람 국가들이 영국, 프랑스, 네덜란드 등의 식민지 지배로부터 독립하여 석유를 무기로 세상의 주목을 받으며 이슬람교의 교세를 넓혀가게 되었다.

동남아시아 지역의 말레이 반도와 인도네시아 지역의 이슬람 전파는 정복이나 국가의 강제에 의한 것이 아니라 무역을 통한 것이 대부분이다. 이들은 각 지역에서 소그룹 공동체를 건설하고 정치적 정통성 확보에 관심 있는 현지의 엘리트들을 회유하여 이슬람이 정착하도록 했다. 인도네시아의 경우 13세기경 당시 인도와 아라비아・중국에서 바다를 건너온 상인들이 처음으로 이슬람을 소개했고 해안과 강변의 소규모 공국의 통치자들이 관심을 가졌다.

2017년 세계선교통계(Status of Global Christianity, 2017)에 따르면 지구촌 75억 인구 중 기독교(천주교, 개신교 포함) 신앙인이 24억 7,956만여 명으로 세계 전체 인구의 약 33%를 차지하여 종교 중 가장 많은 수를 차지했고, 뒤를 이어 이슬람이 17억 8,444만여 명, 힌두교가 10억 3,172만여 명, 불교가 5억 2,718만여 명으로 집계됐다.[30)]

---

30) "Status of Global Christianity, 2017, in the Context of 1900-2050", CENTER FOR THE

Ⅱ. 우리나라의 이슬람 전파

우리나라의 경우 이슬람과의 접촉은 통일신라시대로부터 이루어졌다. 당시 이슬람 상인들에 의해 문화, 공예, 미술, 음악 등의 분야에서 신라 사회에 영향을 준 것으로 알려져 있다. 그 후 고려사 기록에 의하면 1024년(현종 15년) 9월에 알라자(Al-Raga) 등 100여 명, 다음 해에 하세 라자(Hassah Raga) 등 100여 명, 1040년(정종 6년) 11월에 보나합(Barakah) 등 아랍인이 왔다는 기록이 있다.[31] 조선시대는 무슬림들이 통제와 박해를 받는데 조선의 등장과 함께 무슬림 상인의 출입이 사라졌으나 문화적 교류는 중국을 통해 계속되었던 것으로 보인다. 그 예로 세종 때에 농업의 발전을 위해 역법을 정비하고자 했을 때 중국에서 회회역법(이슬람역법)을 받아 들여 연구하게 하였다는 조선왕조실록에 기록되어 있는 것으로 보아 이슬람 문화가 영향을 끼친 것이다.[32]

본격적인 이슬람의 전래는 6.25전쟁 때 유엔군의 일원으로 참전한 터키군이 여단 규모의 병력을 파병하였다. 터키 군인들은 전쟁터에서 용맹스럽게 싸웠고 후방에서는 '앙카라학교'를 만들어 전쟁으로 버려진 고아들을 돌보는 일을 했다. 이로 인하여 터키 군인들은 한국인들에게 깊은 감명을 주었고 그들 문화의 바탕인 이슬람에 대한 동경심과 호기심으로 발전하게 되었다. 당시 만주에서 이슬람에 관심을 가졌던 한국 이주민들이 터키 군을 찾아가 예배에 참석할 수 있도록 요청하여 1953년 말 한국 무슬림들은 처음으로 매주 금요일의 합동 예배에 참석하게 되었다고 한다. 1955년 9월 15일에 한국이슬람협회(Korea Islamic Society)가 결성되었고, 이듬해인 1956년 4월에는 이슬람 협회 산하에 '청진학원'을 설립하였다. 1962년 한국 이슬람 유학생 11명이 처음으로 6개월 동안 말레이시아 이슬람대학에 파견되어 이슬람 교리와 의식을 공부하고 돌아왔고 1965년 1월 한국 이슬람 협회를 한국무슬림연맹(KMF: Korea Muslim Federation)로 명칭을 바꾸고 본격적인 선교활동을 하였다. 1967년 3월에 정부로부터 재단법인 설립을 인가받

STUDY of Global Christianity(2017)(http://www.gordonconwell.edu/ockenga/research/documents/StatusofGlobalChristianity2017.pdf) 참조.

31) 유정렬, "한국 이슬람에 대한 연구," 『연구논총』(한국외국어대학교 부설 중동문제연구소, 1981), p. 22.

32) 최영길, 『이슬람 문화』(서울 도서출판 알림, 2000), p. 373.

아 한국 이슬람을 대표하는 공식기구가 되었다.[33]

1970년대 중동 건설 붐을 타고 연 인원 100만 명에 달하는 한국 근로자들이 중동에 진출하고 그중 1,700여 명의 근로자들이 무슬림이 되어 귀국하여 이슬람 성장의 초석이 되었다. 이렇게 중동 국가와의 교류가 빈번해지면서 정부의 지원으로 1976년 5월 서울 이태원에 한국 최초의 이슬람 중앙 성원이 완공되었다. 이 성원의 개원으로 이슬람들의 신앙의 장소로서뿐만 아니라 이슬람 국가들이 한국에 진출하는 데 중요한 교두보 역할을 담당하였다. 1980년 초 부산에 제2성원이 건립되어 그해 가을에는 한국 이슬람 사상 처음으로 132명이라는 대규모 성지 순례단이 메카를 순례하여 영접을 받았고, 1981년 경기 광주에 제3성원, 1986년에는 안양시에 제4성원, 전주시에 제5성원을 건립하였다. 또한 1977년에 이란의 수도 테헤란 시장이 서울을 방문하여 자매결연을 맺었고 이를 기념하기 위해 당시 삼릉로라는 도로의 명칭을 테헤란로로 바꾸어 오늘에 이르게 되었다. 이로서 테헤란로는 서울의 경제, 금융, 무역의 중심지가 되었다. 또한 1980년 5월 당시 최규하 대통령이 사우디아라비아를 공식 방문하여 칼리드 국왕(재위 1975~1982)과 한국에 이슬람대학을 설립하는 데 공사비 일체를 제공 받아 경기도 용인에 세우기로 약속하였다. 현재는 전국에 50~60개의 임시 예배소가 설치되어 한국과 이슬람과의 교류에 힘쓰고 있으며 국내에 20만여 명(한국인 5만여 명, 외국인 15만여 명)의 무슬림이 있다. 세계종교의 미래에 의하면 한국의 경우 무슬림은 2010년 전 인구의 0.2%(10만여 명)에서 2050년 전 인구의 0.7%(34만여명)가 될 것으로 예측하고 있다.[34] 또 다른 견해는 10년 내에 우리나라의 무슬림이 100만, 2050년에는 300만~400만 명이 될 것으로 예상하기도 한다.[35]

33) 전재옥, 『기독교와 이슬람』(이화여자대학교출판부, 2003), pp. 80-85.
34) Pew Research Center, "The Future of World Religions: Population Growth Projections, 2010-2050, http://www.pewforum.org/2015/04/02/religious-projections-2010-2050.
35) 최윤식, 『2020-2040 한국교회 미래지도』(생명의말씀사, 2013).

Ⅲ. 이슬람의 선교전략

1. 다문화가정 이용

2016년 말 현재 이슬람권에서 한국에 근로자로 들어와 체류하고 있는 외국인 중에 우즈베키스탄이 전체 외국인(2,049,441명)의 2.7%(54,490명)로 가장 많고, 인도네시아2.3%(47,606명), 방글라데시 0.8%(15,482명), 파키스탄 0.6%(12,639명), 카자흐스탄 0.6%(11,895명), 말레이시아 0.4%(7,698명) 순이다.[36] 대부분의 외국인 불법체류자들과 마찬가지로 이들이 합법적인 체류 자격을 획득하기 위해서 한국여성과 합법적인 결혼하는 방법이다. 2007년부터 2016년까지 최근 10년간 우리나라에서 외국인과 결혼하는 가정이 연평균 약 32만 가구(317,607건)로 그중 연평균 350쌍의 무슬림 남성과 한국여성 사이에 결혼이 이뤄지고 있으나 절반가량의 부부가 결혼생활의 문제로 심한 갈등을 겪고 있는 것으로 조사되었다. 일부는 한국 교회에 다니면서 기독교 신앙으로 위장하여 결혼했다가 나중에 아내에게 개종을 요구해서 사회문제가 되고 있다. 남자 무슬림들은 이교도의 여자와 혼인할 경우 여자는 이슬람으로 개종하는 것이 원칙이고 개종 강요를 위해 폭력도 당연시하고 동반된다.[37]

아래 <표>에서 보는 바와 같이 우리나라의 경우 최근 10년의 출산율[38]이 평균 1.2명이다. 이에 반해 이슬람의 무슬림들은 자기 국가에서 평균 출산율이 5.0~8.0명이고, 유럽거주 무슬림의 경우 평균 출산율이 2.2명(2005~2010년의 경우, 독일의 무슬림 출산율은 1.8명이고 이탈리아는 1.9명, 스페인은 1.6명, 프랑스는 2.8명, 영국은 3.0명)이다.[39] 이를 감안할 때 우리나라의 출산율이 턱없이 낮은 것이 사실인 데 반해 이슬람 가정은 가능하면 많은 자녀들을 낳아서 무슬림들의 숫자

36) 법무부, 『2016년도 출입국·외국인정책 통계연보』, p. 46 참조.

37) 김정위, 『이슬람 입문』(서울: 한국외대출판부, 2001), p. 230.

38) 출산율(general fertility rate)은 15~49세의 가임기간에 있는 여성의 수로 1년간 낳은 출생아 수를 나눈뒤 1,000을 곱해 얻은 비율(출산율 = 1년간 총 출생아수 ÷ 가임연령층 여성의 수 ×1000). 가임기간 연령별 출산율을 합해서 계산하기 때문에 합계출산율(TFR: Total Fertility Rate)이라는 용어를 쓰기도 한다. 한국의 합계출산율은 1970년까지만 해도 4.71명에 달했으나 정부의 가족정책과 초혼연령 상승, 미혼율 증가 등의 영향으로 지속적으로 낮아져 2005년 1.22명에서 2016년엔 1.17명으로 OECD회원국 중 가장 낮다(한경 경제용어사전).

39) 최하영, "유럽 이슬람화의 실상과 선교적 대응", 『복음과 선교』 제37집(2017), p. 212.

를 늘려가는 추세이다. 왜냐하면 무슬림과 결혼한 자녀는 무조건 무슬림이 되기 때문이다.

〈출산율(2008-2016)〉

구분	평균	2008	2009	2010	2011	2012	2013	2014	2015	2016
출생아 수(천명)	450.4	465.9	444.8	470.2	471.3	484.6	436.5	435.4	438.4	406.2
합계 출산율(명)	1.212	1.192	1.149	1.226	1.244	1.297	1.187	1.205	1.239	1.172

출처: 보건복지부(e-나라지표).

문제는 총인구수에 대비한 무슬림의 수가 증가할수록 국제테러에 관여될 소지가 많다는 것이다. 이 같은 사례는 최근 중동의 이슬람국가(IS)에 가담하고 있는 외국인테러전투원의 경우를 보면 분명해진다. 외국인테러전투원 중에는 서유럽 출신이 많은데 이는 서유럽의 식민지 역사로 인한 비유럽 이주민의 수가 증가하였고, 이들이 전 인구에서 차지하는 비율이 높은 나라일수록 이러한 국제테러에 직간접으로 개입될 가능성이 많다는 것을 보여주는 사례이다.

유럽의 경우 2차대전 이후 식민지 국가로부터 값싼 노동력 때문에 대규모 무슬림 이주가 있었다. 이탈리아와 그리스에는 모로코·소말리아·이집트로부터 이주가 있었고, 스페인과 포르투갈, 프랑스에는 모로코·알제리(Algeria)·튀니지(Tunisia)·라틴아메리카로부터, 영국에는 인도·파키스탄·방글라데시·자메이카로부터, 독일에는 연맹국인 터키로부터 많은 이주가 있었다. 그리고 1985년 셍겐조약(Schengen Agreement)이후에는[40] EU회원 국가 간의 자유로운 이동이 있었고 2008년 동유럽의 경제위기로 인해 대거 이주가 있었다. 2015년 1월 현재 EU에는 3,430만 명의 이주민이 있는데, 그중 54%(1,850만 명)가 비유럽 국가로부터 왔다. 유럽 전체 인구 중에 무슬림의 비중이 2010년에는 5.9%(4,300만 명)이고 2050년이면 10.2%(7천만 명)가 될 것으로 전망한다.[41]

유럽의 경우 다음의 <표>에서 볼 수 있듯이 총인구 대비 이주민 비율이 높

40) 제9장 제3절 참조.
41) Pew Research Center, "The Future of World Religions: Population Growth Projections, 2010-2050, http://www.pewforum.org/2015/04/02/religious-projections-2010-2050.

은 나라는 영국 13% → 스페인 12.7% → 독일 12.6% → 프랑스 11.9% → 이탈리아 9.5% 순이고, 이주민 중에서 비유럽 비율이 높은 나라는 이탈리아 64.9% → 스페인 53.8% → 영국 45.4% → 독일 42.5% → 프랑스 38.3% 순이다. 또 총인구 대비 무슬림 비율이 가장 높은 나라는 프랑스로 2010년 전체 인구의 7.5%를 차지했다. 독일(5.8%)과 영국(4.8%)보다 높은 수치이며 다음으로는 벨기에(5.9%)에 무슬림 인구가 많다. 러시아의 경우도 2010년 총인구(1억 4천만 명) 대비 무슬림의 비율이 10%(1,430만 명)으로 가장 높다.[42]

〈유럽 주요 5개국의 이주민 비율〉

	독일	영국	프랑스	스페인	이탈리아
총 인구(명)	80,689,000	64,716,000	63,395,000	46,122,000	59,798,000
총 이주민(명)	10,200,400	8,411,000	7,908,700	5,891,200	5,805,300
2010년도 이주민 비율(%)	12.6	13.0	11.9	12.7	9.5
비유럽출신 비율(%)	7.6	8.2	8.6	8.4	6.6
2010년도 무슬림 비율(%)	5.8	4.8	7.5	2.1	3.7
2014년도 총 이주민(명)	884,900	632,000	339,900	305,500	277,600
2014년도 이주민 중 비유럽출신 비율(%)	42.1	45.4	38.3	53.8	64.9

출처: Wikipedia(Islam in Europe) & Pew Research Center(The Future of World Religions) 자료 참조.

다음의 <표>에서도 알 수 있듯이 최근의 중동 IS에 이슬람 성전(聖戰, Jihad)을 위한 외국인테러전투원(Foreign Fighter) 중 프랑스 출신이 다른 이웃국가보다 월등히 많다. 2014년도 스위스 안보연구센터(Centre for Security Studies)의 보고서에 의하면 IS에 동조하는 외국인테러전투원 중 11개 서유럽 국가 중에서 프랑스 출신이 가장 많은 700여 명이고, 영국과 러시아가 각각 500여 명, 독일이 270여 명, 벨기에가 226명인 것으로 나타났다. 이에 따르면 IS의 외국인테러전투원은 약 11,000명으로 추산되며 그중 약 18%인 2천여 명이 서유럽 출신인 것으로 밝혀져 총인구 대비 무슬림의 비율이 높을수록 국제테러에 직간접으로 개입될

42) Pew Research Center, "The Future of World Religions: Population Growth Projections, 2010-2050, http://www.pewforum.org/2015/04/02/religious-projections-2010-2050.

소지가 많다고 할 수 있다.

〈IS동조 외국인테러전투원 수(2014 초 기준)〉

국가	프랑스	영국	러시아	독일	벨기에	캐나다	호주	네덜란드	덴마크	미국	스페인
전투원(명)	700	500	400-500	270	226	130	120-150	100	80	70	17

출처: Centre for Security Study, Foreign Fighters: An Overview of Responses in Eleven Countries, ETH Zurich (March 2014).

또 2015년 1월 영국 런던 소재 급진화연구센터(ICSR: International Centre for the Study of Radicalization)의 보고서에 따르면 이라크와 시리아에 투입된 외국인 테러전투원은 1년 사이에 두 배 가량 증가하여 2014년 하반기 기준으로 2만 명으로 추산하고 그중 3,850명(약 19%)이 서유럽국가 출신으로 보고 있다. 다음의 <표>에서 알 수 있듯이 외국인테러전투원으로 가장 많은 출신국은 프랑스(1,200명)로 드러났다. 영국(500-600명)과 독일(500-600명)이 프랑스 다음으로 많이 참여하고 있으나 프랑스 출신은 영국과 독일보다 두 배나 많이 참여하는 것으로 나타났다. 따라서 IS에 동조하여 자발적으로 극단주의에 가담한 인원이 프랑스가 가장 많다는 것은 그만큼 다른 유럽국가보다 자국의 무슬림 인구의 비율이 높아 국제테러에 관여될 가능성이 높다는 것을 말한다. 따라서 우리나라도 전체 인구에서 무슬림 인구가 차지하는 비율에 관심을 가지고 대응할 필요가 있다는 것을 시사한다고 할 수 있다.

〈IS에 가담한 서유럽출신 외국인테러전투원 수(2014 하반기 기준)〉

국가	프랑스 (FR)	영국 (UK)	독일 (DE)	벨기에 (BE)	네덜란드 (NL)	스웨덴 (SE)	덴마크 (DK)	오스트리아 (AT)	이탈리아 (IT)	스페인 (ES)	핀란드 (FI)	노르웨이	스위스	아일랜드 (IE)
인원	1200	500-600	500-600	440	200-250	150-180	100-150	100-150	80	50-100	50-70	60	40	30

출처: International Centre for the Study of Radicalization, 26 January 2015.7).

이처럼 외국인 노동자들이 귀화하거나 한국인과 혼인해 이들의 2세가 한국사회에서 자라면서 문화적 갈등이나 사회적 부적응을 겪을 우려가 있다. 일반적으로 무슬림 다문화가정 자녀들이 이슬람 교육에만 힘을 쏟고 정작 한국사회에서 적응하여 살아가는 데 필요한 현지화 교육이 부족하다. 한국문화 교육이나 지식을 등한시하거나 종교적 이유로 정식 학교 교육을 거부하면서 일반 한국 학생들과 어울리지 못하고 있다. 이들은 자기들을 잠재적인 범죄자 취급하는 데 불만을 표하고 있다. 다행히 유럽이나 서구에서 일어나는 외로운 늑대형 테러나 무슬림들의 집단적 행동이나 종교적인 동기에 의한 테러가 아직까지 우리사회에서 발생한 바 없으나 앞으로의 전망은 밝은 것만 아니다. 이를 빌미로 일부 극단적 다문화 반대주의자들은 아예 무슬림들의 국내 장기 거주를 금지해야 한다는 주장을 하면서 순수한 한민족의 혈통을 강조하거나 할랄 식품에 대한 위해성을 꺼내는 등 외국인 혐오증인 제노포비아 유언비어를 선동을 하는 행위가 인터넷 상에서 일어나고 있다. 이는 향후 우리 사회에 대한 위협요인으로 작용할 가능성이 충분히 있는 만큼 장기적인 관점에서 문제에 대처해야 할 것이다.

2. 이슬람 문화 소개

최근 우리나라에서 무슬림의 할랄 식품(Halal Food)[43]에 대한 관심이 고조되고 있다. 2020년에 전 세계 무슬림인구는 19억 명으로 전 세계 인구의 25%로 추산되고, 2050년 무슬림 인구는 27억 6천만 명으로 전세계 인구의 30%에 육박할 것으로 추정된다.[44] 우선 2020년의 경우 세계인구 4명당 1명이 무슬림이고 이들이 소비하는 식품인 할랄 푸드 시장이 약 2조 5천$로 우리나라 GDP의 18%가 되는 상황으로 식품업계의 관심이 고조되고 있다. 정부 차원에서도 이러한 국제적 추세에 발마추어 관련 산업 지원에 힘을 쏟고 있다. 이러한 한국의 할랄 식품에 대한 관심고조 현상을 이용하여 한국의 무슬림들은 두바이를 비롯한 중동

43) 할랄 식품은 무슬림이 '먹을 수 있는, 섭취가 허용되는 음식'을 뜻한다. 돼지고기를 제외한 육류를 먹을 수 있으나 소・양・닭고기라 하더라도 할랄 방식으로 도축되지 않았다면 먹을 수 없다. 이 방식은 도축하고자 하는 동물의 머리를 이슬람 성지(聖地)인 메카가 있는 방향으로 두고, 기도를 한 뒤 칼로 목을 내려쳐 죽인 다음 모든 피가 빠져나갈 때까지 기다리는 것이다.

44) Pew Research Center, "The Future of World Religions: Population Growth Projections, 2010-2050, http://www.pewforum.org/2015/04/02/religious-projections-2010-2050.

산유국에 대한 소개와 함께 젊은이들을 상대로 중동취업을 위해 아랍어를 가르치는 등 이슬람 문화에 대한 거부감을 없애는 데 힘을 기울이고 있다. 특히 아랍어 강좌에 관심이 있는 젊은이들을 위해 아랍어를 가르치면서 자연스럽게 이슬람의 경전인 코란을 배우도록 하고 있다. 코란은 아랍의 언어로만 기록되어 있기 때문에 아랍어를 배우려면 자연히 이슬람 강의를 들어야 한다. 배우는 사람들은 선생과 제자 사이의 사제지간(師弟之間)으로 가장 효과적인 선교전략 중의 하나로 꼽히고 있다.

우리나라의 경우 2002년부터 중·고등학교에서 아랍어를 제2외국어로 선택할 수 있도록 하였다. 한국교육과정평가원(KICE)에 의하면 수능에서 제2외국어로 아랍어를 선택하는 비율이 2007학년도 5.6% → 2008학년도 15.2% → 2009학년도 29.4%로 전체 응시자 중 아랍어 선택비율이 1위가 되었고, 계속하여 2010학년도 42.2% → 2011학년도 45.7% → 2012학년도 45.8% → 2013학년도 41.1%로 줄곧 1위를 유지하다 2014학년도 16.6% → 2015학년도 19.5%로 주춤하다 2016학년도부터는 52.8%(전체 71,022명 응시자 중 37,52명이 응시)로 아랍어 선택비율이 다시 1위를 차지하였고 계속하여 2017학년도 71.1%, 2018학년도에도 73.5%로 추종을 불허할 정도로 급격하게 증가하고 있는 것을 보이고 있다.[45] 이런 추세로 나간다면 일반 고교에도 아랍어가 정규과목으로 채택되게 될 것이고 국내의 이슬람 선교사를 아랍어 교사로 초빙하게 되는 시기가 도래할 것으로 예상된다. 결국 이러한 과정을 통해 아랍어를 배우는 학생들로부터 이슬람에 대해 친근감을 가지면서 우리사회에 자연스럽게 이슬람 문화가 정착하는 계기가 가속될 것이다. 또한 무슬림 남성들과 결혼한 2세 자녀들이 중·고등학교에 진학하게 되면 아랍어 선생 채용을 강력하게 요구하는 단계로 발전할 것이다. 이외에도 한국 이슬람교 중앙회는 매년 1-2회씩 중·고등학교 역사교육 담당교사들을 초청하여 이슬람역사에 대한 소개 강연을 실시하고 있고, 서울중앙성원이 위치하고 있는 이태원 주변에는 한국의 무슬림이 몰려들어 주변 상가의 60% 정도가 이슬람 서점, 할랄(Halal) 음식점, 이슬람 옷가게 등으로 이슬람의 중심지로 변모해가고 있다.

또한 이슬람대학을 비롯하여 교육기관, 문화센터 등 이슬람 문화를 알리기 위한 각종 시설 건립이 추진되고 있다. 대표적인 이슬람대학의 건립은 1970년대

45) 한국교육과정평가원(Korea Institute Curriculim and Evaluation) www.kice.kr/ko.

말부터 구체화되기 시작한 사업이다. 1977년에 쿠웨이트의 한 사업가가 한국이슬람중앙회를 방문하여 제안한 사업으로 당시 최규하 대통령과 칼리드(Lhalid)사우디 왕과 협의로 1980년 7월 대학부지로 43만㎡(약 13만평)을 기증함으로 현실화되었다. 위치는 경기도 용인시 모현면 일대로 4개의 단과대학을 비롯한 15개 학과에 전체정원 3,200명 규모로 1980년 9월 14일 공사 착공식도 가졌으나 사우디측의 건립비용 지원 취소로 중단되었다. 이후 2005년 용인시가 해당 부지를 휴양림 용도로 매입함에 따라 이슬람 측에서는 2007년 경기도 연천군에 9만평의 토지를 새로 구입하며 "이슬람문화대학"이라는 명칭으로 개교하기 위해 준비 중이다. 또 이슬람 사원 내에 국제이슬람학교를 설립하여 코란과 이슬람문화를 가르치는 유치원과 초등학교로 2009년 3월에 개교를 시도하였으나 학생모집이 여의치 않아 일단 연기된 상태이다. 이슬람문화센터의 건립은 일반인들을 대상으로 이슬람의 종교 · 사회 · 문화를 소개하고, 상호교류 알선을 하는 장소로 현재 광주광역시, 대전 · 포천 · 송파구 거여동, 부평 · 제주 · 김포 등에 설립되어 있다. 2007년 10월에는 인천시의 후원으로 14억 원을 들여 '한국중동문화원'으로 이름을 바꾸어 남동구 구월동 인천시청 앞에 2007년 10월에 개원하였다. 중앙성원 내의 아랍어연수원은 1976년 개설된 이후 아랍어 외에도 이슬람권 언어인 말레이어 · 인도네시아어 · 터키어 · 이란어 등과 이슬람 기본 교리에 대한 강의가 진행되고 있다. 현재 정기 강좌는 월 · 수 · 금요일 저녁에 진행되고 있으며, 서울중앙성원을 방문하는 단체 대학생과 중 · 고등학생 및 일반인들을 대상으로 비정기강의가 진행되고 있고, 요청시 방문강의도 실시하고 있다. 매주 월요일에는 국내 외국인 무슬림자녀들을 위한 코란 수업이 이슬람선교단체에서 파견된 선교사에 의해 진행되고 있다. 이슬람연구 및 학술모임을 지원하고 있는 한국무슬림연맹(KMF)은 1976년 서울중앙성원 건립 후 많은 내 · 외국인 무슬림학자들을 초청하여 세미나와 포럼을 지속적으로 개최해오고 있다. 코란번역위원회는 코란의 한글 번역 작업을 진행하고 있는데 매주 토요일 번역위원들의 정기적 모임과 수시 연구토론 모임을 가지고 있으나 코란을 다른 언어로 번역하는 것 자체가 교리에 어긋나기 때문에 어려움을 겪고 있는 것으로 알려져 있다.

이처럼 우리나라도 다방면에서 이슬람 문화를 통한 선교가 활발히 이루어지고 있는 것이 현실이다.

3. 각종 매스컴 활용

이슬람의 선교전략에 각종 매스컴을 활용하여 이슬람과 기독교가 뿌리가 같은 종교라고 유사성을 강조하면서 이슬람의 알라와 기독교의 하나님이 같은 신이라고 주장한다. 또한 기독교가 배타적인 종교인 데 반해 이슬람은 평화의 종교라며 차별화 전략도 구사한다. EBS 등 매체를 이용하여 이슬람의 친근한 이미지를 홍보하고 인터넷을 통해 한국내 안티기독교 사이트들과 합세하여 반기독교 환경조성에 열중하고 있다. 서울중앙성원에는 한국 이슬람 4명과 아랍인 1명 총 5명으로 구성된 이슬람 '인터넷 사이버선교팀'을 운영하면서 이슬람 관련 언론보도에 즉각적인 대처를 하고 있는 것으로 알려져 있다. 또한 홈페이지를 통해 이슬람으로 개종한 무슬림들의 간증들을 게재하고 있고, 전국 9개의 이슬람성원 중 5개 성원이 자체적으로 홈페이지를 운영하고 있다. 광주성원에서는 할랄식품을 판매하기 위한 판매처의 정보를 제공하고, 대구성원에서는 코란을 비롯한 영어 및 멀티미디어 등을 가르칠 수 있는 학원을 두고 있으며, 부산성원에서는 이슬람의 기본교리와 교육교재 이맘설교 할랄식품 등의 목록을 게재하고 있으며, 전주성원에서는 이맘의 강의 동영상과 저서나 사진 등의 자료를 게재하고 있는 것으로 보인다.

그러나 우리 사회에서는 9·11테러와 이로 인한 대테러 전쟁 및 김선일 사건과 같은 한국인에 대한 참수 등과 같은 사건들로 인해 이슬람은 위험한 종교라는 인식이 암암리에 퍼져 있다. 우리나라도 미국의 요청에 따라 이라크·아프가니스탄 전쟁 등에 참전한 여파로 2007년 아프가니스탄 샘물교회 선교단 피랍사태, 2009년 예멘 관광객 폭탄사건, 2014년 이집트 시나이반도 버스폭탄테러, 2015년 김군 IS 가담 등 한국인이 직간접적으로 관련되어 피해를 입는 사건들로 이어졌고 일이 생길 때마다 이슬람 중앙성원에 항의, 협박, 혐오발언 전화 등이 폭주하게 되었다. 이는 한미동맹을 기본으로 하는 우리나라의 국가안보의 기본축(軸)에 근거하여 한국도 대테러 전쟁에 동참하는 현실에서 한편으로 자연스러운 현상이라고 할 수 있다. 다만 한국의 경우 초고속 인터넷의 보급률이 굉장히 높은 특성 상 이러한 이슬람 혐오증에 대한 자극적인 뉴스들이 엄청난 속도로 확산된다. 단순히 뉴스뿐만 아니라 원색적인 댓글들까지 같이 달리게 됨으로써 일반인들 사이에 이슬람 혐오 정서는 나날이 확산되고 있다. 인터넷상의 일베, 오유, 보배드림, 뽐뿌, 82쿡, 클리앙 등 유명 커뮤니티에서 이슬람을 욕하는 의견이 다수의 지지를 받고 있는 것이 현실이다. 과거에는 주로 극우 성향이나 종교적 성향의 사용자들이 돼지고기, 술, 개 등 한국 사회와 일치하지 않는 이슬람 문화를 빌미삼아 저급한 문화로 취급하였으나 최근의 중동의 IS 등장 이후에는 주로 잔혹행위와 테러에 초점이 맞춰지고 있다. 이로 인해 우리 사회에서는 이슬람 문화에 대한 인식이 거의 바닥으로 떨어지면서 이슬람 문화에 대한 적대감을 보이고 있는 실정이다. 이는 한국사회의 잠재적인 위협 측면에서도 장기적으로 바람직한 현상이 아니고 극복해야 하는 언론의 역할이 중요시되는 이유다.

이처럼 우리나라의 이슬람 문화에 대한 일부의 거부감이나 거리감에도 불구하고 이슬람의 선교 전략은 꾸준하게 전개되고 있어 조만간 우리사회에 익숙하게 안착될 것이다. 다문화 가정의 증가, 할랄 식품시장에 대한 경제적 기대와 역할, 아랍어에 대한 젊은이들의 선호, 이슬람 문화의 친근감과 강력한 친화력 등을 바탕으로 이슬람은 우리 생활에 너무나 가깝게 쉽게 접하는 날이 도래할 것이다. 이는 향후 한국 인구의 30%를 점하고 있는 기독교와의 갈등으로 발전할 가능성이 있다는 점에서 주시해야 한다는 것이다. 이러한 종교 갈등은 한국사회를 분열과 폭력으로 얼룩지게 하고 결국 테러로 발전할 가능성을 배제할 수 없다는 데서 문제의 심각성이 있다.

이러한 종교 갈등과 테러의 문제는 제11장 제1절에서 자세히 다루고자 한다.

제4절 묻지마 범죄

Ⅰ. 묻지마 범죄 개념과 특징

우리나라에서 '묻지마 범죄'라는 용어가 처음으로 등장한 것은 2003년 발생한 대구지하철 방화사건을 계기로 일부 언론에서 사용한 것이 시초로 알려져 있다. 이러한 용어는 법률적인 용어도 아니고 학문적으로 정립된 것이 아니라 언론을 통해 알려진 용어이다. 명확한 범행의 동기가 없이 때와 장소, 상대를 가리지 않고 무작위로 불특정 다수인을 상대로 살인이나 폭력을 행사하는 범죄다. 즉 범행 동기가 불명확하고, 불특정 다수를 대상으로 하면서, 범행의 수법이 잔혹한 사건을 뜻하는 것으로 정의한다. 다른 용어로는 무동기 범죄(Motiveless Crime), 불특정 다수를 향한 범죄(Stranger Violence against Multiple Victims), 증오범죄(Hate Crime), 무차별 범죄(Random Violence) 등으로 불리기도 한다. Levin과 Fox(1985)는 『Mass Murder: America's Growing Menace』에서 대량살인범(Mass Murder)의 특성을 묻지마 범죄자의 전형이라고 설명하고 있고,[46] Best(1999)도 『Random Violence: How We Talk about New Crimes and New Victims』에서 무차별 범죄(random crime)라는 개념을 소개하고 있다. 특히 무차별 범죄(Random Violence)라는 용어는 1999년 미국에서 Joel Best가 이전의 범죄와는 다른 새로운 범죄를 지칭하는 것으로 사용하면서 이목을 집중시킨 말이다. Best는 당시 미국 언론과 정치권 등에서 빈번히 사용한 무작위 폭력이라는 용어가 미국사회에서 1980년대에 새롭게 나타난 범죄 양상이라고 했다. 고속도로 총격사건,[47] 스토킹, 차량강도, 연쇄 살인 등을 설명하기 위해 언론에 의해 사용되기 시작한 표현이다. 피해자의 입장에서 범죄와 무관한 행동 중 갑작스럽고 예기치 않은 피해를 당하고 가해자는 피해자와 별다른 관계가 없고 뚜렷한 이유도 발견할 수 없음을 부각시키려는 용어라고 설명하였다.[48]

우리나라의 대검찰청에서는 2013년 다음의 <표>에서 보는 바와 같이 이러한 묻지마 범죄를 가해자와 아무런 관계가 없는 불특정 피해자에 대하여 가해자의 일방적 의사로 위험한 물건을 사용하여 폭행, 손괴 등 유형의 폭력을 행사하는 방법으로써 피해자의 생명, 신체, 재산을 침해하는 범죄로 규정하였다. 즉 범행 유형으로 살인, 상해, 폭행, 협박, 방화, 방화치사, 손괴 등을 포함시키고, 폭

---

46) Jack Levin and James Alan Fox, 『*Mass murder: America's growing menace*』, New York: Plenum Press(1985).

47) 고속도로를 달리는 차량을 향해 총을 난사하는 것으로 가장 유명한 사건은 2002년 10월 3주 동안 미국의 수도인 워싱턴 DC, 메릴랜드, 버지니아 주를 연결해주는 고속도로에서 두 명의 범인이 차량을 향해 총을 난사하여 총 10명이 사망하고 여러 명이 크게 다쳐 범인 1명은 사형, 다른 1명은 종신형을 선고받았다.

48) Joel Best, 『*Random Violence: How We Talk about New Crimes and New Victims*』, University of California Press(1999).

력의 동기에 특정한 목적과 이득이 있는 강도죄, 강도살인죄, 강간죄, 금품 갈취, 성적 만족 등은 묻지마 범죄에서 제외시켰다.

〈대검찰청의 '묻지마 범죄' 정의와 범죄 유형〉

정의	· 범죄행위자와 피해자 사이에 명확한 연관성이 존재하지 않는 불특정인을 대상으로 흉기 기타 위험한 물건을 휴대하여 저지르는 범죄로서 다음 각 호의 어느 하나에 해당하는 죄 - 형법 제24장 '살인의 죄' 중 형법 제250조(살인) 및 제254조(살인죄 미수범) - 형법 제25장 '상해와 폭행의 죄' 중 제257조(상해), 제258조(중상해), 제259조(상해치사), 제260조(폭행), 제261조(특수폭행), 제263조(폭행치사상) - 형법 제30장 '협박의 죄' 중 제283조(협박), 제284조(특수협박) - 형법 제13장 '방화와 실화의 죄' 중 제164조 제2항(현주건조물 등에의 방화 등 치상, 치사), 제172조 제2항(폭발성물건파열 등 치상, 치사), 제172조의2 제2항(가스·전기 등 방류 등 치상, 치사) - 형법 제42장 '손괴의 죄' 중 제366조(재물손괴 등), 제268조(중손괴), 제369조(특수손괴) 제1호 내지 제4호의 죄로서 다른 법률에 따라 가중 처벌되는 죄
죄명	- 살인, 살인미수 - 상해, 중상해, 상해치사, 폭행, 특수폭행, 폭행치상, 폭행치사 - 협박, 특수협박 - 현주건조물방화(치사) 등, 폭발성물건파열(치상, 치사) 등 - 폭력행위 등 처벌에 관한 법률위반(집단·흉기 등 폭행, 상해, 협박, 재물손괴 등)

출처: 대검찰청(『묻지마 범죄 분석』, 2013).

이처럼 묻지마 범죄의 개념상 특징은 일반 형사범죄와 달리 첫째, 범죄의 특별한 동기가 없다. 동기가 있다고 하더라도 일반인의 상식으로 알 수 없는 어렵거나 뚜렷하지 않다. 둘째, 피해자와 가해자 사이의 특별한 인과관계가 없이 불특정 다수를 상대로 한다는 것이다. 구체적으로 보면 ① 가해자와 피해자 사이에 돈이나 원한과 같은 전통적이고 직접적인 범행 동기나 명확한 연관관계가 존재하지 않는다. ② 불특정 다수를 대상으로 한다. ③ 공격받는 피해자가 가해자에 대해 알지 못한다. ④ 길거리나 공공장소에서 공공연하게 자행된다. ⑤ 범행 동기가 다양하다. 즉 종교나 인종에 대한 맹목적인 혐오나 증오심, 개인적, 사회적 소외감이나 불만, 적대감 등의 표출이나 분노, 충동, 쾌락추구 등이다.

묻지마 범죄의 특징은 생존과 사회적 인정 욕구가 좌절된 사람들의 분노 표출의 한 형태이다. 일차적으로 자기 자신에 대한 불만이나 욕구의 좌절, 스트레스 등이 원인이고 이차적으로 사회적 배제와 빈곤이 갈수록 공고화되는 사회구조적 벽에 가로막혀 절망하고 좌절하여 사회에 대한 막연한 증오심과 분노를 표출하는 범죄이다. 첫째, 사회에 대한 막연한 복수심으로 자신이 과거에 받은 피해에 대하여 사회 전반의 불특정 다수를 상대로 복수심과 분노를 표출한다. 둘째, 자신에게 위해를 가한 상대에게 직접적으로 보복행위를 하는 것은 자신과 상대의 사회적 지위 차이로 인하여 불가능하기 때문에 불특정 다수를 공격함으로써 그 불만요소를 해소하고자 한다. 셋째, 묻지마 범죄자는 일반적으로 올바른 판단을 할 수 있지만 스스로 일탈적 윤리규범을 만들고 그것을 정당화시켜 그것이 옳은 규범인 것처럼 스스로 믿게 되는 경우와 정신적인 장애를 가지고 있는 경우로 나누어 볼 수 있다.

Ⅱ. 묻지마 범죄 발생 현황 및 원인

대검찰청에서 매년 발표하는 자료에 따르면 우리나라에서 최근 5년간 2012년부터 2016년까지 발생한 묻지마 범죄는 총 270건(2012년 55건, 2013년 54건, 2014년 54건, 2015년 50건, 2016년 57건)으로 매년 평균 54건이다. 범행 동기는 현실불만 24%, 정신질환 36%, 알코올 등 약물중독이 35%로 전체 범행의 95% 이상을 차지하고 있었고, 음주 상태의 범행이 52%에 이르러 정신질환과 알코올 등이 주요 원인인 것으로 밝혀졌다. 또한 형사정책연구원에서 2012년 발생한 55건의 묻지마 범죄자를 대상으로 조사한 경과를 범행 특성 및 인구·사회학적 배경, 심리사회적 요인, 피해자 관련 특성 등을 고려하여 최소 공간 분석(SSA: Smallest Space Analysis) 기법을 통해 묻지마 범죄자 유형을 3가지(현실 불만형, 정신 장애형, 만성 분노형)로 나누어 분석하였다. 그 결과 만성 분노형이 전체의 45.8%를 차지하였고, 그 다음이 정신 장애형으로 37.5%, 그리고 현실 불만형이 16.7%로 나타났다.[49]

우선 현실 불만형의 경우, 주로 사회에 불만이 있거나 자신의 처지를 비관하여 범행을 저질렀다. 일반적으로 범행 당시 우울한 기분을 느끼며 평소에도 사회

49) 윤정숙 외, 『묻지마 범죄자의 특성 이해 및 대응방안 연구』(형사정책연구원 연구총서 13-AB-03, 2014), pp. 117-121.

에 대한 막연한 적개심을 가지고 있었고, 주로 여름에 노상에서 범행을 자행하고 범행 후에도 현장을 떠나지 않고 그냥 머물러 있는 경우가 많았다. 이들은 어린 시절 부모가 이혼하였거나 부모 및 형제와의 관계가 양호하지 못했으며, 평소 자신을 해하려는 사고나 환상이 있는 등 자살에 대한 욕구를 갖고 있었다.

두 번째 정신 장애형의 경우, 주로 정신분열증 등 정신 장애가 있거나 마약이나 본드 등의 환각 물질 흡입으로 인해 범행을 자행했다. 이들은 주로 신체 및 정신 병력이 있었고 정신과 치료 경험이 있는 경우가 많았다. 대인 관계를 보면 친밀감이 결핍된 경우가 많고, 인지 및 지각, 사고 기능과 관련해서 망상이나 환상, 환각, 와해된 사고를 보이기도 하였다. 범행 당시 신체 건강 상태도 양호하지 못했으며, 일반적으로 하루 일과를 주로 TV를 시청하거나 자는 등 집에서 특별한 활동 없이 시간을 보냈다.

세 번째 만성 분노형의 범죄자들은 주로 다른 사람의 행동이나 의도를 잘못 해석하거나 분풀이 또는 특별한 이유 없이 단순히 재미로 범행을 저질렀다. 범죄자가 주폭(酒暴) 혹은 상습 폭력범인 경우도 이 유형에 해당한다. 이들은 범행 당시 주취 상태이거나, 약물이나 본드 등 환각제를 사용한 상태인 경우가 많았다. 범행 당시에는 초조하거나 불안한 기분을 느끼며, 종종 묻지마 범죄와 함께 다른 범죄가 경합하여 나타난다. 이들은 어린 시절 부모가 없었던 경우가 많았고, 평소 하루 일과를 보면 주로 정해진 일과 없이 혼자서 쏘다니거나, 술이나 마약 등에 탐닉해 있었다.

일반적으로 묻지마 범죄의 원인으로는 대체로 사회적 원인과 개인적 원인이 혼합되어 나타난다.

첫째, 사회적 원인으로는 일반적으로 경제적 불평등, 쾌락·폭력문화, 도시화 등을 들고 있다. 경제적 불평등은 어떤 사회가 빈부격차가 심해지고, 과열된 경쟁 속에서 경기침체가 이어져 고용 불안정이나 실직이 심각한 사회문제로 대두되는 경우다. 특히 경기 불황 속에서 양극화가 두드러질 경우 상대적 박탈감이 심화되고, 이로 인해 가족의 해체로까지 이어지면 자신의 어려운 처지에 대한 비관이 부유층 등을 포함한 사회 전반에 대한 불만과 분노로 표출된다. 경제적 부의 균형적 배분이 이루어지지 못한다면 사회적으로 소외된 사람들을 양산하게 되고 이들이 그 사회에 대한 불만을 가지는 과정에서 불특정인에게 그 불만을 표출한다. 또한 사회의 쾌락주의는 도덕적인 삶을 포기하고 단순히 쾌락만을 추구하면서 특별한 목적과 가치관을 상실하는 사람들의 숫자가 늘어나고 이들이 상대방에 대한 배려보다는 자신의 즐거움만을 위해 행동을 즉흥적으로 선택하는 경우가 많다. 사회의 폭력적 문화도 묻지마 범죄현상을 심화시킨다. TV나 인터넷, 영화, 게임과 같은 소위 4대 대중 매체가 제공하는 폭력적인 콘텐츠가 사람들에게 사회적 학습에 의한 폭력성이 증대하는 역할을 한다. 그 결과 폭력의 일상화, 자아와의 동일화가 이루어지면서 묻지마 범죄를 만들어내는 데 영향을 미친다. 또한 사회적으로 지위가 낮고 고립된 사람들이 밀집된 도시 환경에 집중적으로 거주할 경우, 서로 공격성에 취약하게 되어 결과적으로 폭력이 증가하게 된다.

둘째, 개인적 원인으로 가족으로부터 떨어져 혼자 생활하고 가족과의 연락도 거의 하지 않으며 사회적으로 고립된 생활을 하는 사람은 가족이나 친구와 같은 주변 사람들로부터의 격려와 정서적인 지지가 결여된다. 이런 사회로부터의 단절은 어린 시절부터 형성된 좌절감이나 열등감을 심화시키고, 범행 당시 해고나 실직 등의 좌절 경험으로부터 자존감을 지켜줄 버팀목 역할을 하지 못하게 만든다. 또한 사회적 고립은 공격성의 억제나 충동 조절 능력의 저하를 야기하여, 순간적인 분노나 화를 참지 못하고 공격적으로 표출하게 만들기도 한다. 결국, 사회적으로 고립된 개인은 스트레스를 해소할 기회를 찾지 못한 채 우울과 불안, 분노 등의 부정적 감정으로의 침잠을 가속화시키게 되며, 이러한 악순환은 결국에는 공격적 행동으로 표출되기도 한다. 또한 개인적인 자존감에의 위협이 있는 경우 분노와 우울, 불안이 생기고 이를 적절히 해소하지 못할 경우 불특정 상대에 대한 폭력적 표출을 통해 무너진 자존감을 회복시키려 한다. 특히 타인에게 긍정적인 인상을 유지하려는 욕구는 공격성의 발현과 관련이 있고 자아존중감에 위협을 받거나 자아상(自我像, self-image)에 타격을 입는 경우, 자신의 체면을 차리기 위해서 공격 행동을 통해 보복하려는 성향이 나타난다. 또한 자기에게 닥친 불행(예: 해고나 실직 등)의 원인을 자신에게서 찾는 것이 아니라 사회나 주변 환경 탓을 하는 외부 요인의 경향이 강하다. 즉 자신에게 닥친 실패나 좌절의 원인을 타인이나 사회 탓으로 돌림으로써 본인이 가지고 있는 불만이나 적대감을 자신과 연관도 없는 불특정한 사회구성원들에게 폭력으로 표출하는 양상을 보인다. 범죄자의 분노를 일으킨 원인과 아무런 관련 없는 다른 사람을 범행 대상으로 삼는 것은 접근이 용이하고 유약한 사람에게 자신이 느끼는 분노를 표출하는 것이 정당하다는 인지적 절차로 인해 가능해진다. 가정 폭력 등 어린 시절부터 형성되어 온 좌절감이나 열등감을 바탕으로 범행 당시에 이러한 부정적 감정이 다른 사람을 향한 폭력으로 표출되게끔 하는 도화선이 되고 여기에 실직이나 경제적 위기, 이혼, 해고 등의 상황이 가중되면 묻지마 범죄의 위험성을 증가시킨다.

Ⅲ. 대표적 사건 사례

1. 1982년 우범곤 순경 총기난사 사건

4월 26일 현직 순경인 우범곤이 총기를 난사하여 95명의 사상자를 낸 사건이다. 당시 우범곤(당시 27세)은 경남 의령군 경찰서 소속 현직 순경으로서 사건 당일 동거녀와 말다툼을 벌인 뒤 흥분 상태에서 범행을 저질렀다. 오후 7시 반에 예비군 무기고에서 카빈소총 2정, 실탄 129발, 수류탄 6발을 들고 나와 우체국에서 일하던 전화교환원을 살해하여 외부와의 통신을 두절시키고, 인근 4개 마을을 돌아다니며 마구 총을 쏘고 수류탄을 터뜨렸다. 자정이 지나 우순경은 총기 난사를 멈추고 평촌리 서인수씨 집에 들어가 일가족 5명을 깨운 뒤 4월 27일 새벽 5시경 수류탄 2발을 터뜨려 자폭했다. 이 사건으로 주민 62명이 사망하고 33명이 중경상을 입었다.

2. 1991년 여의도광장 차량 질주 사건

10월 19일 서울 여의도 KBS 앞 광장에 차량이 마구 질주하여 놀러 나온 초등학생 2명이 즉사하고 시민 21명이 부상당했다. 범인은 시각장애인 김용제(당시 21세)로 어릴 때부터 시각장애를 가지고 태어나 어머니는 7살 때 집을 나갔고, 몇 년 후에 아버지마저 농약으로 자살한 불우한 가정에서 자랐다. 시각장애와 소극적인 성격으로 집단 따돌림을 당하여 결국 초등학교만 졸업하고 서울과 부산을 전전하며 힘들게 살아보려고 했지만 안정된 직장을 가질 수 없었고 급여 또한 제대로 받지 못했다. 결국 범인은 다니던 서울 화곡동의 양말 공장에서 해고된 뒤 양말 공장의 사장 차 열쇠를 몰래 복사하여 그 차로 범행을 감행했다. 1992

년 사형 확정 판결을 받고 1997년 사형 당했다.

3. 1991년 대구 나이트클럽 방화 사건

10월 17일 대구시 서구소재 거성회관 나이트클럽에서 방화로 나이트클럽 손님 16명이 사망하고 13명이 중화상을 입었다. 범인은 김천의 영농후계자 김모씨(당시 29세)로 친구 3명과 술을 마신 뒤 찾은 나이트클럽 입구에서 옷차림이 누추하다는 복장 문제로 입장을 저지당하자 실랑이를 벌였다. 그는 이 같은 푸대접을 참지 못해 80m 가량 떨어진 주유소에서 휘발유 6ℓ를 사와 뒷문으로 들어가 바닥에 뿌리고 갖고 있던 라이터로 불을 붙였다. 삽시간이 불길이 솟아 무대와 커튼, 카펫 등은 유독가스를 내뿜으며 타올랐고, 내부 조명이 꺼지면서 내부가 암흑 상태가 되면서 불은 20분 만에 진화됐지만 피해가 컸다. 범인은 무기징역이 선고돼 복역 중이다.

4. 2003년 대구 지하철 방화 사건

2월 18일 오전 10시경 대구시내 지하철 1호선 중앙로역에서 방화로 인한 화재가 발생하여 승객 192명이 죽고 148명이 중경상을 입는 큰 인명피해를 냈다. 범인은 지체장애 2급 판정을 받은 장애인 김대한(당시 56세)으로 자신의 신병을 비관해 중앙로역 구내에서 진천→안심 방향으로 향하던 전동차를 타고 가다가 인화물질이 든 페트병 2개를 꺼내 라이터로 불을 붙인 뒤 객실에 던졌다. 순식간에 전동차의 6개 객차에 번졌고 때마침 반대편에 진입 중이던 전동차 6량에도 옮겨 붙어 큰 인명피해를 냈다. 방화 직후 몸에 화상을 입고 병원으로 이송된 범인은 체포되어 무기징역을 선고받고 복역 중 사망하였다.

5. 2008년 논현동 고시원 살인 사건

10월 20일 8시 15분 경 서울 강남구 논현동의 D고시원에서 2003년부터 거주하던 정상진(당시 30세)이 고시원에 화재를 일으킨 뒤, 화재연기를 피해 복도로 뛰어나온 피해자들을 미리 준비하고 있던 칼로 무차별적으로 찔러 살해 또는 중상을 입힌 사건이다. 화재로 고시원의 세 층이 일부 전소했으며, 칼에 찔린 피해자는 사망자 6명, 중상 4명, 경상 3명이었다. 범인은 일기장에서 "나는 태어나지 말았어야 했다" 등의 자신의 태생에 대한 원망을 드러내는 내용이 많았고, 신변을 비관하고 세상을 증오하는 내용이 가득 차 있었다. 범인은 2009년 5월 12일 사형을 선고받았다.

6. 2010년 신정동 살인 사건

8월 7일 서울 양천구 신정동에서 당시 일용직 노동자인 윤모(당시 33세)가 다가구주택 옥탑방에 침입하여 장모(41세) 여인의 머리를 둔기로 때린 뒤 남편 임모(42세, 남)를 칼로 찔러 숨지게 한 사건이다. 범인은 그날 일거리를 구하지 못하자 평소 작업할 때 쓰는 망치와 과도(22cm) 등의 흉기가 든 배낭을 메고 양천구 일대를 배회하다가 저녁 6시 경 맞은편에 옥탑방에서 웃음소리가 들리자 불우한 자신의 처지와 비교되어 순간적으로 격분하여 범행을 저질렀다. 범인은 강도·강간으로 징역 10년을 선고받고 복역한 뒤 2010년 5월 출소하여 공사장 일용직 노동자로 일을 해 왔으나 서툴다는 이유로 무시를 당했고, 자신을 도와주지 않는 가족들에 대해 평소 불만을 가지고 있었으며 일용직 외에 취업의 기회가 없는 자신의 처지를 사회 탓으로 돌려 적개심을 키우고 있었다. 범인에게는 무기징역이 선고되었다.

7. 2010년 잠원동 살인 사건

12월 5일 오전 6시 30분 경 서울 서초구 잠원동에서 길을 걸어가던 행인 김모(26세, 남)씨를 보고 한 차례 흉기를 휘두르고 도망가자 약 200m 가량 쫓아가 허벅지와 옆구리를 두 차례 더 흉기로 찔러 살해한 사건이다. 범인은 박모(당시 23세)로 자기 집에서 칼싸움을 소재로 한 격투기 게임을 하다 패하자 '맨 처음 만나는 사람을 죽이겠다'는 살인 충동을 느껴 집에 있던 부엌칼(16.5cm)을 소매속에 숨겨 가지고 나와 길을 걸어가던 김모 씨를 살해한 것이다. 범인은 여섯 살 때까지 미국에서 생활하고 강남 소재 한 고등학교에서 상위권의 성적을 유지하였으나 자신이 바라던 대학에 진학을 못하고 미국으로 유학을 가서 뉴욕 주립대에서 심리학을 전공하였으나 중퇴하고 돌아와 집에서 지내며 컴퓨터 게임에 중독된 상태였다. 미국 생활 중 친구를 전혀 사귀지 못했고 귀국한 이후에도 친구들과 연락이 없이 담배를 살 때를 제외하고는 집 밖으로 전혀 나가지 않았고 휴대전화도 사용하지 않았다. 범행 후에도 전혀 죄책감을 보이지 않았다. 범인은 징역 25년형을 선고받고 복역 중이다.

8. 2016년 강남역 살인 사건

5월 17일 새벽 01시 07분 서울 강남에 소재한 한 주점 건물의 남녀공용 화장실에서 여성인 A(23)씨가 흉기에 찔려 살해되었다. 조사 결과 범인 김모(당시 34세)는 당일 화장실에 숨어 있다가 생면부지의 여성을 칼로 찔러 살해했다. 범인은 2008년부터 정신과병원에서 정신분열증인 조현병(調絃病)[50]으로 입원치료를 받은 적이 있는 자로 범행직전 보름동안 강남역 부근 주점에서 일을 한 적이 있었다. 그때 실제로 위생상태가 불결하다고 지적한 여성 손님이 없었음에도 불구하고 주점을 옮기게 된 이유가 여성이 음해했기 때문이라는 망상을 갖게 되어 표면적인 범행동기도 없이 아무런 인과관계도 없는 피해여성에게 범행을 저질렀다는 것이다. 범인은 2017년 대법원에서 징역 30년형을 받고 복역 중이다.

9. 2016년 수락산 등산객 살인 사건

5월 29일 서울 수락산 등산로에서 64세 여성이 흉기에 찔려 숨진 채 발견되었다. 범인 김학봉(61세)은 강도 살인으로 15년간 징역을 살다 2016년 1월에 출소하여 노숙을 하며 지내다 범행 하루 전 수락산에 올라가 밤을 지새운 뒤 다음날 아침 여성 등산객을 살해했다. 범인은 정신병력으로 4번 치료받은 사실이 있고 처음에는 살해할 생각이 없었는데 사는 게 힘들고 짜증나서 화가 나 살해하게 되었다고 한다. 범인은 무기징역을 선고받고 복역 중이다.

이러한 묻지마 범죄가 테러로 발전할 가능성은 제11장 제2절에서 상세히 다루고자 한다.

---

50) 조현병(調絃病)은 정신분열병(정신분열증)으로 병명이 사회적인 이질감과 거부감을 불러일으킨다는 이유로 2011년 바뀐 이름이다. 조현(調絃)이란 현악기의 줄을 고르다는 뜻으로, 환자의 모습이 마치 조율되지 못한 악기의 모습처럼 혼란스러운 상태를 보이는 것과 같다는 데서 비롯되었다(네이버 백과).

대 응

여기서는 앞에서 살펴본 우리나라에 대한 테러위협의 대응과 대책을 다룬다. 테러에 대한 대응은 나라마다 다르고 대처 방식에 차이가 있다. 우선 우리나라의 대응책을 살펴보고, 국제적인 대책과 다른 나라의 경우를 차례로 살펴본다.

제7장은 우리나라의 테러 대응체제이다. 우선 지난 2016년 제정된 「테러방지법」의 제정 경과와 주요 내용 및 미비점을 살펴본다. 또한 지금까지의 우리나라의 테러 문제는 북한의 대남테러 대응에 주안점을 둠으로써 「통합방위법」과의 관계를 자세히 다룬다. 이어서 부처별 임무 분담 내용과 단계별로 테러 예방단계 → 테러사건 대처단계 → 사후 복구단계 등의 순서로 살펴본다. 사후 단계에 해당하는 테러범죄의 수사는 중요도에 따라 별도의 절(節)로 다루었고, 국가중요행사의 안전대책도 테러 대응차원에서 살펴보았다.

제8장은 테러에 대응하는 수단을 다루었다. 대응체제에서 다루는 문제는 테러에 직접적으로 적용되는 방식인 데 반해 여기서는 주로 간접적인 대응 방식을 거론했다. 정보와 언론의 중요성과 함께 오늘날 날로 발전하고 있는 민간경비 활용 문제, 전 세계적으로 실시하고 있는 다문화정책의 우리나라 추진 현황과 외국인에 대한 혐오범죄 등을 살펴보았다.

제9장은 테러에 대한 국제공조 문제를 다루었다. 국제테러에 대처하기 위해서는 한 나라의 힘만으로는 부족하고 국제적으로 협력과 교류가 필수적이다. 우선 테러리즘 방지와 억제를 위한 국제사회의 노력과 14개 관련 조약을 소개하고, 세계 지역별 협력 실태를 미주지역, 유럽지역, 동남아시아지역, 중동지역, 기타지역으로 나누어 살펴보았다. 아울러 선진 각국의 대테러정책을 미국, 영국, 독일, 프랑스, 일본 등 5개국의 사례를 통해 살펴보고, 마지막으로 UN과 미국 · 영국에서 실시하고 있는 국제테러단체 및 테러지원국가 지정 과정과 현황을 소개하였다.

제7장

대응 체제

여기서는 우리나라의 테러 대응체제를 다룬다. 우선 지난 2016년 제정된 「테러방지법」의 제정 경과와 주요 내용 및 미비점을 살펴본다. 총 19개조로 구성된 「테러방지법」의 특징은 대테러 컨트롤타워인 대테러센터를 국무총리 소속으로 하고, 테러관련 정보 수집은 국정원장이 담당하도록 하였고, 대테러 인권보호관 제도를 신설하여 국가기관의 대테러활동 과정에서 국민의 인권 침해가 없도록 배려하였다. 그리고 그 시행령을 통해 국가테러대책위원회 · 대테러센터 · 대테러 인권보호관 · 전담조직 등 기구의 구성 · 운영, 테러예방을 위한 안전관리대책의 수립 · 시행, 테러신고 · 체포관련 포상금 지급, 테러피해의 지원 및 특별 위로금에 대한 기준 · 절차 · 금액 · 방법 등을 규정하고 있다. 다만 테러 자금의 차단 문제, 테러의 수단으로 이용될 수 있는 위험 물질에 대한 관리와 유통 문제, 테러범의 수사에 대한 별도의 규정을 두고 있지 않은 점 등은 미비점으로 지적되고 있다. 또한 지금까지의 우리나라의 테러대응이 북한의 대남테러에 초점이 맞추어져 있어 「통합방위법」과의 관계를 자세히 다루었다. 아울러 대테러와 관련된 법률로 「테러자금 금지법」 등 10개의 법률에 규정된 대테러관련 내용도 살펴보았다.

「테러방지법」에 규정된 부처별 임무 분담 내용과 테러를 대응하는 단계별 대처로 테러예방단계 → 테러사건 대처단계 → 사후 복구단계 등의 순서로 살펴보았다. 특히 테러는 사전 예방이 핵심으로 국제테러단체 동향 수집, 유해 화학물질 및 사제폭발물 원료물질 관리, 위험인물 입국금지 및 위해물품 적발, 국가중요시설 지정 및 다중이용시설 관리를 자세히 다루었다. 사후 단계에 해당하는 테러범죄의 수사는 중요도에 따라 별도의 절(節)로 다루었다. 「테러방지법」에 관계기관의 장은 국가 중요행사에 대한 안전관리대책을 수립하여야 한다고 규정하고 있다. 이에 따라 관계기관의 장은 국가 중요행사의 특성에 맞는 분야별 안전관리대책을 수립 · 시행하여야 한다. 여기서는 제24회 서울올림픽대회 등 우리나라의 안전대책 사례와 안전한 국제행사 개최를 위한 성공요인도 같이 다루었다.

테러에 대한 대응방식은 크게 시스템적으로 접근하는 방법(Systems Approach Method)과 위기관리 차원으로 접근하는 방법(Risk Management Approach Method) 등 두 가지가 있다. 시스템적 접근은 공통된 목적이나 목표를 달성하기 위하여 여러 가지 상호 작용하는 각 구성요소들이 기능적으로 결합된 절차나 방법의 유기적인 집합체로 보고 해결방안을 강구하는 것이다. 이러한 맥락에서 보면 테러 대응시스템은 테러리즘의 예방과 대응에 관한 제반활동의 목적을 달성하기 위하여 대테러 유관기관간의 조직들이 기능적으로 결합된 일련의 집합체라고 할 수 있다. 이때 테러에 대응하는 것을 대(對)테러(Counter-terrorism)라고 하는데 이의 의미는 현재 진행 중이거나 발생된 테러에 대한 응징 차원의 대응 활동 또는 발생 이후에 취하는 진압작전, 범인 체포・수사 등의 일련의 조치를 말한다. 유사한 용어로 반(反)테러(Anti-terrorism)는 테러에 반대한다는 입장 하에서 테러 행위를 미연에 방지하고 원천적으로 근절하기 위한 예방차원의 일련의 대책을 말한다. 즉 대테러는 테러 사건이 발생한 후의 조치사항을 말하고 반테러는 테러 사건을 미연에 방지하기 위한 예방이 핵심이다. 다만 이러한 시스템적 접근은 대테러와 반테러를 포함하여 테러 대응시스템을 둘러싸고 있는 외부 환경과 끊임없이 상호 작용하는 개방적인 시스템이 중요하고, 각 구성요소를 하나로 통합하는 컨트롤 타워의 기능이 막중하다.

위기관리적 접근은 테러의 발생을 위기(risk)로 보고 위기를 예방하고 발생에 대비하여 대응태세를 유지하며, 위기발생시 즉각적인 대응을 통해 피해를 최소화하여 조기에 위기발생 이전의 상태를 회복하기 위한 일련의 활동을 의미한다. Petak (1985)은 이러한 위기관리과정을 4단계로 구분하여 예방 혹은 완화(mitigation), 대비(preparedness), 대응(response), 복구(recovery)로 설명하고 있다.[1)] ① 예방단계는 실제 발생사례가 있는 재해나 잠재적 재난에 의한 위험을 예상하여 평가하고 그 위험을 감소시키려고 하는 일련의 과정을 말하고, ② 대비단계는 위험평가에 대한 대응계획을 만들고 대응인력을 훈련하고, 필요한 자원을 준비하며, 다른 지역과의 자원을 공유하기 위한 협정 체결, 관할 지역 책임의 명확화 등을 통해 미리 준비하는 것을 말하며, ③ 대응단계는 사건이 발생하여 계획을 집행하고, 2차

1) William J. Petak, "Emergency Management: A Challenge for Public Administration", 『*Public Administration Review*』, Vol.45(Jan. 1985), pp. 1-19.

피해 가능성을 최소화하고 축소시키기 위해 활동하는 것을 말하며, ④ 복구단계는 사태를 수습하고 다시 평상적인 활동으로 돌아갈 수 있도록 지원하는 단계를 말한다.

이러한 이론을 바탕으로 여기서는 대테러와 반테러의 구분이 없이 대테러로 통일하여 우리나라의 테러 대응체제를 다음과 같이 설명하고자 한다. 우선 우리나라의 테러에 대한 법적 규정을 살펴보고, 테러에 대응하기 위한 관계 부처별 임무분담 내용을 알아보며, 위기관리적 접근방식에 따라 단계별 대처방안을 테러의 예방과 대응, 사후 복구, 테러범 수사 순으로 살펴본다.

제1절 테러방지법

Ⅰ. 제정 경과

우리나라에서 테러에 대비하기 위한 정부차원의 노력은 1981년 우리 역사상 최초로 제24회 하계올림픽 개최지로 서울이 결정되면서부터 시작되었다. 지난 1972년 뮌헨 올림픽에서 아랍의 '검은 9월단'에 의한 이스라엘 선수촌 테러가 발생한 역사적 사례를 교훈으로 국제테러조직에 의한 올림픽 방해를 저지하기 위한 필요성 때문이었다. 이에 정부는 86년 아시안게임과 88년 서울올림픽의 성공적 개최를 위하여 1982년 1월 21일 대통령 훈령 제47호로 「국가대테러활동지침」(Ⅲ급 비밀)을 제정·시행하였다. 그때까지 우리나라의 테러에 대한 대응은 주로 북한의 무장공비 침투에 의한 민간인 학살 등의 행위를 위주로 「통합방위법」에 의한 북한의 대남도발측면에서 다루었고, 아니면 방화나 폭력 등의 행위를 주로 경찰에 의한 치안측면으로 다루어져 왔다. 그러나 1981년 88올림픽 개최가 서울로 결정됨에 따라 국제테러단체에 의한 올림픽 참가 선수단 위협 등에 대비하기 위하여 이러한 훈령(訓令)이 처음으로 제정된 것이다. 이 훈령에 의거 국가 차원의 대테러 대책위원회(위원장: 국무총리)와 대테러 실무위원회(위원장: 국정원 관계국장)가 설치·운영되었다. 그러나 훈령이라는 법규상 한계로 인하여 대테러업무에 참여하는 정부 각 부처의 업무를 나누어 분담하여 시행하는 것에 불과해 강제적인 법적 효력이 없어 실효성이 없었다. 따라서 좀 더 법적효력을 가진 법규 제정의 필요성이 꾸준히 제기되고 있었다.

이러한 가운데 2001년 미국에서 9·11테러가 발생하자 UN이 안전보장 이사회 결의를 통해 국제적 차원의 테러 대비에 대한 노력을 각국에 촉구하면서 우리나라도 테러방지에 대한 좀 더 적극적인 대책과 함께 법적·제도적 정비에 관심을 기울이게 되었다. 미국을 비롯한 영국, 프랑스, 독일, 캐나다 등 전 세계적으로 테러방지에 관한 법을 제정하려는 움직임이 있었고 이러한 국제적인 흐름을 타고 우리나라도 「테러방지법」 입법을 추진하게 되었던 것이다. 이러한 노력의 결과로 국가정보원이 주축이 되어 마련한 「테러방지법(안)」이 2001년 11월 27일 개최된 제51차 국무회의에서 의결되어 같은 해 11월 28일 정부안으로 제16대 국회에 제출되었다. 이 법안은 2003년 11월 14일 국회 정보위원회에서 만장일치로 통과되었으나 법제사법위원회의 법적 체계와 자구 심사과정에서 수정 논의가 이루어지다 제16대 국회의원의 임기만료(2004년 5월 29일)로 자동 폐기되었다.

제17대 국회에서는 2004년 6월 이라크에서 발생한 김선일 피살사건을 계기로 「테러방지법」 제정 필요성이 다시 제기되어 의원입법으로 3개의 법안이 각각 발의되었다. 즉 한나라당 공성진 의원 등 23인이 발의한 「테러대응체계의 확립과 대테러활동 등에 관한 법률안」이 2005년 3월 15일 국회에 제출되었고, 열린 우리당 조성태 의원 등 21인이 발의한 「테러방지 및 피해보전 등에 관한 법률안」이 같은 해 8월 26일 발의되었으며, 한나라당 정형근 의원 등 29인이 「테러예방 및 대응에 관한 법률안」을 2006년 2월 14일 국회에 제출하였다. 2007년 11월 국회 정보위 법안심사소위원회는 각 법률안의 내용을 통합 조정하여 같은 해 11월 22일 「테러방지 및 피해보전 등에 관한 법률안」을 대안으로 만들어 정보위 전체회의에 보고하였다. 그러나 신기남 정보위원장의 사회거부로 통과되지 못하는 등의 파행을 거치다 제17대 국회의원 임기만료(2008년 5월 29일)로 자동 폐기되었다.

제18대 국회에서는 한나라당 공성진 의원 등 23인이 2008년 10월 28일 제17대에 논의된 내용을 토대로 「국가대테러 활동에 대한 기본법안」을 제출하였고, 2009년 4월 15일에는 친박연대 송영선 의원 등 11인이 발의한 「테러예방 및 대응에 관한 법률안」이 정보위에 회부되었으나 정당간의 입장 차이로 통과되지 못하다가 2016년 2월 23일 새누리당 주호영의원이 「국민보호와 공공안전을 위한 테러방지법에 대한 수정안」으로 대표 (수정)발의했다. 이 법안은 2016년 2월 23일 본회의에 직권 상정되었으나 야당의 9일간의 필리버스터(filibuster, 무제한 토론)로 3월 2일 본회의에서 힘겹게 통과되었다.

Ⅱ. 테러방지법 주요 내용

총 19개조로 구성된 테러방지법(국민보호와 공공안전을 위한 테러방지법)은 그동안 제출되어 왔던 여러 가지 법률안들과 비교하면 다음과 같은 특징이 있다. 첫째, 대테러센터를 국정원장 소속으로 두고 테러관련 정보를 수집하도록 규정한 이전 법률안들과 달리 이 법은 대테러센터를 국무총리 소속으로 하고, 테러관련 정보 수집은 국정원장이 담당하도록 하였다. 둘째, 정보수집 등을 요청함에 있어 그 절차적 요건이 이전의 법률안들 보다 완화하고 있다. 셋째, 대테러 인권보호관 제도를 신설하여 국가기관의 대테러활동 과정에서 국민의 인권 침해가 없도록 배려하였다. 그리고 이 법 시행령은 국가테러대책위원회·대테러센터·대테러 인권보호관·전담조직 등 기구의 구성·운영, 테러예방을 위한 안전관리대책의 수립·시행, 테러신고·체포관련 포상금 지급, 테러피해의 지원 및 특별 위로금에 대한 기준·절차·금액·방법 등을 규정하고 있고, 대통령령인 「국무조정실과 그 소속기관 직제」에서는 대테러센터의 조직·정원 및 직무범위 등을 규정하고 있다.[2)]

1. 총 칙

총칙에서는 이 법의 제정 목적, 이 법에서 사용하는 용어의 정의, 국가 및 지방자치단체의 책무, 다른 법률과의 관계 등을 규정하고 있다.

우선 테러방지법 제1조에서 이 법의 제정 목적을 테러의 예방 및 대응 활동 등에 관하여 필요한 사항과 테러로 인한 피해보전 등을 규정함으로써 테러로부터

2) 「테러방지법」과 그 시행령 세부 조문은 부록 참조.

국민의 생명과 재산을 보호하고 국가 및 공공의 안전을 확보하는 것으로 하고 있다. 제2조(정의)에서 테러란 "국가・지방자치단체 또는 외국정부(외국지방자치단체와 조약 또는 그 밖의 국제적인 협약에 따라 설립된 국제기구를 포함한다)의 권한행사를 방해하거나 의무 없는 일을 하게 할 목적 또는 공중을 협박할 목적으로 행하는 다음 각 목의 행위를 말한다"고 규정하고, 각 목(目)에서 (가) 사람을 살해하거나 사람의 신체를 상해하여 생명에 대한 위험을 발생하게 하는 행위 또는 사람을 체포・감금・약취・유인하거나 인질로 삼는 행위, (나) 항공기 관련 범죄, (다) 선박 관련 범죄, (라) 생화학・폭발성・소이성(燒夷性) 무기 및 장치의 차량 및 시설에의 배치・폭발・사용, (마) 핵물질・방사선물질・원자력시설 관련 범죄를 규정하고 있다. 그리고 테러단체를 "UN이 지정한 테러단체"로 규정하고 있다.

테러위험인물이란 표현은 이 법에서 새로 등장했는데 "테러단체의 조직원이거나 테러단체 선전, 테러자금 모금・기부 기타 테러예비・음모・선전・선동을 하였거나 하였다고 의심할 상당한 이유가 있는 사람"으로 규정하고, 동법 제9조에서는 국정원장에게 이들에 대한 정보 수집을 규정하고 있다. 즉 "국가정보원장은 테러위험인물에 대하여 출입국・금융거래 및 통신이용 등 관련 정보를 수집할 수 있다. 이 경우 출입국・금융거래 및 통신이용 등 관련 정보의 수집에 있어서는 「출입국관리법」, 「관세법」, 「특정 금융거래정보의 보고 및 이용 등에 관한 법률」, 「통신비밀보호법」의 절차에 따른다(제9조 제1항)." 금융거래에 대해 지급정지 등의 조치를 요청할 수 있다(제9조 제2항). 또한 "테러위험인물에 대한 개인정보(「개인정보 보호법」상 민감정보를 포함한다)와 위치정보를 「개인정보 보호법」 제2조의 개인정보처리자와 「위치정보의 보호 및 이용 등에 관한 법률」 제5조의 위치정보사업자에게 요구할 수 있다"(제9조 제3항)고 규정하여 국정원장이 수집할 수 있는 정보의 범위를 더 확장하였다. 또한 "국가정보원장은 대테러활동에 필요한 정보나 자료를 수집하기 위하여 대테러조사 및 테러위험인물에 대한 추적을 할 수 있다. 이 경우 사전 또는 사후에 대책위원회 위원장에게 보고하여야 한다"(제9조 제4항)고 규정하고 있다.

제3조의 국가 및 지방자치단체의 책무로 ① 테러의 예방과 대응에 필요한 제도와 여건을 조성하고 대책을 수립하여 시행하고, ② 이러한 대책을 강구함에 있

어 국민의 기본적 인권이 침해당하지 아니하도록 최선의 노력을 하여야 하며, ③ 공무원은 헌법상 기본권을 존중하여 이 법을 집행하여야 하며 헌법과 법률에서 정한 적법절차를 준수할 의무가 있다고 규정하고 있다.

2. 전담 조직

(1) 국가테러대책위원회(제5조와 시행령 제3-4조)

대테러정책의 최고 상위 기구로 국무총리를 위원장으로 19개 부처 기관장이 위원으로 참여하고 있다. 임무는 대테러활동에 관한 국가의 정책수립 및 평가, 국가 대테러 기본계획 등 중요 중장기 대책 추진사항, 관계기관의 대테러활동 역할 분담·조정이 필요한 사항 등에 대해 심의·의결하는 명실상부한 국가 최고의 컨트롤타워 역할을 한다. 산하에 '테러대책실무위원회'를 운영하고 있는데 대테러센터장을 위원장으로 관계기관 국장급이 위원으로 참여하고 있으며, 대책위 상정안건에 대한 실무조정 및 대테러 현안사항을 처리하는 사무처 역할을 수행하고 있다.

(2) 국무조정실 대테러센터(NCTC: National Counter Terrorism Center, 법 제6조와 시행령 제6조)

국무총리실 소속기관으로 국가대테러활동 관련 임무분담 및 협조사항의 실무조정, 장단기 국가대테러활동 지침작성·배포, 테러경보 발령, 국가중요행사 대테러·안전대책 수립, 대책위원회의 회의 및 운영에 필요한 사무의 처리 등을 처리한다. 현재 대테러센터는 2016년 출범과 함께 국정원·외교부·경찰청 등과 협조하여 24시간 테러상황관리 체제를 가동하고 있다. 그동안 국가 대테러 기본계획을 수립하였고, 테러경보발령지침 및 테러위기관리 표준매뉴얼을 제정하거나 개정하였다. 또한 유관기관 합동으로 매년 대테러 종합훈련을 실시 중에 있으며, 테러대비행동요령 홍보, 테러신고 포스터 제작 등 대국민 홍보활동도 추진하고 있다.

(3) 국가정보원 테러정보통합센터(TIIC: Terrorism Information Integration Center, 시행령 제20조)

국가정보원 산하에 외교부 · 법무부 · 경찰 등 관계기관 공무원으로 구성 · 운영하고 있다. 임무는 국내외 테러관련 정보의 통합관리 · 분석 및 관계기관에의 배포, 24시간 테러관련 상황전파체계 유지, 테러위험 징후 평가, 테러관련 정보의 통합관리에 필요한 사항 등을 수행하고 있다. 산하에 국내외 테러상황을 24시간 모니터링 하기 위해서 '정부합동 대테러상황실'을 운영하면서 상황정보를 평가 · 분석하여 유관기관에 전파하는 임무를 맡고 있다. 또 산하에 '대테러합동조사팀'(시행령 제21조)을 운영하면서 국내외에서 테러사건이 발생하거나 발생할 우려가 현저할 때 또는 테러첩보가 입수되거나 테러 관련 신고가 접수되었을 때에는 초동조치, 사건분석 및 대응처리 방안 마련 등의 임무를 수행하고 있다.

(4) 지역테러대책협의회(시행령 제12조)

해당지역 국가정보원 지부장을 의장으로 전국 11개 시 · 도 지역에서 관계기관 공무원이 위원으로 참여한다. 임무는 테러대책위원회 심의 · 의결 사항 시행방안, 해당지역 테러사건의 사전예방 및 대응과 사후처리 지원 대책, 해당 지역 대테러업무 수행 실태의 분석 · 평가 및 발전방안 등을 심의 · 의결하는 역할을 수행한다.

(5) 공항 · 항만테러대책협의회(시행령 제13조)

공항 또는 항만 내에서의 법무부 · 관세청 등 상주하는 관계기관 간 대테러활동에 관한 사항을 협의하기 위해 운영한다. 임무는 대책위원회의 심의 · 의결 사항 시행 방안, 공항 또는 항만 내 시설 및 장비의 보호 대책, 항공기 · 선박의 테러예방을 위한 탑승자와 휴대화물 검사 대책, 테러 첩보의 입수 · 전파 및 긴급대응 체계 구축 방안, 공항 또는 항만 내 테러사건 발생 시 비상대응 및 사후처리 대책 등을 심의 · 의결하는 역할을 수행한다.

(6) 테러사건 발생시 대응조직(시행령 제14-19조)

테러사건이 발생할 경우 테러유형별로 5개 부처에 테러사건대책본부를 설치한다. 즉, 국외테러는 외교부에, 군사시설 내에서 발생한 테러는 국방부에, 항공테러는 국토교통부에, 해양테러는 해수부에, 국내일반테러는 경찰청에 설치·운영한다. 또한 각 사건대책본부에서는 테러사건 현장의 대응활동을 총괄하기 위하여 현장지휘본부를 설치할 수 있도록 하고 있고, 테러사건의 진압을 위해 국방부·경찰청, 해양경찰청 산하에 대테러특공대를 운영한다. 주 임무는 국내외 테러사건 진압, 폭발물의 탐색 및 처리, 주요 요인 경호 및 국가 중요행사의 안전한 진행 지원 등이다. 구조·구급·수습·복구활동 등에 관하여 대책본부를 지원하기 위하여 행정안전부가 테러복구지원본부를, 보건복지부·환경부·원자력안전위원회가 화생방테러대응지원본부를 운영한다.

3. 대테러 인권보호관

테러방지법 제7조와 시행령 제7-8조는 대테러 인권보호관을 둘 것을 규정하고 있다. 인권보호관 자격은 ① 변호사 자격이 있는 사람으로서 10년 이상의 실무경력이 있는 사람, ② 인권 분야에 전문지식이 있고 「고등교육법」 제2조 제1호에 따른 학교에서 부교수 이상으로 10년 이상 재직하고 있거나 재직하였던 사람, ③ 국가기관 또는 지방자치단체에서 3급 상당 이상의 공무원으로 재직하였던 사람 중 인권 관련 업무 경험이 있는 사람, ④ 인권분야 비영리 민간단체·법인·국제기구에서 근무하는 등 인권 관련 활동에 10년 이상 종사한 경력이 있는 사람 중에서 임명하도록 하고 있다. 임기는 2년으로 하고, ① 「국가공무원법」 제33조 각 호의 결격사유에 해당하는 경우, ② 직무와 관련한 형사사건으로 기소된 경우, ③ 직무상 알게 된 비밀을 누설한 경우, ④ 그 밖에 장기간의 심신쇠약으로 인권보호관의 직무를 계속 수행할 수 없는 특별한 사유가 발생한 경우 등을 제외하고는 그 의사에 반하여 해촉되지 아니한다고 규정하고 있다.

인권보호관의 직무는 ① 대책위원회에 상정되는 관계기관의 대테러정책·제도 관련 안건의 인권 보호에 관한 자문 및 개선 권고, ② 대테러활동에 따른 인권침해 관련 민원의 처리, ③ 그 밖에 관계기관 대상 인권 교육 등 인권 보호를 위한 활동 등을 수행한다(동법 시행령 제8조). 또한 인권보호관은 이러한 직무수행 중 인권침해 행위가 있다고 인정할 만한 상당한 이유가 있는 경우에는 위원장에게 보고한 후 관계기관의 장에게 시정을 권고할 수 있고, 권고를 받은 관계기관의 장은 그 처리 결과를 인권보호관에게 통지하여야 한다고 규정하고 있다(동법 시행령 제9조). 인권보호관은 재직 중 및 퇴직 후에 직무상 알게 된 비밀을 엄수하여야 하고 법령에 따른 증인, 참고인, 감정인 또는 사건 당사자로서 직무상의 비밀에 관한 사항을 증언하거나 진술하려는 경우에는 미리 위원장의 승인을 받아야 한다고 규정하고 있다(동법 시행령 제10조).

4. 테러 예방과 대응 절차

테러의 예방활동과 관련하여 테러 대상시설과 이용수단 및 국가중요행사에 대하여 안전관리대책을 수립하도록 하고(제10조), 테러취약요인을 사전 제거하도록 하며(제11조), 관계기관의 장은 테러선동·선전물 긴급 삭제 등 요청을 할 수 있고(제12조), 외국인테러전투원에 대한 규제로 일시 출국금지 및 여권의 효력정지를 요청할 수 있다(제13조).

대응활동에 관해서는 테러경보의 발령(시행령 제22조), 상황전파 및 초동조치(시행령 제23조), 테러사건 대응(시행령 제24조)에 관하여 시행령에서 규정하고 있다. 그리고 국방부 소속 대테러특공대의 출동 및 진압 작전은 군사시설 내에서 테러사건이 발생한 경우에 한하도록 하고, 다만 경찰력의 한계로 긴급한 지원이 필요하여 대책본부의 장이 요청한 경우 군사시설 이외에서 대테러 작전을 수행할 수 있도록 규정하고 있다(시행령 제18조 제4항). 이는 이전 법률안들이 군병력 등의 지원에 관하여 규정하면서 국회통보와 국회의 철수 요청의 요건을 규정한 것과 달리 대책본부의 장의 요청만을 요건으로 할 수 있도록 단순화하였다.

5. 신고자 보호와 테러 피해의 지원

우리나라는 2012년 개정된 「특정범죄신고자 등 보호법」(범죄신고자법)에 따라 특정범죄에 관한 형사절차에서 국민이 안심하고 자발적으로 협조할 수 있도록 그 범죄 신고자 등을 국가가 보호하도록 하고 있다. 따라서 테러방지법에서도 국가는 테러에 관한 신고자, 범인검거를 위하여 제보하거나 검거활동을 한 사람 또는 그 친족 등을 보호하여야 한다(법 제14조 제1항). 이는 법에서 규정한 의무사항으로 국가가 이를 이행하지 않거나 소홀히 하여 신고자에게 피해가 있을 경우 당연히 배상책임이 인정된다고 할 것이다. 또한 관계기관의 장은 테러의 계획 또는 실행에 관한 사실을 관계기관에 신고하여 테러를 사전에 예방할 수 있게 하였거나, 테러에 가담 또는 지원한 사람을 신고하거나 체포한 사람에 대하여 포상금을 지급할 수 있다(동 제2항).

테러로 인하여 신체 또는 재산의 피해를 입은 국민은 관계기관에 즉시 신고하여야 한다. 다만, 인질 등 부득이한 사유로 신고할 수 없을 때에는 법률관계 또는 계약관계에 의하여 보호의무가 있는 사람이 이를 알게 된 때에 즉시 신고하여야 한다(법 제15조 제1항). 이에 따라 국가 또는 지방자치단체는 제1항의 피해를 입은 사람에 대하여 대통령령이 정하는 바에 따라서 치료 및 복구에 필요한 비용의 전부 또는 일부를 지원할 수 있다. 다만, 「여권법」 제17조 제1항 단서에 따른 외교부장관의 허가를 받지 아니하고 방문 및 체류가 금지된 국가 또는 지역을 방문·체류한 사람에 대해서는 그러하지 아니하다(동 제2항). 또한 테러방지법 제16조는 특별위로금도 규정하고 있는데 테러로 인하여 생명의 피해를 입은 사람의 유족 또는 신체상의 장애 및 장기치료를 요하는 피해를 입은 사람에 대해서는 그 피해의 정도에 따라 등급을 정하여 특별위로금을 지급할 수 있다. 이때에도 여권법 제17조 제1항 단서에 따른 외교부장관의 허가를 받지 아니하고 방문 및 체류가 금지된 국가 또는 지역을 방문·체류한 사람에 대해서는 그러하지 아니하다(법 제16조 제1항).

6. 처 벌

테러방지법은 법의 실효성을 높이기 위하여 다양한 처벌규정을 두고 있다. ① 테러단체를 구성하거나 구성원으로 가입한 사람을 처벌한다(법 제17조 제1항). 즉, 수괴(首魁)는 사형·무기 또는 10년 이상의 징역, 테러를 기획 또는 지휘하는 등 중요한 역할을 맡은 사람은 무기 또는 7년 이상의 징역, 타국의 외국인테러전투원으로 가입한 사람은 5년 이상의 징역, 그 밖의 사람은 3년 이상의 징역으로 처벌한다. ② 테러자금임을 알면서도 자금을 조달·알선·보관하거나 그 취득 및 발생 원인에 관한 사실을 가장 하는 등 테러단체를 지원한 사람도 10년 이하의 징역 또는 1억 원 이하의 벌금에 처한다. ③ 테러단체 가입을 지원하거나 타인에게 가입을 권유 또는 선동한 사람은 5년 이하의 징역에 처한다. 테러단체 가입과 구성죄 그리고 테러기획 또는 지휘 죄의 미수범도 처벌하고, 예비 또는 음모한 사람은 3년 이하의 징역에 처한다. 또한 대한민국 영역 밖에서 위와 같은 테러범죄를 범한 외국인에게도 국내법을 적용하도록 하고 있다(법 제19조). ④ 타인으로 하여금 형사처분을 받게 할 목적으로 테러단체 구성죄 등에 대하여 무고 또는 위증을 하거나 증거를 날조·인멸·은닉한 사람은 「형법」에서 정한 무고와 날조죄의 형에 2분의 1을 가중하여 처벌하도록 했다(법 제18조 제1항). 범죄수사 또는 정보의 직무에 종사하는 공무원이나 이를 보조하는 사람 또는 이를 지휘하는 사람이 직권을 남용하여 무고나 날조의 행위를 한 때에도 가중 처벌한다. 이 경우에 그 법정형의 최저가 2년 미만일 때에는 이를 2년으로 하여 가중 처벌의 정신을 살리도록 했다(동 제2항 단서). ⑤ 관계기관의 장은 외국인테러전투원으로 출국하려 한다고 의심할 만한 상당한 이유가 있는 내국인·외국인에 대하여 일시 출국금지를 법무부장관에게 요청할 수 있다(법 제13조 제1항). 이 경우에 일시 출국금지 기간은 90일이다. 다만, 출국금지를 계속할 필요가 있다고 판단할 상당한 이유가 있는 경우에 관계기관의 장은 그 사유를 명시하여 연장을 요청할 수 있다(법 제13조 제2항). 관계기관의 장은 외국인테러전투원으로 가담한 사람에 대하여 여권의 효력정지 및 재발급 거부를 외교부장관에게 요청할 수 있다(법 제13조 제3항).

Ⅲ. 테러방지법 특징과 미비점

대테러활동의 핵심은 예방에 있다. 사전 예방적 대응은 근본적으로 테러공격에 대한 정보를 사전에 충분히 수집할 수 있는가에 달려 있다. 이번 테러방지법이 제정되기 전까지 우리나라의 테러대응은 사후적 대응에 초점이 맞추어져 있어서 사전 예방적 대응에 한계가 있다는 지적이 꾸준히 제기되어 왔다. 이러한 문제의식의 결과가 테러방지법에 반영되어 있다. 구체적으로 살펴보면, 테러방지법 제2조 제6호에 "대테러활동"이란 테러 관련 정보의 수집, 테러위험인물의 관리, 테러에 이용될 수 있는 위험물질 등 테러수단의 안전관리, 인원·시설·장비의 보호, 국제행사의 안전확보, 테러위협에의 대응 및 무력진압 등 테러 예방과 대응에 관한 제반 활동을 말한다고 규정하여 대테러활동의 개념을 테러 관련 정보의 수집 등 테러예방에 관한 활동까지 확대하고 있다. 또한 테러위험인물에 대한 정보수집권(동법 제9조)을 명문화하고 있고, 테러단체를 구성하려거나 구성원으로 가입하려다 실패한 미수 행위는 물론이고 그에 대한 예비·음모행위에 대해서까지 처벌할 수 있는 법적 근거를 마련하고 있다(동법 제17조 제5항). 이는 테러범죄에 대해 가벌성을 예비 단계에서 차단할 수 있게 함으로써 대테러 유관기관이 개입할 수 있는 시기를 앞당기는 효과를 가져옴과 동시에 대테러기관의 활동에 대한 법원에 의한 사법적 통제를 가능하게 하는 역할도 한다.

이번 테러방지법 제정으로 테러정보의 통합적 관리가 더욱 강화되었다. 테러에 효과적으로 대응하기 위해서는 사전 예방적 대응뿐만 아니라 이러한 사전정보를 통합하는 과정이 중요한데 이번 테러방지법 및 시행령에서 테러 관련 정보를 통합관리하기 위한 전담조직으로 테러정보통합센터를 두도록 하고 있다(시행령 제20조). 이 센터의 주요 임무는 국내외 테러관련 정보의 통합관리 및 분석, 관계기관 배포, 24시간 상황전파체제 유지, 테러위험 징후 평가 등이다. 따라서 테러정보통합센터는 미국의 국가정보국(ODNI)의 대테러센터(NCTC)나 독일의 합동 테러대응센터(GTAZ)와 비슷하다. 즉 각 테러 유관기관으로부터 받은 정보를 종합·분석하여 테러대응에 필요한 정보를 유관기관이 공유하고 있는 것이다.[3]

대테러활동의 컨트롤타워를 설치하였다. 지금까지 우리나라에서는 대테러활동을 총괄·기획·조정하는 컨트롤타워가 없어 효율적인 테러대응에 한계가 있다는 지적이 꾸준히 제기되어 왔다. 테러조직은 과거와 달리 초국가적으로 네트워크화된 수평적으로 활동하고 있어 그 조직의 실체를 제대로 파악하기 어렵고, 테러 수법도 과거와는 전혀 상상도 할 수 없는 양상으로 변화되고 있는 데 비해 우리나라는 이에 대한 적절한 총력대응체제가 구비되지 못하였다. 이번에 테러방지법에서는 이러한 총력대응체제를 구축하기 위해서 대테러활동의 컨트롤타워로서 대테러센터를 국무총리 소속으로 두어 대테러활동을 기획·조정·총괄하도록 하였다. 이 대테러센터의 임무는 국가 대테러활동 관련 임무분담 및 협조사항 실무 조정, 장단기 국가대테러활동 지침 작성·배포, 테러경보 발령, 국가중요행사 대테러안전대책 수립, 테러대책위원회의 회의 및 운영에 필요한 사무처리 등을 수행하도록 되어 있다(동법 제6조 제1항). 대테러센터는 테러방지법상 그 임무로

3) 미국의 NCTC, 독일의 GTAZ 관련 세부 사항은 제9장 제3절 참조.

볼 때 사실상 대테러활동의 핵심기구로 볼 수 있다.

이처럼 어려운 과정을 겪어 테러방지법과 그 시행령이 제정되어 시행 중에 있으나 여전히 미흡한 점이 많은 것이 사실이다. 대표적인 몇 가지를 살펴본다.

첫째, 테러의 정의에서 법에서는 국가·지방자치단체 또는 외국 정부의 권한행사를 방해하거나 의무 없는 일을 하게 할 목적 또는 공중을 협박할 목적으로 하는 행위로 구체 항목(사람, 항공기, 선박, 생화학·폭발성·소이성 무기나 장치, 핵물질·방사성 물질, 원자력시설 등)에 대해 열거하는 등 명확하게 규정하고 있으나 최근에 증가하고 있는 사이버 공간 및 전산망을 이용한 테러의 선전·선동 행위, 사회적 증오 등에 의한 '외로운 늑대'형 자생테러 등을 포함시킬 필요가 있다. 또한 테러단체의 개념에서도 법에서는 UN이 지정한 테러단체로 규정하고 있으나 우리나라와 관련하여 이들과 연계하거나 추종·지지하는 세력이나 단체도 포함되어야 할 것으로 본다.

둘째, 테러를 예방하기 위해서는 테러가 발생하기 이전에 선제적이고 포괄적인 정보수집권이 필요하다. 때문에 법에서도 테러위험인물에 대하여 출입국·금융거래 및 통신이용 등 관련 정보에 대한 수집권을 인정하고, 테러위험인물에 대한 개인정보와 위치정보를 사업자에게 요구할 수 있도록 하고 있다. 이를 위해 위험인물에 대한 입국금지 조치와 함께 불가피하게 입국을 허용하는 경우에도 지문과 얼굴 정보의 등록뿐만 아니라 입국 이후 위치정보에 대한 정보를 수집하기 위한 포괄적인 조치가 필요한 것이 사실이다. 그러나 우리나라의 경우 미국 등 선진국에 비해 미흡한 것이 현실이다. 즉 미국은 통신수단을 수시로 변경하는 감청대상자에 대해 포괄적인 감청영장을 발부하여 이에 대한 대비가 가능하도록 하고 있고, 감청영장 발부도 일반법원이 아닌 별도의 국외정보감시법원(FISA)이 심사하도록 하고 있으며 감청 기간도 최대 12개월이다. 이에 비해 우리나라는 포괄적 감청 자체가 불가능하며 대테러 관련범죄도 일반 형사사건과 같이 취급하여 일반법원에서 영장을 심사하고 처리하고 있으며 감청기간 또한 4개월이고 연장할 경우 8개월까지만 가능하도록 하고 있다. 또한 감청장비 설치의 경우 독일은 통신서비스업자 의무적으로 자체경비로 감청장비를 설치하도록 하고 있으나 우리는 그러한 의무화 규정이 없어 테러분자 추적에 한계가 있다. 따라서 향후 「통신비밀보호법」에 대테러 활동에 필요한 경우를 포함하고 통신회사에 대한 감청설비 의무화 규정을 마련하는 등 미비한 점을 보완해 나가야 할 것이다.

셋째, 테러 자금의 차단 문제인데 테러방지법에서는 국정원에 금융거래에 대한 정보를 수집할 수 있는 권한을 부여하고 있으나 효과적이고 신속한 테러자금 차단 및 규제를 위해서는 법무부, 국정원, 금융정보분석원(FIU: Financial Intelligence Unit), 관세청 등 국내유관기관의 협력체계가 갖추어져야 함은 물론이고, 국제적으로 자금세탁방지기구(FATF: Financial Action Task Force), 미국, 일본 등 외국의 법집행기관과의 긴밀한 협조체계를 구축하여야 한다. 그러나 현재의 테러방지법에서는 우리나라 유관기관의 협의체가 마련되어 있지만 국제사법공조에 대하여는 규정하고 있지 않다. 또한 테러방지법에 테러위험인물에 대한 금융정보 요청권을 규정하고 있음에도 불구하고 「특정금융거래법」이나 「범죄수익규제법」에서는 정보제공이 가능한 범죄목록에 테러관련 범죄를 포함하고 있지 않는 등 미비한 부분의 보완이 필요하다.

넷째, 테러의 수단으로 이용될 수 있는 위험 물질에 대한 관리와 유통을 차단하는 규정이 미흡하다. 이러한 위험 물질로는 사제폭탄의 원료가 되는 질산암모늄, 질산나트륨, 질산칼륨, 니트로메탄 등은 물론 독가스 물질로 염소, 산화질소, 포스겐, 암모니아 등과 고위험 병원균, 고위험 방사선원으로 코발트, 크립톤, 세슘, 이리듐, 아메리슘 등이 있다. 이러한 물질이 국내에 유입되거나 유통되는 경로를 완전히 차단하기 위해서는 이를 다루는 업체와 물질에 대한 추적을 실시간으로 확인할 수 있는 규정을 보완해야 한다. 또한 이를 구입하는 구매자의 인적사항, 구매 물질, 사용목적을 확인하고 체계적으로 분석하여 테러 발생 위험에 대한 예측자료로 사용할 수 있도록 해야 한다.

다섯째, 테러범의 수사에 대한 별도의 규정을 두고 있지 않아 일반 형사범의 수사절차를 따를 수밖에 없다. 이는 현대의 테러범은 고도로 훈련되고 전문화된 요원으로 이러한 일반 수사절차로는 테러사건의 실체를 규명하여 사법적 판단을 받게 하기가 사실상 곤란하다는 문제가 있다. 특별한 수사절차와 별도 법원의 설치가 필요한 이유다.

Ⅳ. 통합방위법과의 관계

1. 통합방위법 제정 배경

우리나라는 6·25전쟁 이후 1960년대에 들어서면서 북한의 대남 침투와 도발이 급증하자 국가차원의 종합 대책이 요구되었다. 이에 따라 1967년 12월에 대통령훈령 제18호로 「간첩봉쇄 대책」을 제정하였고, 1968년 2월 1일에는 합참본부에 대간첩대책본부를 두고 북한의 침투 및 국지도발에 대한 대비작전을 수행하게 되었다. 1968년 12월 20일에는 울진·삼척지구 무장공비 침투사건을 계기로 대통령훈령 제24호로 「대비정규전 능력 강화 대책」을 제정하였고, 1970년 1월 6일에는 대비정규전 일부 지침을 보완하여 대통령훈령 제24호를 대통령훈령 제28호 '대비정규전 봉쇄 지침 및 능력강화 대책'으로 개정하여 1982년 1월 12일에는 「대비정규전 지침」으로 명칭을 변경하였다. 1995년 1월 1일에는 그때까지 주한미군이 보유하고 있던 평시 작전통제권이 한국군으로 환수되는 것을 계기로 대비정규전 지침을 다시 「통합방위지침」으로 바꾸었다. 이후 1996년 9월 강릉 잠수함 침투사건을 계기로 하여 북한의 대남침투에 대한 좀 더 강력한 통합적인 작전 수행의 필요성이 증대됨에 따라서 1997년 1월 13일 「통합방위법」 및 동 시행령이 제정되었다. 이로써 북한의 대남도발에 대한 효과적인 민·관·군 통합방위작전 실시에 대한 법적 근거를 마련하게 된 것이다.

2. 통합방위법 주요 내용

통합방위법은 전시(戰時)와 평시(平時)의 구분 없이 북한의 침투와 도발이나 그 위협에 대응하기 위하여 범국가 차원의 총력전 개념을 바탕으로 민·관·군 국가방위요소를 통합하여 운용하는 데 지휘 및 협조체계 등 필요한 사항을 규정하는 법규이다. 구체적으로 통합방위법과 동 시행령, 대통령훈령으로 구성되어 있다. 핵심은 그때까지 대통령 훈령 제28호에 의해 작전을 수행할 때 통합방위 관련기구의 운영과 국가방위요소에 대한 통합운용이 어려웠기 때문에 통합방위사태를 선포하고 민·관·군·경·예비군 및 민방위대의 통합운용작전에 지휘 통제권의 일원화를 법적으로 보장한 것이다. 통합방위법 제4조에서 제9조에 이르기까지 중앙 및 지역, 직장통합방위협의회 및 통합방위지원본부를 설치할 것과 「향토예비군설치법」 제14조의3 제2항의 규정에 의한 방위협의회 및 「민방위기본법」 제5조 또는 제6조의 규정에 의한 중앙민방위협의회 또는 지역민방위협의회와 필요시 통합 운용할 수 있다는 것을 명문화하였다. 아울러 통합방위본부를 합동참모본부에 두되 그 장은 합동참모의장이 하도록 함으로써 민·관·군 통합방위체계가 법적인 보장을 받게 되었다는 것이다. 또한 합동보도본부의 설치 및 운영에 관한 것을 명문화함으로써 그동안 취재진의 현장접근 및 전투요원에 대한 밀착취재로 작전에 상당한 지장을 초래하는 문제를 해결하였다. 이 법 제16조 3항에 "통합방위작전을 수행함에 있어 병력 또는 장비의 이동·배치·성능이나 작전계획에 관련된 사항은 이를 공개하지 아니한다. 다만, 통합방위작전의 수행에 지장을 주지 아니하는 범위 안에서 국민 또는 지역주민에게 알릴 필요가 있는 사항은 그러하지 아니한다"라고 명시함으로써 통제장치를 마련했다. 마지막으로 민간인들의 통제구역 내에서의 출입통제나 대피명령, 주민신고 등의 사항을 추가로 법제화 하였다. 동법 제14조-제15조에 통제구역과 대피명령에 대한 구체적인 규정을 두었다. 이로써 북한의 침투와 도발, 위협 등에 효율적으로 대처할 수 있는 법적인 장치가 마련된 것이다. 그럼에도 불구하고 통합방위법이 테러방지법, 민방위법, 향토예비군 설치법 등 관련법규와의 충돌 문제, 관련부처의 방위조직들 간의 업무중복 문제 등은 앞으로도 계속 보완되어 나가야 할 과제로 남아 있다.

3. 테러방지법과의 관계

「통합방위법」은 북한의 침투·도발이나 그 위협에 대응하기 위하여 국가총력전의 개념을 바탕으로 민·관·군·경과 향토예비군 및 민방위대 등을 통합·운용하는 통합방위대책을 수립·시행하기 위하여 필요한 사항을 규정한 법이다. 테러범죄를 이 법에서 말하는 적의 침투·도발이나 그 위협에 포함시키기에 해석상 명확하지 않고, 국가총력전의 개념을 바탕으로 하고 있어 전쟁에 준하는 대규모의 테러가 아닌 이상 일반적인 테러에 적용하는 데 한계가 있다. 테러방지법은 테러단체를 UN에서 지정한 단체로 제한하고 있어 UN이 북한을 테러지원국가로 지정하지 않는 이상 이 법을 그대로 적용하기는 어렵다고 하겠다. 또한 북한의 군사적 도발행위를 군사행위로 볼 것인지 아니면 테러로 볼 것인지가 문제가 될 수 있는데 이 또한 UN이 북한을 테러지원국가로 지정하지 않는 이상 구별에 의미가 없다고 할 수 있다. 다만 「테러방지법」 제2조 제3항의 테러위험인물이란 테러단체의 조직원이거나 테러단체 선전, 테러자금 모금·기부, 그 밖에 테러 예비·음모·선전·선동을 하였거나 하였다고 의심할 상당한 이유가 있는 사람을 말한다고 규정하고, 제4항에 외국인테러전투원이란 테러를 실행·계획·준비하거나 테러에 참가할 목적으로 국적국이 아닌 국가의 테러단체에 가입하거나 가입하기 위하여 이동 또는 이동을 시도하는 내국인·외국인을 말한다고 규정하고 있어 이들이 테러단체에 가입하여 활동하고 있거나 연관되어 있을 때 이 법의 적용대상이 된다.

또한 군병력의 동원과 관련하여 「테러방지법」과 「통합방위법」의 적용 구분은 더욱 엄격해진다. 왜냐하면 전쟁행위는 군병력에 의한 즉각적인 교전이 허용되는 데 반하여 테러행위에 대해서는 군병력의 투입이 문제될 수 있기 때문이다. 현 테러방지법에는 군병력의 투입에 관한 조항은 동법 시행령 제18조(대테러특공대 등)에 국방부장관은 테러사건에 신속히 대응하기 위하여 대테러특공대를 설치·운영하는 데 신속한 대응이 제한되는 상황에 대비하기 위하여 군 대테러특수임무대를 지역 단위로 편성·운영할 수 있다. 대테러특공대는 ① 대한민국 또는 국민과 관련된 국내외 테러사건 진압, ② 테러사건과 관련된 폭발물의 탐색 및 처리, ③ 주요 요인 경호 및 국가 중요행사의 안전한 진행 지원, ④ 그 밖에 테러사건의 예방 및 저지활동 등의 임무를 수행한다. 국방부 소속 대테러특공대의 출동 및 진압작전은 군사시설 안에서 발생한 테러사건에 대하여 수행한다. 다만, 경찰력의 한계로 긴급한 지원이 필요하여 대책본부의 장이 요청하는 경우에는 군사시설 밖에서도 경찰의 대테러 작전을 지원할 수 있다고 규정하고 있다. 테러방지법 제정 이전에는 국내에서의 테러발생시 1차적 대응을 국방부가 지휘하느냐 아니면 경찰이 지휘하느냐의 문제로 다툼이 있었다. 그러나 현행 테러방지법상에서는 테러의 개념 규정을 국가, 지방자치단체 또는 외국정부의 권한행사를 방해하거나 의무 없는 일을 하게 할 목적 또는 공중을 협박할 목적으로 행하는 다음 각목의 해당하는 행위로 명확하게 규정하고 있으므로 북한이나 반정부단체를 테러범 내지 테러단체로 보기가 어려워졌고 병력의 동원에서 경찰의 작전을 지원하기 위한다는 규정을 둠으로써 종전의 시비소지는 없어졌다고 볼 수 있다. 따라서 북한의 군사행위나 대남테러행위는 적의 침투, 도발에 대응하기 위한 국가 총력전의 의미로 통합방위법이 우선적으로 적용되어야 할 것으로 본다. 결국 테러방지법이 시행되고 있지만 종전의 통합방위지침의 적용여부가 불분명한 경우에도 명확히 판명될 때까지 우선 통합방위지침에 의한 대응활동이 병행되어야 할 것으로 본다.[4)]

다만 통합방위법은 위협의 주체가 북한이라는 전제에서만 적용될 수 있고 국내 반정부조직이나 국제테러조직에는 적용이 어렵다. 또 위협의 주체가 북한에 의한 경우라 하더라도 통합방위법은 3종(갑종, 을종, 병종사태)의 사태가 발생해야 적용될 수 있는데 ① '갑종사태'란 일정한 조직체계를 갖춘 적의 대규모 병력 침투 또는 대량 살상무기 공격 등의 도발로 발생한 비상사태로서 통합방위본부장 또는 지역 군사령관의 지휘·통제 하에 통합방위작전을 수행하여야 할 사태를 말한다. ② '을종사태'란 일부 또는 여러 지역에서 적이 침투·도발하여 단기간 내에 치안이 회복되기 어려워 지역 군사령관의 지휘·통제 하에 통합방위작전을 수행하여야 할 사태를 말한다. ③ '병종사태'란 적의 침투·도발 위협이 예상되거나 소규모의 적이 침투하였을 때에 지방경찰청장, 지역 군사령관 또는 함대사령관의 지휘·통제 하에 통합방위작전을 수행하여 단기간 내에 치안이 회복될 수 있는 사태를 말한다. 적이 북한 또는 테러범이라는 가정 하에 재래식 무기 또는 폭발물을 사용하는 경우라면 '갑'종사태를 제외한 '을'종사태나 '병'종사태의 경우에 적용이 가능하다. 통합방위사태의 경우 검찰·경찰의 사법기관도 국가방위요소에 포함되어 테러발생 직후에 범인의 체포와 사건 규명 등이 필요하지만 군 지휘관에 의한 사법권의 운용이 보장되어 있지는 않다. 즉, 통합방위법 제18조에 의하면 지방경찰청장, 군사령관 등은 통합방위사태 발령시 적의 침투가 예상되는 곳 등에 검문소를 설치·운영할 수 있게 하였으나 북한군이 아닌 국내 반정부조직 또는 국제테러분자가 적발되는 경우에 대한 대응이 규정되어 있지 않다. 따라서 형사소송법 제212조에 의해 현행범 체포의 법리로 체포나 도주 저지를 위한 범위 내로 제한될 뿐이다.

---

4) 윤해성, "대테러 활동을 위한 테러 방지법과 시행령의 비교 분석", 『한국경호경비학회지』, Vol.-No.48(2016), pp. 259-285.

Ⅴ. 기타 대테러 관련법규

1. 국가정보원법

국가정보원법 제3조(직무) 제1항 제1호에는 국정원의 직무로서 '국외정보 및 국내보안정보(대공, 대정부전복, 방첩, 대테러 및 국제범죄조직)의 수집·작성 및 배포'를 명시하고 제2항에서 '직무를 수행하기 위하여 필요한 사항은 대통령령으로 정한다'고 규정하고 있다. 그러나 시행령인 「정보 및 보안업무 기획조정규정」(1999. 3. 31., 대통령령 제16211호)에는 테러에 대한 구체적인 업무범위나 수행 방식 등에 대한 규정이 명확하지 않아 시비 소지 제거를 위해 입법적 보완이 필요하다.

2. 테러자금금지법

2007년 1월 15일 우리 정부는 국제적으로 테러위협이 증대되고 있는 상황에서 국내금융기관이 테러자금의 조달경로로 활용될 가능성이 있고, 우리나라가 2004년 2월 17일 서명·비준한 「테러자금조달의 억제를 위한 국제협약」[5]을 이행하기 위해 「테러자금조달 금지법」의 명칭으로 법률안을 국회에 제출하였다. 법안심사소위원회에서는 법안에서 '테러자금' 명칭을 '공중 등 협박 목적을 위한 자금'으로 대체하고, 테러자금 동결 명령 등 행정부의 권한 남용이 우려되는 조항을 대폭 삭제한 「공중 등 협박목적을 위한 자금조달행위의 금지에 관한 법률」(테러자금금지법)로 수정하여 2008년 12월 22일 제정되게 되었다. 이 법 제2조(정의)는 공중협박자금이란 국가·지방자치단체 또는 외국정부(외국지방자치단체와 조약 또는 그 밖의 국제적인 협약에 따라 설립된 국제기구를 포함한다)의 권한행사를 방해하거나 의무 없는 일을 하게 할 목적으로 또는 공중에게 위해를 가하고자 하는 등 공중을 협박할 목적으로 행하는 행위, 즉 ① 사람을 살해하거나 사람의 신체를 상해하여 생명에 대한 위험을 발생하게 하는 행위 또는 사람을 체포·감금·약취·유인하거나 인질로 삼는 행위, ② 항공기 관련 범죄, ③ 선박 관련 범죄,

---

5) 세부 내용은 제9장 제1절 참조.

④ 폭발물사용 등의 범죄, ⑤ 핵물질사용 등의 범죄에 사용하기 위하여 모집·제공되거나 운반·보관된 자금이나 재산을 말한다고 규정하고 있고, 제4조에서 금융거래 등의 제한대상자 지정에 대한 사항을 규정하고 있으며 제6조에서는 공중협박자금 조달 행위 등을 한 사람을 처벌하는 규정을 두고 있다. 즉, 개인이나 법인 또는 단체가 공중협박자금조달과 관련되어 있는 것으로 판단되는 때에는 "금융거래 등 제한대상자"로 지정 및 고시하여 금융거래 등을 제한할 수 있다(동법 제4조 제1항). 이를 위반하여 거래를 한 금융회사 등은 3년 이하의 징역 3천만원 이하의 벌금에 처하고 있으며(동법 제6조 제2항), 나아가 자금이 공중 등 협박 목적을 위한 것이라는 사실을 알게 된 때 이를 신고하지 아니한 자에 대해서는 2년 이하의 징역 또는 1천만원 이하의 벌금에 처하도록 하고 있다(동조 제3항 제1호).

이와 관련하여 테러방지법 제9조 제2항에서도 정보 수집 및 분석의 결과 테러에 이용되었거나 이용될 가능성이 있는 금융거래에 대하여 지급정지 등의 조치를 취하도록 금융위원회 위원장에게 요청할 수 있게 규정하고 있다. 이를 위해 「특정금융거래의 보고 및 이용 등에 관한 법률」(특정금융정보법)을 일부 개정하여 동법 제7조 제1항에서 금융정보분석원장은 불법재산·자금세탁행위 또는 공중협박자금조달행위와 관련된 형사사건의 수사, 조세탈루혐의 확인을 위한 조사업무, 조세체납자에 대한 징수업무, 관세범칙사건 조사, 관세탈루혐의 확인을 위한 조사업무, 관세체납자에 대한 징수업무 및 「정치자금법」 위반사건의 조사, 금융 감독업무 또는 테러위험인물에 대한 조사업무에 필요하다고 인정되는 경우에는 검찰총장, 국세청장, 관세청장, 중앙선거관리위원회, 금융위원회 또는 국가정보원장에 제공하며, 검찰총장, 경찰청장, 해양경찰청장, 국세청장, 관세청장, 중앙선거관리위원회, 금융위원회, 국가정보원장은 특정형사사건의 수사 등을 위하여 필요하다고 인정하는 경우에는 대통령령으로 정하는 바에 따라 금융정보분석원장에게 특정금융거래정보의 제공을 요구할 수 있게 되었다.

3. 항공법 및 항공보안법

2016년 1월 25일 제정·시행된 「항공법」은 지난 1944년 미국 시카고에서 체결된 국제민간항공조약(Convention on International Civil Aviation, 일명 시카고조약이라 함) 및 같은 조약의 부속서에서 채택된 표준과 방식에 따라 민간항공기 등이 안전하게 항행하기 위한 방법을 정하고, 항공시설을 효율적으로 설치·관리하도록 하며, 항공운송사업 등의 질서를 확립함으로써 민간항공의 발전과 공공복리의 증진에 이바지함을 목적으로 제정되었다. 이 법에서는 비행장, 이착륙장, 공항시설 또는 항행안전시설을 파손하거나 그 밖의 방법으로 항공상의 위험을 발생시킨 사람은 2년 이상의 유기징역에 처하도록 하고(제156조), 항행 중인 항공기, 경량항공기 또는 초경량 비행 장치를 추락 또는 전복시키거나 파괴한 사람은 사형, 무기징역 또는 5년 이상의 징역에 처한다(제157조). 그리고 제157조의 죄를 지어 사람을 사상에 이르게 한 사람은 사형, 무기징역 또는 7년 이상의 징역에 처하고(제158조), 미수범도 처벌한다(제159조)라고 규정하고 있다.

「항공보안법」은 당초 1974년에 「항공기 운항 안전법」이라는 명칭으로 제정되어 2002년 전부 개정되면서 「항공안전 및 보안에 관한 법률」로 바뀐 후 2013년 4월 5일 현재와 같은 「항공보안법」으로 바뀌었다. 제정 취지는 국제협약에 따라 공항시설, 항행안전시설 및 항공기 내에서의 불법행위를 방지하고 민간항공의 보안을 확보하기 위해 기준과 절차 및 의무사항 등을 규정하는 것을 목적으로 만들어졌다. 이 법에서 '불법방해행위'란 항공기의 안전운항을 저해할 우려가 있거나 운항을 불가능하게 하는 행위로 정의하면서 다음과 같은 행위를 나열하고 있다(제2조). 그중 ① 테러와 관련이 있는 행위는 지상에 있거나 운항중인 항공기를 납치하거나 납치를 시도하는 행위, ② 항공기 또는 공항에서 사람을 인질로 삼는 행위, ③ 항공기, 공항 및 항행안전시설을 파괴하거나 손상시키는 행위, ④ 사람을 사상에 이르게 하거나 재산 또는 환경에 심각한 손상을 입힐 목적으로 항공기를 이용하는 행위 등이 있다. 그리고 벌칙에서 항공기 파손죄(제39조), 항공기 납치죄 등(제40조), 항공시설 파손죄(제41조), 항공기 항로 변경죄(제42조), 직무집행방해죄(제43조), 항공기 안전운항 저해 폭행죄(제46조), 항공기 점거 및 농성죄(제47조)를 규정하고 있다.

4. 방사능방재법 및 생화학무기법

2003년 5월 15일 제정된 「원자력시설 등의 방호 및 방사능 방재대책법」(방사능방재법)은 핵물질과 원자력시설을 안전하게 관리·운영하기 위하여 물리적 방호체제 및 방사능재난 예방체제를 수립하고, 국내외에서 방사능 재난이 발생한 경우 효율적으로 대응하기 위한 관리체계를 확립함으로써 국민의 생명과 재산을 보호함을 목적으로 만들어졌다. 제2조(정의)에서 '사보타주'란 정당한 권한 없이 방사성물질을 배출하거나 방사선을 노출하여 사람의 건강·안전 및 재산 또는 환경을 위태롭게 할 수 있는 행위로서, ① 핵물질 또는 원자력시설을 파괴·손상하거나 그 원인을 제공하는 행위, ② 원자력시설의 정상적인 운전을 방해하거나 방해를 시도하는 행위라고 규정한다. 그리고 원자력시설 등에 대한 사보타주 등의 위협이 있거나 우려가 있다고 판단되면 관할 군부대, 경찰관서 또는 그 밖의 행정기관에 지원을 요청할 수 있다(제10조). 벌칙에서는 정당한 권한 없이 방사성물질, 핵물질, 핵폭발장치, 방사성물질 비산장치 또는 방사선방출 장치를 수수·보관·제조·사용·운반·개조·처분 또는 분산하여 사람의 생명·신체를 위험하게 하거나 재산·환경에 위험을 발생시킨 사람을 처벌하고(제47조 제1항), 사보타주를 한 사람도 처벌하며(동조 제3항), 사람, 법인, 공공기관, 국제기구 또는 국가로 하여금 의무 없는 행위를 하게 하거나 권한행사를 방해할 목적으로 방사선물질 등을 사용하거나 원자력시설 또는 방사선물질 관련 시설을 사용·손상시켜 방사선물질을 유출하는 행위를 한 사람을 처벌하고(동조 제4항), 공중을 위협할 목적으로 제1항·제3항 또는 제4항의 범죄를 행할 것이라고 협박한 사람을 처벌하고(동조 제5항), 이 범죄들을 목적으로 한 단체 또는 집단을 구성하거나 가입 또는 활동한 사람을 처벌한다(동조 제6항)고 규정하고 있다.

1996년 8월 16일 제정된 「화학무기·생물무기의 금지와 특정 화학물질·생물작용제 등의 제조·수출입 규제 등에 관한 법률」(생화학무기법)은 '화학무기의 개발·생산·비축·사용 금지 및 폐기에 관한 협약'(화학무기금지협약) 및 '세균무기(생물무기) 및 독소무기의 개발·생산 및 비축의 금지와 그 폐기에 관한 협약'(생물무기금지협약)의 시행과 그 밖에 화학무기 또는 생물무기의 금지·규제에 관하여 국제적으로 부담하는 의무의 이행을 위하여 화학무기와 생물무기의 제조 등을 금지하고 화학무기와 생물무기의 제조에 이용될 수 있는 특정 화학물질·생물작용제 또는 독소의 제조·수출입 규제 등을 하는 데에 필요한 사항을 규정하고 있다. 제2조(정의)에서 "화학무기"란 ① 독성화학물질 및 그 원료물질, ② 가목에 규정된 독성화학물질의 독성이 사망 또는 그 밖의 상해(傷害)를 일으키도록 특별히 설계된 탄약 및 장치, ③ 나목에 규정된 탄약 및 장치를 사용하기 위한 목적으로 특별히 설계된 장비 및 운반수단을 말한다'라고 규정하고 있다. 또한 이러한 화학무기를 다음과 같은 목적이외 사용을 금하고 있다. ① 공업·농업·의료·제약·연구 또는 그 밖의 평화적 목적, ② 독성화학물질과 화학무기로부터 사람의 생명·신체와 환경을 보호하는 데에 직접적으로 관련된 목적, ③ 화학무기의 사용과 관련되지 아니하고 전투수단으로 화학물질의 독성 사용에 의존하지 아니하는 군사적 목적, ④ 폭동 진압에 관한 법령의 집행 목적. 이 경우 폭동 진압에 사용할 수 있는 물질은 특정 화학물질에 해당되지 아니하는 화학물질로서 급속하게 인체의 감각기관에 자극을 주거나 신체의 무력화를 일으켰다가 짧은 시간 내에 그 효과가 사라지는 것으로 한정한다고 규정하고 있다. 이를 위반할 경우 누구든지 화학무기·생물무기를 개발·제조·획득·보유·비축·이전·운송 또는 사용하거나 이를 지원 또는 권유하여서는 아니 된다고 금지의무를 부과한 후(제4조의2) 제25조-제30조에서 이를 처벌하는 규정을 두고 있다.

5. 통신비밀보호법 및 전기통신사업법

1993년 12월 27일 제정된 「통신비밀보호법」은 통신 및 대화의 비밀과 자유에 대한 제한 대상을 한정하고 엄격한 법적 절차를 거치도록 함으로써 통신비밀을 보호하고 통신의 자유를 신장할 목적으로 제정된 법이다. 이 법은 국가기관의 통신비밀 침해행위(감청 등)를 원칙적으로 금지하고 예외적으로 검사의 영장 청구와 이에 대한 법원의 허가를 얻도록 하고 있다. 즉, 범죄수사를 위한 통신제한조치(제5조, 제6조)로서 형법뿐만 아니라 군형법과 국가보안법 등의 특정 범죄에 대한 수사를 하기 위해서는 통신제한조치를 검사의 청구와 법원의 허가를 얻어 할 수 있다. 그리고 국가안보를 위한 통신제한조치(제7조)로서 정보수사기관의 장은 국가안전보장에 대한 위험을 방지하기 위하여 정보수집이 필요한 경우 내국인에 대해서는 정보수사기관의 장이 고등법원 수석부장판사의 허가를, 외국인에 대해서는 서면으로 대통령의 승인을 얻어 통신제한조치를 할 수 있다. 긴급통신제한조치(제8조)로서 국가안보를 위협하는 음모행위, 사망이나 심각한 상해를 야기할 수 있는 범죄 등 중대한 범죄에 있어 긴급한 사유가 있는 때에는 검사, 사법경찰관 또는 정보수사기관의 장이 법원의 허가 없이 통신제한조치를 할 수 있다. 다만

36시간 이내에 법원의 허가를 받지 못한 때에는 즉시 이를 중지하여야 한다. 따라서 테러범죄의 경우에는 국가안보를 위한 통신제한조치를 할 수 있는지, 즉 예비·음모 단계의 테러행위를 형법상 일반범죄규정을 근거로 국가안전보장에 대한 위험을 방지하기 위한 것에 포함시킬 수 있는지 해석상 논란이 있을 수 있다. 또한 국가안보를 위한 통신제한조치의 경우 동법 제7조 제1항에 의하여 대통령령이 정하는 정보수사기관의 장은 국가안전보장에 상당한 위험이 예상되는 경우 또는 「테러방지법」 제2조 제6호의 대테러활동에 필요한 경우에 통신제한조치를 할 수 있게 되었다. 문제는 제7조의 국가안보를 위한 통신제한조치의 경우에 북한에 의한 테러의 경우에도 「테러방지법」상에서 정의하는 테러로 간주하여 적용할 수 있는가 하는 점이고 남용의 문제도 제기될 수 있다.

2010년 3월 22일 제정된 「전기통신사업법」은 전기통신사업의 적절한 운영과 전기통신의 효율적인 관리를 통하여 전기통신사업의 건전한 발전과 이용자의 편의를 도모함으로써 공공복리의 증진에 이바지할 목적으로 마련되었다. 이 법은 제83조에서 '통신비밀의 보호'를 규정하고 있다. 즉 누구든지 전기통신사업자가 취급 중에 있는 통신의 비밀을 침해하거나 누설하여서는 안 되며(동조 제1항), 다만 특정 국가기관의 장이 요청하는 경우 예외로 한다. 법원, 검사 또는 수사관서의 장(군 수사기관의 장, 국세청장 및 지방 국세청장을 포함한다), 정보수사기관의 장이 재판, 수사, 형의 집행 또는 국가안전보장에 대한 위해를 방지하기 위한 정보수집을 위하여 이용자의 성명, 주민등록번호, 주소, 전화번호, 아이디, 가입일 또는 해지일에 대한자료의 열람이나 제출(이하 '통신자료제공'이라 한다)을 요청하면 전기통신사업자는 그 요청에 따를 수 있도록 규정하고 있다(동조 제3항). 그리고 그 통신자료제공 요청은 요청사유, 해당 이용자와의 연관성, 필요한 자료의 범위를 기재한 서면으로 하여야 하며 다만, 서면으로 요청할 수 없는 긴급한 사유가 있을 때에는 서면에 의하지 아니하는 방법으로 요청할 수 있고, 그 사유가 해소되면 지체 없이 전기통신사업자에게 자료제공요청서를 제출하도록 하여 절차적 요건을 규정하고 있다(동조 제4항). 이 법은 이러한 통신자료제공에 관하여 행정부 내부적으로는 비교적 투명하게 관리되도록 규정하고 있다. 전기통신사업자는 제3항과 제4항에 따라 통신자료제공을 한 경우에는 해당 통신자료제공 사실 등 필요한 사항을 기재한 대장과 자료제공요청서 등 관련 자료를 갖추어 두어야 하고(동조 제5항), 통신자료제공을 한 현황 등을 연 2회 과학기술정보통신부장관에게 보고하여야 하며, 과학기술정보통신부장관은 전기통신사업자가 보고한 내용의 사실 여부 및 제5항에 따른 관련 자료의 관리 상태를 점검할 수 있다(동조 제6항). 또한 전기통신사업자는 제3항에 따라 통신자료제공을 요청한 자가 소속된 중앙행정기관의 장에게 제5항에 따른 대장에 기재된 내용을 알리도록 규정하여 행정부 자체 내부 통제가 이루어질 수 있도록 하고 있다(동조 제7항).

6. 출입국관리법

1992년 12월 8일 제정된 「출입국관리법」은 우리나라에 입국하거나 출국하는 모든 국민 및 외국인의 출입국관리를 통한 안전한 국경관리와 한국에 체류하는 외국인의 체류관리 및 난민(難民)의 인정절차 등에 관한 사항을 규정하기 위해 만들어졌다. 제11조(입국의 금지 등)에 의하면 다음의 경우 입국을 금지할 수 있다. ① 감염병환자, 마약류중독자, 그 밖에 공중위생상 위해를 끼칠 염려가 있다고 인정되는 사람, ② 총포・도검・화약류 등을 위법하게 가지고 입국하려는 사람, ③ 대한민국의 이익이나 공공의 안전을 해치는 행동을 할 염려가 있다고 인정할 만한 상당한 이유가 있는 사람, ④ 경제질서 또는 사회질서를 해치거나 선량한 풍속을 해치는 행동을 할 염려가 있다고 인정할 만한 상당한 이유가 있는 사람, ⑤ 1910년 8월 29일부터 1945년 8월 15일까지 일본 정부의 지시를 받거나 연계하여 인종, 민족, 종교, 국적, 정치적 견해 등을 이유로 사람을 학살・학대하는 일에 관여한 사람 등이다. 또한 이 법에서 정한 규정과 절차를 위반한 사람은 제6장(강제퇴거 등)에 의거 강제로 퇴거시킬 수 있다. 또한 외국인의 입국 시에는 지문 및 얼굴에 관한 신체생체정보를 제공하도록 하고 있다(동법 제12조의2). 출입국관리법 제13조는 외국인테러전투원에 대해서 관계기관의 장은 외국인테러전투원으로 출국하려 한다고 의심할 만한 상당한 이유가 있는 내국인・외국인에 대하여 일시 출국금지를 법무부장관에게 요청할 수 있으며, 일시 출국금지 기간은 90일이다. 다만, 출국금지를 계속할 필요가 있다고 판단할 상당한 이유가 있는 경우에 관계기관의 장은 그 사유를 명시하여 연장을 요청할 수 있다. 또한 관계기관의 장은 외국인테러전투원으로 가담한 사람에 대하여 「여권법」 제13조에 따른 여권의 효력정지 및 같은 법 제12조제3항에 따른 재발급 거부를 외교부장관에게 요청할 수 있다. 테러방지법에서도 국가정보원장은 테러위험인물에 대하여 출입국 관련 정보를 수집할 수 있다(동법 제9조 제1항)고 규정하고 있으나 시행령에는 '외국인테러전투원'에 대한 규제가 출국금지에만 해당되고 입국거부나 입국조치에 대한 명문의 규정이 없다.

7. 국가보안법

1991년 5월 31일 제정된 「국가보안법」은 국가의 안전을 위태롭게 하는 반국가활동을 규제함으로써 국가의 안전과 국민의 생존 및 자유를 확보하기 위해 만들어졌다. 제2조(정의)에서 반국가단체란 정부를 참칭(僭稱)하거나 국가를 변란(變亂)할 것을 목적으로 하는 국내외의 결사 또는 집단으로서 지휘통솔체제를 갖춘 단체를 말한다고 규정하고, 제3조(반국가단체의 구성 등)에 반국가단체를 구성하거나 이에 가입한 자는 ① 수괴의 임무에 종사한 자는 사형 또는 무기징역에 처한다. ② 간부 기타 지도적 임무에 종사한 자는 사형·무기 또는 5년 이상의 징역에 처한다. ③ 그 이외의 자는 2년 이상의 유기징역에 처한다. ④ 타인에게 반국가단체에 가입할 것을 권유한 자는 2년 이상의 유기징역에 처한다고 규정하고 있고 미수범도 처벌할 있게 하고 있다. 반국가단체의 구성원 또는 그 지령을 받은 자가 목적수행을 위해 하는 살인과 폭발물 사용 등의 일정 행위를 처벌한다(제4조). 또한 참고인의 구인 및 유치(제18조)와 구속기간의 연장(제19조)에 대하여 특별형사절차 규정을 두고 있다. 테러조직을 반국가단체에 포함시킬 수 있는가가 문제되는데 테러조직이 한국 정부를 참칭하려고 하거나 혹은 우리나라를 변란할 목적으로 하는 경우라면 당연히 포함된다고 할 수 있다. 그러나 일반적인 국제테러조직의 경우 이 법을 적용하는 것은 무리지만 반국가단체인 북한에 의하거나 북한의 사주에 의한 테러범죄에 대해서는 이 법의 적용이 가능할 것이다.

8. 재난안전법

2004년 3월 11일 제정된 「재난 및 안전관리 기본법」(재난안전법)은 각종 재난으로부터 국토를 보존하고 국민의 생명·신체 및 재산을 보호하기 위하여 국가와 지방자치단체의 재난 및 안전관리체제를 확립하고, 재난의 예방·대비·대응 · 복구와 안전 문화활동, 그 밖에 재난 및 안전관리에 필요한 사항을 규정함을 목적으로 만들어졌다. 제3조(정의)에서 “재난”이란 국민의 생명 · 신체 · 재산과 국가에 피해를 주거나 줄 수 있는 것으로서 태풍, 홍수 같은 자연재난과 화재, 붕괴 같은 사회재난으로 구분하고 한국 영역 밖에서 일어나는 “해외재난”을 포함하고 있다. 이 법은 자연재해뿐만 아니라 화생방사고, 기타 이와 유사한 사고에도 적용되므로 테러로 인한 인명과 재산의 손실에도 적용된다고 볼 수 있으나, 재난 발생 후에 사후대책에 중점을 두고 있고 사전예방은 안전점검에 불과하여 테러에 대한 대응방식과는 정반대이며 테러관련 정보는 일반 대중에게 비공개가 원칙이나 재난관련 정보는 공개가 원칙인 점 등에서 테러에 적용하기에는 한계가 있다. 그러나 테러 발생 후의 사후 복구에는 보완적인 적용이 가능할 것으로 본다.

9. 경찰관 직무집행법

1981년 4월 13일 제정된 이 법은 국민의 자유와 권리를 보호하고 사회공공의 질서를 유지하기 위한 경찰관의 직무 수행에 필요한 사항을 규정함을 목적으로 하면서 직권은 그 직무 수행에 필요한 최소한도에서 행사되어야 하며 남용되어서는 아니 된다고 하고 있다. 제2조(직무의 범위)에 의한 경찰관의 직무는 ① 국민의 생명 · 신체 및 재산의 보호, ② 범죄의 예방 · 진압 및 수사, ③ 경비, 주요 인사(人士) 경호 및 대간첩 · 대테러 작전 수행, ④ 치안정보의 수집 · 작성 및 배포, ⑤ 교통 단속과 교통 위해(危害)의 방지, ⑥ 외국 정부기관 및 국제기구와의 국제협력, ⑦ 그 밖에 공공의 안녕과 질서 유지 등으로 규정하고 있다. 테러 방지활동에도 적용이 가능한 불신검문 및 임의동행 요구, 응급보호자 구호조치, 위험발생 방지조치, 출석요구서 요구, 공무집행을 위한 무기사용 등의 규정을 포함하고 있다. 구체적으로 다음과 같다.

동법 제3조(불심검문)는 경찰관은 수상한 행동이나 그 밖의 주위 사정을 합리적으로 판단하여 볼 때 어떠한 죄를 범하였거나 범하려 하고 있다고 의심할 만한 상당한 이유가 있는 사람 또는 이미 행하여진 범죄나 행하여지려고 하는 범죄행위에 관한 사실을 안다고 인정되는 사람을 정지시켜 질문할 수 있다고 규정하고, 이를 위해 경찰관은 가까운 경찰서 · 지구대 · 파출소 또는 출장소(지방해양경찰관서를 포함하며, 이하 “경찰관서”라 한다)로 동행할 것을 요구할 수 있고, 흉기를 가지고 있는지를 조사할 수 있다. 이때 경찰관은 자신의 신분을 표시하는 증표를 제시하면서 소속과 성명을 밝히고 질문이나 동행의 목적과 이유를 설명하여야 하고 동행 장소를 밝혀야 하고(동조 제4항), 동행한 사람의 가족이나 친지 등에게 동행한 경찰관의 신분, 동행 장소, 동행 목적과 이유를 알리거나 본인으로 하여금 즉시 연락할 수 있는 기회를 주어야 하며, 변호인의 도움을 받을 권리가 있음을 알려야 하며(동조 제5항), 동행한 사람을 6시간을 초과하여 경찰관서에 머물게 할 수 없다(동조 제6항)고 불심검문의 절차와 방법을 규정하고 있다.

동법 제10조부터 제10조의4까지 경찰관의 무기의 사용을 규정하고 있다. 이때 경찰관은 직무수행 중 경찰장비를 사용할 수 있는데 경찰장비를 함부로 개조하거나 경찰장비에 임의의 장비를 부착하여 일반적인 사용법과 달리 사용함으로써 다른 사람의 생명·신체에 위해를 끼쳐서는 아니 되고(동법 제10조 제3항), 필요한 최소한도에서 사용하여야 한다(동조 제4항). 또한 경찰관은 ① 현행범이나 사형·무기 또는 장기 3년 이상의 징역이나 금고에 해당하는 죄를 범한 범인의 체포 또는 도주 방지, ② 자신이나 다른 사람의 생명·신체의 방어 및 보호, ③ 공무집행에 대한 항거(抗拒) 제지 등의 경우 필요하다고 인정되는 상당한 이유가 있을 때에는 그 사태를 합리적으로 판단하여 필요한 한도에서 경찰장구(수갑, 포승(捕繩), 경찰봉, 방패 등)를 사용할 수 있다(동법 제10조의2). 또 경찰관은 ① 범인의 체포 또는 범인의 도주 방지, ② 불법집회·시위로 인한 자신이나 다른 사람의 생명·신체와 재산 및 공공시설 안전에 대한 현저한 위해의 발생 억제시 부득이한 경우에는 현장책임자가 판단하여 필요한 최소한의 범위에서 분사기와 최루탄을 사용할 수 있다(동법 제10조의3). 또 경찰관은 범인의 체포, 범인의 도주 방지, 자신이나 다른 사람의 생명·신체의 방어 및 보호, 공무집행에 대한 항거의 제지를 위하여 필요하다고 인정되는 상당한 이유가 있을 때에는 그 사태를 합리적으로 판단하여 필요한 한도에서 무기를 사용할 수 있다(동법 제10조의4). 그러나 이 법은 사건 발생 후 범죄혐의자 검거 등 후속조치와 관련한 규정 위주로 되어 있어 테러를 사전에 예방하거나 테러범을 추적하는 데에는 이 법 적용의 한계가 있다.

10. 청원경찰법

1973년 12월 31일 제정된 이 법은 청원경찰의 직무·임용·배치·보수·사회보장 및 그 밖에 필요한 사항을 규정함으로써 청원경찰의 원활한 운영을 목적으로 한다. 제2조(정의)에서 “청원경찰”이란 국가기관 또는 공공단체와 그 관리하에 있는 중요 시설 또는 사업장, 국내 주재(駐在) 외국기관 등의 경영자가 경비(經費)를 부담하는 조건으로 그 기관·시설 또는 사업장 등의 경비(警備)를 담당하게 하기 위하여 배치하는 경찰을 말한다. 관할 경비구역 내 경찰관 직무수행, 관할 경찰청의 경영자에게 청원경찰 배치 요청, 청원경찰의 근무 수행 상황 감독 및 교육 등의 조항을 포함하고 있다. 따라서 오늘날 2개 이상의 장소와 국가에서 연쇄적으로 또는 동시다발적으로 발생하는 테러에 그대로 적용되기는 무리가 있으나 특정 지역 내나 시설에 대한 경비와 순찰 및 출입통제 등의 업무를 통해 테러를 사전 예방하거나 테러 징후를 포착하는 데 보조적인 역할을 할 것으로 본다.

제2절 부처별 임무 분담

테러방지법 제3조는 테러방지와 예방을 위한 국가 및 지방자치단체의 책무를 정하고 있다. 먼저 국가 및 지방자치단체는 테러로부터 국민의 생명·신체 및 재산을 보호하기 위하여 테러의 예방과 대응에 필요한 제도와 여건을 조성하고 대책을 수립하고 시행하여야 한다(제3조 제1항). 국가 및 지방자치단체는 대테러 대책을 강구함에 있어서 국민의 기본적 인권이 침해당하지 아니하도록 하여야 한다(동 제2항). 또한 테러방지법을 집행하는 공무원은 헌법상 기본권을 존중하여 이 법을 집행하여야 하며 헌법과 법률에서 정한 적법절차를 준수할 의무가 있다(제3조 제3항). 물론 이러한 국가 및 지방자치단체의 책무는 우리나라의 헌법에서 유래되고 있어 테러방지법의 이 조항은 선언적인 성격을 가진다고 할 것이다. 다만 제3조 제1항의 ‘테러의 예방과 대응에 필요한 대책 수립’은 직접적이고 구체적인 책무를 규정한 것으로 봐야 할 것이다.

전체적인 우리나라의 테러 대응체계를 살펴보면 다음의 [체계도]에서 볼 수 있듯이 대테러정책 최고 결정기구로 국무총리를 위원장으로 국무조정실장, 국방부장관, 외교부장관, 국정원장, 경찰청장 등 19개 기관장이 참여하는 국가테러대책위원회를 두고 그 아래 대테러활동을 총괄·조정하는 대테러센터를 두고 있다. 또한 테러 예방·대응 활동을 전문적으로 수행하기 위해 전담조직을 운영하고, 대테러활동에 따른 인권침해 방지 및 인권보호 활동을 위해 대테러 인권보호관을 두게 하고 있다.

첫째, 대테러센터로 하여금 국가대테러활동을 원활히 수행하기 위하여 필요한 사항과 대책위원회 운영에 필요한 사무 등을 처리하게 하며, 관계기관의 장에게 직무수행에 필요한 협조와 지원을 요청할 수 있도록 하고 있다.

둘째, 전담조직으로 테러예방 및 대응을 위해 관계기관 합동으로 구성하거나 관계기관의 장이 설치하는 '5개 사건대책본부'가 있고 사건현장에는 '현장지휘본부'가 설치되며, 이를 지원하는 '화생방·테러복구 지원본부'가 있으며 필요한 경우에는 하부조직을 전담조직으로 지정·운영할 수 있도록 하고 있다. 특히, 특별시·광역시·특별자치시·도·특별자치도와 관계기관 간 테러예방활동의 유기적인 협조·조정, 대책위원회의 심의·의결사항에 대한 시행 등을 위해 국가정보원의 해당지역 관할지부 장이 의장을 맡는 '지역 테러대책협의회'를 두고 있다. 또 공항 또는 항만 내에서의 법무부·관세청 등 상주하는 관계기관 간 대테러활동에 관한 사항을 협의하기 위해 '공항·항만테러대책협의회'를 운영하고 있다. 테러사건에 대한 진압작전 수행을 위해 국방부장관, 경찰청장, 해양경찰청장 등에 '대테러특공대'를 설치·운영하도록 하고 있으며, 테러사건 발생시 신속한 인명구조·구급을 위해 중앙 및 지방자치단체 소방청에 '테러대응구조대'를 설치·운영하도록 하였다. 또한 테러 관련 정보를 통합관리하기 위해 국가정보원장이 관계기관 공무원으로 구성되는 '테러정보통합센터'를 설치·운영하도록 하고, 국내외에서 테러사건이 발생하거나 발생할 우려가 현저한 때 또는 테러첩보가 입수되거나 테러 관련 신고가 접수되었을 때는 관계기관 합동으로 구성되는 '대테러합동조사팀'을 편성·운영할 수 있도록 하고 있다.

셋째, 대테러 인권보호관은 대책위원회의 위원장이 위촉하고, 임기는 2년에 연임할 수 있도록 하며, 자격요건은 변호사로서 10년 이상 실무경력이 있는 사람, 인권분야에 전문지식이 있고, 부교수 이상으로 10년 이상 재직했던 사람 등으로 정하고 있다. 인권보호관의 직무로서는 대책위원회에 상정되는 대테러 정책·제도와 관련된 인권보호 자문 및 개선 권고, 대테러활동에 따른 인권침해 관련 민원처리 등으로 정하고 있다.

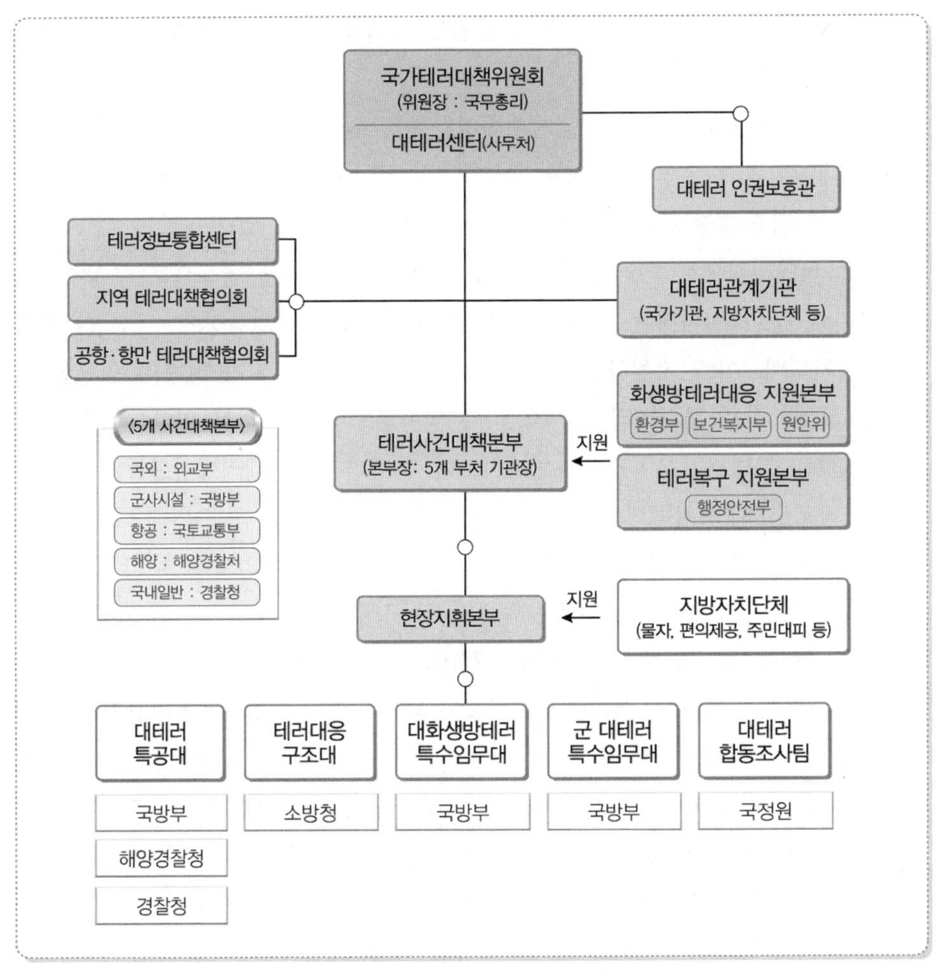

[국가대테러업무 수행 체계도]

출처: 국무조정실 대테러센터(2018.4.27.).

이에 따라 시행령 등에서 정부 부처가 수행해야 할 임무를 구체적으로 명시하고 있다. 다음의 <표>에서 관계기관별 임무를 살펴본다.

〈관계기관별 임무〉

관계기관	담당 임무
대테러센터 (국무총리실)	- 기관별 임무분담 및 실무조정 - 테러경보 발령 - 국가테러대책위 및 실무위 운영 - 대테러활동 관련 법령, 지침 등 제·개정 등
외교부	- 국외테러 총괄 대응 - 각국 정부와 대테러협력체제 유지 - 여행금지국 지정 - 외국인테러전투원(FTF) 여권 효력정지 등
통일부	- 북한 테러에 대한 대북성명, 전통문 발송 등 조치 - 북관련 국가중요시설(출입사무소 등) 대테러 대책 등
법무부	- 출입국관련 대테러 및 경호안전 대책지원 - 테러혐의자 잠입 차단대책 - 테러사건, 테러단체 및 인물에 대한 수사 총괄 - 국내 체류 외국인 동향 관리 등
국방부	- 군 대상 테러대응 총괄 - 대테러특공대 운영 - 대테러특수임무대 운영 - 대화생방테러 특수임무대 운영 - 국내외 테러진압작전 지원 등
행정안전부	- 테러복구지원본부 운영 - 국가중요시설 대테러안전대책 - 테러사건 대응활동시 물자 및 편의 제공 등
산업통상부	- 전력, 가스 등 기간시설 대테러안전대책 등
보건복지부/환경부/ 원자력안전위원회	- 화생방 관련 테러이용 가능 물질 안전관리 및 취급시설 대테러 안전대책
국토교통부	- 항공테러 대응 총괄 - 항공기 운항 관련 국제조약 체결 등 - 테러위험지역 취항노선 대테러점검 - 다중이용시설 대테러 대책
해양수산부	- 선박 및 항만시설 대테러안전대책 - 선박 운항 관련 국제조약 체결 등 - 테러위험지역 운항 국적선 대테러안전대책 지원

해양경찰청	- 해상테러대응 총괄 - 대테러특공대 운영 - 협상실무요원, 전문요원 및 통역요원의 육성·확보
소방청	- 테러대응구조대 운영 - 화생방테러 발생시 초기단계 오염 확산 방지 및 제독대책
경호처	- 대통령 경호대책 - 국가원수급 국빈 경호
금융위원회	- 테러자금 차단을 위한 금융거래 모니터링
관세청	- 테러물품 반입 차단대책
경찰청	- 국내일반테러 대응총괄 - 대테러특공대 운영 - 협상실무요원, 전문요원 및 통역요원 육성, 확보 - 총기·폭발물 등 테러에 이용 물질에 대한 안전관리
테러정보통합센터 (국정원)	- 테러위험인물 관련정보 수집 및 조사, 추적 - 대테러 정보 수집, 작성 및 배포 - 지역 및 공항만 테러대책협의회 운영 - 테러정보통합센터 운영 - 대테러합동조사팀 운영 - 테러정보의 통합관리
국가안보실	- 국가 위기관리체계 기획 조정 - 테러 관련 중요상황의 대통령 보고
기획재정부	- 대테러 관련 예산 지원 등
과학기술정보통신부	- 국제우편물을 이용한 대테러 검역·감시체계 강화
지방자치단체	- 테러대응구조대 설치 운영 - 인명구조, 구급 및 지역주민 긴급대피 방안 강구 등

출처: 「테러방지법」 및 시행령, 관계법령 등을 참고하여 재정리.

제3절 단계별 대응

테러에 대한 대응은 위에서 살펴본 테러방지법을 포함한 여러 가지 관련법규에 근거하여 유관기관 간에 체계적이고 유기적인 노력에 의하여 가능하다. 테러방지와 대처를 위한 공동의 목표 아래 각각의 유관기관이 임무를 분담하여 개별적으로 독립되어 수행하는 것이 아니라 상호밀접하게 연관되어 유기적인 관계를 유지해야 효과를 극대화할 수 있을 것이다. 앞에서 살펴본 Petak(1985)의 단계론적 위기관리 모형을 참고하여 테러에 대한 대응은 일반적으로 예방(prevention) → 대비(preparedness) → 대응(response) → 복구(recovery)의 4단계로 진행된다. 미국의 경우도 2006년에 공포된 국가대응체계(National Response Framework: NRF)에 의해 위기관리의 단계를 주의(awareness), 예방(prevention), 대비(preparedness), 대응(response), 복구(recovery)로 구분하여 절차를 국가사고관리체계(NIMS: National Incident Management System)로 구체화하고 있다.[6]

여기서는 예방과 대비단계를 묶어 예방활동으로, 대응과 복구단계를 대응활동과 복구활동으로 구분하여 서술하고자 한다.

Ⅰ. 예방활동

이 단계에서는 테러가 발생하기 전에 테러에 취약한 요인을 발굴하여 미리 제거하거나 노출되지 않도록 억제하는 것이다. 테러가 발생하여 많은 시민의 목숨이 빼앗긴 후의 조치는 무의미하기 때문에 예방은 가장 중요하고 핵심적인 활동이다. 인적·물적 위협요소에 대한 대비·관리이다. 우선 우리나라에 위협이 되는 인적 위협요인인 테러범이나 테러조직에 대한 정보를 수집·분석하여 체계적인 추적시스템을 구축해야 한다. 또 물적 위협요인인 테러 수단으로 이용되는 총기류나 폭발물 등 위험물질에 대한 관리와 유입에 대한 적발과 차단책을 강구해야 하고, 테러공격 시 예상되는 공격 목표에 대한 지정과 관리방안을 마련해야 한다.

1. 국제테러단체 동향 수집

우리나라는 테러방지법 제2조(정의) 제2호에서 "테러단체"란 국제연합(UN)이 지정한 테러단체를 말한다고 규정하고 있다. 다음의 <표>에서 볼 수 있듯이 2016년 12월 기준으로 국제연합(UN)은 IS, 알 카에다 등 총 81개(현재 활동 중

6) Homeland Security, "National Response Framework(NRF)", Second Edition(May 2013), pp. 1-48.

35개, 활동 약화 15개, 테러자금 지원 31개) 조직을 테러단체로 지정하고 있다.[7)]

〈UN지정 테러단체(총 50개)〉

국가	활동 중인 단체(35개)	활동 약화 단체(15개)
IS · 알 카에다 연계(48개)		
레바논(2)	아스밧 알 안사르, 압둘라 아잠 여단(AAB)	
리비아(4)	리비아 이슬람 전투그룹(LIFG), 안사르 알 샤리아 데르나(AAS-D), 안사르 알 샤리아 벵가지(AAS-B)	무함마드 자말 네트워크
시리아(3)	알 누스라 전선(ANF), 하라카트 샴 알이슬람(HSI), 제이쉬 알 무하지룬 왈안사르(JMA)	
예멘(2)	예멘 알 카에다(AQAP)	아덴 이슬람 군(軍)
이집트		이집트 이슬람 지하드
알제리(3)	알 카에다 마그렙지부(AQIM), 준드 알 칼리파(JaK-A)	이슬람 무장그룹(GIA)
이라크(2)	안사르 알 이슬람(AAI), ISIL	
말리(5)	안사르 알 딘(AAD), 알 무라비툰	알 무아카운 비담, 알 물라타문, 서아프리카 유일신과 성전
모로코		모로코 이슬람 전투 그룹
튀니지(2)	안사르 알 샤리아(AAS)	튀니지 전투 그룹
나이지리아(2)	보코 하람, 안사루(ANSURU)	
중국	동투르키스탄 이슬람운동(ETIM)	
러시아(4)	카프카즈 에미레이트	이슬람 국제여단, 특수목적 이슬람 연대, 체첸 리야두스 살리킨 정찰과 사보타주 대대
파키스탄(7)	라쉬카르 에 장비(LeJ), 라쉬카르 에 타이바(LeT), 이슬람 지하드그룹(IJG), 제이쉬 에 모하메드(JeM), 하라카툴	

7) 기타 미국, 영국, 캐나다, 호주 등도 자국 테러단체 지정근거에 의해 UN 지정 단체 외 독자적으로 지정하여 제재를 가하고 있다(상세 내용 제9장 제4절 참조).

	지하드 이슬라미(HUJI), 파키스탄 탈레반((TTP), 하라카툴 무자헤딘(HUM)	
아프칸(2)	알 카에다(AQ)	마크타브 알 키다마트
우즈벡스탄	우즈벡 이슬람운동(IMU)	
필리핀(2)	아부 사야프 그룹(ASG)	라자 솔라이만 운동
소말리아		알 이티하드 알 이슬라미야
인도네시아(3)	제마 안샤루트 타우히드(JAT), 제마 이슬라미야(JI), 동인도네시아 무자헤딘(MIT)	
탈레반 연계(1)		
아프간	하카니 네트워크(HQN)	
소말리아 사태(1)		
소말리아	알 샤바브(AS)	

출처: 국무조정실 대테러센터 테러방지법 해설(2017).

〈테러자금 지원단체(31개)〉

국가	단체명
IS · 알 카에다 연계(27개)	
네덜란드	알하르마인 재단 네덜란드
미국(2)	베네볼렌스 국제 재단, 국제 구호 재단
방글라데시	알하르마인 재단 방글라데시
보스니아(4)	알 푸르칸, 알하르마인 재단, 알하르마인 & 알마스지드 알아크사 자선 재단, 타이바 인터내셔널 보스니아 사무소
소말리아	알하르마인 재단 소말리아
아프가니스탄(3)	알하르마인 재단 아프가니스탄, 자마툰 알이슬미아, 와파 인도주의 조직
알바니아	알하르마인 재단 알바니아
알제리	자마트 후마트 다와 살라피아(DHDS)
인도네시아(2)	알하르마인 재단, 힐랄 아흐마르 소사이어티
케냐 · 에티오피아	알하르마인 재단 에티오피아, 알하르마인 재단 케냐
파키스탄(7)	아프간 지원위원회, 알아크타르 국제신탁, 라비타 신탁,

	알하르마인 재단 파키스탄, 알라시드 신탁, 이슬람 부흥 소사이어티, 움마 타미르 에 나우
코모로 · 탄자니아	알하르마인 재단 코모로, 알하르마인 재단 탄자니아
탈레반 연계(4개)	
아프가니스탄	라하트 유한회사
파키스탄(3)	하지 바쉬르 자르지밀 컴파니 하왈라, 하지카이룰라 하지 사타르 머니 익스체인지, 로샨 머니 익스체인지

출처: 국무조정실 대테러센터 테러방지법 해설(2017).

다음에서는 UN이 지정한 81개 테러단체 중 우리나라에 위협이 되고 있는 대표적인 몇 개의 테러단체를 중심으로 구체적으로 알아본다.

(1) IS(이슬람국가)

IS는 1990년대 말 알 자르카위(Al Zarqawi)가 결성한 유일신과 성전(Al Tawhid al Jihad)이 모체이고 2003년 이라크의 후세인 정권 몰락이후 군 · 경 출신자를 규합하여 테러단체를 결성하였다. 명칭은 이라크 알 카에다(AQI, 2004년) → 이라크 이슬람국가(ISI: Islamic State of Iraq, 2006년) → 이라크와 레반트[8] 이슬람국가(ISIL: Islamic State of Iraq and the Levant, 2013년) → 이슬람국가(IS: Islamic State, 2014년)로 수시로 변경되었다.[9] 주요 구성원은 이슬람 수니(Sunni)파 계열 아랍인들이며 현재는 이라크 · 시리아 등지를 거점으로 활동 중에 있다. 목표는 500년 전 오스만 제국의 침략으로 소멸한 아랍인 중심의 칼리프(神政) 국가를 재건하여 궁극적으로는 전 세계에 이슬람국가를 건설하는 것이다. 2016년 말 현재 이라크 서북부와 시리아 동북부의 영토 약 10%(6만 5천㎢)를 장악하고 모술과 라까를 중심으로 내전을 치루고 있고 3만여 명의 조직원을 두고 있다. 현재 IS의

8) 레반트(Levant)는 팔레스타인(고대의 가나안)과 시리아, 요르단, 레바논 등이 있는 지역을 가리키는 말로 문화적 · 역사적 배경을 지닌 지역을 아우르는 용어다.

9) IS가 2014년 6월 전 세계에 칼리프 국가를 수립하겠다는 의미로 IS로 명칭을 변경하자 미국의 '오바마' 정부는 지역 테러단체로 격하시키기 위해 ISIL을 사용하였고, '트럼프' 정부는 2017년 2월 시리아 사태 해결의지를 강조하기 위해 전 행정부처에 ISIL 대신 ISIS(Islamic State in Iraq and Syria)로 사용하도록 하였다. 이 책에서는 IS로 통일하여 사용하고자 한다.

최고지도자는 알 바그다디(Al Baghdadi)로 1971년 이라크 사마라지역에서 출생하여 바그다드 이슬람대학교 졸업 후 종교학교 교사로 활동하였다. 2003년 이라크전 발발 이후 대미 무장활동을 전개하여 2010년 5월 이라크 티크리트에서 미군 및 이라크군과 교전 중 AQI 지도자 '알 마스리'가 사망하자 최고 지도자 자리를 물려받았다. 2014년 6월 알 바그다디를 칼리프로 하는 이슬람국가(IS)의 수립을 선언하였다. 현재 알 바그다디의 사망설에 대해 여러 번의 보도가 있었으나 여전히 생존하고 있는 것으로 알려져 있다.[10)]

UN이 2011년 10월 알 바그다디를 국제테러분자로 지정하였고, 미 국무부도 알 바그다디를 테러리스트로 지정하고 그의 생포 혹은 사살과 직결되는 정보에 현상금 1천만 달러를 걸었다. IS와 연계된 세력은 보코 하람, 무자헤딘 슈라위원회(MSC), 우즈벡 이슬람운동(IMU), 알 마크디스(ABM) 등 전 세계적으로 약 75개 정도인 것으로 확인되고 있다. IS에 의해 자행된 테러사건은 2015년 11월 프랑스 파리 공연장·축구장·카페 등에 동시다발테러로 498명 사상, 2016년 3월 벨기에 브뤼셀의 공항·지하철역 동시다발테러로 372명이 사상 되는 등 최근의 극렬 테러행위 대부분이 이들의 소행으로 알려져 있다.

알 카에다와의 차이는 두 단체 모두 진정한 이슬람 통치 확립을 지향하나, 알 카에다가 부패한 아랍정권을 지원하는 미국을 주적으로 대상하고 있는 반면 IS는 이슬람세계 내 타종파와 변절자들을 타도대상으로 한다. 따라서 알 카에다와는 관계가 악화되어 알 카에다 역시 알 바그다디의 목에 현상금 2,500만 달러를 걸고 있다. 또한 알 카에다는 이슬람 세계에서 미국을 축출한다는 목표아래 상징적 대상(미국 대사관, 세계무역센터 등)에 대한 대규모 테러공격을 선호하지만, IS는 시리아 내전 와중에도 병력을 통한 영토 확장에 치중하면서 테러공격도 전쟁의 한 수단으로 사용하고 있다.

탈레반과의 차이는 모두 이슬람 원리주의에 입각한 신정국가 건립을 지향하나 IS는 1차 대전이후 서구에 의해 확정된 중동지역의 인위적 국경분할을 타파하고 중동 전역과 전 세계를 통합을 목표로 하고 있는 반면, 탈레반은 아프가니스탄 내에서 현 아슈라프 가니 대통령(임기 2014-2019 예정)과 정권을 축출하고 이슬

---

10) 2017년 7월 11일 이라크 현지 매체는 ISIS가 알 바그다디의 사망을 인정하였다고 보도하였으나 7월 21일 미 국방장관은 아직 살아있는 것으로 보고 있다고 언급했다.

람 통치 국가를 건설하는 것이 목표다. 또한 IS는 미국뿐만 아니라 서방국가는 물론이고 아사드 정권과 시리아 여타 반군, 이라크 시아파, 레바논 헤즈볼라 등 다른 무슬림을 대상으로 무자비한 공격을 하고 있는 반면 탈레반은 9.11테러 이후 아프가니스탄 내의 미군 및 반정부 테러에 주력하고 있다.

우리나라와 관련하여서는 지난 2015년 1월 우리나라 고등학생인 '김 모'군이 자발적으로 터키로 출국하였다가 시리아를 경유하여 IS에 합류하였다. 또한 같은 해 9월에 온라인 영문 선전지 '다비크(DABIQ)'에서 국제동맹군 합류 국가를 '십자군 동맹국'으로 지칭하며 62개 국가와 국제기구를 열거하고서 그 명단에 한국을 포함시켰으며, 11월에도 한국을 포함한 세계 60개국을 '악마의 연합'으로 규정하고 공격을 하겠다고 위협했다. 한국은 우리의 태극기를 26번째로 게시하며 "곧 전쟁의 불길이 너희들을 불태워 버릴 것"이라고 저주했다. 2016년 6월에는 국내 미국 공군시설 및 우리 국민을 테러 대상으로 지목하고 시설 좌표와 신상 정보를 메신저로 공개했다. IS는 최근 자체 조직 '유나이티드 사이버 칼리파'로 입수한 전 세계 미국 및 북대서양조약기구(NATO) 공군기지 77곳의 위치와 21개국 민간인의 신상 정보를 유포하면서 경기 평택, 전북 군산 소재 미 공군기지 2곳의 구글 위성지도와 상세 좌표, 홈페이지가 공개되었다. 개인도 테러 대상으로 지목되었는데 국내 복지단체 직원 A씨(여)의 성명, 이메일뿐 아니라 집 주소까지 공개됐다.[11)]

(2) 알 카에다(AQ: Al-Qaeda, 기지〈基地〉라는 뜻)

알 카에다는 사우디 출신인 오사마 빈 라덴이 1988년 창시한 테러단체로 이슬람 원리주의를 바탕으로 반미 반(反)유대를 표방한다. 빈 라덴은 1979년 소련이 아프가니스탄을 침공했을 때 아랍 의용군에 참전하였고, 그 경험을 살려 1981년 걸프전 당시 이슬람 원리주의 및 수니파 무장 단체인 알 카에다를 조직하였다. 이들은 대표적인 반미 테러 조직으로 핵심 인원만 약 3백여 명으로 추정되고, 알제리(AQIM) · 예멘(AQAP) · 시리아(알 누스라) · 소말리아(AS) · 나이지리아(보코 하람) 등에 지부를 두어 약 4만여 명의 조직원을 두고 있다. 1991년 걸프전쟁을 계기로 미국이 군대를 사우디아라비아에 있는 이슬람교 성지 메카와 메디

---

11) 동아닷컴(2016.6.20.).

나에 상주하게 되면서 주로 미국을 표적으로 테러를 감행했다.

1990년대에 시작된 반미투쟁은 해를 거듭할수록 과격해져서 1998년 나이지리아와 탄자니아에 있는 미국 대사관 폭파 사건(300여 명 사망, 5천여 명 부상), 2000년 예멘 근해에 체류한 미국 군함(콜)에 선박 자폭테러로 미군 56명 사상, 2001년에는 마침내 미국의 뉴욕 세계무역센터와 워싱턴 DC 국방부 건물 등 동시다발 테러로 3천여 명이 사망하는 9·11테러를 감행한다. 2005년에는 영국 런던의 지하철과 버스에 연쇄 폭탄테러를 자행(56명 사망, 770여명 부상)하였다. 2008년에는 무함마드에 대한 만평 보도에 대한 보복으로 파키스탄 주재 덴마크 공관에 대한 차량 폭탄으로 6명이 사망하는 사건을 저질렀다.

9·11 이후 미국 주도의 테러와의 전쟁으로 알 카에다의 조직력에는 상당한 타격을 받아 2011년 라덴을 비롯하여 핵심 인물들이 잇달아 사살되면서 점차 무력화되었다. 즉 2011년 5월 미군에 의해 알 카에다의 수장인 오사마 빈 라덴이 사살되었고, 미 무인기의 공습으로 2011년 2인자인 알 라흐만, 2012년에는 파키스탄 내 조직 책임자 바드르 만수르, 선전·선동 전문가 겸 작전지휘관 알 리비 등의 핵심 간부 대부분이 사망하여 세력이 쇠퇴추세에 있다. 그러나 여전히 세계 곳곳의 반미 테러 조직과 연계망을 가지고 있어 북아프리카와 중동 지역의 다른 테러 조직과의 지속적인 접촉을 계속하고 있다. 연계조직인 예멘의 알샤바브(AQAP)는 케냐 나이로비 대형 쇼핑몰을 테러하였고, 아프리카의 보코 하람은 나이지리아 여중생 200여 명을 납치하는 등 빈 라덴이 사살당한 이후에도 알 카에다 연계세력은 끊임없이 테러 활동을 계속하고 있다. 2014년부터 IS와 주도권을 경쟁하고 있고 2015년 이후 연합군의 공세로 IS가 수세로 몰리자 존재감을 다시 과시하고 있다. 2014년에는 알 카에다 인도지부(AQIS) 설립을 발표하고, 2015년 9월에는 이란에 수감 중이던 알 카에다 간부 알 아델 등 5명을 AQAP가 예멘에서 납치한 이란 외교관과 교환조건으로 석방하는 등 존재감을 과시하고 있다.

우리나라와는 지난 2004년의 한국인 김선일 처형에 간접으로 연관된 것으로 알려져 있다. 또 알 카에다 3인자인 칼리드 셰이크 모하메드(KSM)는 지난 1995년 1월 우리나라에 취항하는 비행기를 납치하여 미국의 9·11테러와 유사한 동시다발적인 테러를 계획한 일명 보진카 계획(Bojinka Plot, 아랍어로 '폭발'을 의미)을 실행하려 했지만 미수에 그친 사건이 있었다. 당초 테러범들은 비행기 11대

(유나이티드항공, 노스웨스트항공, 델타항공 등)를 폭파할 것과 방한하는 교황 요한 바오로 2세를 암살할 것을 계획하였으나 이후에 비행기를 건물에 돌진시키기로 계획을 변경하였다. 이 계획 시험의 일환으로 1994년 12월 11일 람지 유세프(Ramzi Yousef)는 마닐라에서 일본으로 향하던 필리핀 항공 434편을 폭파 시도를 하였으나 실패하여 승객 한 명만 사망하였고, 파키스탄에서 체포되면서 계획은 취소되었다. 이 같은 사실은 필리핀 마닐라의 테러 그룹 아지트에서 1995년 1월 6일에 발견되었고 CIA의 수사로 실체가 드러났다.[12)]

(3) 탈레반(Taliban)

탈레반은 1994년 8월경에 결성된 아프가니스탄의 무장 테러단체다. 이름의 기원은 파슈토어로 '학생들'이라는 의미로, 파키스탄 북부 및 아프가니스탄 남부 파슈툰족 거주 지역의 전통식 이슬람학교(마드라사)를 이수한 신학생들이 내전을 무력으로 종식시키고 이슬람 신정국가 건설을 위해 결성한 단체였다. 이들이 단체 이름을 '학생들'이라는 의미인 '탈레반'으로 명명했기 때문이다.

아프가니스탄은 파미르고원의 연장선상의 대륙 중심부에 위치하여 북부 아무다리아강을 통한 중앙아시아와 교통하고 있고, 동부는 인더스강 유역, 서남부는 이란과 연결되는 동서 교류의 요충지에 위치하고 있다. 이러한 지정학적 위치로 인하여 주변에서 융성하는 수많은 강대세력에 의한 점령과 지배가 지속되었다. 서기 652년에 아랍세력의 확장으로 이슬람왕국이 시작되고 칭기즈칸의 침공으로 국토가 황폐화되었다. 1397년 몽골의 지배가 끝나고 1526년 무굴왕조를 이루었으나 이란의 사파비왕조와 분할되었고, 1747년 칸다하르에서 아프간족의 주요 부족이 국가를 세우고 최초의 민족국가로 출범하였으나 내분이 거듭되었다. 19세기에 이르러 남하정책을 시행하던 제정러시아가 인도를 식민지화하고 있는 영국과의 충돌로 아프가니스탄은 양측의 침략대상이 될 수밖에 없었고 그 결과 영국의 보호국이 되었다.

1973년 좌익 파르캄(깃발)이 지원한 쿠데타가 성공하면서 친소 공화국이 성립되었다. 그러나 지역적 반란이 지속되자 1979년 기존정권의 수호 명분으로 소련군의 전면적인 침공이 시작되었다. 이때 미국과 파키스탄이 지원하는 이슬람 무

---

12) 위키백과 참조.

자헤딘의 저항운동으로 1989년 소련군이 철수하였으나 종파 간 내분으로 갈등은 지속되었고 내전으로 비화되었다. 1994년 이슬람 율법을 공부하던 학생들이 중심이 되어 결성된 탈레반이 주민의 지지를 받아 무장투쟁 2년 만에 수도 카불을 점령하고 집권에 성공하였다. 당시 탈레반은 극단적인 이슬람원리주의의 표방과 율법의 강요, 여성 억압, 타종교와 문화의 탄압 등으로 국제적인 고립을 자초함으로써 수많은 난민을 발생시켰다.

탈레반 정권은 9.11테러의 배후로 지목된 알 카에다의 빈 라덴의 은신처를 제공하여 미국과의 전쟁에서 패배하였다. 그러나 친미정권의 장악력 부족과 부패로 탈레반을 중심으로 한 저항운동이 다시 힘을 얻으면서 정부청사나 인접 파키스탄에 대한 테러로 국제사회의 주목을 받고 있다. 1994년 집권 당시 4만 5천명에 이르던 탈레반의 숫자는 미군의 소탕작전으로 2008년 1만에 불과하여 괴멸의 위기를 맞았으나 현재는 조직원이 3만 6천여 명 이상으로 다시 늘어난 것으로 보인다. 지난 10년 간 미국은 테러로부터 자국민의 안전을 지키기 위한 전쟁 등으로 모두 3조 2280억 달러를 사용하고 미군과 동맹군 7천명이 넘는 사망자가 발생했다.

탈레반과 알 카에다의 관계는 지금의 아프가니스탄 상황에 대한 원인과 결과이다. 알 카에다가 아프가니스탄에 지역적 기반을 두고 활동하면서 미국을 비롯한 기독교 서방세력에 대한 테러를 확산시켜나갔다. 그러나 알 카에다가 특정한 국가에 예속되거나 그들을 위해 행동을 하지 않았다. 다만 탈레반의 알 카에다에 대한 비호와 지원은 이슬람이라는 형제애에 의한 것이고 기독교 서방세력에 저항한다는 공동의 이해관계가 있었다는 점이다. 탈레반과 직접적으로 맞물려 있는 연계세력으로는 아프가니스탄 내의 하카니 네트워크(HQN: Haqqani Network)와 파키스탄 탈레반(TTP), 우즈벡 이슬람운동(IMU) 등이다. 탈레반은 조직을 유지하기 위해 자금과 테러공격을 위한 정보와 기술, 국제적인 네트워크가 필요하고, 알 카에다는 아프가니스탄 남부지방 근거지의 보호와 테러 훈련기지의 사용이 필요하다. 탈레반은 알 카에다의 국제적인 네트워크를 이용하고 알 카에다는 훈련기지를 통해 중국 신장지역의 위구르지역, 우즈베키스탄과 체첸지역 등에서 유입되는 이슬람전사들을 받아 지속적으로 전력을 충전할 수 있기 때문이다. 따라서 알 카에다와는 공생관계라고 말할 수 있다.

우리의 경우 지난 2001년 아프가니스탄 파병을 하면서 탈레반은 2007년 7월 한국 샘물교회 선교단 23명을 납치하여 2명을 살해하였다. 명분은 한국군의 철수와 기독교의 이슬람지역에 대한 포교활동 금지 등이었다. 당시 탈레반은 한국 인질 23명을 납치해 무려 41일간 세계인의 이목을 집중시키면서 석방의 대가로 탈레반 수감자의 맞교환을 요구하였다. 비록 요구 조건은 달성하지 못했으나 인질 협상과정에서 아프간 정부를 제치고 직접 한국 정부와 협상을 하고, 미국과 유엔, 교황청 등이 개입을 함으로써 아프가니스탄에서 여전히 건재한 세력이라는 사실을 전 세계 알리는 계기가 되었다. 또한 2008년 7월에는 한국을 경유해 대량의 마약 원료물질을 아프가니스탄의 무장단체 탈레반에 공급하려던 아랍계 2명이 우리 나라에서 구속됐고, 5월에도 탈레반과 연계해 아프리카산 마약을 밀매한 아랍계 4명이 적발됐다.

(4) 예멘 알 카에다(AQAP: Al-Qaeda in the Arabian Peninsula)

예멘은 알 카에다의 지도자인 오사마 빈 라덴의 선조들이 살았던 곳으로 빈 라덴은 사우디아라비아에서 출생했으나 그 가문의 기원은 예멘이다. 따라서 알 카에다와 예멘의 관계는 더욱 각별하다. 예멘은 빈 라덴 등이 1980년대 아프가니스탄에서 소련군과 싸울 때부터 사우디아라비아 다음으로 많은 병사를 파견했다. 9·11 테러 이후 국제적으로 미국을 위시한 여러 국가들이 테러와의 전쟁을 선포하자, AQAP는 예멘 정부의 소탕작전으로 그 힘을 잃었다가 2009년 1월 인터넷을 통해 사우디아라비아 지부와 예멘지부를 나세르 알 와하이시(Nasser al-Wahaishi, 33세)가 이끄는 '아라비아 반도 알 카에다(AQAP)'로 통합한다고 발표했다. 이는 사우디 지부가 사실상 예멘 지부에 복속된 것으로 예멘이 알 카에다의 새로운 활동 근거지가 되었다.

빈 라덴의 비서출신인 알 와하이시는 2006년 예멘 감옥에서 탈출한 26명의 알 카에다 요원 중 한 명으로 2009년 조직 재정비 후 강경노선을 천명하면서 당시 서방의 대 테러리즘 정책에 적극 협조해 온 알리 압둘라 살레(Ali Abdullah Saleh, 임기 1978-2012, 2017년 사망) 예멘 대통령의 퇴진을 촉구하였다. 2011년에는 예멘계 미국인인 안와르 알-올라키(Anwar al-Awlaki)까지 AQAP에 합류하면서 조직이 한층 강화됐으나,[13] 미국의 무인기 공격으로 알 와하이시(2015년 6

월), 올라키(2011년 9월) 등의 핵심지도자가 사망하고 2015년 6월부터 카심 알 리미(Qasim al-Rim)가 조직을 이끌고 있다.

AQAP는 풍부한 자금력을 보유하고 있는 동시에 예멘 동부지역을 중심으로 많은 은신처를 갖추고 있고 대원수는 4천여 명으로 추산된다. AQAP는 알 카에다의 전통적 기반 지역인 아프가니스탄과 파키스탄에 대한 미국의 공세가 강화되자 이들 지역에서 예멘으로 건너간 대원들을 받아들이며 예멘과 사우디아라비아 출신이 주류를 이루고 소말리아, 아프가니스탄 등 다양한 국적의 대원이 활동 중인 것으로 알려져 있다. 2009년 12월 25일 미국행 노스웨스트 항공 여객기 납치 미수, 2010년 4월 예멘 주재 영국 대사관 폭탄 테러, 미국행 화물기 테러 미수 등이 AQAP의 소행으로 밝혀졌다. 또 2012년 5월 예멘통일기념일 행사 예행연습장 자살폭탄테러, 2013년 3월 사우디아라비아 부영사 납치, 2014년 9월 미국인 프리랜서 사진작가 루크 소머스 납치, 2013년 12월 사나 소재 국방부 청사 동시다발테러(300여명 사상), 2016년 6월 남동부 무칼리시 군 기지 연쇄차량 폭발 등을 자행하였다.

예멘 당국은 AQAP의 주요 본거지인 남부 샤브와주를 중심으로 대규모 소탕작전을 벌여 왔지만 현재까지 별다른 성과를 거두지 못하고 있다. 예멘은 험준한 산악지대가 많아 은신이 용이한데다 워낙 상황이 복잡한 곳이어서 중앙정부의 행정력이 지방에까지 미치지 못해 AQAP의 세력 확장을 막지 못하고 있는 것이다. 2011년에 재개된 내전의 혼란을 틈타 남예멘 지역에서 빠르게 세를 확장하고 있어 알 카에다의 여러 지부 중 가장 활발하게 활동하고 있다.

우리나라와는 지난 2009년 한국관광객 대상 자폭테러로 현장에서 한국인 4명이 사망하고, 이 사건을 수습하기 위해 파견된 정부의 신속대응팀 차량에 자폭테러를 자행한 배후가 AQAP로 지목되었다. 또한 2010년 1월 2일 예멘의 한국 송유관 폭발사건이 발생하였는데 사고 지점인 남부 샤부와주는 수도 사나에서 남동쪽으로 270km 가량 떨어진 석유탐사 4광구와 70광구 경계지점인 사막지대에 있

13) 올라키(1971.4-2011.9)는 알 카에다의 핵심 인물로 뉴멕시코주에서 태어난 예멘계 미국인으로 2004년부터 예멘에서 지내며 AQAP 등 알 카에다의 정신적 지도자 역할을 해왔다. 그는 2009년 성탄절의 미국 디트로이트행 여객기 폭파 기도 사건, 그리고 2010년 예멘발 미국행 화물기 폭파 미수 사건의 핵심 배후로 지목됐다. 또한 9·11테러 당시 미 국방부에 돌진했던 비행기를 납치한 나와프 알하즈미 등 3명과 연계되어 미 CIA의 사살·체포 리스트에 올라 있었다.

었다. 이 폭파테러 배후세력으로 AQAP가 지목되었다.

이러한 일련의 한국대상 테러사건은 2009년 당시 알 와하이시가 AQAP의 지도자로 선출되면서 조직을 재정비하고, 아라비아 반도에 발을 딛는 이교도 관광객도 모두 서방 십자군 세력의 첩자로 공격목표이고, 이들을 옹호하는 아랍 지도자 및 무슬림도 모두 공격 대상이라고 경고발표 직후 벌어진 테러사건으로 전 세계의 주목을 받았다.

(5) 제마 이슬라미야(JI: Jemaah Islamiyah)

동남아시아 이슬람 통합국가 건설을 목표로 1990년 결성된 이슬람원리주의 연합단체로 발족 직후부터 말레이시아, 싱가포르, 필리핀, 인도네시아, 태국, 브루나이 등의 이슬람 세력을 규합했다. 정확한 규모는 알려지지 않았지만 핵심 조직원은 5백여 명으로 추정된다. JI는 세계 최대인 약 2억600만명(인구의 86.1%)의 무슬림이 사는 인도네시아가 독립한 뒤 세속주의적 공화정을 건설하려는 움직임에 맞서 이상적 종교국가를 건설하려던 이슬람 원리주의에 뿌리를 두고 있다. 기독교 등 타종교와 미국·호주·이스라엘 등의 외국 정부·기업들을 ‘이슬람의 적’으로 규정하고 이들에 대한 테러를 정당화했다. JI는 테러 학교를 세워 조직원들을 체계적으로 교육 훈련시키며 알 카에다와 협력관계를 유지하면서 무기와 자금 등을 지원받은 것으로 알려져 있다. 필리핀의 이슬람 반군인 모로 이슬람 해방전선(MILF: Moro Islamic Liberation Front)의 협조를 받아 필리핀 민다나오섬과 졸로섬에서도 조직원을 키우는 것으로 추정된다.

정신적 지도자인 이슬람 성직자 아부 바카르 바시르(Abu Bakar Bashir)는 국제테러조직 알 카에다를 공공연히 찬양하고 그 노선을 추종하는 것으로 유명하다. 그는 2002년 2월 발리섬 폭탄 테러 직후 인도네시아 경찰에 체포됐다가 2006년 6월 석방됐다. 그는 JI와의 관계를 부인하고 있지만 1980년대 정치적 탄압을 피해 말레이시아로 갔다가 그곳에서 다른 동료들과 함께 인도네시아, 말레이시아, 필리핀 등의 인사들을 모아 단체를 만든 것으로 알려져 있다. 현재 지도자는 아리스 수마르소노(Aris Sumarsono, 별명 줄카르나엔 <Zulkarnaen>)로 인도네시아 대학교에서 생물학 학위를 받았고 1980년대에는 파괴 공작의 전문가 훈련을 받기 위해 아프가니스탄으로 떠난 첫 인도네시아 민병대원의 일원이었다.

그는 아프가니스탄과 필리핀에서 훈련받은 300명의 인도네시아인 중에서 모집된 자들로 구성된 '특수 부대'라고 일컫는 민병대를 이끌고 있다. 그는 2000년 9월 17명을 숨지게 한 자카르타 크리스마스 이브 연쇄 폭탄테러, 2002년 10월 202명의 목숨을 앗아간 발리섬 폭탄테러, 2003년 8월 12명이 숨진 자카르타 메리어트 호텔 폭탄테러 등을 자행한 혐의를 받고 있다. 또 2004년 9월 인도네시아 호주 대사관 폭탄테러, 2005년 10월 20명이 숨진 발리섬 자살 폭탄테러에도 연루된 것으로 추정된다.

유엔은 각종 테러에 연루된 혐의를 받고 있는 JI를 2002년 알 카에다와 연계된 테러단체로 규정했고, 2005년 5월 줄카르나엔을 국제테러분자로 지정하고 미국은 현상금 5백만 불로 지명수배 중이다. 동남아 각국의 경찰과 정보기관은 JI를 와해시키기로 하고 핵심 조직원 검거와 은신처 추적 작전 등을 수행하고 있으며, 2008년 11월에는 발리섬 폭탄테러를 저지른 조직원들이 총살형에 처해지기도 했다. 미국과 영국 등은 이들 국가를 적극적으로 지원하고 있다.

우리나라와는 2005년 10월 1일 인도네시아의 유명 휴양지 발리섬에서 3차례의 동시다발 연쇄폭탄테러가 발생하여 외국인 관광객들을 포함하여 최소 26명이 사망하고 100여명이 다치는 사고가 있었는데 부상자 가운데 한국 관광객도 6명이 포함되어 있었다. 또한 2004년 10월에는 JI와 연계된 혐의자 8명이 우리나라의 주한 외국공관에 대해 테러를 모의하다가 적발돼 강제퇴거 조치당하는 사건이 있었다.

(6) 알 누스라 전선(ANF: al-Nusra Front)

시리아와 레바논에서 활동하는 알 카에다 분파 조직으로 시리아 내전 중인 2012년 1월 이라크에서 활동한 전사들을 중심으로 조직된 반군단체 중 하나로 시리아 내에서 신정 국가를 건설하는 것을 목표로 하고 있다. 당시 IS의 최고지도자 아부 바크르 알바그다디(Abu Bakr al-Baghdadi, 2017.6 사망)가 ANF 창설을 승인하기도 했다. 조직 규모는 약 1만 2천여 명으로 추정하고 있다. 2013년부터 IS가 시리아에서 세를 넓히기 시작하면서 ANF 지역을 잠식하자 2013년 말에는 IS와 교전이 벌어져 천여 명의 사망자가 생기기도 했다. 다만 시리아 북부지역에서는 여전히 ANF의 영향력이 큰 것으로 알려져 있다. 2014년에 IS가 독자적으로 칼리프를 선언하고 알 카에다에서 퇴출되자 완전히 반목하는 관계로 돌아서 2016년 7월에는 이름을 자브하트 파테 알샴(Jabhat Fateh al-Sham, 시리아 정복전선)으로 바꿨으며 2017년 2월 28일 ANF는 4개의 단체를 통합하여 레반트 자유인민위원회를 결성하고 해체되었다.

우리나라와 관련하여 2015년 11월 한국 경찰이 국내에서 ANF를 추종하는 인도네시아 불법체류자 A씨(32세)를 체포했다. 범인은 위조여권을 가지고 타인 명의의 신분증을 사용하며, 등산용 다목적칼과 M-16 비비탄총을 보유하고 있었고, 알 누스라 전선의 상징 깃발과 모자를 쓰고 북한산과 경복궁 등에서 사진을 찍어 SNS에 올리고 "내년에 시리아 내전에 참전해 지하드 후 순교하겠다"고 밝히기도 했다. 또 지하드(이슬람 성전) 자금 모집책으로 추정되는 계좌에 11차례에 걸쳐 한화 200만원을 송금한 사실이 확인됐다. A씨는 한국에 입국하기 전부터 테러단체의 지도자를 추종하면서 사상 교육을 받는 등 테러단체와 연계된 활동을 해왔다는 사실도 드러났다. A씨는 2007년 10월 비전문취업 체류자격(E-9)으로 입국한 뒤 체류기간이 지난 뒤에도 불법으로 국내에 체류하며 충남 등지의 공장에서 일하면서 인도네시아에 있는 브로커를 통해 신분증을 위조한 뒤 위조신분증으로 은행계좌를 개설하였다. 법원은 구속 기소된 A씨(33세)에게 징역 8월에 집행유예 2년을 선고했다.

2. 유해화학물질 관리

(1) 개 요

지난 2012년 경북 구미시 제4국가산업단지에 위치한 화학제품 생산업체에서 플루오린화 수소 가스(일명 불산가스)가 유출되어 23명(사망 5, 부상 18)의 사상자가 발생하고 주변 일대의 주민과 동·식물들에 대해 엄청난 피해를 주었다. 지금까지 일어난 우리나라의 화학물질 관련사고는 2000년 8월 여천공단에서 MEK-PO (Methyl Ethyl Ketone Peroxide)공정 폭발로 7명이 사망하고 18명이 부상당한 사고, 2013년 3월 여수 폴리에틸렌 폭발사고로 6명이 사망하고 12명이 부상당한 사고를 비롯하여 매년 수십 건이 있었다. 2003년부터 2017년까지 총 502건의 화학사고가 발생(최근 5년: 2013년 87건 → 2014년 105건 → 2015년 113건 → 2016년 78건

→2017년 87건)하여 연 평균 약 34건의 화학사고가 발생하고 있다.[14] 이러한 현실을 감안하여 우리나라는 기존의 「유해화학물질관리법」으로는 화학 물질의 체계적인 관리와 화학사고 대응·예방에 한계가 있다고 판단하여 지난 2013년부터 「화학물질관리법」과 「화학물질 등록 및 평가 등에 관한 법률」(화학물질등록평가법)을 제·개정하여 2015년 1월 1일부터 시행하고 있다. 정부도 2012년 9월 화학사고 대응체계 구축 및 전담기구 설치를 국정과제로 채택하여 2013년 7월 "화학물질 안전관리 종합대책" 마련하고 2013년 9월 화학물질안전원을 환경부 소속으로 신설하여 2014년 1월에 정식 개원하였다. 이러한 화학물질은 위와 같은 사고의 문제뿐만 아니라 테러범에 의한 테러수단으로 사용될 경우 엄청난 피해를 발생시킬 수 있기 때문에 각국 공히 엄격히 관리하고 있다.

이러한 화학물질은 현대사회의 경제발전과 산업화의 원동력으로 인간에 의해 만들어져 종류만 해도 약 1,200만여 종이 넘고, 매년 새로 만들어지는 화학물질도 2천여 종 이상으로 앞으로도 계속 증가할 것으로 추측된다. 한국에는 현재 국내에 4만 4천 종 이상의 화학물질이 유통되고 있고, 매년 300여 종 이상이 새로이 시장에 진입되는 등 화학물질의 사용이 꾸준히 증가하고 있다. 또한 화학산업은 OECD가 1995년도를 기준으로 화학물질 생산량을 예측한 결과 2020년에는 80% 수준 증가할 것으로 예상하고 있다. 우리나라도 다른 분야에 비해 빠르게 성장하여 2016년 말 현재 국내 제조업 생산액의 14%, 고용의 9%를 차지하고 있고, 에틸렌 생산량 규모가 세계 3위에 이르는 등 국제적으로도 큰 비중을 차지하고 있다.

그러나 화학물질은 그 제조와 사용, 폐기 등 전 과정에서 다양한 경로를 통하여 우리 인체와 환경에 노출되어 있어 부지불식간에 위해성이 증가하고 있는 것이다. 특히 화학물질을 취급하는 공장 또는 화학물질을 운반하는 과정에서 발생하는 사고는 단기적으로 다수의 인명피해를 유발할 뿐 아니라 장기적으로 2차 오염에 따른 치명적인 환경파괴를 초래 할 수 있다. 더구나 테러분자에 의해 고의적인 사고 유발 가능성이 높아지고 있는 실정이다. 이에 따라 미국, 영국, 일본 등 선진국은 화학사고 예방제도를 정비하고 화학사고가 발생할 경우에 대비하여 다양한 대책을 추진하고 있다. 즉, 화학사고에 초동대응하기 위한 상설기구를 설

---

14) 화학물질안전원 화학사고 통계(화학안전정보공유시스템, csc.me.go.kr) 참조.

치·운영 중에 있고, 유해화학물질의 유해성에 관한 데이터베이스의 구축, 화학물질 누출시 신속한 전파를 위한 정보체계 구축 등의 대책을 강구하고 있다. 특히 화학물질에 대한 지식이 일반화되고 일반 화학물질로 유해화학물질을 제조 할 수 있는 합성방법이 인터넷을 통해 유통·공개되고 있어 이를 이용한 화학테러의 가능성도 배제할 수 없다.

지난 2004년 미국 국토안보부가 대테러 정책을 효율적으로 수행하기 위해 작성한 '15대 재앙 시나리오'를 보면, 다음의 <표>에서 보는 바와 같이 총 15개 테러관련 시나리오 중 생물학 테러와 화학테러가 각각 4건이고, 핵폭탄·폭탄·방사능·사이버 테러가 각 1건씩 포함되어 있다. 그 외 자연재해(지진, 질병, 허리케인)가 3건 포함되어 있다.[15] 핵무기를 둘러싼 경비수준이나 테러조직의 핵무기 획득의 어려움과 테러수단으로 사용됨에 따른 각국의 거부감 등을 감안하면 핵무기가 재앙의 순위는 1위지만 실제 사용 확률은 상대적으로 낮아 보인다. 오히려 발포제나 연소탱크, 구제역 등 이들 생화학무기는 사용의 용이성 및 생활 주변의 친밀성으로 인해 여전히 주요 테러수단으로 사용될 확률이 높을 것으로 예상된다. 그만큼 생화학 테러에 대한 주의와 대비가 필요하다고 하겠다.

〈미 국토안보부가 발표한 15개 재앙 시나리오〉

순위	재앙 내용	순위	재앙 내용
1	핵폭탄 테러	9	자연재해(지진)
2	생물학 테러(액화탄저균)	10	자연재해(허리케인)
3	생물학 질병	11	방사능 테러
4	생물학 테러(폐렴균)	12	폭탄 테러
5	화학 테러(발포제)	13	생물학 테러(탄저균)
6	화학 테러(화학시설물)	14	생물학 테러(구제역)
7	화학 테러(사린가스)	15	사이버 테러
8	화학 테러(염소탱크폭발)		

출처: 미 국토안보부 자료를 토대로 재작성.

15) David Howe, "Development of the National Planning Scenarios", *the Homeland Security Council(HSC)*(July 2004), pp. 1-55.

(2) 우리나라 관리대책

우리나라는 앞에서 본 「화학물질관리법」과 「화학물질등록평가법」을 제·개정하여 2015년부터 체계적으로 관리하고 있다. 주무부처인 환경부를 중심으로 관련 법령에 의거하여 유해화학물질의 지정·관리제도와 사고 후 영향조사 제도를 도입하였고, 화학물질의 평시 관리에서 사고처리까지를 담당할 전담조직과 장비를 단계적으로 확충하는 등 대책을 추진해 오고 있다.

우선 「화학물질관리법」 제2조(정의)에서 "유해화학물질"을 유독물질, 허가물질, 제한물질 또는 금지물질, 사고대비물질, 그 밖에 유해성 또는 위해성이 있거나 그러할 우려가 있는 화학물질로 규정하고 이러한 물질별로 구분하여 관리하고 있다. 이때 "유독물질"이란 유해성(有害性)이 있는 화학물질, "허가물질"이란 위해성(危害性)이 있다고 우려되는 화학물질,[16] "제한물질"이란 특정 용도로 사용되는 경우 위해성이 크다고 인정되는 화학물질, "금지물질"이란 위해성이 크다고 인정되는 화학물질, "사고대비물질"이란 화학물질 중에서 급성독성(急性毒性)·폭발성 등이 강하여 화학사고의 발생 가능성이 높거나 화학사고가 발생한 경우에 그 피해 규모가 클 것으로 우려되는 화학물질이다. 다음 [그림]에서 보는 바와 같이 이 같은 물질은 위험도에 따라 분류하여 용도에 따라 환경부장관의 허가를 받아 제조·수입·사용하도록 하거나 환경부장관이 관계 중앙행정기관의 장과의 협의와 「화학물질등록평가법」 제7조에 따른 화학물질평가위원회의 심의를 거쳐 지정·고시한 후에 사용하도록 하고 있다. 특히 위해성이 우려되는 화학물질은 허가를 받아 제조·수입·사용하도록 '허가물질 제도'가 도입되어 유해성심사 및 위해성평가 결과 위해성이 우려되거나, 발암성, 돌연변이성, 생식독성, 내분비계 장애, 축적성, 잔류성이 있는 물질 등은 허가물질로 지정하여 고시토록 규정되어 있다.

---

16) "유해성"은 화학물질의 독성 등 사람의 건강이나 환경에 좋지 아니한 영향을 미치는 화학물질 고유의 성질을 말하고, "위해성"은 유해성이 있는 화학물질이 노출되는 경우 사람의 건강이나 환경에 피해를 줄 수 있는 정도를 말한다(화학물질관리법 제2조).

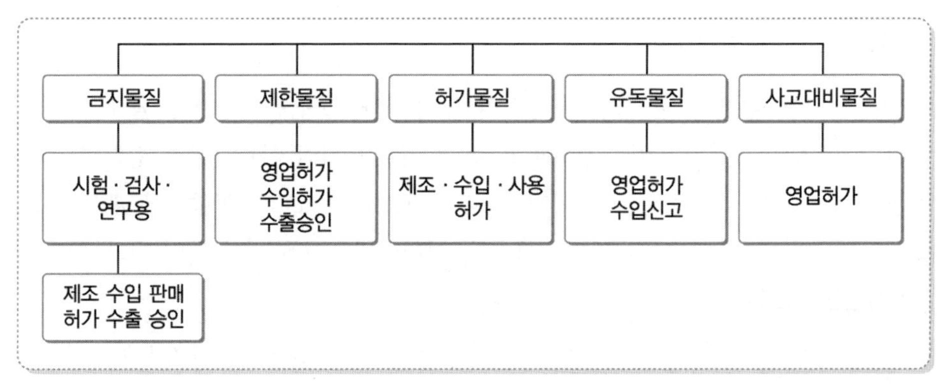

[화학물질별 관리 · 사용]

출처: 화학물질관리법 해설서(환경부, 2015년).

같은 해 시행된 「화학물질등록평가법」 제5조(사업자의 책무)는 사업자에게 ① 유해화학물질의 사용을 줄이거나 유해화학물질을 대체할 수 있는 물질 또는 신기술의 개발 등 필요한 조치, ② 제조 · 수입하는 화학물질의 유해성과 위해성에 관한 정보를 적극적으로 생산 · 교환 · 활용하고, 화학물질의 등록 및 유해성심사 · 위해성평가와 관련한 국가의 시책에 참여하고 협력, ③ 화학물질의 용도 · 안정성 및 화학물질 노출 시 대응 방법 등에 관한 정보를 적극적으로 생산, ④ 제품을 생산 · 수입하는 사업자는 제품 내에 함유된 유해화학물질로 인하여 국민의 생명 · 신체 또는 재산에 피해가 발생하지 아니하도록 하여야 한다는 의무사항을 규정하고 있다.

이러한 화학물질의 등록제도는 유해성 자료 확보와 등록 책임을 기업에 부과하는 EU의 리치(REACH) 제도[17]를 국내에 도입한 것이다. 이에 따라 다음 [그림]에서 보는 바와 같이 종전에는 연간 1t 이상 유해화학물질 가운데 정부에서 고시한 것만 등록하면 됐지만 2017년부터 1t 이상 모든 물질을 유통량에 따라 2030년까지 순차적으로 등록하도록 했다. 다만 유해성이 있다고 분류되지 않은 물질

17) 리치(REACH)제도는 2007년 6월부터 시행된 것으로 '정보 없이는 시장에 출시할 수 없다'(No Data, No Market)는 게 요지다. 이 제도 주무부처인 핀란드 헬싱키에 있는 ECHA(유럽화학물질청)은 EU가 생산하거나 수입하는 모든 화학물질 포함 제품은 ECHA에 등록한 뒤 유해성 여부를 평가받아 인증 받는 절차를 밟지 않으면 EU 시장에서 퇴출된다는 것이다. REACH라는 용어는 'Registration(등록), Evaluation(평가), Authorization(인증) & Restriction(제한) of Chemicals(화학물질)'의 약자다.

에 대해서는 제출 자료를 대폭 간소화(최대 47개 → 15개)했고 7천여 종으로 추정되는 직접 등록대상 화학물질의 국내·외 자료 존재 여부와 출처 등을 조사해 기업에 제공하기로 했다. 이처럼 유해화학물질을 취급하려는 자는 환경부장관의 허가를 받아야 하고, 허가를 받기 위해서는 사전에 적합판정을 받은 장외영향평가서, 시설의 설치검사결과서 및 위해관리계획서와 일정기준의 시설장비·인력을 갖추어야 한다. 또한, 화학사고 발생 시 주변에 미칠 수 있는 영향을 사전에 평가하여 취급시설의 배치·설계·설치 단계에서부터 안전성을 확보하도록 하는 '장외영향평가서' 작성·제출을 의무화하였다.

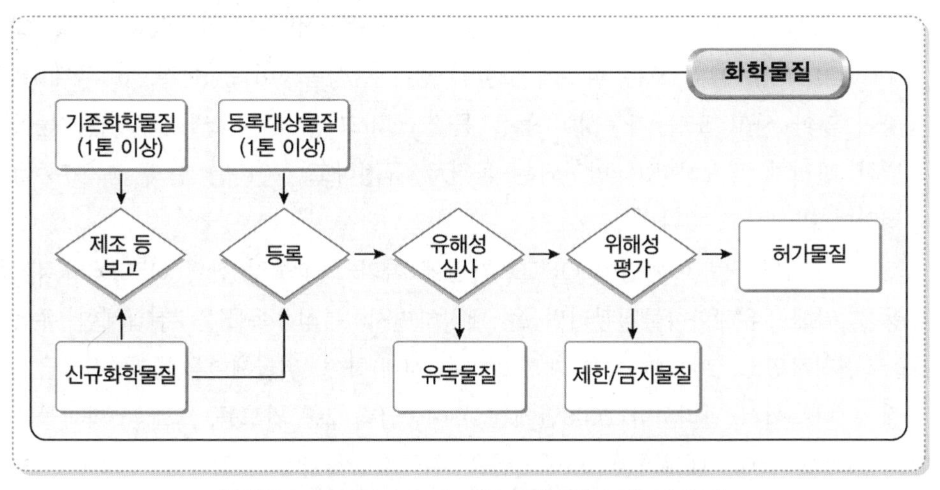

[「화학물질등록평가법」에 의한 화학물질 등록 체계도]

출처: 2016 환경백서(2017), p. 177.

『2016 환경백서(2017)』에 의하면 2016년 말 현재 우리나라의 유해화학물은 총 920여종으로 유독물질 749종, 사고대비물질 97종, 금지물질 60종, 제한물질 12종 등이다. 세부 내용을 보면 유독물질은 어류에 대한 독성시험에서 시험어류의 반수를 죽일 수 있는 농도가 1mg/L 이하인 화학물질, 피부나 점막에 대한 자극성이 염산 또는 황산 10% 수용액 또는 페놀·수산화나트륨·수산화칼륨 5% 수용액과 동등 이상인 화학물질 등으로, 2016년 말 기준으로 페놀, 톨루엔, 과산화나트륨 등 749종이 지정되어 있다.

〈연도별 유독물질 지정 현황(누계)〉

연도	2010	2011	2012	2013	2014	2015	2016
지정 수 (종)	613	634	656	681	722	723	749

출처: 2016 환경백서(환경부).

사고대비물질은 「유해화학물질관리법」 제2조(정의)에서 급성독성(急性毒性)·폭발성 등이 강하여 사고발생의 가능성이 높거나 사고가 발생한 경우에 그 피해 규모가 클 것으로 우려되는 화학물질이다. 동법 제38조(사고대비물질의 지정)에 의하면 사고발생 우려가 높거나 사고가 발생하면 피해가 클 것으로 우려되는 ① 인화성, 폭발 및 반응성, 누출 가능성 등 물리·화학적 위험성이 높은 물질, ② 경구(經口) 투입, 흡입 또는 피부에 노출될 경우 급성독성이 큰 물질, ③ 국내 유통량이 많아 사고 노출 가능성이 높은 물질, ④ 그 밖에 사고발생 우려가 높아 특별한 관리가 필요하다고 인정되는 물질로 규정하고, 2017년 현재 총 97종을 지정하여 관리하고 있다.[18]

또한 우리나라는 1996년에 OECD 가입에 따라 화학물질 관련 OECD 규정의 수용을 위해 「유해화학물질관리법」을 개정하면서 '특정유독물'을 '취급제한 유독물'로 변경하였고, 2004년 법을 개정(2006년 시행)하여 '취급제한물질'과 '취급금지물질'로 나누어서 관리하다 2008년에는 유해중금속 2종 카드뮴, 크로뮴 화합물과 트리클로로에틸렌, 테트라클로로에틸렌을 취급제한물질로 지정하였고, 2006년에 청석면, 갈석면 등 총 5종의 물질을 취급금지물질로 지정하였다. 이후 2009년에는 석면이 1% 이상 함유된 탈크를 동일 관리대상으로 지정해서 오다 2015년부터는 취급제한물질이 '제한물질'로, 취급금지물질이 '금지물질'로 변경되어 현재는 12종의 제한물질과 60종의 금지물질이 지정되어 관리되고 있다.

화학테러와 관련하여 대응조치를 살펴보면 다음과 같다. 만약 화학사고가 발생할 경우는 「화학물질관리법」 제43조(화학사고 발생신고 등)에 의해 해당 화학물질을 취급하는 자는 즉시 필요한 응급조치를 하고, 관할 지방자치단체, 지방환경관서, 경찰관서, 소방관서 또는 지방고용노동관서에 신고하여야 한다. 이때 환경

18) 97종의 세부 현황은 『사고대비물질 키인포가이드』(환경부 환경과학연구원, 2017년 개정판) 참조.

부장관은 화학사고의 신속한 대응 및 상황 관리, 사고정보의 수집과 통보를 위하여 현지에 현장수습조정관을 파견할 수 있다(동법 제44조). 현장수습조정관은 ① 화학사고의 대응 관련 조정·지원, ② 화학사고 대응, 영향조사, 피해의 최소화·제거, 복구 등에 필요한 조치, ③ 화학사고 대응, 복구 관련 기관과의 협조 및 연락 유지, ④ 화학사고 원인, 피해규모, 조치 사항 등에 대한 대국민 홍보 등의 임무를 수행한다. 즉 화학사고가 발생하면 상황파악→초동조치→현장대응→사후복구 순으로 단계별 조치를 한다.

첫째, 상황파악단계에서는 사고발생 신고 접수 후 관련 상황을 구체적으로 확인하여 상황을 전파하고 개략적인 사고유형과 피해규모를 추정하는 단계이다. 이때 사고의 고의성 여부와 사용된 화학물질의 종류 및 예상 피해규모를 추정하는 것이 중요하다.

둘째, 초동조치 단계에서는 확인된 사고 상황을 바탕으로 사고 현장에 초기대응반을 출동시켜 고의성 여부를 확인하며 2차 피해 방지를 위해 현장을 통제하고 관련 피해예방 조치를 취한다. 이때 누군가에 의한 테러의 가능성이 있으면 「테러방지법」에 의한 대테러합동조사반의 지원을 요청하고, 화생방테러대응지원본부 설치 등 대응방안을 강구한다.

셋째, 현장대응 단계는 사고로 인해 발생된 오염 환자 분류, 후송, 구조, 치료, 오염지역 제독, 주민대피, 교통통제 등 화생방테러대응지원본부의 역할과 임무를 수행하는 단계다. 테러로 인한 사상자 발생을 최소화하고 오염의 확산을 방지하기 위하여 현장지휘본부·테러복구 지원본부 및 재난안전 대책본부와 긴밀한 협조 하에 추가적인 사상자가 발생되지 않도록 최선을 다한다.

넷째, 사후복구 단계는 현장에 잔류할 수 있는 위협요소를 제거·정리하여 일상적인 활동이 가능하도록 원상회복하는 단계이다. 사고현장의 잔류 오염농도가 인체에 무해한 수준으로 발표되는 시점에서 상황이 종료되는 것이다.

(3) 문제점

현재 유해화학물질의 관리체계가 부처별로 분산되어 있어 통합적인 관리에 사각지대가 발생할 수 있고 대형 화학사고시에 효과적인 대응에 한계가 있다는 우려가 있다. 즉 부처별로 관리대상 물질을 정하여 장외영향평가서·위해관리계획서(환경부), 공정안전보고서(고용노동부), 안전성향상계획(산업통상자원부), 예방규정(행정안전부) 등을 따로 관리하고 있고, 대규모 환경피해가 우려되는 사고발생시 관리물질 및 역할에 따라 유해화학물질은 환경부, 독성 가스는 산업통상자원부, 중대한 산업사고는 고용노동부가 담당하도록 되어 있다.

환경부는 사고 발생 가능성이 높거나 피해 규모가 클 것으로 우려되는 화학물질을 사고대비물질(97종)로 지정하여, 일정량 이상 취급 시 취급하는 사고대비물질의 유해성, 방제시설 및 장비 보유현황, 안전관리 조직, 사고 시 응급조치계획, 주민소산계획 및 피해 최소화와 복구 등의 조치계획 등을 포함한 비상대응체계 구축을 의무화하고 있으며, 이를 명시한 위해관리계획서를 작성·제출토록 함으로써 사업장의 화학사고 예방·대응 관리를 하고 있다.

고용노동부는 산업재해를 예방하고 근로자를 보호하기 위해 특정산업군이나 유해·위험물질을 일정량 이상 취급하는 사업장 등에 대해 유해·위험물질의 누출·화재·폭발 등으로 발생하는 중대 산업사고에 대비한 공정안전자료, 공정위험성 평가, 비상조치계획 등의 내용을 포함한 공정안전보고서 제출 등을 통해 사업장에 대한 안전관리를 하고 있다.

산업통상자원부는 고압가스로 인한 위해를 방지하기 위해, 일정규모 이상 고압가스 제조·저장·판매시설에 대해 고압가스 사고관련 공정안전자료, 공정위험성 평가, 비상 조치계획 등의 내용이 포함된 안전성 향상계획 제출을 의무화하고 있다.

행정안전부는 위험물로 인한 위해를 방지하기 위해, 지정수량 이상 위험물 취급시설에 대해 안전관리업무 조직, 종사자 안전교육, 소방시설 등의 점검 및 정비, 취급작업 기준 등을 포함한 예방규정 제출을 의무화하고 있다.

이처럼 규제 제도가 늘어나고 각 법령에서 규제하는 물질이 중복됨에 따라 기업에서는 업무부담으로 인한 안전관리의 부실화를 야기하고 있으며, 부처간 정보공유의 미흡으로 사고대응 전문기관의 현장대응 정보가 미비되어 사고대응에 어려움을 겪고 있다. 따라서 화학물질의 위험도를 재정립하여 위험도에 따른 중대사고 대응물질을 선정하여 관리할 필요가 있으며, 범부처 협력체계를 구축하여 화학물질의 통합재난 관리체계로의 실질적인 패러다임 전환이 필요한 시점이다. 또한 현재 화학물질 사고는 특수재난으로 정의되고 있으나, 개별법에 따라 각 부처에서 독립적인 관리만 실시되고 있다. 합리적인 화학사고 현장대응을 위해 중대사고 대응물질을 지정하여 화학물질사고에 대한 정보를 일원화 할 필요가 있고 「재난 및 안전관리 기본법」 제3조의10(재난관리정보)에 반영하여 관리해야 한다. 동시에 범부처 협의에 의한 편향되지 않은 공동관리 체계수립을 위하여 관련 부처의 개별법에 의한 기존 관리제도 기준을 인정하되, 관리기준의 중복성을 피하기 위하여 유관기관의 검토를 통한 합리적인 관리기준 마련이 동시에 시행되어야 한다. 또한 중대사고 대응물질 사업장의 추가 중복규제 해결, 실질적인 사고대응 정보 구축방안, 신속한 사고대응정보 전달체계 확립을 통한 현장 적응능력을 높인 관리제도 운영방안이 제시되어야 한다.

3. 사제폭발물 원료물질 관리

(1) 사제폭발물 개요

사제폭발물(私製爆發物)이라 함은 인가를 받지 않고 개인이 즉흥적으로 제작한 표준화되지 않은 폭발물을 말한다. 즉 폭발성을 가진 부품을 결합하여 급조한 장치로 군용 또는 상용 폭발물을 본래의 운용 목적이나 작동 방법이 다르게 급조하여 만든 폭발물을 의미한다. 군용(軍用)이라는 용어에 대비되는 용어로 사제폭발물로 지칭하고 미군에서는 급조폭발물(IED: Improvised Explosive Device)이라고 부른다.

이러한 사제폭탄은 1970년대 아일랜드 공화군(IRA)이 영국을 상대로 테러를 자행할 때 성능이 뛰어난 부비트랩(booby trap)이나 또는 원격 제어가 가능한 폭탄을 만들기 위하여 리비아에서 가져온 셈텍스(semtex)와 농업용 비료를 원료로 제조하여 사용한 것이 시초였다고 한다. 이후 IED는 1차 세계대전 당시 군용폭약에 부비트랩을 이용하여 상대를 속이는 수단으로 사용되어 오다 오늘날에는 점화장치의 발달로 일정한 형식이 없이 상상력에 의한 무한한 점화방식으로 그 형태가 종잡을 수가 없이 다양해지고 있다. 또한 장약으로 사용되는 폭약도 다양한 석유화학 제품의 생산으로 이에 사용되는 연료(휘발유, 액화석유가스, 수소 등)도 다양해졌다. 최근에는 이러한 사제폭발물이 미국이 2001년 9·11테러이후 이라크, 아프가니스탄 등과의 대테러전쟁을 벌이면서 가장 미군병사들을 두려움에 떨게 한 살상무기로 알려져 있고 이를 테러무기로 사용하는 빈도가 점점 높아지고 있다.

우리나라에서도 지난 2017년 6월 연세대학교 대학원생 김모(25)씨가 교수에게 사제(私製) 폭탄 테러를 가하였으나 불발하여 김모(47세) 교수가 두 손과 얼굴·목·귀 부분에 1~2도 화상을 입는 사건이 있었다. 폭발물은 가로 7㎝, 세로 16.5㎝ 크기 스테인리스 재질 뚜껑이 있는 텀블러에 화약과 나사를 채워 넣은 구조로 점화(點火) 장치로 추정되는 건전지 4개가 전선으로 연결돼 있었다. 제대로 폭발하면 6㎜ 크기 나사가 사방으로 날아가 인명이 죽을 수도 있었다. 또한 2011년 4월 부산에서 내연녀가 거주하는 오피스텔 앞 복도에서 폭발물이 폭발하여 범인이 현장에서 사망하고 출동한 경찰 2명이 부상당하는 사고가 있었다. 사제폭탄은 상용 폭약을 검은 비닐봉지에 포장하여, 전기뇌관 2개와 6v 랜턴용 건전지(전원)를 사용하여 만들었다. 추가로 범인의 차량에서 전기뇌관 전선, 스위치 1개, 차단기 2개, 소형건전지 1개, 전기 도통시험기 1개가 발견되었다. 또 지난 2009년 10월 경남 김해시의 한 회사 주차장에서 사장 A(48)씨의 승용차 운전석 아래와 트렁크에 사제폭탄과 시너통을 설치해 살해하려는 사건이 있었다. 범인은 자신이 다니던 회사에 앙심을 품고 인터넷에서 구입한 질산칼륨, 황, 알루미늄 가루 등으로 약 30㎝ 원통형 플라스틱인 화약과 폭탄을 만들어 설치한 것으로 폭발물 이외에 폭발 보조제로 휘발성이 강한 시너 2통도 함께 설치돼 있어 폭발했을 경우 자칫 대형 참사로 이어질 뻔했다. 범인이 전기 분야 기술자인데다 자동차 정비자격증도 갖고 있어 차량 배터리와 화약을 전선으로 연결하는 등 전문가에 가까운 솜씨로 사제폭탄을 만들 수 있었던 것으로 보인다고 경찰은 밝혔다. 이처럼 경찰청 자료에 의하면 다음의 <표>에서 보는 바와 같이 사제폭발물 사고가 9·11테러가 일어난 2001년부터 현재까지 총 33건이나 발생하여 3명이 사망하고 9명이 부상당하는 사고가 발생하였다.[19)]

19) 『2016 경찰통계연보』(경찰청, 2017.11), p. 72.

〈사제폭발물 사고 발생 현황(2001-2017)〉

연도	계	2001	2002	2003	2004	2005	2006	2007	2008	2009	2010	2011	2012	2013	2014	2015	2016	2017
사고(건)	33	7	4	4	4	0	1	2	1	1	1	4	1	1	1	0	0	1
피해(명)	사망 3 부상 9	부상 1	사망 1	0	부상 1	0	0	0	0	0	0	사망 2 부상 2	0	부상 1	부상 2	0	0	부상 1

출처: 『2016 경찰통계연보』(경찰청, 2017.11), p. 72.

사제폭발물의 구성은 일반적으로 주장약(主裝藥, Main Charge)과 기폭장치(起爆裝置, Initiating System) 및 폭약을 담는 용기(Casing)로 이루어진다. 그중 주장약의 폭발력에 의해 사제폭탄의 위력이 결정된다. 대부분 군용폭약으로 사용되는 TNT의 원료는 흑색화약이다. 사제폭탄의 주장약으로 다이너마이트(dynamite), 안포폭약(ANFO 爆藥), 초안폭약(硝安爆藥)[20], 플라스틱폭약, 니트로메탄(nitromethane), 톱밥, 과망간산칼륨, 알루미늄, 질산암모늄, 백색화약A, 백색화약C, 아세톤, 과산화수소, 염산, 니트로메탄, 암모니아, 염소산칼륨, 등유 등의 화학물질을 혼합하여 사용하고 있다. 살상효과를 높이기 위해 쇠구슬, 볼트, 너트, 못 등을 혼합하거나 프로판 탱크, 연료캔, 황산 등을 첨가하기도 한다. 사제폭발물의 기폭장치는 주장약을 폭발시키는 장치로서 전기뇌관과 비전기뇌관이 있고, 뇌관을 폭발시키는 방법에 따라 유선점화방식, 무선점화방식, 시한점화방식, 부비트랩방식, 센스감응점화방식 등 다양하다. 주로 간단한 명령을 통해 무선조종으로 장난감 자동차나 음료수캔 등에 설치된 원격제어 장치를 이용하기도 한다. 용기는 사제폭발물을 감싸는 물건으로 불발탄, 음료수캔, 담배갑 등을 이용한다. 때로는 대형 트럭이나 비행기 등의 일정한 장소를 사용하여 파괴력을 증가시키기도 한다.

20) 안포폭약(ANFO 爆藥)은 질산암모늄에 콜타르 경유에 비료용 질산암모늄과 혼합하여 만든 폭약인데, 가격이 싸서 광산·토목공사 등에 사용하고, 초안폭약(硝安爆藥)은 질산암모늄을 주성분으로 하는 폭약 가운데 니트로글리세린의 함유량이 6% 이하인 폭약으로 폭발할 때의 온도가 낮아서 탄광의 갱 안에서도 안전하게 사용할 수 있다.

(2) 사제폭발물 원료물질 관리

이처럼 사제폭발물은 제작자의 의도에 따라 주변 환경에서 쉽게 구할 수 있는 물질과 도구를 이용하여 제작이 가능하고 크기나 모양을 변화시킬 수 있으므로 식별이 용이하지 않다. 따라서 각국은 사제폭발물에 이용될 수 있는 물질의 관리에 세심한 주의를 기울이고 있다. 우리나라도 사제폭탄의 원료에 사용되는 화약류는 일반적으로 '가벼운 타격이나 열에 의해 짧은 시간에 화학변화를 일으킴으로써 급격히 많은 열과 가스를 발생시켜 순간적으로 큰 힘을 얻을 수 있는 물질'을 의미한다. 법률상으로는 앞에서 살펴본 「화학물질관리법」·「화학물질등록평가법」에서 급성독성(急性毒性)·폭발성 등이 강하여 사고발생의 가능성이 높거나 사고가 발생한 경우에 그 피해 규모가 클 것으로 우려되는 화학물질을 사고대비물질로 지정하여 2017년 현재 총 97종을 지정하여 관리하고 있다. 또한 환경부에서는 지난 2011년 9월부터 화학물질안전원 주관으로 위해화학물질 불법거래 사이트를 적발하기 위해 '화학물질 사이버 감시단(20명)을 운영하고 있다. 효과적 감시를 위해 외국의 관련물질 관리사례, 국내·외 폭파사건사례, 인터넷 등의 유통정보, 폭발의 잠재 위험성, 화학물질의 운용조건, 유통량, 관계법령 적용여부 등을 종합평가하여 다음 <표>에서 보는 바와 같이 사제폭발물 제조가 가능한 화학물질 29종을 선정하여 집중감시하고 있다.[21]

〈사제폭발물 제조가 가능한 화학물질(29종)〉

순서	국문명	CAS 번호[22]	분자식	용도
1	알루미늄(분말)	7429-90-5	Al	연료
2	마그네슘(분말)	7439-95-4	Mg	연료
3	인	7723-14-0	P	연료
4	염소산칼륨	3811-04-09	KCIO3	산소공급제
5	질산칼륨	7757-79-1	KNO3	산소공급제
6	과염소산칼륨	7778-74-7	KCIO4	산소공급제
7	과망간산칼륨	7722-64-7	HMnO4.K	산소공급제

21) 환경부 보도자료(2014년 3월 11일) 참조.
22) CAS(Chemical Abstract Service) 번호는 1907년부터 미국 화학회(American Chemical Society)에서 화학물질을 구분하기 위해 기록하는 식별부호이다.

8	질산나트륨	7631-99-4	HNO3.Na	산소공급제
9	구연산	77-92-9	C6H8O7	전구체(HMTD)
10	헥사민	100-97-0	C6H12N4	전구체(RDX)
11	에틸렌디아민	107-15-3	C2H8N2	연료
12	글리세린	56-81-5	C3H8O3	전구체(Nitroglycerine)
13	질산칼슘	10124-37-5	CaN2O6	산소공급제
14	질산암모늄	6484-52-2	NH4NO3	산소공급제, 폭발물
15	히드로실아민	7803-49-8	H3NO	연료
16	니트로메탄	75-52-5	CH3NO2	폭발물
17	트리이소부틸알루미늄	100-99-2	C12H27Al	연료
18	과염소산[&과염소산염]	7601-90-3	HClO4	산소공급제
19	아질산나트륨	7632-00-0	HNO2.Na	산소공급제
20	과붕산 나트륨	7632-04-4	BH8NaO7	산소공급제
21	과산화수소	7722-84-1	H2O2	산소공급제
22	질산 은	7761-88-8	AgNO3	전구체(Silver Acetylide)
23	과산화나트륨	1313-60-6	Na2O2	산소공급제
24	크롬산	7738-94-5	CrH2O4	산소공급제
25	염소산나트륨	7775-09-9	ClHO3.Na	산소공급제
26	질산납	10099-74-8	N2O6Pb	전구체(Lead nitroanilate)
27	하이드라진	302-01-2	N2H4	전구체(Sodium Azide)
28	과산화아연	1314-22-3	O2Zn	산소공급제
29	과산화칼륨	12030-88-5	KO2	산소공급제

출처: "사제폭발물 제조가능 화학물질 관리방안 연구"(국립환경과학원, 2011), p. 55.

「총포·도검·화약류 등의 안전관리에 관한 법률」(총포화약법) 제2조(정의)에서 "화약류"를 화약, 폭약 및 화공품(火工品)으로 분류한다.

화약은 ① 흑색화약 또는 질산염을 주성분으로 하는 화약, ② 무연화약 또는 질산에스테르를 주성분으로 하는 화약, ③ 그 밖에 시행령에 따라 과염소산염, 산화납 또는 과산화바륨, 브롬산염, 크롬산납, 황산알루미늄 등으로 분류한다.

폭약은 ① 뇌홍(雷汞)·아지화연·로단염류·테트라센 등의 기폭제, ② 초안폭약, 염소산칼리폭약, 카리트, 그 밖에 질산염·염소산염 또는 과염소산염을 주성분으로 하는 폭약, ③ 니트로글리세린, 니트로글리콜, 그 밖에 폭약으로 사용되는 질산에스테르, ④ 다이너마이트, 그 밖에 질산에스테르를 주성분으로 하는 폭약, ⑤ 폭발에 쓰이는 트리니트로벤젠, 트리니트로톨루엔, 피크린산, 트리니트로클로로벤젠, 테트릴, 트리니트로아니졸, 핵사니트로디페닐아민, 트리메틸렌트리니트라민, 펜트리트, 그 밖에 니트로기 3 이상이 들어 있는 니트로화합물과 이들을 주성분으로 하는 폭약, ⑥ 액체산소폭약, 그 밖의 액체폭약, ⑦ 그 밖에 시행령에서 정한 폭발의 용도에 사용되는 질산요소 또는 이를 주성분으로 한 폭약으로 디아조디니트로페놀 또는 무수규산 75 % 이상을 함유한 폭약, 초유폭약, 함수폭약, 질소함량이 12.2% 이상의 면약(시행령, 제5조 제2항)으로 규정하고 있다.

화공품은 화약류를 가공한 것으로 산업용과 발파용은 공사현장에서 사용하는 것이고, 관상용은 불꽃놀이를 위해 제작된 것이며, 군용은 군에서 사용하는 탄약류 같은 것이라 할 수 있다. 동법에서는 공업용뇌관·전기뇌관·총용뇌관 및 신호뇌관, 실탄(산탄포함) 및 공포탄, 신관 및 화관, 도폭선·미진동 파쇄기·도화선 및 전기도화선, 신호염관·신호화전 및 신호용 화공품, 시동약, 꽃불 그 밖의 화약이나 폭약을 사용한 화공품, 장난감용 꽃불 등, 자동차 긴급신호용 불꽃신호기, 자동차에어백용 가스발생기(동법 제2조 제3항 제3호) 등을 규정하고 있다.

가장 대표적인 화약류의 종류와 특성을 살펴보면 첫째, 흑색화약으로 목탄, 황, 질산칼륨을 혼합하여 제조하는데 색깔이 흑색이고 0.5~1.5%의 수분을 가지고 있다. 화학적으로 극히 안정적이고 습기를 방지하면 장기간 보관이 가능하기 때문에 가장 많이 사용되는 폭약이다. 둘째, 질산암모늄폭약으로 공업용으로 사용되는 폭약의 대부분이 이 폭약이다. 주성분은 질산암모늄으로 여기에 니트로글리세린 등을 배합하여 만든다. 색깔은 흰색이고 습기를 빨아들이는 성질이 있다. 폭발온도가 낮고 고온의 불꽃이 생기지 않으며 메탄가스나 탄광 갱도 내의 석탄가루에 잘 인화되지 않아 주로 광산의 발파용으로 사용된다. 셋째, 다이너마이트로 노벨(Alfred Bernhard Nobel)이 1867년 니트로글리세린의 폭발력을 공업적으로 이용하기 위해서 니트로글리세린을 규조토에 흡수시켜 제조한 폭약이다. 원료는 니트로글리세린, 니트로글리콜, 니트로셀룰로오스, 질산암모늄, 니트로 화합물, 목분, 전분, 질산나트륨 등을 사용하고 여기에 규조토 등의 흡수제와 산화제 등을 배합하여 만든다. 군용이나 민간용으로 가장 흔하게 사용하는 폭약이다.

「위험물안전관리법」(위험물관리법)은 위험물의 저장·취급 및 운반과 이에 따른 안전관리에 관한 사항을 규정함으로써 위험물로 인한 위해를 방지하여 공공의 안전을 확보함을 목적으로 한다(동법 제1조). 이때 “위험물”이라 함은 인화성 또는 발화성 등의 성질을 가지는 것으로서 시행령에서는 1류~6류 위험물 등 6개의 유형으로 현재 총 55종(제1류 산화성 고체 11종, 제2류 가연성 고체 9종, 제3류 자연발화성 물질 및 금수성물질[23] 12종, 제4류 인화성 액체 7종, 제5류 자기 반응성 물질 11종, 제6규 산화성 액체 5종)을 규정하고 있다.[24] 이러한 위험물에 당연히 사제폭발물의 원료물질이 포함되는 것은 당연하다 하겠다.

2015년도에 「총포화약법」 제8조의2(인터넷 등을 통한 총포·화약류 제조방법 등의 게시·유포 금지)를 신설하여 누구든지 총포·화약류(생명·신체에 위해를 끼칠 수 있는 폭발력을 가진 물건을 포함한다)를 제조할 수 있는 방법이나 설계도 등의 정보를 인터넷 등 정보통신망에 게시·유포하여서는 아니 된다고 규정하였다. 이를 위반하면 2년 이하 징역이나 500만원 이하 벌금형에 처해지도록 하고 있다(동법 제73조 제1항). 현행 「테러방지법」 제12조(테러선동·선전물 긴급 삭제 등 요청)에서 관계기관의 장은 테러를 선동·선전하는 글 또는 그림, 상징적 표현물, 테러에 이용될 수 있는 폭발물 등 위험물 제조법 등이 인터넷이나 방송·신문, 게시판 등을 통해 유포될 경우 해당 기관의 장에게 긴급 삭제 또는 중단, 감독 등의 협조를 요청할 수 있고, 협조를 요청받은 해당 기관의 장은 필요한 조치를 취하고 그 결과를 관계기관의 장에게 통보하여야 한다고 의무를 규정하고 있다.

(3) 관리상 문제점

테러무기로 사용할 수 있는 폭탄테러를 가정할 때 사제폭발물(IED)의 원료물질(폭발물, 무기, 화학물질)을 획득하는 방법은 다음과 같이 상상해 볼 수 있다.

첫째, 기존에 무기화되거나 상용화된 표준 폭발물(수류탄, TNT, 컴포지션 등)을 사용하는 것으로 주로 전쟁이나 전투 중인 지역에서 테러분자들이 이 같은 재료를 획득하는 방법이다. 즉 전쟁 중인 국가 또는 인접 주변국가에서 이를 탈취, 방기 또는 유기, 불발된 폭발물을 획득하는 것이다. 전쟁이외의 지역에서도 상용폭발물의 탈취나 절도 및 불법유통을 통해 획득할 수 있을 것이다. 실제로 아프

23) 금수성물질(禁水性物質, water reactive chemical)은 물과 접촉하면 격렬한 발열반응, 화재 또는 폭발 등을 일으키는 물질을 말한다(산업안전대사전).

24) 「위험물 안전관리 법 시행령」(대통령령 제28541호, 2017.12.29) 제2조 별표 1.

가니스탄과 이라크 전쟁에서 반군과 탈레반이 미군과 동맹군에게 사용한 대부분의 IED의 형태가 이에 해당한다고 볼 수 있다.

둘째, 국민생활과 밀접한 유통 중인 상용 화학물질(비료, 화공약품, 유독물질 등)을 사용하여 제조하는 것이다. 이 방법은 법적 제한과 제도적 접근의 어려움으로 표준화·규격화된 폭발물을 획득할 수 없는 대부분의 국가에서 테러분자들이 손쉽게 사용하는 방법이다. 합법적 수단으로 손쉽게 원재료를 획득할 수 있기 때문에 테러분자들이 가장 많이 선호하고 있다. 현재 내전 중인 이라크와 아프가니스탄 지역과 대부분의 국가에서 발생하는 폭탄테러에서 발견되고 있고 특히 아프가니스탄에서는 농촌지역에서 많이 사용되는 요소비료가 IED 원료물질로 사용되고 있는 실정이다.

셋째, 대규모 인명살상을 유발할 수 있는 유독 화학물질의 생산이나 저장시설 또는 이동 수단으로 사용되는 탱크로리 등을 공격하는 것이다. 이 수법은 세계 각국이 점차 테러에 사용가능한 유통 중인 화학물질의 규제를 강화하여 획득이 어려워지자 테러분자들이 이 같은 고정 시설과 장비자체를 폭발시키거나 탈취하여 테러수단으로 사용하는 것이다.

이처럼 테러분자들이 폭파테러에 사용할 수 있는 여러 가지 가능성을 염두에 두고 여기서는 사제폭발물의 제조 물질에 초점을 맞추어 문제점을 살펴본다.[25] 현재 우리나라는 사제폭발물의 원료가 되는 물질을 「화학물질관리법」·「화학물질등록평가법」·「총포화약법」·「위험물관리법」·「테러방지법」 등에 의거 제조에 이용되는 물질의 관리와 유통을 통제하고, 제조방법의 게시·유포를 차단하고 있지만 다음과 같은 취약점을 발견할 수 있다.

첫째 화학물질의 관리와 업무관계가 있는 정부 부처별 화학물질의 분류체계가 상이하여 통일되고 일관된 규제가 어렵다. 폭발물의 관리를 통제하는 경찰청의 「총포화약법」은 화약, 파괴적 폭발을 일으키는 폭약 등으로 32종의 물질을 분류하고 있고,[26] 소방청의 「위험물관리법」은 위험물을 1류~6류 위험물 등 6개의 유형으로 분류하고 있다.[27] 이들 분류지침에서 IED에 불법 전용되어 사용될 수 있는 화학물질은 해당부서의 분류체계의 각각 세항에 분산되어 있어서 IED 제조

25) 화학물질 생산·저장시설의 취약점 문제는 후술하는 '다중이용시설 관리' 편 참조.
26) 「총포·도검·화약류 등 단속법 시행령」(대통령령 제28215호, 2017.7.26) 제5조.
27) 「위험물 안전관리 법 시행령」(대통령령 제28541호, 2017.12.29) 제2조 별표 1.

가능 화학물질 식별이 제한될 수밖에 없다. 또한 IED에 불법 전용될 수 있는 화학물질의 대국민 정보제공 체제가 부서별로 상이한 시스템이다. 「총포화약법」은 시행령 상에 폭발물질의 종류를 고정으로 지정해 놓고 있고, 「화학물질관리법」은 화학물질안전원의 화학안전정보공유시스템에, 「위험물관리법」은 소방청의 국가위험물정보시스템에, 「산업안전보건법」은 안전보건공단의 물질안전보건자료(MSDS: Material Safety Data Sheet) 서비스를 이용하여 정보를 제공하고 있다. 따라서 국민의 입장에서 IED 제조가능 화학물질을 식별하는 데 혼란스럽고, 구별이 어렵게 되어 있다.

둘째, 날로 증가되는 사제폭발물에 의한 테러의 위험에 대비하여 지속적으로 새롭게 출시되는 사고대비물질에 대한 모니터링을 실시하여 즉시로 추가 지정하고, 화공약품상을 포함하여 판매 · 사용 · 저장 · 보관 · 운반에 대한 체계적인 유통 관리를 강화 해야 한다. IED에 불법 전용 가능한 화학물질의 특징이 그 범주에 일반 화학물질과 유독성 화학물질 및 폭발성 화학물질 등이 광범위하게 포함되어 있다는 사실이며, 계속해서 새로운 신규물질이 IED에 불법 전용 가능한 화학물질로 식별되고 있다는 것이다. 따라서 폭발물을 다루는 주요 법으로서 「총포화약법」의 고정된 화약류의 정의와 종류의 지정은 범위가 한정되어 있어 새로이 식별될 IED 불법전용 가능물질의 수용이 제한되는 근본적인 취약성이 있다. 앞에서 살펴 본 것처럼 우리나라에 현재 4만 4천 종 이상의 화학물질이 유통되고 있고, 매년 300여 종 이상이 새로이 시장에 진입하는 현실을 감안하여 새로운 화학물질에 대한 모니터링을 소홀히 해서는 안 될 것이다. 주요 테러수법인 사제폭발물 테러를 예방하기 위해서도 사제폭탄 제조 가능 물질 및 인명살상 위해가 큰 화학물질 관리를 강화하는 체계를 보완하는 데 빈틈이 없어야 할 것이다.

셋째, 사제폭발물의 원료가 되는 화학물질을 집중 관리 점검해야 한다. 우리의 일상 생활주변에서 쉽게 획득 가능한 화학물질이 사제폭발물의 제조원료 또는 테러수단으로 악용될 가능성이 있으므로 이러한 개연성이 높은 화학물질의 취급업체와 사용자에 대한 안전점검을 통해 위해요소를 사전 제거해야 한다. 아울러 취급업체 관계자에게 경각심과 교육을 통해 불법유통을 차단하고 도난이나 유출을 철저히 감시하도록 해야 할 것이다. 한국의 인터넷 환경에서 사제폭발물 제조방법이나 폭탄제조법이 난무하고 있어 이에 대한 적절한 차단과 대책에 관심을 기울여야 한다. 인터넷 검색 사이트에 몇 가지 간단한 단어를 입력하면 사제폭탄을 만드는 방법을 누구나 손쉽게 찾을 수 있으며, 제시된 순서에 따라 만들기만 하면 될 정도로 제조방법도 상세하게 소개되어 있다. 특히 우리 생활 주변에서 사용하고 있는 일상도구를 활용해 갖가지 사제폭탄을 만드는 방법이 자세히 소개되기도 하고 폭탄의 성능과 원리가 설명된 사이트에는 구체적으로 제조방법을 알려달라는 댓글까지 달리고 있는 실정이다.

「총포화약법」이나 「테러방지법」 등에서 이러한 행위의 처벌이나 긴급 삭제 요청 등의 규정이 있고, IED로 불법전용이 가능한 화학물질의 인터넷 불법유통을 차단하고 처벌하는 임무를 주로 경찰청과 환경부가 담당하고 있다. 경찰청은 사이버테러대응센터를 중심으로 인터넷상 총포·폭발성 물질 등 불법 유통행위를 엄정 단속하고 있으며, 사이버 명예경찰 누리캅스를 활용한 모니터링제도를 강화하고 관련 불법사이트 발견 시 신속한 수사착수 및 방송통신심의위원회에 통보, 차단조치를 실시하고 있다. 환경부에서도 위에서 본 것처럼 사이버 감시단을 조직하여 사제폭발물 제조가 가능한 화학물질 29종을 선정하여 인터넷상의 의심거래 또는 불법거래 행위를 감시하고 관련기관과 협조하여 수사를 실시하고 있다. 그러나 많은 해외 인터넷 사이트가 있고, 수시로 등장했다 사라지는 인터넷 속성상 정부기관의 단속만으로는 일일이 감시·삭제하기가 쉽지만 않은 것이 현실이다. 따라서 이러한 화학물질을 취급하는 제조업자나 유통업자들과의 긴밀한 협조를 통하여 공동으로 감시하는 채널을 만들어 사제폭발물의 제조·매매 등의 게시글은 관계기관에 즉시 통보하고, 신속한 수사가 진행될 수 있도록 협조 체널화해야 할 것이다. 유관기관과 상호 긴밀한 협력 관계를 구축하여 감시에서 예방·범인검거까지 일원화된 대응책을 마련하여 불안감을 해소하고 폭파피해를 방지하도록 해야 할 것이다.

넷째, 체계적인 안전교육과 언론보도의 문제점 개선이다. 사제폭발물에 대한 안전교육의 목적은 일상생활에서 일어나는 폭파 사고를 미연에 방지하고, 돌발적인 사태가 발생했을 때에는 생명을 지키기 위해서 취해야 할 행동요령을 향상시키는 것이다. 이러한 안전교육은 장기적이고 반복적으로 실시하고 새로운 사제폭발물 사고에 대한 소개와 함께 대처요령을 자주 제공하는 방법으로 실시하여 안전의식을 향상시켜야 한다. 유아서부터 청소년기까지 우리나라의 대부분은 생활

안전, 소방안전, 약물 오남용, 교통안전, 재난대비 등의 교육을 받고 있지만 유해화학물질에 의한 사고나 불꽃놀이 등 폭발물과 관련된 안전교육은 실시되지 못하고 있는 것이 현실이다. 따라서 해마다 증가하고 있는 유해화학물질 사고 및 폭발물에 의한 테러 위협 등을 교육내용에 포함시켜 자신의 생명을 스스로 지키고, 사제폭발물부터 우리의 학교나 사회를 보호하기위한 체계적인 방안이 마련되어야 할 것이다. 또한 현재 우리나라의 범죄보도의 경우 범죄수법 및 피의자 검거를 위한 수사 기법은 수사 기관에서 일부러 언론에 공개하지 않고 있으나 언론사에서 국민의 알권리를 빙자하여 취재 후 여과되지 않은 정보를 경쟁적으로 보도하고 있는 것이 현실이다. 이의 긍정적인 면은 범죄의 형태를 알림으로써 범죄 피해를 사전에 예방할 수 있는 기회 제공과 범죄행위의 인식 제고로 사회의 규범 형성에 기여하는 측면이 있으나 언론에 노출된 범죄수법이나 사제폭발물 제조기법은 모방범죄에 악용될 위험성이 있다. 따라서 언론보도의 긍정적인 면과 부정적인 면을 항시 고려해서 신중하게 결정해야 하고, 사회적 공공성을 바탕으로 언론 내부자체의 노력과 외부의 협조가 필요하다.[28)]

4. 위험인물 입국금지 및 위해물품 적발

우리나라는 테러의 예방을 위해 앞에서 살펴본 국제테러분자 등 위험인물이나 총기・사제폭발물 같은 위해물품의 자유로운 이동을 적발・차단하고 있다.

우선 우리나라 「출입국관리법」 제11조(입국의 금지 등)는 국제테러분자를 비롯하여 국익과 공공안전에 위해가 될 외국인에 대하여 입국을 금지시키고 있다. 즉 ① 감염병환자, 마약류중독자, 그 밖에 공중위생상 위해를 끼칠 염려가 있다고 인정되는 사람, ② 「총포화약법」에서 정하는 총포・도검・화약류 등을 위법하게 가지고 입국하려는 사람, ③ 대한민국의 이익이나 공공의 안전을 해치는 행동을 할 염려가 있다고 인정할 만한 상당한 이유가 있는 사람, ④ 경제질서 또는 사회질서를 해치거나 선량한 풍속을 해치는 행동을 할 염려가 있다고 인정할 만한 상당한 이유가 있는 사람, ⑤ 사리 분별력이 없고 국내에서 체류활동을 보조할 사람이 없는 정신장애인, 국내체류비용을 부담할 능력이 없는 사람, 그 밖에 구

28) 언론의 역할에 대한 세부내용은 제8장 제4절 참조.

호(救護)가 필요한 사람, ⑥ 강제퇴거명령을 받고 출국한 후 5년이 지나지 아니한 사람, ⑦ 1910년 8월 29일부터 1945년 8월 15일까지 사이에 일본 정부의 지시를 받거나 그 정부와 연계하여 인종, 민족, 종교, 국적, 정치적 견해 등을 이유로 사람을 학살·학대하는 일에 관여한 사람 등으로 규정하고 있다. 2017년 6월을 기준으로 입국금지 대상이 되는 외국인은 약 16만여 명(국제테러분자 29,108, 출입국사범 91,706, 형사범 8,762, 마약·대마사범 2,965, 전염병환자 105, 관세사범 97)이다.[29] 입국 금지된 국제테러분자 29,108명은 2012년 당시 7,001명에 비해 22,107명(315%)이나 급증하였는데 이는 국제적으로 대테러전쟁이 실시되고 있는 상황에서 이라크와 시리아 등에서 활동하고 있는 IS에 자진하여 가입한 젊은이들이 늘어났기 때문이다. 이에 따라 우리나라도 이들을 입국금지자로 추가 지정하여 관리하고 있다.

총포·도검·화약류 등 위해물품을 가지고 항공기에 탑승하거나 우리나라에 입국하려는 경우에도 금지하고 있는데 「출입국관리법」뿐만 아니라 「항공법」 및 「항공안전 및 보안에 관한 법률」(항공보안법)에 상세한 규정을 두고 있다. 「항공법」 제59조(위험물 운송 등)는 항공기를 이용하여 폭발성이나 연소성이 높은 물건 등("위험물"이라 한다)을 운송하려는 자는 국토교통부장관의 허가를 받아야 하고, 이 위험물을 포장·적재(積載)·저장·운송 또는 처리("위험물취급"이라 한다)하는 자도 국토교통부장관이 정하여 고시하는 위험물취급의 절차 및 방법에 따라야 한다고 규정하고 있다. 또한 「항공보안법」 제11조(공항시설 등의 보안)는 공항운영자가 보안검색을 거부하거나 무기·폭발물 또는 그 밖에 항공보안에 위협이 되는 물건을 휴대한 승객 등이 보안검색이 완료된 구역으로 진입하는 것을 방지하기 위한 대책을 수립·시행하여야 하며, 제17조(통과 승객 또는 환승 승객에 대한 보안검색 등)는 항공기에서 내린 통과 승객, 환승 승객, 휴대물품 및 위탁수하물에 대하여 보안검색을 하여야 한다고 규정하고 있다. 제21조(무기 등 위해물품 휴대 금지)는 누구든지 항공기에 무기(탄저균, 천연두균 등의 생화학무기를 포함한다), 도검류(刀劍類), 폭발물, 독극물 또는 연소성이 높은 물건 등 위해물품을 가지고 들어가서는 아니 된다고 규정하고 있다. 이에 따라 위해물품을 가지고 항공기에 탑승하거나 입국하려고 기도하는 행위는 적발대상이 된다. 항공기에 탑승이 금지

29) 파이낸셜 뉴스(2017.10.16.).

되는 물품은 기내반입금지물품(Restrict Items)이라고도 한다.[30] 이러한 위해물품에 대한 검색은 국제적으로도 국제민간항공기구(ICAO: International Civil Aviation Organization)[31]의 국제민간항공협약 부속서(ICAO ANNEX)의 제17(항공보안)에 따라 국가별로 항공보안 법규를 제정·운영하여 대체로 비슷한 내용으로 되어 있다. 우리나라도 좀 더 세부적인 항공안전 및 보안에 관한 계획, 항공화물보안기준과 보안검색 교육기관 지정 및 운영기준, 항공안전보안정비 종류·성능 및 운영기준, 항공보안감독관 업무규정, 국가 민간항공 보안교육훈련 지침 등을 제정하여 시행하고 있다.

관세청에 따르면 지난 2012년부터 2016년까지 5년간 총기류 등 위해물품을 6만여 점을 적발한 것으로 나타났다. 총 적발물품은 2012년도에 4천112점에서 2016년에는 2만5천245점으로 618% 이상 큰 폭으로 증가했다. 세부적으로 5년간 납탄의 적발수량이 3만 689발로 전체 적발수량의 51%를 차지하고, 도검류가 1만628점으로 17.6%, 조준경이 3천629점으로 6%, 실탄류가 1천335발로 2.2%를 차지하고 있다. 특히 납탄의 경우 2013년에 4,100발에서 2016년에는 1만7천160발로 3년 만에 418%나 급증했다. 조준경도 2012년 194점 → 2013년 393점 → 2014년 603점 → 2015년 839점 → 2016년도에는 1천600점으로, 2012년 대비 무려 724% 증가한 것으로 나타났다. 또 적발된 모의 총포는 총 954정으로 2012년 107점 → 2013년 145점 → 2014년 195점 → 2015년 238점 → 2016년 269점으로, 2012년 대비 151% 증가했다. 총기류 중 실제 총기도 5년간 105정이나 적발됐다[32]. 관세청은 해외여행객 증가와 해외에서 물품을 직접 구매하는 소위 해외직구(海外直購)가 늘어남에 따라 외국으로부터 모의총기류 반입 적발 사례가 증가한 것으로 분석했다.

또한 2016년 말 현재 우리나라에 총포 및 화약류 관리현황을 보면 총기 제조·판매업소가 총 425개소이고, 민간이 소지한 총포류도 총 138,751정(엽총 37,015정, 권총 1,922정, 공기총 84,414정, 기타 14,807정)이다. 또 화약류의 경우 총

30) '기내반입금지물품'이라 함은 「항공보안법」에 의거하여 항공기에 휴대 또는 탑재할 수 없도록 제한된 물품으로 곤봉, 도끼 등 불법 방해 행위에 이용 가능한 도구, 수류탄, 폭발물, 탄약 또는 방화성 물질, 가스를 포함한 발화성, 부식성 독성물질, 기타 모조품 등을 말한다.

31) ICAO는 민간항공의 안전과 발전을 주목적으로 하는 정부 차원의 국제협력기구로서 1944년 시카고에서 52개국 대표로 구성되어 현재 회원국은 190개국이다.

32) 관세청 보도자료(2017.1.10.), 세정신문(2017.10.16.) 참조.

1,583개소(제조 · 판매업소 147개소, 저장소 172개소, 사용 장소 1,264개소)에서 취급되고 있다.[33] 이러한 총기류의 불법 사용을 예발 · 적발하기 위하여 매년 경찰청은 불법무기류 자진신고기간을 설정하여 총기 소지자가 스스로 자진 신고를 유도하고 있다. 다음의 <표>에서 볼 수 있듯이 2007년부터 최근 10년간 자진신고 현황을 보면 연평균 3만여 건의 총포 위험물이 적발되고 있는 셈이다. 이와 병행하여 인터넷 등을 이용해 총기류가 암암리에 거래되고 있을 뿐만 아니라, 모의총기의 성능도 사람의 생명까지 위협할 수 있을 정도라 테러의 수단으로 사용되지 못하도록 적발과 단속을 강화해야 할 것이다.

〈불법무기류 자진신고 현황(2007-2016)〉

(단위: 건)

구분	총기류						도검류	포탄류	실탄류	폭발물류
	계	권총	소총	엽총	공기총	기타총				
2007	4,257	77	38	314	3,296	532	7,419	144	228,434	2,229
2008	2,096	34	19	189	1,101	753	7,157	133	65,073	15,777
2009	1,794	26	5	198	1,199	366	6,637	161	70,441	2,922
2010	6,048	23	15	193	2,551	3,266	2,587	290	41,568	4,788
2011	3,383	31	12	131	926	2,283	2,155	110	332,544	7,016
2012	4,192	34	12	218	1,587	2,341	2,000	171	49,330	9,572
2013	264,183	10	4	60	538	2,136	1,526	244	231,177	28,488
2014	4,484	10	2	91	1,028	3,353	1,661	1,599	84,996	1,326
2015	11,409	48	10	269	2,426	8,656	3,565	246	85,331	3,299
2016	798	11	1	45	479	262	205	58	60,805	910

출처: 『2016 경찰통계연보(2017)』, p. 68.

5. 국가중요시설 지정 및 관리

국가중요시설이란 적(敵)의 공격으로부터 파괴되거나 기능이 마비될 경우 국가적으로 막대한 영향을 끼치는 시설로 정부가 지정하고 특별한 경비가 필요하다

33) 『2016 경찰통계연보(2017)』, pp. 70-71.

고 인정하는 시설을 말한다. 국가중요시설은 평상시에는 국가의 경제와 산업 발전에 기여하고 전쟁시에는 전쟁 수행 능력을 뒷받침하는 매우 중요한 역할을 하게 된다. 법규상에는 「통합방위법」 제2조(정의)에서 "국가중요시설"이란 공공기관, 공항·항만, 주요 산업시설 등 적에 의하여 점령 또는 파괴되거나 기능이 마비될 경우 국가안보와 국민생활에 심각한 영향을 주게 되는 시설을 말한다고 규정하고 있다. 「경비업법」 시행령 제2조(국가중요시설)에서는 "국가중요시설"이라 함은 공항·항만, 원자력발전소 등의 시설 중 국가정보원장이 지정하는 국가보안목표시설과 「통합방위법」 제21조[34] 제4항의 규정에 의하여 국방부장관이 지정하는 국가중요시설을 말한다고 규정하고 있다. 여기서 국가보안목표시설은 대통령령인 「국가기밀과 정보에 관한 보안업무규정」 제6조에 의해 파업·태업 또는 비밀누설로 인하여 전략적 또는 군사적으로 막대한 손해를 초래하거나 국가안전보장에 연쇄적 혼란을 초래할 우려가 있는 시설로 규정하고 있어 사실상 내용이나 지정절차 등에서 대다수 동일하다고 할 수 있다.

국가중요시설에 대한 지정은 「통합방위법」 제21조에 의거 국방부장관이 관계 행정기관의 장 및 국가정보원장과 협의하여 지정한다. 이 법에 의거 국방부는 2002년 12월 3일 「국가중요시설 지정 및 방호 훈령」(국방부 훈령 제721호)을 제정하고 훈령 제5조(국가중요시설의 대상) 국가중요시설의 대상을 총 13개 분야로 나누어 중요도에 따라 가급, 나급, 다급으로 지정하였다. 13개 분야는 ① 주요 국가 및 공공기관시설, ② 철강, 조선, 항공기, 정유, 중화학, 방위산업, 대규모 가스·유류저장시설 등 주요 산업시설, ③ 원자력 발전소, 대용량 발전소 및 변전소 등 주요 전력시설, ④ 전국 및 지역권 방송국, 송신·중계소 등 주요 방송시설, ⑤ 국제위성지구국, 해저통신중계국, 국가기간전산망, 전화국 등 주요 정

34) 제21조 (국가중요시설의 경비·보안 및 방호) ① 국가중요시설의 관리자(소유자를 포함)는 경비·보안 및 방호책임을 지며, 통합방위사태에 대비하여 자체방호계획을 수립하여야 한다. 이 경우 국가중요시설의 관리자는 자체방호계획을 수립하기 위하여 필요하면 지방경찰청장 또는 지역 군사령관에게 협조를 요청할 수 있다.
② 지방경찰청장 또는 지역군사령관은 통합방위사태에 대비하여 국가중요시설에 대한 방호지원계획을 수립·시행하여야 한다.
③ 국가중요시설의 평시 경비·보안활동에 대한 지도·감독은 관계 행정기관의 장과 국가정보원장이 수행한다.
④ 국가중요시설은 국방부장관이 관계 행정기관의 장 및 국가정보원장과 협의하여 지정한다.
⑤ 국가중요시설의 자체방호, 방호지원계획, 그 밖에 필요한 사항은 대통령령으로 정한다.

보통신시설, ⑥ 철도 교통관제 센터 및 지하철 종합사령실, 교량, 터널 등 주요 교통시설, ⑦ 주요 국제 · 국내선 공항, ⑧ 대형 선박의 출 · 입항이 가능한 항만, ⑨ 대형 취수 · 정수시설 및 다목적 댐 등 주요 수원시설, ⑩ 종합적인 체계를 갖춘 연구시설, 핵연료 개발 연구시설 등 국가 안보상 중요한 과학연구시설, ⑪ 교정 · 정착지원 시설, ⑫ 전력, 통신, 상수도, 가스 등을 수용하고 있는 대도시 주요 지하공동구 시설, ⑬ 기타 적에 의해 점령 또는 파괴되거나 기능이 마비될 경우 국가안보 및 국민생활에 심대한 영향을 미치는 시설 등이다.

또한 가급은 적에 의하여 점령 또는 파괴되거나 기능 마비시 광범한 지역의 통합방위작전수행이 요구되고 국민생활에 중대한 영향을 미칠 수 있는 가치를 지닌 시설, 나급은 적에 의하여 점령 또는 파괴되거나 기능 마비시 일부 지역의 통합방위작전 수행이 요구되고 국민 생활에 중대한 영향을 미칠 수 있는 가치를 지닌 시설, 다급은 적에 의하여 점령 또는 파괴되거나 기능 마비시 제한된 지역에서 단기간 통합방위작수행이 요구되고 국민생활에 상당한 영향을 미칠 수 있는 가치를 지닌 시설이다. 구체적으로 가급 시설은 청와대, 국회의사당, 법원, 원자력발소, 대규모 산업시설, 국제공항, 항만시설 등이 해당되고, 나급은 검찰청, 경찰청사, 일정수의 발전시설, 국내 주요 비행장 등이고, 다급에는 중앙행정청사, 송신시설 등이 해당된다[35]. 2017년 기준으로 국가중요시설은 기관, 산업, 전력, 방송, 정보통신, 교통, 공항, 항만, 수원, 과학, 교정정착지원, 지하공동구 등 12개 분야로 분류되어 총 450여개소를 지정하여 관리하고 있는 것으로 알려져 있다.

국가중요시설의 관리는 「통합방위법」 제21조에 의거 시설의 관리자(소유자 포함)가 경비 · 보안 및 방호책임을 지며 자체방호계획을 수립하고, 필요시 지방경찰청장 또는 지역 군사령관에게 협조를 요청할 수 있다. 시설의 관리자는 청원경찰, 특수경비원, 직장예비군, 직장민방위대원 등 방호인력, 장애물, 과학적인 감시장비를 통합하는 것을 내용으로 하는 자체방호계획을 수립 · 시행해야 한다. 자체방호계획에는 특수경비업자의 책임 하에 실시하는 통합방위법령과 시설의 경비 · 보안 · 방호 업무에 관한 직무교육과 개인화기를 사용하는 실제의 사격훈련에 대한 사항이 포함되어 있다(동법 시행령 제32조). 국가중요시설의 평시 경비 · 보안활동에 대한 지도 · 감독은 관계 행정기관의 장과 국가정보원장이 수행한다.

---

35) 국가중요시설 지정 및 방호 훈령(국방부 훈령, 2002년) 제6-7조 참조.

통합방위법 시행령 제2조는 경비·보안 및 방호를 위하여 시설의 관리자(소유자를 포함), 지방경찰청장, 지역군사령관 및 대대 단위 지역책임 부대장에게 다음과 같은 임무를 수행하도록 하고 있다.

첫째, 관리자의 경우는 청원경찰, 특수경비원, 직장예비군 및 직장민망위대 등 방호인력, 장애물 및 과학적인 감시 장비를 통합하는 것을 내용으로 하는 자체방호계획의 수립·시행하여야 한다. 이 경우 자체방호계획에는 관리자 및 특수경비업자의 책임하에 실시하는 통합방위법령과 시설의 경비·보안 및 방호 업무에 관한 직무교육과 개인화기(個人火器)를 사용하는 실제의 사격훈련에 관한 사항이 포함되어야 한다. 또한 국가중요시설의 자체방호를 위한 통합상황실과 지휘·통신망의 구성 등 필요한 대비책을 마련하여야 한다.

둘째, 지방경찰청장 및 지역군사령관의 경우는 관할 지역 안의 국가중요시설에 대하여 군·경찰·향토예비군 및 민방위대 등의 국가방위요소를 통합하는 것을 내용으로 하는 방호지원계획의 수립·시행하여야 한다. 이 경우 경찰은 경찰서 단위의 방호지원계획을 수립·시행하고, 군은 대대단위의 방호지원계획을 수립·시행하여야 한다.

셋째, 관리자와 대대 단위 지역책임 부대장(경찰서장)은 국가중요시설의 방호를 위한 역할분담 등에 관한 협정을 체결하고, 자체방호계획 또는 대대나 경찰서 단위의 방호지원계획을 작성하거나 변경하는 때에는 그 사실을 서로 통보하여야 한다.

이처럼 국가중요시설은 위해상황에 노출되었을 때 국가적으로 치명적인 피해가 발생하여 국민생활 전반에 심각한 영향을 미치게 된다. 따라서 평상시뿐만 아니라 비상사태 때에도 외부의 위협이나 테러로부터 특별한 보호가 필요하다. 특히 테러분자 입장에서는 이러한 시설에 대한 타격이야 말로 공포와 요구조건을 달성할 수 있는 최적의 공격 목표가 된다. 따라서 국가중요시설은 테러 예방측면에서 무엇보다도 중요하게 보호·관리되어야 하는 물적 요소 중의 하나라고 할 수 있겠다.

6. 다중이용시설 관리

(1) 다중이용시설 개념

다중이용시설은 일반적으로 불특정다수인이 이용하는 시설을 말한다. 최근의 다중이용시설은 건축기술의 발달로 건물의 초고층화 및 대형화와 지하화 등으로 변화하고 있고, 구조의 복잡화와 다양화로 테러 등 사고시 대형의 인명피해뿐만 아니라 시설 피해 역시 상상을 초월하고 있다. 따라서 건축법에서는 건축물의 용도, 바닥면적, 층수 등의 세부규정을 두고 있으며 이를 다중이용시설 건축물로 지정하여 설계부터 공사완공 단계까지 관리 감독이 강화된 기준을 적용하고 있다.

법규상에 나타나는 다중이용시설의 개념은 「실내공기질 관리법」 제2조(정의)에서 "다중이용시설"이라 함은 '불특정다수인이 이용하는 시설을 말한다'고 규정하고 있다. 시설의 종류로는 ① 지하역사(출입통로 · 대합실 · 승강장 및 환승통로와 이에 딸린 시설 포함), ② 지하도상가(지상건물에 딸린 지하층의 시설 포함), ③ 여객자동차 운수사업법에 의한 여객자동차터미널의 대합실, ④ 항공법에 의한 공항시설 중 여객터미널, ⑤ 항만법에 의한 항만시설 중 대합실, ⑥ 도서관 및 독서진흥법에 의한 도서관, ⑦ 박물관 및 미술관 진흥법에 의한 박물관 및 미술관, ⑧ 의료법에 의한 의료기관, ⑨ 실내주차장, ⑩ 철도역사의 대합실, ⑪ 영유아보육법 제10조의 규정에 따른 보육시설 중 국공립보육시설, 법인보육시설, 직장보육시설 및 민간보육시설, ⑫그 밖에 대규모점포, 노인요양시설 또는 노인전문병원 중 연면적 1천 제곱미터 이상인 국공립 노인의료복지시설, 장례식장 중 연면적 1천 제곱미터 이상인 장례식장(지하에 위치한 시설에 한함), 목욕장업 중 영업시설의 연면적이 1천 제곱미터 이상인 시설, 산후조리원업 중 영업시설의 연면적이 500제곱미터 이상인 시설 등이다.

「테러방지법 시행령」 제25조에서 다중이용시설을 '많은 사람이 이용하는 시설'로 규정하고, 이에 대한 「테러취약시설 안전활동에 관한 규칙」(경찰청훈령 제748호, 2014.12.24. 제정) 제2조(정의)에서는 "다중이용시설"이라 함은 불특정다수인이 이용하는 교통, 판매 · 회의, 문화 · 체육 등 시설을 말한다고 정의하면서 그 대상으로 ① 열차역, 지하철역, 터미널 등 교통시설, 판매시설, ② 컨벤션 · 호텔, 대형빌딩 등 판매 · 회의시설, ③ 경기장, 공연장 · 영화관, 위락시설 등 문화 · 체육

시설, ④ 그 밖에 특별한 관리가 필요하다고 심의위원회에서 결정한 시설 등으로 구체화하고 있다(동 지침 제8조).

(2) 다중이용시설에 대한 테러대상시설 지정 및 관리

「테러방지법 시행령」 제25조 제2항에 따라 테러예방을 위해 중앙부처와 각 지방 시·도 및 시·군·구에서는 다중시설 중에서 테러대상이 될 만한 시설에 대해 다음 <표>와 같이 A·B·C등급으로 분류하여 테러대상시설로 지정하고, 테러위험 상황에 따라 관리하도록 하고 있다.

〈테러대상시설 지정 기준〉

구분		등급	지정 기준
문화 및 집회 시설	공연장 (예술 시설)	A	○ 수도권(서울·인천·경기)·광역시 소재, 관객 2천명 이상 동시 수용 가능한 대형 공연장 ○ 스크린 15개 이상의 멀티플렉스 영화관 등
		B	○ 관객 1,500명 이상 동시수용 가능한 대형 공연장 ○ 스크린 10개 이상의 멀티플렉스 영화관 등
		C	○ 관계기관의 장이 필요하다고 인정하는 A·B급을 제외한 상징성 보유 대형 공연장 및 멀티플렉스 영화관 등
	집회장 (대형 회의장)	A	○ 국제행사 개최 대형 컨벤션센터 등 집회시설
		B	○ A급 시설에 해당하지 않는 대형 컨벤션센터 등 집회시설
		C	○ A·B급 외에 관계기관의 장이 필요하다고 인정하는 집회시설
	관람장 (경기 및 체육 시설)	A	○ 월드컵 경기장 10개소
		B	○ 프로축구·야구 경기장 및 관람석 2만이상의 실외 경기장(경마·륜·정, 자동차 포함) ○ 경기장 5천석 이상의 관람석을 보유한 실내경기장·체육관
		C	○ A·B급 외에 관계기관의 장이 필요하다고 인정하는 관람 시설
	전시장	A	○ 국가적으로 대표·상징성이 있는 국·공립 전시장 중 일 평균 관람객 1,000명 이상인 시설
		B	○ 국가적으로 대표·상징성이 있는 국·공립 전시장 중 일 평균 관람객 500명 이상 1,000명 미만인 시설
		C	○ A·B 외에 관계기관의 장이 필요하다고 인정하는 전시시설

구분		등급	지정 기준
종교시설	종교 집회장 및 봉안당	A	○ 바닥면적의 합이 5만㎡ 이상인 종교시설로 대표·상징성을 보유한 종교시설 ○ 국가적으로 대표·상징성을 보유한 중요 종교시설
		B	○ 바닥면적의 합이 3만㎡ 이상인 종교시설로 대표·상징성을 보유한 종교시설 ○ 지역적으로 대표·상징성을 보유한 중요 종교시설
		C	○ A·B급 외에 관계기관의 장이 필요하다고 인정하는 종교시설
판매시설	도·소매 시장, 상점	A	○ 1일 유동인구 서울 5만 명(지역 3만 명) 이상 백화점·쇼핑몰 등 ○ 월 매출 300억 이상 판매시설 ○ 1일 유동인구 서울 7만 명(지역 4만 명) 이상, 입주점포 150개 이상의 지하상가
		B	○ 1일 유동인구 서울 4만 명(지역 2만 명) 이상 백화점·쇼핑몰 등 ○ 월 매출 200억 이상 판매시설 ○ 1일 유동인구 서울 5만 명(지역 3만 명) 이상, 입주점포 100개 이상의 지하상가
		C	○ 월 매출 100억 이상 판매시설 ○ A·B급 외에 관계기관의 장이 필요하다고 인정하는 판매 시설
여객시설	터미널	A	○ 수도권 및 광역시 소재 고속(복합)버스터미널
		B	○ 수도권 및 광역시 소재 주요 시외버스 터미널 ○ 기타 시·도 주요 고속버스터미널
		C	○ A·B급 외에 관계기관의 장이 필요하다고 인정하는 버스터미널
	철도시설	A	○ 수도권(서울·인천·경기) 및 5대광역시 소재 KTX 역사 ○ 1일 유동인구 수도권(서울·인천·경기)·20만명(광역시 5만명, 기타 3만명) 이상 환승역 ○ 1일 유동인구 수도권(서울·인천·경기)·10만명(광역시 4만명, 기타 2만명) 이상 단독역사 ○ 대형국제행사장·숙소로 활용되는 주요 호텔·대형 컨벤션센터 주변 역사
		B	○ 기타 시도 KTX 역사 및 코레일 기준 1급 역사 ○ 1일 유동인구 수도권 8만명(광역시 3만명, 기타 1만 5천명) 단독역사 ○ A급에 해당하지 않는 주요 환승역
		C	○ A·B급 외에 관계기관의 장이 필요하다고 인정하는 역사 * 1일 유동인구 1천명 미만 제외

구분		등급	지정 기준
	공항 시설	A	○ 국가중요시설(인천 · 김포 · 제주 · 김해 · 대구 · 청주 · 양양 · 무안 · 여수 · 울산공항) * 국가중요시설로 관리
		B	○ A급에 해당하지 않는 공항 여객터미널
		C	○ A · B급 외에 관계기관의 장이 필요하다고 인정하는 공항 여객터미널
	항만 시설	A	○ 국가중요시설 중 부산 · 인천 · 평택 · 제주 국제여객터미널 * 국가중요시설로 관리
		B	○ A급에 해당하지 않는 국제여객터미널 * 국가중요시설로 관리
		C	○ A · B급 외에 관계기관의 장이 필요하다고 인정하는 여객터미널
의료 시설	종합 병원	A	○ 1,500병상 이상 상급종합병원
		B	○ A급에 해당하지 않은 1,000병상 이상 상급종합병원
		C	○ A · B급 외에 관계기관의 장이 필요하다고 인정하는 종합병원
숙박 시설	관광 숙박 시설	A	○ 수도권 · 경주 · 제주 · 광역시 소재, 주요 국제행사가 많고 상징성이 있는 특1급 호텔
		B	○ 지역별 대표 · 상징성이 있는 특1급 이상 주요 호텔 등
		C	○ A · B급 외에 관계기관의 장이 필요하다고 인정하는 호텔
대형고층건물 * 위 시설의 어느 하나에 해당하는 용도로 사용되는 건축물에 한함		A	○ 초고층건물(50층 이상)로 국가 경제 상징기능 또는 지역 대표 · 상징성을 보유한 대형건물 ○ 기타 국가적 대표성 · 상징성을 보유한 주요 대형건물
		B	○ 고층건물(30층 이상)로 지역 대표 · 상징성을 보유한 건물
		C	○ A · B급 외에 관계기관의 장이 필요하다고 인정하는 대형건물

〈교통수단에 대한 테러대상시설 지정 기준〉

구분	등급	지정 기준
도시철도	A	○ 여객수송에 사용되는 차량
	B	○ 관계기관의 장이 필요하다고 인정하는 A급에 해당되지 않는 차량
여객선	A	○ 국제여객선(국적취득조건부나용선 포함)
	B	○ 1천톤 이상이면서 여객정원 300명 이상 여객선
	C	○ A · B급 외에 관계기관의 장이 필요하다고 인정하는 여객선

구분	등급	지정 기준
철도차량	A	○ 여객수송에 사용되는 차량(동차 · 기관차 · 발전차 포함)
	B	○ 관계기관의 장이 필요하다고 인정하는 A급에 해당되지 않는 차량
항공기	A	○ 승객 좌석 수 300석 이상 항공운송용 항공기
	B	○ 승객 좌석 수 51석 이상 항공운송용 항공기
	C	○ A · B급 외에 관계기관의 장이 필요하다고 인정하는 항공기

출처: 테러방지법 해설(국무총리실, 대테러센터, 2017.4), pp. 205-207.

(3) 다중이용시설 대상 테러 예방

최근에 다중이용시설을 대상으로 하는 국제테러가 빈발하고 있다. 다음 <표>에서 보는 바와 같이 2008년부터 최근 10년간 발생한 국제테러사건을 분석해 보면 전체 국제테러사건은 총 30,592건으로 연평균 3,059건의 사건이 발생하고 있다.

〈국제테러사건 발생현황(2008-2017)〉

연도	계	2008	2009	2010	2011	2012	2013	2014	2015	2016	2017
테러(건)	30,592	3,211	3,376	2,937	3,542	3,928	4,096	3,736	2,255	1,533	1,978

출처: 테러정보통합센터(국제테러사건 통계).

그중 최근 5년간의 다중이용시설을 공격대상으로 하는 테러사건은 다음 <표>에서 보는 바와 같이 총 627건(전체 테러사건의 4.6%)으로 연 평균 125건에 달하고 있다. 전체 테러사건에서 다중이용시설을 공격대상으로 하는 사건의 비율은 2013년 3.8% → 2014년 3.8% → 2015년 5.0% → 2016년 6.4% → 2017년

〈다중이용시설 대상 국제테러사건 발생현황(2013-2017)〉

연도	계	2013	2014	2015	2016	2017
테러(건)	627	157	141	113	98	118
비율(%)	4.6	3.8	3.8	5.0	6.4	6.0

출처: 테러정보통합센터(국제테러사건 통계).

6.0%로 증가하고 있는 추세이다.[36] 이러한 추세는 최근의 국제테러가 주로 다중이용시설을 공격대상으로 삼고 있다는 반증이다.

이러한 이유는 적은 비용과 노력으로 쉽게 테러범이 원하는 대량 인명 살상과 파괴를 자행할 수 있어 쉽게 공포분위기를 조장할 수 있기 때문이다. 또한 다중이용시설의 대부분이 도시에 밀집되어 있어 테러에 아주 취약하고 사고 발생시 피해가 대형화하는 등 다음과 같은 여러 가지 문제가 발생할 수 있기 때문이다.

첫째 대지와 건축물 간의 이격거리가 제대로 확보되지 않아 테러범의 침투가 지나치게 쉽다는 것이다. 경호경비의 핵심 개념인 3선경비원칙에 따르면[37] 건물과 담장 사이의 내곽지역에 침입자에 대한 최초의 장애물인 펜스나 도로와 건물의 경계선 등이 제대로 설치되지 않아 테러범들의 진입이 자유롭다는 것이다. 주로 건물 외부의 미관이나 원활한 차량통행과 보행을 이유로 이런 장애물을 설치하지 않고 있다.

둘째, 다중이용시설에 많은 진출입로와 출입구가 있어 건물에 접근하는 사람을 원활하게 통제하기가 어렵다는 것이다.

셋째, 다중이용시설을 이용하는 사람들은 대부분 건물 구조의 생소함 때문에 시설의 내부 공간구조를 잘 알지 못하고 건물구조가 크고 복잡하여 사고 발생시 대형의 인명피해가 예상된다. 때문에 테러가 발생하면 엄청난 혼란을 초래하여 대피하는 데 많은 시간이 소요되고, 그로 인하여 대규모 인명피해가 발생할 개연성이 충분하다.

넷째, 건물을 관리하는 주체가 일원화되지 못해 업무와 기능이 중복되기도 하고 서로 책임을 전가하여 사각지대가 발생한다는 것이다. 테러 예방을 위한 진출입 통제 및 수상한 자의 동향을 파악하고 신고하는 데 어려움이 있다. 즉 진출입 차량 및 사람에 대한 감시와 통제의 허점 발생과 정보공유의 혼란 등으로 관리가 제대로 되지 않아 테러 공격에 무방비로 노출될 가능성이 있다.

다섯째, 최근에는 다중이용시설의 초고층화와 지하화로 인한 피해가 크다는 것이다. 초고층 건물에서 화재나 테러가 발생할 시 각종 배관과 공조시스템, 엘

---

36) 테러정보통합센터(TIIC) "국제테러사건 통계"에서 교통시설을 다중이용시설에 포함하여 분석.

37) 3선경비원칙은 가상의 3선(線)을 기준으로 경비를 실시하는 것으로 1선은 행사장 내부로 안전구역이라고 하고, 2선은 행사장 내곽으로 경비구역이라고 하며, 3선은 행사장 외곽으로 경계구역이라고 한다(세부 내용은 제7장 제5절 국가중요행사 안전대책 참조).

리베이터 등의 수직 연결공간은 화재를 확산시키고, 냉방 및 환기공급이 중앙닥트(duct)방식으로 되어 있어 발화지점에서 발생하는 연기나 유독가스가 전체 건물로 급속하게 확산하게 된다. 또한 다중이용시설의 지하구조는 지하 공간의 창문 등 출입구가 소수의 장소에만 설치되어있고 대부분 폐쇄되어 있어 사고 발생 시 사람들은 쉽게 공포 상태에 빠지게 된다. 외부로 나가는 출구도 제한적이어서 많은 사람이 동시에 몰리기 때문에 병목현상으로 빠져나가지 못하고 대형의 인명피해가 생긴다. 피난 통로도 수직방향으로 올라가는 구조로 되어있어 대피하는 데 속도가 늦고 압력과 연기, 유독가스로 인한 대량 인명피해가 발생한다는 것이다.

세계적으로도 2001년 9·11테러 이후 미국, 유럽의 일부 국가들이 이와 같은 테러예방을 위한 건축설계의 중요성을 인식하고 테러예방환경설계(Terror Prevention through Environmental Design)에 대한 관심이 증대되고 있는 실정이다. 이는 건물을 지을 때 설계단계에서부터 테러의 피해를 예상하고 건축해야 하다는 것이다. 다중이용시설의 테러예방을 위한 설계의 주요 착안사항을 보면 다음과 같다.

첫째, 자연지형을 최대로 이용하여 지상 보다 높게 시공한다. 이렇게 할 경우 주변지역의 감시와 통제를 용이하게 할 수 있고, 폭발이 일어나면 건물에 미치는 폭발 압력의 피해를 감소시키는 역할을 하여 인한 인명피해를 줄일 수 있다. 지상과 건물 간의 높이 차이를 경사로나 계단으로 할 경우에는 차량속도를 감소시킬 수 있는 장애물의 역할을 할 수 있다. 특히 차량폭탄 테러를 예방하기 위해서는 대지경계와 도로경계 사이의 이격거리는 최소한 9m 이상 유지시키고, 대지(垈地) 내부에서도 차량동선을 고려하여 건물외부 면으로부터 9m 이상의 이격거리를 유지하는 것이 중요하다. 도로 경계 대지와 건물 사이에 청정지역(clear zone)을 설치하여 건물 내부에서 바깥의 시야에 방해를 받지 않도록 하고 테러에 사용될 폭탄 등 무기류의 은닉을 사전에 차단할 수 있다. 또한 진출입로 주변에는 차량 폭탄 테러를 방지하기 위하여 뿌리 깊은 조경수를 심거나 기초가 튼튼한 초강력 플랜트 박스를 1.5m 정도의 범퍼 높이로 설치하여 차량의 돌진을 막을 수 있어야 한다.

둘째, 다중이용시설로 진입하는 차량 출입구의 수를 최소로 설치하고 차량 진입속도를 줄일 수 있도록 주행 노선을 곡선형(L, S)으로 시공하고 과속방지턱을 설치하여야 한다. 또한 불필요한 행동을 하는 수상한 차량을 되돌릴 수 있는 유턴 공간의 확보는 물론 진입 저지용 바리케이드(barricade)를 설치해야 한다. 방문객 주차장은 가급적 옥외에 설치하는 것이 적합하다.

셋째, 보행로(步行路) 및 진출입 통제 계획은 건물로 진입하는 출입구 수는 최소로 하고 건물의 주출입구 외의 지하철역 지하주차장 등과 연결된 통로에는 경비·안전요원이 배치되거나 혹은 CCTV가 설치된 곳을 통과하여 건물 안으로 들어가도록 동선을 계획하고 지하층과 연결된 엘리베이터의 경우 안전요원이 진출입을 통제하는 장소에서 환승하도록 한다. 또한 엘리베이터, 에스컬레이터, 계단 등의 수직방향 동선과 우편물이나 택배접수의 경우 위험물질의 반입 등이 확인되고 통제가 가능한 경비실과 가까운 곳에 설치한다.

넷째, 보안관리 및 청결관리 등의 기능은 대부분 복합적으로 구성되어 있어 경비·화재·안전 등의 관리업체가 여러 곳으로 난립할 수 있으므로 서로 간에 담당책임구역을 사전에 정확하게 구분되어야 하며 담당책임구역이 중복되거나 난해하지 않도록 되어야 한다. 또한 출입구·로비·주차장 등에 안전요원을 배치하고 항시 CCTV를 통해 통제실에서 모니터링을 할 수 있는 공간이 확보되도록 해야 한다.

다섯째, 실내화분 및 실내조경 로비, 고객 대기장소 등의 사각지역에 있는 휴지통 등은 평상시 경비 및 순찰을 통하여 청소상태 및 거동수상자를 확인할 수 있게끔 CCTV를 설치하고 24시간 모니터링을 할 수 있도록 해야 한다.

여섯째, 환경조형물(造形物)을 활용한다. 환경조형물은 외부에서 쉽게 볼 수 있고 사람의 왕래가 많은 시설의 광장이나 진출입로에 설치하는 것이 일반적이지만 잠재적 테러 공격을 예방하기 위한 장소에 설치되어야 한다. 테러 공격시 방어벽 역할을 충분히 할 수 있고 고객의 불편을 최소화하고 미관을 훼손하지 않는 범위에서 환경조형물의 설치를 고려해야 한다.

일곱째, 적절한 조명장치의 설치다. 컴컴한 야간에 발생하는 테러를 예방하기 위하여 적절한 조명을 설치하는 것은 테러범에게 이러한 조명으로 인해 사전 테러를 감행하지 못하게 하는 억제효과가 있다. 즉 조명의 효과적인 배치를 통하여 반사되는 빛으로 테러리스트의 시야에 장애를 주어 행동을 못하도록 하는 환경을 조성하자는 것이다. 이때 기술적인 조명의 배치가 중요한데, 테러리스트의 행동시야를 차단할 수 있는 다중이용시설의 바깥쪽을 향하여 조명의 빛이 반사되도록 설치해야 할 것이다. 즉 어두운 곳에서 밝은 방향을 향하여 보면 훤하게 잘 보이지만 반대로 강력한 조명 빛을 마주보면 착시(錯視) 현상이 발생하여 시야는 일시적으로 사물을 구별할 수 없게 되어 일정시간이 경과되기 전까지 눈의 시력이 정상으로 돌아오지 않는다. 이와 같은 조명의 설치는 추가적인 비용이 없이 미약한 부분을 보강하여 사용함으로써 다중이용시설에서 발생할 테러 공격을 지연시키거나 예방적 차원의 효과를 얻을 수 있다.

우리나라도 국토부에서 2010년 "건축물 테러예방 설계가이드라인"을 마련하여 공사입찰·발주, 설계평가, 기존 건축물 성능평가 및 건축위원회에서 설계심의를 할 때 활용할 수 있도록 했다. 주요내용은 건축물 바닥 면적이 2만㎡ 이상인 극장, 백화점 등 다중이용시설과 50층 이상인 초고층 빌딩이 대상이다. 건축물이 건축되는 대지는 주변지역보다 높게 조성해 감시가 용이하게 하고 건축물과의 경계선에는 조경수 등을 심어 폭발물 적재차량 돌진을 방지토록 했다. 또한 건축물의 형태 및 구조는 폭발로 인한 피해가 최소화되도록 건축물 로비 등 다중 이용공간과 보완이 요구되는 공간은 분리해 배치토록 하고, 건축물의 주요한 부분은 두 방향으로 피난이 가능하도록 했으며 공기흡입구는 3m 이상 높게 설치해 외부침입방지 및 유해가스 유입을 방지토록 했다. 또한 대테러센터에서도 2017년 2월 "다중이용시설 테러예방활동 가이드라인"을 만들어 관계기관 및 시설소유자 등에 배포·활용하도록 하고 있다. 여기에는 테러예방활동시 고려사항, 테러예방활동 가이드라인, 테러예방활동 예시 등이 수록되어 있다. 특히 10가지 구체적인 사례를 소개하고 있는데 ① 시설 내 테러예방 환경조성을 할 경우, ② 테러위협 전화 응대 요령, ③ 우편물 의심 징후, ④ 인원·차량 출입관리 및 시설방호 요령, ⑤ 테러 의심자 식별 요령, ⑥ 테러 의심사항 및 신고대상, ⑦ 테러상황 전파 및 긴급대응 요령, ⑧ 테러 상황별 행동요령, ⑨ 시설 외부로 비상대피 할 경우 행동요령, ⑩ 시설 내부에서 비상대피할 경우 행동요령 등을 알기 쉽게 그림·만화 등을 이용하여 설명하고 있다.[38)]

38) "다중이용시설 테러예방활동 가이드라인"(국무총리실 대테러센터, 2017.2), pp. 1-61.

Ⅱ. 테러사건 대처활동

우리나라에서 테러사건이 발생할 경우 「테러방지법」과 그 시행령에 의거 우선 이러한 사건의 징후가 있을 경우 테러경보의 발령 → 상황전파 및 초동조치 → 대책기구(대책본부 및 현장지휘소) 구성 → 사건 진압 → 사후 복구 · 지원 → 테러범 수사 순으로 진행된다. 다음에서 이러한 단계별 대처 내용을 상세히 살펴보고, 테러범 수사는 별도의 절(節)에서 다루기로 한다.

1. 테러경보 발령

「테러방지법 시행령」 제22조(테러경보의 발령)는 국무총리실 대테러센터장은 테러 위험 징후를 포착한 경우 테러경보 발령의 필요성, 발령 단계, 발령 범위 및 기간 등에 관하여 대테러실무위원회의 심의를 거쳐 테러경보를 발령한다. 테러경보는 테러위협의 정도에 따라 관심 → 주의 → 경계 → 심각의 4단계로 구분한다고 규정하고 있다. 즉 테러에 대한 대처는 위험 징후가 감지되면 테러 경보의 발령으로부터 시작된다고 할 수 있다. 이러한 테러 경보제도는 외국의 대다수 국가에서 실시하는 것으로 미국의 경우 테러관련 정보수집과 분석을 통해 효과적인 경보발령 시스템을 가지고 있다.

우리나라도 미국의 경보제도[39]를 참고하여 다음 <표>와 같이 관심 → 주의 → 경계 → 심각의 4단계로 구분하였는데, 미국의 Green(평시: Low)단계와 Blue(관심: Guard)단계를 합하여 관심단계로 단일화하여 4단계로 단순화하였다. 경보가 발령되면 관계기관에서는 다음과 같은 조치를 취하여야 한다. ① 관심 단계에서는 관계기관 비상연락체계 유지, 테러대상시설 등 대테러점검, 테러 위험인물 감시 강화, 공 · 항만 보안 검색률 10% 상향 등, ② 주의 단계에서는 관계기관별 자체 대비태세 점검, 지역 등 테러대책협의회 개최, 공 · 항만 보안 검색률 15% 상향, 국가중요행사 안전점검 등, ③ 경계 단계에서는 관계기관별 대테러상황실 가동, 테러이용수단의 유통 통제, 테러사건대책본부 등 가동 준비, 공 · 항만 보안

39) 미국의 경보제도는 5단계로 Green(평시: Low) → Blue(관심: Guard) → Yellow(주의: Elevated) → Orange(경계: High) → Red(심각: Severe)로 구분되어 있다.

검색률 20% 상향 등, ④ 심각 단계에서는 테러사건대책본부 등 설치, 테러대응 인력 · 장비 현장 배치, 테러대상시설 잠정 폐쇄, 테러이용수단 유통 일시중지 등을 조치해야 한다.

다만 이러한 단계의 구분이 명확하지 않아 약간의 혼동이 있을 수 있다는 것이다. 즉, 테러위협의 수준은 낮지만 테러의 발생가능성이 있는 단계(관심), 테러가 발생할 수 있는 일정 수준의 객관적인 위협 징후가 나타나는 단계(주의), 테러위협이 현존하고 명백한 징후로 나타나 테러 발생이 임박한 단계(경계), 테러 발생에 대한 명확한 정보가 수집된 단계(심각)로 단순화할 필요가 있다는 주장도 있다.[40]

〈테러경보 발령 기준 및 조치 사항〉

구분	발령 기준	조치 사항
관 심 (Blue)	실제 테러발생 가능성이 낮은 상태 • 우리나라 대상 테러첩보 입수 • 국제테러 빈발 • 동맹 · 우호국가내 대형 테러발생 • 해외 국제대회에 아국인 다수 참가	• 관계기관 비상연락체계 유지 • 테러대상시설 등 대테러점검 • 테러 위험인물 감시 강화 • 공 · 항만 보안 검색률 10% 상향
주 의 (Yellow)	실제 테러로 발전할 수 있는 상태 • 우리나라 대상 테러첩보 구체화 • 국제테러조직 · 연계자 국내 잠입기도 • 재외국민 · 공관 대상 테러징후 포착 • 국가중요행사 개최 D-7	• 관계기관별 자체 대비태세 점검 • 지역 등 테러대책협의회 개최 • 공 · 항만 보안 검색률 15% 상향 • 국가중요행사 안전점검
경 계 (Orange)	테러발생 가능성이 농후한 상태 • 국제테러조직이 우리나라 직접 지목 · 위협 • 국제테러조직 · 분자 잠입활동 포착 • 다량의 테러이용수단(폭발물, 총기류 등) 적발 • 국가중요행사 개최 D-3	• 관계기관별 대테러상황실 가동 • 테러이용수단의 유통 통제 • 테러사건대책본부 등 가동 준비 • 공 · 항만 보안 검색률 20% 상향
심 각 (Red)	테러사건 발생이 확실시되는 상태 • 우리나라 대상 명백한 테러첩보 입수 • 테러이용수단 도난 · 강탈사건 발생 • 국내에서 테러기도 및 사건 발생 • 국가중요행사 대상 테러첩보 입수	• 테러사건대책본부 등 설치 • 테러대응 인력 · 장비 현장 배치 • 테러대상시설 잠정 폐쇄 • 테러이용수단 유통 일시중지

출처: 테러방지법 해설(국무총리실, 대테러센터, 2017.4), p. 74.

40) 연성진 등, "테러 예방 및 대응을 위한 수사의 실효성 및 예측의 효율성 확보 방안", 『형사정책연구원 연구총서』(2016), p. 244.

2. 상황전파 및 초동조치

「테러방지법 시행령」 제23조(상황 전파 및 초동 조치)에서 관계기관의 장은 테러사건이 발생하거나 테러 위협 등 그 징후를 인지한 경우에는 관련 상황 및 조치사항을 관련기관의 장과 대테러센터장에게 즉시 통보하고 사건의 확산 방지를 위하여 초동 조치를 하여야 한다고 규정하고 있다. 관련 상황 전파의 1차적 책임은 테러징후 또는 테러발생을 가장 먼저 확인하고 조치할 수 있는 관계기관의 장이다. 이때 초동조치는 본격적인 사건의 대응이 실시되기 이전에 취하는 조치로 사건 현장의 통제와 보존 및 경비 강화, 주변 인원의 긴급대피 및 응급 구조나 구급의 실시, 관계기관에 필요한 긴급 지원 요청, 그 밖에 사건의 추가피해 및 확산 방지를 위한 조치 등이 포함된다고 할 수 있다. 이러한 초동조치는 사건 발생 현장에 출동한 유관기관이 추가적인 인명피해를 방지하기 위하여 일반인들의 현장 출입을 엄격히 통제해야 한다. 이때 현장통제는 통상 경찰에 의해 이루어지고 경찰은 사건현장에 도착과 동시에 사건 원점으로부터 일정한 거리를 이격하여 불필요한 인원과 차량의 출입을 통제한다. 이는 차후 사건의 대응에 필요한 실종자의 탐색과 사상자 구조·구호 활동과 구조장비나 물자의 원활한 조달을 위해 매우 중요한 일이기 때문이다.

특히 화생방테러의 경우 초동조치는 바람의 방향과 지형, 사건 원인물질의 특성 등을 고려한 오염의 확산방향과 거리로 표현되는 위험지역(확산지역)을 예측(판단)하고 이 지역을 통제하여 위험지역 내부에 거주하고 활동하는 인원의 소개 또는 대피를 시켜야 한다. 이때 위험예측의 형태는 통상 사건현장에 살포된 물질의 종류에 따라 결정되며 화학물질 중에서도 화학무기금지협약(CWC)[41]에 명시되어 있는 독성 화학 작용제에 대한 예측은 절대적으로 중요한데 이러한 정확한 위험예측을 하기란 쉽지 않다. 이러한 위험예측이 어려운 이유는 다음과 같다.

첫째, 짧은 시간 내에 테러의 원점을 정확히 발견하기가 쉽지 않다는 것이다. 이는 대기 중에 살포된 물질에 의한 피해가 나타나고 있으나 살포지점 및 물질의 종류에 대한 정보가 명확하지 않고, 새로이 개발·제조한 물질을 테러에 사용

41) 화학무기금지협약(CWC: Chemical Weapons Convention)은 화학무기의 개발 생산 비축 및 사용을 금지하는 조약으로 1997년 4월 발효되었다.

할 경우 현대의 첨단과학기술을 활용한 탐지장비로도 탐지가 곤란하기 때문이다.

둘째, 화학과 생물학의 작용제 구분이 쉽지 않다는 것이다. 특히, 생물학의 범주에 포함된 독소를 활용할 경우 위험예측의 형태는 화학이 아닌, 생물학 위험예측 형태를 적용해야 하는데 초동조치 기관이 독소를 탐지하고 이를 즉시 생물학 물질의 위험예측에 적용할 수 있는가에 대해서는 확신할 수 없기 때문이다.

셋째, 미생물을 사용한 테러의 경우 일정한 잠복기가 경과한 후에 피해가 나타나기 때문에 현장에 출동한 초동조치 기관의 능력으로는 테러사건이라고 단정할 수 없다. 특히, 현장에 살포된 미생물은 이미 다양한 매개체를 통해 넓은 지역으로 확산되었을 수 있기 때문에 사건 초기에 적용할 위험예측의 형태가 무의미할 수도 있다. 경우도 있기 때문이다.

넷째, 살포된 화학물질이 전쟁에 사용될 수 있는 독성 화학작용제일 경우 그 물질의 특성이 일반사회에 잘 알려져 있지 않아 관계기관에서도 그 물질에 대한 정확한 정보가 없을 수 있다는 것이다.

이러한 초동조치의 효과적 실시를 위해 국무총리실에 설치된 대테러센터에서는 유관기관에서 파견된 공무원과 합동으로 대테러종합상황실을 24시간 가동 중에 있다. 또한 이러한 사고에 대비하여 사고별·담당기관별·대응조치별 각종 매뉴얼을 작성하여 적용토록 위험예측 방법과 절차를 명시하고 있다. 또한 후술(後述)하는 국정원에서 운영하는 대테러합동조사팀도 이러한 신속한 초동조치를 위한 기능을 수행한다. 그러나 우리나라의 경우 앞에서 살펴본 것처럼 이러한 화학사고에 대비하여 환경부에서 2016년 말 기준으로 유해화학물을 총 920여종(유독물질 749종, 사고대비물질 97종, 금지물질 60종, 제한물질 12종 등)으로 지정하여 관리하고 있으나 화학물질에 대한 정확한 위험예측이 어려울 뿐만 아니라 사고 초기에 이러한 물질을 판단하는 것이 사실상 불가능하다는 데 문제가 있다. 경찰, 소방 등 초동조치 기관이 전문가가 아니기 때문에 현장 도착과 동시에 즉각적으로 원하는 초동조치가 이루어지기는 어려운 실정이다.

3. 테러사건대책본부 구성 및 활동

「테러방지법 시행령」 제14조(테러사건대책본부)는 외교부장관, 국방부장관, 국토교통부장관, 해양수산부장관 및 경찰청장은 테러가 발생하거나 발생할 우려가 현저한 경우(국외테러의 경우는 대한민국 국민에게 중대한 피해가 발생하거나 발생할 우려가 있어 긴급한 조치가 필요한 경우에 한한다)에는 테러사건대책본부(이하 "대책본부"라 한다)를 설치·운영하여야 한다. 이 경우 테러사건의 성격에 따라 국외테러사건의 경우는 외교부장관이, 군사시설에서 발생한 테러사건의 경우는 국방부장관이, 항공기 테러사건의 경우는 국토교통부장관이, 해양에서 일어난 테러사건의 경우는 해양수산부장관이, 기타 국내 일반 테러사건의 경우는 경찰청장이 각각 대책본부를 구성한다. 이때 같은 사건에 2개 이상의 대책본부가 관련되는 경우에는 테러대책위원회 위원장(국무총리)이 테러사건의 성질·중요성 등을 고려하여 대책본부를 설치할 기관을 지정할 수 있다(동조 제2항).

대책본부의 장은 테러사건에 대한 대응을 위하여 필요한 경우 현장지휘본부를 설치하여 상황 전파 및 대응 체계를 유지하고, 조치사항을 체계적으로 시행한다(시행령 제24조 제1항). 또한 필요한 경우에 관계기관의 장에게 인력·장비 등의 지원을 요청할 수 있고 요청을 받은 관계기관의 장은 특별한 사유가 없으면 요청에 따라야 한다(동조 제2항). 해외에서 테러가 발생하여 정부 차원의 현장 대응이 필요한 경우에는 관계기관 합동으로 정부 현지대책반을 구성하여 파견할 수 있다(동조 제3항). 지방자치단체의 장은 테러사건 대응 활동을 지원하기 위한 물자 및 편의 제공과 지역주민의 긴급대피 방안 등을 마련하여야 한다(동조 제4항).

화생방테러의 경우 보건복지부장관과 환경부장관 및 원자력안전위원회 위원장이 별도의 지원본부를 만들어 구성하여 대책본부를 지원하도록 하였다(시행령 제16조). 이는 일반적인 테러사건의 대응보다는 좀 더 전문적인 조치가 필요하기 때문에 마련된 규정으로 보인다. 이때 생물테러의 경우 보건복지부장관이, 화학테러의 경우 환경부장관이, 방사능테러의 경우 원자력안전위원회 위원장이 지원본부를 만들도록 규정하고 있다(동조 제1항). 지원본부의 임무는 화생방테러 사건 발생 시 오염 확산 방지 및 제독(除毒) 방안 마련, 화생방 전문 인력 및 자원의 동원·배치, 그 밖에 화생방테러 대응 지원에 필요한 사항을 수행하도록 하였다(동조 제2항). 또한 시행령 제17조(테러복구지원본부)는 행정안전부장관은 테러사건 발생 시 구조·구급·수습·복구활동 등에 관하여 대책본부를 지원하기 위하여 테러복구지원본부를 설치·운영할 수 있다고 규정하고, 그 임무는 ① 테러사건 발생 시 수습·복구 등 지원을 위한 자원의 동원 및 배치 등에 관한 사항, ②

대책본부의 협조 요청에 따른 지원에 관한 사항, ③ 그 밖에 테러복구 등 지원에 필요한 사항을 수행하도록 하고 있다.

4. 현장지휘본부 조치

「테러방지법 시행령」 제15조(현장지휘본부)는 대책본부의 장은 테러사건이 발생한 현장의 대응 활동을 총괄하기 위하여 현장지휘본부를 설치할 수 있다. 현장지휘본부의 장은 테러의 양상·규모·현장상황 등을 고려하여 협상·진압·구조·구급·소방 등에 필요한 전문조직을 직접 구성하거나 관계기관의 장에게 지원을 요청할 수 있다. 이 경우 관계기관의 장은 특별한 사정이 없으면 현장지휘본부의 장이 요청한 사항을 지원하여야 한다(동조 제3항). 현장지휘본부의 장은 현장에 출동한 관계기관의 조직(대테러특공대, 테러대응구조대, 대화생방테러 특수임무대 및 대테러합동조사팀을 포함한다)을 지휘·통제한다(동조 제4항). 현장지휘본부의 장은 현장에 출동한 관계기관과 합동으로 통합상황실을 설치·운영할 수 있다(동조 제5항). 즉, 대책본부장이 임명한 현장지휘소장은 현장에서 실질적인 테러사건 처리를 지휘하고 처리하는 역할을 수행하는 것이다. 이때 현장에 출동할 수 있는 전담조직으로는 대테러특공대, 테러대응구조대, 대화생방테러 특수임무대 및 대테러합동조사팀 등이다.

대테러특공대는 테러사건에 신속히 대응하기 위하여 「테러방지법 시행령」 제18조(대테러특공대 등)에 의거 국방부장관, 해양수산부장관 및 경찰청장이 설치·운영한다. 이 경우 대책위원회의 심의·의결을 거쳐야 한다(동조 제2항). 대테러특공대의 임무는 ① 대한민국 또는 국민과 관련된 국내외 테러사건 진압, ② 테러사건과 관련된 폭발물의 탐색 및 처리, ③ 주요 요인 경호 및 국가 중요행사의 안전한 진행 지원, ④ 그 밖에 테러사건의 예방 및 저지활동 등을 수행한다(동조 제3항). 현재 한국의 대테러특공대는 군과 경찰에 구성되어 있다. 군의 경우 육군 특수전사령부 예하에 1981년 창설된 '707대테러 특수임무대대'와 해군 특수전 여단 예하에 1993년 창설된 특수임무대가 있고, 경찰의 경우는 1983년 창설된 경찰대테러특공대(SWAT)와 해양경찰서 예하에 2002년 창설된 해경대테러특공대가 각각 설치되어 있다.[42]

테러대응구조대는 「테러방지법 시행령」 제19조(테러대응구조대)에 의거 행정안전부장관과 시·도지사가 설치한다. 즉 테러사건 발생시 신속히 인명을 구조·구급하기 위하여 중앙 및 지방자치단체 소방본부에 테러대응구조대를 설치·운영한다고 규정하고 있다. 구조대의 임무는 ① 테러발생시 초기단계에서의 조치 및 인명의 구조·구급, ② 화생방테러 발생시 초기단계에서의 오염 확산 방지 및 제독, ③ 국가 중요행사의 안전한 진행 지원, ④ 테러취약요인의 사전 예방·점검 지원 등을 수행한다(동조 제2항).

대화생방테러 특수임무대는 「테러방지법 시행령」 제16조 제3항에 의거 관계기관의 화생방테러 대응을 지원하기 위하여 대책위원회의 심의·의결을 거쳐 국방부장관이 설치하는 것으로 임무는 오염 확산 방지 및 제독 등을 수행한다. 이는 화생방테러의 경우 보건복지부장관과 환경부장관 및 원자력안전위원회 위원장이 별도의 지원본부를 만들어 구성하여 대책본부를 지원하도록 되어 있는데 군이 가지고 있는 특수장비를 활용하여 좀 더 효과적인 화생방테러에 대비하기 위한 조치로 보인다.

대테러합동조사팀(이하 "합동조사팀")은 「테러방지법 시행령」 제21조(대테러합동조사팀)에 의거 국가정보원장이 국내외에서 테러사건이 발생하거나 발생할 우려가 현저할 때 또는 테러 첩보가 입수되거나 테러 관련 신고가 접수되었을 때에는 예방조치, 사건 분석 및 사후처리방안 마련 등을 위하여 관계기관 합동으로 편성·운영할 수 있다고 규정하고 있다. 합동조사팀이 현장에 출동하여 조사한 경우 그 결과를 대테러센터장에게 통보하여야 한다(동조 제2항). 다만 군사시설에 대해서는 국방부장관이 자체 조사팀을 편성·운영할 수 있고, 이때 자체 조사팀이 조사한 결과를 대테러센터장에게 통보하여야 한다(동조 제3항)고 규정하고 있다. 이러한 합동조사팀의 활동은 사건초기에 그 사건의 성격을 정확히 판단하고 초동조치를 적절한 범위에서 할 수 있게 하는 데 큰 역할을 한다. 특히 화생방테러의 경우 추가적인 인명피해를 방지하고 사건의 신속한 대응에 필요한 실종자 구조·구호 활동과 구조장비나 물자의 원활한 조달을 위해 매우 중요하다. 사건초기에 화생방테러임을 확인하고 바람의 방향과 지형, 사건 원인물질의 특성 등을 고려한 위험지역(확산지역)을 예측(판단)하는 역할은 사건의 진압 못지않게 중요한 일이다. 이를 합동조사팀이 해결해야 한다.

---

42) 각국의 대테러부대에 관한 사항은 제9장 제3절 참조.

Ⅲ. 복구활동

복구활동은 테러가 발생한 지역이나 시설에 대한 원상회복을 말한다. 사건발생 직후부터 사건이 진압된 이후까지의 과정을 사고발생 이전의 상태로 회복시킬 수 있도록 장·단기적인 활동을 추진하게 된다. 물론 초기상황과 동일한 정상상태로 되돌릴 수는 없지만 복구활동을 통해 새로운 대책을 수립하는 등의 사고관리정보를 축적할 수 있고, 장기적으로는 좀 더 테러로부터 안전한 사회를 만들 수 있다. 이러한 복구활동은 피해파악 및 긴급지원, 복구상황의 점검 및 관리, 사고발생 원인에 대한 분석 및 평가가 있어야 한다. 세부적으로는 중장기 복구계획 수립 및 복구의 우선순위 결정, 복구장비 및 예산의 확보, 복구지원을 위한 관계기관들과의 협조, 피해상황의 집계, 긴급물품의 제공, 피해자 보상 및 배상관리, 위기발생 원인 및 문제점 조사, 재발 방지책 마련, 사고 유발 책임자 및 기관에 대한 법적처리 등을 포함한다. 이때 가장 중요한 것은 관계기관의 유기적인 지원과 협조이다. 테러발생 이전 상태로 회복되기 위해서는 피해상황 조사, 피해자 보상 등의 절차가 필요하다.

「테러방지법」 제15조(테러피해의 지원)는 테러로 인하여 신체 또는 재산의 피해를 입은 국민은 관계기관에 즉시 신고하여야 하고, 국가 또는 지방자치단체는 피해를 입은 사람에 대하여 대통령령으로 정하는 바에 따라 치료 및 복구에 필요한 비용의 전부 또는 일부를 지원할 수 있다. 이에 따라 「테러방지법 시행령」 제35조(테러피해의 지원)는 국가 또는 지방자치단체가 지원할 수 있는 비용(이하 "피해지원금"이라 한다)은 신체 피해에 대한 치료비 및 재산 피해에 대한 복구비로 한다고 규정하고 있다. 다만, 「여권법」 제17조 제1항 단서에 따른 외교부장관의 허가를 받지 아니하고 방문 및 체류가 금지된 국가 또는 지역을 방문·체류한 사람에 대해서는 그러하지 아니한다고 규정하고 있다. 이러한 테러로부터 피해를 받은 자에 대하여 국가의 배상의무 조항을 둔 것은 현재 제정·시행되고 있는 「범죄피해자보호법」 아래에서는 테러범죄피해자가 피해를 구제받을 수 없어 별도의 피해구제절차가 필요하다는 의견이 반영된 결과로 볼 수 있다.

우리 헌법은 제30조에서 타인의 범죄행위로 인하여 생명·신체에 대한 피해를 받은 국민은 법률이 정하는 바에 의하여 국가로부터 구조를 받을 수 있다고 규정하여 범죄피해자의 국가에 대한 구조청구권을 명문화하고 있었다. 이에 따라 「범죄피해자구조법」이 1988년 7월 1일부터 시행되었고, 범죄피해자의 보호·지원과 관련한 「범죄피해자보호법」이 2006년 3월 24일부터 별도로 시행되어오다 2010년 5월 14일 「범죄피해자구조법」의 내용을 「범죄피해자보호법」에 통합하여 단일법을 갖게 되었다. 동법 제3조 제1호에서 범죄피해자를 타인의 범죄행위로 피해를 당한 사람과 그 배우자(사실상의 혼인관계를 포함한다), 직계친족 및 형제자매를 말한다고 규정하고 있으며, 동조 제5호에서는 구조대상 범죄피해에 대하여 대한민국의 영역 안에서 또는 대한민국의 영역 밖에 있는 대한민국의 선박이나 항공기 안에서 행하여진 사람의 생명 또는 신체를 해치는 죄에 해당하는 행위로 인하여 사망하거나 장해 또는 중상해를 입은 것을 말한다고 규정하고 있다.

그러나 여기에 물적 피해에 대하여는 규정이 없다. 이러한 물적 피해를 위해 「국가배상법」 제2조(배상책임)는 국가나 지방자치단체는 공무원 또는 공무를 위탁받은 사인(이하 "공무원"이라 한다)이 직무를 집행하면서 고의 또는 과실로 법령을 위반하여 타인에게 손해를 입힐 경우 그 손해를 배상하여야 한다. 제5조는 도로·하천, 그 밖의 공공의 영조물의 설치나 관리에 하자가 있기 때문에 타인에게 손해 를 발생하게 하였을 때에는 국가나 지방자치단체는 그 손해를 배상하여야 한다고 규정하고 있다. 그러나 이 경우 피해배상을 받기 위해서는 공무원의 고의나 과실이 있어야 하는데 테러의 예방과 대응활동과 관련한 공무원 직무수행의 고의·과실과 위법성을 입증하기가 사실상 불가능하다. 또한 제5조에 의한 피해배상을 받기 위해서는 시설물 관리상의 하자를 입증해야 하는데 이 또한 간단하지 않다. 따라서 사실상의 배상이 어렵다는 것이다. 또한 「재난안전법」상의 재난에는 테러도 당연히 포함되고 이 법에 의한 피해구제는 테러로 인한 피해에도 적용된다고 본다. 이 경우에도 테러로 인한 인적·물적 피해를 온전히 보상받기 위해서는 '특별재난지역'으로 선포되어야 하는데(동법 제60조) 특별재난지역으로 선포되기 위해서는 동법 시행령에서 정하고 있는 자연재난으로서 일정 금액이상의 재산의 피해가 발생하여 국가적 차원의 지원이 필요하다고 인정되어야 하는데 테러로 인한 피해로 이러한 요건을 충족시키지는 어렵다하겠다. 따라서 테러범죄 피해자의 피해구제의 기존의 개별법들은 많은 미흡한 문제점을 가지고 있다고 지적되어 왔었다.[43]

「테러방지법 시행령」 제35조(테러피해의 지원)는 국가 또는 지방자치단체가 신체 피해에 대한 치료비 및 재산 피해에 대한 지원을 하도록 하고, 신체 피해에 대한 치료비는 신체적 부상 및 후유증에 대한 치료비뿐만 아니라 정신적·심리적 피해에 대한 치료비도 지급하도록 하고 있다(동조 제2항). 또한 재산 피해에 대한 복구비는 「재난안전법」 제66조에 따른 사회재난 피해 지원의 기준과 금액을 고려하여 대책위원회가 정하도록 하고 있다. 이러한 직접적인 피해의 지원이외에 동법 시행령 제36조(특별 위로금의 종류)는 특별 위로금을 지급하기로 하고 있는데 ① 테러로 인하여 사망한 경우에는 유족 특별 위로금을, 테러로 인하여 신체상의 장애를 입은 경우에는 장해 특별 위로금을, 테러로 인하여 장기치료가 필요한 피해를 입은 경우에는 중상해 특별 위로금을 지급하도록 하고 있다. 이때 유족 특별 위로금은 피해자의 사망 당시(신체에 손상을 입고 그로 인하여 사망한 경우에는 신체에 손상을 입은 당시를 말한다)의 월급액이나 월실수입액 또는 평균임금에 24개월 이상 48개월 이하의 범위에서, 장해 특별 위로금과 중상해 특별 위로금은 피해자가 신체에 손상을 입은 당시의 월급액이나 월실수입액 또는 평균임금에 2개월 이상 48개월 이하의 범위에서 유족의 수와 연령 및 생계유지 상황 등을 고려하여 총리령으로 정하는 개월 수를 곱한 금액으로 하도록 규정하고 있다.

재산피해의 경우는 「재난안전법」에 따르도록 하고 있다. 이 법 제58조(재난피해 신고 및 조사)는 재난으로 피해를 입은 사람은 피해상황을 시장·군수·구청장(대책본부가 운영되는 경우는 대책본부장)에게 신고할 수 있고, 재난관리책임기관의 장은 피해상황을 신속하게 조사한 후 그 결과를 중앙대책본부장에게 통보하여야 한다고 규정하고 있다. 이에 따라 중앙대책본부장은 관계 기관 합동으로 피해합동조사단을 편성하여 재난피해 상황을 조사할 수 있다(동조 제3항). 행정안전부장관은 조사단장을 포함한 10명 내외의 조사단원으로 편성하여(동법 시행령 제75조의2) 피해상황 및 현장정보, 현장조사 내용, 사고원인 분석 내용, 권고사항 및 개선대책 등 조치사항을 조사결과보고서에 포함해야 한다(동조 제5항). 구체적으로 ① 피해일시 및 피해지역, ② 피해원인, 피해물량 및 피해금액, ③ 동원 인력·장비 등 응급조치 내용, ④ 피해지역 사진 및 도면·위치 정보, ⑤ 인명피해 상황

43) 조성제, "테러범죄피해자의 피해구제방안", 『국가위기관리학회 하계학술대회 자료집』, 대구한의대(2010), pp. 156-165.

및 피해주민 대처 상황, ⑥ 자원봉사자 등의 활동 사항, ⑦ 재난복구사업의 종류별 복구물량 및 복구금액의 산출내용, ⑧ 복구공사의 명칭·위치, 공사발주 및 복구추진 현황(시행령 제76조) 등이 포함되어야 할 것이다.

이러한 조사가 끝나면 정부는 재난복구계획을 수립·시행해야 하는데 이 경우 지방자치단체의 장은 재난복구를 위하여 필요한 경비를 지방자치단체의 예산에 계상(計上)하여야 한다(동법 제59조). 이때 재난관리에 필요한 비용은 해당 재난방지시설의 유지·관리 책임이 있는 자가 부담한다(동법 제62조). 다만 응급조치로 인하여 다른 지방자치단체가 이익을 받은 경우에는 그 수익의 범위에서 이익을 받은 해당 지방자치단체가 그 비용의 일부를 분담하여야 한다(동법 제63조). 손실보상에 관하여는 손실을 입은 자와 그 조치를 한 중앙행정기관의 장, 시·도지사 또는 시장·군수·구청장이 협의하여야 한다(동법 제64조). 또한 긴급구조활동과 응급대책·복구 등에 참여한 자원봉사자 등이 응급조치나 긴급구조활동을 하다가 부상을 입은 경우에는 치료를 실시하고, 사망(부상으로 인하여 사망한 경우를 포함한다)하거나 신체에 장애를 입은 경우에는 그 유족이나 장애를 입은 사람에게 보상금을 지급하며, 장비 등이 고장 나거나 파손된 경우에도 수리비용을 보상할 수 있다. 장비 등이 응급대책·복구 또는 긴급구조와 관련하여 고장 나거나 파손된 경우에는 그 자원봉사자에게 수리비용을 보상할 수 있다고 규정하고 있다(동법 제65조).

제4절 테러범죄의 수사

Ⅰ. 테러범죄 개념과 특징

테러범죄의 개념에 대해서는 통일된 견해가 없고 다양한데 그 이유는 '테러'라는 개념 자체가 확정되기 어렵기 때문이다. 현행 테러방지법은 제2조(정의) 제1호에서 테러를 국가·지방자치단체 또는 외국 정부(외국 지방자치단체와 조약 또는 그 밖의 국제적인 협약에 따라 설립된 국제기구를 포함한다)의 권한행사를 방해하거나 의무 없는 일을 하게 할 목적 또는 공중을 협박할 목적으로 하는 다음 각 목의 행위를 말한다고 규정하면서 하위 가목(目)에서 마목까지 살인·생명 위험행위, 항공기·선박·폭발물·핵물질과 관련한 위험행위 등을 명시하고 있다.[44)]

지금의 「테러방지법」은 테러에 대한 사후적 대응보다 테러위험인물에 대한 정보수집 등 사전·예방적 테러대응에 주목적을 두고 있다. 때문에 테러범죄의 수사 규정을 별도로 가지고 있지 않다. 다만 동법 제9조에 테러위험인물에 대한 정보 수집을 규정하여 테러범 수사의 전단계로 테러위험인물에 대한 조사 및 추적을 실시할 수 있도록 하였다. 이때 대테러조사는 국가정보원이 대테러활동에 필요한 정보나 자료를 수집하기 위하여 현장조사와 문서열람 및 시료채취 등을 하거나 조사대상자에게 자료의 제출 및 진술을 요구하는 활동이다. 이러한 대테러조사는 법적으로 행정조사의 일환으로 정식 수사기관에 의한 테러범 수사의 전단계라 할 수 있다. 이런 대테러조사의 일환으로 테러위험인물의 추적을 실시할 수 있도록 하고 있는데 이때 테러위험인물의 추적은 테러혐의자가 접촉하려고 하는 지원세력이 누구인지, 은신처가 어디인지, 테러대상의 목표물은 무엇인지 등을 확인하기 위해 필요한 정보를 수집하는 행위로 볼 수 있다. 여기에는 테러위험인물에 대한 출입국 관련사실 확인, 금융거래 내역, 통신정보와 위치정보 관련사항이 포함된다. 이때 '테러위험인물'이란 "테러단체의 조직원이거나 테러단체 선전, 테러자금 모금·기부 기타 테러예비·음모·선전·선동을 하였거나 하였다고 의심할 상당한 이유가 있는 사람"으로 「테러방지법」 제2조에서 정의하고 있고, 여기에는 테러를 실행·계획·준비하거나 테러에 참가할 목적으로 국적국이 아닌 국가의 테러단체에 가입하거나 가입하기 위하여 이동 또는 이동을 시도하는 내국인·외국인의 "외국인테러전투원"을 포함함은 물론이다. 「테러방지법」에서는 국정원에 이러한 테러위험인물에 대한 조사 및 추적권을 부여하면서도 대테러조사가 필요한 경우 사전 또는 사후에 대책위원회 위원장에게 보고하도록 통제장치를 두고 있다(동법 제9조 제4항).

그러나 현행 「테러방지법」에서는 이러한 행정조사의 일환인 테러위험인물에 대한 조사 및 추적권 외에 별도의 테러범 수사 규정을 두고 있지 않기 때문에 테러범에 대해 일반 형사범의 수사절차에 따라 수사를 진행하여야 한다. 따라서

44) 테러 개념의 세부 내용은 제1장 제1절 참조.

처벌조항(테러방지법 제17-18조) 역시 테러단체의 구성, 가입, 지원 등 테러사건 발생이전의 행위에 대한 처벌을 규정하고 있고 테러행위로 인한 피해는 그 행위를 규율하고 있는 해당법률에 의해 처벌하도록 규정하고 있다. 「테러방지법」 제17조(테러단체 구성죄 등)는 테러단체를 구성하거나 구성원으로 가입한 사람 중 수괴(首魁)는 사형·무기 또는 10년 이상의 징역, 테러를 기획 또는 지휘하는 등 중요한 역할을 맡은 사람은 무기 또는 7년 이상의 징역, 타국의 외국인테러전투원으로 가입한 사람은 5년 이상의 징역, 그 밖의 사람은 3년 이상의 징역에 처한다. 테러자금임을 알면서도 자금을 조달·알선·보관하거나 그 취득 및 발생원인에 관한 사실을 가장하는 등 테러단체를 지원한 사람은 10년 이하의 징역 또는 1억원 이하의 벌금에 처한다(동조 제2항). 테러단체 가입을 지원하거나 타인에게 가입을 권유 또는 선동한 사람은 5년 이하의 징역에 처한다(동조 제3항). 미수범도 처벌하고, 예비 또는 음모한 사람은 3년 이하의 징역에 처한다(동조 제4-5항). 기타 테러에 해당하는 경우 형법 등 해당 법률에서 정한 형에 따라 처벌한다(동조 제6항)고 규정하고 있다. 이처럼 테러방지법상 테러범죄에 대한 처벌은 UN에서 지정한 테러단체와의 연계 행위에 국한되고 테러행위 자체에 대한 처벌은 개별법에 따라 규율되므로 테러범죄의 정의가 무엇이고 어떠한 특징을 가지고 있는지가 중요하다 할 것이다.

이러한 테러범죄는 테러의 개념에서부터 나오는 특징을 가지고 있는데 그 목적성과 주체성, 폭력적 수단의 사용이라는 점이다. 테러범죄의 수사 관점에서 보면 다음과 같은 특징이 있다.

첫째, 테러범은 정치적, 종교적, 민족적인 특정 목적을 범행 동기로 하여 범죄를 준비한다(범죄의 구성요건)는 것이다. 따라서 개인적인 원한이나 금전적 이익을 위한 일반 형사범과는 구분된다 할 것이다.

둘째, 테러를 자행하는 범행의 주체가 명확하지 않다는 것이다. 인터넷의 보급 확대와 통신수단의 발달로 누구에게나 의사소통이 가능해짐에 따라 테러를 자행하는 집단은 물론 그 구성원 간에도 네트워크로 연결되어 범행의 주체를 특정하기 어렵다. 즉, 범인이 특정한 개인인지, 단체의 구성원인지의 구별이 쉽지 않고 자발적 참여자인지, 단순한 조력자인지를 구별하는 것이 매우 어렵다. 특히 자생테러의 경우 테러의 주체를 특정하기가 매우 어렵다.

셋째, 목적을 효과적으로 달성하기 위해 폭력적인 수단을 사용한다. 즉, 범행의 실행단계에서 '폭력성'을 그 특징으로 한다. 폭력의 수단은 다양하다. 과거에는 테러수법이 권총, 폭탄 등 재래식 무기로 공격하는 비교적 단순한 형태를 가지고 있었으나, 최근에는 인터넷과 첨단 통신기술을 이용한 각종 현대화된 무기를 사용한다. 화생방 물질, 미사일 등 중화기, 사제폭발물, 첨단 생활도구 등 다양하다.

넷째, 폭력적 수단의 사용 결과가 범행 대상으로 삼은 목표와 무고한 불특정 피해자에게 불법적인 손해를 발생하게 된다는 것이다. 과거에는 테러범들이 주로 국가원수나 국가기관을 공격함으로써 공격의 대상이 특정되었는데 오늘날은 불특정의 일반대중을 목표로 하여 대상을 구분하지 않고 가급적 많은 인원을 살상한다는 것이다.

다섯째, 이를 지켜보는 일반대중에게 엄청난 공포와 두려움을 전달한다. 즉 테러범죄의 최종적인 목적은 사회에 공포를 전달하여 사회공동생활의 안전에 위협을 가함으로써 정부나 지방자치단체의 정책결정에 압력과 영향을 미치는 것이다. 종국적인 보호법익에 대해서는 협박범으로서의 성격이 있다는 것이다.

Ⅱ. 테러범죄 처벌

현행 테러방지법은 테러행위에 대한 사후 처벌보다는 사전 예방에 중점을 두고 처벌조항(테러방지법 제17-18조)을 두고 있다. 사후 처벌은 테러 행위의 유형에 따라 형법 등 해당 법률에 의해 처벌하도록 하고 있다. 주로 형법에 규정된 범죄로 다음과 같은 범죄를 테러범죄로 처벌할 수 있을 것으로 본다. 형법(이하 형법) 제107조 외국원수에 대한 폭행, 제108조 외국사절에 대한 폭행, 제119조 폭발물의 사용, 제141조 공용물의 파괴, 제165조 공용건조물 등 방화, 제172조 폭발성 물건 파열 및 치사상죄(致死傷罪), 제172조의2 가스·전기 등 방류 및 치사상죄, 제173조 가스·전기 등 공급방해 및 공공용 가스 등 공급방해죄 및 가스 등 공급방해 치사상죄, 제179조 일반건조물 등 일수죄(溢水罪),[45] 제185조 일

45) 일수죄(溢水罪)는 물을 넘겨 사람이 거주하는 건조물, 기차, 전차, 자동차, 선박, 항공기 또는 광갱을 침해하는 죄로 우리 형법 제177조에 의거 무기 또는 3년 이상의 징역에 처하도록 규정

반교통방해죄, 제186조 기차·선박 등 교통방해죄, 제187조 기차 등 전복죄, 제188조 교통방해 치사상죄, 제192조 음용수의 사용방해, 제193조 수도음용수의 사용방해, 제250조 살인, 제257조 상해, 제258조 제1항 중상해, 제259조 제1항 상해치사, 제261조 특수폭행, 제262조 폭행치사상, 제276조 체포·감금, 제278조 특수폭행·특수감금, 제281조 제1항 체포·감금치사상, 제284조 특수협박, 제324조 강요, 제324조의2 인질강요, 제324조의3 인질상해·치상, 제324조의4 인질살해·치사, 제340조 해상강도, 제366조 손괴, 제367조 공익건조물파괴, 제368조 중손괴(重損壞), 제369조 특수손괴 등이다.

별도의 법률이 있는 경우는 다음과 같다.

항공기 테러범죄의 경우 「항공법」과 「항공안전법」이라는 특별법이 있는데 항공법은 제156조에서 비행장, 공항시설 또는 항행안전시설을 손괴 기타 방법으로 항공상 위험을 발생케 한 자를 처벌하며, 제157조에서는 항행 중의 항공기를 추락 기타의 방법으로 항공상의 위험을 발생하게 한 자를 처벌하고 있다. 또한 항공안전법 제40조에서 항공기 납치행위, 제41조에서 항공시설손괴, 제42조 항공기 항로 변경, 제43조 직무집행방해, 제46조에서 항공기안전운항저해폭행죄 등을 규정하고 있다. 방사능 물질을 이용한 범죄에 대해서는 「방사능방재법」이, 생물학작용제 및 화학물질을 이용한 범죄에 대해서는 「생화학무기법」이 특별법으로 제정되어 있다.

형사소송법상에서는 미국, 영국, 독일 등 각국은 테러범죄 혐의자에 대해 구속요건을 완화하고 접견교통권을 제한하고, 배심원을 배제하거나 특별법원에서 테러범죄를 전담하는 등 형사절차상 특례를 인정하고 있으나 우리나라의 경우 테러범죄에 대응하기 위한 특별한 절차조항을 두고 있지 않다. 테러범죄의 경우 범죄의 은밀성, 조직 범죄적 성격, 국제적 성격 등으로 인해 피의자의 검거 및 혐의입증이 극히 어려운 점을 감안할 때 이에 대처하기 위한 수사와 공판 절차에 있어 형사소송상 특칙을 제정할 필요가 있다.

「출입국관리법」 제11조(입국의 금지 등)와 제12조(입국심사)에 의해 총포·도검·화약류 등을 위법하게 가지고 입국하려는 사람, 대한민국의 이익이나 공공의 안전을 해치는 행동을 할 염려가 있다고 인정할 만한 상당한 이유가 있는지에

하고 있다.

대해 출입국관리 공무원이 심사할 수 있고, 제46조(강제퇴거의 대상자)에 의해 해당 인을 강제 출국시킬 수 있다. 또한 제12조의2(입국 시 지문 및 얼굴에 관한 정보의 제공 등)에서 외국인의 불법입국 방지 및 신원관리 강화를 위해 입국시의 지문 날인 및 생체정보 수집제도를 두어 잠재적인 테러범죄자의 신원관리를 할 수 있게 하였다.

「통신비밀보호법」은 제5조(범죄수사를 위한 통신제한조치의 허가요건)와 제7조(국가안보를 위한 통신제한조치)에서 통신제한조치가 규정되어 있는데, 수사기관이 테러범죄를 계획 또는 실행하거나 실행하였다고 의심하기에 충분한 이유가 있는 경우에 양 규정에 의해 법원의 허가를 얻어 통신제한조치를 할 수 있다. 또한 긴급한 사유가 있는 경우에는 제8조(긴급통신제한조치)에 의해 법원의 허가 없이 통신제한조치가 가능하나 통신제한조치를 집행한 이후로부터 36시간 이내에 법원 또는 대통령의 허가를 얻어야 한다고 규정하고 있다.

「국가보안법」의 경우 북한에 의한 테러를 규정한 것으로 볼 수 있다. 이 법 제2조 제1항에서 '반국가단체'를 정의하면서 '정부를 참칭하거나 국가를 변란할 것을 목적으로 하는 국내외의 결사 또는 집단으로서 지휘통솔체제를 갖춘 단체'로 규정하고 있다. 이러한 단체가 살인이나 상해 등 다양한 유형의 범죄행위를 자행하는 경우 처벌할 수 있도록 하고 있고, 뿐만 아니라 제18조에서 참고인의 유치, 제19조에서 구속기간의 연장 등 특별한 형사소송절차를 규정하고 있다. 따라서 이 법을 북한에 의한 테러범죄에 적용할 수 있을 것으로 본다. 다만 동법을 테러범죄에 대한 특별형법으로 볼 것인가에 대해서는 반국가단체와 테러범죄단체를 동일한 개념으로 인정할 것인가가 문제된다. 반국가단체도 넓은 의미에서 범죄단체의 일종이나 일반적인 형사범죄를 목적으로 하는 범죄단체와는 그 목적에서 구별된다. 구별의 기준은 '정부의 참칭' 또는 '국가를 변란할 목적'이라 할 수 있다. 정부의 참칭이란 합법적인 절차에 의하지 않고 임의로 정부를 조직하여 진정한 정부인 것처럼 사칭하는 것을 말하고, 국가변란이란 정부를 전복하고 새로운 정부를 조직하는 것을 의미한다. 따라서 국가보안법상 반국가단체의 개념을 확장하여 테러단체와 동일시하는 것은 무리한 해석이라 본다.

「방사능방재법」 및 「생화학무기법」은 대량살상무기 보유에 대한 통제를 위한 것이다. 대량살상무기는 크게 NBC(Nuclear, Biological, Chemical)무기로 통칭되는 핵무기 · 생물학무기 · 화학무기를 의미하는데 이러한 대량살상무기를 테러범죄의 수단으로 사용하는 것을 방지하기 위해서다. 「방사능방재법」은 핵물질 및 원자력 시설의 물리적 방호와 방사능 방재대책으로 구분하여 규정하고 있는데, 물리적 방호의 목적은 핵물질의 불법탈취, 전용 또는 방사능 사보타주를 사전에 예방하는데 있다. 그러나 원자력 시설 등의 방어체계에만 규정하고 있을 뿐 원자력 시설에 대한 범죄행위를 기도하는 자를 사전에 파악할 수 정보수집 활동에 대한 규정이 없다. 때문에 원자력 시설과 핵물질을 이용한 테러범죄의 피해는 다른 수단을 이용한 테러범죄와는 비교가 불가능할 정도로 위험성이 크기 때문에 원자력 설비에 대한 물리적 방호효과를 증대시킬 수 있는 관련정보 수집에 대한 규정을 검토해 볼 필요가 있다. 또한 「생화학무기법」은 지난 1972년 "생물무기 및 독소무기의 개발 · 생산 및 비축의 금지와 그 폐기에 관한 국제협약"을 체결하였고, 우리나라도 1987년에 가입하여 국제협약의 이행을 위해 만든 법이다. 본 법은 생물학 작용제에 대한 관리조치로서 보안관리계획서의 제출과 제조 · 수출입 등에 있어서 정부의 허가 등을 규정하고 있으나 이러한 보안관리계획서 제출에 의한 규제가 상기 생물작용제 등을 관리하는 자에 대한 의무사항이 아닌 권고사항이라는 점과 단순한 보안관리계획서의 작성 및 제출로 이러한 위험한 생물작용제 등이 안전하게 관리될 수 있는지는 의문이다.

「테러자금금지법」은 테러범죄조직의 배후 자금을 추적 · 차단하기 위한 국제적 노력으로 「테러자금조달의 억제를 위한 국제협약」(International Convention for the Suppression of the Financing of Terrorism)이 1999년 12월 9일 체결되고 우리도 2004년 협약의 비준으로 이행법률이 2007년 제정된 것이다. 동법 제6조에서 테러자금 조달행위와 관련한 자의 형사 처벌을 명시하였다. 테러자금을 모집 · 제공하거나 운반 · 보관하는 자는 10년 이상의 징역 또는 1억원 이하의 벌금에 처해진다. 이때 '자금'이라 함은 유형 · 무형 또는 동산 · 부동산을 불문하고 획득된 모든 종류의 자금과 전자 · 디지털 방식을 포함하여 그 자산에 대한 권한 · 권리를 나타내는 모든 형식의 법적 증서를 말하고, 그러한 법적 증서로서 은행신용 · 여행자수표 · 수표 · 우편환 · 주식 · 증권 · 채권 · 환어음 및 신용장이 있으나 이에 한정되지 아니한다"고 규정되어 있다. 또 테러자금에 이용된다는 정을 알면서 자금 또는 재산을 조달하는 행위를 한 자에 대해서도 처벌하고 있다. 하지만 당초 법 제정당시 규정된 자금 동결제도가 빠지는 등의 문제로 실효성에 의문이 가고 있다.

이상에서 현행 법체계 내에서 테러범죄에 대응할 수 있는 규정들을 살펴보았다. 테러범죄는 일반 형사범죄와 달리 한 번 발생하면 국민의 기본권을 심각히 침해하는 것은 물론 국가의 안위에 절대적인 영향을 줄 수 있는 불법의 정도가 심대한 범죄이다. 하지만 이러한 범죄행위에 대해 「테러방지법」에 직접적으로 규율하는 규정이 없다는 것은 입법상의 큰 공백이라 할 수 있다. 국가의 존립 목적이 국민의 생명과 신체 그리고 재산을 보호하기 위한 점에 있고, 새로운 유형의 테러범죄가 지금도 세계 곳곳에서 발생하고 있으며 우리나라 역시 이러한 테러범죄로부터 자유로울 수가 없다는 점을 고려할 때 테러범죄를 예방뿐만 아니라 수사와 처벌을 할 수 있는 법적 보완이 필요하다 할 것이다.

제5절 국가중요행사 안전

Ⅰ. 국가중요행사의 의미와 현황

1. 국가중요행사 개념

「테러방지법」 제10조(테러예방을 위한 안전관리대책의 수립)는 관계기관의 장은 국가중요행사에 대한 안전관리대책을 수립하여야 한다고 규정하고 있다. 이에 따라 「테러방지법 시행령」 제26조(국가중요행사 안전관리대책 수립)는 국가중요행사는 국내외에서 개최되는 행사 중 관계기관의 장이 소관 업무와 관련하여 주관기관, 개최근거, 중요도 등을 기준으로 대테러센터장과 협의하여 정한다(동조 제1항). 관계기관의 장은 국가중요행사의 특성에 맞는 분야별 안전관리대책을 수립·시행하여야 하고 이때 관계기관 합동으로 대테러·안전대책기구를 편성·운영할 수 있다(동조 제2-3항). 단 대통령과 국가원수에 준하는 국빈 등의 경호 및 안전관리에 관한 사항은 대통령경호실장이 정한다(동조 제4항)고 규정하고 있다.

「테러방지법」에 국가중요행사에 대한 정의는 없지만 관계기관의 장이 국내외에서 개최되는 행사 중 주관기관, 개최근거, 중요도 등을 기준으로 대테러센터장과 협의하여 정하도록 하고 있다. 우리나라에서 사용되는 비슷한 개념으로 대규모 국제행사나 국제회의, 국제체육대회 등의 용어가 있다. 2015년 제정된 「국제행사의 유치 · 개최 등에 관한 규정」(기획재정부 훈령 제260호) 제3조(정의)에 의하면 "국제행사"라 함은 5개국 이상의 국가에서 외국인이 참여하고 외국인 참여비율이 5% 이상(총 참여자 200만명 이상은 3%이상)인 국제회의 · 체육행사 · 박람회 · 전시회 · 문화행사 · 관광행사 등을 말한다고 규정하고 있다. 또한 「국제회의산업 육성에 관한 법률」 제2조(정의)에서 "국제회의"란 상당수의 외국인이 참가하는 회의(세미나 · 토론회 · 전시회 등을 포함한다)로서 대통령령으로 정하는 종류와 규모에 해당하는 것을 말한다고 규정하고 있다. 이에 따라 이법 시행령 제2조(국제회의의 종류 · 규모)에서 국제회의는 ① 국제기구나 국제기구에 가입한 기관 또는 법인 · 단체가 개최하는 회의로서 5개국 이상의 외국인이 참가하고, 참가자가 300명 이상이고 그중 외국인이 100명 이상이며, 회의 기간이 3일 이상일 것, ② 국제기구에 가입하지 아니한 기관 또는 법인 · 단체가 개최하는 회의로서 회의 참가자 중 외국인이 150명 이상이고, 회의 기간이 2일 이상인 회의를 말한다고 규정하고 있다. 국제체육대회의 경우 2012년 제정된 「문화체육관광부 국제행사의 유치 · 개최에 관한 규정」(문화체육관광부 훈령 제 2012-169호) 제3조(정의)에서 "국제체육대회"라 함은 ① 올림픽대회, 아시아경기대회, 유니버시아드대회, 장애인올림픽대회 등 국제올림픽위원회(IOC), 아시아올림픽평의회(OCA) 및 기타 공인된 국제스포츠기구에서 주최 · 주관하는 국제 종합경기대회, ② 월드컵 축구대회, 종목별 세계선수권대회 등 국제경기연맹(IFs)에서 주최 · 주관하는 종목별 국제경기대회, ③ 국제올림픽위원회(IOC) 총회, 아시아올림픽평의회(OCA) 총회 등 국제올림픽위원회, 아시아올림픽평의회 및 기타 공인된 국제스포츠 기구에서 주최 · 주관하는 국제체육 관련 회의, ④ 기타 문화체육관광부 장관이 중앙정부의 보증이 필요하거나 특별히 중앙정부 차원의 지원이 필요하다고 인정하는 국제경기대회로 규정하고 있다.

외국에서는 통상 메가이벤트(mega event)란 용어를 더 자주 사용하는데 이때 mega는 그리스어의 '크다'라는 뜻으로 '매우 큰(중요한), 멋진, 최고의' 의미이고,

100만(배)을 나타내는 보조단위로도 사용되고 있다. event라는 용어는 라틴어의 e(out: 밖으로)와 venire(to come: 오다)라는 뜻을 가진 파생어인 eventus로 '발생'이나 '우발적 사건'을 의미하는 것으로 사전적 의미를 찾을 수 있다. 사전적 의미로는 사건 중에서 중요하거나, 흥미로운 사건이라 할 수 있다. 이 분야의 전문가인 영국의 Don Getz(1991)는 평범한 일상에서는 경험할 수 없는 레저, 문화적 경험을 가질 수 있는 기회로 1백만명 이상의 방문객, 5백만불 이상의 이벤트로 국제올림픽이나 월드컵, 세계박람회 등과 같이 규모와 중요성에서 상당한 수준의 관광, 명성 및 경제적 영향을 미치는 국제적 차원의 대규모 행사를 말한다고 하였다고 하였다. Ritchie(1984)는 이러한 메가이벤트를 '제한된 기간에 단 한 번 열리거나 주기적으로 개최되는 이벤트'로 정의하였고, Hall(1992)은 '올림픽, 월드컵 등과 같이 국제적 관광시장을 표적으로 참가자, 목표시장, 정부재정 관여수준, 정치적 효과, 텔레비전 방영이 미치는 정도, 시설구조, 개최지역에 미치는 경제적·사회적 영향이 큰 행사'라고 정의하였다. 다른 한편 Malfas(2004)는 일반적인 국제행사와 구분되는 개념으로 행사기간과 참가자 규모 등과 같은 행사 자체요인(internal characteristics)과 이런 행사를 보도하는 미디어, 행사에서 느끼는 방문자의 매력, 개최도시와 국가에 미치는 효과 등 외부적 요인(external characteristics)으로 구분해야 한다고 주장한다. Martin(2015)은 '대규모 국제행사'를 정의할 때 방문자의 크기, 개최 비용, 시청률, 건축이나 인구 등 개최도시에 미치는 영향 등을 종합적으로 고려해야 한다고 주장한다.[46)]

이상을 종합해 볼 때 국가중요행사는 참가자의 규모가 일정 규모(약 백만) 이상이고, 그중 다수가 외국인이어야 하며, 개최기간도 일정 기간 이상이어야 한다는 점에서 공통점을 찾을 수 있을 것이다.

2. 국가중요행사 개최 현황

우리나라는 2018년도 강원도 평창에서 「제23회 평창동계올림픽」을 성공적으로 치렀다. 이러한 대규모 국제행사를 앞두고 해당 지자체인 강원도를 비롯하여 관련기관에서는 그 개최효과에 대한 경제적 파급효과뿐만 아니라 각종 긍정적 효

46) 권순구, "국제행사가 지역발전에 미치는 영향에 관한 연구," 가천대 박사논문(2016), pp. 4-5.

과를 예측한 바 있다. 이와 같이 대규모 국제행사는 국가차원에서는 투자대비 수익 및 경제와 사회전반의 파급효과가 높은 것으로 인식되고 있다. 특히 국제 3대 메가이벤트라는 올림픽과 월드컵 및 세계박람회의 경우 그 파급효과가 가장 클 것으로 예상되어 이를 유치하기 위한 각국 간의 경쟁도 치열하다. 우리나라도 1988년 서울올림픽과 1993년 대전엑스포, 2002년 한일월드컵축구대회, 2012년 여수엑스포, 2018년 강원동계올림픽 등 국제적 3대 이벤트를 이미 개최한 바 있다.

다음 <표>에서 볼 수 있듯이 국제협회연합(UIA: Union of International Associations)에서 매년 발표하는 자료에 의하면 우리나라에서 개최되는 국제회의는 2006년 243회에서 2012년 563회 → 2013년 635회 → 2014년 636회 → 2015년 891회 → 2016년 997회로 2012년부터 2015년까지 4년 연속 세계 5위 내에 포함되고, 2016년에는 세계 1위 개최국가가 되었다.

〈국제회의 개최 건수 및 순위(2006-2016)〉

	2006	2007	2008	2009	2010	2011	2012	2013	2014	2015	2016
개최 건수	243	268	293	347	464	469	563	635	636	891	997
세계 순위	16	15	12	11	8	6	5	3	4	2	1

출처: 국제협회연합「UIA 보고서」(e－나라지표).

이처럼 대규모 국제행사 유치는 다방면에서 관련 산업의 신장에 상당한 파급효과가 있고 개최 지역의 유·무형의 자산들을 동원할 수 있는 기회로 인식되고 있기 때문에 외국의 경우도 마찬가지이다. 지난 2010년 FIFA 남아공월드컵의 경우, 남아공에 대한 국가적 이미지 제고뿐만 아니라 다양한 경제적 혜택으로 국가브랜드를 한 단계 높일 수 있는 기회를 제공하였다. 즉 이 대회 개최로 인한 남아공의 실질GDP는 0.69%, 고용률은 0.72% 상승하였다고 분석했다(Heinrich & Heerden, 2008). 2000년 호주 시드니올림픽의 경우, 뉴사우스 웨일즈(the New South Wales)주의 실질GDP와 가계소비를 각각 6.1억불(호주$)과 27억불 증가시켰고 이는 주 전체의 비중을 고려하면 실질GDP의 0.36%, 가계소비의 0.22% 성장에 기여한 것으로 평가되었다(Madden et al., 1998). 2012년 영국의 런던올림픽의 경우도 실질소득 10.67억 파운드 증가와 3,261개의 일자리 창출효과가 있었고 대회개최이후 2013년부터 2016년까지 GDP 6.22억 파운드와 1,948개의 고용이 추가로 창출될 것으로 분석되었다(Blake, 2005). 2016년 브라질올림픽의 개최효과도 관광객 일백만명 등의 증가로 경제적 효과를 166억불로 추산한 사례도 있다(Sheridan, 2010).[47]

Ⅱ. 국가중요행사와 테러

이처럼 대규모 국제행사 유치는 다방면에서 상당한 파급효과가 있기 때문에 우리나라뿐만 아니라 외국의 경우도 이를 유치하기 위한 막대한 노력을 기울이고 있다. 문제는 국가중요행사는 그만큼 높은 인지도로 인해 비례적으로 국제테러나 과격 시위 등에 노출될 가능성이 많다는 것이다. 때문에 이러한 발생할 수 있는 위험요소를 사전에 파악하고 그에 대한 대책을 마련하는 것이 매우 중요하다. 이유는 중요한 국제행사일수록 다음과 같은 특징이 있기 때문이다.

첫째, 대규모 불특정 다수의 군중이 운집한다는 것이다. 중요행사일수록 세계 각국의 중요인사, 참가단, 기자단, 관광객 등이 모인다. 따라서 국내·외 참가자에게 주최국의 존재성 등을 보여줄 수 있는 계기가 되므로 이를 통해 입지를 강화할 수 있다. 국가적 차원의 자국의 정치체계 우월성 홍보뿐만 아니라 경제적 발전의 기회로 활용하려는 경제적 목적도 무시하지 못한다. 최근에는 이러한 행사를 통하여 얼마나 많은 경제적 이득을 얻었는가가 그 행사의 성패를 좌우할 만큼 중요성이 높아졌다. 그러나 이러한 긍정적인 요인만 있는 것이 아니라 이러한 중요행사가 국제테러의 표적이 되기도 한다. 만약 중요행사에서 조그만 불상사가 생길 경우 엄청난 인적·물적 피해뿐만 아니라 국제적 명성에 결정적인 흠을 입히기도 한다는 것이다.

둘째, 파급효과가 크다는 것이다. 중요행사의 참가자들이 일반 관광객에 비해 장기간 체류하면서 회의기간 동안 국내에서 관광과 쇼핑을 함으로써 행사 유치효과가 전 산업으로 파급되어 국가 산업의 발전과 경제성장에 크게 기여한다. 뿐만 아니라 행사에 참가하는 각국 대표는 그 나라의 지도층 인사로 개최국가의 이미

---

47) 권순구, 앞의 논문, p. 2.

지 제고에 큰 효과를 나타낸다. 또한 국가 간의 상호 협력과 교류를 통한 긴장완화 효과와 각종 정보교류의 장으로서의 중요성이 더해지고 있다. 즉 국내·외 참가자들이 각자의 지식, 정보, 연구결과 등을 가지고 발표하고 의견을 구할 수 있는 기회를 제공받음으로써 중요한 정보를 획득할 수 있고 이는 국가경제 발전에 기여하게 된다.

셋째, 국가의 인적·물적 요소를 총집결한다는 것이다. 수많은 참가자뿐만 아니라 이들을 지원하고 안내하는 현장안전요원 및 자원봉사자, 필요한 장비와 시설물의 이동 등은 행사를 위험한 상황으로 이끌기에 충분하다. 이처럼 많은 사람이 밀집될 수밖에 없는 행사의 특성으로 인해 인적·물적 요인에 대한 위해 가능성이 높기 때문에 이러한 위협으로부터 참가자의 생명과 재산을 보호하기 위한 행사안전이 행사의 유치 및 개최에 있어서 매우 중요한 요소가 된다. 행사의 성공적 개최를 위해 행사의 유치에서부터 개최, 사후 활용에 이르기까지 모든 국가의 능력을 집중한다. 특히 행사장과 숙소 등 관련시설을 같은 시간과 지역에서 동시에 사용함으로써 행사 안전을 위한 대규모의 경비인력이 소요되고, 여러 장소에서 동시 다발적으로 진행됨으로써 종합적 안전대책 마련에 어려움이 있다는 것이다. 한편으로 한 건의 국제행사가 유치되기까지 각국 간의 치열한 로비와 경쟁을 거쳐야 하고, 이러한 유치 결정 요인에는 개최국가 및 그 도시의 인지도는 물론 개최에 따른 제반여건 등이 다른 경쟁지역과 비교하여 우위가 있어야 한다. 또한 유치시점에서부터 대회 종료 때까지 국가 경제 및 정치적 안정성, 참석자 및 시설의 안전보장, 문화 및 사회 각 분야별 제반사항에 대한 고려가 있어야 한다. 중요행사의 유치 → 성공적 개최 → 경제적 사후 관리 등을 계획성 있게 수립하고 집행함으로써 국가 행정력의 다양한 기능을 향상시키는 역할을 하게 된다.

넷째, 다양한 국가의 참가이다. 정치적·종교적·문화적·이념적 등으로 적대시하고 있는 국가의 참가단과 응원단이 동시에 참여함으로써 서로 대립하고 있는 국가 간의 참가단뿐만 아니라 개최 국가 내부에서도 기관 간에 갈등 발생의 가능성이 높다. 따라서 안전의 사각지대가 발생할 수 있고, 협조와 조정에 어려움이 생겨 효과적인 안전 활동에 장애가 발생할 수 있다.

중요 국제행사에 대한 위해요인은 인적·물적 요인으로 나누어 볼 수 있다. 인적 위해요인으로는 국제테러조직과 과격NGO단체를 들 수 있다. 물적 위해요인은 과거에는 주로 총기류에 의한 저격과 폭발물을 이용하여 참가자나 행사장 건물 등을 파괴하는 수법이었다. 그러나 현대는 앞에서 살펴본 바와 같이 과학기술의 발달로 원료를 생활주변에서 쉽게 구할 수 있고, 제조가 간단하며 효율성이 좋은 사제폭탄(IED)이나 첨단 생활도구와 같은 무기가 많이 사용되고 있다. 최근에는 2001년 미국의 9.11테러이후 국제적으로 대테러전쟁을 수행하는 과정에서 나타난 IS 등 극단적 이슬람테러단체도 중요 국제행사 안전에 영향을 주는 주요 위협세력이다. 미국 국무부는 1996년 제정된 「테러조직지원금지법」(일명 반테러법)을 근거로 2018년 2월 현재 알 카에다를 포함하여 63개 조직을 국제테러조직으로 지정하고 있는데[48] 이러한 테러조직이 대표적 위협이다.

과격NGO의 폭력적 시위도 국제행사에 막대한 지장을 초래하는 요인이 되고 있다. 우리나라 NGO(Non Government Organization, 비정부기구)활동은 80년대 말 민주화 운동을 거치면서 활성화되기 시작하여 현재는 조직과 사무실을 갖추고 실질적인 시민운동을 하는 NGO만도 약 2천여 개, 인원 150만여 명으로 추산된다.[49] 행정안전부의 공식 통계에 의해서도 2016년 말 기준으로 비영리 민간단체 수는 총 13,464개로 전년(12,894개) 대비 4.4%가 증가한 수치다. 2011년부터 매년 연평균 5.8%씩 증가하고 있다.[50] 국제적으로도 국제기구연감에 따르면[51] 국제 NGO 수가 300개 국가 및 지역의 37,500개 이상이 활동 중이고 매년 약 1,200개의 새로운 조직이 생겨나는 것으로 파악되고 있다. 그래서 NGO를 입법 사법, 행정부와 제4부로 불리는 언론에 이어 제5의 권부로 부르기도 한다. 이러한 NGO는 시민들의 자발적인 참여와 연대를 바탕으로 빈곤, 여성, 인권, 난민, 환경, 의료, 소비자 생활 등 다양한 사회적 문제의 합리적이고도 공평한 해결을 통해 풀뿌리 민주주의의 발전에 크게 공헌해 왔음도 사실이다. 하지만 운동방식의 극한적 투쟁과 폭력적 시위로 중요행사의 위해요소가 되기도 한다.

실례로 1999년 11월 미국 시애틀에서 4만여 명의 시위대가 반(反)세계화 등을 주장하며 시위를 전개하였으며 그 결과 회담 취소와 시 전역에 비상사태가 선포되면서 최초로 국제 정상회의가 시위대로 인하여 행사 자체가 취소된 바 있다.

---

48) 미 국무부 홈페이지(Foreign Terrorist Organizations) 참조. 세부 내용은 제9장 제4절 참조.
49) www.ngokr.com.
50) e-나라지표(비영리 민간단체 등록 수).
51) Yearbook of International Organizations.

또 경제 분야의 UN총회라고 불리는 '2000년 스위스 다보스 세계경제포럼'에서 1,500여명의 NGO가 총회장 앞에서 반세계화 등을 주장하며 격렬 시위를 하면서 스키복 착용 행동대 500여 명이 행사장 진입을 시도하는 사건이 있었다. 2000년 9월 체코 프라하에서는 IMF · IBRD 연차총회에 반대하는 시위대 1만여 명이 반세계화 시위를 전개하며 경찰과 충돌하여 총회를 하루 축소하고 조기 폐막하는 사태가 있었다. 2001년 6월 스웨덴 에텐보리에서 열리는 EU 정상회담은 6천여 명의 시위대가 경찰과 충돌하여 만찬장 장소 및 일부 각국 대표단 숙소를 변경하였다. 2001년 7월 이탈리아 제노바에서는 G8정상회담 회의 중 시위대 15만여 명의 극렬한 시위로 일부 은행 및 상점이 파괴되고 이로 인하여 경찰이 시위대에 발포하여 1명이 사망하는 사건이 일어났고 이 영향으로 2003년에 G8개최를 앞둔 러시아는 아예 개최를 포기하였다.

2003년 6월 프랑스 에비앙(evian)에서는 G8정상회담 회의 중 4~5만 시위대가 에비앙으로 통하는 도로와 교량을 봉쇄한 채 타이어에 불을 붙이고 돌을 던지며 극렬한 저항으로 4백여 명이 체포되는 사건이 있었다. 2005년 7월 영국 스코틀랜드에서는 G8정상회담 회의 중 3천명의 시위대가 호각과 북을 울리고 행진하면서 행사장 인근에서 저지선 돌파를 시도하는 과정에서 벽돌을 던져 맥도날드 유리창이 파손되는 등 60여 명이 체포되었다.

우리나라의 경우도 2000년 제3차 서울 ASEM 회의 당시 민노총 · 시민연대 등 국내 136개 단체들이 ASEM 한국 민간단체 포럼을 결성하고 아시아 · 유럽 NGO들과 연합하여 COEX 인근장소에서 2만여 명이 참가하는 대규모 가두집회를 계획하다가 정부측의 설득으로 집회장소를 변경하였고, ASEM 행사 당일 한총련 1,300여명의 시위대가 뱅뱅사거리에서 집회 후 ASEM빌딩까지 행진하려는 계획을 차단한 사례도 있으며,[52] 2005년 3월에는 민노총 · 한총련 등이 부산 APEC행사를 총력 저지키로 결의하고 가칭 '신자유주의 세계화 APEC 공동응기획단'이라는 이름으로 APEC개최의 부당성을 부각하는 토론회를 개최하고, 2천여 명을 목표로 'APEC 저지 실천단'을 발족하여 국내 · 외 NGO 등과 연대 투쟁계획을 추진한 바 있다.[53]

---

52) 『경찰백서』(경찰청, 2001), pp. 270-273.
53) 조선일보(2005.3.9.).

위 사례와 같이 대규모 폭력시위는 국제행사의 계속진행 여부를 떠나 행사에 참가하는 각국 대표들의 신변안전에 심각한 위협이 되고 있어 이에 대한 철저한 분석과 대비가 필요한 분야이다.

Ⅲ. 대표적 사건 사례

이러한 인적·물적 위해요소 방해로 인하여 국가 중요행사에 치명적인 악영향을 준 대표적인 테러·사건 사례를 다음에서 살펴본다.

1. 뮌헨올림픽 이스라엘 선수촌 테러

1972년 9월 5일 아랍의 '검은 9월단'에 의해 저질러진 제20회 뮌헨올림픽에 참가한 이스라엘 선수단에 대한 테러사건이다. PLO산하 '검은 9월단(Black September)' 소속의 테러범 8명이 이스라엘 선수들이 체류하고 있는 선수촌을 기습하여 선수 및 임원 등 11명을 인질로 잡고 서독 및 이스라엘 정부에 대하여 이스라엘에 수감되어 있는 자신들의 동료 수감자의 석방을 요구하며 대치하다 서독정부의 인질구출작전 실패로 이스라엘의 선수 및 임원과 서독대테러특공대 요원 등 모두 17명이 사망한 사건이다.

9월 5일 이른 새벽에 테러범들은 경비가 삼엄한 선수촌의 담장을 넘었으나 경보는 울리지 않았다. 그동안 외국선수들이 몰래 또는 시비를 걸며 선수촌의 담을 넘어 다니는 사례가 적지 않아 경보장치를 해제시켜 놓았던 것이 원인이었다. 선수촌내에서 테러범들은 수류탄과 기관단총을 조립하여 이스라엘의 선수촌으로 쳐들어갔다. 새벽 5시 30분경 이스라엘의 선수촌의 두 곳을 점거하여 항거하는 이스라엘 선수 2명을 현장에서 사살하고 9명을 인질로 잡았다. 요구조건은 이스라엘의 형무소에 수감되어 있는 동료 수감자 236명의 즉시 석방과 자신들과 인질들이 레바논과 요르단을 제외한 아랍국가로 안전하게 탈출할 수 있도록 조치해 달라는 것이었다. 이러한 요구조건들이 3시간 내에 충족되지 않는다면, 그 이후부터 30분 간격으로 인질 2명씩을 사살하겠고 위협했다.

올림픽 주최국 서독의 브란트 수상이 직접 협상에 나섰고 경기는 중단되었다.

이스라엘의 정부 역시 3대원칙을 서독 정부에 통고하였다. 형무소에 수감되어 있는 아랍인들을 절대로 석방하지 않겠고, 테러범들과는 어떠한 경우에도 협상을 하지 않으며, 이 사건은 서독정부가 해결해야 할 책임이 있다는 것이다. 서독을 비롯한 서방국가들은 아랍 국가들에게 이 사건을 해결하는 데 도움을 달라고 요청하였지만 뜻대로 되지 않았다. 서독정부는 속임수를 써서 테러범과 인질들을 세계 어느 곳에라도 공수시켜 주겠다는 약속을 하면서 국외로 탈출시킬 비행기를 탑승하는 과정에서 기습작전을 감행하기로 하였다.

밤 10시경 테러범들은 인질들과 함께 버스에 올라탔으나 특공대는 공격할 순간을 포착하지 못했고 헬리콥터 2대에 분승한 테러범들과 인질들은 공항에 도착하였다. 공항은 특공대로 포위되었고 5명의 저격수가 배치되었고 테러범들이 헬리콥터에서 내려 대기시켜 놓은 제트비행기로 갈아타려는 순간 총격을 가했다. 테러범들은 수류탄으로 헬리콥터를 폭파시키면서 상호 총격전이 벌어지는 과정에서 이스라엘의 인질 9명 전원이 사살되었고 테러범 5명, 서독경찰 1명이 희생되었다. 테러범 3명은 현장에서 체포되고 헬리콥터 조종사 1명은 부상을 당하였다.[54)]

2. 김포공항 폭탄테러와 대한항공 폭파

이 사건은 우리나라에서 86아시안게임이 열리기 6일 전인 1986년 9월 14일 오후 3시 12분경에 김포국제공항 국제선 5번 출입구와 6번 출입구 사이에 있던 쓰레기통에서 큰 폭발이 일어나 5명이 사망하고 30여 명이 중경상을 입었고, 대형 유리창 11장, 형광등 20여 개가 깨졌다. 기물 파손은 적은 편이었지만 인명피해는 컸던 사건이다. 당시 서울 아시안 게임을 방해하려는 북한의 테러로 추측되었으나, 뚜렷한 증거는 발견되지 않았다. 그로부터 23년이 지난 2009년 3월 이 사건의 배후 및 사건의 조종자는 김일성과 김정일이고, 범행을 지휘한 것은 무슬림 테러조직인 아부 니달 기구(ANO)로 밝혀졌고 직접 실행한 것은 서독 적군파(赤軍派, RAF: Rote Armee Fraktio)였던 것으로 밝혀졌다. 이 사건은 북한으로부터 500만 달러를 받는 조건으로 테러를 지시받았으며 ANO의 하부 구성원에 의해

---

54) 이후 세부 내용은 제12장 제2절 참조.

자행된 것으로 밝혀졌다.

88서울올림픽은 1988년 9월 17일부터 10월 2일까지 총 16일간 서울에서 개최된 제24회 하계올림픽으로 전 세계 160개 IOC회원국에서 1만3,626명의 선수단이 참가한 그 당시 최대 규모의 대회였다. 서울올림픽은 종전에 국내에서 개최되었던 많은 대회와는 비교할 수 없을 정도의 대규모 국제스포츠 행사로 전 국가적인 안전역량이 총집결되었다. 당시 북한은 우리나라에서 개최되는 서울올림픽을 방해하기 위해 다양한 방법으로 방해 행위를 자행하였다. 대표적인 사건이 KAL기 폭파사건으로 1987년 11월 29일 미얀마 상공을 비행하던 대한항공 858기 기내에 설치된 폭발물이 폭발하여 승객과 승무원 등 탑승객 115명 전원이 사망하였다. 1987년 11월 28일 밤 11시 27분 이라크의 바그다드를 출발, 아랍 에미리트의 수도 아부다비에 기착한 뒤 방콕을 향해 가던 대한항공 858편 보잉 707기(기장 김직한)가 29일 오후 2시 5분경 미얀마 근해인 안다만 해역 상공에서 공중 폭발하였다. 테러범은 하치야 신이치, 하치야 마유미라는 일본인으로 위장한 북한 공작원 김승일(당시 70세)과 김현희(당시 26세)임이 밝혀졌으며, 사건 직후 독극물을 삼켜 김승일은 자살했으나 김현희는 소량을 삼켜 목숨을 건져 그의 자백으로 사건의 전모가 들어났다. 이 사건으로 김현희는 사형을 선고받았으나 90년 4월 특사로 풀려났다.

3. 미국 애틀란타 올림픽공원 폭탄 테러

1996년 7월 제26회 올림픽이 미국의 애틀란타(Atlanta)에서 개최되던 중 올림픽공원에서 폭발물이 터져 2명이 사망하고 112명이 부상당하는 사건이 발생하였다. 1996년 7월 27일 오전 1시 15분경(현지시간)에 미국 애틀란타 올림픽 1백주년 기념공원 공연장에서 수천 명의 관중이 참석한 가운데 록그룹의 공연이 진행되고 있었다. 공연이 한창 진행되고 있는 가운데 공연무대의 조명타워 부근에서 종이팩에 포장되어 있던 폭발물이 폭발하였다. 폭발물은 사제 파이프 폭탄으로 못과 나사와 같은 파편들이 100m까지 날아갈 정도로 위력이 큰 것이었다. 사건 발생 직전 초록색 배낭에 담긴 수상한 꾸러미에 주목하고 조지아주 보안요원들이 관객들을 대피시키고 이 가방을 처리하는 작업에 들어갔으나 폭탄이 빨리 터지는 바람에 사상자가 나는 것을 막지는 못했다. 또 사건 당일 새벽 1시경에 범죄 화재 신고 및 긴급 구조요청 전화인 911에 전화가 걸려와 공원에서 곧 폭탄이 터질 것이라는 예고를 받았으나 보안기관들 간의 공조체계에 허점으로 보안요원에게는 알려지지 않았다. 또한 애틀란타 올림픽 개회식 이틀 전인 1996년 7월 17일 미국 TWA항공의 보잉 747여객기가 이륙직후 폭발하여 추락하는 대참사가 발생하여 경비당국에서 약 2만5천명의 경찰관과 주방위군 등이 동원되어 애틀란타 올림픽공원, 호텔, 경기시설 주변 등에 엄중 경계태세를 펼치는 등 충격을 주었다. 이후 미 연방수사국(FBI)은 폭탄테러의 유력한 용의자인 리처드 주월(Richard Jewell)에 대한 혐의 입증에 실패하면서 이 사건은 미궁에 빠지게 되었다.

4. 미국 보스턴 마라톤 테러

보스턴 마라톤대회는 뉴욕, 런던, 로테르담과 함께 세계 4대 메이저 마라톤대회로 1897년 처음 개최되어 세계에서 가장 오래된 연례 마라톤대회이다. 117번째로 진행된 2013년 행사에는 약 2만 명이 참가했고, 50만 명이 거리에서 관람했다. 4월 15일 오후 2시 50분경 결승선 직전에 두개의 사제 폭탄이 터져 관중들과 참가자 및 일반 시민 3명이 사망하고 최소 264명이 부상당했다. 테러에 사용된 폭탄은 압력솥을 이용해 솥 안에 장약과 쇠구슬·금속조각을 넣고 디지털 시계를 이용해 만든 뇌관을 뚜껑에 설치하는 방식으로 제작된 사제폭발물(IED)이었다. 범인은 러시아 체첸공화국에서 2001년 미국으로 온 이민가정 출신 타메르란 차르나예프(Tamerlan Tsarnaev, 26세)와 조하르 차르나예프(Dzhokhar Tsarnaev, 19세) 형제로 검거 과정에서 형 타메르란은 총격 사망했고, 동생 조하르는 중상을 입고 체포되어 2015년 사형이 선고됐다.[55)]

5. 필리핀 APEC 정상회담 무산

1996년 11월 19일~11월 20일까지 2일간 필리핀 마닐라에서 개최된 '제4차 필리핀 마닐라 APEC 회의'는 대테러 안전조치 미흡으로 실패하였다. 당시 APEC의 필리핀 개최에 관한 안전문제에 대한 우려가 미국, 일본 등에서 이미 지속 제기되고 있었다. 우선 지정학적으로 복잡한 해안선으로 인한 테러분자의 침투가

---

55) 보스턴 마라톤 테러 추가 내용은 제11장 제2절 참조.

용이하고, 경찰 등 공안요원들의 부패와 필리핀 자국 내의 인질납치 사건의 빈발로 불안요인이 상존하고 있었다. 실제로 북한선박의 입항과 네팔인 신분을 위장한 북한 공작원의 필리핀 잠입 첩보가 입수되어 참가국의 경호요원들이 긴장상태의 경호작전을 실시할 수밖에 없었다.

필리핀 정부는 1996년 3월부터 APEC 행사에 대비한 경호체계를 정비하고 단계적인 훈련 및 준비를 지속한 가운데 6개의 특별팀(TASK FORCE)을 편성하여 총 1만 5천여 명의 요원들로 하여금 특별 훈련까지 실시하였다. 그러나 행사 기간에 동원된 군과 경찰간애 상호 유기적인 협조가 되지 않아 즉각적인 경호조치가 부족하였고, 현장배치 공안요원들의 이완된 근무자세로 현장에서 발생하는 상황조치 능력은 극히 미비하였다. 또한 VIP 입국시 공항에서 숙소까지 이동 간에 마닐라의 협소한 도로여건에 APEC 전용차선제 실시로 인한 최악의 교통체증으로 모터케이트가 정지되는 상황까지 일어났다. 결국 제4차 마닐라 APEC 행사는 최근 실시한 대규모 국제 정상회의 행사시 전형적인 실패사례로 낙인되었고, 필리핀 공안당국의 업무수행 능력뿐만 아니라 국가 이미지에도 상당한 손상을 입게 되었다.

이처럼 국가 중요행사에 대한 테러는 비단 국제스포츠 행사뿐만 아니라 ASEM, APEC, G20 등 국가적으로 중요한 행사에도 표적이 되고 있다. 이는 국제테러조직들이 그들의 목적 달성이나 주장을 널리 알리기 위해 이러한 국제행사를 이용하기 때문이다. 우리나라도 지난 1987년 88서울 올림픽을 방해하기 위한 북한의 대한항공 858기 폭파사건 등의 사례에서도 볼 수 있듯이 중요행사에 대한 안전에 관심을 집중할 때다. 중요 행사의 성공적 개최를 위해 범정부 차원의 테러대비책이 필요한 시점이다.

Ⅳ. 국가중요행사 안전대책

「테러방지법」 제10조와 그 시행령 제26조에 의거 국가 중요행사가 결정되면 관계기관의 장은 행사의 안전대책을 수립하여 시행하여야 한다. 통상 안전대책의 수립과 시행의 절차는 전담조직 구성→부처별 임무 분담→분야별 대책 수립 및 시행의 순으로 진행된다.

1. 전담조직 구성

전담조직의 구성은 행사의 성격에 따라 다양하다. 스포츠 행사인가 국제회의인가 각국의 수상급 VIP가 참석하는 경호행사인가 등에 따라 안전대책 참여 기관과 수준이 결정된다. 일반적으로 행사의 안전대책을 총괄 기획하고 조정하는 소위 컨트롤타워의 역할을 하는 안전대책본부, 안전업무에 따라 부처별 분야별 대책기구, 현장에 배치되어 안전활동을 직접 수행하는 안전요원, 이들을 보조하는 안전자원봉사자 등이다. 국가 중요행사의 안전활동은 고도의 전문성과 다양성을 지니기 때문에 행사의 성공적 개최를 위해서는 행사를 주관하고 담당하는 대회조직위와 행사 안전을 담당하는 대책본부와 유기적으로 결합되어 업무를 추진해야만 한다. 위의 테러 사례에서 볼 수 있듯이 전 세계적으로 이목이 집중되고 행사안전에 대한 민감성이 확산되면서 행사의 성공적 개최를 위해서는 무엇보다도 안전대책을 전담하는 조직의 중요성이 날로 증가하고 있다.

안전대책본부는 이러한 현실여건을 감안하여 안전대책에 동원되는 관련 부처별 정확한 임무 분담과 행사주관부서, 참여업체, 민간경비업체, 자원봉사자 등의 고유 임무와 기능을 최대한 존중하면서 안전대책을 수행할 수 있도록 해야 한다. 우선 국가 중요행사에 대한 안전 경비 책임은 전적으로 국가가 책임지고 참여기관에 대한 적극적인 지원 및 지도 감독이 필요하다. 그러나 지방의 치안수요 증가로 충분한 인력을 충당할 수 없기 때문에 민간경비와 자원봉사자를 최대한 활용해야 한다는 것이 세계적 추세이다. 민간경비업체의 경우 최근의 국가행사에 동원되어 경비를 맡아 성공적으로 행사를 치러냄으로써 대내외적으로 임무수행에 대한 신뢰를 확보하였다. 즉, 우수한 인력과 첨단장비 구비, 전문적인 직업훈련과 교육을 통해 다양한 실무경험 및 노하우의 축적 등으로 능력이 날로 발전하고 있다.

안전대책의 목적은 사고를 미연에 예방하는 것이고, 만약 사고가 발생할 경우 제2, 제3의 추가 피해를 차단하고, 부상자를 신속히 안전지대로 대피시키는 등 즉시 신속한 대응조치로 사고현장을 수습하는 것이다. 이를 위해 행사관련 시설물의 안전조치, 참가자에 대한 위해요인 제거, 위해물질 반입의 적발·차단 등의 조치를 취하는 것이다. 이를 위해 통상 안전을 전담하는 조직은 다양한 위협에 즉시 대처해야 하기 때문에 하부조직과 동원된 개개인의 능력을 통합시키는 데 가장 중요하고 이를 효과적으로 수행하기 위해 위계적 조직구조를 가진다. 이는 동원된 군인과 경찰뿐만 아니라 민간경비업체까지도 피라미드식의 계급구조와 위계구조로 되어 있어야 한다. 이때 가장 고려해야 할 사항은 지휘관을 중심으로 일사불란한 지휘체계를 형성하고 있고, 지휘관을 보좌하는 적정규모의 참모기구와 안전상황실을 두고 있으며 모든 지시와 명령을 즉각적으로 전달될 수 있도록 해야 한다는 것이다. 다만 모든 사항이 지휘관을 통해서 이루어지기 때문에 보고 및 승인 과정에서 다소 지체될 수 있는 점을 감안하여 위급상황시는 선(先)조치 후(後)보고라는 보완을 통해 융통성을 부여함으로써 경직성을 탈피해야 한다. 또한 행사의 성공여부가 결국은 얼마만큼 최대한 관람객들의 자유행동이 보장되는 상태에서 안전대책이 이루어지느냐에 달려있기 때문에 참가자의 개인행동을 속박하거나 통제함으로써 거부감이나 불쾌감을 유발케 한다면 오히려 역효과가 발생하는 만큼 세심한 주의가 요망된다. 단정한 용모 복장을 착용하고 예의를 준수하며 최대한 비노출 은밀하게 안전 임무를 수행해야 한다. 대책본부의 임무는 일반적으로 행사 안전대책에 관한 전체적인 계획 수립 및 시행, 참여기관의 안전대책 업무 분장 및 조정 통제, 대회조직위와 협조 등이다.

우리나라의 국가 중요행사에 참여하는 안전 관련기관은 통상 행사 관련 국내외 테러첩보의 수집과 작성·배포을 위해 국가정보원, 각국의 수상급 VIP가 참석하는 행사의 경호를 담당하는 대통령 경호처, 행사장 등 관련시설의 경비와 요인 신변보호를 담당하는 경찰청, 긴급 재난사태에 대비하기 위해 행정안전부, 참가단의 식음료 안전을 위한 보건복지부, 참가자의 출입국을 전담하기 위한 법무부, 관련시설의 소방설비 점검 및 화재 예방, 긴급 구조·구급을 위해 소방청, 경비업무를 지원하기 위한 민간경비업체, 기타 정전이나 가스사고 등에 대비하여 전기·가스 안전공사 등이다. 물론 만일의 사태에 대비하여 대테러특공대나 119 구조대 등이 전진 배치되는 것은 당연하다.

2. 분야별 안전대책 수행

통상 중요행사 분야별 안전대책은 출입국관리, 경비, 신변보호, 교통안전, 테러·기습시위·소방·의료 등 우발대비대책 등으로 실시된다.

출입국관리는 국제공항과 항만에 법무부, 관세청 등 상주기관이 합동으로 출입국대책반을 설치하여 행사 참가자에 대한 출입국 심사 및 통관 검사를 지원하고 대회기간에는 위해인물 및 물품에 대한 검색을 강화하여 국내 유입을 차단하는 등의 대책을 수립·시행한다. 국내에 출입하는 선박과 항공기에 대한 안전활동을 강화하여 수송수단에 대한 테러나 사고 등 만일의 사태에 대비한다. 또한 검역을 강화하여 국제적 바이러스나 전염병의 국내 유입을 적발·차단한다.

경비활동은 행사의 안전을 확보하기 위해 행사장과 숙소 및 관련시설에 대한 위해요인을 차단하고 경계·방비하는 것을 말한다. 이때 경비가 실시되기 이전에 위해요소에 대한 사전 차단하는 활동을 보안활동이라고 하는데 이를 적극적 보안과 소극적 보안으로 나눈다. 소극적 보안이란 중요행사의 안전을 위하여 보호를 필요로 하는 시설이나 인원, 문서, 자재 등을 보호하는 활동을 의미하고, 적극적 보안은 이를 해치고자 하는 간첩, 태업, 전복 및 불순분자에 대하여 사전 탐지·추적·체포하는 활동이다. 국가 중요행사에 대해서는 행사를 방해하기 위한 테러 등의 위협으로부터 행사의 안전 개최를 보장하기 위한 활동을 의미한다고 할 수 있다. 즉 중요행사의 유치 및 행사 진행에 위협이 되는 테러집단, 국내외 NGO 단체, 국내이념단체, 현실불만세력 등에 의한 테러, 인질납치, 시설물에 대한 사보타주, 불법집회, 관련시설에 대한 안전사고 유발 등의 방해 행위로부터 참가자들의 생명과 시설의 안전을 보호하기 위한 사전 예방활동을 말한다.

이때 경비구역이나 지역은 통상 3개 지역으로 구분하여 경비를 실시한다. 소위 경비의 3선 개념으로 행사장을 중심으로 내부·내곽·외곽으로 책임지역을 구분하여 경비를 하는데 이는 경비인력을 효과적으로 운영하여 경비의 효율성을 극대화하기 위한 개념이다. 통상 1선에 해당하는 내부는 위해발생시 행사장의 기능이 마비되거나 행사의 진행에 막대한 지장이 초래될 수 있는 곳으로 행사장 내에 위치한 회의실, 프레스 센터, 중앙 통제실이나 전산실·기계실 등으로 24시간 간단없는 경비가 실시되어야 하는 곳이다. 행사기간 중 1선 내에 출입할 경우는 문형 금속탐지기나 X-Ray 검색대를 통과하고 관련 비표를 착용한 자만 접근이 가능하다. 2선에 해당하는 내곽은 행사장 내부 즉 1선의 안전을 확보하기 위한 지역으로 통상 옥내행사의 경우 담장 울타리와 행사장 건물 사이의 지역을 말하고, 옥외행사의 경우 행사장 담장을 기준으로 소총의 유효사거리를 고려하여 반경 약 600m를 설정하고 있다. 경비구역이라고도 한다. 이 구역에서는 행사장으로 통하는 진출입로와 그 주변의 취약요소에 대한 감시와 접근의 차단조치를 하게 된다. 3선에 해당하는 외곽은 곡사화기인 박격포 유효사거리를 고려하여 행사장 반경 약 1-2Km를 설정한 지역이다. 경계지역이라고도 한다. 즉, 주변 고층건물이나 감제고지, 행사장 진입로, 출입 행사차량 통행로, 행사장 주변 공사장이나 총포·화약류 취급소 등에 대한 안전조치를 필요로 하는 지역이다. 통상 국가중요행사의 경우 구역별 경비의 책임은 내부의 경우 청원경찰이나 대회조직위에서 용역을 준 민간경비업체, 내곽은 경찰, 외곽은 군에서 책임 경비를 실시한다.

경비활동은 불순분자의 접근을 차단하기 위해 핵심시설 및 취약지역에 대한 사전 정밀 안전점검을 실시하고 행사 종료시까지 24시간 지속적으로 이루어진다. 근무자별로 책임지역을 지정하여 출입증 확인, 검문검색 등으로 일반인의 접근을 차단하고, 내부로 반입되는 우편물이나 화분, 기타 물품 등은 완전 검색하여 이상유무를 확인한다. 행사장을 출입하는 차량이나 인원 또는 관람하는 인원에 대한 동태를 항상 관찰하고 긴급 상황 발생시 즉각 제압 및 신고체제를 갖추어야 한다. 항상 제압 및 안전 장비를 휴대하고, 가급적 은밀 비노출 활동한다.

신변보호활동은 국가 중요행사에 참석하는 요인의 신변에 영향을 주는 직·간접적인 위협요소를 차단하기 위한 활동을 말한다. 국가 중요행사의 특성상 국내외적으로 주요인사가 다수 참가하기 때문에 이들이 테러 등 위해 행위의 표적이 될 가능성이 높다는 데 있다. 이는 국제테러조직이 주요 인사를 대상으로 테러를 자행했을 때 충격적 효과가 크고, 국내외 언론으로부터도 더 큰 관심을 불러일으킬 수 있기 때문이다. 행사를 주최하는 국가의 입장에서 보면 이러한 사태의 발생은 국가의 신인도 하락과 함께 정치·사회적 불안 및 외교문제로까지 비화되어 많은 어려움에 직면하게 된다는 것이다. 따라서 행사에 참석하는 주요인사에 대한 신변보호활동은 국가적으로는 물론 행사의 유치 및 개최에 있어서도 매우 중요한 요소이다. 우선 신변보호의 대상자 선정이 중요한데 이는 신변보호를 국가기관에서 하느냐, 민간경호업체에서 하느냐에 따라 국가차원의 경호와 민간차원의 경호로 구분할 수 있겠다.

우리나라의 경우 국가차원의 신변보호는 「대통령 등의 경호에 관한 법률」(대통령경호법), 「전직 대통령 예우에 관한 법률」(전직대통령법), 「경찰관 직무집행법」

등에 경호 대상과 방법과 절차가 상세히 규정되어 있다.

1963년에 제정된 「대통령경호법」은 제2조(정의)에서 "경호"란 경호 대상자의 생명과 재산을 보호하기 위하여 신체에 가하여지는 위해(危害)를 방지하거나 제거하고, 특정 지역을 경계·순찰 및 방비하는 등의 모든 안전 활동을 말한다고 규정하고 있다. 또 제4조(경호대상)에서 경호대상을 ① 대통령과 그 가족, ② 대통령 당선인과 그 가족, ③ 본인의 의사에 반하지 아니하는 경우에 한정하여 퇴임 후 10년 이내의 전직 대통령과 그 배우자. 다만, 대통령이 임기 만료 전에 퇴임한 경우와 재직 중 사망한 경우의 경호 기간은 그로부터 5년으로 하고, 퇴임 후 사망한 경우의 경호 기간은 퇴임일부터 기산(起算)하여 10년을 넘지 아니하는 범위에서 사망 후 5년으로 한다. ④ 대통령권한대행과 그 배우자, ⑤ 대한민국을 방문하는 외국의 국가 원수 또는 행정수반(行政首班)과 그 배우자, ⑥ 그 밖에 경호처장이 경호가 필요하다고 인정하는 국내외 요인(要人) 등으로 하고 있다.

1969년 제정된 「전직대통령법」은 제6조(그 밖의 예우) 제4항에 의거 필요한 기간의 경호 및 경비(警備)를 지원할 수 있도록 하고 있다. 또한 「경찰관 직무집행법」 제2조(직무의 범위) 제3호는 경찰관은 경비, 주요 인사(人士) 경호 및 대간첩·대테러 작전 등의 임무를 수행하도록 규정하고 있다. 세부적으로는 훈령으로 경호규칙, 경호편람 등이 있다. 이때 경찰의 경호대상자는 ① 국회의장, 대법원장, 국무총리, 헌법재판소장 ② 대통령선거 후보(예비후보를 포함한다)로 등록된 자 및 주요 정당의 전당대회에서 대통령선거 후보자로 선출된 자, ③ 정당의 대표자 및 위해가 우려되는 중요 정치인으로서 정당 또는 본인의 요청이 있는 자, ④ 대한민국을 방문하는 외국의 장관급 이상의 주요인사(국가원수 또는 행정수반을 제외한다), ⑤ 그 밖에 국가안전보장 및 사회질서 유지를 위해 경찰청장이 경호가 필요하다고 인정한 국내외 주요인사 등으로 하고 있다. 또한 이와는 성격이 조금 다른 1987년 한국과 미국 간에 주한 미군과 경호에 관한 협조절차를 규정한 「대통령 경호에 대한 합의각서」가 있다. 「SOFA협정」[56] 제3조 및 제25조를 근거로 하여 만든 것으로 한국 및 외국의 국가원수가 주한 미군부대나 한·미 연합군부대 그리고 그 인근 지역 및 부대를 방문시 적용하도록 하고 있다.

---

56) SOFA(Status of Forces Agreement)는 1966년 7월 9일에 체결된 주한미군지위협정으로 미군의 한국주둔에 필요한 세부 절차를 규정하는 내용으로 총 31개조로 구성되어 있다.

신변보호활동은 대상자의 이동 중이거나 행사장에 참석할 경우 등에 근접에서 수행하면서 대상자에게 접근하는 각종 위해요소를 차단하는 활동을 실시한다. 대상자의 일거수일투족을 가까이에서 접할 수밖에 없기 때문에 공식적인 일정뿐만 아니라 개인적인 사생활에 관한 것도 누설해서는 안되는 보안의식이 강조되고 있다. 총기에 의한 저격이나 암살·납치, 칼, 유리조각 등에 의한 신체 훼손, 돌 등의 투척 등 다양한 물리적인 테러의 공격으로부터 대상자의 안전을 예방하고 물리적인 공격이 가해질 경우에 요원은 조건 반사적인 오감능력을 통하여 자신의 신체를 이동하여 1차적인 공격을 막아내고, 2차적인 공격으로부터 대상자를 보호하기 위해 최단시간에 경호차량 등 안전한 곳으로 대피시킬 수 있도록 훈련이 되어 있어야 한다. 이에 대비하여 비상대피소, 비상구, 구급차량 등의 위치를 사전에 정확히 파악하고 있어야 한다. 절대적으로 완벽한 신변보호를 할 수는 없지만 주변 환경에 대하여 정확한 상황을 인지하고, 이에 대처할 수 있는 능력과 훈련이 필요하다. 먼저 은폐되어 있는 공격행위 징후를 사전에 탐지하고 극도의 긴장감에서 발생하는 심신의 피로를 극복하고 공격자의 침투를 완벽하게 색출할 수 있는 고도의 경계심을 지속적으로 유지해야 한다. 끊임없는 훈련과 교육을 통해 아무리 사소하고 작은 조짐도 지나치지 않는 경계심이 배양되어 있어야 한다. 대상자에게 물리적으로 가해지는 직접적인 공격이 아니더라도 화재, 건물붕괴, 정전, 군중의 소요사태 등과 같이 우연히 발생한 사태에 대해서도 대상지에 대한 테러공격을 위한 사전 단계일 수 있다고 염두에 두어야 한다. 또한 위해 상황 발생에 대한 신속한 대응과 경호부서 간의 긴밀한 협조체제 구성을 위해 기관간의 지휘통일이 필수적인 것이다.

우발사태 대비는 행사에 많은 인원이 참가하기 때문에 위해상황 발생시 신속히 대처하지 못하면 피해가 연쇄적으로 발생할 수 있기 때문에 만일의 사태에 대비한 각종 형태의 비상사태 대비책을 말한다. 이러한 사태에 대비하여 대테러특공대, 기동타격대, 구급구난차량, 소방장비, 응급의료진 등을 현장에 상주시킨다. 비상사태가 발생하면 우선 인원대피, 현장접근 차단 등 신속한 초동조치를 실시하고 유관기관에 이 사실을 전파하여 소관 분야별 대책을 즉각 실시해야 한다. 이러한 비상사태의 유형은 테러사건이 발생한 경우, 이상한 물체가 발견된 경우, 화재·정전 사고 발생시 등 다양하다. 각 유형별 대처요령은 다음과 같다.

① 테러사건 발생시: 우선 위험지역으로부터 신속히 벗어나 자신의 안전을 확보한 후 경찰 등 현장안전기관에 신고한다. 전문요원이 현장 도착시까지 외부인의 현장접근을 통제하고 피해자를 구조한다. 화생방테러의 경우 방독면이나 물수건, 각종 마스크, 비닐 등을 이용하여 호흡기를 보호하고 피부노출을 최대한 피한다. 실내의 경우 겉옷이나 손수건 등을 사용하여 코와 입을 막고 실외로 신속히 대피하도록 하고 실외의 경우 바람이 불어오는 반대 방향으로 가서 고층건물이나 고지대로 대피한다.

② 기습시위나 시설점거 사태 발생시: 현장 출입을 통제하고 현장안전기관에 신고한다. 시위상황이 악화되어 강제진압 등을 통해 해산해야 할 경우에는 먼저 행사 참가자부터 안전한 곳으로 이동시킨다.

③ 이상물체 발견시: 의심이 가는 수상한 물체를 발견하면 만지거나, 움직이거나, 열에 노출시켜서는 안 된다. 또 함부로 개봉하거나, 전선 등을 끊거나, 물로 적시거나, 가연성 물질을 옆에 놓거나 하는 행위 등을 하지 말고 곧바로 현장안전기관에 신고한다. 주위의 사람을 일단 안전한 곳으로 대피시킨 후 전문요원이 올 때까지 일반인의 접근을 통제하면서 현장을 보존해야 한다.

④ 폭파협박 전화를 받았을 경우: 당황하거나 공포에 사로잡혀 동요하지 말고 침착하게 대처한다. 될수록 시간을 끌면서 가능한 많은 정보를 입수한다. 전화를 받은 근무자는 통화중 입수한 통화내용(폭파 예정시간, 폭발물 설치장소, 폭파위협 동기, 협박자 이름과 음성특징 등의 신원정보, 협박자 주변 배경음, 통화시간 등)을 현장안전기관에 신고한다.

⑤ 화재 · 정전 · 가스누출 · 응급환자 사고 발생시: 최초로 발견한 사람은 즉시 119 등 현장안전기관에 신고한다. 전문요원이 도착할 때까지 사고 장소 주위의 사람들을 대피시킨다. 가스 누출 사고시 즉시 창문을 열고 실내에 누출된 가스를 외부로 환기시킨다. 피해자가 있을 경우 긴급 구조한다. 응급환자는 가능한 한 환자의 몸을 편하게 하고 의료진이 도착할 때까지 응급조치를 취한다.

⑥ 참가자 신변보호 요청시: 최초 접촉자는 즉시 현장안전기관에 신고한다. 대피가 필요한 경우에는 해당 참가자를 신속히 안전한 곳으로 이동시켜 보호한다. 최초 이러한 상황을 알게 된 사람은 관련된 내용을 신문, 방송 등 언론사에 임의로 발설해서는 안 된다.

Ⅴ. 안전대책 사례

1. 제24회 서울올림픽대회

우리나라에서 최초로 개최된 서울올림픽대회(1988.9.17-10.2)는 그때까지의 역대 올림픽 역사상 안전여건이 가장 취약한 시기였다고 할 수 있다. 1981년 9월 바덴바덴의 IOC총회에서 올림픽 개최지가 서울로 결정된 이후, 북한은 서울올림픽이 성공할 경우 국제적 위상 실추와 고립화가 가속화될 것을 우려하여 행사방해를 위한 각종 모략선전과 도발을 획책하였다. 올림픽이 남북한 간의 분단을 영구화하려는 것이라고 하면서 남북한 공동개최나 개최지 변경을 주장하면서 개최되더라도 참가국 규모를 최소화하기 위해 1987년 11월 KAL858기 공중폭파를 비롯한 한반도에서의 긴장감을 고조시켰다. 국내에서도 1986년 말부터 재야·학생·노동계를 주축으로 민주화와 직선제로의 헌법 개정을 요구하는 시위가 계속되다가 6.29선언에 따른 민주화 추진으로 일부 과격세력을 제외하고는 올림픽을 성공적으로 수행해야 한다는 국민적 합의가 이루어졌다. 또한 서울올림픽은 그동안 미국과 소련을 중심으로 하는 냉전의 이념대결로 각각 참여를 거부해 반쪽짜리 올림픽이 개최되던 상황에서 12년 만에 처음으로 동서 양 진영이 모두 참가함으로써 각 진영의 선수단간 충돌 가능성이 예상되는 등 많은 안전저해요소가 상존해 있었다.

대회 안전대책은 각 유관기관 합동으로 '안전조정통제본부(안전본부)'를 구성하여 모든 안전대책을 기획하고 분야별, 기관별 안전임무를 분담하였다. 외국의 올림픽 안전대책 경험역량을 축적하기 위해 1984년 LA올림픽대회, 1985년과 1987년 동·하계 유니버시아드 대회, 1987년 범미주(凡美洲)대회 등 각종 국제대회에 안전조사단을 파견하였고, 1987년과 1988년에 2차례에 걸쳐 서울올림픽대회조직위와 안전본부의 합동으로 경기 종목별 예행연습을 실시하여 현장에서의 대회운영과 안전분야 간 연계성 및 안전대책계획 시행의 타당성을 검토 보완하였다. 또한 안전경비요원과 대회운영요원, 자원봉사자, 호텔종사자 등 안전활동에 투입되는 인력을 대상으로 기능별 전문교육을 실시하였다.

국제테러 위협에 대비하여 국제협력의 강화차원에서 미국·일본·영국 등 외국 대테러기관과 정보협력 체제를 구축하고 국제 테러조직의 올림픽 위해 징후에 공동대처할 것을 합의하였다. 관련 대테러 정보의 전산화 추진으로 국제테러분자 및 국제테러조직 등 각종 테러관련 정보자료 1만4천여 건을 입력하여 테러정보 분석, 위해분자 잠입봉쇄, 테러사건 예방을 위해 외무, 내무, 법무, 국방부, 관세청, 올림픽조직위 등 안전유관기관, 신변보호, 경기장 경비, 출입국관리 등 분야별 대책본부와 각 현장 안전기관에 적시 지원하였다. 대테러 대응전술 능력배양을 위해 군·경 대테러특공대 요원에 대한 전술 훈련을 지속적으로 실시하면서 최신장비를 확충하였고, 올림픽시설과 대테러 종합훈련장에서 유관기관합동으로 인질납치 상황을 가상한 대테러 모의훈련을 실시하였다. 1987년부터 대회 개막 직전까지 안전본부 주관으로 경기장, 투숙시설, 성화봉송로 등을 대상으로 수차례에 걸쳐 현장점검을 실시하여 안전 취약점을 지속 보완하였다.

대회기간 중에는 테러사건 발생에 대비한 신속한 사건진압을 위하여 군·경 특공대, 폭발물처리팀, 폭발물탐지견, 협상팀, 기능별지원팀 등으로 대테러 전담조직을 편성하여 현장에 배치하였다. 특히 핵사고 방지를 위해 과학기술처 원자력안전센터 핵안전 전문가로 핵사고조사팀(NEST: Nuclear Emergency Search Team)을 운영하고, 핵테러 및 방사능 유출사태에 대비한 대응태세를 유지하고 한·미간 긴밀한 연락체제로 실제 핵사태 발생시 미국에서 파견 지원할 수 있는 체제를 구축하였다. 이로써 서울올림픽은 북한의 올림픽 방해책동, 일본 적군파의 방해기도, 중국 선수단 수송전세기 폭파위협, 이라크 선수단에 대한 '쿠르드'족의 테러기도 등 많은 국제 테러위협에도 불구하고 안전본부를 중심으로 모든 안전 유관기관이 협조하여 참가단의 불편을 최소화하면서 최상의 안전을 확보하여 성공적인 대회가 되도록 하였다.

2. 2002년 한·일 월드컵

월드컵은 국제축구연맹(FIFA)이 올림픽 개최년도의 중간 연도를 택해 4년마다 한 번씩 열리는 축구의 세계선수권대회이다. 스포츠 종목 중 단일종목으로서는 세계에서 가장 큰 스포츠 행사이자 제일 먼저 탄생한 대회이다. 참가 자격은 프로나 아마추어를 불문하고 선수는 소속 클럽이나 프로팀의 국적이 아니라 선수 개인의 국적에 따라서 출전한다. 대회는 전 세계의 지역예선을 거친 국가의 대표팀이 참가하여 본선이 치러진다. 제1회 대회는 1930년 남미 우루과이의 몬테비데오에서 13개국이 참가한 가운데 개최되었고, 한국은 1954년 스위스대회에 처음으로 참가하였다. 2002년 제17회 대회(2002 FIFA World Cup Korea/Japan)는 한국과 일본이 공동으로 2002년 5월 31일부터 6월 30일까지 총 31일간 개최되었다. 경기가 개최된 곳은 한국과 일본 각 10개 도시로 한국은 서울, 부산, 대구, 인천, 광주, 대전, 울산, 수원, 전주, 서귀포 등이고, 일본은 삿포로시, 미야기현, 이바라키현, 니가타현, 사이타마현, 요코하마현, 시즈오카현, 오사카시, 고베시, 오이타현 등이었다. 참가인원은 전 세계 32개 팀, 1만3천여 명이었다.

대회 안전대책은 '안전대책통제본부'가 구성되어 안전대책을 총괄 기획하고 조정하였다. 안전대책통제본부는 국가정보원 주관으로 국방부·행정자치부·경찰청·식품의약품안전청·지방자치단체 등 10개 기관에서 파견된 96명으로 이루어졌다. 2002월드컵에 대한 안전 위협 요소는 2001년 9·11테러로 인한 국제적인 '테러와의 전쟁'으로 이를 주도하고 있는 미국과 이를 지원하고 있는 여러 국가들이 참가함에 따라 알 카에다의 잔존세력을 포함한 국제테러조직의 보복테러 가능성에 초점을 두고, 경기장 안팎에서의 극렬 훌리건(Hooligan) 폭력 난동, 대규모 관중들의 운집에 따른 안전사고, 대회 운영 전산망에 대한 사이버테러 위협 등에 두고 이에 대한 유형별 대응책을 마련하였다. 특히 대회참가국에 대해 국가별로 테러위협과 훌리건 난동, 과거의 안전위협사례 등을 종합적으로 분석해 참가팀을 A·B·C급으로 분류하여 안전인력 및 장비의 배치 수준을 달리했다. 테러나 훌리건 관련 정보를 사전에 입수하고 대처하기 위해 일본을 비롯한 미국·영국·프랑스 등 대회 참가국들과 기존의 대테러 협력 관계에 있는 국가와 위해 정보교류 및 협력을 강화하였다. 공동개최국인 일본과는 2001년 5월부터 양국 월드컵 안전 기관 합동으로 '한·일 월드컵 안전대책 협의회'를 구성하여 테러 및 훌리건 정보 등을 공조 협력 체제를 유지하였다. 또한 대회 기간 중에는 본선 진출 11개국의 테러 및 훌리건 전문가 23명을 초청하여 '대테러 및 훌리건 정보센터'를 운영하였다. 미국과는 CIA의 '대테러 정보 분석팀'과 합동으로 미국팀 경기 등에 대한 위해징후에 공동 대비하였고, 대회 기간 중 한미 군사 공조 체제를 강화하고 전 군경에 비상경계 태세를 발동하여 월드컵 안전에 영향을 미칠 수 있는 북한의 도발을 비롯한 국내 불순 집회나 시위, 각종 강력범죄를 억제하는 데 주력하였다.

현장 안전활동은 출입국대책반・경기장경비대・소방안전대・신변보호대・관련시설경비대・테러대응팀・훌리건전담부대・보안정보활동팀・교통관리대・군외곽경계부대・식음료검식반 등 11개 전담 조직을 편성하여 현장 위주의 교육과 훈련을 반복 실시하여 현장 적응력을 강화하였다. 안전대책통제본부는 경찰・군・소방 등 유관기관과 합동으로 각 경기장별로 '현장안전통제실'을 설치하여 현장 안전활동을 총괄하였고 각 유관 기관은 고유 임무 및 기능에 따른 소관 분야별로 전담조직을 배치하여 안전 활동을 수행하였다. 또 대통령 참석 등 경호 행사시에는 중앙통제실과 경호CP 사이에 긴밀한 협조 체제를 유지한 가운데 VIP 홀・귀빈실・로열박스・VIP 동선 등에 대해 경호실과 긴밀한 협조 하에 안전 활동을 수행하였다.

경기 개시 1개월 전부터는 각 지방경찰청 시설전담경비대가 경기장에서 24시간 경비 체제에 돌입하고, 경기일 7일 전부터는 중앙통제실을 가동하였으며 문형 및 휴대용 탐지기로 출입자에 대한 검색을 강화하였다. 경기 전일(前日)에는 경찰・소방・전기・가스 등 유관기관 합동으로 안전검측을 실시하였으며 군에서는 외곽 산악 지역에 대한 수색・정찰활동을 실시하였다. 탄저균 등 생화학테러에 대비하여 정부부처와 지방자치단체의 의료기관 사이의 신고 및 출동태세를 구축하였다. 경기시작 3시간 전에 출입문을 개방하여 경기장 외곽 300~800미터 진입로에서부터 관람석에 이르기까지 4단계 검색 체계를 구축하여 출입자에 대한 입장권과 AD카드 위조 여부, 소지품에 대한 정밀 검색을 실시하였다. 지하 주차장과 경기장 건물 인접 구역에 대해서는 차량 주차를 엄격히 규제하였고, 관람석에는 관람객 대비 1~1.5%에 해당하는 비노출 안전 요원과 지하실・지붕・VIP 구역에 대테러특공대 등 특수 요원을 배치하여 위해 징후 발생시 조기 제압 및 대응토록 하였다. 경기장 주변 3킬로미터 지역 내 감제고지와 취약지에는 군이 경계를 담당하여 위해 요소를 제거토록 하였으며 해안・산악 등의 접근로와 공중 예상 침투로를 사전 차단하거나 대응 조직을 배치하여 유사시에 대비하였다. 또한 제독부대 요원과 생화학 탐지 및 정찰 차량, 경보 장비, 119구조대 등을 각 경기장에 배치하여 생화학 테러 위해 징후를 사전에 대비・차단하였다. 경기장 상공에서 공중 비행 물체에 의한 테러 위협을 차단하기 위하여 경기 시작 2시간

전부터 경기 종료 1시간 후까지 경기장 상공 반경 5~9킬로미터 권역을 비행금지구역으로 설정하고 공군기 초계 비행과 헬기 체공 감시 활동을 수행하였으며, 경기장 인근에 대공 화기를 은밀히 배치하여 만일의 사태에 대비하였다. FIFA 본부호텔, 선수단 및 심판진 투숙 호텔 등 31개 호텔과 훈련 캠프 18개소, 국제미디어센터 등 총 50개 시설에 대해 현장안전통제실을 설치하여 각 분야별 안전활동을 펼쳤다. 또 각 시설별 출입인원, 차량 및 반입 물품 검색을 위해 지방경찰청별 시설경비대를 편성하여 24시간 근무 체제로 운영하였다.

훌리건 난동에 대비하여 4단계 대책을 마련하였는데 1단계로 훌리건의 자국에서의 출국금지 요청, 2단계는 훌리건 명단입수 및 입국금지(약3천여 명) 조치, 3단계는 훌리건 감시조(Spotter) 운영, 마지막 4단계는 '훌리건 전담부대' 운영이었다. 전담부대는 난동이 일어날 경우 신속하게 진압하기 위해 경찰 총 40개 중대규모로 발족하여 경기장별 3개 중대 규모로 내곽 및 외곽의 난동 예상 장소에 근접 배치하였다. 또 경찰은 직접적인 안전 활동 이외에 대회 개최 10개 도시지역의 경기장 및 호텔 주변 구역을 '특별치안구역'으로 설정하여 치안질서 유지 및 방범활동을 강화하였다. 안전자원봉사자는 9개 직종 총 6144명이 경기장 및 관련 시설에 대한 출입 통제와 검색 업무 등을 지원하였다. 특히 현장 안전 요원들의 부족한 어학 능력을 보완하여 원활한 의사소통이 이루어지게 하는 중요한 역할을 수행하였다.

2002월드컵대회 안전대책은 「2002년 월드컵대회 지원법」 및 그 시행령에 따라 범정부 차원에서 추진하여 개별 안전 기관들 사이의 안전 활동에 대한 효율성을 높이고 안전 사각 지대를 방지함으로써 안전 위협 요소에 체계적이고 효율적으로 대처함으로써 단 한 건의 사고도 없는 안전월드컵을 이룩할 수 있었다.

3. 2000년 아시아・유럽정상회의(ASEM: Asia-Europe Meeting)

ASEM은 한・중・일과 동남아시아국가연합(ASEAN) 7개국 등을 포함한 아시아 10개국과 유럽연합(EU) 15개 회원국의 국가원수 또는 정부수반과 EU집행위원장 등이 모여 2년에 한번씩 개최하는 아시아・유럽정상회의이다. 현재 ASEM은 전 세계인구의 39%, 총생산(GDP)의 48.9%, 무역량의 58.2%를 차지하고 있으며, 국제사회의 주요 이슈에 대해 아시아와 유럽 간에 긴밀한 협력의 채널을 제공하고 있다. 제3차 ASEM 서울회의는 한반도 유사 이래 처음으로 세계 26개국 정상이 동시에 방한한 행사로, 지난 2000년 10월 19일부터 10월 21일간 3일 동안 서울 코엑스(COEX)에서 아시아 10개국, 유럽 15개국, EU집행위 등의 국왕 1명, 대통령 4명, 총리 16명, 부총리 2명, 외무장관 2명, EU위원장 1명 등의 외빈과 8명의 정상 부인이 참석한 가운데 개최되었다. 총 참가인원은 2만여 명으로 그랜드 인터콘티넨탈, COEX 인터콘티넨탈, 메리어트, 신라, 하얏트, 르네상스, 리츠칼튼 호텔 등 7개 장소에서 진행되었다.

회의 안전대책은 각국의 정상급이 참석하는 행사로 안전대책을 총괄하는 '경호안전통제단'을 중심으로 이루어졌다. 통제단은 대통령 경호실장을 단장으로 국가정보원과 군, 경찰, 소방 등 12개의 경호안전 유관기관 약 4만여 명으로 구성되었다. 서울공항과 김포공항을 행사전용 공항으로 선정하여 12개국의 특별기가 이 공항을 이용하도록 하였고 만일의 사고에 대비하여 청주공항과 김해공항을 예비 공항으로 지정하였다. 경호실 책임으로 경찰과 군인으로 이루어진 15명의 전담경호대를 편성·운영하여 근접경호와 모터케이트 운영 등 안전활동을 수행하였다. 모터케이트 중 NGO 등의 기습 시위와 우발상황에 대비하기 위해 각국 정상의 모터케이트 출구에 진압예비대를 별도로 배치하여 이동 통로의 안전을 확보하였고, 이동상황과 위해요소 움직임을 실시간 파악하기 위하여 선발차량에 GPS 장착과 CCTV헬기를 활용하였다. 또한 ASEM 전용도로로 인한 정체를 예방하기 위하여 차량 2부제도 실시하였다. 회의장 내부를 3선으로 구분·설정하고 경호전담부대 5개 중대를 행사장에 배치시켰으며 위압감의 해소를 위하여 문형탐지기와 X-ray운영 등에는 여경(女警)을 투입하여 부드러운 이미지를 유지하였다. 회의장 외곽의 일정지역은 집회 및 시위와 차량통행의 금지구역으로 설정하였고, 회의장 반경 1.5Km 이내의 취약지역은 특별 치안강화지역으로 설정하여 특별순찰과 검문소, 임시교통초소를 운용하고 행사기간 중 서울 전 지역에는 갑호비상, 기타 지역에는 경계강화를 단계적으로 실시하였다. 총포와 화약류 등 위험물로 인한 우발상황을 예방하기 위하여 3단계별로 D-7부터 사전점검 실시하여 위해요인을 제거하고, 행사 하루 전에는 사용제한을 위해 격납고 보관·봉인 등의 조치를 하였으며, 지방경찰청별로 불법 총기류 특별단속을 실시하여 총 17건을 단속하고 구속 1명, 불구속 17명을 체포하였으며 권총 1, 공기총 2, 모의총 12 등 총 19,870점을 압수하였다. 또한 위험물과 취약지에 대한 사전점검을 실시하여 신라·하얏트호텔 주변의 남산지역 수색과 남산 철조망 외곽 공원과 등산로 등 민간인 출입지역은 경찰이 담당하고, 철조망 안쪽의 민간인 출입통제 지역은 군이 담당하여 수색과 순찰조 운용 등을 실시하였다. 각국 정상의 출입국에 대한 안전을 위해 16개의 공항에 보안활동 특별 지도점검을 실시하였다. 테러 및 폭력시위를 예방하기 위해 국내·외의 테러와 과격 NGO에 대한 첩보수집 활동과 시위전력이 있거나 주동이 예상되는 893명에 대해 입국 금지조치를 취하고, 한국에 체류 중인 외국인 2089명 중 신원 이상자 143명에 대해서는 집중 감시활동을 하였다.

ASEM 회의 안전대책은 회의장과 숙소가 도심에 위치해 이동 간 안전 확보와 행사방해 세력의 차단에 중점을 두었다. 또한 참가단이 각국의 정상급인 만큼 세련되면서도 완벽한 경호경비를 실시하여 대회기간 중 NGO 등에 대한 회의 방해 행위가 완벽히 차단되어 성공적으로 개최됨으로써 한국의 국가위상과 신인도 제고에 크게 기여하였다.

4. 2010년 서울 G20 정상회의

G20 정상회의(G20 Seoul summit)는 UN가입국 192개국 중에서 경제적으로 가장 영향력이 큰 20개 나라 정상들이 모여 새로운 국제 질서를 만들어가기 위한 회의체다. 1999년 처음 만들어졌으며 기존의 G7(미국, 영국, 프랑스, 독일, 일본, 이탈리아, 캐나다)에 신흥국 12개국(한국, 중국, 인도, 인도네시아, 아르헨티나, 브라질, 멕시코, 러시아, 터키, 호주, 남아공, 사우디아라비아)과 유럽연합, 이렇게 20개국으로 구성된다. 이 회의는 2008년 워싱턴에서 처음으로 개최된 이후 2009년 4월 영국 런던, 2009년 9월 미국 피츠버그, 2010년 6월 캐나다 토론토에 이어 2010년 11월 11일부터 12일까지 우리나라에서 제5차 회의를 갖게 되었다.

서울 G20 정상회담이 있던 시기에 중동과 아프간 등에서 자주 테러가 발생하였고 정상회담 행사직전 파리와 베를린 등 유럽 주요 도시에 테러 경고가 빈번하게 있었으며, 한국에도 아프간 재파병과 관련 탈레반 테러조직의 보복경고가 있었다. 또한 우리나라에서도 북한에 의해 자행된 천안함 폭침사건이 있었던 시기라 다각적 테러발생과 위협에 대한 예방 및 대처가 요구되었다.

회담 안전대책은 각국의 정상급이 참석하는 행사로 안전대책을 총괄하는 경호안전통제단을 중심으로 이루어졌다. 통제단은 대통령 경호실장을 단장으로 국가정보원과 군, 경찰, 소방 등 12개의 경호안전 유관기관으로 구성되었다. 안전을 위협하는 각종 위험 요소를 미리 사전에 철저히 차단하기 위해 행정안전부 주관 중앙 부처 합동으로 다중이용업소, 대형 공사현장, 대중교통시설 등 주요시설 5800여개에 대해 전체 안전 점검을 실시하였으며 점검 결과에 따라 취약한 부분과 미흡한 사항은 지속적으로 보완하였고 개선활동을 하였다. 안전과 테러방지를 위해 활용된 장비는 얼굴 인식시스템과 RFID 시스템, 차량하부 검색기, 담장형 분리대, 다목적 철제바리케이드, 다목적 방패, 차량 무선전송 열영상 카메라, 전기 삼륜순찰차, 지하철 차단시설 등 다양한 장비를 개발·도입하여 안전업무의 효율을 높임과 동시에 한국의 IT와 안전에 대한 위상을 제고시켰다.

회담 안전대책은 각국 정상들의 경호와 신변 안전에 가장 큰 노력을 기울였고, 안전을 위협할 만한 사건은 발생하지 않았다. 곳곳에서 한국인을 비롯해 외국인들이 참가한 G20 반대 집회가 열리기는 했으나 경찰과 큰 충돌은 없었다. 이전에 영국 등에서 열렸던 G20 정상회담의 반대 집회에서 사상자가 100명 이상 발생한 것과 대조적인 것으로 성숙한 집회로 평가되었다. 또한 회의 며칠 전부터 회의 당일에 극심한 교통 체증이 있을 것이란 언론들의 보도로 정부는 자율적 2부제를 시행하여 시민들은 자발적으로 대중교통을 이용하여 서울 강남 일대 교통량이 15% 가량 줄어들어 심각한 교통체증을 빚지는 않았다. 코엑스 상가들과 극장도 자진 휴업하는 등 시민들이 자발적으로 협조한 것으로 평가되었다.

Ⅵ. 안전대책 성공 요인

위에서 살펴본 국가중요행사에 대한 안전대책의 성공 요인은 여러 기관이 동시에 동원에 따른 지휘체계의 혼선을 어떻게 일원화하고 통일성 있게 조화시키느냐에 달려 있다. 행사의 성공적인 개최의 조건인 테러방지를 위해서는 특정기관만의 노력으로 이뤄지는 것이 아니라 참여하는 여러 기관들이 상호 협조하에 일사분란하게 움직여야 한다. 즉, 행사의 개최가 결정됨과 동시에 여러 기관들이 사전준비에 돌입하게 되고 그 과정에서 기관간의 협조가 절대적으로 필요하게 된다. 그렇지 않으면 안전업무의 중복으로 인한 예산낭비와 안전의 사각지대 발생으로 위험에 노출될 수 있다. 그러나 여러 기관들의 참여로 인해 발생되는 이러한 문제점은 기관별로 기존의 업무 특수성에 기인한 협조의 미흡, 동일 업무의 중복수행에 따른 불필요한 예산낭비, 여러 기관에 대한 통합지휘통제기구의 부재 등이 나타날 수 있다.

첫째, 통합지휘통제기구가 필요하다. 여러 기관에 대한 지휘통제기구의 부재는 테러발생을 방지하기 위한 사전 준비단계에서 안전의 사각지대가 발생할 수 있고 실제 테러발생시 일사불란한 대응조치를 통한 인명 및 재산 피해의 최소화에 치명적인 오점으로 작용할 수 있다. 따라서 국가중요행사의 안전대책은 「테러방지법」 제10조와 그 시행령 제26조에 의거 대테러센터를 중심으로 일사불란한 대응책을 수립 · 시행해야 할 것이다. 미국의 경우 자국에서 개최된 국제 정상회의시 이러한 공안기관 간의 지휘통제기구의 부재로 인한 지휘체계의 혼란과 불필요한 인력 및 예산의 낭비를 방지하기 위해 1998년 미 비밀경호국(SS: Secret Service)이 요인경호를 비롯한 테러방지활동에 관한 작전통제권한을 대통령령(PDD-62)을 통해 가지도록 하고 있고, 2002년에는 국토안보부(DHS)를 설립하여 산하기관의 연방재난관리청(FEMA), 해안경비대(Coast Guard), 교통안전국(TSA), 이민국(USCIS), 세관 · 국경보호국(CBP), 비밀경호국(SS)등 28개의 조직을 통합하였다.[57] 이처럼 테러가 국가안보 및 국방차원에서 국가적으로 총력 대응이 필요함을 고려할 때 국가중요행사에 대한 테러대책을 포함하여 포괄적으로 행사 안전의 사전예방 및 사후관리를 하는 일원화된 통합기구를 구성하고 안전대책 경험이 풍부한 분야별 전담기구를 일원화하는 것이 필요할 것으로 본다.

둘째, 기관간의 정보공유가 필요하다. 중요행사를 준비하는 사전단계에서부터 실시단계에 이르기까지 안전위해 관련된 정보의 양은 수없이 많다. 방대한 정보 속에는 신뢰도의 경중에 대한 판단이 중요하고 상호 공유하는 것은 필수적이라 하겠다. 성공적인 행사를 위해서는 우선 원활한 행사진행, 참가자에 안전 확보, 대국민의 적극적 협조 등이 필수적이듯이 오늘날 지능적이고 첨단화된 국내외 테러로부터 참가자의 안전을 확보하기 위해서는 이러한 정보의 신속하고 유기적인 전파와 공유가 필수적이다. 미국의 9 · 11테러 사태도 결국 각각의 테러대응 관

57) 자세한 내용은 제9장 제3절 참조.

계기관들이 테러공격의 정보를 상호 연계성 있게 파악하는 데 실패하였기 때문인 것으로 분석되었다. 법집행기관의 활동은 속성상 상당한 비밀과 익명성을 요구받는 상태에서 이루어지는 관계로 심지어 같은 업무를 다루는 기관에서조차도 정보를 공유할 수 없는 사태도 발생한다. 즉 테러예방에 대한 중요한 단서가 될 수 있는 테러범의 경미한 위반행위들이 정보공유의 미비로 간과되어 대처가 어렵게 된다는 것이다

셋째, 전문 인력의 확충 및 장비와 시설의 보강이다. 국가중요행사의 안전대책에 대한 전문인력 양성과 장비의 확보, 대응기법의 연구·개발이 부족한 실정이다. 행사에 대한 안전은 대테러를 포함하여 시설경비, 참가자 신변보호, 교통관리, 식음료 안전까지 여러 분야의 안전대책이 종합적이고 유기적으로 수립되고 집행되어야 한다. 이는 분야별 안전대책이 전문적이어야 함을 의미하고 이러한 분야별 대책이 전체적으로 연결되어 하나의 종합적인 안전대책이 가능해야 함을 의미한다. 따라서 이러한 종합적인 안전능력에 대한 전문 인력과 최근 개발된 안전 위해장비뿐만 아니라 예방·적발 장비에 대한 이해와 보강이 수시로 이루어져야 한다. 특히 다른 나라 국제행사의 안전대책에 대한 최신 정보 획득과 교류가 필요하다. 외국의 유관기관뿐만 아니라 국내의 이 분야 전문가의 도움이 절실히 요구된다고 하겠다. 국가가 주도가 되어 전문 인력을 양성할 수 있는 시스템 도입이 필요하고 필요할 경우 테러가 빈번하게 발생하는 주요 국가와의 긴밀한 협조체계 형성을 통해 전문인력 양성을 위한 각종 교육기관과 선진 대테러기법 도입이 필요할 것이다. 예를 들면 공인자격증, 행사안전 전문교육 이수 수료증, 민관군 합동모의훈련 등의 벤치마킹은 우리나라의 안전대책 수준을 한 단계 향상시킬 수 있을 것이다.

제8장

대응 수단

여기서는 테러에 대응하는 대응 수단을 다루었다. 앞의 대응 체제와 비슷하나 대응 체제에서는 테러에 직접적으로 적용하는 방식인데 반해 대응 수단에서는 주로 테러에 간접적인 대응 방식을 거론했다. 우선 정보의 중요성으로 테러의 대응에 있어서 사전 정보의 획득과 활용이 무엇보다 필요하고 이를 실패했을 경우 엄청난 피해를 감수해야 한다는 사실을 지적했다. 이어서 우리나라 정보기관의 역할과 정보활동의 범위와 한계에 대하여 거론하였다.

또한 오늘날 날로 발전하고 있는 민간경비를 테러 대응에 활용하는 방안을 우리나라의 민간경비의 발전과정과 실태 · 문제점을 살펴보았다. 또 전 세계에서 보편적으로 실시하고 있는 다문화정책을 다루었다. 이는 오늘날 문제가 되고 있는 자생테러의 예방과도 밀접한 관련이 있는 정책이다. 다문화사회가 세계적 추세이나 이로 인한 소외계층의 발생이 선진국에서 골머리를 앓게 하고 있은 자생테러의 원인이 되고 있는 것이다. 따라서 여기서는 우리나라의 다문화정책 추진 현황과 외국인에 대한 혐오범죄나 테러 발생 가능성을 살펴보았다.

또한 테러와 언론의 관계를 다루었다. 알권리(right to know)를 핵심으로 하는 민주주의의 근간인 언론과 테러의 관계를 살펴보았다. 이러한 언론의 역할은 테러를 부추기기도 하면서 동시에 테러를 예방하고 억제하는 기능도 수행한다. 국가안보와 언론, 대테러 분야에서의 갈등과 협력의 문제를 다루었다. 특히 1984년 제정된 '국방보도규정' 사례를 통해 언론과 대테러 유관기관과의 갈등과 협력문제를 재조명해보는 계기가 되기를 바라는 마음에서 자세히 소개하였다.

제1절 정보의 기능

Ⅰ. 정보 개념

정보(情報)의 개념은 일반적으로 자료(date), 뉴스(news), 출처(source), 지식(knowledge) 등을 모두 포함하는 포괄적인 의미이다. 영어로 Information과 Intelligence라는 용어를 구분 없이 모두 우리말로 모두 정보라는 명칭으로 통용하여 사용한다. 때문에 우리가 일반적으로 사용하고 있는 정보(Information)의 의미는 정보학계에서 사용하는 정보(Intelligence)에 비하여 보다 포괄적이다. 이를 구분하면 정보(Intelligence)는 대체로 가공된 지식을 말하는 것으로 분석 및 평가 과정을 거쳐 타당성이 검증된 지식(knowledge)이라고 말할 수 있다. 주로 국가정책이나 국가안전보장을 위한 것으로 통상 군사상의 첩보나 비밀 내용을 담은 지식을 Intelligence로 칭한다. 이는 일반적인 지식 또는 학문적인 정보(information)와는 달리 비밀성(secrecy)을 포함하고 있는 지식이라는 점에서도 명백히 구분이 된다. 그렇기 때문에 수집되었으나 가공되지 않은 상태의 Information은 첩보라 하고, 이러한 첩보가 분석 과정을 거치면서 가공된 경우를 Intelligence, 즉 정보라 번역하여 사용하기도 한다. 즉 첩보(Information)는 수집되는 방법에 관계없이 알려질 수 있는 모든 것을 지칭하는 반면, 정보(Intelligence)는 정책결정자들이 명시하거나 혹은 이들의 암묵적인 요구를 충족시키는 첩보이면서 동시에 정책결정자들의 요구에 맞게 수집, 처리, 정제된 첩보를 뜻한다. 따라서 정보는 넓은 범주의 첩보의 일부에 해당한다. 이에 모든 정보는 첩보이지만, 모든 첩보가 정보가 되는 것은 아니다.[1)]

정보의 개념에 대해서 웹스터 사전은 Intelligence를 "군사적인 목적을 위해 비밀 첩보(Secret information)를 수집하는 것"으로 정의하고 있다.[2)] 리첼슨(Jeffrey T. Richelson)은 정보를 "현재 또는 잠재적으로 국가안보에 중요한 영향을 미칠

1) Mark M. Lowenthal, 『국가정보: 비밀에서 정책까지』(김계동 역), 서울: 명인문화사(2008). p. 2.
2) http://www.websters-online-dictionary.net/definition/intelligence.

수 있는 국가들이나 작전지역에 대한 첩보자료들을 수집, 평가, 분석, 종합, 판단의 과정을 거쳐서 생산된 결과물"로 정의하며,[3] 슐스키와 슈미트(Abram N. Shulsky & Gary J. Schmitt)는 "정부가 국가의 안보 이익을 증진시키기 위해서, 그리고 실질적이거나 잠재적인 적의 위협을 다루기 위한 정책을 입안하고 실행하는데 적합하게 활용될 수 있는 첩보"라고 정의하고 있다.[4] 켄트(Sherman Kent)가 그의 대표적인 저서인 『미국의 세계정책을 위한 전략정보』(Strategic Intelligence for American World Policy)에서 "정보(intelligence)란 지식(knowledge) 또는 첩보(information)로서의 정보, 활동(activity)으로서의 정보, 조직(organization)으로서의 정보를 포괄하는 개념"이라고 설명하고 있는데,[5] 이것이 오늘날 국가정보의 가장 통용되는 정의로 사용되고 있다. 국가정보의 개념 속에는 지식, 활동, 조직 세 가지 요소가 다 포함되어 서로 유기적으로 관련되어 있다는 것이다. 즉, 국가정보는 기본적인 목표를 지식으로 삼고, 이를 위한 수단으로 활동과 조직이 작동한다. 로웬탈(Mark M. Lowenthal)은 정보를 생산물(product)로서의 정보, 과정(process)으로서의 정보, 조직(organization)으로서의 정보로 나누어 설명하며, 이러한 정보는 비밀성을 가지고 정책결정자들을 지원하기 위해 존재하는 것이라고 하였다.[6] 이처럼 정보의 범위를 어떻게 설정하는가에 따라서 그 개념이 각기 다르게 나타날 수 있지만 종합해 보면 정보는 국가안보와 국가이익에 관련되는 비밀성을 내포하고 있는 지식이라고 정리할 수 있겠다.

정보의 종류는 사용목적에 따라 전략정보와 전술정보로 구분되고, 수집 방법에 따라 공개정보와 비밀정보로 분류된다. 우선 전략정보(strategic intelligence)는 국가적 수준에서 대테러 정책을 수립하는 데 필요한 정보로서 국가안보나 국익의 차원에서 위협이 되는 위험요소와 이에 대응하는 국가차원의 대책에 필요한 정보를 말한다. 이때 필요한 정보는 국가의 대응능력이나 국가의 외교적 협력에서 가능한 대책을 제공해야 하고 장기적·단기적 조치를 구분하여 적시해야 한다. 전

3) Jeffrey T. Richelson, *The US Intelligence Community*, Cambridge, Mass.: Ballinger Press(1985), pp. 1-2.
4) Abram N. Shulsky & Gary J. Schmitt(2007). 『국가정보의 이해; 소리없는 전쟁』(신유섭 역), 서울: 명인문화사(2007), p. 1.
5) Sherman Kent, *Strategic Intelligence for American World Policy*, Princeton Legacy Library (December 8, 2015).
6) Mark M. Lowenthal(2008), 앞의 책, p. 12.

술정보(tactical intelligence)는 전략정보의 상대적 개념으로 기술한 전략정보에 따라 이를 구체화하는 데 필요한 정보를 말한다. 구체적인 테러의 예방대책이나 진압작전 수립 등 피해를 최소화하고 사건을 수습하는데 필요한 정보를 말한다. 또한 일반적으로 공개정보(overt Intelligence)는 외교적 접촉, 언론, 출판, 인터넷 등 공개된 출처를 통해 수집한 것으로 공개출처정보(OSINT: Open Source Intelligence)라고도 한다. 반면에 비밀정보(clandestine Intelligence)는 은밀하게 사람이나 기술적 수단을 통해 수집하는 것으로 사람에 의한 것이면 인간정보(HUMINT: Human Intelligence), 기술적 수단에 의한 것이면 기술정보(TECHINT: Technical Intelligence)라고 한다. 정확한 정보의 생산을 위해서는 정책목표에 따라 적절한 수집방법을 선택하고 효율적으로 첩보를 수집하여야 한다.

정보의 수집방법과 관련하여 방첩(防諜, counter intelligence)이란 용어가 있다. 이는 글자그대로 정보 수집을 막는 것을 말하는데 통상적으로 적대적인 외국 정보기구의 활동으로부터 정보를 보호하기 위한 각종 활동을 의미한다. 1947년 제정된 미국의 국가안보법(National Security Act of 1947)은 '방첩업무라 함은 외국정부, 외국기관, 외국인 또는 국제적 테러리스트들의 활동에 의하거나, 이들을 대신하여 행해지는 활동을 의미한다'라고 정의하고 있다. 커터 대통령의 행정명령 12036(50 USC 401a)에서는 방첩을 "외국정부나 그 기관, 외국 조직 또는 외국인, 국제테러 조직들에 의해 이루어지는 첩보활동, 여타의 정보활동, 태업, 암살 등으로부터 보호하기 위한 정보의 수집과 행위들"로 정의하고 있다. 슐스키(Abram N. Shulsky)는 방첩을 적대적인 정보기구들의 활동으로부터 자국을 보호하기 위해서 취해지는 조치들과 그러한 목적을 위해 수집되고 분석되는 첩보를 일컫는 용어로 정의하고 있다. 이러한 방첩의 개념 안에 정보의 분류를 통한 비밀화, 정보에 대한 접근을 차단하는 보안(security), 자국에 대한 정보활동이 이루어지는 것을 차단하기 위한 보다 적극적인 대간첩활동(counter espionage), 기술정보수집에 대응한 총체적 거부활동, 적국의 정보활동을 교란시키기 위한 기만과 역기만, 방첩분석 등을 포함하고 있다.[7] 이와 같이 방첩활동은 상대국 정보기구의 자국에 대한 정보수집 활동을 색출·견제·차단하는 방어적 개념뿐만 아니라 상대국 정보요원을 포섭하여, 이중스파이로 활용(역용, 逆用)하거나 상대 정보기구에 대한 침투

7) Abram N. Shulsky & Gary J. Schmitt(2007), 앞의 책, pp. 216-261.

및 허위정보를 제공(기만)하여 상대기관의 정보활동을 교란하는 등 공격적 개념까지 모두 포함하는 것이다.[8)]

Ⅱ. 테러와 정보

21세기 뉴테러리즘의 가장 큰 특징은 테러조직의 활동과 그 영향력이 특정 지역이나 국가에 한정되지 않고 전 세계에 걸쳐 확산되고 있다는 것이다. 이는 인터넷과 같은 21세기 첨단 정보수단을 이용한 전 세계적 네트워크의 구축을 통해 이루어진다. 대표적인 알 카에다 테러조직은 이슬람을 믿는 세계 각국에서 모여든 조직원들이 특정한 지역이나 국가에 얽매이지 않고 범세계적인 테러 네트워크를 구성하여 활동하고 있는 것이다. 이들에게 있어서 세계화(globalization)는 민주화, 소비주의, 시장 자본주의 등 미국을 필두로 한 서구의 가치와 생활방식이 전 세계로 전파되는 것으로 이슬람 종교와 이에 기초한 중동사회의 고유한 전통과 풍습을 파괴하는 현상으로 여겨진다. 따라서 이들은 서구 문명이나 사상 및 정치・경제체제가 전 세계로 확산되는 세계화를 근본적으로 반대한다. 또한 인터넷이나 위성 TV를 통해 서구의 외설적인 문화가 이슬람 가정의 안방을 파고드는 것을 가장 위험스러운 것으로 보고 있다. 그러나 철저한 이슬람 원리주의를 숭상하는 알 카에다 테러조직의 활동에 있어 가장 중요한 무기와 수단은 노트북 컴퓨터와 인터넷이다. 이들은 21세기 세계화의 가장 특징적 수단을 적극적으로 활용하는 역설적인 모습을 보이고 있는 것이다. 2001년 11월 미국의 아프가니스탄 침공으로 탈레반 정권이 무너지고 오사마 빈 라덴과 그의 알 카에다 조직이 아프가니스탄의 깊은 산중으로 뿔뿔이 흩어질 때 이들 조직원들은 무엇보다도 러시아제 소총과 함께 노트북 컴퓨터를 챙겼다. 빈 라덴의 경우 상업용 위성전화와 소형 비디오카메라를 가장 적극적으로 활용하여 도주생활 속에서도 자신의 메시지를 전 세계에 전파하였다. 이처럼 인터넷은 테러조직의 이념을 전파하고, 새로운 대원을 모집하며, 이들을 훈련함과 동시에 새로운 테러를 기획하고 실행하는 데 가장 중요한 수단 중 하나가 되었다. 구체적으로 테러조직이 인터넷을 테러의

8) 국가정보포럼,『국가정보학』(서울: 박영사, 2007), p. 130.

도구로 활용하는 방법을 보면 다음과 같다.

첫째, 인터넷은 21세기 테러주의자들이 자신들의 이념을 전 세계에 전파하고 동조자들을 모으는데 가장 효과적인 수단을 제공한다. 9·11테러 이후 빈 라덴이 도주 중에 있음에도 불구하고 추종자가 늘고 있는 이유는 그가 아랍 위성TV나 인터넷을 통해 그의 메시지를 이슬람 대중에게 효과적으로 전달할 수 있었기 때문이다. 이슬람 사회에 여과 없이 전달되는 빈 라덴의 소식과 호소는 전 세계의 동조세력을 규합하고 새로운 지원자를 모집하는 데 가장 효과적인 방법이었던 것이다. 국경이나 인종적 차이를 초월하는 인터넷의 특징은 무슬림 신앙 공동체를 통한 범세계적 투쟁을 전개하는 데 가장 효과적인 수단이다. 또한 인터넷은 이들 알 카에다 추종세력에게 가상의 성역을 제공함으로써 그들의 피난처가 된 동시에 안식처가 된 것이다.

둘째, 알 카에다 같은 테러조직은 인터넷상에 테러활동에 필요한 방대한 자료를 모은 온라인 도서관을 구축하여 테러의 각종 전문가들이 게시판이나 채팅을 통해 조언을 하거나 원하는 정보를 자유롭게 교환하고 전문지식을 습득하는 수단으로 사용하였다. 이를 통해 독극물을 섞는 방법, 상용 화학물질을 이용한 사제폭탄 제조 방법, 미군을 저격하는 방법, 밤에 사막을 이동할 때 별을 이용하여 방향을 찾는 법 등을 교육하였다. 이들 정보는 아랍어, 우르두어, 파슈토어 등 지하드 자원자들이 쉽게 알아볼 수 있는 그들의 언어로 번역되어 있다.

셋째, 인터넷은 테러조직의 효과적인 이동 수단을 제공한다. 이는 날로 심해지는 국가에 의한 감시와 추적 속에 물리적 공간에서 군이나 경찰을 따돌리기 위해 과거에는 사원을 이용하거나 위조 서류를 가지고 국경을 넘나들면서 회피책을 강구했으나 노출에 취약했다. 그러나 최근에는 물리적 이동이 필요 없는 인터넷을 통한 통신과 정보전달은 이러한 취약점을 극복할 수 있는 새로운 수단을 제공하여 테러조직의 움직임이나 그들의 약점을 찾아 타격할 수 있는 기회를 상실하게 만든다. 이전에는 테러 훈련이나 모의를 위해 수단이나 예멘, 아프가니스탄으로 가야 했지만 그럴 필요가 없어졌다. 설령 이동하더라도 의심스러운 문건이나 정보를 가지고 다닐 필요가 없고 필요한 정보를 인터넷상에 올리고 나중에 목적지로 이동해서 그것을 다시 활용하면 되는 것이다.

넷째, 인터넷의 익명성과 편리성은 테러 활동 영역을 전 세계적으로 만든다. 즉 생면부지의 이방인들이 온라인 접촉을 통해 자발적으로 전 세계적인 테러조직의 세포를 형성한다는 것이다. 현실세계에서 형성된 테러 조직원들 간의 유대가 인터넷을 통해 지속되거나 확산되어 활동의 반경이 전 지구적으로 된다는 것이다.

이처럼 테러조직이 인터넷을 이용한 조직원 모집이나 테러수법 공유 등이 뉴테러리즘의 특징 중 하나이다. 따라서 이러한 테러리즘의 변화에 대응하기 위한 정보의 역할은 아무리 강조해도 지나치지 않는다. 테러환경은 국내·외적으로 너무 다양하고 복잡하여 많은 위해요인이 도처에 산재해 있기 때문에 테러위협을 정확하게 효과적으로 예측하여 적시에 제공하기란 쉽지 않다. 테러정보는 여러 위협요소를 즉시에 수집하고 정확히 분석하여 필요한 부서에 제공함으로써 테러의 예방과 대응작전에 성공을 보장하여야 한다. 따라서 각국은 이러한 정보의 중요성을 깨닫고 보완책을 강구하였다. 미국의 경우, 9·11테러의 원인이 정보의 상호연계 분석의 실패에서 비롯되었다는 조사 결과에 따라 새로운 정책과 법을 통해 훨씬 단호한 조치들이 취해졌다. 가장 핵심적인 사항은 지금까지 위해정보가 단순히 사회의 치안차원에서 다루어졌다면 이후부터는 정보를 국가안보차원에 다룬다는 것이다. 따라서 이러한 테러정보를 수집하고 분석하는 데 법적인 예외적 절차를 인정해 주고 첨단 장비, 인원과 예산 증대 등 새롭고 예외적인 수단을 부여받았다. 이에 따라 정보를 취급하는 군과 경찰 및 정보기관과 긴밀하게 연계하도록 요구를 받았고, 정보 분석가들은 세계화의 흐름을 이해하고, 국가안보의 잠재적 위협을 파악하며, 정책담당자를 위한 적절한 정보생산물(intelligence product)을 만들어 내도록 압박을 받고 있는 것이다. 테러정보의 중요성을 살펴보면 다음과 같다.

첫째, 사소한 정보도 안보차원에서 다룬다. 분석가들은 전통적인 정보원으로부터 기밀 정보나 민감 정보를 획득하는 기법 외에도 많은 공개출처로부터 잠재적으로 중요한 지식을 얻어야 한다는 것이다. 즉 과거에는 정보원으로부터 심각하고 결정적인 위험요인에 대한 정보에 관심을 가졌다면 지금은 조금 중요하지 않고 덜 급박하지 않은 정보도 전체적으로 잠재적인 위협이 될 수 있다는 수준으로 정보를 분석하는 능력이 있어야 한다는 것이다. 미래는 훨씬 적은 규모의 안보 위협이 모여 결국 국가안보를 위협하는 수준으로 발전한다는 것으로 안보환경이 변했다는 것이다. 또한 정보 분석가들은 과거에 결코 경험하지 못한 전 세계적인 역동성을 이해할 필요가 있는데 정보를 수집하는 조직이나 통로가 예전에 비해 훨씬 분산되어 있어야 한다는 것이다. 이러한 분산된 조직이나 통로를 통해 수집된 정보는 체계적인 연계과정을 거쳐 성공적인 정보 분석이 될 수 있다는 사실을 이해해야 한다.

둘째, 예측과 예방에 초점을 맞추어야 한다. 사고 발생이후의 사후 정보는 중요성이 떨어진다는 것이다. 테러 위협에 대한 안보전략은 엄청난 인명과 경제적 손실을 사전에 예방하는 데 있다. 즉 테러 계획과 공격의 시점을 정확하게 예측할 수 있는 첩보 수집에 달려있다. 정보는 자국의 국내와 해외에서 국익을 공격하는 테러리스트의 계획을 파악하는 데 중점이 있다. 만약 정보기관이 정부에 테러리스트의 공격계획에 대해 경보를 울려준다면 그것을 예방하기 위한 기회는 매우 높지만, 사전에 충분한 정보를 제공하지 못한다면 공격을 피할 수 없다. 정보는 테러리스트 공격을 예방하는 방법으로 유일하다. 다시 말해서, 외교적 노력을 통해 파괴적이지 않는 방식을 수용하도록 테러 집단의 지도자들을 설득하려는 다른 방법은 없다. 유일한 방법은 테러리스트들이 테러공격의 성공 가능성을 매우 낮다고 평가하도록 함으로써 테러공격 자체를 스스로 포기하도록 하는 것이다. 이러한 정보의 억지전략은 정보역량을 강화하여 테러 용의자들에 대한 감시 그리고 이들의 활동 계획과 공격 수단에 관한 첩보를 사전에 수집하여 이들의 활동을 미연에 방지하는 것이다. 또한 테러위협에 대한 사전 정보를 국민들에게 공개적으로 알려주고 능동적으로 대처토록 함으로써 피해를 취소화하고 테러발생을 사전에 억제하는 이중의 효과도 거둘 수 있을 것이다.

셋째, 정보의 기밀성보다는 공유(共有)가 중요하다. 과거의 안보전략과 정보활동은 분명한 적대국가의 존재와 위협의 분명한 수단이 상정되어 있었기 때문에 이들 국가의 군사력과 같은 관련된 기밀을 수집하고 분석하는 방법과 조직에 중요성을 두었다. 하지만 뉴테러리즘 하에서는 위협의 요인과 방식이 애매하고 불분명한 상황에서 광범위한 정보공유의 결과로 사고를 예측할 수 있다. 적어도 9·11테러는 미국과 서구 국가들에게 자국의 정보기관들 사이에 정보 공유가 절대적으로 중요하다는 것을 인식하는 계기를 마련해 주었다. 국내정보기관과 해외정보기관은 관할 영역이 다르고 상호 경쟁적인 관계로 인해 협력보다는 대립과 갈등적인 요소가 많다. 두 기관의 관계를 재조정하여 협력관계로 전환할 수 있는 환경과 제도는 정보의 억지전략을 성공적인 정보의 생산에 결정적인 역할을 한다. 어떤 정보 조각들이 테러공격을 파악하는 데 결정적인 요소인지 모르기 때문에 정보의 출처나 내용에 대한 기밀보호보다는 정보공유가 중요하다는 것으로 비중이 옮겨가고 있다. 은밀한 출처보다는 공개출처를 적극 활용해야 한다는 것이다. 즉 현대는 위협의 대상이 널리 확산되어 무수히 다변화되어 있고 위협의 수준이 어느 한 국가에 머무르는 것이 아니라 비(非)국가 혹은 복잡한 전 지구적 현상에서 발생하고 있기 때문에 위협에 대한 종합적인 정보가 요구된다. 따라서 공개출처를 활용하여 정보의 복합적 분석과정이 훨씬 중요하고 첩보위성과 같은 첨단 기술 장비를 활용한 기술정보보다는 인간정보와 공개출처정보의 중요성이 더 많은 비중을 차지한다.

Ⅲ. 정보의 실패

정보의 실패(Intelligence Failure)는 정책결정자에게 적시에 정확하고 완전한 정보를 제공하지 못함으로써 정책결정자의 오판과 오류를 초래하고 이로 인해 국가안보나 국가이익을 해치게 되는 것을 의미한다.[9] 즉 정보보고서나 평가들이 잘못된 진술을 담고 있거나 중요한 사건들을 정보기구가 제대로 예측하지 못하여 적국의 기습에 의해 국가안보나 국가이익에 해를 입게 되는 경우를 말하는 것이다. 이러한 정보실패는 주로 정보기구의 부정확한 첩보나 잘못된 정보 분석 등에 기인하는 것이기는 하지만 정보기구가 적시에 제대로 된 정보를 제공했음에도 불구하고 최고 정책결정자가 이를 무시하거나 또는 정치적 목적에 활용하고자 정보기구의 정보판단을 의도적으로 왜곡시키기 때문에 나타나기도 한다. 적합한 정보를 전혀 획득하지 못했거나 정보 분석 과정에서 특정 자료가 무시되거나 잘못 해석되는 경우에 정보실패의 책임을 물을 수 있다. 하지만 대부분의 정보실패는 정보활동을 담당하는 정보기구의 실책에도 있지만 정책결정자들이 전달받은 정보를 잘못 판단하거나 의도적으로 본인들에 유리하게 왜곡시키는 등의 복합적인 요인으로 발생하기 때문에 책임 소재를 명확히 밝히기가 쉽지 않다. 다만 정보실패

9) 서동구, "9/11테러와 미국의 정보실패 연구-정보문화모델을 중심으로-", 경남대학교 박사논문 (2012), pp. 21-22.

가 발생하였을 경우 그 원인을 분석하고 개선하여 같은 실수가 반복되지 않도록 해야 할 것이다. 일반적으로 정보실패의 원인은 다음과 같은 문제로 발생한다.

첫째, 정보기관의 임무와 역할에 대한 이해의 부족에서 발생한다. 정보기구의 가장 중요한 임무는 가능한 모든 수단을 동원하여 공개 및 비공개 자료를 획득하고, 수집된 자료들을 과학적이고 체계적으로 분석하여 타당성 있는 정보를 생산하는데 있다. 이를 위해 필요한 유능한 조직원과 시설, 장비를 갖춘 조직으로 정부기관의 하나이지만 기본임무, 업무영역, 활동방식, 조직 특성 등에서 여타 정부 조직과는 확연히 다르다. 가령 국방부나 경찰청 등의 조직들이 국가안보나 국내 치안 질서를 담당하고 유지하기 위해 물리적 수단으로 군대나 경찰력 등을 직접적으로 동원하는 것과 달리 정보기관은 기관이 이러한 능력을 효과적으로 발휘할 수 있도록 필요한 정보를 수집하여 제공하거나 지원하는 데 그친다. 이를 위해 정보기관은 국가안보를 위협하는 잠재적이고 실제적인 모든 요인들을 대상으로 하여 첩보를 수집하고 분석한다.

이처럼 정보기관이 담당하는 임무는 법규에 의해 정해진 업무의 영역의 범위에서 수행하는 일반 정부기구와는 달리 정보기구는 활동 영역이 정해져 있는 것이 아니라 필요한 모든 분야에 걸쳐 정보활동을 수행하고, 정책결정자에게 필요한 정보를 수집, 분석하여 적시에 제공함으로써 평가를 받는 것이다. 필요한 정보를 제때에 제공하지 못해 발생하는 모든 국가안보와 국가이익의 침해에 대해서는 무한 책임을 져야 하는 것이다. 수집 및 분석된 정보는 다른 정부부서의 정책결정자, 정책입안자들에 의해 정책에 반영될 때 비로소 의미를 갖게 되고 그들의 요구에 맞는 정보를 정보요구자들이 효과적으로 사용하였을 때 성공적인 정보활동이라고 말할 수 있다. 그러나 이렇게 분석된 정보를 정책을 담당하는 기관에 지원하는 역할에 국한되고 정책영역을 침범해서는 안 된다. 만약 정보기관이 정보와 정책을 분리하지 않은 채 정책결정에 직·간접적으로 관여할 경우 정보가 객관성을 상실하고 정치적으로 이용되어 정보기관이 정치권력화가 될 수 있기 때문이다. 이로 인해 정보의 실패를 불러올 수 있다는 것이다.

둘째, 정보의 정치화다. 이는 정책결정자들의 정치적 동기 및 영향력에 의해 정보가 왜곡되는 현상을 말한다. 정보의 생산자와 수요자 간의 관계에서 종종 발생하는 것으로 정책결정자의 기호에 맞게 정보를 임으로 가공하는 것이다. 정보실패는 정보의 생산자와 수요자가 의도적으로 정보를 과장하거나 왜곡·날조함으로써 발생하는 것이다. 정보수요자는 정책담당자로서 대외정책의 목표를 외견상 국가안보라고 내세우더라도 국내외 다른 정치적 목적으로 가질 수 있는 것이다. 대표적인 사례로서 9·11테러 이후 미국이 이라크 전쟁의 명분으로 내세웠던 대량살상무기(WMD)의 존재 여부는 2004년 당시 미국 대선의 최대 쟁점이었는데 당시 CIA는 이라크 WMD에 관해 왜곡된 정보판단을 내려 부시 행정부의 이라크 전쟁의 정당성 확보를 위한 명분을 제공하였다. 결국 이라크 WMD에 관한 CIA의 분석은 부시 행정부의 정책적 시각을 뒷받침하기 위해 조직적으로 왜곡된 것으로 밝혀졌다.[10)]

이처럼 정보의 객관성과 중립성이 무시되고 정책 담당자의 의도와 계획에 따라 정보 활용이 이루어짐으로써 발생하는 정보의 정치화는 정보생산자에 대한 정보수요자의 압박과 요구, 정보수요자의 별도 정보라인 구축, 정보생산자의 경쟁과열을 통해 나타나기도 한다. 정보기구와 정부가 밀접한 관계를 유지할수록 생산된 정보의 내용이 정권의 요구에 맞게 왜곡되어 정치적으로 이용될 위험성이 증가하고, 이로 인해 정보실패가 발생할 가능성이 더 커지는 것이다.

셋째, 정보기관은 모든 활동을 비밀스럽게 수행될 수 있도록 하는 조직이다. 정보기관은 다른 정부기구와는 다른 특징이 있는데 우선 정보기구의 모든 정보활동에 대해 반드시 비밀이 유지되어야 한다. 정보 수집 및 분석활동에서부터 방첩, 비밀공작에 이르는 모든 과정은 국가안보와 국가이익에 직접적으로 연관되어 있기 때문에 무엇보다 비밀유지가 중요하다. 정보기구는 첩보와 관련된 활동 이외에 정부가 추구하는 해외정책의 달성을 지원하기 위해 보다 직접적으로 비밀활동을 수행할 책임을 부여받을 수 있다. 또한 정보기관은 국가의 안전은 물론 국민의 생명과 재산을 보호하기 위해 그 행위자가 국가이든 비국가이든지 불문하고 자국 내에서 자행하는 타 정보기관의 일체의 첩보 수집행위를 막는 방첩활동(防諜活動)을 수행한다. 마지막으로 정보기관은 그것만이 가지는 고유의 활동인 비밀 공작활동(工作活動)을 수행한다. 이는 때로는 불법적이거나 비윤리적인 행위를 수반한다. 첩보 활동을 수행하는 과정에서 필요한 정보를 얻기 위해 불가피하게

10) "The Commission on the Intelligence Capabilities of the United States Regarding Weapons of Mass Destruction: WMD Commission Report", Report to the President of the United States(March 31, 2005), pp. 495-499.

금전이나 미인계 등으로 유혹하여 포섭하거나 도청, 문서절취, 허위선전 등의 활동을 하거나 상대방을 협박하거나 뇌물을 주는 등 불법과 비윤리적 행위를 저지르게 된다. 이런 활동은 정보가 폐쇄적인 구조 속에서 그들만이 알고 그들만을 위해 은밀하게 작동하기 때문에 때로는 효율적이지 못하고 책임성도 없을 수 있다. 이러한 정보생산 활동과 방첩활동 및 비밀공작 등을 수행하는 과정에서 비밀을 방패삼아 일어날 수 있는 국가안보와 무관한 분야에 대한 관여로 인한 정보의 실패가 발생할 수 있다.

넷째, 국가정보체제의 구조나 절차상의 문제다. 미국의 경우 특정 성격의 정보활동을 전담하는 정보기구를 따로 두고 있는 분산형(分散型)으로 세분화된 정보기구가 서로의 정보를 상호 공유하지 않음으로 정보실패를 유발한 대표적인 사례이다. 1941년 일본의 진주만 기습의 경우 당시 미국의 정보기구들이 일본의 기습에 대한 여러 가지 징후들을 파악했음에도 불구하고 공격의 실행에 대한 중요한 정보를 타 기관 및 부서들과 공유하지 않았기 때문에 발생한 것으로 판명되었다.[11] 미국은 그 당시 이러한 정보기구들 간의 정보공유 문제를 해결하기 위해 1947년 CIA를 창설하여 여러 개의 정보체제를 이끌어 갔음에도 불구하고 2001년 9·11테러를 통해 여전히 정보기구들 간의 정보공유 부재 문제가 정보실패의 큰 요인으로 지적되었고, 위험에 대한 경고 전달과 공유의 문제가 또다시 제기되었다.[12] 정보 분석관들이 새로운 증거자료들을 분배하고 평가하는 데 많은 시간이 소요되며, 특히 상호 모순된 결론들에 대해 초안을 작성하고 배포하는 과정에서 사용자들을 설득하는 등의 절차에서 많은 시간이 지체됨으로써 적시에 경고정보를 발하지 못하는 사태가 발행할 수 있다. 즉 정보를 수집하고 분석하는 과정에 관여하는 정보기구들이 많아 특정 정보가 필요한 경우에 제때 이용하지 못하는 상황이 발생하여 정보실패를 초래했다는 것이다.

다섯째, 정보 분석관의 오류와 자질 부족이다. 정보실패는 여러 가지 요인들이 복합적으로 작용하여 야기되지만 그중 특히 분석관의 잘못된 정보판단에 대한 지적이 많다. 정보 분석은 정보생산의 일련의 순환과정의 한 단계로 국가적 현안해결을 위해 수집된 첩보를 분석하여 사실관계를 파악하고 앞으로의 전망과 파급영

11) Mark M. Lowenthal (2008), 앞의 책, p. 27.
12) Michael Herman, *Intelligence Power in Peace and War.* Cambridge University(1996), p. 233.

향을 예측하여 필요한 대응방안을 강구하는 것을 말한다. 이 과정에서 정보 분석관의 잘못된 정보판단으로 정확한 정보를 생산하지 못하고, 정보수요자의 요구를 정확히 파악하지 못한다면 이는 정보실패를 일으키는 요인으로 작용될 수 있을 것이다. 정보 분석관의 흔한 오류 가운데 하나로 익숙하지 않은 상황에 대한 판단을 자신에게 지금까지 익숙한 상황에 근거하여 결론을 내리는 것이다. 이 경우 상대방의 특성이나 동기, 처해진 환경의 차이 등을 고려하지 못하게 되기 때문이다. 다른 오류는 정보기관의 독특한 집단적 사고 때문이다. 즉 해당 정보기구의 조직적 특성 때문에 분석관 개인의 개별적 의견이나 판단이 허용되지 않고 집단적으로 사고하는 경향을 의미한다. 주로 응집력이 강한 소집단에서 시간이 촉박한 가운데 결정을 내려야 하는 상황에서 발생하는 현상으로서 모든 대안을 고려하지 못하는 대표적인 오류다. 또한 분석관의 자질 부족 역시 정보실패를 야기하는 중요한 요인이다. 모든 정보 분석관들에게 요구되는 가장 기본적인 기술은 맡은 분야에 대한 전문적 지식, 언어 능력, 기본적인 보고서 작성능력 등이다. 정보분석을 하는데 있어서 분석관이 이러한 능력을 가지지 못하고 새로운 분석기법을 제대로 활용하지 못하거나 첩보자료들을 효과적으로 처리하지 못하는 등 전문성이 떨어지면 심각한 정보실패를 초래할 수 있다.

Ⅳ. 우리나라 정보기관의 역할

정보기관의 일반적인 형태는 통합형과 분산형이 있다. 통합형(統合型)은 다양한 정보활동을 포괄적으로 통합하여 수행하는 대표적인 정보기구가 존재하는 정보체제로서 한국의 국가정보원, 구소련의 KGB 등이 있다. 통합형의 장점은 무엇보다도 전체 정보활동에 대한 효율적인 통제가 가능하다는 것이다. 이는 다양한 정보활동들 상호간에 유기적 연계가 이루어지기가 용이하다. 각 부서에서 수집된 정보가 일괄적으로 공유가 되었을 경우 정보활동의 효율성의 증가를 가져올 수 있다. 그러나 통합형은 정보기구 내 형성된 집단적 관점과 조직문화가 정보를 수집하고 분석하는데 영향을 미쳐 한곳으로 치우칠 가능성이 있다. 또한 정보활동이 변화에 시의 적절하게 대응하지 못하고 지연되거나 일종의 관성과 타성에 의해 정보활동으로서의 가치가 감소하게 될 가능성도 있다. 이에 반해 분산형(分散

型)은 특정 성격의 정보활동을 전담하는 여러 개의 정보기구가 존재하는 정보체제로서 특정 정부 부처의 업무와 관련된 정보활동을 수행하는 정보기구, 국내 보안 및 방첩을 수행하는 정보기구, 군사정보활동을 담당하는 정보기구, 그리고 해외에서의 정보활동을 전담하는 정보기구 등이 함께 있는데 미국의 정보체제가 대표적이라 할 수 있다.

통합형과 분산형은 각기 나름의 장단점이 있다. 그러나 오늘날의 국가안보위협이 다양화되고, 초국가적 위협이 상존하는 뉴테러리즘 시대에는 통합형 체제로 나아가는 것이 일반적인 현상이다. 미국의 분산형 역시 9·11테러 이후에 DNI를 중심으로 통합형 체제로 개편되어 운영되고 있는 현실을 보드라도 종합적인 정보판단을 위해 통합형이 바람직할 것이다. 우리나라의 경우도 국정원을 중심으로 하는 통합형으로 운영되고 있는데 국내정보와 국외정보를 분리해야 한다는 주장이 있어왔으나 북한의 위협이 상존하고 있고 해외 파병과 국민의 외국체류 기회가 꾸준히 증가하고 있는 현실을 감안할 때 시기상조로 보인다. 또한 한국의 정보 목표가 지금까지는 주로 북한에 맞추어 왔으나 전 세계적인 안보환경의 변화로 인해 한반도 주변에서 발생하는 안보위협뿐만 아니라 세계적으로 일어나는 거시적인 문제들까지 정보활동의 영역을 확대해야 할 것이다. 즉, 초국가적 테러의 확산에 대한 정보, 해외 금융시장 및 외환시장의 동향, 국가기반시설 및 다중이용시설 테러, 사이버테러 및 사이버안보 대응 등 다양한 정보목표의 우선순위와 대응방향을 설정하기 위해서도 통합적 운영이 필요하다고 하겠다.

우리나라의 정보기관은 대표적인 국가정보원을 비롯하여 경찰청, 법무부(검찰), 군(기무사, 정보사) 등이 있다. 국가정보원은 국내 및 해외 정보를 통합하는 가장 정보력이 막강한 기관이고, 경찰청은 많은 인원이 정보 분야에서 치안과 관련한 정보를 수집하는 일을 하고 있으며, 법무부(검찰청)는 공안사범에 관련한 정보의 수집과 분석을, 기무사는 군관련 정보수집 및 방첩을, 정보사는 대북정보수집에 더 큰 비중을 두고 있다.

1. 국가정보원

국정원은 1961년 최초로 중앙정보부(KCIA: Korean Central Intelligence Agency)로 출발하여, 1981년 국가안전기획부(NSP: Agency for National Security

Planning)로 명칭이 변경되었고, 1999년 1월 지금의 국가정보원(NIS: National Intelligence Service)으로 개칭되었다. 국정원 설치 근거가 되는 법은 「정부조직법」 제16조 제1항에 의거 국가안전보장과 관련되는 정보·보안 및 범죄수사에 관한 사무를 담당하기 위하여 대통령 소속 하에 국가정보원을 둔다는 규정과 「국가정보원법」 제2조에 국정원은 대통령 소속하에 두며 대통령의 지시·감독을 받는다는 규정에 근거하여 설치되었다.

국정원의 임무는 국가정보원법 제3조(직무) 제1항에 ① 국외정보 및 국내 보안정보(대공(對共), 대정부전복(對政府顚覆), 방첩(防諜), 대테러 및 국제범죄조직)의 수집·작성 및 배포, ② 국가기밀에 속하는 문서 자재 시설 및 지역에 대한 보안업무. 다만, 각급기관에 대한 보안감사는 제외한다. ③ 「형법」 중 내란(內亂)의 죄, 외환(外患)의 죄, 「군형법」 중 반란의 죄, 암호 부정사용의 죄, 「군사기밀 보호법」에 규정된 죄, 「국가보안법」에 규정된 죄에 대한 수사, ④ 국정원 직원의 직무와 관련된 범죄에 대한 수사, ⑤ 정보 및 보안업무의 기획 조정을 전담한다. 또한 「국가안전보장회의법」(제10조)에는 국가정보원장은 국가안전보장회의의 임무수행을 위하여 요구되는 국가안전보장에 관련된 국내외 정보를 수집·평가하여 보고한다고 규정되어 있다. 즉, 국정원은 국가안보와 관련된 모든 정보를 수집하고 작성하고 배포하는 통합 정보기관이며 국가의 모든 정보와 보안업무에 대하여 기획하고 조정하는 최고의 정보기관이다.

국정원의 조직은 국가정보원장(이하 "원장"이라 한다)이 대통령의 승인을 받아 정한다. 직무 수행상 특히 필요한 경우에는 대통령의 승인을 받아 특별시·광역시·도 또는 특별자치도에 지부(支部)를 둘 수 있다(동법 제4조). 국정원에 원장·차장 및 기획조정실장과 그 밖에 필요한 직원을 둔다. 다만, 특히 필요한 경우에는 차장을 2명 이상 둘 수 있다(동법 제5조). 국정원의 조직·소재지 및 정원은 국가안전보장을 위하여 필요한 경우에는 그 내용을 공개하지 아니할 수 있다(동조 제6조). 원장은 국회의 인사청문을 거쳐 대통령이 임명하며, 차장 및 기획조정실장은 원장의 제청으로 대통령이 임명한다. 원장은 정무직으로 하며, 국정원의 업무를 총괄하고 소속 직원을 지휘·감독한다. 차장은 정무직으로 하고 원장을 보좌하며, 원장이 부득이한 사유로 직무를 수행할 수 없을 때에는 그 직무를 대행한다(동법 제7조). 통상 해외담당 차장은 해외정보를 책임지고 해외정보의 수집, 분석, 공작 등을 담당한다. 국내담당 차장은 국내 보안정보를 책임지고 국내정부의 수집, 분석, 대공수사, 외사방첩, 대테러, 보안 등의 업무를 담당하고 있다. 북한담당 차장은 북한정보를 책임지고 북한정보의 수집, 분석, 남북대화 등 대북정책 관련 업무를 수행한다. 기획조정실장은 국정원의 인사, 예산, 행정, 교육 등의 지원업무를 책임지고 있다.

국가정보원의 대테러 관련 임무는 테러관련 정보의 수집·작성·배포, 테러위험인물 관련정보 수집 및 조사, 추적, 지역 및 공항만 테러대책협의회 운영, 대테러합동조사팀 운영, 국제정보 협력체제의 유지, 대테러 능력 배양을 위한 기법의 연구개발 및 기술·장비의 교육훈련 등 지원, 공항·항만 등 국가중요시설의 대테러활동 추진실태의 확인·점검·지도, 국가중요행사에 대한 대테러·안전대책 수립과 시행에 관한 기획·조정, 테러정보통합센터(TIIC)의 운영 등이다. 특히 대테러관련 정보의 통합적 관리를 위해 2005년 4월 정부 유관기관 합동으로 테러정보통합센터를 설치하여 24시간 운영하고 있다.

2. 국방정보본부

미국의 DIA와 같이 군사정보를 총괄하는 기관으로 1981년 국방부와 합동참모부 산하에 설치되었다. 당시에는 합동참모부에는 작전을 지휘·통제하는 군령권이 없었고 단순히 자문기관이었으나 1990년 합참이 군령권을 각 군 참모본부가 인사, 군수 등 행정지원업무를 담당하는 군 정권을 갖도록 조정됨에 따라 정보본부의 위상도 높아졌다. 1993년 일본 후지TV 서울지국장 시노하라 마사토(條原昌人, 40세)가 정보본부의 장교를 포섭하여 군사기밀 50여건을 빼내어 일본에 제공하는 사건이 발생하자 국방정보본부는 정보사령부 국군기무사 통신정보수집부대인 3275부대에 대한 통제권을 갖게 되었다. 그러나 기무사는 국방장관 직속으로 북한 등의 군사정보과 보안업무에 관해서만 정보본부의 조정을 받도록 되어 있다. 국방정보본부의 임무는 군사정보의 수집, 처리, 전파의 정보발전 등을 기본임무로 하고 있다. 정보본부 산하에 정보참모부를 두고 있으며, 군사령관 정보참모는 전장에 관한 정보를 수집하고 보고·전파하는 임무를 수행하도록 규정하고 있다. 또한 정보본부는 해외각국에 무관을 파견하여 군사정보를 수집하고 있으며 예하에는 육해공군 정보참모부를 두고, 육군의 1.2.3군사령부 및 공군작전사령부,

해군작전사령부에 정보종합실을 설치하고 있다. 육군의 각 군단 및 사단에도 정보종합실을 두고 군사정보의 수집·분석·처리를 담당하고 있다.

3. 국군기무사령부

국군기무사는 1949년 육군본부 방첩대로 출발하여 1950년 특무부대로 바뀌면서 각종 정치공작까지 서슴지 않았다. 4.19 혁명으로 기능이 축소되어 1960년 방첩부대로 개편되었고 1967년 청와대 기습사건을 계기로 1968년 육군보안사령부로 확대 개편되었다. 1977년 육해공군의 보안부대를 통합하여 국군보안사령부로 확대되었다. 기무사는 대통령령으로 제정된 「국군기무사령부령」(대통령령 제26140호)에 의해 설치된 국방부장관 소속의 정보기관이다. 이 훈령 제3조(직무)는 기무사의 임무로 ① 군 보안대책 및 군 관련 보안대책의 수립·개선 지원, ② 군사보안에 관련된 인원의 신원조사, ③ 군사보안대상의 보안측정 및 보안사고 조사, ④ 그 밖에 국방부장관이 정하는 군인·군무원, 시설, 문서 및 정보통신 등에 대한 보안업무, ⑤ 국외·국내의 군사 및 방위산업에 관한 첩보, 대(對)정부전복, 대테러 및 대간첩 작전에 관한 첩보, 방위산업체 및 국방과학연구소 등 국방부장관의 조정·감독을 받는 기관 및 단체에 관한 첩보, 군인 및 군무원, 임용예정자 등에 관한 첩보의 수집·작성 및 처리, ⑥ 정보작전 방호태세 및 정보전(情報戰) 지원, ⑦ 「군사법원법」에 규정된 범죄의 수사, ⑧ 국방 분야 주요 정보통신 기반시설의 보호지원, ⑨ 방위사업청에 대한 방위사업 관련 군사보안업무 지원, ⑩ 군사보안에 관한 연구·지원 등을 규정하고 있다. 기무사의 조직은 사령부에 사령관 1명과 참모장 1명을 두며, 사령관의 업무를 보좌하기 위하여 참모부서를 두고, 사령관 소속으로 산하에 각급 기무부대 및 기관을 둔다(동령 제4조). 사령관은 국방부장관의 명을 받아 사령부의 업무를 총괄하고, 소속 부대 및 기관을 지휘·감독한다. 참모장은 사령관을 보좌하고, 참모업무를 조정·통제하며, 사령관이 부득이한 사유로 직무를 수행할 수 없을 때에는 그 직무를 대행한다(동령 제5조). 사령관은 소속 부대원 및 기관원에게 직무수행상 필요한 무기를 휴대하게 할 수 있다(동령 제7조). 한마디로 기무사의 주요 임무는 방첩과 보안이라고 할 수 있다.

4. 국군정보사령부

국군정보사령부는 북한 군사정보 수집 및 대북침투공작을 담당하고 있다. 1948년 조선 경비대의 정보국에서 출발하여 1950년 육군 정보국 산하 대북공작부대가 된 HID(Headquarters of Intelligence Detachment)에서 기원을 찾을 수 있다. HID는 북파공작원을 훈련·침투시킨 부대로 6.25당시 30여개 부대를 운용하였다. 1961년 HID는 영문자를 AIU(Army Intelligence Unit)로 바꾼 후 1972년 정보부대로 통합되고 1990년 육해공군 정보부대를 모두 통합하여 국군정보사령부가 되었다. 정보사령부의 주 임무는 대북 군사정보의 수집과 분석 그리고 대북공작이다. 정보사는 각 지역에 예하부대를 두고 인적정보 수집에서 기술정보 수집에 열중하고 있다.

5. 경 찰 청

경찰은 「경찰관 직무집행법」 제2조(직무의 범위)에 의거 ① 국민의 생명·신체 및 재산의 보호, ② 범죄의 예방·진압 및 수사, ③ 경비, 주요 인사(人士) 경호 및 대간첩·대테러 작전 수행, ④ 치안정보의 수집·작성 및 배포, ⑤ 교통 단속과 교통 위해(危害)의 방지, ⑥ 외국 정부기관 및 국제기구와의 국제협력, ⑦ 그 밖에 공공의 안녕과 질서 유지 등의 임무를 수행한다고 규정하고 있다. 조직은 경찰청장을 중심으로 차장이 있고 8국 8관 31과 16담당관으로 이루어져 있다. 하부조직은 크게 민생치안을 담당하는 생활안전국·수사국·사이버안전국·교통국·과학수사관리관, 사회질서유지 및 국가안보를 담당하는 경비국·정보국·보안국·외사국, 행정지원을 담당하는 기획조정관·대변인·경무인사기획관·감사관·정보화장비정책관으로 구분할 수 있다. 부속기관으로는 4개 교육기관(경찰대학·경찰교육원·중앙경찰학교·경찰수사연수원)과 책임운영기관인 경찰병원이 있다. 또한 치안사무를 지역적으로 분담 수행하기 위하여 전국 특별시·광역시·도에 17개 지방경찰청을 두고 있으며 지방경찰청장 소속 하에 경찰서 252개, 지구대 516개, 파출소 1,473개를 운영하고 있다.[13] 이 중 대테러관련 업무는 경비국·정

13) 『2017 경찰백서』, 경찰청(2017), p. 355.

보국·보안국·외사국에서 담당하고 있다. 경비국은 일반 경비나 집회시위의 관리, 재난·테러 등 위기관리, 경찰작전 및 요인경호 등의 업무를 동시에 수행하고 있다. 특히 테러관련 정보의 수집은 정보·보안·외사국에서 담당하고 있는데 정보국은 경제·사회·노동·학원·종교·문화 분야에 대한 치안정보의 수집과 집회·시위 관리 등 예방정보활동을 하고 있고, 보안국은 간첩 활동 및 안보위해사범에 대한 예방과 검거, 산업기밀 및 전략물자 유출에 대한 수사, 북한과 연계된 마약, 위조지폐, 총기밀매 사범 등을 담당하고 있으며, 외사국은 외국인 관련범죄의 예방과 수사, 인터폴(국제형사경찰기구)을 통한 국제공조수사, 외국경찰기관과의 교류와 협력, 국제공항·항만의 보안활동 등의 업무를 하고 있다.

경찰청의 대테러 관련 임무는 국내에서 일반테러사건 발생시 예방 및 대응책을 수립 시행한다. 이때 경찰청장을 위원장으로 하는 테러사건 대책본부를 두어 관련대책을 총괄 수립 집행하고 경비국 산하에 경찰특공대를 두어 서울, 부산, 대구, 충남 등 7개 지역에서의 무력진압작전을 지휘한다. 또한 범인의 검거 등 테러사건에 대한 수사, 테러특공대 및 폭발물 처리 전담조직 편성·운영, 대테러 협상요원 및 통역요원의 양성과 확보, 요인보호와 국가중요시설물 및 다중이용시설 등에 한 테러 방지책의 수립과 시행, 인터폴 등 국제경찰기구와의 대테러 협력체제의 유지 등이다. 이때 국무총리실의 대테러센터와 국정원의 테러정보통합센터와 원활하고 긴밀한 테러정보 공유체계를 형성해야 한다.

6. 해양경찰청

「해양경비법」 제2조(정의)는 "해양경비"란 해양경찰청장이 경비수역에서 해양주권의 수호를 목적으로 행하는 해양안보 및 해양치안의 확보, 해양수산자원 및 해양시설의 보호를 위한 경찰권의 행사를 말한다고 규정하고 있다. 또 동법 제7조(해양경비 활동의 범위)에 의거 해양경찰관의 임무는 ① 해양 관련 범죄에 대한 예방, ② 해양오염 방제 및 해양수산자원 보호에 관한 조치, ③ 해상경호, 대(對)테러 및 대간첩작전 수행, ④ 해양시설의 보호에 관한 조치, ⑤ 해상항행 보호에 관한 조치, ⑥ 그 밖에 경비수역에서 해양경비를 위한 공공의 안녕과 질서유지 등으로 규정하고 있다. 조직은 「해양경찰청과 그 소속기관 직제」에 관한 대통령령(제28217호)에 의거 치안총감으로 해경청장을, 치안정감으로 해경 차장을 두고,

산하 소속기관으로 지방해양경찰청, 해양경찰교육원 및 중앙해양특수구조단을 둔다. 하부조직으로 경비국·구조안전국·수사정보국·해양오염방제국 및 장비기술국 등을 둔다. 그중 대테러와 관련있는 부서는 경비국과 수사정보국으로 경비국의 임무는 해양경비에 관한 계획의 수립·조정 및 지도, 경비함정·항공기 등의 운용 및 지도·감독, 동·서해 특정해역에서의 어로 경비, 해양에서의 경호, 대테러 예방·진압, 통합방위 및 비상대비 업무의 기획 및 지도·감독, 해양상황의 처리와 관련된 주요업무계획의 수립·조정 및 지도, 해양상황의 접수·처리·전파 및 보고, 해상교통관제(VTS) 정책 수립 및 기술개발, 해상교통관제센터의 설치·운영, 해상교통관제센터의 항만운영 정보 제공, 해상교통관제 관련 국제교류·협력 등이다(동령 제11조). 또한 수사정보국의 임무는 수사업무 및 범죄첩보에 관한 기획·지도 및 조정, 범죄통계 및 수사 자료의 분석, 해양과학수사업무에 관한 기획·지도 및 조정, 정보업무의 기획·지도 및 조정, 정보의 수집·분석 및 배포, 보안경찰업무의 기획·지도 및 조정, 범죄의 수사, 외사경찰업무의 기획·지도 및 조정, 국제형사 관련 업무 등이다.

해양경찰청의 대테러 관련 임무는 해양테러에 관한 대비책의 수립·시행, 해양테러사건 발생시 해양테러사건 대책본부의 설치·운영 및 관련 상황의 종합처리, 테러특공대 및 폭발물 처리반의 편성·운영, 해양 테러전술에 관한 연구개발 및 필요 장비·시설의 확보, 해양안전을 위한 국제조약의 체결과 국제기구에의 가입 등 지원, 국제경찰기구 등과의 해양 테러대응체제의 유지 등이다. 특히 해양에서 테러사건 발생시 해경청장을 위원장으로 하는 해양테러사건 대책본부를 두어 관련대책을 총괄 수립 집행하고, 경비국 산하에 해양경찰특공대를 지휘하여 무력진압작전을 실시한다. 이때 국무총리실의 대테러센터와 국정원의 테러정보통합센터와 원활하고 긴밀한 테러정보 공유체계를 유지해야 한다.

7. 기타 정보업무 수행기관

외교부는 해외공관 등을 통해 각국과의 외교 및 무역정책과 관련된 정보를 수집한다. 해외에서 테러사건이 발생할 경우 국외테러사건대책본부를 설치 운영한다. 통일부는 남북회담과 교류지원 및 국내외 통일 환경 조성과 관련된 정보를 수집하고 북한 이탈주민 보호활동을 한다. 법무부는 출입국관리국 산하에 출입국

사무소를 두고 내외국인의 출입을 관리하며 검찰에서는 범죄정보 수집을 위해 대검찰청 및 지방검찰청에 정보수집요원을 두고 있다. 과학기술정보통신부는 간첩통신을 수집하고 전파의 감시 정보보호 활동을 하며 사법기관의 요구에 의해 우편물 검사도 실시한다. 첨단 과학기술 정보를 수집하고 수집된 과학기술 정보자료를 관리한다. 관세청에서는 밀수사범 단속을 위한 정보를 국세청에서는 외화밀반출과 같은 국세 탈출행위 단속을 위한 정보를 수집한다.

Ⅴ. 테러방지법상 정보활동의 범위와 한계

1. 정보활동 허용 범위

「테러방지법」에서 허용하고 있는 정보활동의 범위는 테러위험인물과 시설 및 물질에 대한 정보수집·관리이다. 먼저 테러위험인물에 대한 정보활동은 동법 제9조에 규정하고 있다. 동법 제9조에 따르면 국정원은 테러위험인물에 대하여 출입국·금융거래 및 통신이용 등 관련정보를 수집할 수 있고(제1항), 개인정보와 위치정보도 수집할 수 있다(제3항)고 규정하고 있다. 다음에서 세부적으로 살펴본다.

우선 테러위험인물에 대해서는 동법 제2조 제3호에서 '테러위험인물'이란 테러단체의 조직원이거나 테러단체 선전, 테러자금 모금·기부, 그 밖에 테러 예비·음모·선전·선동을 하였거나 하였다고 의심할 상당한 이유가 있는 사람으로 정의하고 있다. 여기서 '테러단체'는 동법 제2조 제2호에 따라 UN이 지정한 테러단체로 2016년 12월 기준으로 알 카에다, 탈레반 등 총 81개 단체가 테러단체로 지정되어 있다.[14)]

출입국 관련정보에는 내국인인 경우 그가 출입국한 사실 또는 출국을 시도한 사실 등에 관한 기록을 말하고, 외국인인 경우는 출입국에 관한 사실 이외에 「출입국관리법」 제32조에 따른 외국인 등록사항뿐만 아니라[15)] 동법 제38조 및 동

---

14) 테러단체에 관한 세부 내용은 제7장 제3절, 제9잘 제4절 참조.

15) 외국인 등록사항에는 ① 성명, 성별, 생년월일 및 국적, ② 여권의 번호·발급일자 및 유효기간, ③ 근무처와 직위 또는 담당업무, ④ 본국의 주소와 국내 체류지, ⑤ 체류자격과 체류기간, ⑥ 그 외에 법무부령으로 정하는 사항(입국일자 및 입국항, 사증에 관한 사항, 동반자에 관한 사항, 세대주 및 세대주와의 관계, 사업자 등록번호) 등이 있다.

시행 규칙 제19조의3에 따른 양쪽 집게손가락의 지문과 얼굴에 관한 정보까지를 포함한다. 나아가 동법 제81조에 따라 출입국관리공무원이 해당 외국인이 적법하게 체류하고 있는지에 대해 조사한 동향자료까지도 포함한다. 또한 내·외국인을 막론하고 동법 제73조의2에 따라 입국 자료 즉, 성명, 성별, 생년월일 및 국적, 여권번호와 예약번호, 출항편, 출항지 및 출항시간, 입항지와 입항시간 등과 출국 자료 즉, 성명, 국적, 주소 및 전화번호, 여권번호, 여권의 유효기간 및 발급국가, 예약 및 탑승수속 시점, 여행경로와 여행사, 동반 탑승자와 좌석번호, 수하물(手荷物), 항공권의 구입대금 결제방법, 여행출발지와 최종목적지, 예약번호 등을 포함한다. 이를 근거로 「출입국관리법」에서는 외국인인 테러위험인물이 대한민국의 이익이나 공공의 안전을 해치는 행동을 할 염려가 있다고 인정할 만한 상당한 이유가 있는 경우 입국을 금지할 수 있고(동법 제11조 제1항 제3호), 이미 체류 중인 경우에는 출국을 정지할 수 있다(동법 제29조). 「테러방지법」 제2조 제4호는 외국인테러전투원으로 출국하려 한다고 의심할 만한 상당한 이유가 있는 내국인·외국인에 대해서는 동법 제13조에 따라 일시 출국금지를 법무부장관에게 요청할 수 있다. 관계기관의 장은 외국인테러전투원으로 가담한 사람에 대하여 「여권법」 제13조에 따른 여권의 효력정지 및 같은 법 제12조 제3항에 따른 재발급 거부를 외교부장관에게 요청할 수 있다(동법 제13조 제3항). 이러한 정보의 수집은 「출입국관리법」의 절차에 따르도록 하고 있어 형사소송법상 영장주의 적용 대상이 아니다.

금융거래 관련정보는 「테러방지법」 제9조 제1항에 규정되어 있다. 국정원은 테러위험인물에 대한 조사업무에 필요하다고 인정하는 경우 금융정보분석원에 테러위험인물에 대한 금융거래 관련 정보의 제공을 요구할 수 있다. 다만 정보제공의 요청과 열람절차는 「특정 금융거래정보의 보고 및 이용 등에 관한 법률」(특정 금융정보법)에 따른다. 따라서 이러한 요구는 대상자의 인적사항, 사용목적, 요구하는 정보의 내용, 범죄혐의 등 정보의 필요성과 사용 목적과의 관련성 등을 기재한 문서로 하여야 한다(동법 제7조 제5항). 특별한 요구가 없는 경우에도, 금융정보분석원에서는 금융회사 등이 보고한 정보 및 외국의 금융정보 분석기구로부터 제공받은 정보 또는 금융정보분석원에서 이들 정보를 정리하거나 분석한 정보 중에서 테러위험인물에 대한 조사 업무에 필요하다고 인정되는 정보를 제공한다

(동법 제7조 제1항). 여기서 '금융회사 등이 보고한 정보'라 함은 「특정금융정보법」 제4조 제1항에 따른 불법재산 등으로 의심되는 거래[16] 또는 동법 제4조의2에 따른 고액 현금거래를 말한다.[17] 또한 이러한 정보를 분석한 결과 테러에 이용되었거나 이용될 가능성이 있는 금융거래에 대해서는 국정원장이 지급정지 등의 조치를 취하도록 금융위원회 위원장에게 요청할 수 있다(테러방지법 제9조 제2항). 한편, 금융위원회는 「테러자금금지법」 제4조 제1항에 따라 개인・법인 또는 단체가 테러자금 조달과 관련되어 있는 것으로 판단되는 때에는 그 개인・법인 또는 단체를 "금융거래 등 제한대상자"로 지정 및 고시하여 금융거래 등을 제한할 수 있다.

통신이용 관련정보는 「통신비밀보호법」(통비법)에 따라 우편물의 검열・전기통신의 감청 또는 통신사실확인자료의 제공요청[18] 또는 타인간의 대화에 대한 녹음 등의 방법을 통해 수집되는 정보가 해당된다. 수집 절차는 국가안전보장에 대한 상당한 위험이 예상되는 경우 또는 대테러활동에 필요한 경우에 한하여 그

---

16) 제4조 (불법재산 등으로 의심되는 거래의 보고 등) ① 금융회사 등은 다음 각 호의 어느 하나에 해당하는 경우에는 대통령령으로 정하는 바에 따라 지체 없이 그 사실을 금융정보분석원장에게 보고하여야 한다.
1. 금융거래와 관련하여 수수(授受)한 재산이 불법재산이라고 의심되는 합당한 근거가 있는 경우
2. 금융거래의 상대방이 금융실명거래 및 비밀보장에 관한 법률 제3조제3항을 위반하여 불법적인 금융거래를 하는 등 자금세탁행위나 공중협박자금조달행위를 하고 있다고 의심되는 합당한 근거가 있는 경우
3. 범죄수익은닉 의 규제 및 처벌 등에 관한 법률 제5조제1항 및 공중 등 협박목적 및 대량살상무기 확산을 위한 자금조달 행위의 금지에 관한 법률 제5조제2항에 따라 금융회사 등의 종사자가 관할 수사기관에 신고한 경우

17) 제4조의2 (금융회사 등의 고액 현금거래 보고) ① 금융회사 등은 5천만 원의 범위에서 대통령령으로 정하는 금 액 이상의 현금(외국통화는 제외한다)이나 현금과 비슷한 기능의 지급수단으로서 대통령령으로 정하는 것 (이하 "현금 등"이라 한다)을 금융거래의 상대방에게 지급하거나 그로부터 영수(領收)한 경우에는 그 사실 을 30일 이내에 금융정보분석원장에게 보고하여야 한다. 다만, 다음 각 호의 어느 하나에 해당하는 경우에 는 그러하지 아니하다.
1. 다른 금융회사 등(대통령령으로 정하는 자는 제외한다)과의 현금 등의 지급 또는 영수
2. 국가, 지방자치단체, 그 밖에 대통령령으로 정하는 공공단체와의 현금 등의 지급 또는 영수
3. 자금 세탁의 위험성이 없는 일상적인 현금 등의 지급 또는 영수로서 대통령령으로 정하는 것

18) 「통비법」 제2조 제11호에 따르면, 통신사실확인자료는 가입자의 전기통신일시, 전기통신개시・종료시간, 발・착신 통신번호 등 상대방의 가입자번호, 사용도수, 컴퓨터통신 또는 인터넷의 사용자가 전기통신역무를 이용한 사실에 관한 컴퓨터통신 또는 인터넷의 로그기록자료, 정보통신망에 접속된 정보통신기기의 위치를 확인할 수 있는 발신기지국의 위치추적자료, 컴퓨터통신 또는 인터넷의 사용자가 정보통신망에 접속하기 위하여 사용하는 정보통신기기의 위치를 확인할 수 있는 접속지의 추적자료 등 전기통신사실에 관한 자료를 말한다.

위해를 방지하기 위한 정보수집이 특히 필요한 때에 통신의 일방 또는 쌍방당사자가 내국인인 경우에는 고등법원 수석부장판사의 허가를 받아야 하고, 대한민국에 적대하는 국가, 반국가활동의 혐의가 있는 외국의 기관・단체와 외국인, 대한민국의 통치권이 사실상 미치지 아니하는 한반도 내의 집단이나 외국에 소재하는 그 산하단체의 구성원의 통신인 때 및 위 작전수행을 위한 군용전기통신의 경우에는 서면으로 대통령의 승인을 얻어야 한다(동법 제7조 제1항). 여기서 '허가'에 관하여는 「통비법」 제7조 제3항에 따라 동법 제6조 제2항의 범죄수사를 위한 통신제한 조치의 절차에 의하므로, 정보수집기관은 검사에 대하여 신청하고 검사의 청구에 의하여 법원이 허가한다.

통신제한조치의 청구는 필요한 통신제한조치의 종류・그 목적・대상・범위・기간・집행장소・방법 및 당해 통신제한조치가 허가요건을 충족하는 사유 등의 청구이유를 기재한 서면으로 하여야 하며, 청구이유에 대한 소명자료를 첨부하여야 한다. 이 경우 동일한 범죄사실에 대하여 그 피의자 또는 피내사자에 대하여 통신제한조치의 허가를 청구하였거나 허가받은 사실이 있는 때에는 다시 통신제한조치를 청구하는 취지 및 이유를 기재하여야 한다. 한편, 통신제한조치는 4월을 초과하지 못하고, 그 기간 중 통신제한조치의 목적이 달성되었을 경우에는 즉시 종료하여야 하되, 고등법원 수석부장판사의 허가 또는 대통령의 승인을 얻어 4월의 범위 이내에서 통신제한조치의 기간을 연장할 수 있다(동법 제7조 제2항). 다만, 국가안보를 위협하는 음모행위, 직접적인 사망이나 심각한 상해의 위험을 야기할 수 있는 범죄 또는 조직범죄 등 중대한 범죄의 계획이나 실행 등 긴박한 상황에 있고 통신제한조치의 요건을 구비한 자에 대하여 통신제한조치허가 절차를 거칠 수 없는 긴급한 사유가 있는 때에는 법원의 허가 없이 통신제한조치를 할 수 있다(동법 제8조 제1항). 이러한 긴급통신제한조치의 경우에는 미리 검사의 지휘를 받아야 하지만 특히 급속을 요하여 미리 지휘를 받을 수 없는 사유가 있는 경우에는 긴급통신제한조치의 집행착수 후 지체 없이 검사의 승인을 얻어야 한다(동법 제8조 제3항). 이러한 절차에 위반하여, 불법검열에 의하여 취득한 우편물이나 그 내용 및 불법감청에 의하여 지득 또는 채록된 전기통신의 내용은 재판 또는 징계절차에서 증거로 사용할 수 없다(동법 제4조).

테러위험인물에 대한 개인정보에는 "살아 있는 개인에 관한 정보로서 성명,

주민등록번호 및 영상 등을 통하여 개인을 알아볼 수 있는 정보"(「개인정보보호법」 제2조 제1호)뿐만 아니라 "사상 · 신념, 노동조합 · 정당의 가입 · 탈퇴, 정치적 견해, 건강, 성생활 등에 관한 정보, 그 밖에 정보주체의 사생활을 현저히 침해할 우려가 있는" 민감정보(동법 제23조) 등이 해당된다. 위치정보는 「위치정보의 보호 및 이용 등에 관한 법률」(위치정보법) 제2조 제1호에 의거 "이동성이 있는 물건 또는 개인이 특정한 시간에 존재하거나 존재하였던 장소에 관한 정보로서 「전기통신사업법」 제2조 제2호 및 제3호에 따른 전기통신설비 및 전기통신회선설비를 이용하여 수집된 것"이 해당된다. 위치정보에 대한 요청은 '위치정보시스템을 통한 방식'으로 하여야 하며, 이러한 요청에 따라 개인위치정보를 제공하는 경우 위치정보사업자는 마찬가지로 '위치정보시스템을 통한 방식'으로 제공하여야 한다(동법 제30조 제1항). 이 경우 위치정보사업자는 국회 관련 상임위에 개인위치정보의 요청 및 제공에 관한 자료를 매 반기별로 보고하여야 한다(동법 제30조 제2항). 국정원은 테러위험인물에 대한 위치정보를 요청한 때에는 요청자, 요청 일시 및 목적, 위치정보사업자로부터 제공받은 내용, 위치정보시스템 접속 기록 등을 전자적으로 기록 · 보관하여야 한다(동법 제29조 제9항).

다음으로 테러의 대상 시설과 위험물질 등 대테러활동 차원에서 이루어지는 관계기관의 정보활동이다. 여기서 대테러활동이란 「테러방지법」 제2조 제6호에 "대테러활동"이란 테러 관련 정보의 수집, 테러위험인물의 관리, 테러에 이용될 수 있는 위험물질 등 테러수단의 안전관리, 인원 · 시설 · 장비의 보호, 국제행사의 안전 확보, 테러위협에의 대응 및 무력진압 등 테러 예방과 대응에 관한 제반 활동으로 정의하고 있다. 따라서 테러위험인물의 관리를 위한 정보수집 이외 대테러활동을 위한 정보나 자료의 수집도 가능하다. 또 동조 제8호에 "대테러조사"란 대테러활동에 필요한 정보나 자료를 수집하기 위하여 현장조사 · 문서열람 · 시료채취 등을 하거나 조사대상자에게 자료제출 및 진술을 요구하는 활동을 말한다고 규정하고 있다. 나아가 동법 제9조 제4항은 대테러조사뿐만 아니라 테러위험인물에 대한 추적도 가능하도록 허용하고 있다. 여기에서 대테러활동에 필요한 정보나 자료를 수집할 수 있는 주체는 누구인가라는 의문을 제기할 수 있는데 동법 제10조에 의하면 이러한 대테러활동의 주체를 관계기관의 장으로 규정하고 있다. 이때 관계기관에는 국가기관, 지방자치단체, 그 밖에 「공공기관의 운영에 관한 법률」 제4조에 따른 공공기관과 「지방공기업법」 제2조에 따른 지방공기업이 해당한다(테러방지법 제2조 제7호 및 시행령 제2조). 따라서 국가기관에는 「테러방지법」 제5조(국가테러대책위원회) 및 시행령 제3조(테러대책위원회 구성)에서 정한 내용으로 볼 때 기획재정부, 외교부, 통일부, 법무부, 국방부, 행정안전부, 산업통상자원부, 보건복지부, 환경부, 국토교통부, 해양수산부, 금융위원회, 국정원, 대통령경호처, 국무조정실, 관세청, 경찰청 및 원자력안전위원회 등이 포함되는 것으로 보인다.

2. 정보활동 한계와 통제

이처럼 대테러 관련 정보의 수집활동에 대한 법적 권한을 국정원을 비롯한 관계기관의 장에게 부여하고 있으나 그 업무의 범위에 일정한 한계가 있다.[19]

첫째, 위에서 살펴본 것처럼 국정원에 테러위험인물에 대한 정보활동을 폭넓게 허용하고 있어 그에 대한 출입국·금융거래 및 통신이용 등 관련 정보뿐만 아니라 개인정보와 위치정보도 수집할 수 있게 하였다. 또한 이러한 필요한 정보나 자료를 수집하기 위하여 대테러조사뿐만 아니라 테러위험인물에 대한 추적도 가능하도록 허용하고 있어 너무 권한이 지나쳐 남용될 여지가 있다.

둘째, 테러의 대상 시설과 위험물질 등 대테러활동 차원에서 이루어지는 관계기관의 정보활동이다. 여기서 이루어지는 정보활동의 범위는 「테러방지법」 제2조 제6호에 규정된 테러 관련 정보의 수집, 테러위험인물의 관리, 테러에 이용될 수 있는 위험물질 등 테러수단의 안전관리, 인원·시설·장비의 보호, 국제행사의 안전확보, 테러위협에의 대응 및 무력진압 등 테러 예방과 대응에 관한 제반 활동으로 너무 광범위하다. 그런데 관계기관이 어떻게 정보활동을 할 것인가에 대해 절차 규정을 두고 있지 않다.

셋째, 법적인 내재적 한계로 「테러방지법」의 제정 목적과 국가 및 지방자치단체의 책무 등을 감안할 때 법에서 허용하는 정보활동의 범위가 제한적이라는 것이다. 즉 동법 제1조(목적)의 규정을 감안할 때 테러관련 정보활동은 테러의 예방 및 대응 활동에 필요한 경우에 한하여 이루어져야 하고, 국가 및 지방자치단체는

19) 황문규, "테러방지법상 정보활동의 범위와 한계", 『경찰법연구』, 14권 1호(2016), pp. 45-54.

국민의 기본적 인권이 침해당하지 아니하도록 최선의 노력을 하여야 하며(동법 제3조 제2항), 해당 공무원은 헌법상 기본권을 존중하고 헌법과 법률에서 정한 적법절차를 준수하여야 한다(동법 제3조 제3항)는 것이 그것이다.

넷째, 그럼에도 불구하고 정보활동에 대한 우려가 있는 것이 현실인데 우선 테러의 개념이 다소 모호하기 때문에 어떤 행위를 테러로 보느냐에 따라 정보활동의 범위도 무제한적으로 확대될 수 있다는 것이다. 특히 「테러방지법」 제2조 제1호에서 테러의 개념을 적시하면서 "국가·지방자치단체의 권한행사를 방해할 목적으로"라는 부분이 정부정책에 반대해서 항의하는 집회·시위까지도 테러행위에 포함될 수 있기 때문에 집회·시위에 대한 대테러정보활동도 가능하다는 이견이 있다. 또한 동법 제9조에 따른 정보수집의 대상인 테러위험인물의 지정 절차에 관하여 명시적인 규정이 없어 위험인물 지정의 주체, 방식, 절차, 그리고 지정으로부터 해제의 요건과 절차, 해제시 수집된 정보의 폐기여부 등에 대해 대테러기관의 자의적 판단이 개입될 소지가 있다.

이처럼 테러방지법상 정보활동은 테러의 예방 및 대응 활동에 필요한 경우에 한하여 헌법과 법률에서 정한 적법절차에 따라 이루어져야 한다는 한계에도 불구하고, 모호한 테러의 개념 및 테러위험인물의 지정·해제에 관한 절차의 미비로 인해 무차별적이고 무제한적인 정보활동을 차단할 장치가 충분히 마련되어 있지 못하다. 따라서 우리나라는 이러한 정보활동에 대해 「테러방지법」 등에 적절한 통제규정을 두고 있다. 다음에서 살펴보면 아래와 같다.

첫째, '대테러 인권보호관'에 의한 통제다. 「테러방지법」 제7조는 관계기관의 대테러활동으로 인하여 국민의 기본권이 침해되는 것을 방지하기 위하여 테러대책위원회 소속으로 대테러 인권보호관 1명을 두도록 규정하고 있다.[20] 이러한 인권보호관 규정은 그동안 테러방지법 제정 과정에서 논의된 대테러활동 과정에서 나타날 수 있는 인권침해의 위험성 때문이다. 미국의 경우도 2004년 국가정보국(ODNI)산하에 국가대테러센터(NCTC: National Counterterrorism Center)를 설치하면서 동시에 시민의 자유보호실(CLPO: Civil Liberties Protection Officer)을 두고 있다.[21] CLPO의 임무는 정보공동체의 업무수행 과정에서 야기될지도 모르는 인

20) 대테러 인권보호관 임무 등 세부 사항은 제7장 제1절 참조.
21) 미국은 2003년 5월 1일 대통령 명령 제13354호를 발령하여 테러위협정보센터(TTIC: Terrorist Threat Intelligence Center)를 CIA 내에 설치하였다가 2004년 5월 명칭을 국가대테러센터

권침해를 예방하고 구제책을 강구하여 일반 시민들의 자유와 사생활을 최대한 보장하는 역할을 수행한다.

둘째, 정보활동과정의 절차상 통제다. 테러위험인물에 대한 정보의 수집은 관련 법률의 절차에 따르도록 하고 있다. 즉 「테러방지법」 제9조 제1항에 따라 출입국·금융거래 및 통신이용 등 관련 정보의 수집에 있어서는 출입국관리법, 관세법, 특정금융정보법, 통비법 등의 절차에 따라야 한다. 따라서 통신이용 등에 관한 정보를 수집하는 경우에는 앞에서 언급한 바와 같이 원칙적으로 검사의 청구에 의한 법원의 통신제한조치 허가서를 받아야 한다. 통신제한 조치를 집행한 경우 정보수사기관의 장은 그 집행을 종료한 날부터 30일 이내에, 우편물 검열의 경우에는 그 대상자에게, 감청의 경우에는 그 대상이 된 전기통신의 가입자에게 통신제한조치를 집행한 사실과 집행기관 및 그 기간 등을 서면으로 통지하여야 한다(통비법 제9조의2 제3항). 다만, 통신제한조치를 통지할 경우 국가의 안전보장·공공의 안녕질서를 위태롭게 할 현저한 우려가 있는 때, 통신제한조치를 통지할 경우 사람의 생명·신체에 중대한 위험을 초래할 염려가 현저한 때에는 그 사유가 해소될 때까지 통지를 유예할 수 있다(통비법 제9조의2 제4항). 이 경우에도 소명자료를 첨부하여 미리 관할 지방검찰청 검사장의 승인을 얻어야 하며, 그 사유가 해소된 때에는 그 사유가 해소된 날부터 30일 이내에 통지를 하여야 한다(통비법 제9조의2 제5-6항). 또한 금융거래에 관한 정보제공을 요청하는 경우에는 문서로 하여야 하고 금융정보를 제공한 경우에 금융정보분석원장은 제공일자 등을 기록하여 5년간 보존 하여야 하고(특정금융정보법 제7조 제7항), 원칙적으로 제공한 날부터 10일 이내에 제공한 거래정보의 주요 내용, 사용 목적, 제공받은 자 및 제공일 등을 명의인에게 통보하여야 한다(동법 제7조의2 제1항). 다만, 해당 통보가 사람의 생명이나 신체의 안전을 위협할 우려가 있는 경우 또는 해당 통보가 증거인멸, 증인 위협 등 공정한 사법절차의 진행을 방해할 우려가 명백한 경우를 이유로 통보의 유예를 서면으로 요청받은 경우에는 6개월의 범위에서 통보를 유예하여야 한다(동법 제7조의2 제2항). 또한 「테러방지법」 제9조 제4항에 대테러활동에 필요한 정보수집을 위하여 대테러조사 및 테러위험인물에 대한 추

(NCTC: National Counterterrorism Center)로 변경하여 국가정보국(ODNI) 산하에 설치하였다(제9장 제3절 참조).

적을 하는 경우에는 사전 또는 사후에 테러대책위원회 위원장에게 보고하도록 하고 있다. 다만 현실적으로 테러대책위원회 위원장은 국무총리인데 우리나라의 대통령제 하에서 대통령 직속기관인 국정원장이 국무총리에게 보고하도록 하는 것만으로 충분한 통제가 될 것인지는 의문이 있다.

셋째, 의회를 통한 민주적 통제다. 이러한 점에서 국회를 통한 통제를 강화할 필요가 있다. 정보기관의 정보활동이 정보통신기술의 발달로 과거와 달리 개인의 기본권을 직접적으로 침해할 가능성이 높아졌다는 점에서 통제의 필요성은 더욱 크다고 할 수 있다. 앞서 지적한 바와 같이 테러관련 정보수집활동에 국정원의 권한이 강화된 만큼 이러한 국정원의 활동을 감시하고 견제하기 위한 국회 정보위원회의 실질적인 통제권이 행사될 수 있도록 해야 한다. 현행 국회 정보위원회에서는 국정원의 예산안 및 결산에 대한 심사를 통해 국정원의 활동을 견제하고 감독하지만 국정원의 업무특성에 따른 기밀유지 의무로 인해 이러한 견제와 감독이 얼마나 실효적인지는 의문이다. 정보위원회 회의를 비공개로 하고(국회법 제54조의2 제1항), 위원 및 소속공무원의 직무상 알게 된 국가기밀에 속하는 사항을 공개하거나 타인에게 누설하는 것을 금지하고 있다(동조 제2항). 또한 「국정원법」 제12조 제5항에 따라 국정원의 예산심의는 비공개로 하며, 정보위원회 위원은 국정원의 예산내역을 공개하거나 누설을 금지하고 있다고 규정하고 있고, 동법 제13조 제1항에서는 국정원장에게 국회예산결산심사 및 안건심사에 있어 국가의 안전 보장에 중대한 영향을 미치는 국가기밀 사항에 한하여 그 사유를 소명하고 자료의 제출 또는 답변을 거부할 수 있는 권한을 부여하고 있다. 때문에 대테러활동에 대한 국회 정보위원회를 통한 통제의 실효성을 담보할 수 있도록 전문성이 강화된 감독체계로 보완할 필요가 있다.

넷째, 「정보공개법」에 의한 통제다. 정보공개는 민주주의의 알권리 차원에서 국민이 국가행정의 다양한 의사결정에 직·간접적으로 참여하는 데 요구되는 충분한 정보를 제공해야 한다는 취지이다. 정보공개제도는 공공기관이 보유·관리하고 있는 정보에 대해 국민의 공개청구에 의하거나 공공기관의 공개의무에 따라 필요한 사항을 정하여 국민에게 제공하는 것이다. 이러한 취지에 따라 우리나라도 2004년 「공공기관의 정보공개에 관한 법률」(정보공개법)을 제정하여 시행중이다. 동법 제1조(목적)에 의하면 공공기관이 보유·관리하는 정보에 대한 국민의 공개 청구 및 공공기관의 공개 의무에 관하여 필요한 사항을 정함으로써 국민의 알권리를 보장하고 국정(國政)에 대한 국민의 참여와 국정 운영의 투명성을 확보함을 목적으로 한다고 규정하고 있다. 공공기관이 보유·관리하는 정보는 국민의 알권리 보장 등을 위하여 이 법에서 정하는 바에 따라 적극적으로 공개하여야 한다고 정보공개의 원칙을 천명하고 있다(동법 제3조). 다만 국가안전보장에 관련되는 정보 및 보안 업무를 관장하는 기관에서 국가안전보장과 관련된 정보의 분석을 목적으로 수집하거나 작성한 정보에 대해서는 이 법을 적용하지 아니한다고 규정하고 있다(동법 제4조). 이에 따라 모든 국민은 정보의 공개를 청구할 권리를 가지고(동법 제5조), 공공기관은 정보의 공개를 청구하는 국민의 권리가 존중될 수 있도록 정보의 적절한 보존과 신속한 검색이 이루어지도록 정보관리체계를 정비하고, 정보공개 업무를 주관하는 부서 및 담당하는 인력을 적정하게 두어야 하며, 정보통신망을 활용한 정보공개시스템 등을 구축하도록 노력하여야 한다고 공공기관의 의무를 규정하고 있다(동법 제6조). 이상의 「정보공개법」 상의 규정 취지를 볼 때, 정보공개는 국민 개개인의 청구에 의하거나 각종 법령에 의해 공공기관이 의무적으로 공표하거나 자발적으로 공개하는 경우 등을 말한다. 즉, 청구에 의한 정보공개뿐만 아니라 적극적으로 공공기관이 보유 관리하고 있는 일체의 정보를 공개하는 것으로 해석해야 할 것이다.

「정보공개법」의 의의는 정부가 주권자인 국민의 의사가 올바로 정책에 반영되기 위해서 자발적이고 광범위하면서도 정확하게 제공하여야 한다. 이로써 정부는 국가행정에 대한 국민의 참여 욕구를 충족시켜 줌은 물론, 정책추진 과정을 투명하게 공개함으로써 민주적 절차에도 부합하고 국민과의 공감대를 형성함으로써 갈등을 사전에 예방할 수 있는 것이다. 정보기관은 특성상 다른 부처에 비해 비밀주의 성향이 강하며 투명성이 낮아 일반 국민들은 정보기관의 구체적 활동이 어떠한 경로와 합의를 걸쳐 결정되는지 등에 대해 알기도 어렵고 알 수 있는 방법도 거의 없다. 따라서 정보기관 자의적 편의와 효율성을 이유로 정보 공개에 소극적이고 부정적이다. 따라서 「정보공개법」을 통한 정보기관의 통제는 정보기관의 고유성을 유지시켜 주면서도 책임성을 동시에 구현하는 효과가 있을 것이다.

제2절 민간경비

Ⅰ. 민간경비 개념

민간경비(Private Security)란 공적 차원이 아닌 민간차원에서 이루어지는 안전 내지 보호활동이라고 할 수 있다. 어휘적으로 보면 Private는 민간(民間) 혹은 사적(私的)이라는 의미를 가지며, Security는 안전 혹은 경비・보안(保安)이라는 의미를 갖는다. 또 다른 측면에서 현대적 의미의 민간경비는 산업(Industry)과 밀접한 관련성이 있다. 예전에는 민간경비가 주로 범죄로부터 재산과 인명에 대한 보호업무에 국한 되었지만, 현대는 출입통제나 자산보호뿐만 아니라 환경설비, 바이오 매트릭스 모니터링 등 하나의 Security산업으로서 발전하여 주택이나 건물내의 경비・보안과 냉난방, 화재예방 등이 하나의 관리시스템에 의해 이루어지는 형태로 발전하고 있다. 이러한 산업으로의 민간경비는 개념상에 영리성과 전문성・직업성 등을 포함하는 것으로 보아야 할 것이다. 이때 민간경비는 신변과 재산보호뿐만 아니라 경비를 의뢰하는 고객의 마음까지도 사로잡아 가장 편안한 상태를 제공하는 서비스 개념을 포함하는 것으로 볼 수 있다. Kakalik & Wildhorn (1971)은 민간경비를 일반적으로 민간조직과 개인이 제공하는 경호・경비・순찰・호송 등 모든 종류의 경비 서비스를 의미하는 것으로 보고 있다.[22] 국내 학자들은 민간경비를 여러 가지 위해로부터 개인의 이익이나 생명 및 재산을 보호하기 위하여 의뢰자에게 경비 및 안전에 관련된 서비스를 제공하는 영리기업을 말한다고 정의하고 있다. 또는 인간의 실수나 비상사태, 또는 재난이나 범죄 등에 의해 야기되는 손실을 예방하기 위하여 인적・물적 그리고 절차적으로 일정한 서비스를 제고하는 영리기업으로 정의하기도 한다. 이처럼 민간경비는 기본적인 목적이 개인의 생명과 사회적 재산을 보호하고 손실을 예방하는 것으로써 넓게는 범죄(Crime)를 포함하여 낭비(Waste), 사고(Accidents), 테러(Terror), 비윤리

---

22) Kakalik, James S & Wildhorn, Sorrel, *The private police industry: its nature and extent*, Santa Monica, Calif., Rand(1971), p. 3.

적 활동(Unethical Practices) 등의 다섯 가지 유형의 위해를 통제하는 역할을 수행하는 것 등으로 다양하게 정의하고 있다.

우리나라 「경비업법」 제2조(정의)는 "경비업무"라 함은 ① 시설경비업무: 경비를 필요로 하는 시설 및 장소(이하 "경비대상시설"이라 한다)에서의 도난·화재 그 밖의 혼잡 등으로 인한 위험발생을 방지하는 업무, ② 호송경비업무: 운반 중에 있는 현금·유가증권·귀금속·상품 그 밖의 물건에 대하여 도난·화재 등 위험발생을 방지하는 업무, ③ 신변보호업무: 사람의 생명이나 신체에 대한 위해의 발생을 방지하고 그 신변을 보호하는 업무, ④ 기계경비업무: 경비대상시설에 설치한 기기에 의하여 감지·송신된 정보를 그 경비대상시설외의 장소에 설치한 관제시설의 기기로 수신하여 도난·화재 등 위험발생을 방지하는 업무, ⑤ 특수경비업무: 공항(항공기를 포함한다) 등 대통령령이 정하는 국가중요시설의 경비 및 도난·화재 그 밖의 위험발생을 방지하는 업무 등으로 규정하고 있다. 우리나라에서 민간경비라는 용어가 등장한 것은 1995년 「경비업법」개정에 따라 탄생한 경비지도사 자격증 취득을 위한 시험과목을 정하면서 동법 시행령에서 외국의 Private Security를 민간경비로 번역한 것이 최초라고 한다.

위와 같이 민간경비에 대한 정의는 학자에 따라 약간의 차이를 보이고 있다. 결론적으로 민간경비란 국민의 생명과 신체 그리고 재산보호, 질서유지를 위해 개인·단체 그리고 영리기업이 행하는 일련의 모든 예방적 활동을 말한다고 정의할 수 있다. 이는 경찰에 의해 실시되는 공경비(公警備, Public Law Enforcement)와 구별되는 개념으로 공경비는 법의 집행과 관련하여 국가가 강제권을 가지고 국민의 생명과 재산보호, 그리고 사회질서 유지를 위해 법집행에 대한 업무를 수행하는 제반활동을 말한다. 즉 경찰은 공공재의 성격을 띠고 있어서 세금을 많이 낸 사람이나 적게 낸 사람이나 모두 동등하게 서비스 제공을 받지만 민간경비 활동은 보수 내지 대가를 지불한 특정 의뢰자에게 경비서비스를 제공한다는 것이다. 이처럼 공경비와 민간경비는 공통적인 목표를 가지며 상호 협력적인 관계를 유지하고 있는 것이다.

Ⅱ. 민간경비 유형

민간경비의 유형은 「경비업법」 제2조(정의)에 시설경비, 호송경비, 신변보호, 기계경비, 특수경비 등 다섯 가지로 나누고 있다.

시설경비는 경비를 필요로 하는 시설 및 장소에서의 도난 · 화재 그 밖의 혼잡 등으로 인한 위험발생을 방지하는 업무로 가장 일반적인 형태라고 볼 수 있다. 우리의 일상생활주변에서 흔히 보는 빌딩, 사무실, 주택, 창고, 상가, 공장, 공항 등의 시설을 경비하는 것을 말한다. 시설경비의 방법은 경비를 목표로 하는 대상물에 CCTV나 감지기 등 장비를 설치하여 기계에 의한 경비를 하는 방법과 경비본부나 경비실을 설치하고 경비원이 상주하면서 경비하는 방법이 있으나 통상 두 가지를 병행하여 장비를 통해 침입자를 감시하고 경비원이 직접 일정지역을 순회 · 순찰하는 방법으로 경비 임무를 수행하고 있다.

호송경비는 운반 중에 있는 현금 · 유가증권 · 귀금속 · 상품 그밖의 물건에 대하여 도난 · 화재 등 위험발생을 방지하는 업무로 통상 복수의 경비원이 실시한다. 호송경비의 목적은 사고방지, 인원 및 물자의 보호와 신속하고 안전한 이동이다. 호송경비 운용방식으로 혼자서 하는 단독호송과 조를 편성하여 하는 편성호송이 있고, 또한 호송경비업체 소유의 호송차량이나 일반차량을 이용하여 호송경비와 운송을 겸하는 통합호송, 운송차량에 호송경비원이 동승하여 호송경비를 수행하는 동승호송, 호송경비원이 호송상품을 직접 휴대하며 호송하는 휴대호송 등이 있다.

신변보호는 사람의 생명이나 신체에 대한 위해의 발생을 방지하고 그 신변을 보호하는 업무로 위해상황 발생 시 위해 기도자를 제압하는 목적보다 방어를 우선적으로 하는 것이 특징이다. 이러한 신변보호는 납치, 폭행, 스토킹 등 외부의 정신적 · 신체적인 위협으로부터 의뢰자의 신변을 방어를 할 수 있어야 하고 권위와 명예를 유지시킬 수 있어야 한다. 공경비에서의 신변보호는 보호대상자의 생명과 신체를 직접 · 간접 위해로부터 보호하는 것으로 경호라고 하고 보호대상자를 경호대상자라고 칭한다. 따라서 이때 신변보호란 경호대상자의 생명이나 신체를 직접 · 간접적인 모든 위험 및 곤경으로부터 보호하고 안전하게 방호하는 작용으로 정의할 수 있다. 최근 신변보호는 정치인이나 경제적으로 중요한 인물이나 국내외의 유명 연예인 또는 스포츠선수와 같은 신변의 위협을 느끼는 일반 시민들에게까지 대상이 확대되고 있으며, 학교폭력과 아동성범죄가 늘어남에 따라 등·하교 시의 학생들에게까지 업무영역이 늘어가고 있는 실정이다.

기계경비는 경비대상 시설에 설치한 기기에 의하여 감지·송신된 정보를 그 경비 대상시설 외의 장소에 설치한 관제시설의 기기로 수신하여 도난·화재 등 위험발생을 방지하는 업무로 기계를 이용하는 것을 말한다. 즉 첨단기계·기기의 장점인 유무선 통신네트워크 감시기능과 통제·경보 기능을 이용하여 출입문·창문·외관 등의 경비 활동을 하는 것을 말한다. 기계경비는 인력경비를 보완하는 것으로 인력에 의존하던 경비방식과는 달리 기계장비를 사용하여 경비대상의 시설물을 24시간 감시하는 것을 말한다. 외부에서 침입할 수 있는 곳에 각종 감지기를 설치하고 침입 시에 발생하는 빛이나 온도, 자력, 압력 등의 신호데이터 변화량을 감지하여 관제센터로 송신하면 경비요원이 출동하여 대처하는 방식이다. 기계경비는 대상시설에 설치된 각종 첨단 안전기기와 이것과 송·수신할 수 있는 유·무선 통신시설 그리고 상황을 접수하여 분석·판단하고 지령하는 관제센터, 이상발생 지역에 직접 출동하여 현장을 처리하는 출동요원으로 구성된다. 이러한 기계경비시스템은 기존의 인력경비를 보완하는 경비방식으로 국가중요시설과 공공기관·군사시설·대기업·대형마트·상점 및 개인주택에 이르기까지 폭넓게 사용되고 있다.

특수경비는 공항 등 대통령령이 정하는 국가중요시설의 경비 및 도난·화재 그 밖의 위험 발생을 방지하는 업무로 경비업무를 특수한 신분을 가진 민간인이 수행할 수 있도록 한 제도를 말한다. 이때 국가중요시설이라 함은 「통합방위법」 제2조(정의)에서 "국가중요시설"이란 공공기관, 공항·항만, 주요 산업시설 등 적에 의하여 점령 또는 파괴되거나 기능이 마비될 경우 국가안보와 국민생활에 심각한 영향을 주게 되는 시설을 말한다고 규정하고 있다. 「경비업법 시행령」 제2조(국가중요시설)에서는 "국가중요시설"이라 함은 공항·항만, 원자력발전소 등의 시설 중 국가정보원장이 지정하는 국가보안목표시설과 「통합방위법」 제21조 제4항의 규정에 의하여 국방부장관이 지정하는 국가중요시설을 말한다고 규정하고 있다. 여기서 국가보안목표시설은 「국가기밀과 정보에 관한 보안업무규정」 제6조에 의해 파업·태업 또는 비밀누설로 인하여 전략적 또는 군사적으로 막대한 손해를 초래하거나 국가안전보장에 연쇄적 혼란을 초래할 우려가 있는 시설로 규정하고 있어 사실상 내용이나 지정절차 등에서 대다수 동일하다고 할 수 있다. 즉 국가중요시설이란 공항, 항만, 원자력발전소 등과 같이 위해세력의 공격으로 인해 파괴되거나 기능이 마비되었을 때 국가경제와 안보 등에 미치는 영향이 심각한 시설이라고 말할 수 있다.[23]

이러한 특수경비원에 대해서는 「경비업법」에 별도의 임무와 의무를 규정하고 있는데 동법 제14조(특수경비원의 직무 및 무기사용 등)는 특수경비업자는 특수경비원으로 하여금 배치된 경비구역 안에서 관할 경찰서장 및 공항경찰대장 등 국가중요시설의 경비책임자와 국가중요시설의 시설주의 감독을 받아 시설을 경비하고 도난·화재 그 밖의 위험의 발생을 방지하는 업무를 수행하게 하고, 경비업무 수행 중 국가중요시설의 정상적인 운영을 해치는 장해를 일으켜서는 아니 된다고 규정하고 있다. 또한 지방경찰청장은 국가중요시설에 대한 경비업무의 수행을 위하여 필요하다고 인정하는 때에는 시설주의 신청에 의하여 무기를 구입하게 하고, 시설주는 이를 특수경비원으로 하여금 휴대하게 할 수 있다. 이 경우 특수경비원은 국가중요시설의 경비를 위하여 무기를 사용하지 아니 하고는 다른 수단이 없다고 인정되는 때에는 필요한 한도 안에서 무기를 사용할 수 있다. 다만, 무기 또는 폭발물을 소지하고 국가중요시설에 침입한 자가 특수경비원으로부터 3회 이상 투기(投棄) 또는 투항(投降)을 요구받고도 이에 불응하면서 계속 항거하는 경우 이를 억제하기 위하여 무기를 사용하지 아니하고는 다른 수단이 없다고 인정되는 때와 침입한 무장간첩이 특수경비원으로부터 투항을 요구받고도 이에 불응한 때를 제외하고는 사람에게 위해를 끼쳐서는 아니 된다고 규정하고 있다. 또한 동법 제15조(특수경비원의 의무)는 특수경비원은 ① 직무를 수행함에 있어 시설주·관할 경찰관서장 및 소속 상사의 직무상 명령에 복종하여야 한다. ② 소속 상사의 허가 또는 정당한 사유 없이 경비구역을 벗어나서는 아니 된다. ③ 파업·태업 그 밖에 경비업무의 정상적인 운영을 저해하는 일체의 쟁의행위를 하여서는 아니 된다. ④ 무기를 휴대하고 경비업무를 수행하는 때에는 무기의 안전사용수칙을 지켜야 한다.

23) 국가중요시설 세부 내용은 제7장 제3절 참조.

이처럼 특수경비업무는 9·11테러 이후 세계적으로 테러에 대한 위협이 일상화되고 있는 현실에서 매우 중요한 역할을 담당하고 있는 업무라고 할 수 있다.

Ⅲ. 우리나라 민간경비의 발전과정

한국의 민간경비는 1950년대 미군이 주둔하면서 우리 경제의 부흥을 위한 경제원조와 주한미군에의 군납경비(軍納警備)를 위해 민간경비가 최초로 도입되었다.[24] 초창기의 군납은 주로 야채류의 납품에서 출발하였으나 신용을 얻게 되면서 점차 잡역, 수선, 주택경비 등으로 확대되었다. 당시 국내 처음으로 미8군 군납경비를 맡은 업체는 1954년 설립한 용진보안공사, 1958년에 설립한 화영기업(주)과 경원기업(주), 1959년에 설립한 신원기경(주) 등이었다. 이러한 신용을 바탕으로 1962년 우리나라 최초의 순수 경비업만 전담하는 '범아실업공사'가 생겨났다. 미 군납은 50년대에의 혼란기 속에서도 발전은 있어 왔으나 정부의 치안부재와 당시에 대단한 이권사업으로 많은 사회적 문제를 야기하였다. 정부는 1962년 「군납촉진에 관한 임시조치 법」을 만들어 군납업이 정비되면서 건설군납, 용역군납, 물품군납 등 3개의 군납조합이 조직되었으며 군납 용역경비도 체계를 잡게 되었다. 이와 같이 5-60년대의 민간경비는 한국전쟁이후 미군의 군납을 위한 제조공장의 설립과 한국의 산업시설 재건을 위한 미국의 원조를 바탕으로 시작하였다고 볼 수 있다.

1970년대에는 미국 닉슨 대통령의 괌 독트린(Guam Doctrine)의 발표에 따라[25] 서부전선에 배치되었던 미7사단이 1971년 3월부터 철수하기 시작하면서 군

24) 군납경비는 1950년 한국전쟁에 참전한 미군이 1953년 7월 휴전에 이르기까지 소요보급품을 대부분 미국·일본에서 조달하였다. 이에 정부는 미군 군수품을 한국에서 조달해 줄 것을 강력해 요구하여 1955년 7월 25일 일본에 주둔하고 있던 미 극동지상군사령부와 미8군사령부가 서울로 이전하고, 군납대금에 청구되는 환율이 500대 1로 조정되면서 1956년 2월 23일 마침내 「주한미군의 소요물자 조달에 관한 한·미간 군수물자 현지구매 협정」을 조인하게 된다. 그 결과 실무부서인 미8군 구매처와 미 공군 및 미 극동 교역처도 구매·건설·용역을 시작하게 되었다(한국경호경비협회, 『한국경비협회20년사』, 1998, pp. 49-51).

25) 괌 독트린(Guam Doctrine)은 1969년 미국 닉슨 대통령이 밝힌 아시아에 대한 외교정책으로 내용은 ① 미국은 앞으로 베트남전쟁과 같은 군사적 개입을 피한다. ② 미국은 아시아 제국(諸國)과의 조약상 약속을 지키지만, 강대국의 핵 위협의 경우를 제외하고는 내란이나 침략에 대하여 아시아 각국이 스스로 협력하여 그에 대처하여야 할 것이다. ③ 미국은 '태평양 국가'로서

납업계의 성장은 하향 추세로 돌아서게 되었다. 당시 경비대상 시설이 70개소 감소하고 경비인력도 약 천여 명이 감원되었으나 한편으로는 부실한 경비업체를 퇴출시키면서 군납시장에만 집중되었던 민간경비를 다른 부문으로 전환하는 계기가 되었다. 경제개발 5개년 계획이 성공리에 진행되면서 민간경비의 수요를 증가시켜 1976년에는 경비업체가 9개로 늘어나고 경비 대상시설 286개소, 경비원 5,022명으로 증가하였다. 경제발전으로 늘어나는 산업시설에 대한 경비활동을 경찰인력만으로 담당할 수 없어 국가기관, 공기업, 언론사, 방송사, 항공사, 은행 등과 같은 국가중요시설에 대한 경비를 위해 1973년 「청원경찰법」이 제정되었다. 그 결과 민간경비는 타격을 받았다. 청원경찰제도는 자격요건, 임용과 배치, 봉급 및 제수당의 범위, 교육, 복장, 직무, 무기휴대 등에 있어 철저한 국가통제 하에 운영되었다. 이러한 청원경찰제도는 국가의 감시와 통제 속에서 운영되었지만 시설의 소유주나 경영자가 스스로의 비용으로써 자신이 운영하는 시설의 경비를 담당해야 한다는 것을 인식시키는 계기가 되었다. 곧 민영화의 시작이라고 볼 수 있다. 1976년 「용역경비업법」의 제정으로 민간경비가 본격적으로 성장하기 위한 제도적 틀을 만들었고 경비업계는 1978년 한국용역경비협회를 창립하게 되었다.

1980년대에 들어서면서 한국의 민간경비는 급속한 성장을 이루었는데 그 배경에는 삼성이라는 대기업이 있었다. 삼성그룹은 당시 일본의 최대 경비용역회사인 일본경비보장회사와 합작하여 기계경비 시스템인 SP알람 시스템을 한국에 보급했다. 이것은 그동안 퇴직 군인이나 경찰의 복리사업 정도로 인식해 오던 민간경비에 대한 새로운 인식을 하는 계기가 되었다. 당시에는 기계경비에 대한 인식이 없어 어려움이 있었으나 삼성그룹의 계열사 경비를 실시하고 금융기관을 대상으로 이러한 기계경비를 실시함으로써 민간경비에 대한 새로운 성장의 전기를 맞이하게 되었다. 1985년 4월부터 CAPS라는 회사로 본격적인 경비업에 진출하여 1988년 이후는 인력경비보다 기계경비의 비중이 더 높아졌다. 특히 80년대 민간경비가 성장할 수 있었던 또 다른 배경은 많은 국제행사의 유치였다. 1982년 서울국제무역박람회의 행사장 경비, 86아시안게임, 88서울올림픽 등의 시설 경비를

그 지역에서 중요한 역할을 계속하지만 직접적·군사적인 또는 정치적인 과잉개입은 하지 않으며 자조(自助)의 의사를 가진 아시아 제국의 자주적 행동을 측면 지원한다. ④ 원조는 경제중심으로 바꾸며 다수국간 방식을 강화하여 미국의 과중한 부담을 피한다. ⑤ 아시아 제국이 5~10년의 장래에는 상호안전보장을 위한 군사기구를 만들기를 기대한다(네이버 지식백과).

일부분이긴 하지만 민간경비가 무리 없이 임무를 완수함으로써 새로운 전기가 마련되었다.

최근에는 이러한 민간경비의 지속적인 발전을 바탕으로 업무의 영역을 넓히고 그 수요가 날로 증가하고 있는 추세이다. 주요 요인을 살펴보면 다음과 같다.

첫째, 생활수준의 향상과 범죄의 증가이다. 인간은 태어나면서부터 본능에 따라 자기의 안전을 도모하기 위하여 자기를 방어하는 방법을 생각하고 개발하여 왔다. 이것은 비단 개인뿐만 아니라 집단이나 사회·국가도 마찬가지로 안전을 확보하기 위한 방안이 여러 가지로 발전되어 왔고, 그 발전과정에 따라 안전에 대한 욕구의 증가와 범죄 발생의 증가가 결합되면서 민간경비에 대한 관심이 증가하였고, 민간경비가 제도로 정착되어 왔다. 국민들의 생활수준이 향상됨에 따라 개개인의 사람들은 개인의 삶의 질(quality of life)을 중시하게 되었고 더 편리한 생활을 영위하길 원하고 이 과정에서 안전에 대한 욕구도 증가하게 되었다. 오늘날 급속도로 발전하는 사회와 경제로 인하여 삶은 풍요로워졌지만 사회적 갈등과 빈부 차이로 범죄가 다양화·지능화·조직화되어가고 있다. 이러한 범죄의 증가, 사회질서의 파괴, 생명 경시사상 등의 사회병리 현상을 낳고 범죄는 시간이 지날수록 더욱 흉포화·다양화·조직화되어가고 있다. 즉 경제성장에 따른 소비욕구의 기형적인 분출로 향락문화와 과소비 사치풍조가 만연하면서 범죄양상도 충동적이고 흉포화되는 경향이 있다. 이로 인한 불안으로부터 자신의 생명과 재산을 지키고자하는 욕구가 생겨나고 있으나 공경비의 치안서비스만으로는 충분하지 않다는 것이다. 이러한 이유로 민간경비가 생겨나고 공경비의 부족한 부분을 보완하고 안전에 대한 욕구를 충족시켜나가 갈수록 양적·질적 성장을 계속하고 있는 것이다.

둘째, 제도의 발전이다. 민간경비에 대한 국민적 관심이 높아지면서 이를 학문적으로 전문인력을 양성하기 위한 각 대학의 민간경호, 경비 관련 학과가 생겨나 본격적인 민간경비에 대한 연구가 활발하게 진행되고 있다.[26] 또한 1995년 경비원의 자질향상을 도모하기 위하여 경비원의 지도·감독 및 교육을 전담하는 경비지도사 제도를 신설하였다. 2001년에는 특수경비원제도를 신설하였다. 경비업

26) 한국의 민간경비에 대한 연구단체는 한국경호경비학회, 한국공안행정학회, 한국경찰학회, 치안연구소, 형사정책연구소 등이 있다.

법의 개정으로 특수경비원제도가 신설됨에 따라 공항과 같은 국가중요시설의 경비나 질서유지 그 밖에 다양한 위험들로부터 경비업무를 민간경비업체에게 위탁할 수 있게 된 것이다. 뿐만 아니라 이러한 시설에서 경비업무를 수행하는 특수경비원들은 경비목적상 필요하다면 해당 지역의 관할경찰서장과 시설주의 감독하에 총기를 휴대하는 것이 가능해졌고 공항에서의 승객과 화물에 대한 보안검색 기능도 민간경비업체에서 도맡아 수행할 수 있게 되었다. 이러한 특수경비업법이 법적으로 허용됨으로써 전통적인 경찰기능들이 민영화될 수 있는 제도적 기반을 구축하였고, 앞으로의 국가중요시설의 경비활동에 대한 민영화가 급물살을 타게 될 것이다. 2002년에는 경비업자가 경비업 외에 다른 업무를 할 수 없도록 하는 경비업자의 겸업금지의무를 특수경비업자로 한정함으로써 특수경비업자의 전문성을 높이도록 하였다.

셋째, 다중이용시설의 증가이다. 민간경비의 수요는 경제가 발전하고 소비자본주의가 확대되면서 나타나는 백화점, 대형할인매장, 금융기관 등과 같은 다중이용 상업시설의 증가로 더욱 많아졌다. 더욱이 소비자 운동이 발전하고 소비자의 권리보호가 크게 강화됨에 따라 다중이용 상업시설에서의 보안은 더욱더 중요한 문제로 부상하게 된다. 보안의 수요가 증가함에도 불구하고 경찰에 의존해서는 그러한 보안의 수요를 충족시킬 수 없는 다중이용시설에서는 자체적인 경비원이나 계약경비원을 통해 보안의 문제를 해결할 수밖에 없다. 다중이용 시설에서의 경비활동은 범죄예방에 주안을 두고 궁극적으로는 피해·손실예방에 있다. 시설 내에서는 경비원에 의한 순찰활동뿐만 아니라 감시카메라와 같은 첨단 보안기술과 보안장비, 무인경비시스템들이 활용된다.

넷째, 도시화의 집중이다. 산업화가 진행되고 개인의 경제적 성공을 위해 도시로 인구가 밀집하게 되면서 주택부족이 새로운 사회문제로 떠오르게 되고 이를 해결하기 위한 아파트 단지의 건설로 생활의 집중화가 되었다. 이러한 아파트 역시 소유권의 측면에서는 사유지이지만 주민들의 공적인 활동이 이루지는 곳이다. 이곳에 치안활동을 위해 경찰의 개입도 있을 수 있지만 통상 입주민을 대신하여 아파트 단지의 제반 안전관련 사항들을 관리하는 관리사무소와 경비원들에 의해 내부의 질서유지와 방범활동이 이루어진다. 이에 대한 민간경비의 역할도 무시하지 못한다. 또한 최근의 핵가족화, 여성의 사회진출 증가, 사생활 보호를 위한 주택구조, 근로시간 단축과 집밖에서 이루어지는 여가문화의 확산 등은 주거지에 대한 새로운 민간경비의 수요를 창출하게 된다. 주거지와 근무지가 분리되어 저녁시간이나 휴일 대의 근무지에 대한 새로운 수요도 생겨나게 된다.

다섯째, 국제테러 빈발과 국제행사의 증가다. 미국의 9.11테러를 계기로 국제테러에 대한 일반 시민들의 테러피해에 대한 막연한 불안감으로 일상생활에서의 안전에 대한 관심이 높아졌다. 이에 따라 가정집에 대한 기계경비 설비나 개인 신변보호에 대한 민간경비 활용이 늘어났다. 또한 국가차원의 국가중요행사나 지자체 차원의 국제행사의 개최가 늘어나면서 경찰을 통한 공경비뿐만 아니라 적절한 행사안전과 경비에 민간경비를 활용하는 사례가 늘어나고 있다.

Ⅳ. 민간경비 현실태 및 문제점

1. 민간경비 현황

우리나라의 경비업 현황은 다음의 <표>에서 볼 수 있는 바와 같이 업체수와 경비원의 수는 갈수록 증가하고 있으며 2016년 말 현재 우리나라 경찰청에 등록된 경비업체 수는 4,570개이며 경비업에 종사하는 사람 수만도 15만여 명에 이른다. 최근 5년의 경비업체 증가율을 보면 2012년 5.1% → 2013년 6.3% → 2014년 5.2% → 2015년 3.8% → 2016년 2.8%로 최근에 다소 주춤하고 있지만

〈경비업체 현황(2016.12)〉

(단위: 개소, 명)

구분	업체수 (법인수)	업종수					경비원수
		시설경비	신변보호	호송경비	기계경비	특수경비	
2012	3,836	3,718	527	41	148	122	150,030
2013	4,077	3,971	525	42	145	139	151,741
2014	4,287	4,184	538	40	139	139	150,543
2015	4,449	4,338	540	38	146	141	153,767
2016	4,570	4,456	548	42	146	145	147,049

출처: 2016 경찰통계연보(2017년).

여전히 연평균 4.6%의 성장세를 보이고 있다. 업종별로 보면 시설경비, 신변보호, 기계경비, 특수경비, 호송경비 순으로 시설경비업체가 가장 많은 것으로 나타났다.

아래 <표>와 같이 지역별 경비업체를 보면 인구가 밀집되어있는 서울의 경우 전체 경비업체의 34%를 차지하고 있고 경기도가 18.9%, 부산·대구·인천 등으로 여전히 대도시의 경비업체 수가 많은 것으로 나타났다.

〈지역별 경비업체 · 인력 분포현황(2016.12)〉

지역	경비업체	경비원 수	지역	경비업체	경비원 수
계	4,570	147,049	경남	170	5,956
			광주	166	2,719
서울	1,552	37,831	충남	148	6,101
경기	818	39,444	경북	143	5,261
부산	298	11,477	전남	136	3,203
대구	231	5,394	강원	122	3,003
인천	204	12,640	충북	96	2,850
전북	193	2,855	울산	89	3,354
대전	172	3,730	제주	32	1,231

출처: 2016 경찰통계연보(2017년).

이처럼 1976년에 경비관련법이 제정될 당시에는 9개 기업에 5,022명의 경비원이 종사하고 있었고 이후 1980년대에 86아시안게임, 88서울올림픽 등의 행사장 경비와 외국기업의 한국시큐리티기업에 대한 투자 등으로 1982년에는 30개 업체, 1985년에는 55개 업체로 성장하였다. 이후 30여년이 지난 현재 경비업체는 170여배, 경비원 수는 30여배가 증가하는 놀라운 신장세를 보였다. 이처럼 경비업체와 경비원의 수가 계속해서 증가하고 있다는 것은 그만큼 갈수록 사회적으로 불안심리가 증가하고 있다는 것을 의미한다. 그에 따라 경찰력의 한계는 국민들이 자신의 안전은 스스로 지키겠다는 의식을 높이는 요인으로 작용되었다. 하지만 민간경비 산업의 질적 성장을 위해서는 다음과 같은 제도상·운영상의 문제점을 극복해야 하는 과제가 있다.

2. 민간경비 문제점

(1) 제도상 문제점

우선 민간경비원의 교육제도의 문제다. 현행 경비업법상 경비업무는 시설경비, 호송경비, 신변보호, 기계경비, 특수경비로 나누어져 있으며, 특수경비를 제외한 나머지 경비업무를 일반경비원이 수행하게 된다. 그러나 일반경비원의 신임교육의 경우 각 경비업무 특성에 맞게 구분되어 있지 않고 포괄적으로 교육 내용이 규정되어 있어 분야별로 구분할 필요가 있다. 각 경비업무에 맞게 구분하여 특성화된 교육과정으로 개정되어야 하고, 강의실 중심의 비합숙 교육이어서 현장실습의 기회가 전무한 실정이다. 특수경비원의 경우 국가중요시설 경비라는 특수성에 맞게 현장위주의 교육이 중심이 되어야 한다. 경비지도사 교육과목 중 이미 필기시험에서 어느 정도의 지식이 습득된 '법학개론', '경비업법', '청원경찰법', '민간경비각론' 등을 재교육함으로써 기초지식 습득에만 치중하고, 경비지도사로서의 실무적이고 효율적인 교육은 사실상 등한시되고 있다. 인성교육과 현장교육이 절실히 요구되다. 난립하는 민간사설 교육기관의 철저한 검정제도를 만들어 불필요한 경제적 부담과 자격증교부가 남발되는 것을 방지하여야 할 것이다.

둘째, 경비업 신규 허가 및 자격기준의 문제다. 「경비업법」 제4조(허가절차 등)에서 민간경비업자의 설립허가 기준을 보면 법인의 임원 중 결격사유가 있는지의 유무와 경비인력,시설 및 장비의 확보가능성의 여부, 자본금과 대표자·임원의 경력 및 신용 등을 검토하여 허가 여부를 결정한다. 그러나 이러한 절차는 실질적으로 이루어지고 있지 않고 경비업자 및 임원의 자질에 대한 검증절차가 없기 때문이다. 철거·재개발 현장에서 합법적으로 자행되고 있는 일부 용역경비의 폭력 실태와 현경비업법의 허점을 노린 것이다. 부적격 업자의 배제를 위해서 현행 경비업법에 의하면 허가관청은 경비업자가 정당한 사유 없이 허가를 받고 1년 이내에 경비도급 실적이 없거나 1년 이상 휴업할 경우 또는 최종 도급계약 종료일의 다음 날로부터 1년 이내 경비도급 실적이 없을 때 허가취소를 하여야 한다고 규정하고 있다(동법 제19조 제4호 및 제5호). 그러나 단 한 건의 도급 실적만 있어도 그 도급계약이 종료되지 않는 이상 허가취소를 당하지 않게 되어 있으므로 위 규정이 유명무실한 것이다.

셋째, 경비업자 및 경비원의 불법행위 문제다. 경비원의 노사분규 개입금지와 관련하여 노사분규 현장에서 시설 보호를 목적으로 경비원을 투입하는 경우 경비업법 상의 경비로 볼 수 있는 지가 문제다. 동법 제2조(정의)에서 시설경비업무란 경비를 필요로 하는 시설 및 장소에서의 도난, 화재 그 밖의 혼잡 등으로 인한 위험발생을 방지하는 업무로 규정하고 있다. 현실적으로 민간경비 회사가 이러한 민원현장에 개입하는 사례가 늘어 노사분규현장, 병원의 의료분쟁, 재개발 및 철거현장, 주주총회, 사학재단 등에서 경비업무를 수행하다 정당한 경비업무 현장을 불법현장으로 몰고 갈 수밖에 없다.

(2) 운영상 문제점

우선 민간경비원 자질문제다. 민간경비회사는 다른 적절한 직업을 구할 수 없는 구직자나 별다른 경력이 없는 젊은이가 한시적으로 지원하는 직장이라는 인식이 높다. 따라서 이직률이 높으며 그 결과 질이 낮은 경비원의 채용이 빈번해 민간경비업체의 운영에 상당한 문제를 낳고 있다. 민간경비가 우수한 인력을 채용하기 위한 선발과정에는 면접, 경력과 전과사항(前科事項) 조회, 신원조사 등의 과정을 거치게 된다. 그러나 현행 민간경비원 채용에 있어서는 이러한 절차들이 형식적이거나 생략됨으로써 공정성과 객관성을 유지하지 못하고 있다. 경비업에 대한 인식부족과 열악한 처우로 인하여 경비인력의 사명감이 부족하고 이직률이 높아 민간경비는 주로 전문성이 없는 단기경력자들에 의해서 수행되고 있다. 이에 따라 채용시 전문인, 민간경비에 대한 사회적 인식 저하 및 불신이 초래된다. 저학력자나 고령자의 진출이 두드러지게 되었다. 긴급상황 발생시 적절한 대처능력을 갖추지 못함으로 인해 경비의 기본 취지인 범죄예방역할을 제대로 수행하지 못하게 되었다.

둘째, 고객과의 계약 이행 문제다. 의뢰인과의 계약체결 전 충분한 내용(위법한 업무에 대한 거절, 이행지연, 손해배상의무, 기타)을 계약 전 의뢰인에게 설명을 한 후 계약을 체결하고 현장에 투입해야 하는데 이러한 절차 없이 업무를 수행하여 고객에게 정신적, 경제적 부담을 가중시키고 있다. 특히 위급상황의 관리 및 대응체제에 관한 사항은 별도의 규정은 마련되어 있지 않아 쌍방 간의 도급계약에 없어 법적 분쟁의 소지는 여전히 남아 있게 된다. 계약을 수주하기위해 무리한 가격덤핑입찰을 하고 있는 실정이다. 이것은 결국 경비원에게 낮은 임금을 지불 할 수밖에 없고 전문적인 지식을 습득한 우수한 인력을 채용하는 데 가장 큰 저해요소이다. 업체의 이미지나 경쟁력의 저하를 가져오고, 업체는 다시 계약을 수주하기 위해 무리한 덤핑입찰을 지속하여 민간경비의 발전을 저해 할 것이다

셋째, 경찰과 민간경비의 협력 문제이다. 범죄라는 것은 인간의 상호작용의 과정 및 결과로서 나타나는 갈등현상 가운데 하나라고 볼 수 있다. 이런 점에서 볼 때, 범죄 예방활동 내지 치안활동 역시 인류의 역사와 함께 한 것임을 알 수 있다. 자본주의의 성장에 따른 산업화와 도시화로 범죄는 증가하고 국가공권력의 한계가 되었다. 국가공권력이 미치지 못하는 치안의 사각지대를 만들게 되었다. 이러한 사각지대의 치안을 민간경비업체가 맡게 되었고, 민간경비가 질적으로 성장하고 경찰과 상호협력관계로 발전하기 위해서 먼저 경찰과 국민의 민간경비에 대한 부정적인 인식의 전환이 필요하다. 범죄나 안전문제에서 경찰의 한계를 보완할 수 있는 기능이 민간경비이다. 치안수요의 다양성과 전문성에 효과적으로 대응하기 위해서는, 경찰은 치안서비스의 공동생산의 동반자로 민간경비를 인정하고 양자의 상호협력적인 관계를 정립해 나가야 할 것이다.

넷째, 테러를 사전 예방하는 전초기지로 활용이다. 우선 각 대테러 유관기관과 민간경비원 간에 지속적인 상호교류가 있어야 한다. 민간경비업체에 대한 사이버 구축을 통해 테러관련 정보의 수시 교류와 함께 의심스러운 행위에 대한 즉각적인 신고체계가 이루어지도록 해야 한다. 민간경비와의 협력이 필요할 경우 지휘체계의 일원화를 통하여 권한과 책임이 주어지도록 해야 할 것이다. 대테러 유관기관은 관련 산업체와 관련학과 등이 연계 되어 테러 예방에 대한 정기적인 교육과 상호 교류, 가상모의 훈련, 문제의 연구 등 여러 분야에서 공조가 이루어져야 할 것이다.

제3절 다문화정책

Ⅰ. 다문화정책 의미

다문화정책의 정의를 논하기 전에 다문화사회(多文化社會, multicultural society)를 말하면 한 사회 내에 장기 거주하는 외국인이 증가하여 인종이 다양해지는 현상을 의미한다. 전체 인구 대비 외국인 비율이 어느 정도 수준이어야 다문화사회라고 할 수 있는지에 대한 객관적 기준은 없으나 대표적인 다문화 국가의 외국인 비율은 호주의 경우 21.9%, 캐나다 21.3%, 미국 13.5% 등으로 하고 있어 일반적으로 10% 이상인 경우 다문화사회로 볼 수 있을 것이다. 이 기준에서 볼 때 우리나라의 경우 외국인의 비율이 2%에 그치고 있어 상대적으로 낮은 비율을 차지하고 있으나 점차 다문화사회로 변화되고 있는 추세는 사실인 것 같다. 우리나라의 경우 1990년대부터 시작된 거주 외국인의 급격한 증가는 다문화사회로의 급격한 전환을 예고하고 있는 것이다.

이러한 다문화사회에 대해 Kymlicka & Wayne(2000)은 다문화주의라는 것이 몇 개의 인접한 소수집단의 단위문화가 주류사회의 단위문화를 배경으로 뚜렷한 경계가 있는 것이 아니라 다양한 구성요소들이 상호공존하면서 각자의 색깔과 냄새, 그리고 고유의 개별성을 그대로 유지하면서도 서로 조화되어 또 다른 통합성을 이루어 내는 이른바 '샐러드 그릇(salad bowl)'을 의미한다고 하였다.[27] Inglis(1996)는 다문화주의의 개념을 세 가지로 구분하여 설명한다. 첫째, 인구-기술적(demographic-descriptive)관점에서 다문화란 용어는 종족적, 인종적으로 다원화된 사회 혹은 국가의 인구학적 현상을 일컫는다. 둘째, 정치적(programmatic-political) 관점에서 다문화주의란 종족적 다양성에 대응하고 이를 운영하기 위해 고안된 특정 프로그램과 정책방안을 의미한다. 마지막으로 이념적(ideological-normative) 관점에서 다문화주의는 현대사회 내 다양한 문화적 정체성을 어떻게

27) ill Kymlicka and Wayne Norman, *Citizenship in Diverse Societies*, Oxford University Press(2010), pp. 1-41.

규정지을 것인가에 대한 사회이론적, 윤리철학적 고찰을 바탕으로 한 정치적 실행을 의미한다. 이러한 의미에서 다문화주의는 종족적 다양성과 개인의 문화적 권리의 인정이 사회가 공통적으로 추구하는 가치 및 헌법적 원칙과 병행되어야 함을 강조한다. 그러므로 정치적 의미의 다문화주의는 인구-기술적 다문화 현상과 이념적 다문화주의의 개념을 모두 포괄하여 사용된다.[28)]

이러한 다문화주의는 크게 두 가지로 구분 될 수 있는데 하나는 영국, 독일, 프랑스와 같이 비교적 동질적인 문화를 가졌던 국민들이 자본과 노동의 세계화에 따른 이주노동자와 새로운 종교의 유입과 함께 다문화사회가 형성된 경우이고 또 다른 하나는 미국, 캐나다와 같이 건국초기부터 다양한 인종과 문화로 구성된 이민자의 나라로 형성된 경우이다. 전자의 경우 문화적 다양성이 대규모 이민으로 형성된 인종집단에서 비롯되어진 것이고, 후자의 경우 새로운 국가가 형성될 당시 소수집단과 다수의 집단에 의해 처음부터 형성된 것이다.

세부적으로 다음과 같이 네 가지 유형으로 구분할 수 있다.

첫째는 원주민 공동체(ethnocultural diversity)로 캐나다의 인디언과 이누이트족, 호주의 원주민, 뉴질랜드의 마오리족, 스칸디나비아의 사미족, 미국의 인디언 등의 경우에 해당한다. 이들 국가는 모두 이들이 소멸될 것이란 예상 아래 이들의 토지를 빼앗고 고유한 언어, 종교, 관습을 억누르는 동시에 자치활동을 방해했다. 그러나 1970년대 들어 정책에 변화가 생겨 원주민 공동체를 인정하고 토지, 문화적 권리, 자치권 등에 대한 요구를 수용하기 시작한 것이다.

둘째 유형은 한 나라 안에 다수민족과 소수민족이 병존할 때의 경우로 캐나다의 퀘벡인, 영국의 스코틀랜드인과 웨일즈인, 스페인의 카탈로니아인과 바스크인, 벨기에의 플랑드르인 등이 그 예이다. 이들은 특정 지역에 모여 살면서 자신의 민족 정체성을 유지하고, 민족주의 정당의 기치 아래 독립 또는 자치를 요구한다. 이 경우도 초기에는 해당 국가에 의해 억압되다가 차츰 수용되는 쪽으로 바뀌고 있다.

셋째 유형은 대규모 국제이주로 이주민 집단이 형성되면서 발생하는 경우로 대표적 이민국가인 호주, 캐나다, 뉴질랜드, 미국 등이다. 시간이 흐르면서 주류

28) Christine Inglis, 1996. "Multiculturalism: New Policy Responses to Diversity." *MOST Policy Papers 4.*(UNESCO, 1996), pp. 16-18.

사회의 구성원과 전혀 다를 바 없이 사회에 동화되는 경우다. 이 경우도 초기에는 법률로써 이주 입국을 제한하였으나 중립적인 이민정책이 채택되어 이민자의 민족 정체성 표현을 허용하는 다문화정책이 허용된 경우다.

넷째 유형은 불법 이민자 집단으로, 불법으로 국내에 들어왔거나 비자 기간이 만료되었기 때문에 합법적인 거주지가 없는 경우다. 캘리포니아의 수많은 멕시코인들과 이탈리아의 북아프리카인 같은 사람들, 임시 거주자-임시보호를 원하는 난민들이나 독일의 터키인들 같은 외국인 노동자로 들어온 사람들을 들 수 있다. 이들은 입국할 때 미래의 시민으로나 장기 거주자로도 생각되지 않았지만, 전통적 이민 국가들은 원래 계약 기간을 넘어서 머무르는 외국인 노동자들에게 종종 영주권을 허용하였고, 불법 이민자들에 대해서도 일정 기간의 사면을 제공하였다. 그러나 독일, 오스트리아, 스위스 같은 국가들은 이러한 요구를 거절하여 이들을 통합하기 위한 절차나 토대도 마련하지 않았고, 시민권을 받을 가치가 있다고 간주하지 않았다. 따라서 추방 혹은 자발적 귀환의 형식으로 국가를 떠나도록 만들었다. 결국 이러한 과정에서 2세들은 정치적 소외로 범죄를 저지르고, 종교적 근본주의자들은 테러와 폭력을 유발하였다는 것이다. 이러한 구분은 다문화주의를 원주민, 소수민족, 이주민, 불법체류자 등 네 가지 유형에 따라 구분한 것으로 모두 서구나 유럽 국가를 중심으로 하고 있다.[29] 우리나라의 경우는 세 번째와 네 번째 유형이 될 것이다. 따라서 수많은 이민자와 외국노동자들의 유입으로 다른 문화와 가치가 빠르게 늘어나면서 문화적 갈등과 사회통합의 문제가 발생하게 될 가능성 아주 높다고 하겠다.

여기서 다문화주의 정책에 대한 보편적인 정의가 존재하는 것은 아니나 다문화주의 정책을 광의로 정의하자면 국가 내 모든 개개인의 기본적 시민권과 정치권의 보장을 종족적, 문화적 소수자가 그들의 정체성을 공적으로 인정하고 관습을 유지할 수 있도록 지원하는 정책으로 볼 수 있다. 즉 다문화정책은 인종적 다양성의 증가로 유발되는 사회 문제를 해결하기 위한 제도적 보장과 정부의 개입(정책과 프로그램)을 의미한다. 따라서 다문화정책이라 함은 다문화주의를 실천하는 정책이라고 할 수 있다. 즉 다양한 문화적 주체들이 '서로 다른 삶의 권

---

29) 박현숙, "윌 킴리카(Will Kymlicka)의 자유주의적 다문화주의", 『e-Journal Homo Migrans』 Vol.7(Feb. 2013), pp. 11-22.

리'(politics of difference)에 대한 제도적 보장과 인종·민족·국적에 따른 차별과 배제 없이 모든 개인이 평등한 기회에 접근할 수 있도록 보장하는 정부의 정책과 다문화사회의 사회적 문제를 해결하기 위한 정책적 대안 등을 모두 포함하는 것으로 정의할 수 있을 것이다.

다문화정책의 유형은 일반적으로 3가지로 구분할 수 있는데 첫째, 동화주의 모델(assimilationist model)로서 이는 주류문화를 통한 사회통합을 목표로 하고 있다. 따라서 다양한 배경을 가진 구성원에게 주류사회의 핵심가치에 순응할 것을 강조하는 것이다. 둘째, 구분배제 모델(differential exclusionary model)은 소수집단과의 접촉을 배제하거나 최소화함으로써 사회갈등을 회피하고자 하는 유형이다. 예를 들어 외국인을 3D직종의 노동시장과 같은 특정 경제적 영역에만 받아들이고 복지, 국적·시민권·선거권 부여와 같은 정치적·사회적 영역에는 수용하지 않고 한정적인 부분에서만 수용 또는 분리한다. 이는 국가 및 사회가 원하지 않는 이민자의 영주가능성을 막고 내국인과 여전히 차별적 대우를 유지하는 것이다. 셋째, 다문화주의 모델(multicultural model)은 주류문화뿐만이 아닌 다양한 문화가 공존하는 가운데 집단 간 상호 존중의 질서가 자리 잡도록 하는 것을 정책 목표로 한다. 문화집단 간 평등과 긍정적 평가를 전제로 외국인이 그들만의 문화를 지켜가는 것을 인정하고 장려한다. 따라서 정책 목표는 동화가 아닌 공존과 공생이다.

흔히 다문화정책을 시행한다고 대표적으로 알려져 있는 국가로 프랑스나 영국, 호주, 캐나다, 미국 등이라 하더라도 정책의 발달과정과 내용은 국가별로 상이하게 나타나며 한 국가 내에서도 지역별로 정책의 시행과 접근에 있어 차이를 보이기도 한다. Kymlicka와 Banting은 다문화주의 정책에 대한 보편적 정의가 부재하고 이에 따라 다문화주의 정책의 내용과 제도가 국가별 정치·사회·경제적 맥락 속에서 다르게 나타나는 것은 사실이나, 서구 자유민주주의 국가에서 시행되고 있는 다문화주의 정책이 공통적이고 전형적으로 포함하는 8가지 정책 영역을 설정하고 이를 바탕으로 다문화주의 정책지수(MCPs: multiculturalism policies Index)를 개발했다. 이들은 1980년, 2000년, 2010년 세 시점을 기준으로 8가지 다문화주의 정책영역의 이행 정도에 따라 프랑스, 독일, 미국, 호주 등 21개국(한국 미포함)의 다문화주의 정책 지수를 평가·비교하고 있다. 이들이 제시한 다문화주의 정책의 8가지 핵심 영역은 ① 다문화주의에 대한 헌법적, 법률적 혹은 의회의 인정, ② 학교 교육과정에 대문화주의 채택, ③ 대중매체가 소수민족의 대표성과 감수성을 포함하도록 하는 장치, ④ 복장규정이나 일요일 휴업 등의 법적 규제로부터의 면제, ⑤ 이중 국적의 허용, ⑥ 소수민족의 문화적 활동을 지원하는 기관에 대한 재정적 지원, ⑦ 이주민 언어나 모국어 교육을 위한 재정적 지원, ⑧ 불리한 조건에 있는 이민자 집단에 대한 차별 철폐 등이다.[30)]

이처럼 다문화정책의 유형은 나라별로 다문화사회 형성의 역사적·정치적·민족적 과정의 차이로 인해 다양한 형태로 나타난다. 결국 다문화정책은 한 국가 내에서 다양한 문화를 어떠한 방식으로 조화시키고 공존시킬 것인가의 방안과 관련된다고 할 수 있다. 가장 이상적인 모델은 위의 다문화주의 모델이고 한국도 이를 다문화정책으로 지향하고 있지만 현실적으로 실현하는 데 어려움이 있다는 데 문제가 있다.

Ⅱ. 우리나라 다문화정책

1. 다문화사회 현황

다문화 통계가 작성된 2008년부터 2015년 11월까지 집계된 다문화 형성 외국인의 변화현황을 살펴보면, 다음의 <표>에서 볼 수 있는 바와 같이 2008년 891,341명이었던 다문화 형성 외국인의 수가 2011년에는 1,265,006명으로 42%나 증가하였고, 2015년 11월 현재 1,711,013명으로 92%나 증가하고 있는 것으로 나타났다.

〈연도별 외국인주민 현황(2015.11)〉

연도	2011	2012	2013	2014	2015	2015.11.1.
계(명)	1,265,006	1,409,577	1,445,631	1,569,470	1,741,919	1,711,013

출처: 2017 행정자치통계연보(행정안전부, 2017.9).

30) Keith Banting & Will Kymlicka, *Comparative European Politics*, Vol.11, Issue 5(September 2013), p. 583.

또한 다음의 [그림]에서 볼 수 있듯이 외국인 주민이 우리나라 전체인구에서 차지하는 비율은 2006년부터 매년 증가하여 2015년 11월 현재 3.4%인 것으로 나타났다.

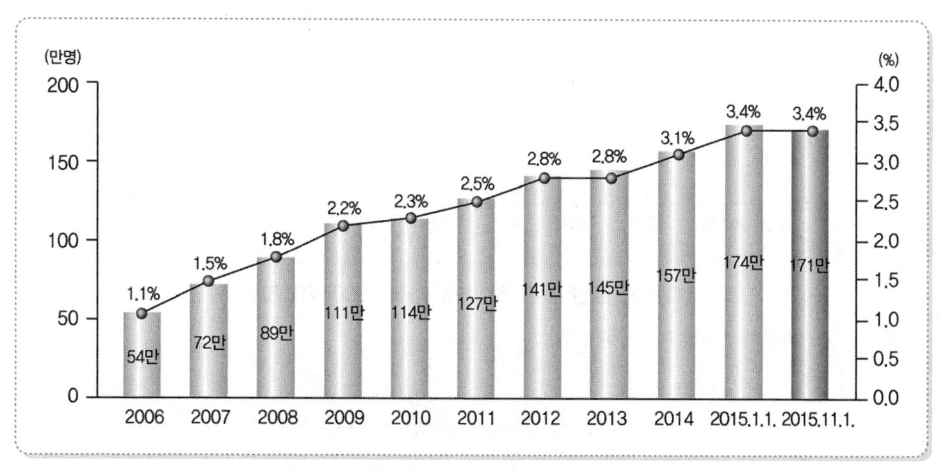

[연도별 외국인주민 비율(2006-2015)]

출처: 2017 행정자치통계연보(행정안전부, 2017.9).

2017년 11월 우리나라 통계청 발표에 의하면[31] 다음의 [그림]에서 볼 수 있듯이 2016년 말 현재 다문화 혼인은 21,709건으로 전년(22,462건)보다 753건(-3.4%) 감소하였다. 그러나 우리나라 전체 혼인과 비교하면 전체 혼인건수(28만 2천 건)는 전년보다 7.0% 감소한 데 비해 상대적으로 다문화 혼인은 3.4% 감소하여 상대적으로 감소폭이 작아 여전히 다문화 혼인이 많고, 전체 혼인에서 다문화 혼인이 차지하는 비중은 7.7%로 전년보다 오히려 0.3%가 증가하였다. 다문화 통계를 작성한 2008년부터 최근까지 다문화 혼인인 차지하는 비율은 2008년 11.2%에서 2016년 7.7%로 다소 줄고 있는 추세이나 연평균 9.2%를 차지하고 있다. 또한 다문화 혼인을 한 외국인 및 귀화자 아내의 출신 국적은 베트남(27.9%) → 중국(26.9%) → 필리핀(4.3%) 순이었다.

31) 『2016년 다문화 인구동태 통계』(통계청, 2017.11) 참조. 우리나라는 「다문화가족지원법」에 따라 한국인과 결혼이민자 및 귀화·인지에 의한 한국 국적 취득자로 이루어진 가족의 구성원을 다문화 인구로 분류하여 2008년부터 통계를 작성해오고 있다.

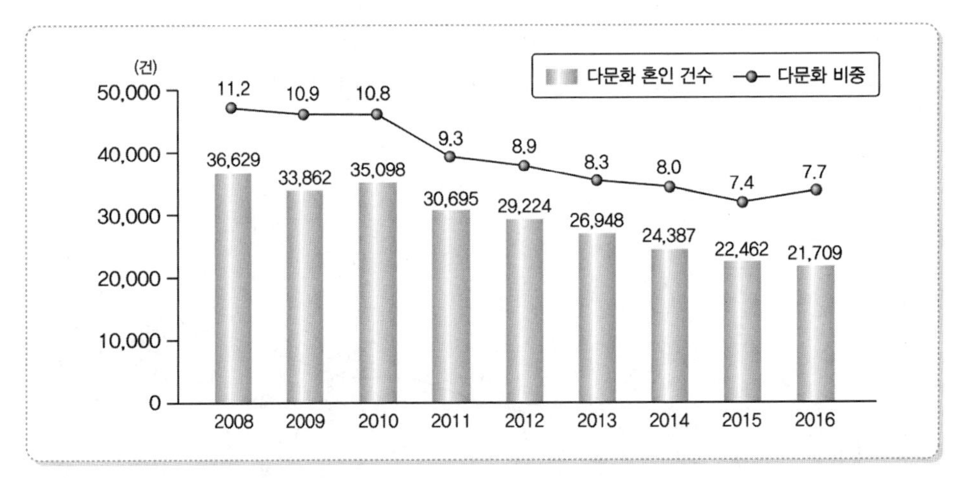

[다문화 혼인 건수 및 비중 추이(2008-2016)]

출처: 2016년 다문화 인구동태 통계(통계청, 2017.11).

이로 인해 다문화 가정에서 출생하는 출생아 수는 다음의 [그림]에서 보듯이 2016년에 19,431명으로 전년(19,729명)보다 298명(-1.5%) 감소하였으나 2016년 우리나라 전체 출생자(40만 6천 명)가 전년보다 7.3% 감소한 데 비해, 다문화 부모의 출생아는 1.5% 감소하여 상대적으로 감소폭이 작아 전체 출생에서 다문

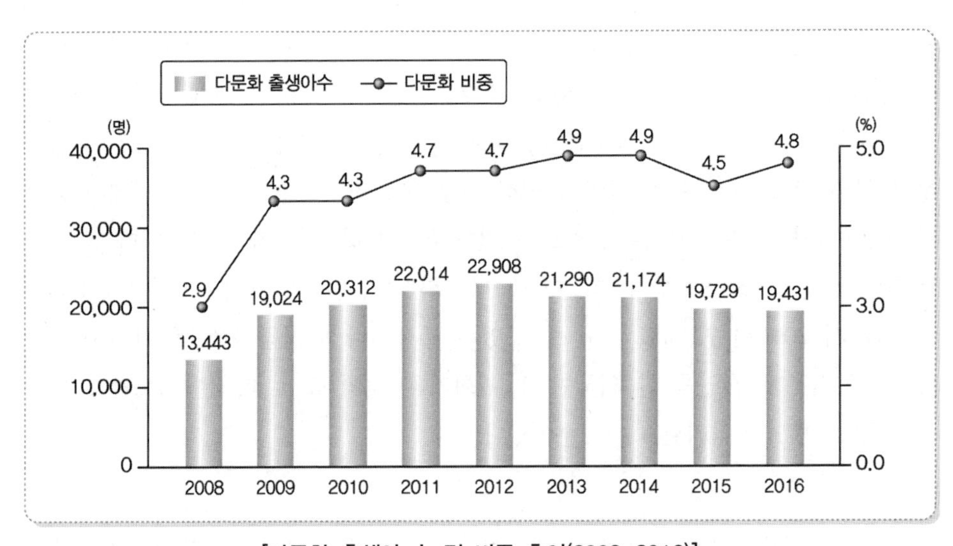

[다문화 출생아 수 및 비중 추이(2008-2016)]

출처: 2016년 다문화 인구동태 통계(통계청, 2017.11).

화 출생이 차지하는 비중은 4.8%로 전년보다 오히려 0.3% 증가하였다. 외국인 모(母)의 국적은 베트남(32.3%) → 중국(24.3%) → 필리핀(7.6%) 순이었다.

2. 다문화사회 형성 과정 및 특징

우리나라의 다문화사회 형성은 1980년대 외국 결혼이민자들이 한국에 들어오기 시작한 것은 통일교를 통해 한국 남성들이 일본 여성들과 결혼하는 때부터이다. 하지만 이때에는 그 수가 주목할 만큼 많지도 않았고 우리가 흔히 말하는 결혼이주여성들은 아니었다. 한국 남성과 외국인 여성 간의 국제결혼이 증가하기 시작한 것은 한국이 가진 독특한 남아(男兒) 선호사상과 여성의 학력 신장 및 사회진출로 인해 결혼 연령대에서의 성비 불균형이 발생함에 따라 발생했다. 특히 농촌의 총각들이 결혼할 연령이 지나도 결혼을 하지 못하는 수가 늘어났다. 갑작스러운 산업화의 결과로 농촌의 젊은 여성들이 교육, 직업, 결혼 등의 기회를 찾아 도시로 떠나는 바람에 농촌 총각들은 결혼할 기회를 놓치는 경우가 많았다. 1990년대 초 농촌과 도시 간 경제 양극화로 농촌에 처녀들의 수가 심각하게 모자라자 정부가 나서서 1980년대 후반부터 1990년대에 이른바 '농촌총각장가보내기' 운동을 시작했던 것이다. 그러면서 결혼을 통해 중국 및 동남아시아 국가들에서 여성들이 농촌으로 시집을 오기 시작했고, 2000년 이후 중국, 필리핀, 타이, 몽골, 베트남, 캄보디아 여성들까지 합류하여 결혼이주여성 수가 증가하면서 다문화사회가 시작되었다.

또한 1988년 서울올림픽 개최로 한국에 대한 국제적 위상이 높아지면서 외국인의 입국이 비약적으로 증가하였고, 우리나라의 경제가 성장하면서 단순 기능직 인력이 부족해지자 1991년 정부가 산업기술연수생 제도를 시행하게 되었다. 당시 1990년대 초 주택 200만호 건설 등을 추진하면서 단순노동자들의 인력부족 현상이 심각하게 나타났고, 이러한 3D업종의 인력난은 외국인력 수입에 대한 찬반논쟁을 불러일으키는 계기가 되었다. 이러한 와중에 정부가 현실적 요구에 응하면서도 외국인 근로자 유입에 대한 적극적인 반대를 피하기 위해 선택한 것이 산업기술연수생 제도이다. 이에 정부는 1992년 하반기부터 3D업종으로 국내근로자들이 기피하는 업종에 연수생을 들여오기 시작하였다. 이후 산업기술연수생 제도는 고용허가제 그리고 방문취업제 등으로 변하면서 국내의 인력난을 해소하기 위해 외국인 근로자들을 단기적으로 노동인력으로 활용하다 돌려보내는 일종의 인력의 순환제를 실시하면서 본격적인 다문화사회가 정착하게 된 것이다.[32]

또한 북한이탈주민[33]이 해마다 국내로 유입되면서 우리사회의 일원이 되고 있다. 북한 주민들이 북한을 탈출하는 근본적인 원인은 북한의 중앙집권적·폐쇄적 경제에서 오는 경제의 비효율성으로 인한 가난, 외부세계 정보의 유입으로 북한사회 실상에 대한 회의, 국경지역의 군기강 해이, 중국 조선족과 민간단체의 지원 등을 들 수 있다. 탈북주민 현황은 다음의 <표>에서 볼 수 있듯이 최근 10년간 연도별 탈북자 입국 현황을 합하여 누계한 결과 2017년 12월 현재 총 31,339명이다. 북한이탈주민은 1990년대 중반부터 북한의 식량사정 악화를 계기로 꾸준히 증가하기 시작하였고, 이후 지속적으로 증가추세를 유지하여 2007년 2월 북한이탈주민 총 입국자 수가 1만명을 넘어섰고, 2010년 11월에는 2만명을 넘어섰다. 2012년 이후부터는 연간 1,500여명대로 입국인원이 감소하여 2017년도는 1,127명이 입국하였다. 성별 입국비율을 살펴보면 여성의 입국비율은 2002년을 기점으로 남성을 추월하여 현재 전체 71%를 차지하고 있다.

〈연도별 탈북주민 입국 현황(2008-2017)〉

구분	누계	2008	2009	2010	2011	2012	2013	2014	2015	2016	2017
인원	31,339	2,803	2,914	2,402	2,706	1,502	1,514	1,397	1,276	1,418	1,127
남	8,993	608	662	591	795	404	369	305	251	299	188
여	22,346	2,195	2,252	1,811	1,911	1,098	1,145	1,092	1,025	1,119	939

출처: 통일부(북한이탈주민 입국인원 현황).

북한이탈주민의 증가로 인하여 이들의 사회문화적 적응 및 한국사회 내에서의 갈등이 쟁점으로 대두되고 있다. 이들이 한국사회에 정착하는 데 있어서 가장 중요한 관건은 취업과 안정적인 직장생활이다. 안정적인 직장생활을 한다는 것은 경제적 안전을 확보하는 것은 물론, 이를 통해 남한 사람들과 교류하고 때로는 갈등하면서 인간관계를 맺게 되고, 남북한 사회와 양 사회의 사람들 간의 차이도

32) 외국인 인력 증가 관련 세부 내용은 제6장 제2절 참조.
33) 북한이탈주민은 그때까지 '탈북자'라는 용어를 2004년에 통일부에서 국민의 의견수렴을 거쳐 '새터민'이라는 용어로 불리고 있다.

직접적으로 경험을 하게 된다. 그러나 현실적으로 컴퓨터와 영어가 일상화된 한국사회에서 직장을 구하기가 어렵고, 직장을 얻더라도 직장생활에서 조직문화와 개인주의·경쟁문화에 적응하기 어렵다. 또한 이들이 남한사회에 들어와 남한사회의 문화와 가치관을 일방적으로 수용할 수밖에 없는 데서 발생할 수 있는 갈등을 경험하고 있다. 남한에서의 이들의 생활은 통일 후에 남북한 사람들이 얼마나 잘 적응할 수 있는지, 남북한 사회의 통합의 효과를 미리 예측해 볼 수 있는 예비실험이라 할 수 있다.

이처럼 현재 한국의 다문화사회의 주 구성원은 단기체류 외국인 또는 이민자, 중국동포, 그리고 동남아에서 온 결혼이민자, 외국인근로자, 북한이탈주민 등이다. 최근 세계가 하나의 지구촌으로 변화되어 인력과 자본이 자유로이 왕래하는 추세로 보아 우리나라도 각국으로부터 유입된 이민자들이나 단기체류 외국인들이 다양한 이유로 국내에 체류하고자 점점 늘어날 것으로 예상된다. 우리나라의 다문화사회 특징을 살펴보면 다음과 같다.

첫째, 다문화사회의 급속한 진행이다. 우리나라 다문화사회는 다른 국가들에 비해 비교적 빠르게 진행되었고 특정 지역에 편중된 거주형태를 보이고 있다. 다문화사회가 형성되기 시작한 1990년대 초반부터 2010년도 다문화 인구가 약 120만명이라는 점을 고려하였을 때 평균적으로 매년 6만명 이상의 다문화 인구가 유입되고 있는 것이다. 실제로 위에서 본 것처럼 2008년부터 2015년 11월까지 집계된 다문화 형성 외국인의 변화현황을 살펴보면, 2008년 891,341명이었던 다문화 형성 외국인의 수가 2015년 11월 현재 1,711,013명으로 92%나 증가하고 있는 것으로 나타났다. 특히 한국거주 외국출신자들은 주로 거주하는 지역이 서울·경기지역에 집중되어 경기도 안산, 시흥을 비롯한 몇몇 지역에서는 외국인이 우리나라 사람보다 많은 것으로 나타났다. 특히, 안산 단원지구와 같이 외국인이 집단으로 거주하는 지역의 경우 우리나라 국민들이 야간에는 출입이 어려울 정도로 위험성을 가지고 있어, 인근지역 주민들과의 갈등이 심화되고 있으며, 경찰조차도 통제하기 어려운 실정이다.

둘째, 동아시아 및 동남아 출신자들 중심으로 구성되어 있다. 그 원인은 1990년대부터 이주노동자들의 유입과 농촌지역으로 결혼이민 등을 통해 중국·베트남·필리핀·몽골 등의 지역 거주자들이 급증하게 하게 되었다. 2016년 조사된 국내 체류외국인의 국적별 분포를 살펴보면, 중국이 1,016,607명(49.6%)으로 전체 외국인의 약 절반을 차지하고 있고, 그 다음이 베트남으로 149,384명(7.3%), 미국 140,222명(6.8%), 타이 100,860명(4.9%) 등의 순이다. 체류외국인은 2012년 이후 연평균 9.2% 증가하였고, 2012년 대비 증가율이 큰 국가는 러시아(184.9%) → 홍콩(180.8%) → 미얀마(143.6%) → 타이(119.5%) → 말레이시아(101.6%) → 캄보디아(86.2%) → 네팔(80.4%) → 우즈베키스탄(57.1%) 등의 순이다. 실제로 2016년에 다문화 혼인을 한 외국 출신의 아내 국적은 베트남이 27.9%로 가장 많고, 중국(26.9%), 필리핀(4.3%), 태국(3.3%) 순이었고, 출생자 수에서 외국 출신 모(母)의 국적도 베트남이 32.3%로 가장 높고, 중국(24.3%), 필리핀(7.6%) 순이었다.[34] 이처럼 우리나라의 다문화사회 구성원들은 주로 경제적인 원인에 의해 유입되는 특성을 보이고 있다

셋째, 새롭게 유입된 다문화사회의 외국인들은 상대적으로 저소득층이 대부분이라는 것이다. 이는 1980년대 후반부터 노동권의 인식성장, 노동인권증진 등으로 인해 우리나라 노동계층에서 3D업종을 기피하게 되었고, 기술집약적 고부가가치 산업의 발달로 인해, 저임금 단순노동 인력이 고임금 고부가가치 산업으로 이동하게 됨에 따라 국내에 저임금 3D업종의 노동력부족으로 인해 외국으로부터 이주노동자가 발생하게 되었다. 또한 1990년 후반부터 실시된 '농촌지역 총각 장가보내기 운동'을 통해 우리나라보다 상대적으로 국민들의 생활수준이 낮은 국가인 중국·필리핀·태국·몽골 출신 등의 결혼이주를 통해 농촌지역에 정착하게 되었다. 따라서 우리나라에 유입된 다문화 외국인들은 대체적으로 저소득층이 대부분이다. 실제로, 국내 다문화가정의 기초생활 비율이 4.9%로 일반 국민 수급자 비율 3.1%에 비해 1.6배가 많은 것으로 나타났고, 2016년 경기도가 조사한 결혼이민자의 교육수준별 월평균 가구소득이 월 200~300만원 미만이 47.7%로 절반에 가깝게 나타났고, 월평균 가구소득이 200만원 미만인 경우도 27.0%로 결혼이민자의 75% 이상이 월평균 300만 원 이하인 것으로 나타났다.[35]

넷째, 다문화에 대한 국민 인식이 낮다. 이는 여전히 다문화에 대해 폐쇄적인 특성과 함께 경제적으로 낙후된 국가의 출신자에 대한 부정적인 시각이 영향을

34) 『2016년 다문화 인구동태 통계』(통계청, 2017.11), pp. 22-30.
35) "경기도 다문화가족 정책수요 조사", 『정책보고서』(경기도가족여성연구원, 2016), pp. 99-106.

준 것으로 보인다. 2015년 경기도가 경기도민을 대상으로 실시한 다문화수용성 지수[36]를 실시한 결과, 다문화수용성 지수는 55.32점으로 2011년(49.94점)보다 더 높은 수준으로 다양성(56.74점), 관계성(54.90점), 보편성(53.59점) 등에서 전국의 지수(53.95점)보다 높은 수준을 보였다. 그러나 여전히 거부·회피정서가 67.17점으로 가장 높았고, 고정관념 및 차별(66.29점), 세계시민행동(57.50점), 국민정체성(53.72점) 등의 순으로 수준이 낮았으나 모든 하위요소에서 경기도의 수준이 전국보다 높았다. 이는 우리전체 국민의 다문화수용성 지수가 여전히 아주 낮은 수준에 머물고 있다는 반증이라 할 수 있다.[37]

3. 다문화정책 추진 현황

(1) 추진 경과

우리나라는 위에서 본 것처럼 1990년 대 중반 이후 지속적으로 체류외국인이 증가하면서 외국인에 대한 국가정책이 보다 포괄적인 차원에서 이뤄져야 할 필요성이 제기되었다. 그에 따라 「재한외국인 처우 기본법」(외국인처우법)과 「다문화가족지원법」 등의 법률이 제정되었고, 이러한 법률에 근거하여 우리나라의 다문화정책들이 추진되고 있다. 법무부 주도로 2007년에 제정된 「외국인처우법」은 다문화정책과 관련된 법률의 상위법적 성격을 가지고 있는데 이는 중앙 부처뿐만 아니라 중앙과 지자체간 다문화정책 업무를 심의·조정하는 기능을 규정하고 있기 때문이다. 이 법에 따라 정부는 「외국인정책 기본계획」을 5년 단위로 중장기 국가계획을 수립하여 추진하고 있다. 이 기본계획에 의하면 정책의 목표는 적극적인 개방, 질 높은 사회통합, 질서 있는 이민행정, 외국인 인권옹호 4가지다. 외국인 정책의 기본 방향은 개방을 통해 국가경쟁력을 강화하겠다는 것으로, 전문인력 등 우수인재는 적극적으로 유치하고, 동포는 사회통합의 용이성 및 한민족 역량 강화 차원에서 입국 및 취업에서 우대하며, 우리 사회를 인권이 존중되는 성숙한 다문화 사회로 발전시키겠다는 것이다. 또한 개방된 사회의 보편적 가치

---

36) 다문화 수용성 지수(KMCI)는 국민의 다문화에 대한 이해와 수용을 측정하는 것으로 다양성·관계성·보편성 등 3개 분야 35개 문항으로 구성되어 총점 100점을 기준으로 한다.
37) "경기도민의 다문화 수용성 및 이주민에 대한 인식", 『정책보고』(경기도가족여성연구원, 2016), pp. 103-109.

로서 외국인의 인권을 보장하고, 법과 원칙에 따른 체류질서를 확립하겠다는 것이다.

이러한 외국인 정책의 목적과 기본 방향에 따라 각 부처에서는 소관법률을 근거로 다양한 다문화정책이나 사업을 추진하고 있다. 여성가족부는 「다문화가족지원법」과 「결혼중개업의 관리에 관한 법률」을, 문화체육관광부는 「외국인 근로자의 고용 등에 관한 법」(외국인고용법), 「국어기본법」, 「도서관법」 등 다양한 법률을 근거로 하여 다문화정책을 수립하여 추진하고 있다. 노동부의 경우에는 「외국인고용법」을 근거로 하여 우리나라에 체류 중인 외국인 중 상당수를 차지하는 이주노동자를 대상으로 하여 여러 정책들을 추진하고 있다.

(2) 다문화정책 관련법률

우리 정부가 다문화정책에 대한 포괄적으로 논의하기 시작한 것은 2004년부터였다. 즉 2003년에 제정된 「외국인고용법」으로 이주노동자를 포함한 이주외국인에 대한 정책시행이 본격화하였기 때문이다. 이후 2007년에 「외국인처우법」을 제정하고, 2008년에는 「다문화가족지원법」을 제정하기에 이르렀다. 또한 「국적법」도 이러한 변화에 맞추어 일부 손을 보게 되었다.

① 「외국인처우법」: 이 법은 국내 체류 외국인의 증가와 함께 체류외국인의 유형도 다양해짐에 따라 이들에 대한 처우와 한국사회 적응을 돕기 위한 목적으로 2007년 제정되었다. 외국인의 국내 이주에 대한 종합대책을 마련하기 위하여 기본법으로 제정된 것이다. 이 법은 총 5장 23개 조문으로 구성되어 있는데, 제1장 총칙, 제2장 외국인정책의 수립 및 추진체계, 제3장 재한외국인 등의 처우, 제4장 국민과 재한외국인이 더불어 살아가는 환경조성, 그리고 제5장 보칙으로 되어 있다. 동법 제2조(정의)에서 "재한외국인"이란 대한민국의 국적을 가지지 아니한 자로서 대한민국에 거주할 목적을 가지고 합법적으로 체류하고 있는 자를 말하고, "결혼이민자"란 대한민국 국민과 혼인한 적이 있거나 혼인관계에 있는 재한외국인을 말한다고 규정하고 있다. 동법 제12조에서는 결혼이민자 및 그 자녀의 처우를 규정하고 있어 적용대상인 재한외국인에 결혼이민자와 그 자녀를 포함하고 있다. 다만 이 법은 재한 외국인의 증가에 맞추어 외국인의 처우와 적응을 돕기 위해 제정된 기본법으로서 의미가 있지만 외국인의 기본적인 인권보호

내용을 구체적으로 적시하지 않고 있어 기본법으로서의 역할이 다소 부족하다는 비판이 있다. 즉 동법 제3조와 제5조에 국가 및 지방자치단체의 책무로 재한외국인에 대한 처우 등에 관한 주요 정책을 수립·시행하기 위하여 노력하여야 함을 규정하고 있으나, 구체적인 세부사항에 대하여는 관련 기관에 위임하고 있어 실질적인 권리보호가 강조되지 못하는 문제점이 있다. 또한 재한 외국인의 범위를 합법적으로 체류하고 있는 자만으로 한정하고 있어 이주노동자 가운데 합법적 지위를 갖지 못하는 불법체류노동자 등은 지원 대상에서 배제될 수밖에 없다는 점도 문제점으로 지적된다.

② 「다문화가족지원법」: 이 법은 2008년 3월 21일 제정되었는데 동법 제2조(용어)에서 '다문화가족'의 두 가지 유형을 들고 있는데, 하나는 「외국인처우법」 제2조 제3호의 결혼이민자와 「국적법」 제2조에 따라 출생시부터 대한민국 국적을 취득한 자로 이루어진 가족이고, 다른 하나는 「국적법」 제4조에 따라 귀화허가를 받은 자와 같은 법 제2조에 따라 출생시부터 대한민국 국적을 취득한 자로 이루어진 가족을 말한다. 「다문화가족지원법」 제3조에서는 국가와 지방자치단체의 책무로 다문화가족 구성원이 안정적인 가족 생활을 영위할 수 있도록 필요한 제도와 여건을 조성하고 이를 위한 시책을 수립·시행하여야 할 의무가 있음을 규정하고 있다. 여성가족부장관은 다문화가족 지원을 위한 정책수립에 활용하기 위하여 3년마다 실태조사를 실시하고(제4조), 다문화가족에 대한 사회적 차별 및 편견을 예방하고 사회구성원이 문화적 다양성을 인정하고 존중할 수 있도록 다문화 이해교육과 홍보 등 필요한 조치를 해야 한다(제5조). 또한 국가와 지방자치단체는 결혼이민자등이 대한민국에서 생활하는 데 필요한 기본적 정보(아동·청소년에 대한 학습 및 생활지도 관련 정보를 포함한다)를 제공하고, 사회적응교육과 직업교육·훈련 및 언어소통 능력 향상을 위한 한국어교육 등을 받을 수 있도록 필요한 지원해야 하고(제6조), 민주적이고 양성 평등한 가족관계를 누릴 수 있도록 하는 조치를 취하여야 하고(제7조), 가정폭력 피해자에 대한 보호·지원(제8조), 산전·산후 건강관리 지원(제9조), 아동의 보육 및 교육지원(제10조), 다문화가족지원정책의 시행을 위하여 필요한 경우에는 다문화가족지원센터를 지정할 수 있도록 하는(제12조) 등의 책무를 규정하고 있다. 또한 동법 제14조에서는 이러한 각종 지원조치에 대해 대한민국 국민과 사실혼 관계에서 출생한 자녀를 양육하고

있는 다문화가족 구성원에 대하여 준용하도록 함으로써 사실혼 배우자 및 그 자녀에 대하여도 같은 지원을 할 수 있도록 하고 있다. 다만 이 법이 다문화가족에 대한 지원을 종합적으로 명문화하였다는 점에서는 의의가 있지만 적용대상으로 하고 있는 다문화가족의 형태가 우리 국민이 반드시 포함된 다문화가족만을 지원대상으로 하고 있어 제정취지를 충분히 살리지 못하고 있다는 비난이 있다. 따라서 결혼이민자에게만 초점을 두고 있는 다문화가족의 범위를 외국인노동자, 유학생, 북한이탈주민(새터민) 등을 포함하는 방향으로 확대할 필요가 있다는 것이다.

③ 「국적법」: 이 법은 우리나라 헌법 제2조 제1항 대한민국의 국민이 되는 요건은 법률로 정한다는 근거에 의하여 1948년 제정되었다. 그동안 여러 차례 개정되어 1997년의 남녀차별 및 혼혈차별의 원인이 된다하여 비판받았던 '부계(父系)혈통주의'를 폐지하고 '부모양계(父母兩系)혈통주의'로 전환하였고, 2004년 한국 국민과 혼인한 외국인이 한국 국적을 취득하기 위해서는 그 배우자와 혼인한 상태로 한국에 2년 이상 계속하여 주소가 있거나 일정요건을 갖추고 법무부장관의 귀화허가를 받아야만 한국국적을 취득할 수 있게 되어 있었으나 배우자의 사망이나 실종 그 밖에 자신의 책임이 없는 사유로 정상적인 혼인생활을 할 수 없었거나, 그 배우자와의 혼인에 따라 출생한 미성년의 자를 양육하고 있거나 양육하여야 할 경우에는 간이귀화 요건을 완화하게 되었다. 또한 다문화사회에 부합하도록 하기 위해 2010년 복수국적을 허용하는 등 일부 조항이 개정되었다. 개정법에 의하면 외국인이 한국국적을 취득한 경우 현행 6개월의 외국국적 포기기간을 1년으로 연장하였고, 국적취득자 중 혼인관계를 유지하고 있는 결혼이민자 등의 경우 한국 국적을 취득한 후 외국국적을 포기하지 아니하고도 국내에서 외국 국적을 행사하지 아니하겠다는 서약만 하면 한국 국적이 상실되지 아니하도록 함으로서 복수국적을 허용하고 있다. 이로써 결혼이민자가 간이 귀화할 때 그들의 귀화를 촉진하는 효과가 있을 뿐 아니라, 그들로 하여금 출신국과의 연결고리가 끊이지 않도록 배려하며, 열악한 지위를 다소 개선함으로써 이민통합에 도움이 될 것으로 예상되고 있다. 다만 이 법이 지니고 있는 지나친 속인주의는 한국사회에 들어온 이주민인 이주노동자 또는 유학생 사이에 태어난 자녀들이 출생하자마자 바로 불법체류자로 간주될 소지가 있어 현실에서 예외적으로 속지주의를 인정하도록 개선될 필요가 있다는 것이다.

(3) 주요 부처별 세부추진 정책

우리나라에서 실시되고 있는 다문화정책은 정부 부처 간에 다소 차이가 있는데 법무부는 이민이나 국경관리 등에 중점을 두고, 보건복지부는 다문화가족의 지원정책에 무게를 두고 있으며, 문화부는 문화교류 측면에서 정책을 이해하고 있다. 때문에 다문화정책의 용어도 외국인정책, 이민정책, 사회통합정책, 다문화지원정책 등으로 혼용하여 사용하고 있다. 이때 외국인정책은 대한민국으로 이주하고자 하는 외국인에 대해 일시적·영구적 사회구성원의 자격을 부여하거나, 국내에서 살아가는 데 필요한 제반환경의 조성에 관한 사항을 정치·경제·사회·문화 등 종합적 관점에서 다루는 정책이라고 정의한다. 주로 안정적 체류지원 및 생활정보의 제공, 한국어와 한국문화 이해교육, 기초생활보장 등을 내용으로 한다. 또한 이민정책은 국경관리 차원에서 입국과 출국을 허가 또는 통제하고, 한국에 거주하는 외국인에 대한 사회구성원 자격을 부여하는 가장 소극적인 것으로 외국인정책보다 협소한 개념이다. 국경을 통과하는 모든 사람의 입국과 출국을 관리하는 것으로, 주로 한국인들의 해외이주에 대한 내용이고 제한적으로 특정 외국인 집단에 대한 일시적 또는 영구적 사회구성원 자격의 부여 및 이에 부수하는 사항을 다루는 정책이다. 또한 사회통합정책은 우리 사회의 구성원이 된 외국인이 부당한 차별을 받지 않도록 하거나 이들의 사회부적응으로 인한 사회갈등을 최소화하기 위한 정책을 포괄하는 넓은 개념이다.[38)]

국무총리실은 각 부처의 다문화정책을 총괄 조정하는 역할을 한다. 이러한 조정기구는 현재 외국인정책위원회, 다문화가족정책위원회, 외국인력정책위원회 등이 있다. ① 외국인정책위원회는 「외국인처우법」에 의해 설립된 것으로 국무총리를 위원장으로 30인 이내의 위원으로 구성되어 있다. 재한 외국인에 대한 처우에 관한 정책을 총괄하고 있고 간사는 법무부 출입국·외국인정책본부장이다. 산하에 법무부 차관을 위원장으로 하는 실무위원회를 두고 있다. 외국인정책위원회가 심의·조정하는 주요 사항은 외국인정책의 기본계획 수립, 외국인정책의 시행계획 수립·시행 및 평가, 국적취득 후의 사회적응, 기타 외국인정책에 관한 주요 사항 등이다. ② 다문화가족정책위원회는 다문화가족정책위원회 규정(국무총리훈

---

38) 『제1차 외국인정책 기본계획(2008-2012)』, 법무부(2008) 참조.

령 제540호)에 의해 2009년 말에 설립된 조정기구로서, 위원장인 국무총리를 포함하여 20인 이내의 위원으로 구성되어 있다. 간사는 국무총리실 사회통합정책실장이고, 업무를 효율적으로 수행하기 위하여 여성가족부장관을 위원장으로 하는 실무위원회를 두고 있다. 다문화가족정책위원회가 수행하는 주요 기능은 다문화가족지원정책 기본계획 수립 및 추진, 다문화가족지원정책의 시행계획 수립 및 평가, 다문화가족과 관련한 각종 조사·연구 및 정책 분석·평가, 범부처 다문화가족 지원사업의 조정·협력, 다문화가족정책과 관련된 국가 간 협력 등이다. 다만, 출입국·체류·귀화 및 그와 관련된 정책에 대한 사항은 제외된다. ③ 외국인력정책위원회는 「외국인근로자의 고용 등에 관한 법률」에 의해 설립된 기구로 외국인근로자의 고용관리 및 보호에 관한 주요 사항을 심의·의결한다. 국무조정실장을 위원장으로 20명 이내의 위원으로 구성되어 있다. 주요 임무는 외국인근로자 관련 기본계획의 수립, 외국인근로자 도입 업종 및 규모, 외국인근로자를 송출할 수 있는 국가의 지정 및 지정취소, 외국인 근로자를 고용할 수 있는 사업 또는 사업장, 사업 또는 사업장에서 고용할 수 있는 외국인근로자의 규모, 외국인근로자를 송출할 수 있는 국가별 외국인력 도입 업종 및 규모, 외국인근로자의 권익보호에 관한 사항 등을 심의·의결한다.

법무부는 2007년에 제정된 「외국인처우법」을 바탕으로 실질적인 다문화정책을 총괄조정하고 있다. 중앙 부처뿐만 아니라 중앙과 지자체간 다문화정책 업무를 심의·조정하는 기능을 규정하고 있기 때문이다. 이 법 제5조(외국인정책의 기본계획)에 의하면 법무부장관은 관계 중앙행정기관의 장과 협의하여 5년마다 외국인정책에 관한 기본계획(이하 "기본계획"이라 한다)을 수립하여야 하고, 그 내용은 ① 외국인정책의 기본목표와 추진방향, ② 외국인정책의 추진과제, 그 추진방법 및 추진시기, ③ 필요한 재원의 규모와 조달방안, ④ 그 밖에 외국인정책 수립 등을 위하여 필요하다고 인정되는 사항 등을 포함하게 되어 있다. 이에 따라 동법 제6조(연도별 시행계획)에 의거 관계 중앙행정기관의 장은 기본계획에 따라 소관별로 연도별 시행계획을 수립·시행하고, 당해 지방자치단체도 연도별 시행계획을 수립·시행하여야 한다. 또한 관계 중앙행정기관의 장은 소관별로 다음 해 시행계획과 지난 해 추진실적 및 평가결과를 법무부장관에게 제출하도록 하여 실질적인 외국인에 대한 정책은 법무부가 총괄하도록 하고 있다.

여성가족부는 여성 결혼이민자에 대한 자녀양육법 지도 등과 더불어 한국어·한국문화 이해교육 및 자녀양육법 지도 등을 통해 자녀들의 학교생활 적응·유도사업을 실시하고 있다. 다문화가족의 안정적 정착과 가족 생활을 지원하기 위해 한국어 교육, 가족 및 자녀 교육·상담, 통·번역 및 정보 제공, 역량강화지원 등 종합적인 서비스를 제공해 다문화가족의 한국사회 조기 적응 및 사회·경제적 자립지원 도모를 목적으로 정책 및 사업을 실시한다. 2010년 여성부에서 여성가족부로 출범해 당시 보건복지가족부의 가족 기능을 이관하여 2008년 제정된 「다문화가족지원법」을 근거로 활동한다. '다문화가족지원센터'를 운영하고, 한국어 교육 및 아동양육 방문교육사업을 통합하여 전국적인 체계를 구축했으며, 다문화가족 자녀의 언어 발달 지원사업 및 결혼이민자 통번역 서비스도 실시한다. 2011년부터 운영된 언어영재교실은 결혼이민자들이 모국어와 자국문화를 다문화가정 자녀에게 교육함으로써 자녀들이 부모 나라의 언어와 문화에 대해 인식하고 자존감을 획득할 수 있는 계기를 마련했다.

교육부의 다문화정책은 다문화가족 자녀 교육에 중점을 두고 있다. 2006년에 실시한 다문화가정 자녀 교육지원 대책과 2007년에 실시한 소외계층 평생교육 프로그램 지원 사업이 대표적이다. 당시 교육부에서는 다문화가족 자녀를 우리 사회의 새로운 교육소외계층으로 분류하여 자활 기회 부여나 삶의 질 향상을 위한 사업들을 실시하였다. 2009년에는 다문화가정 학생 맞춤형 교육 지원 사업을 실시하였고, 2012년에는 모든 학생이 다양성을 이해하는 창의적인 글로벌 인재로 성장할 수 있도록 하는 다문화학생 교육 선진화 방안을 실시하였다. 또한 다문화가정 학생 멘토링 지원사업, 결혼이민자 부모를 한국어와 모국어(일본, 중국, 베트남, 필리핀, 몽골 등)를 동시에 구사하는 능력을 갖춘 자원을 선발하여 모국어 강사요원으로 양성·활용하는 이중언어(二重言語) 강사 양성과정, 글로벌 브리지사업, '다름을 재능으로 모두를 위한 다문화교육' 등을 실시하여 창의적인 글로벌 인재로 성장할 수 있도록 다문화학생 교육 선진화 방안을 추진했다. 즉, 다문화적 특성을 지닌 구성원들의 내부적 문제를 해결할 수 있도록 멘토링 시스템을 도입하고 그들이 지닌 다양성을 드러낼 수 있는 기회의 장을 마련했으며, 모든 사회구성원을 대상으로 다문화 이해 제고 사업을 펼쳤다.

문화체육관광부는 다문화가정 자녀의 문화소외 방지를 위해 다문화가정 자녀들을 '문화 소외계층'으로 보아 문화예술교육 프로그램 지원 및 한국어 · 한국문화 교육 실시하고, 사회문화예술교육 지원 사업을 통해 새터민 · 이주여성 · 외국인근로자(자녀)를 대상으로 하는 문화예술교육 사업을 실시하고 있다. 부처의 특성상 다양한 문화적 접근이 가능하다는 점에 주목, 각 정책 및 사업이 개별적이고 단기적으로 운영되었다. 먼저 한국어 주무부처로서 소속 국립국어원을 통해 주로 다문화가족 대상 단계별 맞춤형 한국어 교육 자료와 교육과정 개발 및 보급으로 이루어졌다. 2009년에는 외국인을 위한 한국어 교육방송 프로그램 제작 및 한국어 방문학습지를 개발했다. 다문화뮤지컬 '러브 인 아시아' 지역 순회공연, '다문화 교육인력 양성 사업' 등을 통해 다문화사회 인식 개선 및 이해 증진을 위한 다양한 콘텐츠를 구축해나갔다. 또한 공공도서관에 다문화자료실을 설치하고 박물관의 다문화 교육 · 전시 프로그램을 운영하고, 지역의 우수한 다문화콘텐츠 및 프로그램을 발굴 · 지원하고 있다. 또한 사회문화적으로 소외된 계층을 선정하여 다문화가정 학생과 함께 노인, 장애인, 저소득계층 아동, 소년원생 및 교도소 수감자 등과 함께 문화공연 및 국내관광을 실시하였다.

보건복지부는 사회복지 차원에서 기초생활보장을 위해 최저생계비 이하의 빈곤층 혼혈인에 대해 생계, 의료, 주거급여 등을 지원함으로 빈곤층 다문화가정 지원하고 있다. 기타 고용노동부는 외국인노동자 고용허가와 사회적 적응, 행정안전부는 이주민 지역정착지원을, 농림축산식품부는 이주여성 농업인에 대한 맞춤형 영농교육 지원 업무를 담당하고 있다.

각 부처별 정책의 분야와 중점은 다음 <표>에 제시되어 있다.

〈주요 부처별 소관정책 현황〉

부처	분야	주요 정책
국무총리실	외국인 정책 총괄	- 외국인 청책 총괄 심의 · 조정
법무부	출입국 · 국적 · 이민	- 외국인정책 총괄 - 이주민 사회통합, 체류질서
여성가족부	성평등 · 여성인권	- 결혼이주여성의 사회적응 - 이주여성의 인권 증진 - 이주여성의 사회적 적응
문화체육관광부	문화 · 체육 · 예술 · 관광	- 다문화에 대한 인식제고 - 이주민 문화 · 언어적 적응 지원

교육부	교육·인재 개발	- 다문화가족 자녀 교육지원 - 학습능력 향상 환경 조성
보건복지부	사회복지	- 다문화가족의 복지 증진
고용노동부	고용	- 외국인노동자 고용허가 - 사회적 적응
행정안전부	지방행정	- 이주민 지역정착지원
농림축산식품부	농업인교육훈련	- 이주여성농업인 맞춤형 영농교육

출처: 최웅선 외, "중앙정부의 다문화정책 조정에 관한 연구", 『한독사회과학논총』, 제22권 제1호(2012. 3). p. 45 재작성.

Ⅲ. 다문화정책과 테러

1. 외국인 혐오범죄

외국인에 대한 혐오범죄를 타나내는 제노포비아(Xenophobia)라는 단어는 외국인 또는 이방인을 뜻하는 Xeno와 공포(증)를 뜻하는 phobia가 결합된 합성어로서 외국인공포나 외국인혐오(증)를 말한다. 어떤 특정한 대상에 대한 반응으로 자기와 다른 피부, 언어, 문화, 관습, 종교 등의 다른 사람을 향한 매우 방어적이고 공격적인 심리적 상태를 나타낸다. 악의가 없는 상대를 무조건 경계하는 심리로 상대를 모르는 것에 대한 두려움과 변화에 대한 우려가 모두 포함된 것이다. 다문화포비아(Multiculture-phobia)와 같은 뜻으로 사용되기도 하고, 미국의 9·11 테러이후 이슬람에 대한 반감이나 무조건적인 반감을 나타내는 이슬람포비아(Islamo-phobia)란 용어가 사용되기도 하였고, 우리나라의 경우 조선족이나 중국인들에 대한 반감을 나타내는 차오포비아(Chao-Phobia) 등이 있다. 제노포비아(Xenophobia)의 원인을 설명하는 이론으로 불행이론, 집단 갈등이론, 엘리트 선동이론 등이 있는데 불행이론(Misery Theory)은 부(富)의 불평등에서 오는 것으로 사회·경제적으로 힘든 고통을 겪을 때, 외국인들이 일자리를 빼앗아갔다고 믿고 그들로부터 박탈감을 느껴 외국인에 대한 혐오증을 유발한다는 것이고, 집단갈등이론(Group Conflict Theory)은 외국인들의 숫자가 늘어 세력이 커지면 본토인인 자신들의 주류적 지배사회가 위협받는다고 생각되어 불안한 심리가 생겨 발생한다는 것이다. 엘리트 선동이론은 정치엘리트 또는 사회적으로 영향력이 있는 리더가 외국인에 대한 위협과 인종차별적 발언을 할 때를 가리키는 것이다.

2. 우리나라 제노포비아 현상

우리나라는 과거 1965년 현대건설의 태국 고속도로 건설을 시초로 국가의 지원과 주도로 한국의 노동력을 해외로 수출하는 정책을 펴기 시작하여 1989년 해외여행자유화가 실시되었으나, 정작 국내에 거주하는 외국인에 대한 이주노동정책은 전무하였고 IMF가 발발한 1997년에는 외국인노동자의 국내 유입을 금지하는 정책을 폈다. 그러나 1990년대 후반부터 우리나라가 IMF의 경제위기가 극복되면서 기술집약적 고부가가치 산업의 발달로 저임금 단순노동 인력이 고임금 고부가가치 산업으로 이동하게 됨에 따라 우리 노동자들이 3D업종을 기피하게 되었고 국내에 저임금 3D업종의 노동력부족으로 인해 외국으로부터 이주노동자가 본격적으로 국내로 유입되기 시작하였다. 이에 따라 우리 정부도 2005년 다문화정책을 선포함으로써 외국인과 결혼한 결혼이민 가정에 대한 관심이 높아지면서 이주노동정책은 산업연수와 고용허가제를 병행 시행되었다. 1980년대 일본의 제도를 모델로 한 '산업연수생' 제도를 도입하고 이주노동자를 받기 시작하였으나 많은 문제가 있어 최저임금을 보장하는 '고용허가제'로 전환하기에 이르렀다.[39)]

2008년 「다문화가족지원법」이 제정되면서 본격적인 다문화정책 시행의 법적 기반이 마련되었다. 이 법은 총 16개 조항으로 구성되어 다문화가족 구성원이 안정적인 가족생활을 영위할 수 있도록 함으로써 삶의 질 향상과 사회통합에 이바지하기 위하여 제정되었다. 이 법에서 정의하는 "다문화가족"이란 한국인과 결혼한 결혼이민자와 출생 시부터 대한민국 국적을 취득한자로 이루어진 가족, 귀화허가를 받은 자 등으로 규정하고 있다(동법 제2조). 이 법이 시행됨에 따라 2009년 상반기 다문화가족 생애주기별 맞춤형 지원 대책이 강화되어 다문화가족 및 자녀의 수가 증가되고 있는 가운데, 결혼당사자의 인권침해, 가족 간의 갈등과 불화, 자녀의 학교생활 적응곤란 등이 발생되고 지역별 · 서비스별 지원의 사각지대가 존재함에 따라, 이에 대한 가족과 사회의 안정적 토대를 마련하고, 다문화

---

39) 체류외국인 증가 세부 내용은 제6장 제2절 참조.

가족 자녀를 글로벌 인재로 육성해 향후 한국 발전에 이바지할 수 있는 인력으로 활용하기 위함이다. 다문화가족지원법 제정은 농촌으로 시집오려는 한국 여성이 부족해지면서 한국의 농촌총각들은 결국 동남아 여성과 결혼하는 일이 속출했다. 과거 종교단체의 결혼을 통한 이주외국인들이 다수였으나 이때부터 각 지방자치단체 주관으로 '농촌총각 장가보내기' 지원책을 실시하여 동남아 여성 결혼이민자들이 한국으로 몰려들기 시작하였다. 이들 여성 배우자들의 국적은 중국·베트남·필리핀·캄보디아·몽골·태국 등 다양하다.

초기 이주노동자들은 최저임금 이하의 노임으로 인간적인 대우도 받지 못하는 사례가 발생하였고 여성 결혼 이민자들의 인권문제도 크게 대두되면서 사회문제가 되었다. 노임을 따라 이주해 왔던 이들은 열악한 노동 환경에 놓이고 법적인 보호도 제대로 받지 못하는 경우도 발생하였다. 특히 2012년 퇴근하던 여성을 납치하여 토막 살해한 중국 내몽고 출신인 살인마 오원춘(우위안춘)의 살인사건[40]과 2014년 내연녀를 토막 살해한 조선족 출신인 박춘풍의 살인사건[41] 등으로 외국인에 대한 두려움과 위험한 존재로 혐오증에 가까운 경계심이 생기게 되었다. 이것이 한국의 제노포비아 현상으로 발전될 소지가 충분하였다. 이러한 외국인 혐오증은 통상 외국인이 소수민족과 이주민이라는 이유 혹은 외모가 다르다는 이유로 인간으로서 누려야 할 권리를 갖지 못하고 교육과 고용의 기회에서 차별을 받는 것이다. 이것이 빈곤한 삶으로 전락하고 이런 상황은 그 자녀들에게 대물림되는 악순환이 거듭되면서 사회적인 불안요인이 되는 것이다. 따라서 이러한 문제를 해결하기 위해 법과 제도적 장치가 반드시 필요하고, 지금의 외국인이주민에 대한 정책 대상이 매우 제한적이고 협소하며, 「외국인처우법」은 외국인들의 보호보다는 규제에 초점을 두고 있는 등 문제가 있다. 또한 지나치게 세분화되어 있는 정책들은 다문화 사회의 구축과 사회통합을 위해서는 좀 더 큰 틀에서 바

40) 오원춘(吳原春, 당시 41세)은 2007년 입국하여 거제 등에서 막노동을 하던 중국인으로, 2012년 4월 2일 경기도 수원시에서 자기 집 앞을 지나가던 27세 여성을 납치·살해한 후 시신을 280조각으로 토막내어 20개 봉지에 담아 보관한 엽기 살인범이다. 무기징역과 신상정보 공개 10년, 전자발찌 부착 30년 명령을 받고 현재 청송교도소에 수감 중이다.

41) 박춘풍(朴春風, 당시 56세)은 2008년 위조 여권으로 입국하여 주로 수원에서 살았던 불법체류자로, 2014년 11월 26일 오전 팔달구 매교동 집에서 자신이 동거녀 김양(48세, 중국국적)을 목 졸라 살해하고 흉기로 시신을 훼손한 뒤 수원 팔달산 등 5곳에 유기한 살인범이다. 무기징역과 전자발찌 부착 30년 명령을 받고 수감 중이다.

라 볼 필요가 있다.[42)]

3. 외국인에 대한 테러

현재와 같은 외국인의 증가가 계속된다면 2040년에는 우리나라에 체류하는 외국인의 비율이 전체인구의 10%인 천만 명에 육박할 것으로 추산된다. 국내 체류 외국인의 증가는 부족한 노동력을 대체하는 등의 긍정적인 측면도 있지만, 불법체류자의 증가로 인해 국내 치안질서가 무질서해지고, 외국인에 대한 편견과 차별로 인한 제노포비아 현상 혹은 테러 등과 같은 여러 가지 사회적인 문제가 발생할 가능성도 배제할 수 없다. 따라서 이러한 다문화사회로의 전환에 따른 효과적인 치안확보가 마련되어야 하고 다문화사회의 특성과 범죄현상에 적합한 대응전략이 마련되어야 한다. 따라서 대테러 유관기관은 단순히 법집행과 질서유지에 국한되지 않고 다문화사회에 대한 이해와 체류외국인의 관리에 각별한 관심이 요구되고 있는 것이다. 범인의 체포와 수사에서부터 범죄의 예방에 초점을 맞추는 정책이 필요한 것이다. 다문화사회의 다양한 인종과 문화와 관련하여 전문화된 인력이 필요하고 소수민족을 배려하고 이들을 효과적으로 관리하기 위해 다문화가족의 2세나 귀화인을 일정비율로 채용하여 외국인 밀집지역에 배치하는 등의 활용하는 방법이 필요할 것이다. 또한 이들에 의한 범죄예방을 위해 대체러 유관기관과 외국인, 다문화가족, 지역사회와 언론 등이 참석하는 공동 커뮤니티를 구성하여 협력체계를 구축하는 것도 생각해야 한다. 다문화사회로 전환 중인 우리나라의 경우 이러한 다양한 다문화정책을 통해 안정적인 사회질서의 유지하고 범죄를 예방하여 외국인혐오증에서 발생할 수 있는 테러를 사전에 방지해야 할 것이다.

자생테러의 경우 발생 동기나 원인이 주로 이민 가정의 2세로 사회로부터 냉대와 멸시로 인한 것으로 밝혀졌다. 2005년 영국의 런던 지하철 테러나 2013년 미국 보스톤 마라톤 테러, 2016년 프랑스 니스 테러 등은 공통적으로 다문화사회에서 나타나는 갈등과 불만이 테러의 형태로 표출된 것이다. 이러한 선진 각국도 초기에는 이민자들에 대한 통제를 엄격하게 관리하여왔으나 점차 사회통합을

42) 외국인범죄는 제6장 제2절 참조.

위해 이민자들과 시민들이 자발적이고 동등한 참여로 서로를 이해할 수 있는 통합적인 다문화정책을 실시하게 된 것이다. 우리나라의 경우도 오래전부터 단일민족이라는 전통으로 피부색이 다르거나 문화, 언어가 다른 외국인에 대하여 차별적인 시각과 배타적인 정서가 뿌리깊게 박혀 있는 것이 사실이다. 따라서 아직까지는 국내에서 이로 인한 테러사건이 발생하고 있지는 않지만 외국의 사례들을 볼 때 우리나라도 다문화사회로 인한 테러사건의 발생이 현실화할 가능성을 배제할 수 없는 상황이다. 그러므로 다문화 지역사회와 상호교류를 통한 친밀감을 형성하고 외국인에 대한 편견적인 인식의 전환이 함께 이루어져야 할 것이다. 외국인 밀집지역의 자율방범대에 거주 외국인을 포함시켜 경찰의 순찰 등 범죄예방활동에 참여시키고 이를 통하여 공동체 소속감 증진과 사회봉사활동의 기회를 제공하는 프로그램을 만들어야 할 것이다. 또한 다문화사회 구성원들의 갈등을 해결하기 위하여 적극적인 대테러활동의 실시와 외국인 혐오증에 의한 범죄를 전담하는 조직 신설, 꾸준한 연구와 교육훈련 등이 필요할 것이다.[43]

다문화정책의 대상이 외국인 등의 소수자 중심에서 우리 국민 다수로까지 확대해야 한다. 지금까지의 다문화정책의 대상이 외국인 이민자인 소수자가 우리국민의 다수자 문화를 습득·수용하도록 하는 데 집중되어 있었다. 물론 이주민에게 한국은 새로운 영토이기에 주류적 문화를 습득하고 수용하는 것은 삶을 이끌어나가는 데 분명 필요하다. 그러나 소수자의 다수 문화 습득 못지않게 다수자들이 소수자의 문화에 대한 이해도 중요하다. 서로 차이를 인정하고 소수의 문화를 존중하기 위해서는 다수자 역시 소수의 문화적 경계를 넘어설 수 있는 지식과 태도를 지녀야 한다. 현재 정책의 대상이 주로 소수자를 상대로 하고 있으나 우리 국민을 대상으로 다양한 문화에 대한 이해와 배려에 대한 국민교육도 고려해야 한다는 것이다. 즉, 소수자들을 잠재적 문제 요소로 인식하고 예방하는 차원에서 정책을 실시하는 것이 아니라 우리 국민도 함께 상호 이해 및 문화 교류의 장이 될 수 있도록 하는 정책 대상의 확대가 필요한 것이다. 다문화정책은 소수자를 위한 교육이면서 동시에 소수자와 다수자의 공생·공존을 추구하고, 나아가 민주주의의 이념인 평등과 정의를 실현하는 국민교육의 과정으로 이해해야 할 것이다.

---

43) 자생테러에 대한 세부 내용은 제11장 제2절 참조.

사회안전망도 꾸준히 확충해야 한다. 사회안전망 구축은 대테러 유관기관과 민간 그리고 지역사회의 정기적인 교류와 테러 발생시 각 기관의 역할분담을 통해 체계적으로 이루어져야 한다. 사회안전망 수혜 대상이 단순히 다문화가족이 아니라 한국 거주 기간에 중점을 두어 입국 초기→중기→후기로 나누어 정책의 방향, 내용을 달리하여 이주민의 한국적응 정도를 기준으로 실시해야 한다. 이러한 기준을 달리하면 정책 목표에 적합한 대상자를 선정할 수 있을 뿐 아니라 그 정책의 내용도 다양해질 수 있을 것이다. 예로서 초기에는 이민자들이 한국 생활의 적응을 위한 언어, 지리 등의 기초적 서비스가 중요할 것이며, 중기 이후에는 한국의 문화와 역사 등 문화적 정체성에 대한 이해와 상호 교류를 통해 주체적인 역할을 할 수 있는 서비스가 체계적으로 제공되어야 할 것이다. 초기에는 대체로 정부주도로 실시되고 시민들의 역할은 자연스럽게 지원하고 참여하는 방향으로 축소되지만 시간이 지날수록 시민들의 역할이 크지는 방향으로 정책이 실시되어야 할 것이다. 즉, 높은 자율성이 보장되어야 할 것이고 자발적인 움직임을 통해 다문화주의에 대한 이해를 높이는 데 집중해야 할 것이다. 실례로 영국은 전통적으로 국가 차원의 다문화정책의 원칙을 천명하지 않고 이해 당사자들의 합의에 일임하여 대화와 타협을 통한 실용주의적으로 접근하고 있다.

제4절 언론의 역할

Ⅰ. 민주사회와 언론

민주주의는 시민의 참여를 근간으로 하는 정치제도이다. 시민은 국가의 주인이고 국가행정의 다양한 의사결정에 직·간접적으로 참여할 수 있는 권리를 가진다. 이러한 시민의 참여는 국민의 알권리와 언론자유의 보장이라는 기본권을 의미한다. 우리 헌법 제21조에 보장된 '언론출판의 자유'가 바로 그것이다. 자유민주주의 사회에서 각각의 구성원은 자신의 사상이나 생각을 자유로이 발표할 수 있는 언론출판의 자유를 최대한으로 누릴 수 있어야 하고 인간의 권리와 정치의 자유를 보호하기 위해서 반드시 필요하다. 인간은 사회적 동물로 공동체를 형성하고 그 속에서 끊임없이 관계를 맺으며 살아간다. 언론은 사람들의 소통을 가능하게 하는 수단과 방법으로써 민주사회의 신경조직과 같고, 사회를 감시하는 일종의 파수꾼과 같은 역할을 수행한다. 따라서 오늘날 많은 민주국가들이 언론·출판의 자유를 인간의 기본적 권리 내지 가치로서 보장하고 있는 것이다.

언론의 자유는 여러 가지 표현 수단이나 언론 매체 등을 통해 자신의 의견을 표현하고 발표할 수 있고, 정보와 지식을 얻을 수 있는 자유, 즉 취재와 보도의 자유인 것이다. 언론은 대상에 제한 없이 기삿거리를 취재할 수 있고, 취재한 내용을 그 정보가치에 따라 취사선택하여 보도할 수 있는 권리를 가진다. 보도의 자유는 이처럼 언론기관이 자신의 보도내용을 언제, 어떻게 불특정다수에게 전달할 것인가를 스스로 결정할 수 있는 자유를 의미한다. 그러므로 언론기관은 국가의 권력이나 자본의 간섭으로부터 자유로워야 할 뿐만 아니라, 이들 이외의 언론의 자유를 침해하는 세력들의 영향력으로부터도 자유로워야 한다. 이는 여론형성이라고 하는 언론의 본질적 기능을 보장하기 위한 또 다른 측면의 독립성을 말하며, 이른바 대항권력으로서의 언론의 역할을 보호하기 위한 것이다. 언론은 국가권력의 방해 없이 국민의 알권리를 위해 대리하여 취재 및 보도 활동을 하며, 필요에 따라서는 공공기관에 필요한 정보를 청구하여 정부와 공직자를 감시·비판하는 기능을 수행하게 된다. 헌법재판소도 헌법 제21조에 언론·출판의 자유는 사상 또는 의견의 자유로운 표명(발표의 자유)과 그것을 전파할 자유(전달의 자유)를 의미하는 것으로서 개인이 인간으로서의 존엄과 가치를 유지하고 행복을 추구하며 국민주권을 실현하는 데 필수불가결한 것으로 오늘날 민주국가에서 국민이 갖는 가장 중요한 기본권의 하나로 인식하고 있다. 이때 자유로운 의사의 형성은 충분한 정보에의 접근이 보장됨으로써 비로소 가능한 것이고, 자유로운 표명은 (정보의) 자유로운 수용 또는 접수와 불가분의 관계에 있다고 할 것이니 '알권리'는 표현의 자유에 당연히 포함되는 것으로 보아야 하는 것이라고 판시하였다.[44)]

이때 알권리(right to know) 개념은 미국 제임스 윌슨(James Wilson) 의원이 1787년 필라델피아 헌법제정회의에서 처음으로 사용되었다고 한다[45)]. 알권리는

44) 헌재결 1989.9.4. 88헌마22.
45) 서정우, "정보공개와 국민의 알권리," 『신동아』 10월호(1982), p. 238.

주권자인 국민이 민주적 정치과정에 참여하여 제대로 그 주권을 행사하기 위해서는 국가행정 운영과 관련된 정보를 자유롭게 수집하고 획득해야 하며, 더 나아가 국가에 대하여 정보를 요구할 수 있는 권리가 국민에게 보장되어야 한다는 것을 의미한다. 즉 소극적으로 접근이 가능한 정보를 받아들이고 취사·선택할 수 있을 뿐만 아니라 적극적으로 의사형성이나 여론형성에 필요한 정보를 수집할 수 있는 권리까지를 포함하는 개념이다. 이러한 알권리를 헌법으로 규정하고 있는 사례는 없지만 대부분의 민주국가에서는 알권리를 헌법상의 국민의 기본권으로 인정하고 있다. 우리나라의 학설과 판례 역시 알권리가 국민의 헌법적 기본권임을 확인하고 있다. 앞서 논의하였듯이 알권리가 민주적 국정참여와 인격의 자유로운 발현과 인간다운 생활을 확보하기 위하여 필요한 정보수집권까지를 포함하는 개념으로 넓게 해석하고 있다. 이 권리의 핵심은 정부가 보유하고 있는 정보에 대한 정보공개를 구할 권리(청구권적 기본권)이며, 국민의 알권리는 민주국가에서 하나의 국민의 기본권으로서 중요성을 갖는다. 그러나 무제한적인 것이 아니고 일정한 한계를 가지고 있다. 우리 헌재도 "(알권리의) 제한은 본질적 내용을 침해하지 않은 범위 내에서 최소한도에 그쳐야 하며 국가안보, 질서유지, 공공복리 등 개념이 넓은 기준에서 일보 전진하여 구체적 기준을 정립해야 할 것이며, 제한에서 오는 이익과 '알권리' 침해라는 해악을 비교 형량하여 그 제한의 한계를 설정해야 할 것"이라고 판시했다.[46] 즉 국가의 안전보장을 위하여 국민의 기본권 제한이 가능하다고 할지라도 그 제한의 한계는 어디까지나 국민의 자유와 권리의 본질적인 내용을 침해하지 않는 한도 내에서 행해져야 한다면서 알권리의 제한은 국가기밀의 보호를 통한 국가안전보장이라는 공공의 이익이 국민의 알권리라는 개인적 법익 보호보다 명백히 우월한 경우에 한한다고 판시한 것이다.

Ⅱ. 언론의 의미와 특징

언론의 자유를 말할 때 언론의 개념은 사전적 의미로는 개인이 말이나 글로 자기의 생각을 발표하는 일 또는 그 말이나 글 혹은 매체를 통하여 어떤 사실을

46) 헌재결 1992.2.25. 89헌가104.

밝혀 알리거나 어떤 문제에 대하여 여론을 형성하는 활동을 말한다. 통상 우리나라에서는 언론이라 함은 언론들의 활동으로 보는 견해, 출판과 구별하여 구두의 형식에 의한 사상 또는 의견의 발표라고 정의하는 견해, 커뮤니케이션과 표현 등과 동일한 개념으로 보는 견해 등이 있다.[47] 또한 저널리즘(journalism)과 같은 의미로 사용되기도 하는데 이는 처음에는 신문·잡지 등과 같은 정기간행물을 발행하는 직업 활동을 뜻하였다가 후에 방송매체의 등장으로 시사적 문제에 대한 보도나 논평 등을 포함한 활동으로 확대되었다. 즉 저널리즘은 뉴스를 수집·선택·해석하여 널리 전파하는 과정이라 할 수 있다. 따라서 언론은 단순한 표현에 그치는 것이 아니라 미디어를 통하여 기자 개인이나 그가 속한 기관이 어떤 사실을 알리거나 어떤 문제에 대하여 편집하고 해석·판단하는 모든 활동을 말하는 것으로 이해한다.

언론의 특징은 일반 기업처럼 상품(뉴스)을 생산해 유통, 판매한 뒤 이익을 올려 언론사를 유지시켜야 하는 기업적 성격을 가지고 있음은 물론 사회의 정의 구현이라는 공익성이라는 목표를 동시에 갖고 있다는 점이 일반 기업과는 다르다. 또한 언론은 경영조직과 전문조직이라는 상호배타적 이중구조를 갖고 있어 경영부문은 이윤추구를 극대화하는 기업조직 혹은 관료조직으로서 경향을 보이는 반면 편집부문은 정보유통을 극대화함으로써 공익에 봉사하는 공공조직 혹은 전문조직으로서 경향을 보인다. 때문에 두 조직 간에 갈등과 마찰이 생길 수 있으나 일반적으로 경영측이 보도의 방향을 결정하면 편집조직이 이를 따라 기사작성에서부터 보도 내용 및 편집 절차와 내용 등에 이르기까지 편집권을 행사한다. 이러한 이유로 언론은 정확하고 신속하게 기사를 작성하고 보도하고 객관적으로 전달하여야 하지만 현실은 그렇지 못하다. 대표적인 사례가 2010년 연평도 포격 사건을 마치 스포츠 중계와 같이 보도한 것이 비난을 받았다.[48] 이러한 보도 행태는 언론이 갖는 다음과 같은 속성을 가지고 있기 때문이다.

첫째, 언론은 이윤 추구에 관심을 둔다. 언론도 기업이기 때문에 경영조직은 뉴스의 가치나 중요성보다 이윤창출을 위해 마케팅 계획을 세우고 그에 알맞은 기사를 선택하도록 편집조직에 직·간접적으로 영향을 미친다. 따라서 생존을 위

47) 문종대, “언론자유의 개념정의 및 실현조건에 관한 연구,” 『언론학연구』 제2집(2011), pp. 105-125.
48) 김귀근, “군사기밀 국가안보와 언론자유”, 『관훈저널』 제118호(2011. 봄호), pp. 62-68.

해 치열하게 다른 언론사와 경쟁해야 하는 방송이나 신문일수록 보도는 상업주의에서 벗어나기 힘들다.

둘째, 언론 보도는 편향성을 내재하고 있어 선택적이다. 뉴스는 언론에 의해 선택되고 해석되어 재구성된 현실이다. 사회를 인식하고 해석하는 과정에서 특정한 부분을 선택하고 다른 부분은 배제함으로써 뉴스를 조작하고 언어적 담론을 변형시키는 역할을 한다. 언론은 자신의 편견 혹은 보도 성향을 선호하고 지지하는 독자들과 호흡을 같이 하면서 강도를 조절하고 방향을 조정하면서 독자를 관리한다.

셋째, 흥미위주로 보도하려는 속성이 있다. 중요한 국가정보나 안보정책 사안일지라도 독자들의 흥미를 유발할 수 없다면 보도되지 않는다. 딱딱한 내용의 기사를 단순화시켜 소설이나 드라마의 요소를 포함함으로써 흥미를 높인다. 정치인의 외모나 복장, 말실수와 돌출행동이나 돌발행동을 잡아 부각시키고 흥미를 자극하는 해프닝과 추문 같은 정치적 본질에서 한참 벗어난 사안을 소재로 한다.

넷째, 언론은 부정적·비판적 기사를 선호한다. 언론은 통상 협력보다는 갈등이나 위기를, 질서보다는 무질서나 혼돈을 강조하는 경향이 있다. 언론은 통상 정부나 정치인 같은 공식적인 취재원에 의존하기 때문에 객관성과 공정성을 신뢰성을 담보할 수 없고, 이들에 대해 항상 비판적일 수 없어 의례적인 방식으로라도 정치적 갈등으로 보도한다.

다섯째, 특종이라고 생각되는 기삿거리는 무조건 보도한다. 다른 언론에 알려져 있지 않은 정보라면 그 정보의 중요도나 가치와 상관없이 우선하여 보도하는 경향이 있다. 정부로부터 제공되는 정보의 양이 제한되어 있을수록 보도가치가 극대화된다. 따라서 테러사건과 같은 제한된 정보에서 수집되는 취재거리는 언제라도 특종으로 취급되어 뉴스가 될 소지가 충분하다 할 것이다.[49]

---

49) 조남대, “국가정보기관과 언론간의 갈등구조 분석”, 경기대 박사논문(2016), pp. 60-63.

Ⅲ. 국가안보와 언론

1. 안보와 언론의 관계

안보(security)의 의미는 학자마다 다양한 의미를 함축하고 있는데 안전보장의 줄임말로 어떤 위협과 손해로부터(se=from) 보호되는 상태(cure)를 말한다. 국가안보(national security)는 한 나라가 외부의 침략이나 위협 또는 그로 인한 공포와 불안 및 근심 걱정에서 벗어나 평온한 상태를 유지하는 것이다. 넓은 의미로 일국이 자국의 생존을 확보하려 하거나 혹은 국제관계 속에서 자국의 이익을 달성하고자 할 때 취할 수 있는 모든 행동들을 말한다. 우리 헌법 제37조 제2항도 국민의 모든 자유와 권리는 국가안전보장·질서유지 또는 공공복리를 위하여 필요한 경우에 한하여 법률로써 제한할 수 있으며, 제한하는 경우에도 자유와 권리의 본질적인 내용을 침해할 수 없다고 규정하고 있어 국가안보도 중요한 헌법적 가치임을 명백히 하고 있다. 이때 국가안전보장의 이익은 넓게 보아 대외적으로 국가의 존립을 지키고, 대내적으로는 민주적 기본질서의 보호를 포함하여 국가기관의 기능을 유지하고, 국가기밀을 보호하는 이익 등을 들 수 있다. 형법은 이러한 국가의 대내적 존립을 보호하기 위한 조항으로서 내란죄(형법 제87조 내지 제91조)를 처벌하는 규정을, 대외적 안전을 보호하기 위한 조항으로 외환죄(이적, 여적, 간첩 등, 형법 제92조 내지 제104조)에 관한 규정을 두고 있다. 그 밖에 국가의 안전을 보호하는 특별법으로서는 국가보안법과 국가기밀을 보호하는 법령 등이 존재한다. 헌법재판소는 헌법 제37조 2항의 국가안보를 국가의 생존, 헌법의 기본질서의 유지 등을 포함하는 개념으로서 구체적으로는 국가의 독립, 영토의 보전, 헌법과 법률의 기능 등의 의미로 이해하고 있다.[50] 국가안보는 국가라는 행위주체가 외부 적대세력의 여하한 군사적 혹은 물리적 위협으로부터 국민의 생명과 재산, 영토를 안전하게 보존하고 주권을 보호하는 것을 의미한다.

국민의 알권리와 국가안보와의 입장 차이로 인해 언제든지 갈등 관계에 놓일 수밖에 없다. 국민의 알 권리와 국가안보는 다 같이 헌법상 기본가치로서 보호되어야 하지만, 경우에 따라 서로 충돌되거나 갈등하는 부분이 있기 때문이다. 표

---

50) 헌재결 1992.2.25. 89헌가104.

면적으로는 언론의 자유를 적극적으로 보장하는 듯하지만 내면적으로는 국가안보라는 구실을 내세워 가급적이면 그 자유를 제한하고자 했다. 즉, 국가는 국가안보라는 명분으로 국민의 알 권리를 제한하고자 하는 유혹에 휩싸이게 된다. 국민의 알권리가 표현의 자유를 통해 단순히 개인의 자유가 아니라 통치권자를 비판함으로써 피치자인 국민이 스스로 통치기구에 참가하는 역할을 하기 때문이다.

우리의 헌법재판소도 이 점에 대해 국가의 안전보장과 국민의 알권리에 대한 중요한 판결을 한 바 있다. 국가의 안전보장을 위하여 일정범위의 군사사항을 군사기밀로서 지정하여 보호하고 있음은 민주주의 국가에서 예외가 없지만 거기에는 스스로 한계가 있는 것이며 그것이 필요 이상으로 광범위하여 국민의 알권리를 유명무실하게 할 정도가 되면 국민의 비판과 감시권(監視圈) 밖의 성역이 되어 오히려 그 보호막을 배경으로 불법 비리와 같은 사태가 야기될 수 있는 것이다. 따라서 군사에 관한 사항이라고 하더라도 일정범위 내의 것은 국민에게 이를 공개하여 이해와 협조를 구하고 공감대를 형성하는 것이 국가의 실질적인 안전보장에 필요하고도 유익하다고 할 수 있으며 필요 이상의 비밀의 양산은 국민의 정당한 비판과 감독의 여지를 말살하게 되어 국민의 불신·비협조·유언비어의 난무 등 부정적 결과를 초래할 것이다. 국가의 안전보장을 이유로 분류한 기밀이 설사 일부 그 기밀성이 인정된다고 하더라도 이를 비밀로 함으로써 얻는 국익보다 국민의 '알권리'를 제한함으로써 초래될 수 있는 대내적 손실이 더 크다거나 대외적으로 한국의 국위선양을 크게 저해하는 결과를 초래할 수 있다는 우려도 간과할 수 없는 것이다고 판시하여 국가의 안전보장과 국민의 알권리에 대한 비교형량할 것을 주문하고 있다.[51] 즉, 군사기밀의 범위를 필요 이상으로 넓게 보장하여 그것이 국민의 알권리를 무의미하게 할 정도가 되면 국민의 감시와 비판을 벗어나 일종의 예외적 영역이 되어 오히려 불법, 비리, 책임 회피 등과 같은 역기능 문제를 일으킬 수 있다는 것이다.

이처럼 정부와 언론의 갈등관계 속에서 국가안보를 이유로 한 기밀 보호와 국민의 알권리가 충돌하게 되는 것이다. 언론의 입장에서 정부가 국가안보라는 미명 아래 국가안보와 무관하다고 판단되는 내용까지 보도하지 못하도록 제한한다는 것이고 정부는 국가안보 관련 사항에 대한 보도 제한은 언론의 자유를 인정

51) 헌재결 1992.2.25. 89헌가104[합헌].

하고 있는 자유민주주의 체제를 수호하기 위해서라는 주장이다. 국가안보를 위해 기밀로 분류하여 보호하는 것은 위협으로부터 국가안보를 확보하여 궁극적으로 국민 개개인의 자유와 권리를 보호하기 위한 민주주의의 최고 가치를 보장을 위해서도 필수적이라는 것이다. 이때 언론의 자유를 제한하는 경우, 다음과 같은 원칙들이 준수되어야 한다. 첫째, 사전제한 금지의 원칙(doctrine of prior restraint)이다. 언론의 자유는 발행허가나 검열 등과 같은 사전제한을 받아서는 안 된다. 둘째, 위험한 경향의 원칙(dangerous tendency or bad tendency test)이다. 실질적 해악을 가져올 경향이 있거나 그러한 경향이 있다고 합리적으로 믿을 수 있는 표현이어야 한다. 셋째, 명확성의 원칙(void for vagueness)이다. 제한 내용은 명확해야 하며 막연하거나 애매하면 무효가 된다. 넷째, 명백하고 현존하는 위험의 원칙(clear and present danger test)[52]이다. 언론이 위법하게 되는 것은 그것이 명백하고 동시에 현재하는 정도로 실질적 해악에 대한 위험을 표출하는 경우라야 한다. 다섯째, 이익균형의 이론(ad hoc balancing test)이다. 언론의 자유를 보호함으로써 얻어지는 이익이나 가치와 규제를 통해 얻어지는 것들을 비교하여 규제의 여부와 정도 및 방법을 결정해야 한다. 마지막으로 덜 제한적인 규제의 원칙(less restrictive alternative)이다. 표현의 자유는 필요한 최소한의 수단을 써야 한다. 헌법상 언론의 자유가 갖는 의의와 기능을 고려할 때 그 제한은 국민의 표현자유와 알권리를 최대한 넓혀줄 수 있도록 필요한 최소한에 그쳐야 한다는 것이다.[53]

2. 테러와 언론

전 지구적인 테러의 위협은 날마다 심각해져가고 있다. 최근 2014년 4월 300여명의 여고생을 납치하여 인신매매하겠다고 공헌하여 세계를 소란스럽게 하고 아프리카지역을 피로 물들이고 있는 보코 하람(Boco haram)[54]의 잔학행위나 극

---

52) 명백하고 현존하는 위험의 원칙(clear and present danger rule)은 1918년 미국의 홈즈(Holmes)판사에 의해 주장된 이론으로, 언론·출판·집회·결사·종교 등의 자유를 제한하기 위해서는 법이 방지하고자 하는 해악이 발생할 '명백하고 현존하는 위험이 있을 때에' 한하여 제한할 수 있으며, 단순히 장래에 그러한 해를 발생시킬 염려가 있다는 것만으로는 제한할 수 없다는 원칙을 말한다(법률용어사전).

53) "기본권 영역별 위헌심사의 기준과 방법", 『憲法裁判硏究』 제19권(2008), pp. 279-326.

54) 보코 하람(Boko Haram)은 2001년 결성된 나이지리아의 이슬람 무장단체로 나이지리아의 탈레반이라는 별명을 가지고 있고, 규모는 5-6천명으로 추정하고 있다. Boko는 서양식 비(非)이

단적 테러집단인 IS의 시리아와 이라크지역에서의 잔인한 인질의 살해영상 등이 인터넷을 달구고 있다. 세계 국가에 대해 위협하고 일반 대중들의 공포심과 적개심을 증가시키고 있다. 물론 우리 대한민국도 예외가 아니다. 2004년 김선일 납치·살해, 2007년 샘물교회 신도 23명 납치·살해, 2009년 예멘 관광객 4명 자폭테러로 사망, 2014년 이집트 시나이반도 버스폭탄테러로 3명 사망 등 우리국민도 세계 각지에서 테러의 피해를 당하고 있다. 이는 국제테러가 우리와 무관한 일이 아님을 말해주고 있는 것이다.

이러한 세계각지에서 일어나고 있는 끔찍한 테러에 대한 실시간 전파는 바로 세계화로 하나가 된 지구촌의 인터넷과 매스컴의 발달이 가장 큰 영향을 미치고 있는 것으로 볼 수 있다. 이 인터넷과 매스컴은 우리의 가정에서 수백만 킬로미터 떨어져 있는 지역에서 발생하고 있는 테러사건에 대해 실시간으로 보도하고 있다. 이로 인해 보코 하람이나 IS 등이 준동하는 국가와 지역은 전혀 방문하지도 않았거나 관련이 없는 사람들도 가정에서 이 지역에서 벌어지고 있는 테러의 참혹함을 함께 경험하고 공포에 사로잡히게 되는 것이다. 이러한 매스컴과 인터넷의 발달이 가져온 신속한 뉴스의 전달은 다양한 긍정적인 측면을 가지고 있다. 정보의 민주화와 신속화로 사회와 정치의 민주화에 크게 공헌하고 인류의 문화와 지식이 세계화하는 데 큰 영향을 미친다. 그러나 이러한 매스컴의 발달이 가져다 주는 부정적인 측면도 무시할 수 없다. 그중 대표적인 것이 최근 빈발하는 테러사건과 관련하여 테러의 위협을 직접적으로 관찰하지 않았거나 관련이 없는 일반 대중들이 과도한 스트레스, 불안, 우울, 그리고 '외상 후 스트레스장애'(PTSD: Post-Traumatic Stress Disorder)에 이르기까지의 다양한 정신적인 장애증상에 시달리게 하는 데 영향을 미친다는 점이다. 이와 같은 테러의 위협과 일반지역주민들의 정신장애 및 증상과 관련된 연구는 대부분 개인이 직접적인 테러사건을 경험하는 것 보다 매스컴이나 인터넷 등을 통해서 듣게 되고, 이와 같은 매스컴 등을 통한 위협의 노출이 간접적인 심리적 피해를 준다는 것이다. 미국의 경우도

슬람 교육을 의미하고 Haram은 죄 또는 금기(禁忌)라는 의미로, 서양식 교육은 죄악이라는 뜻이다. 목표는 나이지리아 북부의 완전한 이슬람국가 건설로 서구 문명뿐만 아니라, 생물·물리학 등을 포함한 모든 과학을 부정하고 있다. 2014년 5월 UN은 이 조직을 알 카에다와 연계된 테러단체로 규정하였고, 보코 하람은 2015년 3월 IS에 충성을 맹세하고 연대를 이루었다(위키백과).

9 · 11테러사건 이후 매스컴을 통해 테러의 위협에 노출된 시민들의 심리적 불안정에 큰 위협이 되고 있는 것으로 나타나고 있다. 위협적인 뉴스에의 노출은 대중에게 극단적인 수준의 스트레스와 외상 후 스트레스 장애를 포함한 심리적 부상을 가져다준다는 것이다.

국내에서도 공중파로 불리는 KBS, SBS 그리고 MBC의 채널의 뉴스 프로그램들 외에 JTBC, TV조선, 채널A, YTN, 그리고 연합뉴스 등 다수의 종편 채널의 뉴스 프로그램들을 통해서 지속적인 안보의 위협, 테러, 그리고 재난 등의 소식들을 접하고 있다. 뿐만 아니라 북한의 핵위협을 날마다 마주하고 있는 실정이다. 이러한 북한의 공격위협은 지난 2013년 백령도와 서해 5도에 대한 실제적 공격 등으로 현실화되었다. 이로써 우리가 살고 있는 한반도는 북한의 대량살상무기(WMD)인 핵무기 개발을 수단으로 한 비대칭적 위협과 비정규적인 국지적 도발의 위협을 통한 지속적인 안보의 불안지역으로 인식되고 있다. 이와 같은 높은 안보위협을 대하고 있는 우리나라는 이러한 위기상황에 대응하고 국가안보의 이익을 수호하기 위한 가장 효과적 · 체계적인 위기관리의 체계를 확보하는 것이 중요하다. 이에 따라 군사력, 외교력, 그리고 정치적 지도력 등 안보의 위협에 대한 대응을 집중하고 있는 실정이다.

여기서 이러한 정부의 대응 조치와 노력도 중요하지만 언론의 역할이 무엇보다 필요하다. 지속적인 안보불안과 북한 위협의 과장보도로 인한 지역사회와 주민들의 정신적 건강에 대한 점검과 대책도 필요하다는 것이다. 이는 북한 정권이 지니고 있는 안보의 위협이 현재는 테러의 위협과 마찬가지로 북한의 도발의 위협은 전면전보다 테러와 같은 제4세대 전쟁의 형태의 국지적인 면모를 보이고 있고, 매스컴 등을 통한 지속적인 안보위협에 놓여 있는 지역주민들의 심리적 건강에 심대한 위협이 되고 있을 가능성을 간과할 수 없을 것이기 때문이다. 지금까지 전쟁, 재난, 테러, 그리고 안보위협 등과 관련된 심리적 치료는 직접적인 피해자들, 즉, 전쟁으로 인한 부상자, 및 전쟁 참가자, 테러사건의 피해자 그리고 그 공동피해자들을 대상으로 하는 심리적, 정신적 치료에만 관심이 집중되어 왔다. 그렇지만 간접적인 피해자들의 심리적 치료도 중요하다는 것이다. 간접적 피해의 대상은 직접 전쟁이나 재난, 테러 등과 관련된 사람이 아니라 매스컴을 통해서 이러한 사건을 목격하게 된 광범위한 일반대중이라는 점이다.[55)]

매스컴을 통한 테러사건이 보도는 테러사건이 발생시 빠른 시간 내에 다양하고 광범위한 사건에 대한 정보를 전달할 수 있어 이에 대비하는 효과적인 도구로서 큰 장점을 가지고 있다. 그러나 동시에 테러사건에 대한 공포, 경각심, 그리고 불안감 등을 제공하는 수단도 된다. 그래서 텔레비전을 통해 시청하는 개인들에게 새로운 심리적, 정신적 장애를 유발하거나 내제되어 있는 스트레스 증상을 더 악화시킬 수 있다. 이는 매스컴의 목적과 의도와 관련 없이 테러범이 원하는 목적을 달성하는 데 있어서 기여를 하는 측면이 있다. 이에 따라 테러사건을 보도하는 매스컴은 의도와 관련 없이 테러사건과 직접적인 관련이 없는 시청자들이 간접적인 피해자화하는 데 영향을 미치고 있는 것이다. 즉, 더 많은 수의 간접적 피해자들을 양산하게 되고, 이들의 심리적 스트레스와 정신적 장애를 유발하게 될 수 있다. 뿐만 아니라 정부에 대한 근거 없는 불신과 왜곡된 생각들을 가지거나 특정한 목적이나 이유 없는 공포에 근거한 정책의 변화를 요구할 수도 있다. 이는 테러범이 원하는 목적이고 이러한 목적 달성을 위해 매스컴에 의한 테러사건에 대한 확대 보도를 더욱 원하고 있는 것이다.

또한 테러사건은 테러범과 정부와의 일종의 심리게임이다. 테러범 입장에서는 자기가 자행한 테러사건에 대한 정부의 반응에 관심의 초점이 있고, 정부의 조치사항이 너무 중요하다. 이러한 과정에서 정부의 조치사항이 논의과정에서 언론을 통해 노출되어 보도가 된다면 사건의 해결이 어려울 수밖에 없고, 설령 해결이 된다고 해도 그로 인한 피해가 상상 이상으로 확대될 수밖에 없다. 특히 진압작전의 경우 은밀히 비밀리에 진행되어야 인질의 피해를 최소로 줄일 수 있는데 만약 이러한 작전이 사전에 매스컴에 보도된다면 그 피해는 상상을 초월할 것이다. 특히 지금까지 전쟁의 양상이 특정한 물리적 지역의 공간에서 인적·물적 공급이 이루어지던 형태의 싸움이었다면, 현대전의 형태는 전선이 따로 없는 민간인 지역에서 전투가 벌어지는 양상으로의 변화를 보이고 있다. 이를 제4세대 전쟁이라고 하는데, 이러한 변화된 형태의 전쟁양상은 국지적 전쟁, 테러리즘과 같은 사건과 유사한 형태를 띠게 된다.[56] 특히 테러의 심리전의 특징은 바로 직접적이고 간접적인 방법으로 피해와 공포를 양산하고 발생시켜 사건에 연루되지 않

55) 김은영, "매스컴과 테러사건의 간접적 피해", 『한국테러학회보』(2014), 제7권 제3호, pp. 5-30.
56) 제4세대 전쟁에 관한 세부 내용은 제11장 제3절 참조.

은 피해자들도 역시 동일한 수준의 공포를 경험하게 하여 그들의 태도와 행동에 영향을 미치고자 하는 것이다. 때문에 테러의 위협에 대한 사건의 확대보도가 국민들에게 테러와 같은 직·간접적 피해를 입히고 이를 통해 테러범은 소기의 목적을 쉽게 달성할 수 있게 된다. 따라서 매스컴을 통한 테러사건의 보도에 보다 심중하고 체계적인 대응이 필요할 것으로 본다.

3. 갈등과 협력

갈등(conflict)은 어원적으로 라틴어 configere에서 파생한 개념으로 con(함께)과 figere(충돌)의 합성어다. 갈등은 이같이 사람들의 관계 속에서 일상적으로 경험할 수 있는 현상의 하나이다. 개인, 집단 및 조직 내 혹은 사이에서 일어날 수 있는 심리나 행동 또는 그 모두에서의 불일치 상태를 말하고 명백하게 표출된 분쟁뿐만 아니라 심리적 차원의 긴장, 적대감, 논쟁 등도 포함된다. 갈등은 표출된 분쟁(dispute)과 구별되기도 하는데 갈등은 미래에 발생할 수 있지만, 분쟁은 갈등한 결과로 그것이 표면으로 드러난 행위를 말한다. 갈등은 당사자들 간 노력으로 해결될 수도 있지만, 때로는 갈등상태가 악화되고 극한 대치에 이르기도 한다. 그 결과 조직 혁신을 촉진하는 등의 긍정적인 측면이 있지만, 갈등상태가 장기적으로 지속되고 극단적인 양상을 보이면 막대한 사회적 비용을 초래할 수 있다. 이 때문에 갈등을 적절하게 관리하여 갈등의 부정적인 측면은 방지 혹은 해소하고 긍정적 측면을 촉진하여 해결을 유도하는 것이 필요하다.

언론과 정부의 갈등은 근본적으로 언론의 역할이 정부를 비판하고 견제하는 데 있기 때문이다. 어느 국가나 언론은 의식적이든 무의식적이든 정부와 긴장 관계를 유지하고 정부의 비리나 실정 등을 파헤치고 폭로하여 비판하는 기능과 역할을 자임한다. 때문에 언론은 본질적으로 정부에 대해 공격적 혹은 비판적일 수밖에 없다. 언론과 정부도 이러한 원만한 갈등을 해결하는 방법으로 공보활동을 이용하고 있는데 이는 언론과의 관계를 통해 정부조직의 활동이나 정책의 정당성 및 우호적 이미지를 강화하기 위한 제반 활동들을 말한다. 공보활동은 상대방에게 자신의 의사를 전달하고 대화를 하며 갈등을 해결해 나가며 장기적이고 우호의적인 관계를 형성해 나가는 것이다. 이처럼 갈등을 관리하는 방법의 여하에 따라 갈등은 순기능적이고 긍정적으로 발현될 수도 그렇지 않을 수도 있다.

협력(cooperation)의 개념도 여러 가지로 정의되지만 공통적으로 자발성과 호혜적 상호관계를 특징으로 한다. 협력은 각 당사자가 각자의 목표를 달성하기 위해 자발적으로 동등한 상호관계에 기초하여 자원이나 정보, 역할 등을 협의하고 교환하여 공동이익과 목적을 증진하는 것이다. 협력은 두 갈등 당사자들이 단일한 의사결정으로 의견이나 견해를 모으는 과정으로 객관적 인식보다는 주관적 인식, 즉 상호 신뢰가 당사자들의 협력의지에 중대한 영향을 미친다. 이때 협력함으로써 얻게 되는 잠재적 이익이 그렇지 않을 경우 치러야 되는 위험보다 크다고 인식하여야 한다. 신뢰는 상대방이 기꺼이 자신의 기대에 부응해 행동할 것이라는 낙관적인 믿음, 혹은 상대방이 약속한 것에 대해 믿어도 된다는 일반적 기대, 상대방이 자신에게 이익을 주거나 최소한 해를 해치지 않을 것이라는 낙관적인 기대 혹은 믿음 등을 의미한다. 이러한 신뢰 수준을 높임으로써 협력을 통한 갈등 해결의 가능성을 높일 수 있다.

정부와 언론 간의 협력은 자율적으로 국가안보, 국가이익 및 국가기밀 영역에서 긴밀한 상호의존관계를 구축하고 유지하는 가운데 목표 달성을 위해 협상하고 각각의 한정된 자원과 역량 등을 교환하여 공동으로 대처함으로써 상호이익을 증진시키는 것이다. 정부와 언론이 외견상 국민의 알권리 보장과 같은 명분을 내세우지만 실제로는 이면에서 협상하고 거래를 하는 공조 혹은 협력관계다. 정부는 자신의 정책을 홍보하고 조금이라도 유리하게 여론을 조성하기 위해 언론이 필요한 반면에, 언론은 기사를 작성하는 필요한 정보를 얻기 위해서는 정부에 의존할 수밖에 없기 때문이다. 정부는 정보나 자료의 접근에 대한 조건과 규칙을 정하는 등의 방법으로 언론에 대한 조종·통제·간섭을 끊임없이 수행한다. 언론 역시 특정 정책의 보도 방향에 따라 그 정책의 성패가 달려 있음을 알고 보도 방향에 대해 끊임없이 정부와 줄다리기를 하고 있다.

언론과 대테러 유관기관은 궁극적으로 상호 협조해야 한다. 언론과 대테러 유관기관은 조직의 존재 목적이나 존재 방식이 전혀 다르기 때문에 서로 견제하며 필연적으로 갈등을 일으킨다. 대테러 유관기관은 안전과 보안을 이유로 활동지역에 대한 언론의 취재와 보도를 제한하고 통제하려 하고 평시에도 국가기밀을 이유로 활동내용의 공개를 거부한다. 이에 반해 언론은 국민의 알권리를 이유로 테러사태 발생시는 물론 평시의 대테러 활동에 관한 적절하고 충분한 정보와 지식을 제공해야 한다는 것이다. 하지만 이러한 차이에도 불구하고 언론과 협조하지 않을 수 없는 이유가 있다. 언론은 대테러 활동에 관한 국민의 알권리에 응답해야 하는 책임과 의무가 있다. 특히 테러사건 발생과 같은 비상 상황에 대해 정확하고 상세한 정보를 국민에게 제공해야 하는 책무를 수행함으로써 그 존재 가치가 있는 것이다. 이를 위해 언론은 테러사건 현장이나 자체적으로 입수할 수 없는 정보에 대한 접근을 확보하기 위해 대테러 유관기관과 협조해야만 한다.

대테러 유관기관은 국민들이 대테러활동을 지원하도록 만들기 위해서 언론의 협조가 필요하다. 국민의 지지와 신뢰를 잃으면 효과적인 대테러활동을 수행할 수 없다. 효과적 수행을 위해서 국내외 여론의 도움이 절실히 필요하며 우호적 여론을 조성하기 위해서도 언론의 역할이 중요하다. 언론은 정부에 대한 감시와 견제라는 역할과 기능에 충실하기 위해서는 정부가 가진 정보와 자료에 대한 접근이 가능해야 한다. 국민들이 테러사건 현장을 직접 목격할 수 없기 때문에 국민의 대리인으로서 현장을 취재하는 것이 언론의 책임이다. 국민이 정부의 임무수행에 대한 총체적 진실을 알 수 있도록 임무 및 활동에 관한 정보와 지식을 제공해야 한다. 때로는 언론으로부터 비밀을 유지하기 위해 검열과 접근 통제의 방법이 동원된다. 검열은 정부가 보도의 내용을 임의로 제한할 수 있도록 만들고, 접근 통제는 취재라는 근본적인 책무를 수행하지 못하도록 만든다. 결국 국민은 정부의 편향된 시각과 견해에 의존할 수밖에 없게 된다. 따라서 정보 접근권의 확보야말로 언론이 정확하게 대테러활동의 효율적인 임무수행 사실을 전달하는 데 결정적으로 중요하다. 정보 공개와 언론의 자유스런 취재·보도는 민주주의 체제의 유지는 물론 정부의 생존에 중요한 요인이다.

4. 국방보도규정의 사례

「국방보도규정」은 1984년 국방부 훈령으로 만들어졌다. 훈령은 상급 행정관청이 하급 행정기관의 권한 행사를 일반적으로 지휘·감독하기 위하여 발하는 명령으로 행정 내부에서만 효력을 갖고 외부적인 효력이 없는 법적인 문제가 있으나 테러사건 발생시 언론의 무분별한 보도로 대응에 차질이 발생하는 것을 예상하여 한번쯤 고려해야 할 사안으로서 중요하다고 생각한다. 이 규정은 1950년의 군 보도 취급 규정을 몇 차례 보완한 것으로 군 관련 보도의 범위와 한계 등을 정한 것이다. 이 규정은 평시는 물론 전시에도 적용되는 것으로 군작전 등에 대한 언론의 접근 범위와 작전시 언론 지원 등을 규정하고 있다. 제정 당시 이 규정은 보도통제를 위한 것으로 비판을 받았다. 당시 동 규정 제23조(보도 금지 사항)는 ① 군사기밀에 속하는 사항, ② 적을 이롭게 하는 사항, ③ 국민의 대군 신뢰 및 군의 사기에 지대한 악영향을 미치는 사항, ④ 허위, 왜곡 또는 과장된 사항, ⑤ 군수물자의 수출입에 관한 사항, ⑥ 상부방침에 위배되는 사항, ⑦ 기타 장관이 지정하는 사항 등을 대외에 보도할 수 없도록 규정했다. 또한 동 규정 제30조에서 이러한 보도금지사항을 위반한 때는 물론 국가안전보장에 해로운 기사를 취재하여 보도한 때, 군사기밀을 탐지하거나 누설하였다고 인정된 때 등에는 군 출입기자증 및 종군기자증을 회수토록 했다. 또한 동 규정 제20조에서 군 내부 사고는 보도할 수 없도록 했다.

군은 2006년 국방보도규정을 이름을 바꿔 「국방공보규정」으로 총 57개 조항을 만들었다. 그때까지 총 33개 조항의 국방보도규정에 비해 크게 확대된 것이다. 동 규정 제3조(정의)에서 "국방공보활동"이란 국민으로부터 군에 대한 신뢰와 지지를 획득하고 적의 전쟁도발을 억제하며, 군의 사기진작과 우호적인 국제여론 조성을 위해 국방부, 합참, 각 군(이하 "각급 기관"이라 한다)이 추진하는 국방정책 및 군사활동 전반을 대내·외에 널리 알리는 "국방보도활동"과 "기타 공보활동"을 말한다. 이때 "국방보도활동"이란 각급 기관에서 신문, 방송, 통신, 인터넷, 잡지 등 대중 매체를 통하여 국방관련 사항을 보도하는 것을 말하고, "기타 공보활동"이란 보도활동 이외의 수단과 방법을 통해 국방에 관한 사항을 대내·외에 알리는 활동을 말한다고 규정하고 있다.

이에 따라 기관별 보도권한과 매체별 보도 승인권자를 지정하여 운영하고 있다(동 규정 제4조). 보도절차는 각급 기관에서 국방관련 사항을 대외에 보도하고자 할 때는 해당 부서의 장은 그 보도 문안·시기·방법 등에 대하여 보안성 검토를 받은 후 소속 기관장의 결재를 받아 보도업무를 주관하는 부서의 장에게 보도를 의뢰하여야 하며, 보도업무를 주관하는 부서의 장은 보도 승인권자의 승인을 받아 보도한다. 다만, 긴급한 보도사안은 이러한 보도절차를 생략하고, 보도 주관 부서와 직접 협조하여 보도할 수 있다(동 규정 제5조). 통합방위작전 보도의 경우 통합방위본부장은 언론매체의 취재활동지원을 위하여 통합방위본부에 중앙

합동보도본부를 설치하고, 작전 진행상황은 현지합동보도본부를 통하여 취재기자단에게 제공하며, 작전 진행상황의 취재를 하고자 하는 언론기관은 미리 작전지휘관에게 취재기자의 명단을 통보하고 '취재동의 서약서'에 서명하고 작전지휘관이 정한 식별표지를 부착하여야 한다. 작전지휘관은 식별표지를 착용한 취재기자에 대하여 취재 허용지역 범위 안에서의 취재활동을 보장하여야 한다. 취재 허용범위 밖의 지역에서 현장취재를 하고자 하는 경우 승인을 얻은 후 안내요원의 안내에 따라 취재하여야 하고 이 경우 취재기자들이 공동취재진을 구성하면 작전상황을 고려하여 승인여부를 결정할 수 있다. 다만, 취재활동이 통합방위작전에 지장을 초래한다고 인정되는 경우에는 취재활동을 제한할 수 있다(동 규정 제15조). 작전상황이 발생한 때에 언론보도에 효과적으로 대응하기 위해 언론대책단을 구성·운영한다. 국방부 차관이 주관하는 언론대책단은 상황을 분석하고, 파급영향과 향후전망 등을 고려하여 홍보방향·중점·공개범위·언론 공개수준 등을 검토한 후 그 결과를 바탕으로 국방공보전략과 지침을 수립하여 관계기관 및 부서에 시달한다(동 규정 제16조).

각급 기관에 소속된 자(국방정책 전문위원은 제외한다)가 군사에 관한 평론, 시사해설, 연구논문, 세미나 및 대담내용 등을 언론매체를 통하여 대외에 발표하고자 할 경우, 그 승인권한과 책임은 해당 기관장에게 있으며, 사전 보안담당관의 보안성 검토를 받아야 한다(동 규정 제21조). 보도금지사항(동 규정 제40조)은 이전의 7가지를 3가지로 줄였는데 ① 군사기밀에 속하는 사항, ② 적을 이롭게 하는 사항, ③ 허위·왜곡 또는 과장보도로 국민의 대군신뢰 및 군의 사기에 지대한 악영향을 미치는 사항 등을 규정하고 있다. 또한 국방부 출입기자증 회수 및 재발급의 경우 군사기밀 탐지 및 누설 등 군사보안에 저촉되었을 때와 보도금지사항을 보도한 때로 하여 이전의 국가 안전보장에 해로운 기사를 취재하여 보도한 때란 조항은 포함시키지 않았다(동 규정 제32조). 출입기자들의 취재활동을 보장하기 위해 국방부 본부 및 합참 직원은 공보관이 지정한 장소에서 기자와 접촉할 수 있다. 다만, 국방부 및 합참 직원들의 공공 업무 보호와 보장을 위해 출입기자의 사무실 방문 취재는 허용하지 아니한다고 하여(동 규정 제30조) 기자들의 개별 취재를 허용하지 않고 있다. 각 군관련 사건·사고가 발생한 때 각 군에서 발표토록 했으며 만약 언론에서 사건·사고를 먼저 인지하고 질문할 경우에는 장관급 이상의 지휘관 또는 공보부서에서 답변토록 하여(동 규정 제27조) 이전의 군 내부 사고는 보도할 수 없도록 한 규정에 비해서 진일보한 것이다. 또한 전시의 작전 수행과 관련해 ① 병력, 항공기, 무기체계의 특정한 수량, ② 장차 작전계획이나 공격계획의 구체적인 내용(취소된 작전 계획까지 포함), ③ 군부대의 특정한 위치를 드러내는 정보나 사진, ④ 교전규칙의 상세한 내용, ⑤ 첩보수집활동의 목표와 방법 및 그 결과, ⑥ 작전보안이 노출되거나 아군의 생명을 위태롭게 할 수 있는 우방국 군대의 기동, 전술적 전개와 배치에 관한 특정 정보, ⑦ 특별임무를 띠고 출격하는 항공기의 발진지점, ⑧ 적의 위장, 기만, 포격, 정보수집 및 보안활동의 결과와 관련된 구체적인 정보, ⑨ 탐색 및 구조업무가 계획 중이거나 진행 중인 격추 항공기나 격침 함정에 관한 특정 정보, ⑩ 특수 작전부대에서 사용하는 특수 장비나 전술 및 방법, ⑪ 공군작전의 공격각도나 스피드, 해군 전술이나 대피행동 같은 특정 작전법 및 전술, ⑫ 우방 군대의 주요 전투손실이나 인명손실 등 적에게 역이용 될 수 있는 취약사항의 구체적인 내용 등 12가지 사항은 보도할 수 없도록 규정(동 규정 제42조)하였다. 이러한 규정은 지난 2003년 미국 국방부가 이라크 전쟁을 수행하면서 만든 동행취재 프로그램(embed program)[57]을 위해 만든 '취재기본원칙'의 조항을 참고한 것이다.[58]

이러한 국방부의 공보규정은 앞으로 일어날 테러사건 발생시 대테러 유관기관이 숙지하고 현장에서 적용해야 할 내용이다. 테러사건은 본질적으로 테러범이 사건을 자행하고 언론을 이용하여 공포 및 위협을 확산시켜 정치적 목적을 달성하는 데 있다. 테러단체는 언론을 통해 그들의 테러행위를 시청자 및 독자들에게 생생하게 전파함으로써 그들의 정치적 목적을 달성할 수 있었던 반면, 언론은 이러한 테러사건 보도를 통해 다수의 시청자 및 독자들의 시선을 사로잡음으로써 시청률과 판매부수를 올리는 경제적 실리를 추구할 수 있는 것이다. 따라서 이들의 홍보 수단으로 이용당할 수 있는 언론의 역할이 무엇보다 중요하다. 테러 사건 발생시 정부는 관련기관 및 언론과의 긴밀한 협조체제를 구축해서 대테러작전이 미리 노출된다든지 상황이 악화되는 것은 피해야 한다. 공개범위를 신중하게

57) 동행취재 프로그램(embed program)은 지난 2003년 이라크 전쟁을 앞두고 미 국방부가 전 세계 언론사로부터 종군기자 희망자를 뽑아 선별하여 500여명 규모의 기자단을 구성하고, 전쟁기간 동안 이들을 군과 함께 숙식하게 하여 전쟁의 양상을 취재한 일종의 종군기자 프로그램이다.
58) 손태규, "군사정보의 공개 및 보도 제한의 적법성 연구", 『한국언론학보』, 51(2)(2007), p. 73.

검토하고 사태의 조기 수습을 최우선으로 하는 데 방해가 되지 않는 범위 내에서 상호 협조관계가 구축되도록 해야 한다. 따라서 대테러 유관기관은 대테러작전이 언론에 사전 노출되었을 경우 상상할 수 없는 엄청난 인명피해가 발생하고 작전의 실패로 이어질 수 있는 만큼 이 규정을 참고하고 검토를 거쳐 적절한 지침을 만들어 시행해야 할 것이다.

제9장

국제공조

여기서는 테러에 대한 국제공조 문제를 다룬다. 국제테러에 대처하기 위해서는 어느 한 국가의 힘만으로는 부족하고 국제적 협력과 교류가 필수적이다. 우선 테러리즘 방지와 억제를 위한 국제연맹과 UN의 노력에 대해 소개하고 현재 국제적으로 합의된 대테러관련 14개 국제협약을 상세히 알아보았다. 이들 조약의 유형을 보면 크게 항공기 테러와 관련한 조약(5개), 폭발물과 핵 테러와 관련한 조약(4개), 해상테러 관련조약(2개), 인질테러 관련조약(2개), 그리고 테러자금 관련조약(1개) 등으로 분류할 수 있다. 또한 1937년 국제연맹에서 추진하려던 포괄적 대테러협약 제정을 위한 노력과 현재 UN에서 또 다시 추진하고 있는 이 협약의 그동안의 경과와 쟁점사항을 정리해 보았다. 또 인터폴의 역할과 지위 · 조직에 대하여 알아보았다.

또한 세계 각 지역별로 추진하고 있는 대테러 관련협력 실태를 미주지역, 유럽지역, 동남아시아지역, 중동지역과 기타지역으로 독립국가연합(CIS)과 남아시아지역을 나누어 살펴보고, 선진 각국에서 실시하고 있는 대테러정책을 대테러 관련법제, 대테러 관련기관 및 대테러부대 등으로 소개하였다. 대테러정책의 가장 모범적인 미국을 비롯하여 유럽의 영국, 독일, 프랑스, 그리고 아시아에서는 일본 등 5개국의 사례를 상세히 살펴보았다. 마지막으로 UN과 미국 · 영국에서 실시하고 있는 국제테러단체 지정 과정과 현황을 소개하고, 미국의 테러지원국가(북한, 이란, 수단, 시리아) 지정 내용과 이유를 알아보았다. 특히 우리나라 테러방지법에서 테러단체를 'UN이 지정한 테러단체'로 규정하고 있어 현재 UN이 지정한 테러단체 총 81개를 테러활동 중인 단체 35개(IS · 알카에다 연계 33, 탈레반 연계 1, 소말리아 관련 1), 테러활동이 약화된 단체가 15개(IS · 알카에다 연계 15), 테러자금을 지원하고 있는 단체가 31개(IS · 알카에다 연계 27, 탈레반 연계 4)등으로 소개하였다.

제1절 대(對)테러관련 국제조약 및 기구

오늘날 국제테러는 한 개별 국가의 노력만으로 해결할 수 없다. 따라서 테러리즘에 대응하기 위한 국제사회의 공조가 절대적으로 필요하다. 국제사회는 이미 오래전부터 이러한 성격의 국제테러리즘에 대한 대응방안의 마련에 노력을 기울여왔다. 이러한 본격적인 시도는 1934년 국제연맹에서 「테러리즘의 방지와 처벌을 위한 국제협약(안)」이 3년간의 노력 끝에 국제조약[1]으로 채택에는 성공했지만 발효되지는 못했다.[2] 1963년 이후 국제사회는 또다시 UN과 그 전문기관의 주도하에 테러행위의 방지를 위한 14개의 국제조약과 4건의 수정안을 채택하였다. UN 주도하에 채택된 이들 조약은 특정한 테러의 유형을 개별적으로 규제하는 내용이고 현재까지 국제테러에 대한 일반적이고 포괄적인 규제를 내용으로 하는 국제조약은 만들지 못하고 있다. 그러나 최근에 UN은 또다시 포괄적인 국제테러리즘을 구제하는 조약을 추진하고 있어 그 체결 가능성이 주목되고 있는 상황이다. 이처럼 UN을 중심으로 국제테러리즘의 방지를 위한 포괄적인 국제조약의 체결 노력과 함께 각국에 대해서도 테러리즘 대응을 위한 입법을 강구하도록 권고하고 있는 실정이다.

Ⅰ. 테러리즘 방지를 위한 국제사회의 노력

국제테러리즘은 역사상 무정부주의자들이나 식민지 저항주의자들, 진보좌파 운동가들, 나아가 오늘날에는 이슬람 원리주의자들에 의해 공포를 행사하는 정치

---

1) 조약(Treaty)은 ① 국제법 주체간에, ② 권리・의무관계를 창출하기 위하여, ③ 서면형식으로 체결되며, ④ 국제법에 의하여 규율되는 합의로 1969년 체결된 「조약법에 관한 비엔나협약」(제2조 제1항)에 의해 체결된 가장 격식있는 문서이다. 협약(Convention)은 특정분야・기술적 사항에 관한 입법적 성격의 합의문에 사용하고, 의정서(Protocol)는 기본적인 문서에 대한 개정 또는 보충적인 성격을 띠는 것으로 정의하고 있으나 뚜렷한 기준은 없다(외교부 "알기쉬운 조약업무", 2006, p. 17 참조).

2) UNITED NATIONS Office of Counter-Terrorism, "International Legal Instruments." http://www.un.org/en/counterterrorism/legal-instruments.shtml(검색일: 2018.2.27).

도구로 사용되어왔다. 이에 따라 국제사회는 테러리즘에 대한 국제적 차원의 대응방안에 고심을 보여오다 제1차 세계대전 이후 발족한 국제연맹의 출발이후 본격적으로 논의되었다. 그 계기는 1934년 프랑스의 마르세유(Marseille)에서 발생한 유고슬라비아 국왕과 프랑스 외상의 암살사건이었다. 이 사건의 용의자에 대한 신병인도 요청을 받은 이탈리아가 정치적인 이유로 인도를 거부하자 프랑스와 유고슬라비아 정부는 「국제연맹규약」(The Covenant of the League of Nations) 제11조 제2항에[3] 의거하여 국제연맹 이사회에 이번 테러 문제의 검토를 요청했다. 이에 국제연맹이사회는 테러리즘 배제를 위한 조약을 담당할 전문가위원회를 설치하고 약 1년간의 심의를 거쳐 1936년 1월에 조약안을 연맹총회에 제출하다. 마침내 1937년 「테러의 방지 및 처벌에 관한 협약」(Convention for the prevention and punishment of terrorism)과 그에 수반하는 「국제형사재판소의 설립을 위한 협약」(Convention for the Creation of the International Criminal Court)이 유럽의 12개국, 남미의 7개국, 기타 지역 5개국 등 24개국의 서명을 얻어 채택되었다. 그러나 인도를 제외한 어떤 나라도 이 협약을 비준하지 않음으로써 이 협약은 발효되지 못했다.

이 협약이 비록 발효되지는 못했지만 테러리즘 대응을 위한 국제적 차원의 논리와 시사점을 제공해 주었다. 핵심사항을 보면 첫째, 테러리즘을 특별히 비도덕적인 범죄로 인식하게 되었다는 것이다. 테러행위는 통상적인 국내범죄로도 충분히 처벌될 수 있지만, 통상의 범죄에 붙는 비난 이상의 부도덕적인 면이 있기 때문에 별도의 테러범죄를 규정하고 이러한 특정한 행위를 테러리즘이라고 묘사하는 데는 중요한 도덕적 상징성이 있다는 것이다. 둘째, 테러리즘은 통상의 범죄와는 다른 법적 이익에 영향을 주며 단순히 기존 범죄의 이름만 바꾸는 것이 아니라는 것이다. 이를 가장 잘 보여주는 것이 국제관계, 평화와 안전에 관한 테러리즘의 정의라고 한다. 셋째, 이러한 협약이 테러범의 지원이나 교사를 하지 않

3) 국제연맹규약 제11조: 연맹회원국에 즉각적인 영향을 주든 그렇지 않든 모든 전쟁 또는 전쟁의 위협은 전체 연맹이 우려하는 문제임을 선언하고, 연맹은 국가들의 평화를 보증하기 하여 필요하고 효과적이라고 인정되는 모든 조치를 취해야 한다. 그러한 비상사태가 발생하는 모든 경우에, 사무총장은 연맹회원국의 요청에 따라 즉각 연맹이사회의 회의를 소집해야 한다. 국제 평화는 평화의 바탕이 되는 국가들 사이의 선린을 해치려고 하는 국제관계에 영향을 주는 모든 상황에 대하여 연맹 총회는 이사회의 관심을 촉구하는 것은 연맹회원국의 우호적 권리임을 선언한다.

도록 하는 각국의 의무를 강제하는 데 기여한다는 것이다. 넷째, 협약이 기존의 범인 인도(引渡)에 대한 결함을 시정할 수 있도록 한다는 것이다. 즉 역사적으로 테러범의 인도를 거부하기 위하여 각국은 국내법을 통해 정치 범죄를 범인인도의 예외사항으로 인정해 왔었는데, 이번 협약은 테러범죄를 이러한 예외로 인정하는 것을 배제하고 있다는 것이다. 다섯째, 인도 자체가 일종의 망명권(亡命權)으로 여겨지기 때문에 협약의 목적은 테러범에 대한 망명인정을 원칙적으로 제한하고 있다는 것이다. 위와 같은 논리에 대한 각국의 반응은 다양하여 협약 채택에 대한 회의적인 시각을 보인 나라들도 많았다. 즉 테러행위를 규율하는 데는 통상적인 형법만으로도 충분하다는 견해와 공공의 해악을 조성할 정도의 테러리즘이 존재하는지에 대한 직접적인 논박한 견해도 있었으며, 국제연맹이 불필요하게 지나치게 많은 국제조약을 채택하려고 한다는 비난도 있었다. 결국 이런 반박들이 협약의 발효를 좌절시킨 요인이 되었다. 즉 테러리즘의 정의와 테러 대응을 위한 각 국가의 의무에 대한 이견이 해결되지 않았기 때문이었다.

국제연맹에서 채택한 협약 내용 중에서 테러리즘의 정의와 관련하여 몇 가지 특징을 살펴보면 첫째, 테러리즘을 일반적으로 정의할 것인가 아니면 개별적인 범죄행위를 지목하여 규정할 것인가에 대한 이견이다. 연맹협약에서는 두 가지 정의 방식을 같이 규정하고 있다. 즉 연맹협약 제1조 제2항에서 테러행위(acts of terrorism)를 일반적으로 정의하고, 제2조에서는 구체적인 범죄행위를 열거함으로써 테러행위를 이중으로 규정하고 있다. 둘째, 정의에서 국가를 겨냥하여(directed against a State)라고만 언급하여 국가가 아닌 정치가나 노동조합 주동자의 살해 등은 테러행위에서 제외되고, 국가를 겨냥하여 이루어진 행위는 어떤 것이나 군인의 무장투쟁이 아닌 한 테러행위에 포함된다는 것이다. 셋째, '특정 개인이나 집단 또는 일반대중들의 마음속에 공포심을 일으키려는 의도나 계산'은 테러행위의 기본 목적인 특정한 정치적 동기 또는 기타의 동기를 요구하지는 않고 있다. 넷째, 협약 제2조 제1항은 특정 보호를 요하는 사람들에 의하여 사망 또는 심각한 신체적 피해나 자유의 상실을 야기하는 의도적 행위를 범죄화하도록 요구하고 있는데, 이러한 보호인물에는 국가원수나 국가원수의 권한을 행사하는 사람, 그 상속인과 배우자, 공공업무를 수행하는 자 등을 포함한다. 다섯째, 협약 제2조 제2항은 '다른 국가의 공적 재산의 의도적인 파괴나 손상'을 금지하고 있는데, 손상의 최소한의 기준이 정해져 있지 않아 경미한 재산상의 손해도 테러리즘에 해당할 수 있다. 또한 이 규정은 국가의 재산만을 대상으로 하고 있어 사유재산에 대한 공격은 협약의 적용대상에서 제외된다. 여섯째, 협약 제2조 제5항은 '어떤 나라에서든 그리고 어떤 범죄이건 그 실행을 목적으로 한 무기, 탄약, 폭발물 또는 유해물질의 제조, 취득, 소유 또는 공급'을 금지하고 있다. 일곱째, 협약 제2조 제4항은 열거된 범죄를 '실행하려는 모든 시도'를 금지하고 있어 예비 음모적 행위도 처벌하도록 하고 있다. 그리고 제3조는 각국이 음모, 성공 선동, 직접적 대중선동, 의도적 참여와 고의적인 지원을 처벌하도록 요구하고 있다. 여덟째, 연맹협약 검토과정에서는 협약이 국제테러리즘에만 적용되어야 한다는 광범위한 합의가 있었고, 그 결과 제2조의 규정에 따라서 내국인이 국내에서 그 국가 국민을 겨냥하여 범한 테러행위는 국제연맹협약의 적용 대상에서 제외되었다. 협약 서문 역시 이 협약이 국제적인 성격의 테러리즘을 방지하고 처벌하는 것을 목표로 하고 있음을 밝히고 있어 이를 재차 확인하고 있다.[4] 이러한 국제연맹 협약은 발효되지 못하여 크게 주목받지는 못하였으나 테러리즘에 대한 일반적인 정의를 시도했다는 점에서 향후 UN의 개별적인 테러방지 조약의 재(再)추진과정에서 중요한 역할을 할 것은 분명하다.

제2차 세계대전 이후 UN을 중심으로 또다시 국제테러에 대한 국제사회의 대응이 재개되었다. 국제연맹 협약의 실패를 바탕으로 이번에는 국제테러를 긴급한 대처를 요하는 분야에서 개별적 행위를 중심으로 범죄를 규정하는 방식으로 진행되었다. 1963년 도쿄협약을 시작으로 국제테러행위의 방지를 위하여 지금까지 14개의 국제조약과 4건의 수정안을 채택했다. 테러리즘의 정의와 관련한 조약은 1999년에 채택한 「테러자금조달의 억제를 위한 국제협약」이다. 이 조약은 범죄행위를 규정한 제2조 제1항 (2)에서 부속서(附屬書, Annex)에 열거되어 있는 어느 조약의 적용 대상이 되거나 아울러 당해 조약에 규정되어 있는 범죄가 되는 행위'에 대해서 자금을 제공 또는 수집하는 행위를 범죄로 규정하고, 부속서에 9개의 조약을 열거하고 있다. 이어 2005년에는 테러의 위협을 구체적으로 설명하기 위하여 핵물질, 공해항행(公海航行), 대륙붕 기지에 관한 3개의 조약에 대한

4) Ben Saul, "The Legal Response of the League of Nations to Terrorism," *Journal of International Criminal Justice*, vol.4(2006a), pp. 81-97.

수정안을 채택했다. 2006년 4월 유엔사무총장은 '테러리즘에 대한 결집-세계 반테러전략에 대한 권고'를 발표하면서 부속서에 국제테러 방지를 위한 13개의 조약을 열거하고 있다. 여기에는 「테러자금조달의 억제를 위한 국제협약」의 부속서에 열거된 9개 조약 이외에 추가로 3개의 조약을 기술하고 있다. 2006년 9월 8일에는 유엔총회에서 '유엔 세계 대테러전략'(the United Nations Global Counter-Terrorism Strategy)이 채택되었고, 2010년 9월 15일 베이징 회의에서는 「국제민간항행 관련 불법행위 억제를 위한 협약」과 「항공기의 불법납치 억제를 위한 추가 의정서」가 채택되었다.

Ⅱ. 테러방지에 관한 14개 국제조약

14개 국제조약은 국제테러리즘에 관한 국제협력의 범위를 법적인 틀로 규정한 것이다. 이러한 국제조약은 국내법적 효력을 가진다. 우리나라 헌법 제6조 제1항도 체결·공포된 조약과 일반적으로 승인된 국제법규는 국내법과 같은 효력을 가진다고 규정하고 있다. 2018년 현재 우리나라는 14개 국제조약 중에서 2010년 체결된 베이징 협약을 제외한 모든 조약에 비준 가입된 상태다. 조약의 기본 형태는 통상 국제테러행위의 구성요건에 관한 규정, 체약국의 국내법에서 범죄로 하도록 요구하는 규정, 범죄 용의자에 대한 재판관할권, 체결국 내에서의 외국인에 의한 테러행위에 대한 소추 또는 인도 의무, 그리고 테러범의 자금원 차단 등을 내용으로 하고 있다. 이들 조약의 유형을 보면 크게 항공기 테러와 관련한 조약(5개), 폭발물과 핵 테러와 관련한 조약(4개), 해상테러 관련조약(2개), 인질테러 관련조약(2개), 그리고 테러자금 관련조약(1개) 등으로 분류할 수 있다.

1. 항공기 테러 관련조약

(1) 항공기 내에서 범한 범죄 및 기타행위에 관한 협약
(1963 Tokyo Convention on Offenses and Certain Other Acts ommitted on Board Aircraft)

이 조약은 일명 동경조약으로 불리며, 1963년 채택되어 1969년 12월 4일 국제적으로 발효하였다. 우리나라도 1971년 2월 19일 가입하였다. 이는 민간 항공기에 대한 최초의 납치 기도는 1931년에 일어났지만, 실제로 납치가 이루어진 것은 1958년 쿠바에서 미국으로 가는 민간 항공기였다. 또 1961년 이후에는 미국에서 쿠바로 가는 민간항공기가 납치되었다. 이와 같이 민간 항공기에 대한 납치가 빈발하자 이를 방지하기 위하여 1962년 로마에서 국제민간항공기구(ICAO) 법률위원회가 열렸고 이어서 1963년 도쿄에서 열린 국제민간항공기구 회의에서 이 조약이 채택되었다. 협약의 내용은 항공기 내의 안전에 영향을 주는 행위에 적용되고, 항공기 조종사는 그러한 행위를 저지르거나 저지를 것이라고 믿을 만한 이유가 있는 사람에 대한 제한을 포함하여 항공기의 안전 보호를 위하여 필요한 상당한 조치를 부과할 수 있는 권한을 가진다. 조약체결 국가는 범죄자를 구금하고 항공기의 통제권을 가진 지휘관에게 반환할 것을 요구하고 있다. 동 조약 제1조는 "형사법에 위반하는 범죄"와 "범죄의 구성여부를 불문하고 항공기와 기내의 인명과 재산의 안전을 위태롭게 할 수 있거나 하는 행위 또는 기내의 질서 및 규율을 위협하는 행위"에 대해 이 조약이 적용된다고 규정하고 있고, 제3조에서는 항공기의 등록국이 동 항공기 내에서 범하여진 범죄나 위와 같은 항공기 등의 안전을 위태롭게 하는 행위에 대해 재판관할권을 행사하도록 하고 있다. 제5조에서는 항공기의 기장에게 비행중의 항공기 내에서 승객이 범죄 또는 안전위해행위를 할 때는 그 승객을 감금하거나 기타 필요한 조치를 취하며, 그 승객을 강제착륙 시키거나 착륙하는 국가에 인도할 수 있는 권한을 부여하고 있다. 제11조는 기내에 탑승한 자가 폭행 또는 협박에 의하여 비행중인 항공기를 방해하거나 점유하는 행위 또는 기타 항공기의 조종을 부당하게 행사하는 행위를 불법적으로 범하였거나 또는 이와 같은 행위가 범하여지려고 하는 경우에는 체약국은 동 항공기가 합법적인 기장의 통제하에 들어가고, 그가 항공기의 통제를 유지할 수 있도록 모든 적절한 조치를 취하여야 한다고 규정하고 있다.

(2) 항공기의 불법납치 억제를 위한 조약(1970 Hague Convention for the Suppression of Unlawful Seizure of Aircraft)

이 조약은 일명 헤이그조약 또는 하이재킹 방지조약으로 불리고, 1970년 채택되어 1971년 10월 14일 발효되었다. 우리나라도 1973년 1월 18일 가입하였다.

이는 동경협약의 채택에도 불구하고 항공기범죄는 지속적으로 발생하였고, 폭력성도 증가하면서 범법자에 대한 처벌문제를 강화하기 위하여 이 조약이 체결되었다. 유엔안보장이사회 역시 세계 각국에게 더 이상의 납치를 방지하기 위한 모든 가능한 법적 조치를 강구할 것을 요구하는 결의를 채택하였다. 이 조약은 항공기의 불법납치를 한 범인의 처벌에 관한 국제협력을 강화하여 보다 직접적으로 하이재킹의 방지를 위한 목적으로 채택되었다. 조약 제1조는 “비행 중에 있는 항공기에 탑승한 여하한 자도 폭력 또는 그 위협에 의하여 또는 그 밖의 어떠한 다른 형태의 협박에 의하여 불법적으로 항공기를 납치 또는 점거하거나 또는 그와 같은 행위를 하고자 시도하는 경우, 또 그와 같은 행위를 하거나 하고자 시도하는 자의 공범자인 경우에는 죄를 범한 것으로 한다”고 규정하고, 제7조는 범죄혐의자를 발견한 체약국은 그 자를 재판권이 있는 타국에 인도하지 않는 경우에는 예외 없이, 또한 그 영토 내에서 범죄가 행하여진 것인지 여부를 불문하고 소추를 하기 위하여 권한있는 당국에 동 사건을 회부해야 한다고 규정하여, “인도하지 않으면 기소해야 한다(aut dedere aut judicare)”는 원칙[5]을 선언하고 있다. 즉, 하이재킹 범인이 세계 어디로 도망을 가든 처벌할 수 있는 체제를 구축한 것이다.

(3) 민간항공의 안전에 대한 불법적 행위의 억제를 위한 협약
(1971 Montreal Convention for the Suppression of Unlawful Acts Against the Safety of Civil Aviation)

이 조약은 일명 몬트리올협약으로 불리고, 1971년 채택되어 1973년 1월 26일 발효되었다. 우리나라도 1973년 8월 2일 가입하였다. 이는 위의 2개 국제협약이 체결되었음에도 불구하고 1970년 5개 테러단체에 의해 동시에 자행된 항공기 납치사건 발생하자 ICAO는 또다시 국제민간항공에 대한 테러에 대처하기 위하여 캐나다 몬트리올에서 회의를 개최하여 이 협약을 채택하게 되었다. 위의 헤이그조약과 차이점은 항공기의 불법납치행위를 규정하고 범죄행위지 국가, 항공기 등록국, 용의자를 태운 항공기의 착륙국, 항공기의 임차국 등에 대하여 필요한 조치를 취하도록 하고 있으나 몬트리올 협약은 항공기의 폭파행위 등을 독립된 범

---

5) 인도 또는 기소(라틴어: aut dedere aut judicare)라고도 하며, 특정한 범죄를 저지른 자가 소재하고 있는 국가는 그 자에 대하여 적법한 관할권을 행사할 수 있는 국가로 그를 인도하거나 아니면 국내 재판소에 기소해야 할 국제법상의 의무가 있다는 국제법의 원칙이다.

죄로 규정하고 운항 중에 있는 항공기 파손 및 공항시설에 대하여 저질러진 범죄와 같은 문제를 추가로 규정하였다는 것이다. 이 협약은 항공기의 안전을 해할 개연성이 있는 경우에 비행인 항공기에 탑승한 자에 대하여 불법으로 그리고 의도적으로 폭력행사를 하거나, 항공기에 폭발장치를 두거나, 그러한 행위를 시도하거나 그러한 행위를 실행하거나 실행하려는 자의 공범이 되는 것을 범죄로 규정하고(동 협약 제1조) 체약국에게 이러한 행위를 형별로 처벌되는 범죄로 규정할 것을 요구하며(제3조), 범죄인을 구금하고 있는 체약국에 그 범죄인을 인도하거나 소추하도록 요구하고 있다(동 협약 제7조-제8조).

(4) 국제민간항공에서 사용되는 공항에서의 불법적 폭력행위의 억제를 위한 의정서(1988 Protocol for the Suppression of Unlawful Acts of Violence at Airports Serving International Civil Aviation)

몬트리올 의정서 또는 공항의정서라고도 한다. 이 의정서의 정식명칭은 「1971년 9월 23일 몬트리올에서 채택된 민간항공의 안전에 대한 불법적 행위의 억제를 위한 협약을 보충하는 국제민간항공에 사용되는 공항에서의 불법적 폭력행위의 억제를 위한 의정서」이다. 이 의정서는 1988년 채택되었고, 1989년 8월 6일 발효하였다. 우리나라도 1990년 6월 27일 가입하였다. 이 의정서의 당사국간에는 몬트리올 협약과 이 의정서는 함께 단일문서로 취급되고 해석된다. 이 의정서는 공항에서의 불법 행위를 규정함으로써 민간항공에 대한 안전상의 기존 조치들의 범위를 확대하기 위하여 마련되었다. 이 의정서는 전문과 9개조로 구성되어 국제민간항공에 사용되는 공항에서 어떤 장치, 물질 또는 무기를 사용하여 사람에 대하여 사망 또는 심각한 상해에 이르게 하거나 그럴 우려가 있는 폭력행위를 하는 것 또는 공항의 안전을 해하거나 해할 우려가 있음에도 공항설비 또는 공항부지에 있는 운항하지 않는 항공기를 파괴하거나 심각하게 손상시키거나 공항서비스를 방해하는 것을 범죄로 규정하는 내용을 추가하였다(동 의정서 제1조). 의정서 제2조는 범죄구성요건으로 국제민간항공에 사용되는 공항에 소재한 자에 대하여 중대한 상해나 사망을 야기하거나 야기할 가능성이 있는 폭력행위와 공항의 시설 또는 공항에 계류 중인 항공기를 파괴하거나 중대한 손상을 입히는 경우 또는 공항의 업무를 방해하는 경우라고 명시하고 있다. 이러한 범죄행위에 대한 재판관할권은 몬트리올협약 제5조를 준용하는[6] 한편 범죄혐의자가 당사국 영토 내에 있고, 타 당사국에 인도하지 않을 경우에 위 범죄에 대한 관할권을 확립하기 위하여 필요한 제반조치를 취하여야 한다고 하였다. 동 의정서 제4조 내지 제9조는 가입, 서명, 발효 절차 등을 규정하고 있다.

(5) 베이징 협약(The 2010 Beijing Convention)

이 협약은 지금까지의 항공기에 대한 테러를 방지하기 위한 노력으로 일련의 국제협약을 체결하였으나 2001년 발생한 9·11테러는 민간항공의 보안에 허점을 보여주는 대표적인 사건이 되었다. 이에 따라 항공보안의 발전을 위한 노력의 일환으로 ICAO 법률위원회는 2010년 9월 10일 중국 베이징에서 열린 외교회의에서 기존의 몬트리올협약(1971년 채택)과 몬트리올 보충의정서(1988년 채택)에 대한 개정안으로 베이징 협약(The 2010 Beijing Convention on the Suppression of Unlawful Act Relating to International Civil Aviation)과 헤이그협약(1970년 채택)에 대한 보충의정서인 베이징의정서(The 2010 Beijing Protocol to the 1971 Hague Convention on the Suppression of Unlawful Seizure of Aircraft)를 채택하였다. 우리나라도 이 협약에 서명하였으나 현재 비준이 되지 않고 있다. 베이징 협약과 의정서는 당사국들이 항공기를 무기로 이용하는 것을 포함해 테러행위를 조직·지휘, 자금조달하는 행위 등 민간항공의 안전에 위협을 가하는 행위들을 모두 불법으로 규정하고 있다. 주된 내용은 다음과 같다.

첫째, 범죄행위의 확대 및 구체화로 민간 항공기를 무기로 사용하거나 다른 항공기 또는 지상의 표적을 공격하기 위해 사용하는 행위 또는 항공기나 다른 지상의 목표물을 공격하기 위해 위험한 물질을 사용한 행위를 추가적으로 범죄행위로 규정하고 있다. 또한 민간 항공기를 이용해 생화학 무기 및 이와 관련된 물

---

6) 몬트리올협약 제5조: 각 체약국은 다음과 같은 경우에 있어서 범죄에 대한 관할권을 확립하기 위하여 필요한 제반조치를 취하여야 한다.
(가) 범죄가 그 국가의 영토 내에서 범하여진 경우
(나) 범죄가 그 국가에 등록된 항공기에 대하여 또는 기상에서 범하여진 경우
(다) 범죄가 기상에서 범하여지고 있는 항공기가 아직 기상에 있는 범죄 혐의자와 함께 그 영토 내에 착륙한 경우
(라) 범죄가 주된 사업장소 또는 그러한 사업장소를 가지지 않은 경우에는 영구 주소를 그 국가 내에 가진 임차인에게 승무원 없이 임대된 항공기에 대하여 또는 기상에서 범하여진 경우

질을 불법적으로 운송하는 것 역시 범죄행위로 간주하여 처벌하고 있다. 또 공범 개념을 확대하여 사람들을 조직하거나 지휘해서 항공기 또는 공항을 공격하는 행위 및 공범으로 범죄 또는 불법행위에 가담하거나 의도를 가지고 범죄자의 도피 조사, 기소 및 처벌을 돕는 행위까지도 범죄로 규정하였다. 즉, 범죄를 조직하거나 다른 사람이 범죄를 저지르도록 시키는 교사(敎唆)행위, 상대방이 범죄를 저지른 것을 알면서도 처벌을 피할 수 있도록 도와준 자, 범행을 저지르는 데 필요한 자금을 제공한 자까지 추가하여 공범의 범위를 명확히 구체화하였다.

둘째, 관할권의 명확화로 무국적자의 범죄 행위에 대한 관할권이 추가되었다. 무국적자가 당사국에서 범죄를 저질렀을 경우, 그 당사국이 관할권을 행사할 수 있게 함으로써 세계주의나 보호주의 이론에 입각해 국내법을 적용했던 기존의 법 적용에 비해 관할권 행사가 좀 더 명료해졌다고 볼 수 있다. 과거에는 민간항공기 납치 행위를 정치행위에 속하는지에 대해 국제사회에서 논쟁이 끊이지 않았으나 이번 북경협약에서는 이런 성격의 범죄에 대해 명확하게 정치범죄로 보지 않고 각국도 정치범죄를 범죄자 인도 및 국제 사법공조를 거절하는 이유로 사용하지 못하도록 하여 여객기 납치 등을 통한 테러범은 정치범 대상에서 제외되어 처벌을 받도록 강화하였다.[7] 이 조항의 내용은 "이 협약에 명시되어 있는 범죄는 정치와 관련된 범죄나, 정치적 동기에 의한 범죄로 간주하지 않기 때문에 정치범이라는 이유로 인도의 의무를 거절할 수 없다"는 것이다. 또한 범인에 대한 처벌 또는 기소를 위한 인도 요청이 인종, 종교, 국적, 인종적 태생, 성별 등을 근거로 요구한 것이라고 믿을 만한 상당한 근거가 있을 때에는 인도 또는 상호법적 원조라는 의무를 이행해야 하는 것으로 해석되지 않는다며 인도의무를 제한할 수 없다는 규정을 신설하였다. 범죄가 당사국의 영토에서 일어났을 때, 범죄가 당사국 시민에 의해 범해졌을 때, 범죄가 당사국의 시민을 대상으로 범해졌을 때, 국적이 없지만 거주지가 당사국인 자에 의해 범죄가 범해졌을 때 등의 조항을 추가하여 관할권에 대한 분쟁의 소지를 크게 줄였다. 다만 군사적 활동에 대한 무

7) 천안문(天安門) 사태에 가담한 중국인 장진해(張振海)가 1989년 12월 16일 북경에서 미국으로 가는 중국 민간 항공기를 납치하여 일본 후쿠오카에 착륙한 사건. 중국이 그의 인도를 요청하자, 장진해는 자신이 정치범임을 주장하였으나 일본은 "항공기불법납치 억제를 위한 헤이그협약"에 의거하여 인도대상이 된다고 판단하여 1990년 4월 28일 장진해를 중국으로 정식 인도하였다.

력 충돌시에는 동 협약이 적용되지 않고, 「국제인도법」을 적용하도록 함으로써 이 조약의 적용범위를 한정하였다.

2. 폭발물과 핵테러 관련조약

(1) 핵물질 방호에 관한 협약(1980 IAEA Convention on the Physical Protection of Nuclear Material)

비엔나협약이라고도 한다. 이 협약은 핵물질에 관한 범죄를 예방, 탐지 및 처벌하기 위하여 1980년 3월 3일 오스트리아의 비엔나에서 채택되어 1987년 2월 8일 발효되었다. 우리나라도 1982년 4월 7일 가입하였다. 핵물질은 많은 유용성을 갖고 있어 여러 국가에서 사용하고 있지만 핵물질의 관리에 소홀하여 오용이 있을 경우에 많은 인적·물적 피해뿐만 아니라 자연환경에도 치명적인 재앙이 유발될 수 있다. 따라서 각국은 국제원자력기구(IAEA: International Atomic Energy Agency)를 중심으로 핵물질의 평화적 이용을 증진하고 불법적 취득 및 사용을 방지하기 위하여 이 조약을 체결하게 되었다. 핵물질의 도난은 핵물질이 위험한 범죄자의 수중에 들어갔을 때 발생할 수 있는 피해 때문이다. 이 조약은 국가에 적용되지만 간접적으로 개인의 핵물질의 불법적 소유행위를 규율함으로써 개인에게도 적용되고 또한 핵물질의 사용으로 인한 환경파괴의 피해도 방지하고자 하는 환경보호의 측면도 가지고 있다.

이 협약은 전문과 23개조의 협약문, 2개의 부속서로 구성되어 있다. 전문에서 '모든 국가가 평화적 목적을 위하여 원자력을 개발하고 응용할 권리가 있음을 확인하면서 핵물질의 국내적 사용, 저장 및 운용 중에 있는 핵물질 방호의 중요성을 확보하는 것'이 본 협약의 목적이라고 규정하고 있다. 동 협약 제1조 용어의 정의 규정에서[8] '국제 핵 운송'이라 함은 선적(船積)이 그 국가 내에 선적자의 시

---

8) 핵물질협약 제1조는 다음과 같다.

가) "핵 물질"이라 함은 동위원소 농축도 80%이상인 플루토늄 238을 제외한 플루토늄, 우라늄 233, 동위원소 235 또는 233의 농축 우라늄, 원광 또는 원광 찌꺼기의 형태가 아닌 천연 상태에서 동위원소 혼합물을 함유하고 있는 우라늄, 전술한 것의 하나 또는 그 이상을 함유 하는 기타 물질을 말한다.

나) "동위원소 235 또는 233의 농축 우라늄"이라 함은 동위원소 235 또는 233 또는 그 두 가지를 함유하는 우라늄으로서, 그 양에 있어서 이들 동위원소의 합계의 동위원소 238에 대한 함유비율이 천연 동위원소 235가 천연 상태에서 존재하는 동위원소 238에 대한 비율보

설에서 출발함으로 시작되어 최종 목적지 국가 내의 인수자의 시설에 도착함으로서 완료되는 국가의 영역을 월경할 의도인 운송수단에 의한 핵물질의 운반을 말한다고 명시하였다. 제2조는 조약의 적용대상으로 첫째 국제적인 핵 수송과정에 있는 평화적 목적을 위하여 사용되는 핵물질에 대하여 적용되며, 군사 목적에 사용되는 핵물질이나 국제 수송과정에 있지 않은 평화적 목적의 핵물질에는 적용되지 않는다. 둘째 협약의 제3조(국제운송 중의 핵물질 방호), 제4조(방호수준이 기준에 적합지 못할 경우 수출입의 인가금지 등), 제5조 제3항(국제운송 중의 핵물질 방호체제의 기획 등을 위한 협력 등)을 제외하고, 국내에서 사용・저장・운송 중에 있는 평화적 목적에 사용되는 핵물질에도 적용된다. 제7조는 범죄구성요건에 관한 규정으로, 핵물질의 수령, 사용 등에 있어 인명에 실질적 손해를 야기하는 핵물질의 불법 소유, 사용, 전달 또는 탈취와 사망, 심각한 상해 또는 실질적인 재산상 손실을 야기하는 것을 범죄로 하고 각국은 당사국의 국내법에 따라 처벌되도록 하고 있다. 제8조는 재판관할권을 규정하고 있고, 당사국의 권한과 의무에 대한 규정은 제3조, 제6조, 제9조, 14조 등에 명시되어 있다. 특히 제3조에서는 자국민에 의해 발생한 경우는 원칙적으로 이 협약이 적용되지 않는다고 규정하며, 제4조는 당사국으로 하여금 이 협약상 범죄를 국내법상 범죄로 규정하고, 범죄의 중요성을 고려하여 적절한 형벌에 의하여 처벌할 수 있도록 하는 의무를 부여하였다. 제6조에서는 이 협약상의 범죄가 정치적 철학적 이념적 인종적 민족적 종교적 이유로 정당화될 수 없음을 규정하고 있다. 제16조 이하는 당사국회의의 개최, 당사국간의 분쟁의 해결, 가입절차 및 효력발생 등에 관하여 규정하고 있다.

(2) 국제 핵테러행위 억제 협약(International Convention for the Suppression of Acts of Nuclear Terrorism)

이 협약은 미국의 9.11테러 이후 2005년 4월 13일 처음으로 UN의 결의에 의해서 채택되었다. 우리나라도 2014년 5월 29일 가입하였다. 재산이나 환경 및 인명에 손해를 가할 목적으로 방사성물질을 보유하거나 장치를 제조・보유하는 행

다 큰 것을 말한다.

다) "국제 핵 운송"이라함은 선적이 그 국가 내에 선적자의 시설에 출발함으로 시작되어 최종 목적지 국가내의 인수자의 시설에 도착함으로써 완료되는 국가의 영역을 월경할 의도인 운송수단에 의한 핵 물질의 적송운반(積送運搬)을 말한다.

위를 범죄로 규정하고(제2조 제1항 가), 재산이나 환경 및 인명에 피해를 가할 의도를 포함하여 자연인 · 법인 · 국제기구 그리고 국가로 하여금 어떠한 행위를 하도록 또는 하지 못하도록 강요하려는 의도로 방사성 물질이나 장치를 사용하거나 방사성물질의 방출 또는 그 위험을 발생시키는 방법으로 핵시설을 사용하거나 손상시키는 행위는 본 협약상 범죄를 구성하게 된다(제2조 제1항 나). 더 나아가 제2조 제1항 나에 규정된 범죄를 행할 것이라고 위협하는 것이 상당한 경우와 무력을 행사하거나 그에 상당하는 위협에 의하여 방사성 물질과 장치 및 핵시설을 요구하는 행위도 범죄를 구성하며(제2조 제2항), 제2조 제1항에 규정된 범죄의 미수범과 공범 · 교사범 및 고의적으로 이러한 범죄에 기여하는 행위 역시 범죄가 된다(제2조 제2항 · 제4항). 각 당사국은 이러한 행위들을 국내법상 형사범죄로 규정하여야 하며 적절한 형벌에 의하여 처벌되도록 하여야 하고(제5조), 제2조에 규정된 범죄는 이 협약의 발효 이전에 당사국간에 존재하는 모든 범인인도조약상의 인도대상범죄에 포함하는 것으로 간주되며 당사국들은 향후 그들 사이에 체결되는 모든 범인인도조약상의 인도대상범죄에 그러한 범죄를 포함시켜야 한다(제13조).

원자력시설에 대한 테러행위의 경우, 일반적으로 테러행위의 목적이 피해국가로 하여금 어떠한 행위를 하도록 하거나 또는 하지 못하도록 강요하려는 데에 있다는 것과 그러한 행위로 재산과 환경 및 인명에 피해를 가할 의도를 가지고 있는바, 이러한 의도로 방사성 물질이나 장치 그리고 방사성 물질의 방출과 그 위험을 발생시키는 테러행위는 당연히 이 협약상의 범죄에 해당한다. 또한 소기의 목적으로 원자력시설을 공격할 것이라고 위협하는 행위나 방사성물질 · 장치 그리고 핵시설을 요구하는 행위 역시 범죄가 된다. 즉 방사성 물질의 생산 · 저장 · 처리 그리고 운송을 위하여 사용되는 모든 생산시설이나 수송수단과(제1조 제3항), 핵폭발 장치와 모든 종류의 방사성물질 분산제 그리고 방사선 방출 장치(제1조 제4항)를 포함한 모든 시설에 대한 테러행위는 명백히 동 협약상의 범죄가 되는 것이다.

(3) 가소성 폭약의 탐지를 위한 식별조치에 관한 협약(Convention on the Marking of Plastic Explosives for the Purpose of Detection)

이 협약은 일명 '가소성 폭약 협약'이라 하고, 1991년 채택되어 1998년 6월 21

일 발효되었다. 우리나라도 2002년 1월 2일 가입하였다. 이 협약은 1988년 미국 국적의 팬암항공기 103편이 영국 로커비 상공에서 가소성 폭약에 의해 폭파된 일명 '로커비사건'[9]으로 국제민간항공기구(ICAO)의 결의에 따라 채택된 것이다.

이 협약은 전문과 15개 조항 및 기술부속서로 구성되어 있다. 동 협약의 전문은 테러행위가 국제안보와 관련이 있고, 항공기, 다른 운송수단 및 그 밖의 표적물의 파괴를 목적으로 하는 테러행위에 가소성 폭약이 사용되어 왔음을 우려하고, 가소성 폭약에 적정하게 식별 조치하는 것을 보장하기 위한 적절한 조치를 채택하도록 각국에 의무를 부과하고 있다. 제1조의 용어 규정에서 폭약은 기술부속서(Technical Annex)에 기술된 바와 같이 유연하거나 탄력적인 박판형태의 가소성 폭약을 말하고, 조약 체약국에 대하여 자기 영토 내에서 식별장치가 없는 가소성 폭약에 대한 효과적인 통제를 하도록 의무를 부과한다. 즉, 각 체약국은 식별장치 없는 가소성 폭약의 제조를 금지하고 유통을 방지하기 위한 필요하고도 효과적인 조치를 취해야 하고(제2조), 식별장치 없는 폭약이 자국 영토 내로 또는 영토 밖으로 이동하는 것을 방지해야 하며(제3조), 조약 발표 이전에 제조 되거나 수입된 식별장치 없는 폭약의 소유와 전달에 대한 엄격하고 효과적인 통제권을 행사해야 하고, 군이나 경찰이 보유한 것이 아닌 식별장치 없는 폭약의 모든 재고품을 3년 이내에 파괴하거나, 소모하거나, 식별장치를 부착하거나 영구적으로 무력화할 것을 보증해야 하고, 군이나 경찰이 보유한 식별장치 없는 가소성 폭약은 15년 내에 파괴하거나, 소모하거나, 식별장치를 부착하거나 영구적으로 무력화할 것을 보증해야 하며, 자국에서 조약이 발효된 날 이후 제조된 모든 식별장치 없는 폭약을 가능한 한 조속한 시일 내에 파괴할 것을 보증해야 한다(제4조).

---

9) 로커비사건(Lockerbie disaster)은 1988년 리비아의 테러집단에 의해 뉴욕행 팬암기 103기가 스코틀랜드의 로커비 마을을 지나던 중 폭파하여 탑승객 전원이 사망한 사건이다. 사건은 1988년 12월 21일 뉴욕행 팬암 103기가 스코틀랜드 남부에 위치한 로커비 마을을 지나던 중 폭발하여 미국인 189명을 포함, 탑승객 전원(259명)과 마을 주민 11명 등 270명이 사망했다. 수사결과 몰타에서 리비아 항공사 직원으로 활동하던 리비아 정보요원이 카세트 녹음기에 장착한 폭탄을 터뜨려 팬암기를 폭파한 것으로 드러났다. 넬슨 만델라 당시 남아공화국 대통령 등의 중재로 1999년 4월 범인 메그라히와 파히마 등 2명의 신병이 인도되어 제3국인 네덜란드에서 용의자에 대한 재판을 진행하여 2001년 1월 31일 열린 선고공판에서 알 메그라히는 종신형, 라멘 할리파 피마흐는 무죄를 선고받았다. 그러나 유죄 선고를 받고 복역중 알 메그라히는 2012년 5월 전립선암으로 사망하였다(네이버 지식백과).

(4) 폭탄테러의 억제를 위한 국제협약
(International Convention for the Suppression of Terrorist Bombings)

뉴욕협약이라고도 한다. 이 협약은 1997년 채택되었고 2001년 5월 23일 발효되었다. 우리나라도 2004년 2월 17일 가입하였다. 협약 체결과정은 UN이 중심이 되었는데 안보장이사회는 증가하고 있는 폭탄테러에 대한 국제적 차원의 대응이 필요하다는 의견의 대두로 1992년 1월 국제테러리즘의 문제를 처음으로 다루었다. 1994년 유엔총회는 '국제테러리즘 방지를 위한 조치에 관한 선언'(Declaration on Measures to Eliminate International Terrorism)을 채택하고, 1996년에는 '국제테러리즘 방지를 위한 조치에 대한 1994년 선언을 보충하는 선언'(Declaration to Supplement the 1994 Declaration on Measures to Eliminate International Terrorism)을 채택하여, 테러리스트의 폭탄사용 방지에 관한 국제협약과 핵 테러행위 억제를 위한 국제협약을 정교화할 특별위원회를 설치하고 이 위원회가 마련한 초안이 협약의 기초가 되었다.

이 협약은 전문과 24개조로 구성되었다. 제1조 정의규정에서 "폭발성 또는 기타 치명적 장치"는 사망·신체중상 또는 실질적인 물적 손상을 유발하도록 설계되거나 그러한 위력을 가진 폭발성 또는 소이성(燒夷性) 무기나 장치; 독성화학제·병원체·생물학적 독소 또는 이와 유사한 물질 및 방사능 물질의 유출·살포 또는 충돌을 통해 사망·신체중상 또는 실질적인 물적 손상을 유발하도록 설계되거나 그러한 위력을 가진 무기나 장치로 규정하여 화생방 테러에 대해서도 적용하도록 하고 있다. 범죄구성 요건은 인명살상 또는 심각한 신체 상해를 야기할 의도를 가지고 공공장소의 광범위한 파괴하기 위하여 폭탄 기타 치명 장치의 불법적이고 의도적인 전달, 설치, 해체 또는 기폭장치 등의 행위를 방지하고(제2조), 일반 범죄활동을 촉진할 목적으로 그러한 행위를 수행하거나 수행을 시도하거나 참여하거나 알고 있거나 그러한 범행을 조직 또는 지시하거나 그 범행에 기여하는 사람은 소추되거나 인도되도록 규정하고 있으며(제8조), 면책의 관용을 배제할 것을 요구하고 있다(제5조). 체약국은 이러한 행위를 국내법상의 범죄로 규정하여 형벌로 처벌하고(제4조), 그러한 행위의 방지를 위하여 상호협력할 의무를 규정하고 있다(제15조).

3. 해상테러 관련조약

(1) 해상항행의 안전에 대한 불법행위 억제를 위한 협약(Convention for the Suppression of Unlawful Acts against the Safety of Maritime Navigation)

이 협약은 일명 로마협약이라고 하고 1988년 채택되어 1992년 3월 1일 발효되었다. 우리나라도 2003년 5월 14일 가입하였다. 1980년에 승무원 억류, 선박의 납치 및 의도적인 좌초나 폭파 등의 사건이 발생하면서 선박의 안전과 승객 및 승무원의 안전을 해하는 불법행위에 대한 우려가 커지고 있는 가운데 1985년 아킬레 라우로(Achille Lauro)호의 납치사건[10] 발생을 계기로 체결되었다. 이 사건을 계기로 유엔총회는 해상에서의 테러리즘의 원인을 제거하는 데 각국이 노력할 것을 촉구하는 결의를 채택하고, 국제해사기구(IMO: International Maritime Organization)로 하여금 운항중인 선박에 대한 테러리즘의 문제들을 연구하도록 권유하고 1986년에 오스트리아, 이집트, 이탈리아 정부도 이 문제에 대한 조약을 준비해 줄 것을 제안했다. 이에 따라 1988년 국제해사기구가 준비한 초안을 바탕으로 조약이 체결되었다.

이 협약은 전문과 22개조로 구성되었다. 전문에서 항해의 안전을 위협하고 해양서비스 활동에 심각한 영향을 주어 선량한 사람의 생명을 위태롭게 하거나 인질로 잡는 경우, 기본적 자유를 위태롭게 하거나 인간의 존엄을 심각하게 훼손하는 경우에 대한 깊은 우려를 표명하고 이러한 불법적행위의 방지와 범죄자의 처벌을 위한 국가간 협력을 강조하고 있다. 제1조는 이 협약이 적용되는 대상으로

---

10) 아킬레 라우로(Achille Lauro)호 사건은 1985년 10월 7일 4명의 팔레스타인 해방전선(PLF) 소속 테러범들이 지중해에서 이탈리아 여객선 아킬레 라우로 호를 납치하여 180명의 승객과 331명의 승무원을 인질로 잡고, 50명의 동료 석방을 요구했다. 이 과정에서 범인들은 불구자인 미국 국적의 유태인 레온 클링호퍼(Leon Klinghoffer)를 살해하여 바다에 던지는 잔인함을 보였다. 이틀 동안 협상으로 탈출을 보장하는 조건으로 이탈리아에 투항했다. 한편, 미국인의 잔인한 살해 사실이 알려지자, 레이건 대통령은 이집트 정부에게 납치범들의 인도를 요청했으나 거절당하자 1985년 10월 10일 미국은 공군 전투기를 동원해 납치범을 태운 이집트 항공기를 이탈리아에 있는 북대서양조약기구(NATO)군 비행장에 강제로 착륙시켰다. 그러나 미국이 납치범들의 인도를 요청했으나 이탈리아는 거절하고, 주범 아불 아바스(Abul Abbas)를 석방하여 로마를 거쳐 유고슬로비아로 도망쳤다. 나머지 3명의 납치범들은 재판을 받고 4-6년의 징역을 선고 받았다(최진태, 「테러, 테러리스트 & 테러리즘」(1997), p. 112).

동력선, 잠수함 또는 기타의 부양선을 포함하여 영구적으로 부착되지 않는 모든 형태의 선박이 해당하고, 군함이나 해군 보조함, 세관 또는 경찰용으로 사용되고 있는 국유(國有)선박은 제외하고 있다(제2조).[11] 제3조는 범죄 구성요건으로 불법적이고 고의성을 요구하고, 제7조부터 제15조까지는 당사국의 권한과 의무를 규정하고 있다. 즉, 협박에 의한 선박의 억류, 선박 탑승인에 대한 폭력행위, 선박의 파괴, 선적화물의 손상행위, 선박인 화물에 대한 폭파를 초래할 수 있는 장치나 물질의 설치, 항행설비의 손상, 거짓정보의 전달 등을 자행한 자를 처벌하도록 하고 있고 대상범죄의 경우 자국 관할권의 집행 또는 인도 요청국가에 대한 범죄인 인도 중 선택할 수 있다.

나아가 2005년 10월 14일 채택된 「해상항행의 안전에 관한 불법행위 억제를 위한 협약의 2005년 의정서」(Protocol to the Convention for the Suppression of Unlawful Acts Against the Safety of Maritime Navigation)는 선박을 테러행위를 촉진하기 위한 도구로 사용하는 것, 테러행위를 촉진하기 위하여 사망 또는 심각한 상해 또는 손해를 야기하거나 야기할 것을 위협하기 위하여 사용할 의도임을 알면서 그런 물질을 선박에 선적하여 수송하는 것, 그리고 테러 행위를 범한 사람을 선박에 탑승시켜 운송하는 행위도 불법으로 규정하고 있다. 이는 협약이 규정한 범죄를 저지른 자의 선박 탑승을 규제하기 위한 절차를 규정한 것이다.

(2) 대륙붕에 소재한 고정구조물의 안전에 대한 불법행위의 억제를 위한 의정서 (Protocol for the Suppression of Unlawful Acts Against the Safety of Fixed Platforms Located on th e Continental Shelf)

로마의정서로 불리고 약칭으로 "SUA PROT"라고 한다. 이 의정서는 1988년 채택되어 1992년 3월 1일 발효되었다. 우리나라도 2003년 6월 10일 가입하였다. 이는 세계 도처에 석유나 천연가스를 추출하는 데 사용되는 연안 구조물에 대한 공격은 인명뿐만 아니라 환경오염에도 많은 피해를 줄 우려가 있어 로마협약의 적용대상에서 제외되어 있는 대륙붕에 위치한 고정구조물에 대해서도 이를 적용하기 위해 체결되었다.

이 의정서는 전문과 10개 조문으로 구성되어 있다. 동 의정서 제1조 제1항은

---

11) 이 조항은 동경협약 제1조 제4항, 헤이그 협약 제3조 제2항, 몬트리올 협약 제4조 제1항과 동일.

로마협약 제5조, 제7조, 제10조 내지 제16조의 규정은 본 의정서 제2조에서 규정하는 범죄가 대륙붕에 위치한 고정구조물상에서 또는 고정구조물에 대하여 행해진 경우에 준용한다고 규정하고 있다. 그러나 필요에 따라 여러 장소로 움직이는 것이나 동력의 의해 위치가 정해지는 선박(dynamically positioned craft)의 경우 역시 동 의정서가 적용되지 않고, 해양연구나 어족보호 목적에 사용되는 구조물이나 설치물도 적용되지 않는 문제가 있다.

나아가 2005년 10월 14일 체결된 「대륙붕에 소재한 고정구조물의 안전에 대한 불법행위 억제를 위한 2005년 의정서」(2005 Protocol to the Protocol for the Suppression of Unlawful Acts Against the Safety of Fixed Platforms located on the Continental Shelf)는 1988년 의정서의 보충으로 "SUA PROT 2005"로 불린다. 2005년 의정서는 생물학적·화학적 또는 핵무기를 방출하는 고정구조물의 사용을 범죄로 규정하는 조항을 추가하였다. 또한 선박이 석유, 액화 천연 가스, 방사성 물질 또는 기타 유해 물질로 인해 사망이나 중상을 야기할 수 있는 용도로 이용될 수 없도록 추가하였고, 또한 고정구조물에 그러한 무기 또는 물질의 사용을 금지하도록 보충하였다. 이 의정서는 2010년 7월 28일 발효되었고, 현재 35개 국가에서 비준되었다.

4. 인질테러 관련조약

(1) 외교관 등 국제적 보호인물에 대한 범죄의 예방 및 처벌에 관한 협약 (Convention on the Prevention and Punishment of Crimes Against Internationally Protected Persons)

이 협약은 1970년대 외교관에 대한 국제테러가 빈발하자 1971년 유엔 총회는 이 문제에 대한 법률위원회를 구성하여 조약의 초안을 마련하여 1973년 뉴욕에서 채택되고 1977년 2월 20일 발효된 것이다. 우리나라도 1983년 5월 25일 가입하였다. 일명 뉴욕협약이라고 한다. 이 조약 채택의 직접적 계기가 된 것은 1970년 5월 5일 네덜란드 유엔 대표가 세계 각처에서 급증하고 있는 외교관들에 대한 테러 공격의 심각성을 나타낸 서한을 유엔 안보장이사회 의장에게 보낸 것이었다. 이 서한은 국제사법재소장과 국제법률가위원회 의장에게 전달되었고, 이에 따라 조약안을 작성할 실무그룹이 구성되어 조약의 초안을 만들어 채택되었다.

이 조약은 전문과 20개조로 구성되었다. 용어의 정의에서 '국제적 보호인물'은 관계국의 헌법상 국가원수의 직능을 수행하는 집단의 구성원을 포함하는 국가원수, 정부수반, 외교부장관 또는 외국에서 특별한 보호를 받을 자격이 있는 국가나 국제기구의 대표 또는 대리인과 그 배우자로 정의하고 있다(제1조). 조약은 체약국에게 국제 보호인물의 살해나 납치, 기타 신체·자유 또는 존엄에 대한 공격, 공적시설·사적숙소 또는 그러한 인물의 수송수단에 대한 폭력적인 공격, 그러한 공격을 하려는 위협 또는 시도, 공범으로서 가담을 구성하는 행위를 범죄로 규정하고, 그중대한 성격을 고려하여 적절한 형벌에 의해 처벌되도록 할 것을 규정하고 있다(제2조). 제3조는 재판관할권을 규정하고 있고, 제4조부터 제12조까지는 당사국의 권한과 의무를 규정하고 있다. 즉, 범법자들을 구금하고(제6조), 범법자들을 인도하거나 소추하며(제7조-제8조), 예방조치를 위하여 상호 협력하고 관련된 범죄 제재에 필요한 정보와 증거를 공유할 것(제4조) 등을 요구하고 있다.

(2) 인질억류 방지에 관한 국제협약
(International Convention Against the Taking of Hostages)

이 협약은 1970년에 사람들이 인질로 억류되는 수많은 사건들이 발생하자, 1976년 9월 28일 독일은 유엔총회에 서한을 보내 1976년 회기에서 인질억류 방지를 위한 국제 협약을 논의해 줄 것을 요청했다. 이에 따라 유엔총회는 1976년 조약의 초안을 만들 특별원회를 설치하여 2년에 걸친 회의 끝에 마련된 초안이 1979년 유엔총회에서 채택되었고 1983년 6월 3일 발효되었다. 우리나라도 1983년 5월 4일 가입하였다. 일명 인질협약이라고 한다.

이 조약은 전문과 20개조로 구성되었다. 제1조는 범죄 구성요건으로 제3자, 즉 국가·정부 간 국제기구·자연인·법인 또는 집단에 대해 인질 석방을 위한 명시적 또는 묵시적 조건으로 일정한 행위를 하거나 하지 않도록 강요하기 위하여, 다른 사람을 납치하거나 감금하거나 살해, 상해 또는 계속 구금하겠다고 협박하는 행위, 이러한 행위를 기도하는 자 또는 공범자를 처벌하도록 규정하고 있다. 조약은 각 당사국에게 이 범죄의 중대성을 고려한 한 적절한 형벌에 의하여 처벌하도록 요구하고(제2조), 인질의 상황을 완화하고 그 석방을 확보하는 데 정당하다고 인정되는 모든 조치를 취할 의무를 부과하고 있다(제3조).

5. 테러자금 관련조약: 테러자금조달의 억제를 위한 국제협약(international convention for the suppression of the financing of terrorism)

이 조약은 1999년 12월 9일 뉴욕에서 채택되고 2002년 4월 10일 발효되었다. 우리나라도 2004년 2월 17일 가입하였다. 일명 테러자금협약이라고 한다. 이 조약의 체결과정은 그때까지 국제테러에 대한 국제협약이 주로 테러행위를 방지하고 규제하는데 중점을 두어왔으나 테러단체에 대한 후원이나 자금 지원자에 대한 처벌이 없었기 때문이다. 따라서 1996년 유엔총회에서 테러집단에 대한 자금조달을 예방하고 자금이동을 차단하기 위한 논의가 있었고, 1998년 프랑스는 테러리즘 방지를 위해 테러자금 제공 방지를 위한 협약을 유엔총회에 제안하였으며, 유엔총회는 1998년 12월 8일 기존의 조약들을 보충할 새로운 국제조약안을 기초할 특별위원회를 설립하여 이 조약을 채택하였다.

이 조약은 전문과 28개조로 구성되었다. 이 조약은 제1조의 정의에서 "자금"이라 함은 유형·무형 또는 동산·부동산을 불문하고 획득된 모든 종류의 자산과 전자·디지털방식을 포함하여 그 자산에 대한 권원·권리를 나타내는 모든 형식의 법적 증서를 말하며, 그러한 법적 증서로서는 은행신용·여행자수표·은행수표·송금환·주식·증권·채권·환어음 및 신용장이 있으나 이에 한정되지 아니한다고 규정하고 있다. 또 "국가 또는 정부시설"이라 함은 국가의 대표, 행정부·입법부·사법부의 구성원, 국가 및 그 밖의 공공기관이나 단체의 관리 또는 피고용인, 정부간기구의 피고용인이나 관리들이 그들의 공적 임무와 관련하여 사용·점유하는 모든 계속적·임시적인 시설이나 수송수단을 말한다고 정의하고 있다(동조 제2항). 제2조는 범죄의 구성요건에 관한 것으로 다음과 같다. ① 다음의 행위를 위하여 사용되어야 한다는 의도를 가지거나 전부 또는 부분적으로 사용될 것임을 인지하고, 직접적·간접적으로 또는 불법적·고의적으로 모든 수단에 의하여 자금을 제공하거나 모금하는 것으로 부속서에 열거된 조약의 범위에서 각각의 조약이 규정한 범죄를 구성하는 행위이거나, 그 밖의 행위로서 사람을 위협하거나 정부·국제기구로 하여금 어떤 행위를 하도록 또는 하지 않도록 강제하기 위한 것으로 민간인이나 그 밖의 자에 대하여 사망이나 심각한 상해를 야기하려는 의도를 가진 행위, ② 위에 규정된 범죄의 실행을 시도하는 것, ③ 위의 범죄에 공범으로 가담하는 경우, ④ 규정된 범죄의 미수도 범죄를 구성한다. ⑤ 공동의 목적을 가지고 행동하는 집단에 의하여 이루어지는 이상의 범죄행위는 고의적이어야 하며 동조 제1항에 규정된 범죄의 실행과 관련된 위의 집단의 범죄활동 및 범죄목적을 진작시킬 목적으로 행하여질 것과 범죄를 실행하려는 집단의 의도를 인지하고 있을 것을 충족하여야한다.

제3조는 적용범위에 관한 것으로 단일국가 안에서 행하여지는 범죄로서 그 피의자가 그 국가의 국민이고 그 영역 안에 소재하는 국민에 대하여 관할권을 행사할 수 있다. 제4조는 당사국으로 하여금 이 조약의 범죄를 국내법상의 범죄로 규정하고 범죄의 중요성을 고려하여 적절한 형벌에 의하여 처벌할 수 있도록 할 의무를 부여하고 있다. 제7조는 재판관할권을 것을 제8조는 당사국으로 하여금 이 조약에 규정된 범죄의 실행을 목적으로 사용・할당되는 자금과 그러한 범죄에 기인한 수익을 가능한 몰수하기 위하여 국내법에 따라 이를 확인・발견・동결 또는 압류하기 위한 적절한 조치를 하도록 의무를 부여하고 있다. 제9조 내지 제22조는 사법처리 절차 및 당사국의 권한과 의무를 규정하고 있다.

다만 문제는 이 협약 부속서에 명시된 9개의 기존 협약상의 범죄행위를 위한 자금조달을 금지하고 있는데 부속서상의 어떤 협약에 미가입한 국가는 여전히 이 조약의 가입을 기피하고 있다는 것이다.[12)]

이상에서 살펴본 테러방지를 위한 국제협약(14개)을 정리하면 다음과 같다.

〈테러방지를 위한 국제협약(14개)〉

협약 명칭	체결일 (장소)
항공기 테러(5개)	
항공기내에서 범한 범죄 및 기타행위에 관한 협약(1963 Tokyo Convention on Offenses and Certain Other Acts committed on Board Aircraft)	1963.9.14. (동경)
항공기의 불법납치 억제를 위한 조약(1970 Hague Convention for the Suppression of Unlawful Seizure of Aircraft)	1970.12.16 (헤이그)
민간항공의 안전에 대한 불법적 행위의 억제를 위한 협약(1971 Montreal Convention for the Suppression of Unlawful Acts Against the Safety of	1971.9.23. (몬트리올)

12) 이상 14개 국제협약에 대해서는 UNITED NATIONS Office of Counter-Terrorism, "International Legal Instruments" 참고.

Civil Aviation)	
국제민간항공에서 사용되는 공항에서의 불법적 폭력 행위의 억제를 위한 의정서(1988 Protocol for the Suppression of Unlawful Acts of Violence at Airports Serving International Civil Aviation)	1988.2.24. (몬트리올)
베이징 협약(The 2010 Beijing Convention)	2010.9.10. (베이징)
폭발물 & 핵 테러(4개)	
핵물질 방호에 관한 협약(1980 IAEA Convention on the Physical Protection of Nuclear Material)	1980.3.3. (비엔나)
국제 핵테러행위 억제 협약(International Convention for the Suppression of Acts of Nuclear Terrorism)	2005.4.13. (UN총회)
가소성 폭약의 탐지를 위한 식별조치에 관한 협약(Convention on the Marking of Plastic Explosives for the Purpose of Detection)	1991.3.1. (몬트리올)
폭탄테러의 억제를 위한 국제협약(International Convention for the Suppression of Terrorist Bombings)	1997.12.15
해상 테러(2개)	
해상항행의 안전에 대한 불법행위 억제를 위한 협약(Convention for the Suppression of Unlawful Acts against the Safety of Maritime Navigation)	1988.3.10. (로마)
대륙붕에 소재한 고정구조물의 안전에 대한 불법행위의 억제를 위한 의정서(Protocol for the Suppression of Unlawful Acts Against the Safety of Fixed Platforms Located on th e Continental Shelf)	1988.3.10. (로마)
인질 테러(2개)	
외교관 등 국제적 보호인물에 대한 범죄의 예방 및 처벌에 관한 협약(Convention on the Prevention and Punishment of Crimes Against Internationally Protected Persons)	1973.12.14. (UN총회)
인질억류 방지에 관한 국제협약(International Convention Against the Taking of Hostages)	1979.12.17. (뉴욕)
테러 자금	
테러자금조달의 억제를 위한 국제협약(international convention for the suppression of the financing of terrorism)	1999.12.9. (UN총회)

출처: 필자가 재정리.

Ⅲ. 포괄적 대테러협약 제정 필요성

지금까지 살펴본 국제테러에 대응하기 위한 개별적인 국제조약(협약)은 테러의 유형과 수단에 대해 부분별 제재의 형식을 취하고 있어 오늘날 국제사회가 직면한 국제테러리즘의 대응에 충분히 응할 수 없다는 데 문제가 있다. 따라서 국제테러에 대한 포괄적인 새로운 형태의 조약을 체결할 필요성이 제기되고 있다. 지난 1996년 12월 UN총회는 테러리즘 전반에 대한 포괄적인 형태의 조약 구상을 검토하고 이에 대한 효율적인 대응방안을 모색하기 위해 특별위원회(Ad Hoc Committee)의 설치를 결의하였다.[13] 이 위원회는 포괄적인 테러방지조약을 검토하는 한편, 1997년 폭탄테러협약, 1999년 테러자금조달억제협약, 2005년 핵테러협약 등 일련의 개별 조약의 채택에 공헌하였다. 또 특별위원회는 2002년 1월 28일부터 2월 1일까지 6차 회의를 개최하고 특별위원회 보고서를 채택하였는데 여기에 「국제테러리즘에 대한 포괄협약(안)」(a Draft Comprehensive Convention on International Terrorism)이 포함되어 있다.[14]

포괄적 협약 초안은 인도에 의해 제출되었고 전문과 27개조 및 3개의 부속서로 구성되어 있다. 개별적인 테러방지관련 국제협약과 비교하였을 때 개별 협약에서는 특정한 공격 행위에 집중하였으나 포괄협약은 '어떤 방식'으로든간에 다른 사람에게 심각한 손실을 야기하는 것을 테러공격이라 규정하고 대량살상무기를 포함한 전통적 그리고 진보적인 공격방식을 모두 포함함으로써 범죄 대상을 확장시켰다. 또한 정치적 동기 등을 불문하고 어떠한 목적으로도 테러범죄를 용인하지 않음으로써 테러범에 대한 정치적 망명을 허용하지 않는 등 예외 상황을 현격히 줄이고 있다. 또 직접적인 테러리즘 자체에 대한 규정이 없어 모호함을 가지고 있던 개별협약에 비해 이를 보완함으로써 협약의 목적과 제재 대상 그리고 그 방식과 국제법상 사후처리 등이 보다 명확하게 규정 되어있는 점이다. 그러나 현재까지 이 협약안이 담고 있는 테러리즘의 정의 규정 등에 대한 의견의 통일

---

13) "Measures to eliminate international terrorism," A/Res/51/210, 1996.12.17. http://www.un.org/documents/ga/res/51/a51r210.htm(검색일: 2018.2.27).

14) nited Nations, "Report of the Ad Hoc Committee established by General Assembly resolution 51/2 10 of 17 December 1996, "http://www.un.org/documents/ga/docs/57/a5737.pdf (검색일: 2018.2.27.).

이 되지 않아 여전히 진행 중이다. 다음에서는 포괄적인 테러방지 협약 추진과정의 문제점을 살펴본다.

첫째, 테러리즘의 정의 문제로 이 조약안 제2조의 규정은 어떤 수단에 의해서건 불법적으로 그리고 의도적으로 ① 사람에 대한 사망, 심각한 신체 상해, ② 공적으로 이용되는 장소, 국가나 정부시설, 공공수송체계, 기반시설 또는 환경을 포함하는 공사의 재산에 대한 심각한 손상, ③ 위에서 언급된 재산, 장소, 시설 또는 체계에 대한 손상으로서 중대한 경제적 손실로 이어지거나 이어질 우려가 있는 것 등을 범죄로 한다는 것이다. 문제는 이러한 범죄에 대한 정의가 국가나 (민족)자결운동의 무장 세력에 적용될 수 있는지에 대한 이견이다. 이 문제를 해결하기 위해 서방국가에서 몇 가지 예외 규정을 제안하였으나[15] 이슬람 국가에서 수정안을 제안하는[16] 등 난항이 계속되고 있다. 이러한 테러리즘의 정의 문제는 이미 국제연맹조약의 제정과정에서도 논란되었던 문제다.[17] 테러리즘에 대한 정의를 일반적 정의냐 개별적 정의냐 하는 문제, 무장 세력을 적용대상에 포함시킬 것인지의 문제, 예외를 얼마나 인정할 것인가의 문제 등은 국제연맹조약에서 이미 논의되었던 것이다. 이처럼 테러리즘에 대한 국제적으로 합의된 정의를 어렵게 하는 요인은 우선 국가, 자결집단 또는 혁명집단이 정치적 목적으로 폭력을 사용하는 것에 대한 정당성 문제다. 목표 달성 수단으로서의 폭력의 사용에 대한 가치대립이다. 둘째, 오늘날은 테러리즘이란 용어의 정치적 가치가 법률적 가치를 압도하고 있어 특정국가의 이익에 부합하는지에 대한 여부가 기준이 되어 정

15) Carlos Diaz-Paniagua가 제안한 예외는 다음과 같다.
  1. 이 조약의 어떤 규정도 국제법, 특히 유엔헌장의 목적과 원칙 그리고 「국제인도법」에 따른 국가, 민족 개인의 권리・의무・책임에 영향을 주지 않는다.
  2. 「국제인도법」의 규율을 받는 무장투쟁 동안에 일어난 무장세력의 활동들은 이 조약에 의하여 규율을 받지 않는다.
  3. 국가의 군대가 그 직무상 의무를 수행함에 있어서 취하는 활동들을 국제법의 다른 규칙들에 의하여 규율되는 한, 이 조약의 규율을 받지 않는다.
  4. 이 조항의 어떤 내용도 다른 법률에 따르면 불법인 행위를 합법으로 용인하거나 소추를 배제하는 것으로 해석되지 않는다.

16) 이슬람국가들은 조정의 제안 2와 3에 대하여 다음과 같은 수정안을 제안하였다.
  2. 「국제인도법」에 따라 외국령(外國領) 상태를 포함하는 무장투쟁 동안에 이루어지는 당사국의 활동들로서 국제인도법의 규율을 받는 활동들은 이 조약의 규율을 받지 않는다.
  3. 국가의 군대가 그 직무상 의무를 수행함에 있어서 하는 행위들을 그것이 국제법에 따라 이루어지는 한 이 조약의 규율을 받지 않는다.

17) 앞에서 서술한 '테러리즘 방지를 위한 국제사회의 노력' 참조.

의를 어렵게 한다는 것이다. 셋째, 테러리즘을 정의하는 방법이 주관적이라는 것이다. 즉 테러리즘은 결국 하나의 전술일 뿐인데 테러와의 전쟁(war on terrorism)이라는 용어를 쓰는 것 자체가 잘못되었고 오히려 교전상태(militancy)라는 용어가 더 적합하다는 것이다.

둘째, 조약의 실효성 문제로 지금까지 국제사회가 테러리즘 방지를 위한 여러 조치에도 불구하고 여전히 국제 테러가 빈번히 발생하고 있는 데 대한 반성이다. 앞서 본 바와 같이 지금까지 총 14개의 각종 국제협약을 채택하여 테러리즘 방지에 노력해 왔으나 각각 당사국들의 대립되는 입장을 절충하여 조약문을 만들고 채택한 것이기 때문에 각 개별 조약들에 의한 테러리즘의 규제·대응에는 한계가 있어왔다는 것이다. 특히 국제 조약에서는 테러리즘에 대한 규제방식이 대체로 각국의 국내법과 국내제재에 의해 형사 처벌을 위주로 한 것이어서 국제형사재판소의 제재와 처벌이 도입되어 있지 않았다. 따라서 개별 조약에 대한 범죄에 대하여 각 당사국이 지정한 형벌로 처벌할 수 있도록 하는 의무를 규정하고 있지만 이를 위반하는 경우의 제재규정이 없어 실효성에 의문이 있었고, 통일적인 처벌 수준이 없어 형평성에 문제가 있어 왔다. 즉 강제력이 없다는 국제법의 근원적인 문제로 형사처벌의 실효성을 기대하기 어려웠다. 또한 각국은 국제테러행위의 규제에 대하여 정치적인 이유로 소극적으로 응하거나 혹은 너무 과잉반응을 보임으로써 개별 국가의 이익 문제와 부딪힐 때 조약의 실효성이 떨어질 수밖에 없다. 이와 당사국 이외의 제3국에 대하여 권리 의무를 부가하지 않아 조약에 가입하지 않거나 조약상의 의무를 이행하지 않은 경우에 그것을 강제할 수 있는 방법이 없는 것이다.

셋째, UN 헌장 상의 자위권과 관련된 문제다. 즉, UN이라는 집단안전보장제도 하에서 모든 회원국은 UN 헌장에 명시된 상호불가침을 약속했을 뿐 아니라 타국의 정치적 독립과 영토 통합을 무력으로 하거나 무력을 동원한 군사적 침략 행위를 하지 못한다. 다만 UN 헌장의 자위권(the right of self-defence) 행사(제51조)와 구적국(舊敵國: 제2차 세계대전 당시 이 헌장의 서명국이었던 국가) 조항(헌장 제53조와 제107조)이 그것이다.[18] 그리고 평화와 관련된 UN의 제 규정을 위반한

18) Charter of the United Nations, http://www.un.org/en/documents/charter/(검색일: 2018. 2.27).

경우에는 안전보장이사회가 강제제재조치(헌장 제39조-제42조)를 할 수 있다. 이 경우에도 평화에 대한 위협, 평화에 대한 파괴·침략행위가 있을 때에, 그리고 반드시 안보리가 상임이사국 5개국 이상을 포함한 9개국 이상의 동의를 얻은 결의가 있어야만 제재가 가능하다. 이러한 UN 헌장의 자위권을 테러리즘과 관련시켜 보면, 테러리즘에 대한 대응이 자위권의 행사인가 아니면 국제법상 근거가 없는 국가테러에 불과한 것인가 하는 의문이 제기될 수 있다.[19] 실제로 2003년 미국의 이라크에 대한 군사행동은 UN 헌장의 자위권 규정에 비추어보면 이라크는 9·11 사건에 직접적인 관련이 없고, 이라크에서 대량살상무기가 발견되지 않았기 때문에 미국의 자위권 주장에 타당성이 있다고 볼 수도 없기 때문이다. 즉 미국이 주장하는 이라크의 민주화를 위한 무력공격은 국제법상 허용될 수 없고, 이라크가 UN 안보리결의 1441호를[20] 무시했다는 이유로 이라크에 대한 무력공격을 정당화하기 어렵다는 것이다. 비록 UN 안보리결의 1441호가 이라크에 대해 '그 의무에 대한 지속적인 위반의 결과로서 중대한 결과에 직면하게 될 것이라고 반복적으로 경고해 왔다'(제13항)라는 내용을 포함하고 있지만,[21] "중대한 결과"(serious consequences)가 곧 무력 공격을 의미하는 것은 아니며, 안보리의 관례상 무력공격이 가능하기 위해서는 내용에 "필요한 모든 수단"(all necessary means)이라고 표기되어야 한다는 것이다. 이처럼 테러리즘을 목표로 하는 무력공격이 국제법적으로 정당화되기는 어렵다는 의미에서 이 같은 조약에 대한 국제사회의 대응이 적절한 효과를 거두지 못하는 이유가 되고 있다.

그러나 이러한 여러 가지 의견대립에도 불구하고 동 협약안이 체결될 경우 국제테러에 대한 규범적 제재의 틀을 마련할 수 있게 될 뿐만 아니라 국제사회의 테러에 대한 협력강화의 계기를 만들 수 있는 긍정적 효과가 기대된다. 따라서 인류 공동의 적이라는 테러에 대해 인식을 공유하여 테러리즘에 대한 보편적 정의를 규정하고, 이를 국제형사재판소가 관할하는 국제범죄로 분류하고, 국가테러리즘 및 민족해방운동에 대한 명확한 기준 제시를 통하여 예외상황을 최소한으로

19) 제성호, "유엔 헌장상의 자권 규정 재검토," 『서울국제법연구』 제17권 1호(2010), pp. 70-73.
20) United Nations Security Council Resolution 1441호는 이라크 전쟁을 승인하는 안보리 결의로 2002년 11월 8일 채택되었다.
21) United Nations Security Council Resolution 1441(2002), 13. Recalls, in that context, that the Council has repeatedly warned Iraq that it will face serious consequences as a result of its continued violations of its obligations.

허용할 때 포괄적인 국제협약의 실효성이 있는 역할을 기대할 수 있을 것으로 생각한다.[22)]

Ⅳ. 국제형사경찰기구(인터폴: Interpol)

국제사회는 국제테러리즘에 대한 대응책을 마련하기 위해 오래전부터 많은 노력을 경주하여왔고, 위에서 살펴본 것처럼 많은 개별적 사안들에 대해 국제적 합의도 이끌어냈다. 그러나 2001년 9·11테러 사건에서 볼 수 있듯이 여전히 일반 대중들은 상시적 테러리즘의 위협에 시달리고 있는 형편이다. 이처럼 테러리즘은 인류의 역사와 함께 시작되었고 오랜 역사성을 기반으로 현대의 첨단 교통·통신시설 등 과학 기술의 발달로 말미암아 전 세계적인 현상으로 나타나고 있고, 그 피해나 위험성 및 발생 형태 등은 상상을 초월하게 되었다. 따라서 국제사회는 이와 같은 테러리즘에 대한 대응책으로 현실적인 위험성에 착안하여 법적 대응을 강구하는 방향으로 관심을 가지게 되었다. 이 결과로 국제형사경찰기구인 인터폴(ICPO: International Criminal Police Organization)이 탄생하게 되었다.

1. 탄생과 발전

인터폴의 탄생은 1893년 독일 베를린대학의 범죄학자인 프란츠 폰 리스트(Franz von Liszt, 1851~1919)가 해외도피사범의 심각성에 대해 각국에 법적인 '범죄인 인도제도'의 구축의 필요성을 호소하면서 시작되었다. 이후 1901년 영국 경시청의 총감 E. 헨리가 개인의 지문에 대한 국제화를 촉구하고 1905년부터 1910년까지 「부녀 인신매매 및 음란출판물의 유포를 금지하는 파리 협정」이 체결된 이후 국제적 형사경찰기구의 창설 논의가 시작되었다. 즉, 1905년부터 1913년 사이에 마드리드, 상파울루, 워싱턴 등에서 국제적 규모의 경찰총수 회의의 개최와 1914년 모나코 왕자 Albert I가 주최한 "제1회 국제형사경찰회의"(First International Criminal Police Congress)에서 유럽과 미국 등 24개국으로 구성된 대표 188명에

22) 신경엽, "테러리즘에 대한 국제법적 규제에 관한 연구", 경희대학교 박사논문(2002), pp. 183-207.

의해 국제적 경찰협력을 위한 기구를 설립하기로 결정했다. 이 결정에는 국제적 일반범죄의 진압을 위해 모든 국가에 똑같이 적용되는 범죄인 인도절차의 필요성과 절차 기준, 상설 사무국, 임시체포절차, 신속한 정보교환의 방법 등에 대하여 계속 논의하고 범죄의 진압을 용이하게 하기 위하여 각국의 경찰당국 간에 직접적인 연락체계의 표준화를 권고했다. 그러나 이러한 논의과정에서 그해 7월 28일 제1차 세계대전이 발발하면서 국제형사기구의 창설이 무산되었다.

제1차 세계대전이 끝나고 1923년 9월 3일부터 7일까지 20개국 131명의 대표가 참여한 "제2회 국제형사경찰회의"가 오스트리아 비엔나에서 개최되어 10개 조항으로 된 헌장과 운영절차 등에 관한 결의에 의해 국제형사경찰위원회(ICPC: International Criminal Police Commission)가 탄생했다. 이 위원회의 목적은 회원국의 법의 테두리 내에서 모든 국가의 경찰당국 간에 가능한 최대의 공조를 증진하고, 보통범죄의 위반에 대한 효과적 진압을 위해서 기여할 것 같은 제도를 제정하고 발전시키는 것이다. 이 위원회는 매년 총회를 통해서 현재의 국제형사경찰기구로 발전할 수 있는 토대를 구축하였다. 1924년에 사무총장에 의해서 국제형사기록사무소의 설립, 1928년 제5회 총회 이후부터 분담금의 납부, 1930년 6차 총회에서 총재는 5년, 부총재는 2년의 임기로 다수결에 의한 선출, 1934년 범죄의 정보나 수배지 등을 신속히 송수신을 할 수 있는 무선통신망의 개통 등의 조치를 취하게 된다. 그러나 1939년 제2차 세계대전이 발발하면서 이 또한 논의가 중단되었다.

제2차 세계대전의 종전 이후 벨기에의 경찰총수인 Florent Louwage(1945~1956)에 의해 인터폴은 재건되는데 1946년 6월 3일 인터폴 회원국 국가의 경찰총수를 초대하여 17개국 43명의 대표가 브뤼셀(City of Brussels)에 모여 제15회 총회를 개최하고 총재와 사무총장을 선출하고, 분담금에 대한 합의와 1923년에 작성한 헌장을 개정하고, 공식 언어로 영어와 프랑스어를 채택하며 본부를 프랑스 파리로 이전하였다. 오늘날과 같은 인터폴(Interpol)이라는 명칭은 전신 사용의 편의를 위해서 "International Police"의 약어로 이때부터 사용하게 되었고, 1949년 제18차 베른 총회에서 인터폴의 기장을 채택했다. 또한 1956년 제25회 비엔나 총회에서 헌장을 개정하여 공식명칭을 국제형사경찰위원회(ICPC)에서 국제형사경찰기구(ICPO)로 변경하고, 그동안 비정부기구에서 준정부기구로 발전하였다.

이후 1958년 재정에 관한 규칙의 결의, 1964년 총재와 부총재 및 집행위원 선출에 관한 신사협정(Gentlemen's Agrement) 체결, 1971년 UN 경제사회이사회와 특별약정을 통해 협의자격(Consultative Status)을 가진 준정부기구의 법적 지위 부여, 1972년 프랑스 정부로부터 인터폴의 본부 기록 및 통신 등에 관한 특권과 면세권(免稅權) 부여, 1973년 제42회 비엔나 총회에서 변경된 기장을 1980년 WIPO(World Intellectual Property Organization)에 등록, 1980년 컴퓨터 도입, 2000년 이후에는 이른바 "Atlas Project"를 통해 인터폴의 조직 및 운영을 최첨단 정보화 사회의 발전 양상에 발맞춰 변화시키기 위해 노력하고 있다.

2001년 9·11테러이후 많은 국가에서 대테러 경찰활동에 대하여 큰 영향을 주었고 따라서 인터폴의 활동에도 많은 변화를 가져왔다. 우선 미국은 경찰권을 상당한 범위까지 확장시켜 경찰 활동의 수단에 대한 광범한 재량과 연방, 주 그리고 지역경찰 조직의 재정비를 가져왔고 이를 뒷받침하는 일명 애국법(PATRIOT Act)을 제정하였다. 유럽의 경찰권도 대폭 확대되었다. 영국은 경찰기관에 보다 폭넓은 수사권을 행사할 수 있도록 하였고, EU도 보다 강력하고 새로운 반테러리즘 법안을 잇따라 통과시켰다. 이러한 현상은 국제경찰협력의 경우에도 예외가 아닐 수 없어 많은 국가에서 경찰활동의 집행력을 높이고 국제협력을 높이는 조치를 취했다. 2001년 9월 14일 인터폴 사무총장은 인터폴본부에 9·11대책반을 개설하여 미국의 테러공격과 관련된 최신의 정보를 인터폴에 배포하고, 미국 FBI와 각국 경찰대표와의 유기적 관계를 더욱 긴밀히 하였으며, 신종 금융·하이테크 범죄 담당국도 설치하여 자금세탁의 문제를 담당하게 하였다. 또 미국·아랍·유럽·아시아·아프리카 지역에 다섯 개의 새로운 보조 부서를 설치하고, 공공 안전과 테러리즘 담당국이 추가로 설치되었다. 그리고 2001년 9월 24일부터 28일까지 5일 동안 제70차 인터폴 총회가 헝가리 부다페스트에서 개최되어 미국의 9·11테러를 전 세계의 시민에 대하여 저지른 잔인한 범죄라 비난하는 결의안을 채택하였다.

또 국제적으로 인터폴이 범인 체포와 인도를 위해 적색 경고(Red Notices)로 분류되는 테러리스트들에 대한 신속한 결정권을 주기로 결정하였다. 2001년 10월 인터폴은 제16차 연례 심포지엄을 열어 51개국 110여명의 전문가들이 참여한 가운데 특별 항공기지의 설치 가능성, 테러리즘의 자금조달 그리고 자금세탁방지의 확대와 같은 근본적 해결방안에 대하여 토론하였다. 2002년 10월 카메룬의 수도인 야운데에서 가진 제71차 총회에서는 인터폴의 181개 회원국 중 139개국 450명의 대표자들이 참석하여, 탄저균이 들어있는 편지나 소포 등 생화학 테러와 같은 잠재적 위험물질을 다루는 안전 문제와 테러자금과 관련된 문제를 주요 관심 사안으로 논의하였다. 또 인터폴의 회원 기관들 간의 정보 교류를 신속하고 확실하게 제공하는 '1-24/7'이라 불리는 인터넷 기반의 새로운 통신시스템을 개설하여 암호화된 정보를 전송하고 회원들은 이 정보를 검색하여 비교검토할 수 있도록 하였다. 2002년 4월 인터폴은 적색(체포), 청색(소재파악), 녹색(정보파악) 등급으로 분류된 탈주자와 테러 용의자의 정보에 대해 경찰기관이 바로 접근할 수 있는 인터폴 테러리즘 경계일람표를 작성·발표하였다. 9·11 직후 인터폴은 55명의 적색 경고자를 발표하고, 청색 경고자 19명의 용의자에 대한 정보교류를 증가시켰다.[23] 이처럼 9·11이후 관련 정보의 신속한 교류를 위하여 전통적 형태의 외교라인을 통하지 않고 직접적인 당사국 대표자와의 교류가 빈번히 이루어졌다.[24]

2. 목적과 원칙

인터폴의 목적은 1956년에 제정된 인터폴헌장 제2조(a)에 '각국의 현행 법률의 범죄 내에서 그리고 세계인권선언의 정신에 입각하여 모든 형사경찰당국 간에 광범위한 상호협조를 보장, 증진시킨다'고 규정하고 있는데,[25] 다른 주권국가의 국내법을 침해하지 않는 범위 내에서 형사범죄자의 예방과 진압에 관련된 업무를 담당하는 모든 형사경찰당국 간의 협력을 말하는 것이다. 또한 제2조(b)는 '일반범죄의 예방과 진압에 효과적으로 기여할 수 있는 모든 기관을 설립하고 발전시키는 데 있다'고 규정하고 있다.[26]

---

23) Deflem, Mathieu, & Lindsay C. Maybin, supra note 24, p. 187.

24) 『인터폴 = Interpol』(서울: 경찰청인터폴기획단, 1997) & 인터폴 홈페이지(https://www.interpol.int/) 참조.

25) To ensure and promote the widest possible mutual assistance between all criminal police authorities with in the limits of the laws existing in the different countries and in the spirit of the 'Universal Declaration of Human Rights', https://www.interpol.int/About-INTERPOL/Legal-materials (2018.2.27.검색). 이하 인터폴 규정은 CONSTITUTION OF THE INTERNATIONAL CRIMINAL POLICE ORGANIZATION-INTERPOL 참조.

인터폴의 원칙은 국제경찰협력은 정치적 중립, 국내법 존중, 형사법 집행, 보편성, 평등성, 타 기관과의 협력, 업무방식 유연성 등이 있다. 즉 인터폴은 정치적·군사적·종교적·인종적 성격의 어떠한 간섭이나 활동에 관련된 업무에 개입하는 것을 엄격하게 금지하고, 각 회원국의 국내법을 존중하며, 인터폴의 관할 범죄는 국제적 관련성이 있는 보통범죄에 한정된다. 또한 어느 회원국도 다른 회원국과 국제경찰협력을 행할 수 있고 기타 어떤 특혜에 대한 고려 없이 똑같은 협력을 제공받고 똑같은 권리를 누린다. 더욱이 인터폴을 통한 국제경찰협력은 회원국의 모든 법집행기관에게 동일하게 확대되나 그 업무처리 방식에 있어서는 개별 국가의 경찰제도 다원성과 상황의 다양성을 고려하기에 충분할 정도로 유연하게 적용된다. 즉 회원국의 국내법과 인터폴의 헌장 및 제 규정, 각국의 경찰구조나 다양한 상황 등이 고려되어 보다 효율적인 국제경찰협력이 가능하도록 해준다.

3. 법적 지위와 조직·활동

인터폴의 법적 지위는 인터폴 헌장이 정부간 합의에 의한 조약은 아니지만 조약의 성질을 지니고 있고, 회원자격이 국가이지만 각국의 외무부 당국이 참여하지 아니하고 경찰당국이 참여하고 있으며, 국제법상 명시적인 법인격에 관한 규정이 인터폴 헌장 등에 없지만 법인의 자격을 인정할 만한 근거가 되며, 각 회원국의 국가가 지불한 분담금으로 운영되고 있다. 또한 국제사법재판소(ICJ: International Court of Justice)에게 권고적 의견을 요청할 수 없지만 본부 소재지 국가인 프랑스와의 분쟁은 협의 및 중재로 해결하고, UN과는 UN헌장의 제71조를 근거로 Category I에 해당하는 지위를 누릴 수 있으며[27] 프랑스와 인터폴 본부와의 협정을 체결하여 인터폴 사무총국과 직원 등이 외교적 특권과 면세권을 향유하고 있다.

인터폴의 조직은 최고 의결기관으로 총회, 각국의 대표위원 중 총회에서 선출

26) To establish and develop all institutions likely to contribute effectively to the prevention and suppression of ordinary law crimes.

27) Category I의 지위는 경제사회이사회의 일반적 문제에 대해서 협의할 수 있고, 잠정적 의제를 제출하거나 2000자 이내의 서면진술서를 제출할 수 일반적 협의지위의 자격을 말한다.

된 13명의 위원으로 구성된 집행위원회, 사무국 · 국가중앙사무국 및 고문단 등이 있다. 총회는 회원국들에 의해 임명된 대표로 구성되며(인터폴헌장 제6조), 반드시 경찰업무를 담당하는 관계 부서의 고위직 공무원을 임명해야 하고(인터폴헌장 제7조), 결의(Resolution)와 권고(Recommendation)의 형식으로 각 회원국에게 인터폴 결정의 이행을 촉구한다. 집행위원회는 인터폴 총재, 3명의 부총재, 9명의 위원으로 구성되며, 이들은 지리적 배분에 의해 각기 다른 국가 출신으로 구성한다(인터폴헌장 제15조). 사무국은 인터폴 업무를 담당하는 사무총장과 기술 · 행정요원들로 구성되며(인터폴헌장 제27조), 국가중앙사무국(NCB)은 회원국의 국내법에 의해 설치되어 회원국의 법률이 허용하는 범위 내에서 회원국의 여러 기관, 다른 회원국의 NCB와 본부 사무총장 등과 지속적인 국제경찰협력을 이행하며, 특히 해외도피사범에 대한 수배와 관련 정보수집, 각종 조회업무를 수행한다.[28)]

이처럼 인터폴의 활동은 초국가적 경찰기관을 창설하지 않고도 다양한 국가의 경찰협력을 통해 국제적 범죄를 예방하고 제재하는 역할을 수행해 왔다. 그러나 9 · 11테러 이후 인터폴의 테러리즘에 대한 적극적인 대응을 요구하는 하는 것에 비해 그 역할은 여기에 미치지 못하고 있다. 즉, 국가적 수준의 경찰기관들이 점진적으로 대테러를 포함하는 그들의 권한을 늘려가고 있는 추세에 비해 국제경찰협력은 다소 부진하다 할 수 있다. 인터폴이 각 회원국 법집행기관간의 경찰업무에 있어 협조를 장려하고 상호지원을 목적으로 하는 협력조직일 뿐이며 수사권한을 지닌 초국가적 경찰기관이 아니다. 협력 기관으로서 인터폴이 가진 제한적 구조 때문에 다양한 국가들이 초국가적 테러리즘을 다루는 경우에, 서로 다른 국가의 입장과 제각각인 다양한 경찰 시스템의 한계와 대립 성향이 있고, 각국의 정치적 상황과 혼재되어 테러리즘에 대한 시각차가 존재한다. 그럼에도 불구하고 9 · 11 테러 이후 전 세계에 걸쳐 관련정보의 국제적 교류 수요가 증대되고 첨단기술의 혜택과 인터폴의 적극적 반테러리즘 의지와 활동 지속으로 각국 경찰들이 종전보다 더 인터폴을 이용하고 있다는 것은 앞으로 인터폴의 전망을 밝게 하고 있다.[29)]

---

28) 인터폴 홈페이지(https://www.interpol.int/) 참조.

29) 오태곤, “9 · 11 테러 이후 인터폴 변모와 국제경찰협력에의 시사점”, 『법학연구』 제29집, pp. 423-442.

제2절 지역별 협력

대(對)테러리즘과 관련한 각 지역별로 추진 중인 국제협약의 연혁과 내용을 연도별로 보면 다음의 대표적인 7개 조약이다. ① 1971년의 테러행위 예방과 처벌을 위한 미주기구협약(1971년 2월 2일 워싱턴에서 미국 등을 포함한 38개국이 서명, 1973년 10월 16일 발효), ② 1977년의 테러리즘 억제에 관한 유럽협약(1977년 1월 27일 현재 EU연합 대부분 국가가 서명, 1978년 8월 4일 발효), ③ 테러리즘 억제에 관한 남아시아 지역협력협의체(SAARC)의 지역협약(1987년 11월 4일 카트만두에서 인도·파키스탄·방글라데시 등을 포함한 7 개회원국이 서명, 1988년 8월 22일 발효), ④ 테러리즘에 대항하기 위한 독립국가연합(CIS) 국가 간의 협력에 관한 조약(1999년 6월 4일 민스크에서 구소련(USSR) 해체 이후의 러시아, 카자흐스탄, 우즈베키스탄, 우크라이나 등을 포함한 11개국이 서명), ⑤ 테러리즘 억제에 관한 아랍협약(1998년 4월 22일 카이로에서 아랍연맹의 이집트, 사우디아라비아, 쿠웨이트, 요르단 등을 포함해서 22개국이 서명), ⑥ 국제테러리즘 규제에 관한 이슬람회의 기구(OIC: Organization of Islamic Cooperation) 협약(1999년 7월 1일 OIC 57개국이 서명), ⑦ 테러리즘 방지와 규제에 관한 아프리카기구(OAU: the Organization of African Unity) 협약(1999년 7월 14일 아디스아바바에서 잠비아·소말리아 등을 포함한 53개국이 서명) 순이다.

이 7개 조약을 중심으로 대표적인 미주(美洲)지역, 유럽, 동남아시아, 중동, 나머지 기타 지역 순으로 테러방지를 위한 지역 차원의 협력 체제를 알아본다.

Ⅰ. 미주지역(美洲地域)

아메리카 지역은 미국을 중심으로 1948년 5월 5일 결성된 미주기구(美洲機構, OAS: Organization of American States)로 워싱턴에 본부를 두고 현재 아메리카 대륙의 35개국이 가입해 있다. 이 기구는 1890년 워싱턴에서 개최된 제1차 범미주회의에서 14개 참가국은 먼로주의[30]를 기본 이념으로 하는 미주공화국연맹을 창설을 시작으로 1948년 콜롬비아의 보고타(Bogota)에서 개최된 제9차 범미주회의에서 참가국 21개국 대표들이 범미연맹을 미주기구로 개칭하고, 미주기구헌장을 채택하면서 탄생하였다. 주요 역할은 ① 민주주의 및 안보 강화, ② 각종 분쟁 발생시 평화적인 해결 도모, ③ 지방분권화 및 정당 현대화 노력 지원, ④ 역내 테러 및 마약퇴치 활동 전개, ⑤ 라틴아메리카 지역 지뢰제거 작업, ⑥ UN주관의 지속가능한 개발 프로그램 추진, ⑦ 역내 각종 사회문제 해소 노력, ⑧ 역내 자유무역 강화 노력 등이다. 우리나라도 1981년부터 상임 옵서버로 가입하여 1990년 상주 옵서버를 파견하고, 매년 개최되는 미주기구 연례총회에 대표단을 파견해 오고 있다.

테러규제를 위한 미주지역의 대표하는 협약은 1971년 2월 2일에 채택된 미주기구협약으로 정식명칭은 「대인범죄의 형태를 위하는 테러행위 및 국제적으로 중요한 것에 관련된 강제적 행위의 방지 및 처벌에 관한 협약」(OAS Convention to Prevent and Punish Acts of Terrorism Taking the Form of Crimes against Persons and Related Extortion that are of International Significance)으로 1973년 10월 16일 발효되었다. 이 협약은 주로 외교관의 납치 방지를 위해 살인이나 암살의 방지 및 처벌에 관한 내용으로 전문과 13개 조문으로 구성되어 있다. 우선 전문에서 미국인권선언과 세계인권선언에 의해 인정되는 개인의 기본적 권리에 대한 자유와 정의의 존중은 국가의 의무로 규정하고, 1970년 6월 30일 OAC총회에서 결의한 테러 행위, 특히 시민의 납치행위를 심각한 범죄로 규정하고 이러한 범죄행위의 예방 및 처벌에 관한 국제법을 점진적으로 발전시킬 것을 선언하고 있다. 이 협약 제1조는 테러 행위, 특히 납치, 살인 및 기타 폭력 행위를 방지하고 처벌하기 효과적인 모든 조치를 취할 것을 국가의 의무로 규정하고 있다. 제3조는 범죄의 관할권을 규정하고, 제4조는 범죄인의 적법 절차의 보장, 제5조-제7조는 범죄인도 의무 등을 규정하고 있다. 협약체결 당사국의 의무(제8조), 비준절차(제9조-제12조), 협약 효력(제13조) 등을 규정하고 있다. 이러한 규정들은 각국의 조약 비준과 입법과정을 통해 실질적인 효력이 발생한다. 조약의 핵심 내용은 외교관에 대한 테러는 동기여하를 불문하고 국제적으로 중대성을 가지는 범죄

30) 미국 제5대 대통령 제임스 먼로(James Monroe)가 1823년 12월 2일 발표한 미국의 전통적 외교정책의 원칙으로 유럽으로부터 아메리카 대륙에 대한 간섭배제를 천명하였다. 먼로 독트린(Monroe Doctrine)이라고 한다.

로 분류하여 정치범죄의 범주에서 제외하고 인도청구된 범죄인에 대하여 인도를 거절하는 국가는 그 범죄행위가 자국의 영역 내에서 행하여진 것과 같이 공소제기를 위하여 사건을 관할하는 국가에 보낼 의무를 지도록 하고 있는 것이다.

Ⅱ. 유럽지역

유럽은 현재의 EU창설[31] 이전인 1970년대부터 국제 테러리즘에 대한 협력이 있어왔으나 주로 유럽 밖의 정부간 협력의 형태로 진행되어오다 1977년 테러리즘에 관한 유럽조약이 체결되고, 2009년 발효된 EU조약에 의거[32] 본격적인 대테러 정책이 추진되었다. 다음에는 테러리즘 억제에 관한 유럽협약과 EU조약을 중심으로 유럽지역에서의 대테러 협력체계를 살펴본다.

1. **테러리즘 억제에 관한 유럽협약**(European Convention on the Suppression on Terrorism)

이 협약은 1977년 1월 27일 스트라스부르에서 EU 구성국 중 22개국이 서명하여 1978년 8월 4일 발효된 것으로 전문 및 16개조로 구성되어 있다. 우선 전문에서 범인 인도에 대하여 '그러한 행위의 범죄자들이 추적과 제재를 피하지 못하도록 효과적인 조치를 바라면서'와 '범인인도는 그러한 결과를 도달하는 효과적인 수단이라는 것을 인식하고'라고 규정하여 테러범에 대한 강력한 처벌을 요구하고 있다. 또한 테러의 비정치화를 처음으로 규정하여(제1조, 제8조) 외교관 등

---

31) EU(European Union)는 유럽공동체(EC: European Communities)에서 유래된 용어로, EC는 1951년 4월 18일 파리조약(Treaty of Paris)에 의해 발효된 유럽석탄철강공동체(ECSC: European Coal and Steel Community), 1957년 3월 25일 로마조약(Treaty of Rome)에 의해 발효된 유럽경제공동체(EEC: European Economic Community)와 유럽원자력공동체(EAEC: European Atomic Energy Community)라는 3개의 공동체를 합하여 1967년 7월 1일 발효된 통합조약(Merger Treaty)이었다. 이후 2007년 12월13일 체결된 리스본조약(Treaty of Lisbon)이 2009년 12월 1일부터 발효됨에 따라 지금의 EU로 불리게 되었다.

32) EU조약은 2007년 12월13일 체결된 리스본조약이 2009년 12월 1일부터 발효됨에 따라 기존에 1997년 체결된 암스테르담조약(Treaty of Amsterdam)을 개정한 유럽조약(TEU, Treaty on European Union)과 이를 수정한 유럽연합의 기능에 관한 조약(TFEU, Treaty on the Functioning of the European Union)을 수정・보완한 것이다.

국제 보호인물에 대한 공격, 인질구류, 폭탄사용 등으로 사람의 생명·신체 또는 자유에 대한 중대한 폭력행위인 테러리즘를 정치범죄로 인정하지 않고 인도가 가능하도록 하고 있다. 동 협약 제1조는 다음과 같은 범죄를 정치적 범죄로 간주할 수 없도록 하고 있다. ① 1970년 12월 16일에 헤이그에서 체결된 「항공기의 불법납치 억제를 위한 조약」의 대상이 되는 범죄, ② 1971년 9월 23일 몬트리올에서 체결된 「민간항공의 안전에 대한 불법적 행위의 억제를 위한 협약」의 대상이 되는 범죄, ③ 외교적 대리인을 포함하여 국제적으로 보호받는 사람들의 생명, 신체적 완전성 또는 자유에 대한 공격과 관련된 심각한 범죄, ④ 납치와 관련된 범죄, 인질 납치 또는 불법적인 억류와 관련된 범죄, ⑤ 인명을 위협하는 폭탄, 수류탄, 로켓, 자동 화기 또는 서신 또는 소포 폭탄의 사용과 관련된 범죄, ⑥ 이상의 범죄를 저지르려고 하는 미수범 또는 공범자로서의 참여를 시도하는 행위 등이다. 인도되지 않는 경우에는 범죄인 소재지국에 처벌을 위해 필요한 재판권의 설정을 의무화하고 있고(제6조, 제10조), 협약의 유보와 효력 조항(제13조-제15조)을 두고 있다.[33)]

2. EU조약

지금의 EU조약은 당초 세 부분(three-pillar system)으로 나누어져 있는데 제1파트는 유럽공동체 내의 협력이고, 제2파트는 공동외교·안보정책(CFSP, Common Foreign and Security Policy)의 협력이며, 제3파트는 사법·내무 분야에서의 협력으로 구성되었다가 지금은 제3파트가 제1파트로 합쳐졌다. 여기서 공동외교안보정책에서는 테러리즘을 직접 언급하고 있지는 않지만 국제 테러가 EU의 평화와 안전에 대한 위협을 주기 때문에 당연히 대상에 포함되고(EU조약 제60조 및 제301조), 사법·내무 분야에서는 직접 테러에 대한 대응을 명시하고 있다(EU조약 제29조 및 제34조). 현재 국제 테러에 대한 직접적 대응은 1차적으로 각 개별국가의 권한이기 때문에 EU차원에서는 EU를 구성하고 있는 회원국 간의 협력에 관한 것으로 테러리즘의 규제조치는 다음의 5가지로 대별할 수 있다.

첫째, 테러범 처벌을 위해 2002년에 체결된 「테러리즘에 대항하는 체제결정」

---

33) European Convention on the Suppression on Terrorism(https://www.coe.int/en/web/conventions/full-list/-/conventions/treaty/090) 참조.

(Council Framework Decision on Terrorism of 13 June 2002 on combating terrorism, OJ 2002, L 164/3.)과 「유럽 체포영장에 관한 체제결정」(Council Framework Decision of 13 June 2002 on the European arrest warrant and the surrender procedure between Member States, OJ 2002, L 190/1-20)이다. 전자는 각국의 국내법에 있어 테러범죄의 정의와 구성요건, 양형에 관한 최저 기준을 설정한 것으로 테러범죄 및 테러활동 연관범죄(동 결정 제1조 제1항 및 제3조)와 테러집단(동 결정 제2조 제1항)을 각각 정의하고 있다.[34] 또한 테러범죄를 국내법에 의해 처벌하도록 회원국에게 의무를 부과하고 있고(동 결정 제5조 제1항), 일부 범죄에 대해서는 구체적인 형벌의 기준(유기징역의 기간)도 정하고 있다(동조 제2항-제3항). 또 「유럽 체포영장에 관한 체제결정」은 범죄인 인도조약에 따른 범죄 용의자의 체포와 인도절차의 간소화 및 신속화를 목적으로 회원국 간에 존재하는 기존의 범죄인 인도조약을 대체하는 것이다(동 결정 제31조). 후자인 「유럽 체포영장에 관한 체제결정」은 하나의 회원국인 다른 회원국에게 범죄자의 체포와 인도를 요구해 발부하는 사법적 결정으로(동 결정 제1조 제1항), 발급국가에 3년 이상의 자유형을 구형할 가능성이 있는 32종류의 인도대상 범죄를 열거하면서(동 결정 제2조 제2항) 테러, 핵물질 또는 방사성 물질의 취급, 항공기·선박의 납치·파괴공작 등 테러범죄가 포함되어 있다. 이들 범죄에 관해 한 회원국이 발부한 유럽체포영장은 다른 회원국의 법집행기관에 직접 송달(동 결정 제9조 제1항)하면 영장을 받은 피청구국은 동 영장을 집행해 용의자를 체포하여 원칙적으로 체포 후 60일 이내에 인도를 결정하고, 결정 후 10일내에 용의자를 청구국에 인도해야 한다(동 결정 제1조 제2항, 제17조 제3항, 제23조 제2항).

둘째, 테러자금에 대한 대책으로 우선 테러 관계자에 대한 자산동결 조치를 규정하고 있다. 자산동결조치는 탈레반, 빈 라덴 및 알 카에다 등에 대한 조치와 그 밖의 테러 관계자에 대한 조치다. 우선 탈레반, 빈 라덴 등에 대해서는 유엔 안보리 결의 1267에 의해 1999년 "이사회 공동입장 1999/727호"가 탈레반의 자

34) 여기서의 정의는 UN의 테러방지 관련협약을 인용하거나 범죄유형을 구체적으로 특정하지는 않지만, 내용상으로 중복되는 부분이 많다. 구체적으로 인체에 대한 공격, 정부 내지 공적 시설의 광범위한 파괴, 항공기·선박 납치, 무기·폭발물·각종 병기의 제조·소유·구입, 위험 물질의 방출, 물과 에너지 등 생활물자의 공급 방해 등의 위협을 테러범죄라고 규정하고 있다("Council Framework Decision of 13 June 2002 on combating terrorism", *Official Journal of the European Communities*, Volume 45, June 2002, pp. 3-10).

산동결을 결정하였고(제2조), 이후 자산동결 실시를 위해 2000년 "이사회 규칙 337/2000호"가 채택되었다. 동결자산이 되는 개인, 집단, 단체의 목록을 부속서에 첨부하고 있는데, 안보리에 의해 특정된 개인, 집단, 단체는 동 목록에 포함된다(제1조 제4항). 또한 동 공동입장을 실시하기 위해 2001년 12월 "이사회 규칙 2580/2001호"가 채택되었다. 구체적인 대상자는 EU이사회의 결정에서 정해진다(제2조 제3항).

셋째, 테러의 수단으로 이용되기 쉬운 공공 수송기관의 안전을 위한 조치로 항공과 선박 등의 안전을 위해 다수의 규칙이 제정되었다. 즉 수송정책에 관한 EU조약 제80조 제2항을 근거로 「민간항공의 안전에 관한 공동기준을 정하는 규칙 2320/2002호」, 「선박·항만시설의 안전촉진에 관한 규칙 725/2004호」, 「항만시설의 안전촉진에 관한 지령 2005/65호」 및 역외 국경규칙에 관한 EU조약 제62조 제2항(a)를 근거로 「바이오 메트릭스 규칙 2252/2004호」 등이 있다

넷째, 테러행위자의 적발 및 테러행위의 억지를 위해 회원국의 법집행기관 간의 정보교환을 촉진하는 것이다. 즉 「이사회 규칙 871/2004호(EC)」, 「이사회 결정 2005/211호」에 의해 테러대책을 목적으로 일부 회원국 간에서의 국경폐지를 목적으로 하는 뮌헨조약의 체제 내에서 만들어진 "뮌헨 정보 시스템"의 수정으로 유로폴(euro-pol) 등에서 이 정보시스템이 보유한 일정한 정보에 대한 접근이 허용되었다.

다섯째, EU외 제3국과의 국제협력 강화다. 대표적인 사례로 EU와 미국 간의 정보공유를 꼽을 수 있다. 즉, 2007년 최종 타결된 항공사에 의한 승객예약정보(PNR: Passenger Name Record)를 공유하는 소위 「PNR협정」(Agreement between the European Community and the United States of America on the processing and transfer of PNR data by Air Carriers to the United States Department of Homeland Security, Bureau of Customs and Border Protection)과 2010년 8월 1일 발효된 테러자본의 이동에 관한 정보(TFTP: Terrorist Finance Tracking Program)를 공유하는 소위 「TFTP협정」(「테러방지를 위해 EU에서 미국으로 금융통신정보를 처리·인도하는 것에 관한 협정」: agreement between the EU and the United States on the processing and transfer of Financial Messaging Data from the EU to the U.S. for purposes of Terrorist Finance Tracking Program)이 그것이다. PNR협정과

TFTP협정은 모두 상업적 목적으로 수집된 개인정보를 공공기관이 공익을 목적으로 접근하여 정보를 수집·저장·분석하고 제3자에게 이전하는 것을 허용하고 있다. PNR협정이 항공사가 보유하고 있는 데이터베이스 전체를 자동으로 정보당국에 이전하는 것을 의무화하는 것이라면 TFTP협정은 미국 정부가 설정한 특정 기준에 부합하는 금융정보를 금융통신망 회사가 정부의 요청에 의해 EU의 허가하에 제공하는 것이라 할 수 있다. 현재 이 PNR은 EU와 미국뿐만 아니라 호주, 캐나다, 뉴질랜드, 일본 등도 법집행기관이 이용하고 있고 확대되는 추세다.[35)]

이처럼 EU에서는 2001년 미국의 9·11테러 발생 이후 단기간에 다양한 테러규제를 위한 입법이 정비되었다. EU와 미국 간 대테러 협력을 통해 PNR협정과 TFTP협정에 따라, 국적을 불문하고 모든 정보주체가 법적 보호를 받을 수 있게 됨으로써 해당 협정의 적용을 받는 모든 사람의 인권이 증진되었다고 볼 수 있다. 그러나 테러 방지 조치의 수립과 이행에서 인권 보호와 안보증진은 상호공존하기 쉽지 않으므로 인권 중시가 대테러 조치의 제약 조건으로 작용할 가능성도 있다. 유럽의 각국은 유럽인권협약(European Convention of Human Rights)의 가입국이고, 리스본 조약에 기본권 헌장(Charter of Fundamental Rights)이 EU의 국제적 사법 협력의 근간을 이루고 있다. 따라서 향후 EU가 대테러 조치를 취하는 과정에서 이러한 인권을 고려해야 하는 과제를 안게 되었다. 지금 취해지고 있는 대테러조치들은 자산동결조치와 같이 안보리 결의의 이행으로서 행해지는 규제도 있었지만 유럽체포영장제도와 같은 독자적인 대책도 있었다. 특히 유럽 내에 있어 사람의 이동이 자유화 되어 있는 상황에서 실효적인 테러규제를 위해서는 회권국 간의 협력이 절실하고 이로 인해 EU의 독자적 규제가 필요하게 된 것이다. 또한 테러방지 관련협약의 당사자는 각 회원국으로 EU는 단지 조약의 비준을 권고하고 이에 따른 처벌의 권한은 회원국의 권한으로 EU의 역할이 제한적일 수밖에 없다. 따라서 일반 주권국가 테러규제와는 달리 EU에 의한 테러규제는 회원국의 테러규제를 지원하는 데 중점을 두고 관련정보의 교환, 정책의 조정, 회원국의 협력의 증진에 노력을 경주하고 있는 것으로 볼 수 있다.

---

35) "반테러를 위한 국제 정보 공유 협력: EU-미국 사례를 중심으로", 『주요 국제문제 분석』(외교안보연구원, 2011), pp. 1-14 참조.

3. 유로폴(Europol)

정식 명칭은 유럽형사경찰기구(刑事警察機構, European Police Office)로 일명 유로폴(Europol)이라고 하고, 1999년 7월 1일부터 실질적으로 활동을 시작했으며 본부는 네덜란드의 헤이그에 있다.

(1) 유로폴의 역사

유럽은 1957년에 체결된 유럽경제공동체에 관한 EEC조약으로 상품, 서비스, 사람, 자본의 자유로운 이동을 통한 공동시장의 형성을 목표로 하였지만, 이에 따른 부작용을 처리할 대책에 대해서는 침묵하는 사이 공동시장의 형성으로 사람과 자본의 이동이 수월해지면서 테러와 불법이민 그리고 국경을 넘어 활동하는 각종 범죄가 증가였다. 이에 따라 유럽은 1970년대에 들어와 EC차원에서 대응방안을 모색하여 1975년 유로폴의 기원이 된 트레비(TREVI)가 탄생하게 되었다. 트레비는 유럽 내의 안전에 관한 협력을 위해 창설한 일종의 비공식적 협의체(forum)로 첫 번째 그룹은 문제의 정치적 결정을 담당하는 내무 및 사법 장관들로 구성된 그룹이고, 두 번째 그룹은 문제에 대한 대응책을 마련하는 고위급 공무원 회의체이며, 세 번째는 경찰 및 정보기관 전문가들로 구성된 실무자 그룹이었다. 트레비는 인터폴과 같이 제도화된 공식기구가 아니나 각국의 경찰협력을 통하여 범인수색, 경찰 지원업무의 간소화, 경찰기법에 관한 연구 등을 행하였다. 이 트레비는 1993년 11월 1일 출범한 마스트리히트체제하에서 사법·내무 각료이사회(Justice and Home Affairs Council)라는 공식 기구로 대체되었다. 1985년 프랑스, 독일(서독), 벨기에, 네덜란드, 룩셈부르크 등 서유럽 5개국은 국경철폐를 골자로 한 솅겐 조약(Schengen agreement)[36]을 체결하면서 경찰협력을 강화하는 결정적인 계기가 되었다. 1991년 6월 룩셈부르크 정상회담(유럽이사회)에서 독일은 유로폴의 창설을 정식 제안했다. 1991년 12월 마스트리히트 정상회담에서 합

---

36) 솅겐 조약(Schengen agreement)은 유럽 각국이 공통의 출입국 관리 정책을 사용하여 국경 시스템을 최소화해 국가 간의 통행에 제한이 없게 한다는 내용을 담은 조약이다. 이 조약은 벨기에, 프랑스, 독일, 룩셈부르크, 네덜란드 5개국이 1985년 6월 14일에 룩셈부르크의 작은 마을 솅겐 근처 모젤 강에 떠 있던 선박 선상에서 조인하였고, 5년 후에 시행 협정에 서명하여 현재 총 26개국이 조약에 서명하였다.

의된 마스트리히트조약[37]을 통해 유로폴을 설립하기로 결정했다. 1992년 6월 덴마크에서 실시된 국민투표에서 이 조약의 비준이 거부되는 등 여러 가지 이유로 발효가 지체되자 트레비에 참여한 회원국 장관들은 1993년 6월 우선 유로폴 마약전담국(Europol Drugs Unit)을 설치하기로 결정하고 마침내 1995년 「유럽경찰청의 설립에 관한 협약」(유로폴 협약: Europol Convention)을 체결하였다. 당초 이 협약은 15개 EU회원국에서 비준되어 1998년 10월 발효되어 실제적인 활동은 1999년 7월 1일부터 개시되었다.

(2) 유로폴의 임무

유로폴 협약 제2조는 테러리즘, 불법 마약거래의 확산 그리고 그 밖의 2개국 이상의 회원국과 연관되어있는 국제조직이 자행한 기타 중대범죄에 대한 예방 및 척결하기 위하여 회원국과의 공동협력을 증진시키는 것을 목적으로 규정하고 있다. 여기서 기타 중대범죄는 생명, 명예, 개인의 자유과 재산에 관한 죄, 돈세탁, 불법 마약거래, 핵물질 밀거래, 불법이민, 장기(臟器)와 자동차 밀거래와 이 협약의 부속서에 명시된 무기·탄약·폭발물의 밀거래, 멸종위기 동식물의 밀거래, 환경범죄, 호르몬 및 기타 성장촉진제의 밀거래 등을 의미한다. 구체적인 임무는 동 협약 제3조에 규정되어 있는데 기본적으로 국제적인 마약거래, 테러 등을 포함한 국제범죄를 예방·척결하기 위하여 EU회원국 소속 사법기관들과 협력과 지원 역할을 수행한다. 특히 테러리즘 퇴치와 관련하여 테러범죄의 범인을 형사 처벌하는 것은 유로폴의 권한이 아니라 각 회원국들이 각자의 법적재량에 따라 처벌할 수 있도록 함으로써 테러리즘을 규제하는 것은 도와주고 보완하는 역할을 수행한다. 즉, 유로폴이 아닌 개별회원국의 당국들이 테러리즘에 대한 수사권이나 체포권에 대한 관할권을 행사하고 있다. 따라서 유로폴은 구체적인 처벌기준을 마련하기 어려운 반면에 테러리즘을 어느 정도 억제하는 효과적인 수단을 가지고 있다.

구체적인 임무는 정보를 수집·분석하여 회원국에 즉시 통보하는 등 정보교류를 촉진하고, 회원국에 관련수사를 협조·요청하며, 수집된 정보를 관리하는 정

37) 마스트리히트 조약(Maastricht Treaty)의 정식명칭은 유럽연합조약(Treaty on European Union)으로 1992년 2월 7일 네덜란드의 마스트리히트에서 체결되어 1993년 11월 1일 발효되었다.

보공유체계를 유지하며, 회원국 기관 요원에 대한 교육·훈련 및 수사기법 등을 전수한다. 1997년에 체결된 암스테르담 조약에 의해서 유로폴의 임무 영역은 각국 기관과 공동으로 비밀정보 수집활동을 수행하는 것에서부터 각국의 수사를 지원하는 데까지 확대되었고, 2004년 브뤼셀 정상회담에서 채택한 유럽헌법 조약도 유로폴의 강제조치는 각 국가에 권한을 위임하였고, 비밀정보 수집활동은 회원국들의 기관과 연계 내지 논의하여 행동할 수 있다고 허용해 놓았다.

(3) 유로폴의 조직

유로폴 조직은 청장과 3명의 부청장으로 지휘부(Directorate)가 구성되고 EU 회원국의 사법·내무 각료이사회(Council of Ministers)가 이들을 임명한다. 이 이사회는 유로폴에 대하여 일종의 의회기능을 수행하여 유로폴에 관한 입법과 예산에 관한 권한을 가지고, 유로폴의 모든 기관을 통제하는 최고기관이다. 동 협약 제27조에 유로폴의 조직으로 운영위원회, 사무국장, 재정감독관 및 재정위원회를 규정하고 있다.

운영위원회(The Management Board)는 EU의 회원국 대표 각 1명씩 총 15명의 위원으로 구성되고, 전문가의 자문과 동행을 할 수 있으며, 각국 대표는 1표의 의결권을 가지고 각료이사회에 정치적으로 책임을 진다. 사무국장을 감독하고, 사무국장과 국장대리의 임명과 해임 등에도 관여한다. 최소한 매년 두 차례 회의를 개최하는 이 위원회는 유로폴의 제반 업무에 대한 감독권을 갖고, 각료이사회의 승인이 필요하지 않는 한 스스로 시행규칙을 제정할 수도 있으며, 지휘부 구성 등 각료이사회의 결정에도 관여한다. 유로폴이 EU의 타 기관과 협정을 맺을 때는 운영위원회의 승낙을 받아야 하며, 비EU국가 또는 국제기구와 협정을 체결할 때는 각료이사회의 통제를 받아야 한다(동 협약 제28조). 또한 유로폴은 유럽의회를 통한 통상적인 EU의 예산에 의해 운영되지 않고, 전적으로 회원국들이 분담한 기여금과 각료이사회 의장국이 기부한 자금으로 운영되어 회원국들의 의지에 의존하고 있는 정부간 기구로 볼 수 있다.

사무국장(The Director)은 유로폴의 업무를 총괄하고 대외적으로 유로폴을 대표하며 임기는 4년이다. 사무국장은 유로폴의 임무의 수행, 통상의 행정업무, 유로폴 직원의 관리, 운영위원회 결정에 대한 적절한 계획 수립 및 집행, 예산안 작성, 5년 재정계획안 작성 및 예산의 집행, 유로폴의 협약 및 운영위원회가 부여한 업무 등을 수행한다(동 협약 제29조). 사무국장은 두 가지 책임을 지고 있는데 하나는 임명 및 해임의 결정을 쥐고 있는 각료이사회에 대한 책임이고, 하나는 유로폴의 행정업무 수행에 대한 운영위원회에 대한 책임이다. 사무국장과 부국장은 운영위원회의 의견을 수렴한 뒤 회원국의 2/3의 다수결에 의해 해임될 수 있다(동 협약 제29조 제6항). 그러나 유럽경찰은 사무국장을 포함하여 독립성을 확고하게 유지하고 있어 유로폴 외 어떤 개인으로부터 지시를 받을 필요가 없다(동 협약 제30조 제1항).

재정감독관(Financial Cotroller)은 유로폴 예산의 수입 및 지출을 통제하고 임명권을 갖고 있는 운영위원회에 책임을 진다(동 협약 제35조 제7항). 재정위원회(Financial Committee)는 각 회원국에서 파견된 1명씩의 전문가로 구성되어 사무국장이 예산서를 제출하면 이를 심의한다(동 협약 제35조 제3항). 다만 재정위원회는 자문역할만 하는 보조기관이고 구체적으로 집행하는 것을 통제하는 곳은 공동심사위원회(Joint Audit Committee)이고 이 위원회는 유럽연합 감사원(Rechnungshof der Europaeischen Gemeinschaften)의 원장이 추천하여 위원이 임명된다(동 협약 제36조 제2항).[38)]

Ⅲ. 동남아시아지역

동남아시아 지역의 테러리즘 활동은 이미 오랜 시간 동안 지속되었지만 국제사회의 역할은 미미했다. 필리핀의 경우 약 30여 년 동안 광범위하게 대테러활동을 추진해 왔는데 이는 대표적인 공산 게릴라 세력인 신인민군(NPA; New People's Army)이 필리핀공산당의 군사조직으로 출발하였으나 1969년 3월에 분리 결성되어 루손 섬의 동북 및 동남지역과 민다나오 섬의 동부지역을 거점으로 활동해 왔었기 때문이다. 또한 1990년대 말레이시아에 알 카에다와 제마 이슬라미야(JI)의 지부가 있었다는 것이 밝혀지자 말레이시아 정부는 매우 곤혹스러워하면서 테러를 넓은 범위의 범죄활동으로 분류해 처리하기 위해 국내 보안법을 강화시켰

38) 유로폴 홈페이지(https://www.europol.europa.eu/) 참조.

다. 또한 말레이시아는 인도네시아에 거점을 두고 말레이시아 정부를 전복시키기 위한 음모를 계획하고 있는 이슬람전사들을 처리하는 데 인도네시아 정부의 비협조적인 태도를 공개적으로 비난했다. 또한 태국과 주변 ASEAN 국가들 사이에 진행하고 있는 지역협력은 태국 남부에서 이슬람 분리주의자들의 활동으로 야기되고 있는 테러리즘에 대처할 수준에는 미치지 못하고 있다. 필리핀과 태국이 역내의 대테러협력을 촉진하기 위해 노력을 하였으나 인구의 대부분이 이슬람인 말레이시아와 인도네시아를 포함해서 다른 주변 국가는 주권과 내정 불간섭 원칙을 지키는 것을 선호했다. 이는 동남아 지역에서 테러가 지역 전역에 위협이 될 만한 수준이 아니고, 국제 테러리즘의 역내 네트워크에 대한 관심이 낮아 대테러에 대한 지역 협력은 낮은 수준에 머물러 있었다고 볼 수 있다.

그러나 9·11테러 이후 미국이 주도하고 있는 테러와의 전쟁은 전 세계에 영향을 미치고 있고 이에 따라 동남아시아 지역도 예외는 아니다. 여기는 알 카에다를 중심으로 하는 국제테러가 필리핀, 인도네시아, 말레이시아 등에서 분리주의 운동 및 이슬람 극단주의 집단들의 활동에 동기를 부여한다는 우려로부터다. 실제로 9·11 직후에 2002년 동남아지역에서 테러활동의 발생빈도가 매우 잦을 뿐만 아니라 첨차 규모도 확대되고 있다. 즉, 테러는 이슬람 과격단체의 주요 활동무대라고 할 수 있는 필리핀과 인도네시아에서 주로 발생하고 있고, 태국과 말레이시아에서도 소규모로 일어나고 있다. 특히 2002년 10월 12일에 발생한 인도네시아 발리테러는[39] 동남아지역에서의 테러에 대한 인식을 새롭게 하는 계기가 되었다. 테러 배후로 알 카에다와 연계된 JI로 밝혀져 이 지역이 테러의 안전지대가 아님이 밝혀졌고, 지역의 평화와 안전을 확보하기 위한 국제협력이 매우 필요하다는 사실을 일깨워 주었다. 이러한 이 지역 국가협력의 중심에는 동남아시아국가연합(ASEAN: Association of Southeast Asian Nations)이 있다.

1. ASEAN에서의 다자협력

ASEAN은 1967년 8월 8일 방콕 선언으로 설립되어 창설 당시 회원국은 필리

39) 세계적인 휴양지인 인도네시아 아발리섬의 쿠타해변 나이트클럽에서 일어난 폭탄테러로 187명이 사망하고 300여명이 부상당하였다. 범인은 알 카에다와 연계된 JI가 일으킨 것으로 알려지고 있다.

핀 · 말레이시아 · 싱가포르 · 인도네시아 · 태국 등 5개국이었으나, 1984년의 브루나이, 1995년 베트남, 1997년 라오스 · 미얀마, 1999년 캄보디아가 차례로 가입하여 현재 10개국이다. 다자 협력은 9.11테러 이후 활발해지면서 매년 다양한 연례회의를 가지는데 하나는 ASEAN 정상회의(ASEAN Summit)이고, 또 하나는 ASEAN 외무장관회의(ASEAN Ministerial Meeting)이다. 최초의 ASEAN 정상회담은 1976년 인도네시아의 발리에서 개최되었는데 경제적 협력을 강화하기 위한 전문위원회 설치와 ASEAN 사무국을 설립하였다. 1977년 쿠알라룸푸르 정상회의에서는 장관회의를 공식화하여 ASEAN 외무장관회의와 경제장관회의, 기타 장관회의를 개최키로 하였고, 2003년 정상회의에서는 ASEAN 협력선언Ⅱ(Bali Concord Ⅱ)를 채택하였다. 2007년 싱가포르 정상회의에서는 ASEAN 헌장(The ASEAN Charter)이 채택되었다.

ASEAN 정상회의는 ASEAN의 최고의 의사결정기구로 의장은 회원국 알파벳 순서에 따라 차례대로 선출된다. 1992년 회의에서 2년마다 공식적인 정상회의를 열고 비공식적으로도 2년에 한 번씩 공식회의가 없는 해에 개최하기로 하였다가 2001년 브루나이 정상회의에서 매년 개최하기로 결정하였다. 이후 2008년 12월 15일 ASEAN 헌장이 발효되면서 헌장 규정에 따라 1년에 두 차례 정상회의를 갖는 것으로 변경되었다.[40)]

ASEAN 외무장관회의는 1967년 ASEAN의 창설 이후 2008년까지 연례적으로 개최되어 ASEAN의 최상위 의사결정기구였다. 연례장관회의(AMM) 아래에 회원국 대사들로 구성된 상임위원회(Standing Committee)가 있어 1년에 6차례 모임을 갖고 ASEAN 관련 사안을 처리하였다. 2001년 10월 개최된 제1차 '초국가적 범죄에 관한 ASEAN 외무장관회의'(AMMTC: ASEAN Ministerial Meeting on Transnational Crime)에서 '테러방지에 관한 공동행동선언'을 발표했다. AMMTC는 역내안보문제를 전담하는 역할로서 테러리스트 정보의 교환, 은행자료의 전산화, 비행 탑승객 정보의 공유 등을 다루고 있다. 부속기구로 고위급관리회의(SOM: Senior Official Meeting)와 ASEAN경찰청장(ASEANAPOL: ASEAN Chief of National Police)이 있다.

대테러와 관련하여 2001년 국제적인 대테러정책을 위한 초석이 되었던 대테러

---

40) ASEAN-Korea Center, "아세안 개요," https://www.aseankorea.org/kor/page30/page31-1.asp(검색일: 2018. 3. 5).

리즘에 대한 공동행동선언(Declaration on Joint Action to Counter-Terrorism)을 발표하여 처음으로 ASEAN이란 이름으로 테러리즘을 비판한 것이다. 2007년에는 「ASEAN 대테러협정」(ASEAN Convention on Counter Terrorism)을 체결했다. 이로써 ASEAN 국가들은 대테러를 위한 정보공유에 합의하고, 테러집단에 연계된 자금을 동결하며, 부수적으로 경제적인 혜택과 군사 협력을 강화하는 성과를 이루었다. 2002년 5월에는 말레이시아 쿠알라룸푸르에서 초국가적 테러리즘에 대처하기 위한 ASEAN 워크숍을 개최하여 '정보교환과 의사소통절차의 확립에 대한 합의'(Agreement on Information Exchange and Establishment of Communication Procedures)는 인도네시아, 말레이시아, 그리고 필리핀 사이에서 체결되었는데 핵심 내용은 체결국 간의 대테러에 관한 정보공유와 정보 분석 영역에서의 협력추진, 회원국들과 국제기구간의 대테러 정보교환 수준 강화, 정보의 분석력의 증강, 사회 안정에 대한 정보 교류나 협상의 확대, 정보 유동성의 유지 등이다. 이 세 국가는 초국가적인 범죄와 테러활동을 타격하는 공동 협력 네트워크를 설치했다. 이어서 7월과 11월에 캄보디아와 태국이 참여하고 2003년 말에 브루나이가 참여했다. 이로써 태국과 말레이시아, 말레이시아와 필리핀 그리고 태국과 미얀마 국경을 따라서 초국가적인 테러리스트를 진압할 수 있는 벨트가 형성되었다.

2002년 8월에는 말레이시아와 싱가포르가 협력하여 21명의 JI 요원을 체포했고, 알 카에다와의 연락책이자 말레이시아와 싱가포르 KMM 지부 책임자이던 리두안 이사무딘(인도네시아어: Riduan Isamuddin)도 체포됐다. 싱가포르, 말레이시아, 인도네시아, 브루나이, 태국 등 5개국은 2002년 1월 쿠알라룸푸르에서 최초로 정보당국자 회의를 개최하여 향후 역내 테러문제 해결을 위해 상호 협력해 나가기로 하고 이와 같은 정보당국자 회의를 정례화하기로 합의하였다. 2002년 11월 4일 태국, 캄보디아, 인도네시아, 말레이시아, 필리핀 등은 반테러리즘 연합을 결성하여 테러관련 정보의 교환을 강화하고 수색 및 구조작전의 계획과 절차, 직통전화선 개설, 항공승객 리스트 공유, 국경통제 강화 및 합동 대테러훈련의 실시 등을 하기로 하였다. 이러한 협력의 결과로 동남아 지역 전역에서 주요 이슬람 전사를 체포하는 데 상당한 도움이 되었다고 평가된다.

해적 및 해양 테러리즘을 방지하기 위해 협력하고 있다. 2004년 7월에 인도네시아와 말레이시아 그리고 싱가포르 세 국가들은 말라카 해협 공동방어 문제를 협의했다. 말라카 해협은 말레이시아와 인도네시아 사이에 있는 해협으로 수에즈 운하, 파나마 운하와 함께 인도양과 태평양을 잇는 가장 중요한 뱃길로 세계 해상 물동량의 1/4정도가 이 해협을 통과하는 곳이다. 특히 동아시아 국가들은 원유 수입의 90%를 이 해협을 통해 수입하고 있어 해적과 해상 테러의 표적이 되어 왔다. 이 지역의 해적행위는 주로 말레이시아의 이슬람 분리주의 조직인 아부샤프 그룹(ASG)[41)]이나 인도네시아 아체(Aceh, 수마트라 섬 북쪽에 위치한 주)의 분리주의 운동단체인 아체해방운동(GAM: Gerakan Aceh Merdeka)[42)] 등에 의해 자행되었다. 특히 GAM은 인도네시아 영해에서 해적행위와 밀수를 통해 테러활동의 자금을 조달해온 것으로 알려져 있다. 이러한 말라카 해협에 대한 공동방어는 세 나라의 해군에 의한 협력적 순찰과 해적 관련정보의 수집과 대테러 활동 정보의 공유를 통해 이루어진다. 2005년에는 인도네시아, 필리핀, 그리고 말레이시아는 셀레베스 해와 술루 해 사이에서 남해안감시선(South Coast monitoring line)의 설치에 합의했다. 이를 통해 이 두 해역을 통과하는 선박 감시 및 테러리스트의 활동을 차단・억제했다.

ASEAN 국가 간의 군사훈련은 대부분 미국과 같이 하고 있는데 가장 대표적인 것이 '코브라 골드(Cobra Gold)' 훈련으로 미국 태평양사령부와 태국 군사령부가 공동으로 1981년부터 연례적으로 실시하고 있다. 이 훈련은 당초 태국과 미국 간에 실시되었으나 2003년부터 싱가포르가 참여하였고, 현재는 인도네시아, 말레이시아, 일본, 그리고 우리나라도 참가하여 이 지역에서 규모가 제일 큰 군사훈련이 되었다. 대테러 군사훈련은 2010년부터 ASEAN 확대 국방장관회의를 계기로 실시하여 현재는 10개 ASEAN국가 외에 우리나라를 포함하여 미국, 중국,

---

41) ASG는 필리핀 남부 민다나오 도서지역에 이슬람국가 건설을 목표로 1991년 결성된 테러 조직으로 UN(2010.10), 미국(1997.10), 영국(2001.3)에서도 테러단체로 지정하였다. 아부샤아프라는 이름은 "칼을 가진 아버지"라는 뜻의 아랍어로 알 카에다와 IS, JI와 연계되어 있고, 세력규모는 4백여 명으로 추정하고 있다. 주로 외국인을 공격하여 우리나라도 여행금지지역으로 지정되어 있다.

42) GAM은 인도네시아 수마트라 섬의 북부 아체주(주민 500만명)의 분리독립을 위해 활동하는 무장조직으로 1993-1997년간 무력충돌 및 폭동으로 약 4만 명이 사망하자 정부는 1998년까지 아체 지역을 군사작전구역으로 선포했다. 1999년 초부터 무장 충돌이 재개되어 학살 사건으로 10만 명의 난민이 발생했다. 2004년 12월의 인도양 쓰나미로 아체 주민 13만명 사망 및 50만명 이상의 난민이 발생하자 핀란드의 중재로 2005년 2월 인니정부-GAM 간의 평화협상이 진전되고, 2006년 중반 아체특별법과 그해 12월과 2007년 2월 아체 지방선거가 성공리에 실시되어 2012년 6월을 기점으로 아체분쟁은 사실상 종료 수순에 들어가고 있다.

일본, 인도, 호주, 뉴질랜드, 러시아 8개 국가가 참가하고 있다. 이러한 대테러 훈련은 18개 나라로 구성된 ASEAN 확대 국방장관회의를 통해 실시되고 있으며, 참가 국가 간 테러관련 정보공유를 통해 국제 테러를 막고 공조를 강화하기 위한 것이다.

역외 국가들과의 협력도 강화하고 있는데 ARF가 대표적인 것이다. ASEAN 지역안보포럼(ARF: ASEAN Regional Forum)은 1994년 7월 방콕에서 창립회의를 개최하여 아태지역에서 최초로 정부간 다자안보협의체로 공식 출범하였다. 현재 회원국은 27개국으로 ASEAN 10개국을 중심으로 아세안 대화상대국 10개국(유럽연합 의장국, 미국, 일본, 중국, 러시아, 한국, 호주, 캐나다, 뉴질랜드, 인도), 기타 7개국(스리랑카, 파키스탄, 방글라데시, 동티모르, 북한, 몽골, 파푸아뉴기니) 등으로 매년 정기적으로 개최하고, 역내 국가 간 신뢰구축과 안보협력, 핵확산금지, 평화유지 협력, 군사정보교환, 해상안보, 예방외교 등 여섯 가지 분야와 포괄적 안보(comprehensive security)에 대한 연구와 참여를 위해 활동할 것을 협의하였다. ASEAN 의장국이 자동적으로 ARF 의장국을 겸임하도록 하여 ASEAN이 ARF를 주도해 나갈 수 있도록 하였다.

ARF는 대테러관련 여러 가지 협정과 회의를 통해 이 지역의 국경안전, 사이버 테러, 교통안전 등에서 중요한 역할을 발휘하고 있다. 2005년 4월 "ARF 대테러와 초국가적인 범죄 제3차 회의"(The Third ASEAN Regional Forum Inter-Sessional Meeting on Counter-Terrorism and Transnational Crime)를 개최하여 대테러관련 체계적이고 효과적인 정보의 공유 필요성을 인정하고 항공기 납치, 대륙붕에 설치된 고정식 해양설비의 파괴, 항해 방해, 인질범죄, 폭탄테러와 금품요구, 핵테러를 범죄로 규정하였다. 또한 화생방과 핵을 이용하는 테러리즘을 다루는 능력 향상을 위해 이 분야 전문가를 책임자로 임명하도록 하였다. 2002년 8월에는 "초국적 테러리즘 협력을 위한 ASEAN-미국의 공동선언"(ASEAN-U.S. Joint Declaration for Cooperation to Transnational Terrorism)을 채택하여 효과적인 대테러 정책 수행을 위해 법, 규제, 그리고 행정적으로 운영체제에 대한 논의뿐만 아니라 관리, 분석가, 현장 실무자들 사이의 협의, 그리고 교통, 국경과 이민통제 협력 내용까지 포함하고 있다.[43] 이 지역 대테러 협력에 제일 중요한 역할을 하고 있는 협정 및 합

43) ASEAN-United States of America Joint Declaration for Cooperation to Combat International

의는 3개로 ASEAN헌장(ASEAN Charter), ASEAN 대테러공동행동선언(Declaration on Joint Action to Counter-Terrorism), ASEAN 대테러협정(ASEAN Convention on Counter Terrorism) 등이 있다.

2. 동남아시아지역 대테러 관련협약

첫째, ASEAN헌장이다. 이 헌장은 2007년 11월 싱가포르에서 개최된 ASEAN 정상회의에서 채택되어 2008년 12월 15일부터 공식 발효되었다. ASEAN헌장은 ASEAN 공동체의 비전을 제시하고 있는데 주요 내용은 ASEAN의 체계화 및 제도화, 그리고 지역기구로서의 역할 강화이며 회원국들의 의무와 준수사항 제재방법 등을 포함시켜 헌장을 위반하는 국가를 공동체에서 제외하는 방안도 있다. 이 헌장의 채택과정은 1967년 8월 8일 방콕선언(Bangkok Declaration)에서 시작되었다. 당시 방콕선언은 빈번하게 발생하고 있는 동남아시아 지역의 안보 위협에 대응하여 상호협력을 통해 공동으로 대처하고, 주변 강대국들의 지역 패권 쟁탈에 대한 중립을 보장하며, 역내 국가들 사이의 경제적 고충을 해결하며, 일본과 호주 등 해양 국가들과도 폭넓게 협력을 강화함으로써 결과적으로 동남아 역내 국가들의 평화와 번영에 기여한다는 것이었다. 1976년에는 「동남아우호협력조약」(TAC: Treaty of Amity and Cooperation in Southeast Asia)을 채택하였고, 동 조약 제2조는 모든 국가의 독립과 주권, 평등과 영토보존, 국민적 일체성에 대한 상호존중, 외부의 간섭과 복종, 강제로부터 자유로울 권리, 상호 국내문제에 대한 불간섭, 분쟁의 평화적 해결, 무력의 위협 또는 사용 금지, 회원국 간의 효율적 협력 등을 규정하고 있었다.[44] 또한 TAC와 함께 조인된 ASEAN화합선언(DAC: Declaration of ASEAN Concord)에서는 "자결, 주권평등, 내정불간섭의 제 원칙에 따라 … 강력한 ASEAN공동체를 창설한다"고 천명하고 있었다.[45]

이러한 것을 통합하여 2007년에 채택한 것이 ASEAN헌장으로 1967년 방콕

Terrorism,(2002), http://www.aseansec.org/7424.htm. 참조.

44) Treaty of Amity and Cooperation in Southeast Asia, Bali, Indonesia, 24 February 1976. (http://asean.org/treaty-amity-cooperation-southeast-asia-indonesia-24-february-1976/) 참조.

45) Declaration of ASEAN Concord, Bali, Indonesia, 24 February 1976.(http://asean.org/?static_post=declaration-of-asean-concord-indonesia-24-february-1976) 참조.

선언을 바탕으로 역내 회원국 간에 경제, 사회, 문화, 정치적 협력을 통해 역내 평화와 안전을 강화하겠다는 것이다. ASEAN헌장 제2조는 "조약 체결국 간에 동등한 위치에서 상호 독립과 주권, 영토적 권리를 존중하고, 상호간의 내정 문제에 개입하지 않으며, 평화적 방법으로 갈등을 해결하고, 무력의 사용이나 위협을 배제한다"고 규정하였고, 제3조에서는 '조약 체결국 간의 긴밀한 이해관계를 증진하기 위해 상호간의 접촉과 교류를 증진시킨다'고 하였으며, 제41조의 대외관계의 전략적 정책 방향'(Strategic Policy Direction)에서는 'ASEAN 회원국은 대외관계의 행위에 있어서 단결의 기초위에서 공동입장을 만들어 공동행동의 추구에 노력한다'고 규정하였다. 또 제15조에서는 구체적으로 분쟁 발생 시 평화적 협상에 의해 문제를 해결하고, 무력 사용 또는 무력을 사용하려는 위협을 포기하는 것 등에 대한 내용을 규정하여[46] 그때까지 대외적으로 경제 협력을 표방한 원칙을 안보협력체로서의 성격을 보다 명확히 하였다. 이 헌장은 ASEAN에 더욱 강화된 법적 기반을 제공하면서 합의 사항이 잘 이행하도록 하는 제도적 틀을 마련하였다. 2015년에는 ASEAN공동체(AC: ASEAN Community)를 건설하여 정치안보, 경제, 사회문화 등의 다방면에서 통합을 더욱 가속화시키고 있다.

다만 이 지역 회원국 간의 정치경제 방면의 격차와 사회문화적 이질성을 고려하면서 안정적이고 점진적인 통합을 추구해나가는 데 이 헌장이 큰 역할을 하고 있지만, 국제적 관심사인 환경, 인권, 마약·테러 등과 같은 소위 인간안보(human security) 이슈들을 다루는 데 있어서 많은 한계를 가지고 있다. 특히 회원국의 국내문제에 대한 불간섭원칙은 미얀마 같은 군부집권 국가나 일당지배 국가체제의 권위주의 정권들의 정권안보를 위하여 악용되고 있는 현실을 방관하고 있다는 비판이 있다.

둘째, ASEAN 대테러 공동행동선언(Declaration on Joint Action to Counter Terrorism)이다. 이 선언은 9.11테러 직후인 2001년 11월 5일 채택된 것으로 ASEAN이 대테러를 위한 정보공유에 합의하고, 테러집단에 연계된 자금을 동결하였으며, 회원국가 간 군사 협력을 강화함과 동시에 미국과의 협력을 강화하는 내용이었다.[47] 즉, ASEAN은 유엔의 결정에 보조를 맞추어 현존하는 국제테러리

---

46) The ASEAN Charter(http://www.asean.org/archive/publications/ASEAN-Charter.pdf) 참조.
47) "Declaration on Joint Action to Counter Terrorism,"(http://www. aseansec.org/5620.htm) 참조.

즘에 대응하여 회원국들 사이에 테러방지를 위한 협력을 심화시켜 나갈 것이라고 천명하였다. 구체적으로 ① 테러리즘과 싸우기 위한 국가적 대응체제를 강화하고, ② 테러자금조달 억제를 위한 국제 협약을 포함한 모든 대테러 협약의 조기 서명·비준 또는 가입을 요청하며, ③ 테러리즘 척결과 대처 사례 공유를 위해 선진국 법집행기관과의 협력을 강화하며, ④ 테러와의 전쟁에 관한 관련된 국제 협약을 연구하며, ⑤ 테러범과 테러조직, 이들의 이동 및 자금 지원, 모든 여행객의 생명과 재산을 보호하는 데 필요한 정보 교환을 강화하며, ⑥ 모든 형태의 테러 행위를 방지 및 억제하기 위해 ASEAN 기구 간의 기존 협력과 조정을 강화하며, ⑦ 테러 행위에 대한 조사·탐지·감시 및 보고를 위한 ASEAN 회원국의 역량을 강화하며, ⑧ ASEAN+3 및 ASEAN 지역 포럼(ARF)과 같은 역할과 참여를 증진시키며, ⑨ 포괄적인 방식으로 테러와의 싸움에서 유엔을 중심으로 양자 간, 지역 간, 국제 차원에서 협력을 강화한다 등이다. 이 선언은 9.11테러 공격을 비난하면서 ASEAN이 테러리즘과 싸우기 위해 모든 협력적인 노력을 경주한다는 내용이다. 이 선언이 미국과 함께 테러리즘과 싸우기 위한 ASEAN의 행동을 분명하게 표현함으로써, ASEAN 국가들의 안보를 스스로 확보하게 하였고 이후에 ASEAN공동체를 만드는 데 밑바탕이 되었다.

셋째, ASEAN 대테러협정(ASEAN Convention on Counter Terrorism)이다.[48] 이 협정은 2007년 1월에 필리핀 세부(Cebu)에서 채택되었다. 이 협정은 ASEAN 고위급회의(SOM: Senior Official Meeting)와 초국가적 범죄에 대한 고위급회의(SOMTC: SOM on Transnational Crime)에서 초안을 만들었다.

협정의 내용은 다음과 같이 세 파트로 나누어진다.

첫째 파트는 테러범죄에 대한 정의로 협정의 제2조는 테러범죄를 항공기 납치, 대륙붕에 설치된 고정식 해양설비의 파괴, 항해방해, 인질범죄, 폭탄테러와 금품요구, 핵테러 등의 범죄를 모두 포괄하는 것으로 규정하고 있다. 제도적인 차원에서 테러범의 활동에 대해 역내 국가들의 신속한 정보공유와 대응을 요구하고 있다.

둘째 파트는 이 협정의 적용 범위와 국가를 규정하고 있는데 협정의 제5조는 테러범이 어떤 회원국에서 위법행위를 할 때 범죄혐의자와 피해자는 모두 당사국

48) "ASEAN Convention on Counter Terrorism,"(http://www.aseansec.org/19250.htm) 참조.

의 국민이어야 하고 동시에 범죄혐의자가 회원국의 주권이 미치는 지역에서 체포할 경우 적용한다. 또한 제7조는 범죄 관할권으로 테러행위가 회원국의 주권이 미치는 지역이거나 국기를 걸린 선박이나 항공기에서 발생하고, 범인이 회원국의 국민인 경우, 회원국은 테러범죄를 억제하거나 저지하기 위해 반드시 유효한 조치를 취해야 한다. 또 테러범죄가 회원국을 협박하기 위하여 그 국민이나 외국영사관・정부기관을 대상으로 하거나 범인의 국적이 불문명한 경우는 정상을 참작하여 테러범죄를 다루어야 한다고 규정하고 있다. 이러한 범죄관할권에 대한 규정은 ASEAN국가들의 기본 의무와 책임을 명확하게 하고, 협정 위반이나 다른 국가가 부당하게 개입하는 행위를 방지하는 역할을 한다.

셋째 파트는 대테러 협력을 규정하고 있다. 협정 제6조는 협력의 내용을 구체적으로 ① 회원국 간의 정보교환 등 방식을 통해 테러리즘 활동을 예방해야 한다. ② 테러조직에 자금을 지원하는 행위를 차단해야 한다. ③ 국내에서 테러자금을 다른 테러조직이나 국민에게 제공하는 것을 예방해야 한다. ④ 기술협력을 통해 테러활동의 억제와 예방 능력을 강화해야 한다. ⑤ 테러범 신원식별능력을 강화해야 하고 신원확인에 대한 초국가적 협력을 촉진해야 한다. ⑥ 테러정보 공유와 교환을 강화해야 한다. ⑦ 역내 국가들 간의 신뢰 구축을 강화해야 한다. ⑧ ASEAN 기구 내부에서 정보공유의 데이터베이스 개발을 추진해야 한다. ⑨ 생물・화학 테러의 확산을 억제해야 한다. ⑩ 테러활동의 참여자・기획자・지원자 등 관련자들을 엄격하게 척결해야 한다 등이다. 이 협정을 통해 테러 예방과 대처에 대한 회원국들의 권리와 의무를 부여하고 제제조치도 강구하였다. 또한 ASEAN 회원국들과 국제기구 간의 효과적인 연락체계를 구축하였고 테러정보의 신속한 교류와 공유가 중요하다는 것을 명확하게 규정하였다.

3. 성과와 한계

ASEAN은 동남아시아 지역의 대테러 협력 촉진에 많은 노력을 하여 성과도 있었지만 역시 극복해야 할 과제도 많다는 비판도 있다.[49] 회원국들이 합의한 조용한 외교(quiet diplomacy)와 폭력 사용의 배제, 합의를 통한 의사결정과 내정불

49) Mauzy Diane K. And Brian L, "U.S. Policy in Southeast Asia: Limited Re-engagement after Years of Benign Neglect," *Asian Survey*, Vol.47, No.4, pp. 86-100.

간섭의 원칙 등이 신속한 의사결정을 어렵게 하고 집행능력 또한 크게 떨어질 수밖에 없다는 비판이 그것이다. 특히 회원국들의 국가주권과 내정불간섭에 대한 완고한 입장은 결과적으로 지역 감시체제의 설립목적 달성을 사실상 불가능하게 하였다. 현실적으로 ASEAN이 테러방지에 대한 지역협력 체제를 제약하고 있는 근본적인 원인은 동남아 국가들의 국내 문제에 기인하는데 역내 40% 이상의 이슬람교도들이 거주하고, 특히 인도네시아나 말레이시아 · 브루나이 등 이슬람 국가들을 회원국으로 두고 있는 상황에서 미국이 주도하는 강력한 테러와의 전쟁을 그대로 수용하기에는 정치적 부담이 적지 않다는 것이다.

일부 이슬람교도들은 미국이 주도하는 대테러전략에 대한 저항이 필요하다는 인식을 가지고 있어 인도네시아와 같은 국가들은 테러방지정책을 실시하는 데 많은 어려움에 직면하고 있는 것이다. 특히 2014년부터 IS에 참여하고 있는 약 3만여 명의 외국인테러전투원(FTFs) 중에서 약 천여 명이 동남아 국적으로 파악되고 있어[50] ASEAN 국가의 당면한 현실을 잘 설명해 주고 있다. 또한 이슬람국가에 지원되는 테러자금이 중동에서는 감소하면서 상대적으로 다른 지역에서 조달되고 있어 이 역시 당면한 문제이다.

동남아 국가들이 실시한 “2016년 역내 테러자금조달 지역위험평가”(Regional Risk Assessment on the Financing of Terrorism in Southeast Asia for 2016)에 따르면 이 지역으로부터 유출 · 입되는 테러자금에 위협을 느끼고 있는 것이 현실이다. 특히 합법적인 출처로부터의 오는 자금이 테러 자금으로 전용될 위험이 가장 높은 것으로 나타났다는 것이다. 실제로 동남아시아의 대부분의 지하드 테러조직은 적법하고 상업적인 수단을 통해 현지에서 자금을 조달할 수 있는 많은 기회를 가지고 있는데 이는 이 지역에서 대부분 현금을 많이 사용하고 있기 때문이다. 여기에는 개인 소득뿐만 아니라 물품의 판매, 복지 수당 및 연금 등의 모든 부문에 다 해당된다는 것이다. 이러한 현금사용이 일상화된 상황에서 이를 효과적으로 모니터링하기에는 자원과 역량이 부족하기 때문에 현금을 신속하게 테러자금화하기가 쉽다는 것이다.[51] 이처럼 테러단체의 활동을 차단하기 위한 역내의 신속한 대책 집행이 시급한 현실에서 위와 같은 한계점으로 인한 장애를

50) UN 홈페이지(https://www.un.org/sc/ctc/focus-areas/foreign-terrorist-fighters/) 참조.
51) “Regional Assessment on Terrorism Financing 2016” (http://www.austrac.gov.au/sites/default/files/regional-risk-assessment-SMALL_0.pdf) 참조.

극복해야 하는 과제가 ASEAN에 직면하고 있는 것이다.

Ⅳ. 중동지역

1. 테러리즘 억제에 관한 아랍협약(Arab Convention on the Suppression of Terrorism)

이 협약은 아랍연맹(OAU: Organization for African Unity) 22개 회원국 내무·법무장관들은 1998년 4월 22일 이집트 카이로에서 개최된 회의에서 아랍국가 상호간의 테러행위의 전면금지와 테러자금 지원 금지 등을 내용으로 하는 대테러조약을 체결하였다. 협약의 정식 명칭은「테러리즘 억제에 관한 아랍협약」으로 전문과 42개 조항으로 구성되어 있다. 이 협약 전문에서 아랍 국가의 안보와 안전을 위협하는 테러범죄의 진압과 모든 형태의 폭력과 테러를 거부하고 국제법의 원칙을 따르는 인권과 평화 확보를 위해 체약국에 상호 협력을 증진하기 위하여 필요한 조치를 할 것을 요구하고 있다. 협약 제1조 정의 규정에서 테러를 '그 동기 또는 목적에 관계없이 모든 행동이나 폭력의 위협, 개인 또는 집단적 범죄 및 공포를 일으켜 개인의 자유 또는 안전한 환경을 손상시키거나 시도하는 경우 또는 공적·사적 설비 또는 재산을 점유 또는 압류하는 경우로 규정하고 있다.

구체적으로 테러범죄는 ① 1963년 9월 14일 체결된 동경협약 관련범죄, ② 1970년 12월 16일 체결된 헤이그협약 관련범죄, ③ 1971년 9월 23일 체결된 몬트리올 협약 및 1984년 5월 10일 채택된 의정서 관련범죄, ④ 1973년 12월 14일 체결된 뉴욕협약 관련범죄, ⑤ 1973년 12월 17일 체결된「인질억류방지에 관한 국제협약」관련범죄, ⑥ 1982년 체결된「해양법에 관한 UN협약」관련범죄 등이다(동 협약 제1조 제3항). 민족 해방과 자결을 위한 외국의 점령과 공격에 대한 투쟁이나 아랍국가의 영토를 침해하는 행위에 대해서는 이 조약이 적용되지 아니하지만(동 협약 제2조) ① 왕에 대한 공격, 국가 원수 또는 체약국의 통치자 또는 배우자 및 가족, ② 수상, 총리 또는 장관에 대한 공격, ③ 대사를 포함한 외교관 등 외교 특권을 가진 자에 대한 공격, ④ 계획된 살인이나 도난을 동반한 강제 지시 개인, 당국 또는 운송 수단 및 연락, ⑤ 공공 재산이나 시설의 파괴나 사보타주, ⑥ 무기 제조, 무기의 불법 거래 또는 무기, 군수품, 폭발물 또는 테러범죄에 사용될 수 있는 기타 물건 등은 정치범죄에도 불구하고 이 조약의 적용대상으로 하고 있다. 이 외에도 협약은 테러범죄 예방 및 억제조치(동 협약 제3조-제4조), 범죄인 인도 및 인도절차(동 협약 제5조-제8조, 제22조-제33조), 소송에 관한 사법절차(동 협약 제9조-제12조), 사법 협력(동 협약 제13조-제18조), 범죄 수익 압류(동 협약 제19조-제20조), 증인 심문 및 보호(동 협약 제34조-제38조), 협약의 비준 및 효력(동 협약 제39조-제42조) 등을 규정하고 있다.[52]

2. 국제테러 규제에 관한 이슬람회의기구(OIC)협약(Convention of the Organization of the Islamic Conference on Combating International Terrorism)

이 협약은 1999년 7월 1일 아프리카의 부루키나 파소(Burkina Faso)의 수도 와가두구(Ouagadougou)에서 개최된 OIC(Organization of Islamic Cooperation) 총회에서[53] 전 회원국 57개국 대부분이 서명한 것으로 2002년 11월 7일 발효되었다. 협약은 전문과 4개장 57개 조항으로 구성되어 있다. 제1장은 용어를 정의하는 파트이고, 제2장은 테러방지를 위한 기초로 안전 분야와 법적 분야이며, 제3장은 협력체제로 인보절차, 신문수단, 목격자와 전문가 보호 규정이며, 제4장은 마무리 파트다.

이 협약의 전문에서 OIC의 국제테러에 대한 입장과 시각이 나타나는데 주요 내용은 폭력과 테러를 거부하고 인권 옹호를 위한 국제법의 원칙과 규칙뿐만 아니라 도덕적이고 종교적인 이슬람적인 회교 율법의 규정들을 준수한다. 또한 유엔의 결의안뿐만 아니라 유엔 헌장의 주권, 안정, 영토 보전, 정치적 독립과 안전, 그리고 불간섭의 준수를 위해 국제 테러를 억제하고 수단을 제거하는 것을 목표로 한다. 테러는 이유를 불문하고 정당화될 수 없고, 그것의 모든 행동, 방법

52) Arab Convention on the Suppression of Terrorism (http://www.unodc.org/images/tldb-f/conv_arab_terrorism.en.pdf) 참조.

53) OIC는 1969년 9월 25일에 창설된 이슬람교 국가들의 국제기구로 본부는 사우디아라비아 제다에 있고 57개 회원국이 참여하고 있다. 당초 이슬람회의기구(Organization of the Islamic Conference)로 출발했으나 2011년 6월 이슬람협력기구(Organization of Islamic Cooperation)로 변경했다.

그리고 실행들은 비난받아야 하며 무기밀매, 마약·인신 매매 및 돈세탁 등 불법 밀거래를 포함한 테러·조직범죄 사이의 연관성을 인식해야 한다. 이를 위해 이슬람국가 간의 협력과 이해를 강화하고 OIC결의안을 준수해야 한다고 규정하고 있다. 다만 테러와 관련하여 헌법의 목적과 원칙에 따라 자국 영토를 해방하고 자결권과 독립성에 대한 권리를 획득하기 위한 무장 투쟁과 외국 지배와 식민지주의자 및 인종차별주의 정권에 맞서 싸우는 국민의 정당성을 구별하여 제시하고 있다.

동 협약 제1조 정의규정에서 "테러"는 목적을 불문하고 인간의 생활, 명예, 자유, 안전 또는 권리를 위태롭게 하거나 환경이나 시설 또는 공공·사유 재산을 위험에 노출시키거나 점유 또는 압류하거나 국가 자원이나 국제 시설을 위험에 빠뜨리거나 독립국의 안정, 영토 보전, 정치적 단일성 또는 주권을 위협하는 개인 또는 집단이 자행하는 폭력 또는 위협의 모든 행위를 의미하는 것으로 하고(동 협약 제1조 제2항), "테러 범죄"는 모든 체약국 또는 자국 영역 내에 거주하는 자국민, 자산 또는 당사국 또는 외국인 시설 및 국민에 대하여 테러 목적을 실현하기 위해 실행, 개시 또는 참여한 범죄를 의미하는 것으로 규정하고 있다(동조 제3항). 구체적 테러범죄를 1963년 체결된 동경협약부터 1997년 체결된 뉴욕협약까지 총 12개 테러관련 국제협약을 제시하고 있다(동조 제4항). 다만 일반적으로 제시되는 국제테러협약 12개 중 1999년에 체결된 「테러자금조달의 억제를 위한 국제협약」은 제외하고 대신 1982년 체결된 「해양법에 관한 UN협약」(UNCLOS: United Nations Convention on the Law of the Sea)과 해적에 관한 규정을 테러범죄로 규정하고 있다.

다만 동 협약 제2조에서 국제법의 원칙에 따라 외국 점령, 지배, 식민 정책(그리고 지배권)에 대한 무장 투쟁을 테러범죄로부터 제외한다고 규정하고 있다. 또한 ① 체결국들의 국왕과 수상 또는 그들의 배우자와 가족에 대한 공격, ② 왕세자 또는 부통령 또는 정부의 장차관에 대한 공격, ③ 체결국의 대사와 외교관들을 포함하는 국제적 보호인물에 대한 공격, ④ 개인·기관 또는 통신과 수송수단에 대한 살인 또는 강탈, ⑤ 조약국은 물론 체결국이 아니라도 그 나라에 속한 공공시설물에 대한 파괴나 사보타주, ⑥ 무기와 탄약, 폭발물, 테러범죄 수단물질 등의 제조, 밀수, 소지 행위 등은 정치범으로 간주하지 않고 테러범죄에 해당된다고 규정하고 있다. 이외에도 테러범죄의 예방 및 대응(동 협약 제3조), 관련 정보의 교환, 조사, 전문가 교환 및 교육(동 협약 제4조), 범인의 인도 및 인도 절차(동 협약 제5조-제8조, 제22조-제28조), 범인의 신문(동 협약 제9조-제13조), 사법적 협력(동 협약 제14조-제18조), 범죄 수익 몰수 및 자산 동결(동 협약 제19조-제 제20조), 증거의 교환(동 협약 제21조), 신문절차(동 협약 제29조-제33조), 목격자 및 증인의 보호(동 협약 제34조-제38조), 비준과 협약의 효력(동 협약 제39조-제42조) 등을 규정하고 있다.[54]

3. 테러리즘 방지와 규제에 관한 OAU협약(OAU Convention on the Prevention and Combating Terrorism)

이 조약은 1999년 7월 14일 아디스아바바에서 잠비아 · 소말리아 등을 포함한 OAU(the Organization of African Unity) 53개국이 서명한 것으로 전문과 23개 조항으로 구성되어 있다. 동 협약 제1조에서 "테러 행위"는 당사국의 형법을 위반하는 행위 및 신체적 완전성 또는 자유를 위태롭게 하거나 심각한 부상 또는 사망, 자원 · 환경 또는 문화유산 및 사적 · 공적 재산에 손해를 끼칠 수 있는 의도된 협박으로 공포를 조성하거나, 정부를 강요하거나 단체, 기관, 일반 대중에게 어떤 행동을 하도록 하거나 공공 서비스 제공을 중단 하게 하는 행위를 말한다. 또 이러한 행위의 홍보, 후원, 기여, 명령, 원조, 선동, 격려, 시도 등을 하거나 이러한 행위를 위해 사람을 모으는 행위를 모두 처벌한다고 규정하고 있다. 단 국제법의 원칙에 따라 민족 해방 또는 자결(무력 투쟁 포함), 식민주의 침략과 외국 군대에 의한 지배행위는 테러 행위에서 제외된다고 규정하고 있다(동 협약 제2조). 이 외에도 당사국의 의무사항(동 협약 제2조, 제4조-제5조), 테러범죄 관할권(동 협약 제6조-제7조), 범죄인 인도 및 절차(동 협약 제8조-제13조), 형사 절차(동 협약 제14조-제18조), 조약의 비준 및 효력(동 협약 제19조-23조) 등이 규정되어 있다.[55]

---

54) Convention of the Organisation of the Islamic Conference on Combating International Terrorism(http://www.jus.uio.no/english/services/library/treaties/04/4-02/islamic-conference.xml) 참조.

55) OAU Convention on the Prevention and Combating Terrorism. (https://au.int/en/treaties/oau-convention-prevention-and-combating-terrorism) 참조.

V. 기타 지역

1. 테러리즘에 대항하기 위한 독립국가연합(CIS)국가 간의 협력에 관한 조약(Treaty on Cooperation among States Members of Commonwealth of Independent States in Combating Terrorism)

이 조약은 1999년 6월 4일 벨라루스의 수도인 민스크(Minsk)에서 옛 소련(USSR) 해체 이후의 러시아, 카자흐스탄, 우즈베키스탄, 우크라이나 등을 포함한 11개국이 채택한 것으로 전문과 총25개조로 구성되어 있다. 동 조약 제1조에서 테러리즘에 정의에서 '테러리즘은 공공 안전을 해치고, 정부의 행위를 강요하며, 시민을 위협하거나 공포를 유발하기 위하여 자행하는 불법 행위'로 규정하고, 구체적으로 ① 개인이나 법인에 대한 폭력과 폭력의 위협, ② 시민의 생활을 해치기 위하여 재산 또는 기타 물건을 파괴하거나 협박, ③ 사회에 위험을 초래하거나 재산상의 손해를 끼치는 행위, ④ 국가 또는 다른 대중에게 행위를 강요하기 위하여 정치가나 공무원의 생활을 위협하는 행위, ⑤ 외교관이나 국제적으로 보호받는 인물, 사업 또는 그들의 차량을 공격하는 행위, ⑥ 테러와의 전쟁 수행과정에서 국제적으로 인정되고, 국가 사법적으로 분류된 테러범의 기타 행위 등을 적시하고 있다. 또한 "기술적 테러"의 개념을 핵, 방사선, 화학 또는 생물학적 무기 또는 그 구성 요소, 병원성 미생물, 방사성 물질, 인체 건강에 해로운 물질 또는 기타 물질을 사용하여 핵 또는 화학 물질의 파괴 또는 파괴 기술과 환경을 향상시키는 시설, 도시 및 기타 거주 지역의 공공시설이나 공공 안전을 훼손하기 위해 행하여지거나, 인구를 위협하거나 당국의 결정에 영향을 미치거나 다른 목적을 달성하기 위해 위에 나열된 범죄로 규정한다. 또 이러한 죄를 저지르려고 시도하거나 유도, 자금 조달 또는 선동하는 사람을 공범 범죄로 규정하고 있다.

동 조약 제5조는 구체적 협력의무로 정보 교환, 조사의 요구에 대한 조치, 테러와 관련 행위의 예방·차단·조사, 당사국이나 다른 회원국에서 일어나는 테러행위에 대한 대응과 예방조치, 기술적 테러에 대한 기술적·물리적 시스템의 개선, 회원국의 요구시 입법 문서 및 자료의 교환, 실질적인 도움을 주기 위해 합의에 따라 특별 대테러부대 파견, 대테러작전에 대한 경험 공유를 위한 공동 훈련, 회의, 세미나, 워크샵 등의 개최와 직원 훈련 및 전문 교육, 당사국 협의에 따라 증가된 기술적·환경적 위험에 대처하기 위한 물리적 시스템의 연구·개발 및 공동 기금 마련, 대테러 활동을 위한 특별 품목, 기술 및 장비의 개선 등을 규정하고 있다. 이 밖에도 범인 인도(동 조약 제5조 제2항-제9조), 대테러 관련 지원요청 절차 및 조치(동 조약 제7조-제10조), 제11조는 당사국이 교환해야 하는 정보사항을 구체적으로 테러조직, 외국 주요인사 방문 등 10가지를 적시하고 있고, 대테러부대 이동 절차 및 통보(동 조약 제12조-제14조), 손해배상(동 조약 제15조), 조약 효력 및 비준관련 사항(동 조약 제20조-제25조) 등을 규정하고 있다.[56]

2. 테러리즘 억제에 관한 남아시아지역협력협의체(SAARC)의 지역협약 (SAARC Regional Convention on Suppression of Terrorism)

이 협약은 1987년 11월 4일 네팔의 카트만두에서 인도, 파키스탄, 방글라데시, 부탄, 몰디브, 네팔, 스리랑카 등 남아시아지역협력협의체(SAARC) 7개 회원국이 채택하였고[57] 1988년 8월 22일 발효되었다. 이 협약은 전문과 총 11개조로 구성되었는데 동 협약 제1조에서 테러를 ① 1970년 12월 16일 체결된 헤이그협약 관련범죄, ② 1971년 9월 23일 체결된 몬트리올협약 관련범죄, ③ 1973년 12월 14일 체결된 인질협약 관련범죄, ④ SAARC 회원국의 협약 범위 내에서의 자행되는 범죄, ⑤ 살인, 과실 치사죄, 신체 상해·폭행, 납치, 인질 납치 범죄 및 총기류, 무기류, 폭발물 및 위험 물질과 사망 또는 심각한 신체 상해를 포함한 무차별 폭력이나 재산피해를 야기하는 수단으로 사용되는 물질을 사용하는 범죄 등을 의미한다고 규정하고 있다. 또 이러한 범죄를 저지르려고 하는 시도 또는 음모, 이를 조장하거나 공범으로 참여하는 행위를 테러범죄로 규정하고 있다. 이 외에도 체약국의 권리와 의무(동 협약 제3조-제5조), 범인의 인도 절차(동 협약 제

---

56) Treaty on Cooperation among States Members of Commonwealth of Independent States in Combating Terrorism(https://treaties.un.org/doc/db/Terrorism/csi-english.pdf) 참조

57) SAARC(South Asian Association for Regional Cooperation)는 1981년 4월 콜롬보에서 열린 외무장관 회담에서 최초로 기구 창설 의견이 있었고, 1983년 8월 뉴델리에서 SARC(South Asian Regional Cooperation)를 만들어 농업, 지역발전, 통신, 기상, 건강과 인구 등 5개 분야에 걸친 협력을 약속했다. 이후 1985년 11월 7일 다카(Dhaka)에서 방글라데시·부탄·인도·몰디브·네팔·파키스탄·스리랑카 등 7개국 정상들이 모여 SAARC을 발족하고 2005년 아프가니스탄이 합류하여 현재 회원국이 8개국이 되었다.

6조-제7조), 소송과 테러예방 조치(동 협약 제8조), 비준 및 발효(동 협약 제9조-제11조)로 구성되어 있다.[58)]

제3절 각국의 대테러정책

Ⅰ. 미 국

1. 대테러 관련법제

미국의 대테러 관련 정책은 지난 2001년 발생한 9.11테러를 기준으로 그 전과 그 이후로 나누어 볼 수 있다. 9·11 이전 미국의 테러관련 법제는 우선 1980년대까지는 주로 미국적 항공기 납치테러에 대비한 것이었다. 1950년대 이후 쿠바는 다수의 미국적 항공기를 납치하게 되어 미국은 국내외적으로 항공기 관련 범죄와 관련하여 법을 제정하거나 국제협약을 맺게 된다. 국내적으로는 1958년에 연방항공법(Federal Aviation Act)을 제정하고 불법으로 무력 혹은 위협을 사용하여 항공기를 탈취(aircraft piracy)하는 것을 범죄로 규정하여 처벌하도록 하였고, 1974년에는 「항공기 납치 대응법」(Anti-Hijacking Act)을 제정하여 헤이그협약을 따르지 않는 나라에 대한 항공서비스를 억제하도록 하였다. 국제적으로는 앞에서 살펴본 항공기 테러 관련 국제협약을 통해 항공기내에서 행해진 범죄행위나 항공기의 불법탈취 및 승객들의 안전을 위협하는 불법행위를 방지하려고 하였다.

1980년대 이후 2000년대까지 미국에 대한 테러는 재외공관에 대한 공격과 국내에서의 테러사건 발생이었다. 예로 1979년 주(駐)이란 미국대사관 점거로 약 66명의 미국 외교관 직원 및 시민들을 인질로 잡고 있다가 444일이 지난 1981년 석방한 사태가 발생하자 미국은 1983년에 「국제테러대처법」(Act to Combat International Terrorism)을 제정하였다. 이 법은 테러범죄를 인류의 생명과 안전에

---

58) SAARC Regional Convention on Suppression of Terrorism(https://treaties.un.org/doc/db/Terrorism/Conv18-english.pdf) 참조.

관한 기본권을 침해하는 용납할 수 없는 범죄행위로 선언하고, 테러방지를 위한 연방정부 차원의 정책 수립, 관련기관 간의 협력체계 구축과 대응능력의 향상, 그리고 국제적 협력 등을 규정하였다. 1986년에는 「테러범죄 소추법」(Terrorist Prosecution Act of 1986)을 제정하였다. 이 법에서는 테러범죄에 대한 미국의 형사재판권의 범위를 확대하였다. 외교관 및 국제적 보호인물에 대한 테러범죄 이외에도 모든 미국 시민에 대한 국내외 테러범죄에까지 미국의 형사재판관할권을 인정함으로써 각종 국제적인 테러범죄에 대해서도 미국법에 의한 소추절차를 진행할 수 있게 되었다. 1993년 세계무역센터 폭탄테러와 1995년 오클라호마시티에 위치한 연방청사 폭파사건이 국내에서 일어나자 미국은 1995년에 「포괄적인 테러대응법안」(Comprehensive Anti-terrorism Act)을, 1996년에는 「반테러 및 실효적 사형부과에 관한 법률」(Anti-terrorism and Effective Death Penalty Act)을 제정하였다. 소위 「종합테러방지법」이라고 불리는 이 법은 테러범죄자에 대해 신속하고 실효적으로 사형을 집행할 수 있도록 하는 법이다.

9·11테러 사건 이후 미국의 대테러정책의 근본적인 변화의 근간이 되었던 9·11대책위원회(The 9·11 Commission)의 활동과 9·11 직후 제정된 일명 애국법(USA PATRIOT Act)과 이를 보완하기 위해 2015년에 제정된 자유법(USA FREEDOM Act)이 그것이다. 애국법 제정으로 인해 기존에 있던 「전자통신개인정보보호법」(Electronic Communications Privacy Act), 「컴퓨터 사기 및 남용법」Computer Fraud and Abuse Act), 국외정보감시법(Foreign Intelligence Surveillance Act), 자금세탁규제법(Money Laundering Control Act), 은행비밀유지법(Bank Secrecy Act), 금융사생활권리법(Right to Financial Privacy Act), 공정신용보고법(Fair Credit Reporting Act), 「이민 및 국적법」(Immigration and Nationality Act), 범죄피해자법(Victims of Crime Act) 등의 법률 조항뿐 아니라 다수의 미연방법의 조문이 수정되었다.

미국의 대테러정책은 9·11테러 사건이 발생하고 완전히 달라졌다. 이러한 변화는 9·11테러 직후 구성된 '9·11대책위원회'가 미국의회에 제출한 보고서 즉 9·11진상조사위원회 보고서에 기초해서 이루어진 것이다. 이 보고서에 의하면 미국이 9·11테러공격을 예방하지 못한 이유로 크게 다음과 같은 네 가지를 지적했다.

첫째, 상상력 부족이다. 알 카에다의 빈 라덴과 같은 테러범의 활동과 양상이 날로 변화하고 발전하고 있는 데 반해 미국의 정치 지도자들은 이러한 국제테러의 위협에 대한 정책토론은 그 대상이나 화제가 되지 못했다. 2000년 대선에서도 그러했다. 미국의 고위 관료들은 이러한 새로운 위험이 치명적이라는 점에 대해서는 확신이 없었다.

둘째, 정책의 부재다. 테러리즘은 클린턴정부 때나 9.11 이전 부시정부 때나 국가안보의 최우선적인 관심사가 아니었다. 따라서 이러한 위협에 대한 적절한 대책을 가지고 있지 못했다.

셋째, 역량이 부족했다. 9.11 이전 미국은 알 카에다 문제는 냉전의 마지막 단계 때에 같은 역량으로 해결하려 했으나 불충분했다. CIA는 인적 자원을 활용해 준군사작전을 지휘할 수 있는 능력이 최소 수준에 머물렀고, 정보수집 역량을 개선하지 못했으며 대규모로 확대하지 못했다. 또한 미국 국방부는 본토방위는 바깥으로만 향해 있어 9.11 이전까지 알 카에다에 대항하는 어떤 임무해도 참여하지 않았다. 북미대공방위사령부(NORAD)도 오직 해외로부터 오는 비행기만을 대상으로 하고 있어 이번에는 어떤 경고도 할 수 없었다. 특히 FBI는 국가안보에 관한 기관들의 종합적인 정보를 분석하지 않았고, 미국연방항공청(FAA)도 비행금지 리스트, 컴퓨터 승객 사전검색프로그램(CAPPS: Computer Assisted Passenger Prescreening System)을 통한 승객 검색, 연방항공보안요원의 배치, 조종석의 강화, 항공기 승무원의 납치대응능력 강화 등의 역량이 부족했다.

넷째, 관리능력 부족이다. 새로운 위협에 대처하기 위해서는 현재 정부가 관리하는 각각의 임무경계가 재조정되어야 한다. 국내와 국외는 물론 각각의 기관들이 정보를 공유하고 임무를 재분배해야 한다. 결론적으로 변화해가는 테러활동에 대한 이해의 부족이 문제고, 테러와 관련된 일을 하는 각 기관의 임무, 국내외 업무분담, 수집된 정보를 공유하고 통합하는 방법 그리고 이 정보를 사용하여 각 기관별로 업무를 효율적으로 분담하지 못하여 대처능력이 부족했다는 것이다.[59]

9·11테러 사건 이후의 미국의 대테러정책의 변화 방향은 우선 테러예방을 위해 대외적으로 미국에 적대적인 테러단체에 대한 공격과 이슬람국가들과의 관

---

59) The 9·11 Commission Report: Final Report of the National Commission on Terrorist Attacks Upon the United States, (2004).

계개선이고, 국내적으로는 국가안전을 위해 구성된 기관에 대한 재구성 및 유기적 관계의 확립을 통한 하나의 팀으로써의 테러공격에 대한 대처이다. 이와 관련하여 여러 개의 기관이 각기 다른 방식으로 정보를 수집하거나 테러에 대응하기보다는 국내외에서 수집되는 모든 정보를 축척하고 이를 이용하여 대테러 전략을 세우고, 각 기관에 적절한 역할과 임무를 배정할 수 있는 기관이 설립되어야 한다. 즉, 대테러 기관들과 유기적으로 연합하되 테러와 관련된 모든 일을 총괄할 수 있는 기관이 필요하다는 것이다. 또한 테러공격에 대비하기 위해 기존의 보안시스템이 가지고 있었던 문제점들을 파악하고 생물학적인 정보뿐 아니라 종합적인 정보를 이용한 시스템을 구축하고 보급해야 한다. 대테러기관의 역할과 임무 및 권한에 대한 분명한 법률과 규정을 만들어야 한다는 것이었다.

(1) 일명 애국법(USA PATRIOT Act)

일명 애국법으로 불리는 USA PATRIOT Act의 정식명칭은 「테러예방 및 저지를 위해 필요한 수단의 제공을 통해 미국을 통합하고 강화하는 법」(Uniting and Strengthening America by Providing Appropriate Tools Required to Interrupt and Obstruct Terrorism)이다. 9·11테러이후 비교적 짧은 기간에 제정된 애국법은 2001년 10월 26일에 공포되어 2002년 1월 1일부터 발효되었다. 총 10개의 장(title)과 각 장에 부속된 총 156개의 조문(section: sec.)으로[60] 구성되어 있다[61]. 이 법은 테러범죄에 대한 수사를 담당하는 사법기관의 국내외에서의 권한을 대폭 강화한 것이 특징이고 테러범죄 사건에 관한 헌법상 적법절차 원칙의 예외규정까지도 두었다. 당초 이 법의 15개 조항은 2005년 12월 31일까지 한시적으로 적용하도록 허용하였으나[62] 포괄적 감청을 허용한 제206조와 수사기관에 의한 일체

60) 미국 법조문 구성은 Article, Section, clause로 되어 있다. 우리와 비교하면 각각을 장(章), 조(條), 항(項) 정도로 번역하는 것이 적당하다고 생각한다. 다만, 일련번호가 붙은 것은 Article이고, Section은 Article마다 새 번호로 시작하는 것이 우리의 조(條)와 다른 점이다. 한국법제연구원에서는 Chapter(章), Section(節), Article(條), Paragraph(項)으로 하고 있다. 여기서는 일반적 용례에 따라 Title을 章, Section을 條로 번역하기로 한다.

61) 애국법의 전체적인 틀은 부록 참조.

62) 한시조항의 시효연장 과정: 15개 한시조항은 모두 2장에 속해 있다. 무차별적인 정보수집이라는 비난으로 의회는 당초 이 15개 조항을 2005년 12월 31일까지로 설정하였다. 하지만 별도의 연장입법을 통해 한시 조항의 효력을 2006년 2월 3일과 동년 3월 10일로 두 차례 연장한 후, 기한이 다가오자 206조와 215조를 2009년 12월 31일까지 다시 연장하기로 하였다. 2009년 12월이 다가오자 의회는 두 개 조항을 다시 2013년 12월 31일까지로 연장하려다 결국 2011년 2

〈애국법의 한시조항(15개)〉

조문	내용	기한
201	테러리즘과 관련된 유선·구두·전자 통신을 감청할 수 있는 권한	2006.3.10.
202	컴퓨터 사기 및 남용 범죄에 관련된 유선·구두·전자 통신을 감청할 수 있는 권한	
203(b)	전자·유선·구두 감청 정보를 공유할 수 있는 권한	
204	유선·구두·전자통신 감청과 공개의 제한이 제외된 정보의 명시	
206	국외정보감시법하의 이동감시권한	2019.12.15.
207	타국 정부(외국 정권)의 대리(대표) 권한을 지닌 비(非)미국인을 대상으로 한 FISA하의 감시 기간	2006.3.10.
209	영장에 의한 음성우편메시지의 압수	
212	생명과 신체를 보호하기 위한 전자통신의 긴급 공개	
214	FISA하의 통화기록장치와 추적 권한	
215	FISA에 기록 등의 접근	2015.6.1.
217	컴퓨터 무단 접속자의 통신감청	2006.3.10.
218	국외의 기밀정보	
220	전자증거 수색영장의 전국적 적용	
223	승인되지 않은 특정 공개에 관한 민사책임	
225	FISA에 따른 도청 준수(자)의 면책	

의 유형물 취득을 인정한 제215조를 2009년 12월 31일까지 4년간 한시적으로 연장(2015년 6월 1일까지 존속)한 것을 제외하고는 무기한으로 연장되었다.

여기서는 문제가 되고 있는 한시조항을 중심으로 애국법의 중요한 조항들을 살펴본다. 가장 핵심적인 조항은 제2장의 강화된 감시절차이다. 제2장은 총 25개 조항으로 구성되어 주로 테러범죄를 방지하기 위해 정보기관과 수사기관에게 강력한 감시권한을 부여하여 정보수집 절차상의 방해요인을 최대한 없도록 하는 데 있다.

월 28일까지만 연장하기로 결정하였다. 그러나 「국외정보감시법 시효연장법」(FISA Sunsets Extension Act)의 개정으로 제206조와 제215조의 적용이 2011년 5월 27일까지 다시 연장되었고, 2015년 6월 1일까지 「PATRIOT Act 시효연장법」(PATRIOT Sunsets Extension Act)이 통과되면서 무기한으로 연장되었다.

주요 조항의 내용을 보면 다음과 같다.

- 201조(테러리즘과 관련된 유선·구두·전자 통신을 감청할 수 있는 권한)는 1996년에 제정된 「종합테러방지법」의 조항과 같은 형식으로 테러에 관련된 정보수집 및 접근 권한의 범위를 넓혔다. 그 결과 미국 외에서 미국인에 대한 테러를 정부가 수사할 때 감청이 가능하게 되었고 또한 테러리스트나 그들이 모인 그룹이 행할 수 있는 다수의 범죄들을 추가하여 감청할 수 있는 범죄의 영역이 보다 넓어졌다.
- 202조(컴퓨터 사기 및 남용 범죄에 관련된 유선·구두·전자 통신을 감청할 수 있는 권한)는 본래 우편 사기로만 한정되어 있었던 1996년의 「종합테러방지법」의 조항의 적용 범위를 컴퓨터 사기 및 남용 범죄에까지 넓혀 놓았다.
- 203조(b)(전자·유선·구두 감청 정보를 공유할 수 있는 권한)는 9·11테러의 원인으로 지목된 법집행기관의 협조 미비를 해결하기 위한 규정이다. 이 조문은 그동안 정보 수집에 방해가 되었던 법적 장애물을 제거하였으나 개인 정보를 광범위하고 무차별적으로 수집할 수 있어 프라이버시권을 침해한다는 비판이 있다.[63)]
- 204조(유선·구두·전자 통신 감청과 공개의 제한이 제외된 정보의 명시)는 1996년의 「종합테러방지법」에서 유선과 구두의 통신형태에만 적용되었던 것을 전자(electronic) 항목을 추가하여 정보수집 범위가 더욱 넓어졌다.
- 206조(국외정보감시법하의 이동감시권한)는 국외정보감시법(FISA: Foreign Intelligence Surveillance Act of 1978)의 조문에 '피감시자의 거동이 특정한 감시자의 신원확인을 훼방할 경우 국외정보감시법원(FISC)[64)]의 이동감시명령이 가능함'을 추가하였다. FISA는 미국의 FISC의 설립 근거가 되는 법률이며, 법집행기관의 감시는 반드시 피감시자와 감시 객체(전화번호, 주소 등)를

---

63) Martin, Kate; Dinh, Viet, "Part One Provisions Expiring in 2005: Section 203. Authority to Share Criminal Investigative Information", *Patriot Debates: Experts Debate the USA PATRIOT* (Act. 2005), pp. 13-15.

64) 1978년 제정된 「국외정보감시법」(FISA)은 연방정부에 의한 외국인 감시 시스템의 물리적·전자 감시 및 수집 절차를 규정하는 법으로, 법집행기관 및 정보기관에 의한 감시 영장 요청을 감독하기 위해 국외정보감시법원(FISC: Foreign Intelligence Surveillance Court)를 만들었다. 미국의 통신제한 조치는 2가지로 일반 형사범에 대한 통신제한조치는 미국법전(U.S.C: United States Code; U.S. Code,) TitleⅢ에서 규정하고 있고, 국가안보목적의 통신제한 조치는 FISA에 의해 수행된다.

특정한 FISC의 영장을 요하였다. 애국법 제206조는 수사기관에게 대상을 특정하지 않는 포괄적 감청(roving surveillance)을 허용하도록 하였다. 이는 그때까지 FISA에서 방첩활동과 관련한 도청장치의 설치 또는 정보수집 업무를 수행하는 수사기관에 정보를 제공하도록 FISC가 통신사업자 등에 대해 명령할 수 있도록 규정되어 있었으나 애국법 제206조는 FISC가 기타 다른 사람들에게도 위와 같은 명령을 내릴 수 있도록 다시 말하면 소위 '포괄적 감청'이 가능하도록 한 것이다. 이는 감시대상이 된 인물에 대해 감청목적을 달성할 수 없게 된 경우에 관련되는 모든 자에게 지원하도록 명령할 수 있다는 의미다. 나아가 용의자가 통신수단을 변경하는 경우에도 변경된 통신수단에 대한 별도의 추가 영장이 없이 기존 영장으로도 할 수 있다는 것이다. 즉 테러범죄 혐의자에 대해 감청의 대상을 특정하지 않고, 모든 통신수단에 대한 전자적 감시가 가능하도록 한 것이다. 감시 대상자나 그의 전화번호가 바뀔 경우 영장의 갱신이나 새로운 영장의 발급을 요하지 아니하고 예전 전화번호에 대해 이미 발급된 영장만으로도 대상자를 감시할 수 있게 되었다. 또한 동법은 국외의 정보를 얻기 위하여 외국이나 외국의 기관에 한해 적용되었으나, 애국법으로 인해 테러와 관련되기만 하면 국외·국내를 불문하고 개개인의 정보도 제출하게 하는 명령을 내릴 수 있게 되었다. 애국법 시행 전 도청장치의 설치는 통신수단의 제공자와 설치될 장소가 특정되어야만 가능했으나, 동법의 시행으로 익명의 개인에게도 도청장치를 설치할 수 있게 하는 FISC의 명령이 가능케 되었다. 따라서 이동감시명령을 할 수 있게 함으로써 권한 남용의 위험과 테러의 혐의가 전혀 없는 일반인들에 대한 이동감시가 가능해져 개인 사생활에 개입여지가 있다.

- 207조(타국 정부의 대리권한을 지닌 비(非)미국인을 대상으로 한 FISA하의 감시기간)는 FISA에 따른 신체수색명령이 효력을 발휘하는 기간을 45일에서 90일로 늘어났으며, 도청장치의 허용기간도 90일에서 100일로 연장하였다.
- 209조(영장에 의한 음성우편메시지의 압수)는 1996년의 「종합테러방지법」의 조항에 유선(wired)을 추가하였다. 이로써 개인의 저장된 음성우편(사서함) 메시지도 영장에 의하여 압수될 수 있고, 대상자가 음성사서함 이용자뿐만 아니라 통신사업자까지 확대되었다.

- 212조(생명과 신체를 보호하기 위한 전자통신의 긴급 공개)는 그때까지 통신사업자는 고객의 통신내용에 관한 정보만 수사기관이나 정보기관에 제공할 수 있었으나 사망이나 신체적 위협이 임박한 긴급 상황인 경우 고객의 통신내용과 관련되지 않은 정보도 공개할 수 있게 되었다.
- 213조(영장실행 통지의 지연)는 수색영장의 집행사실을 대상자에게 고지하지 않는 소위 '비밀수색영장'을 법원으로부터 발부받는 것을 허용하고 있다. 종래 연방형사소송규칙 제41조는 수색영장을 집행한 수사관으로 하여금 영장의 사본과 압수한 물품의 목록을 남겨놓고 법원에 그 집행결과를 보고하도록 하고 있었다. 그러나 제213조는 법원에 수색사실을 통보하는 것이 역효과를 가져올 수 있다고 믿을 만한 합리적인 이유가 있는 경우에 그러하지 않을 수 있다. 다만 비밀수색에서 발견한 증거품은 압수할 수 없지만 비밀수색으로 획득한 정보를 근거로 차후에 압수수색영장을 발부받아 집행할 수 있도록 하였다. 즉 영장집행의 고지를 집행 후로 연기하는 제도라 할 수 있다. 이러한 비밀수색영장을 신청하려면 반드시 사전통지로 인해 수사 또는 공판에 심대한 장애가 발생해야 한다는 것을 증명해야 한다.
- 214조(FISA하의 통화기록장치와 추적 권한)는 FISA의 402조와 403조를 개정하여 통화기록장치(pen register) 등의 추적 장치를 사용하여 조사 또는 수사할 수 있는 권한의 범위를 광범위하게 설정해놓았다. 따라서 수사기관이 FISC에 '국제적인 테러나 미연방법률을 거스르는 간첩행위에 관련되어 있는 개인 또는 외국이 사용하는 장치에 의하여 감시되고 있다는 사실을 믿을 만한 상당한 이유'라는 요건을 갖추지 않아도 통화기록장치 등 추적 장치를 사용할 수 있게 되었다.
- 215조(FISA에 의한 기록 등에의 접근)는 FISA를 개정하여 FBI로 하여금 테러범죄에 대한 수사에 필요한 경우 개인에게도 관련 증거물의 제출을 강제하도록 FISC가 명령할 수 있다는 것이다. 종래에는 FISA에 의해 FBI가 취득할 수 있는 기록은 공공 수송수단, 물리적 저장시설, 차량 임대시설 등이 보유하는 기록에 국한되었으나, 이러한 제한을 삭제하였다. 이로써 FBI로 하여금 대상의 유형에 제한 없이 모든 단체 또는 개인에 대해 테러범죄에 관련된 정보의 제출을 명령하는 영장 발부를 FISC에 신청할 수 있게 한 것

이다. 또한 제출명령의 대상을 기존의 '기록'에서 '서적·기록문서 또는 기타 물건(any tangible things)으로 모호하게 하여 거센 비난을 받고 있다. 이에는 books·records·papers·documents, and other items 등이 포함되어 있어 사실상 무차별적인 정보수집이 가능하다.

- 217조(컴퓨터 무단 접속자의 통신감청)는 1996년의 「종합테러방지법」의 2510조를 보완하여 컴퓨터에 허가나 승인 없이 무단으로 접속한 'computer trespasser'의 용어규정을 두었고, 동법 2511조 (2)에 합법적인 수사에 관련되어 computer trespasser의 유선·구두·전자통신을 감청하는 경우는 불법이 아니라고 추가하였다.
- 218조(국외의 기밀정보)는 FISA의 조항에 '목적'을 '상당한 목적'으로 변경하여 정보 수집을 보다 용이하게 하였다.
- 219조(테러범죄에 대한 단일 관할권적 수색영장)는 테러범죄에 대한 압수 및 수색영장의 관할요건을 완화하고 있다. 종래에는 연방형사소송규칙 제41조 (a)에 의해 압수 및 수색영장이 발부된 법원의 관할구역 내에서만 해당 영장이 유효하였으나 테러범죄 혐의자의 색출을 위한 압수 및 수색영장의 경우 관할에 상관없이 전국적으로 그 효력을 유지하게 하였다.
- 220조(전자증거 수색영장의 전국적 적용)는 1996년의 「종합테러방지법」의 제121장에 따라 적용되는 규정을 수사 중인 범죄의 관할권과 결부하여 보다 분명히 하였다. 따라서 전자증거(인터넷 기록이나 e-mail 등)가 될 수 있는 서비스를 제공하는 자가 위치한 지역과 상관없이 미국의 전역을 대상으로 하는 수색영장의 발급이 가능케 되었다.
- 223조(승인되지 않은 특정한 공개에 관한 민사책임)는 1996년의 「종합테러방지법」의 2520조와 2707조에 행정적 제재를 추가하여 본 조문이 속해 있는 장의 조항을 위반하여 미국 또는 미국 내의 기관이 자연인에게 피해를 준 경우 행정적 제재를 부과하는 규정과 부적절한 공개에 해당하는 상황을 적시한 규정을 신설하였다.
- 225조(FISA에 따른 도청 준수(자)의 면책)는 FISA의 105조에 법원의 명령이나 긴급한 원조를 위한 요청에 따라 정보·시설·기술적 원조를 제공한 유선·전기통신 제공자의 행동이 소송 제기사유가 되지 않는다는 조항을 새

로이 규정했다.

다음은 애국법 제3장부터 제10장의 내용을 차례로 알아본다.

애국법 제3장(국제적 자금세탁 방지 및 테러자금대응법)은 「자금세탁규제법」과 「은행비밀유지법」의 수정에 대한 내용이다. 국제적인 자금세탁을 대비하기 위해 국내뿐만 아니라 국제적 차원의 협조와 노력이 필요함을 강조하였고(제302조) 미국인이 아닌 자나 미국에 체류 중인 외국인이 개설·관리·운영하고 있는 미국 내 금융기관의 계좌나 대리(통신) 계좌의 특별 심사를 실시하여야 하고(제312조), 실체를 가지지 아니한 외국 은행의 대리(통신) 계좌의 개설·유지·운영 등을 금지하고 있다(제313조). 또한 자금 세탁을 방지하기 위한 일환으로 금융기관과 법집행기관 간의 협조·정보의 공유에 관한 절차 및 이용 등에 대해 규정(제314조)하고 있고, 국외자금 세탁자와 관련하여 미국 내에서 부분적으로 자금 세탁이 이루어졌다 하더라도 해당 자금 세탁자에 대한 미국 내 관할권이 당연히 인정되며, 이러한 경우 관할 지정 및 그 권한에 대하여 규정(제317조)하고 있다. 또한 집단계좌를 통한 거래는 금지되며, 금융 기관은 집단 계좌에 관한 여하한 정보도 이용자에게 공개해서는 안 되고(제325조), 지정된 요원은 보안 중개상이나 판매상에게 의심스러운 행동이 파악되었을 때 즉시 유관 기관에 신고해야 한다(제356조)고 규정하고 있다. 교역이나 업무로 일만 달러 이상의 통화나 외환을 거래하는 경우 유관 기관에 통보해야 하고(제365조), 미국으로 밀반입하거나 밀반입된 일만 달러 이상의 상품이나 현금과 관련된 행위를 범죄로 보고 그에 관한 형벌을 규정하고 있다(제371조).

애국법 제4장(국경보호)은 테러범죄의 혐의가 있는 외국인 입국을 사전에 차단하는 출입국 통제를 강화하고 있다. 제401조는 북부 경계에서 이민과 국적에 관한 임무를 위해 법무부장관에게 할당된 인원제한을 해제하여 법집행을 강화하였고, 제411조는 테러리즘 활동에 대한 지원, 배우자나 자녀가 테러 조직에 연관된 경우, 미국의 공공복리와 안전 등을 위태롭게 할 수 있는 활동에 관여할 의도가 있는 경우 입국이 금지될 수 있다. 제412조는 외국인에 대한 출입국 통제를 강화하기 위해 테러범죄의 혐의가 있는 외국인에 대해 법무성이 강제 억류할 수 있게 하였다. 법무장관은 외국인이 ① 간첩 또는 사보타주를 위해 미국에 입국한 경우,

② 반정부 폭력투쟁을 위해 미국에 입국한 경우, ③ 테러범죄에 연류된 경우, ④ 미국의 국가안보 위협 등에 해당할 것이라는 믿을 만한 이유가 있는 외국인에 대해 구금할 수 있도록 하였다. 이 경우 억류기간은 6월을 초과하지 않아야 하며, 억류를 계속할 경우 6월마다 억류의 타당성을 심사·결정해야 한다. 또한 제416조에서 테러범죄에 가담할 수 있는 불법체류자를 차단하기 위해 외국학생의 비자감독 프로그램의 전면 시행, 교육기관에 재학 중인 외국인 학생들에 대한 신원·주소·신분 등의 정보를 수집할 수 있도록 하였다.

애국법 제5장(테러수사의 방해물 제거)은 테러범죄 수사에 있어서 기술적인 장애요인을 없애기 위한 것으로 제505조에서 법무장관이 테러범죄와의 수사 관련성을 국가안보요청서(a national security letters)를 통해 요청하면 법원의 영장 없이도 통신사업자로부터 고객의 인터넷 접속 등에 관한 정보를 취득할 수 있게 하였으며, 제507조에서 법무장관은 테러범죄의 수사 또는 기소를 위해 필요한 경우 테러범죄 혐의자의 학교기록을 열람할 수 있는 권한을 부여하였다.

애국법 제8장(테러리즘에 대항한 형법률의 강화)에서는 테러범죄에 대한 처벌규정을 크게 강화하였다. 제801조에서 테러범죄자에 대한 처벌을 20년 이하의 징역에 처하는 것과 대중교통수단에 대한 범죄는 테러범죄의 주관적 요소를 충족하지 않더라도 동 조항의 규정을 받게 하였으며, 제803조에서 테러범죄를 실행 또는 기도하는 사실을 인지하였음에도 불구하고 이를 보호 또는 은닉한 자를 10년 이하의 징역에 처하도록 규정하고 있다. 공소시효에 대해서는 제809조에서 모든 종류의 테러행위에 대하여 공소시효를 8년으로 정함과 동시에 테러로 인하여 사망 또는 중대한 상해를 야기하거나 이러한 위험을 초래한 경우에는 공소시효를 인정하지 않아 언제까지라도 처벌할 수 있도록 하였다.

나머지 애국법 제6장은 테러리즘 피해자와 공공안전요원 및 그들의 가족을 위한 지원에 관한 규정이고, 제7장은 미국의 중요기반시설 보호를 위한 정보공유에 관한 내용이며, 제9장은 테러범죄에 관한 정보수집에 관한 CIA의 역할을 강화하여 정보수집 체계를 향상시키는 내용이며, 제10장은 기타 용어 정의와 동법의 감독기구 설치에 관한 규정이다.

(2) 자유법(USA FREEDOM Act)

자유법의 정식명칭은 「권리를 실현하고 감청, 저인망식 수집 및 온라인 감시의 종결을 통해 미국을 통합하고 강화하는 법」(Uniting and Strengthening America by Fulfilling Rights and Ending Eavesdropping, Dragnet-collection and Online Monitoring Act)이다. 앞에서 언급한 애국법이 무분별한 감청으로 인한 미국민들의 분노로 인해 대량 정보수집과 FISC의 투명성을 강화시키기 위하여 2015년 5월 13일 제정되었다. 동법은 총 8개의 장(title)과 35개의 조문(section)으로 구성되어 있다.

주요내용은 다음과 같다.

제1장의 FISA 상의 업무기록에 대한 개정(FISA Business Records Reforms)은 애국법에서 법원에서 적법하게 발부받은 영장 없이도 내국민과 외국인을 감시 및 감청할 수 있었지만 동법에서 통화기록의 상세한 기록을 요청하기 위해서 더욱 상세한 요건(감시 혹은 감청할 용어 혹은 단어 등)을 구비하게끔 요구하고 있으며(제101조), 대량의 정보수집을 금하고 있다(제103조). 아울러 정보기관의 감시 및 시찰에 관한 사후 통제(제104-제110조)를 규정함으로써 엄격한 요건을 요구하고 있다.

제2장의 FISA 상의 통화기록장치와 추적장치에 대한 개정(FISA Pen Register and Trap and Trace Device Reform)은 애국법 제214조에서 통화기록장치와 추적장치를 이용하여 대량의 도·감청을 행할 수 있었으나, 동법의 제 201조는 이와 같은 대량 정보의 수집을 금하고 있다.

제3장의 FISA 상 미국 외에서 지정된 자의 정보획득에 대한 개정(FISA Acquisitions Targeting Persons Outside the United States Reforms)은 애국법 제215조에 의해 국외의 정보를 사실상 무차별적으로 수집·이용이 가능했으나 동법 제301조는 이와 같은 불법적으로 획득한 정보를 폐기하거나 사용을 제한하는 최소한의 절차를 구비하도록 하고 있다.

제4장의 FISC의 개정(Foreign Intelligence Surveillance Court Reforms)은 동법원의 구조를 개선하는 것으로 법정 조언자에 관한 규정(제401조)을 두어 개인의 법적 절차를 보다 엄격히 한 것이다.

제5장의 국가안보요청서의 개정(National Security Letter Reform)은 애국법의 한시 조항과 더불어 많은 논쟁을 불러일으켰던 국가안보요청서에 관한 내용을 개선한 것이다. 국가안보요청서로 인한 대량 정보수집을 금하고 있고(제501조), 사후 심사와 감독에 관한 규정(제502조-제503조)을 보완하였다.

제6장의 FISA의 투명성과 보고 요건(FISA Transparency and Reporting Requirements)은 애국법에 의하면 FISA에 의한 FISC의 불투명한 구조 및 집행에 문제가 발생할 수밖에 없었다. 따라서 업무기록 제공요구 명령에 관한 추가 보고와 의회로의 준수된 업무기록(감시) 보고(제601조), 정부의 연례 보고(제602조), FISA 상 명령의 적용을 받는 자의 공공 보고(제603조), FISC의 결정・명령・의견・FISC의 재심에 대한 보고 요구 사항(제604조), FISA 상의 보고서 제출(제605조)과 같은 사후통제 규정을 다양하게 두고 있다.

제7장의 강화된 국가안보조항(Enhanced National Security Provisions)은 변화하는 테러행위에 대한 대처의 일환으로 긴급한 상황에서 테러방지와 국가안보를 위해 국내 체류 중인 외국인에 대한 감청이 72시간 내에 가능하다는 규정(제701조-제702조)과 대량 살상 무기의 국제적인 확산을 방지하기 위한 감시와 수사를 강화하는 규정(제703조), 국외의 테러조직 지원에 대한 강화된 처벌규정(제704조)을 설정하고 있다. 또한 제705조는 무분별한 대국민 감시를 가능케 한 애국법의 제206조와 정보수집체계 개정 및 「종합테러방지법」 제6001조의 적용 기한을 기존의 2015년 6월 1일에서 2019년 12월 15일로 연장하였다.

제8장의 해양 항해의 안전과 핵테러리즘협약의 이행(Safety of Maritime Navigation and Unclear Terrorism Conventions Implementation)은 해양의 안전에 관한 조항(제801조-제805조)과 핵을 이용한 테러리즘을 예방하는 조치(제811조-제812조)를 신설하여 테러리즘의 범위를 확장하였다.

(3) 「국제테러대책법」(1984 Act to Combat International Terrorism)

이 법은 1984년 테러범죄 행위를 인류의 생명과 안전에 관한 기본권을 침해하는 용납할 수 없는 범죄행위로 규정하고, 테러범죄의 방지를 위한 연방정부의 정책수립과 조정, 유관기관 간의 협력체계 구축과 대응능력 배양, 그리고 국제협력을 주도적으로 확보하기 위해 제정하였다. 이 법은 제3자의 작위(作爲) 또는 부작위를 강제하기 위해 이루어지는 인질강요 및 감금죄 등을 최대 종신형으로 처벌할 수 있게 하였고, 국무장관으로 하여금 6개월마다 국제테러범죄를 상・하원 의장에게 제출하도록 하였으며 해당 국가에 대한 원조의 중단과 무기 수출의 통제, 군사적 기술 또는 정보의 제공금지, 관세특혜 배제 등의 조치를 취하도록 하였다. 또한 해외공관에 대한 끊임없는 테러범죄의 위협에 대처하기 위해 테러행위에 관한 정보를 제공할 경우 보상금을 지급할 수 있게 하는 등 국제적 협력 강화를 규정하였다.

(4) 「반테러 및 실효적 사형부과에 관한 법률」(Antiterrorism and Effective Death Penalty Act of 1996)

1995년 미국은 오클라호마시에서 연방청사에 대한 자살폭탄테러 사건[65]이 발생하자 1996년 이 법을 제정하였다. 이 법은 미국 내에서 발생하는 테러범죄를 연방범죄로 규정하여 연방수사기관 및 연방법원의 관할대상으로 하고 FBI 산하에 국내테러방지센터를 설치하는 등으로 테러범죄 수사권을 강화하였다. 또한 그동안 영・미법계에서 확고한 지위를 가지고 있는 인신보호영장제도[66]에 대한 법리를 대폭 수정하여 주(州)법원이 영장의 청구를 기각한 것이 명백하게 위법하지 않은 경우에 이를 재차 연방법원에 되풀이 하지 못하도록 하였으며, 영장을 연방법원에 이미 청구한 경우 연방항소법원의 허가를 받도록 강제하였다. 또한 연방대법원으로부터 연방항소법원의 영장청구 기각에 대한 사법적 판단의 권한을 박탈하여 연방항소법원이 영장청구 심사의 최종심이 되도록 하였다.

이후 미국에서는 자생테러 대처를 위해 9・11테러 이후 만들어진 국토안보법(Homeland Security Law, 2002)을 개정하여 2007년에 「폭력적 급진화(急進化)와 자생테러예방법」(Violent Radicalization and Homegrown Terrorism Prevention Act, 2007)을 새로 제정하였다.

---

65) 1995년 4월 19일 미국 오클라호마시티에 있는 연방정부청사에서 폭발물을 가득 실은 트럭의 폭발로 168명이 사망하고, 680여 명의 부상자가 발생했다. 범인 티모시 맥베이(Timothy McVeigh)는 사교집단 광신도이고 무정부주의자로 1997년 사형 판결을 받고 2001년 처형되었다.

66) 인신보호영장(人身保護令狀, writ of habeas corpus)은 피의자가 재판 없이 투옥되지 않도록 하는 영미법의 원칙이다. 기원은 영국이 1679년 인신보호법(the Habeas Corpus Act)을 제정하면서 불법구금에 대하여 영장을 청구할 권리를 확정하고, 1816년 범죄 혐의로 구금된 경우는 물론이고 모든 불법구금에 대하여 영장을 청구할 수 있도록 하였다. 우리 헌법도 제12조 6항에서 이 제도를 도입・시행하고 있다(법률용어사전).

(5) 대통령령 제13224호(Executive Order 13224)

2001년 9월 23일 부시 대통령에 의해 서명된 대통령령 제13224호는 테러리스트와 그들 조직의 재정적 지원을 원천적으로 차단하기 위해 만들어졌다. 이 명령은 미국 법무부의 지원 하에 재무부에 테러리즘을 범했거나 범할 상당한 위험이 있는 외국인이나 외국법인 및 이들을 지원하는 사람의 자산을 지정하고 봉쇄하는 권한을 부여했다. 동 명령은 법적인 측면에서 다음과 같은 중요성을 갖는다. 첫째, 부속서에 기재된 특별지정 국제테러범(Specially Designated Global Terrorists)의 미국 내 모든 재산과 재산상 이익 또는 그러한 재산이 미국인의 보유・관리 하에 있는 경우는 모두 봉쇄된다. 둘째, 봉쇄된 재산이나 재산상 이익의 거래에 미국인은 관여할 수 없다. 셋째, 미국인이 동 명령의 적용을 받는 자로부터 자금, 재산, 용역 또는 어떠한 이익을 창출하거나 받을 수 없다. 넷째, 동 명령의 목적을 회피하거나 위반을 시도하거나 하는 미국인에 의한 거래는 허용되지 않는다. 다섯째, 동 명령을 위반한 자에게는 민사와 형사상의 중대한 형을 선고받을 수 있다.

동 명령 제1조는 적용의 대상을 규정한 조항으로 동 명령에 의거하여 특정된 자를 제외하고 ① 동 명령 부속서에 기재된 외국인, ② 재무부와 법무부장관과의 협의 하에 국무부에 의해 지정된 외국인 또는 미국의 안보 및 경제 또는 외국의 정세를 위협하는 테러를 범하거나 범할 만한 상당한 위험이 있는 자, ③ 국무부와 법무부장관과의 협의 하에 재무부에 의해 결정된 자 또는 본 명령의 부속서에 등재된 자를 대신하여 행동하는 자 등을 동 명령의 적용 대상자로 지정하였다. 제2조는 적용되는 행위를 규정하였는데 제1조에 규정된 자가 미국 내에서 혹은 미국인과의 재산 상 거래를 금지하고 있고, 이러한 동 명령의 금지사항을 회피하거나 음모를 꾀하는 거래 행위 역시 금지하고 있다. 제6조는 국무부・재무부 등 기타 유관기관의 협조 및 국제적인 협력을 규정하고 있다.[67]

---

67) 미 국무부(U.S.Department of state) 홈페이지(http://www.state.gov/j/ct/rls/other/des/122570.htm) 참조.

2. 대테러 관련기관

(1) 개 관

미국은 9 · 11테러 이후 대테러 관련기관들 간의 정보공유 및 예방을 위한 협력체계를 구축하였다. 가장 특징적인 것이 국토안보부(DHS: Department of Homeland Security)의 신설이다. 이는 미국의 대테러관련 기관을 통합적이고 효과적으로 협력 · 조정하기 위해 설립되어 테러에 대하여 범정부적인 대응을 취하도록 하고 있다. 국토안보부는 2001년 9 · 11테러에 대한 미국의 행정적 대응으로 2003년에 창설되었다. 국토안보부는 미국의 15번째 연방 부(部)로 규모와 범위 측면에서 기존의 부 못지않은 중요한 역할을 담당하고 있고, 미국 국토안보에 관한 업무를 포괄적으로 다룬다는 측면에서 주목할 만하다. 국토안보부의 창설은 그때까지 복잡한 대테러조직을 재조직화하고 개혁을 수반하는 과정이기 때문에 다양한 관할권 갈등 및 행정부처의 정치적 행위 등을 초래할 수 있었다. 그럼에도 불구하고 국토안보부는 9 · 11테러 발생 이후 약 13개월 후에 성공적으로 창설되었다. 이러한 갈등을 극복하고 국토안보부의 창설이 가능했던 요인을 살펴보면 다음과 같다.

첫째, 국토안보부 설립의 정치 · 사회적 배경에서 찾을 수 있다. 국토안보부는 미국 본토에 가해진 9 · 11테러라는 전례 없는 위기로 인해 창설되었고, 이후 변화된 안보환경에 대응하기 위해 신설되었다. 뿐만 아니라 위기에 빛을 발하는 애국심 효과는 대통령 및 행정부에게 광범위한 권한을 부여하게 했고 정부에 대한 높은 신뢰도를 바탕으로 하고 있기 때문에 가능했다. 이는 국토안보부 창설에 대해 국민들의 전반적인 지지가 있었기 때문에 성공적으로 창설될 수 있었다.

둘째, 조직 및 제도에 기반한 것이다. 미국 정책 결정자들은 9 · 11테러가 이를 막지 못한 정보기관의 정보실패로부터 기인한 것이라 인식하였고, 따라서 기존 기관의 비효율성을 극복할 수 있는 효율적이며 통합된 기관이 필요하다고 판단하였다. 즉 새로운 조직은 효율성과 생산성 향상을 바탕으로 마련되어야 한다는 데 전반적인 동의가 있었고, 이를 바탕으로 국토안보부가 창설되었다.

셋째, 국토안보부 창설 과정에서 나타나는 다양한 정치적 전략이 주효했다. 특히 부시 대통령과 그 밑의 관료들의 역할이 중요했다. 부시 대통령은 9 · 11이라는 국가위기상황을 정치적으로 아주 잘 활용했으며 미디어를 통해 국민에게 직접적으로 국토안보부 창설의 필요성을 호소하였다. 이러한 대통령의 적극적인 대중호소와 정치적인 설득은 성공적인 창설의 밑바탕이 되었다.

국토안보부의 탄생과정을 구체적으로 보면 우선 실질적인 법률의 변경이었다. 대통령은 행정명령(Executive Order 13228)을 통해 2001년 10월 8일 대통령실 내에 국토안보실(Office of Homeland Security)과 국토안보위원회(Homeland Security Council)를 설립하였다. 이어 10월 26일 곧바로 애국법(USA Patriot act)을 제정하였고, 11월 19일 「항공 및 운송 보안에 관한 법률」(Aviation and Transportation Security Act)을 제정하고 교통안전국(Transportation Security Administration)을 창설하였다. 이 법을 통해 공항 보안이 연방정부의 책임이 되었으며, 하향식 시스템을 통해 더욱 효과적인 항공보안시스템을 구축하게 되었다. 따라서 항공기 보안검색 강화의 필요성과 효과적인 운영을 위해 연방정부가 공항보안시스템을 담당하게 된 것이다. 뿐만 아니라 「국경보안과 비자개혁법안」(Enhanced Border Security and Visa Entry Reform Act)을 통해 출입국시 생체인식 정보를 요구하는 등 국가 안보를 위한 입법조치를 매우 신속하게 진행했다. 부시 대통령은 테러발생 한 달 후인 10월에 애국법을 승인하였는데, 이는 법안 발의부터 제정까지 소요된 기간이 약 한 달에 불과하다는 것을 의미한다. 이후 이 법이 가져온 기본권·인권침해 등을 고려하였을 때 그같이 논란이 되는 법안이 한 달 만에 가결된 것은 매우 이례적인 일이다. 이는 위기발생이후 전반적인 국가분위기와 국민정서, 그리고 대중의 요구에 기인한 것이다. 11월 8일 제정된 「테러방지법」(Combating Terrorism Act of 2001)의 경우 본회의 시작 30분 전에 상원에게 제공되었다는 점은 9·11이후 국가 안보와 관련한 법안들이 충분한 숙고과정을 거치치 않은 채 신속하게 의결되었음을 보여주는 사례다.

또한 국토안보부의 창설은 9·11테러를 막지 못한 주요 원인이 정보공동체의 정보실패로 인한 것으로 이는 미국 의회의 '9·11진상조사위원회 보고서'(911 commission report)에 나타난 것이다.[68] 즉 미국의 정보공동체는 관료조직의 상상력 부재, 미숙한 정책 대응, 정보기관들의 정보공유 부재 등의 문제가 있었다. 특

68) 9·11Commission, National Commission on Terrorist Attacks Upon the United States (2002) http://govinfo.library.unt.edu/911/report/911Report.pdf(검색일 2018.2.27).

히 정보공동체가 하나로 통합되지 않은 채 분산되어 있어 조정이나 협조가 잘 이루어지지 않고 비효율적으로 운영되고 있다는 점이 문제로 제기되었다. 이는 이전부터 지속적으로 제기되어 오던 정보기구의 문제점으로 대대적인 정보기구의 개혁이 요구되었고, 이를 계기로 국토안보부를 창설하게 되었다. 특히 하원에서 제기된 국토안보부 창설 법안은 효율적인 인사관리 개혁을 전제로 국토안보부 내 고용인들의 노동조합 참여를 금지하고, 불만 고충과정을 간소화하여 노동에 대한 관리의 효율성을 높이고, 적절한 절차 없이 해고할 수 있도록 하였다. 이 인사조직 개혁은 1978년 「공무원 제도개혁법」(CSRA: Civil Service Reform Act)이후의 가장 광범위하고 급격한 변화로 28개의 기관을 국토안보부로 이전하고 국토안보부 장관이 직접 관장하게 하였다.

이 외에도 백악관은 물론 국무부, 국방부, 재무부, 법무부, 중앙정보국(CIA), 국가정보국(ODNI), 국가테러대응센터(NCC), 국제개발청 등이 있다. 각 기관이 테러와 관련하여 서로 협력하고 어느 정도 관여하는 부분이 있기는 하지만 각 기관이 당초 테러 대응을 위해 설립된 것이 아니므로 여기서는 대테러대책과 관련하여 조직 체계도를 알아보고, 주요 기관을 중심으로 각 기관이 맡은 업무를 중점적으로 살펴본다.

(2) 대테러 관련기관

1) 국토안보부(DHS: Department of Homeland Security)

2003년 3월 1일부터 공식적으로 업무를 시작한 국토안보부의 주된 임무는 ① 테러공격의 예방이나 허가받지 않은 화학적, 생물학적, 방사능 및 핵물질의 획득 및 사용에 대한 예방 그리고 주요 기반시설과 리더십에 대한 위협방지를 통한 테러예방과 안전보장의 증대, ② 육·해·공 국경의 효과적인 통제와 합법적인 무역과 여행의 보장 그리고 다국적 범죄단체의 해산을 통한 국경안전의 증대, ③ 이민시스템의 강화와 효과적인 운영 및 불법이민의 예방을 통한 이민법의 강화와 운영, ④ 안전하고 탄력적인 사이버환경 조성과 사이버안전지식과 혁신의 조장을 통한 안전한 사이버공간의 보장, ⑤ 재난위험요인들의 제거, 재난에 대한 준비, 효과적인 비상대처를 통한 자연재해에 대한 탄력성 확보 등이다.

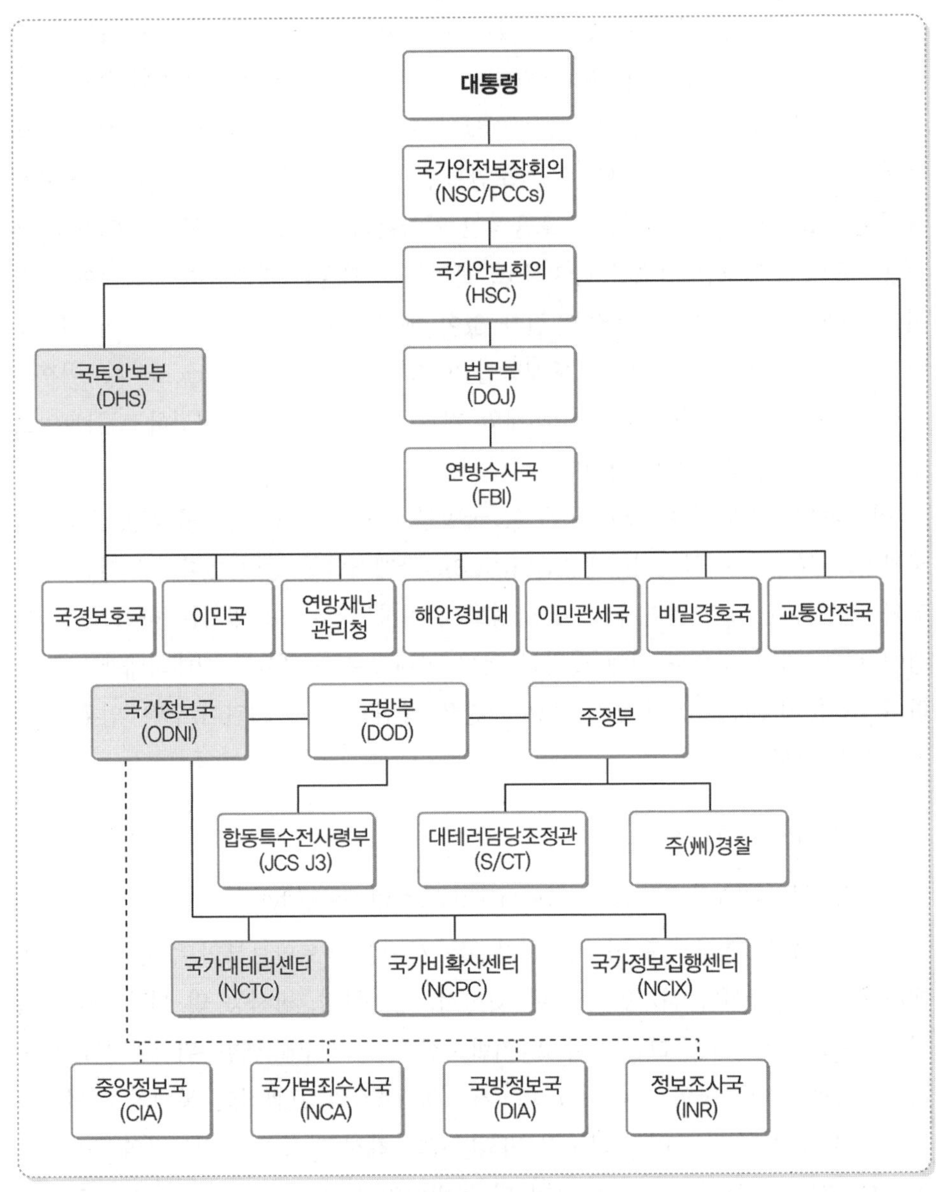

[미국 대테러관련 조직 체계도]

출처: 『경찰의 대테러 관련법 · 조직 · 임무 재정비 방향 연구』(2016, 경찰청), p. 106 수정.

국토안보부는 다음의 [그림]에서 볼 수 있는 바와 같이 대통령이 임명하는 국토안보부 장관을 중심으로 이를 보좌하는 차관과 참모인 비서관, 군사고문으로 구성된 지휘부가 있고, 상원의 동의를 필요로 하는 정보분석 및 기반시설보호차관(Under Secretary for Information Analysis and Infrastructure Protection), 과학기술차관(Under Secretary for Science and Technology), 국경 · 교통차관(Under Secretary for Border and Transportation Security), 비상대비대응 차관(Under Secretary for Emergency Preparedness and Response), 시민권 이민서비스 국장(A Director of the Bureau of Citizenship and Immigration Services), 운영 차관(An Under Secretary for Management), 12명 이하의 차관보, 법률위원회에 임명되는 총괄법률고문의 차관을 임명하고, 감사관(Inspector General), 해안경비 사령관(Commandant of the Coast Guard), 비밀경호국장(A Director of the Secret Service), 정보책임관(A Chief Information Officer), 재무담당관(A Chief Financial Officer), 인적자원책임관(A Chief Human Capital Officer), 인권자유담당관(An Officer for Civil Rights and Civil Liberties)이 각각 해당 부서의 장으로 업무를 수행하고 있다.[69)]

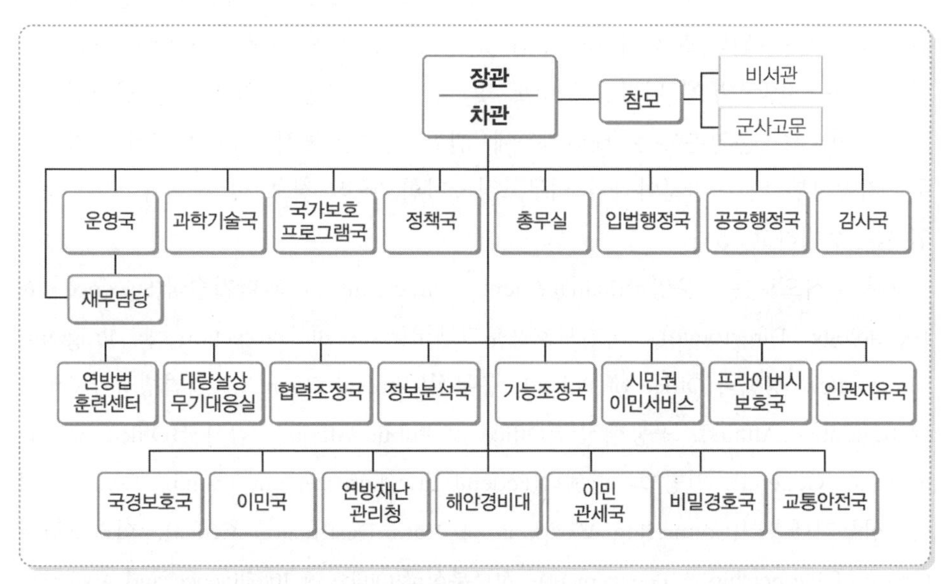

[국토안보부 조직도]

출처: 국토안보부 홈페이지 (file:///C:/Users/user/Desktop/_DHS_Organizational_Chart.pdf)(검색: 2018. 2.27.)

---

69) Homeland Security Act of 2002, PUBLIC LAW 107 - 296—NOV. 25, 2002, SEC. 103. OTHER OFFICERS.

업무별로 보면 크게 국경교통안전분야, 비상계획 대응분야, 화생방·핵 대응분야, 정보분석 및 기반시설보호분야, 운영분야 등 5가지로 구분할 수 있다.

국경교통안전분야는 테러리스트의 입국과 테러도구의 유입 예방과 교통안전 확보, 이민관련 업무관리 및 세관업무의 효율적 시행, 합법적 운송과 상업 활동의 효율성 추진 등의 업무를 수행한다.

비상계획 및 대응분야의 경우는 긴급상황 대비 준비태세의 확보와 교육훈련 및 업무수행 평가, 대형재난에 대한 지휘, 의료 지원체제 감독, 연방정부와 민간분야의 협력강화, 상호 운용이 가능한 통신기술 프로그램의 개발 등의 업무를 수행한다.

화생방·핵 대응분야의 경우는 테러공격의 탐지·예방 을 위한 국가적 연구개발 지원과 정책지원의 우선순위결정, 지방정부에 행동지침을 제공하는 역할을 한다.

정보분석 및 기반시설 보호분야는 정보의 통합, 분석, 테러위협 평가, 잠재적 테러리스트 색출과 기반시설의 취약성 평가, 보호 우선순위선정과 예방, 대응방법 모색, 국가자원의 보호계획의 수립, 효율적 보호방안 강구, 국토안보 자문시스템의 감독, 지방정부에 위협경고 정보 및 대응책의 제공 등의 업무를 담당한다.

마지막으로 운영분야는 테러대응에 관한 인적·물적 자원의 관리 업무와 주·지방정부 및 민간분야와의 업무조정·지휘, 테러 경보 및 정보의 제공 등의 업무를 수행하고 있다.

세부조직으로는 운영국(Management Directorate), 과학기술국(Scicence & Technology Directorate), 국가보호프로그램국(National Protection & Programs Directorate), 정책국(Office of Policy), 총무실(General Council), 입법행정국(Office of Legislative Affairs), 공공행정국(Office of Public Affairs), 감사국(Office of The Inspector General), 연방법훈련센터(Federal Law Enforcement Training Center), 대량살상무기대응실(Countering Weapons of Mass Destruction Office), 협력조정국(Office of Partnership & Engagement), 정보분석국(Office of Intelligence and Analysis), 기능조정국(Office of Operations Coordination), 시민권 & 이민서비스(Citizenship & Immigration Services Ombudsman), 프라이버시 보호국(Privacy Office), 인권자유국(Office for Civil Rights & Civil Liberties), 교통안전국(Transportation Security

Administration), 국경보호국(U.S. Customs and Border Protection), 이민국(U.S. Citizenship and Immigration Services), 이민 및 관세국(U.S. Immigration and Customs Enforcement), 해안경비대(U.S. Coast Guard), 연방재난관리청(Federal Emergency Management Agency), 그리고 비밀경호국(U.S. Secret Service) 등이 있다.[70)]

이 중에서 테러와 직접적으로 관련된 일을 수행하는 기관들은 다음과 같다.

국가보호프로그램국은 연방시설, 관리자, 인원과 정보 등을 보호하는 연방보호서비스(Federal Protective Service)와 연방, 주, 지역의 기관에서 인원을 확인할 수 있도록 인증서비스와 생체정보 수집・분석・정리・통합을 담당하는 생체인증관리국(Office of Biometric Identity Management), 공공・경제・국가기관의 사이버 보안과 복구업무를 담당하는 사이버보안 & 통신국(Office of Cyber security and Communications), 교육과 정책, 정보제공을 통한 핵심기반시설보호와 복구・대응을 지원하고 민간과 공공기관의 유기적인 협력체제를 담당하는 기반시설보호국(Office of Infrastructure Protection), 운영국(Management)으로 구성되어 있다. 또한 사이버보안 & 통신국에서는 국가사이버통신통합센터(National Cyber security and Communications Integration Center)를 운영하여 24시간 사이버관제와 대응체계를 갖추고 있다. 특히 기반시설보호국은 국가중요기반시설과 자원들에 대한 테러공격의 위험을 감소시키기 위한 프로그램을 만드는 일을 하고 테러공격이나 자연재해 혹은 다른 비상사태에 대한 대비, 즉각적인 대처・복구를 강화시키는 일을 한다. 이 부서에서 관리하는 주요 기반시설은 국가전력망, 음식 및 식수시스템, 국가유적지, 통신 및 운송 시스템, 화학시설 등을 포함한다.

기능조정국은 미국의 안전을 모니터하는 일을 담당하고 있다. 이 기관은 국토안보부내의 프로그램과 50개 주 및 50개가 넘는 주요도시의 주지사, 국토안보자문위원, 법집행기관 그리고 주요기반시설 운영자들과의 활동을 조정하는 일을 한다. 주된 임무는 연방, 주, 지역 및 민간부문 파트너의 일을 조정하고 다양한 정보원에서 수집되는 테러관련 정보의 수집 및 통합을 통해 테러활동을 간파하고, 저지하며, 예방하는 것이다. 이 부서는 정보파트와 집행파트로 나누어 테러관련 정보를 매일 공유되고 통합된다. 정보파트에서 기밀정보를 수집하여 테러위협에 대한 통합적인 정보를 제공하면 집행파트에서 테러행위를 저지하는 일을 수행한다.

70) https://www.dhs.gov/organization (검색: 2018.2.27.)

국경보호국은 약 5만8천명이 일하는 국토안보부 내에서 가장 규모가 큰 기관이다. 임무는 공중과 해양 관리, 현장통제, 국경순찰, 교역관계, 기획, 행정지원, 의회행정, 국제협력, 프라이버시, 상황, 공공행정 등의 부서와 함께 테러분자와 무기의 반입을 방지하고, 여행·이민·무역보호·마약방지 관련업무를 수행하고 있다. 미국 내에서 테러리스트들과 그들의 무기를 제거하고, 불법 입국자 저지, 불법 약물이나 밀수품 억제, 해로운 질병으로부터 미국 내 농산물과 경제적인 이익 보호, 국제무역의 규제 및 촉진, 미국의 무역법을 강화하는 일 등이다.

해안경비대는 국토안보부 내 소속된 유일한 군사조직으로 해상의 질서유지와 해안국경 및 위험의 보호임무를 담당하고 있다. 이들은 부사령관 소속의 정부&공공행정과, 법률협의회, 정보·범죄조사과와 대응정책관, 예방정책관, 특수관리관 등으로 구분되어 해안경비와 수색구조, 해상안전, 밀입국방지, 해양환경보호 등의 업무를 수행하고 있다.

비밀경호국(U.S. Secret Service)은 1865년 이래 미 재무부 소속으로 화폐위조 범죄에 대응하기 위해 창설되었으나, 1901년 윌리엄 멕킨리 대통령 암살사건 이후 의회의 요청에 따라 대통령 경호의 임무를 맡게 되었다. 9·11테러 이후에는 국토안보부 소속으로 대통령 경호와 미국을 방문하는 주요 인사들을 테러나 다른 공격으로부터 보호하고, 국가 중요행사에 대한 안전활동을 담당하고 있다. 우리나라의 경호처 같은 역할을 수행한다. 또한 테러대응의 일환으로 국가의 재정적 기반과 시스템을 보호하기 위해 화폐·금융관련 범죄 혹은 컴퓨터·전자관련 범죄를 수사하는 일을 한다.

연방재난관리청(FEMA: Federal Emergency Management Agency)의 주된 임무는 허리케인이나 홍수 같은 자연재해에 대해 신속하게 대처하는 일이다. 이 청은 1979년 행정명령 12127호에 의해 창설된 부서로 2003년 국토안보부 소속으로 이관, 국토 내 모든 위험에 대한 대비, 보호, 대응, 복구, 감소를 위해 국가적 초기대응에 대한 기반의 설립, 유지, 능력개선을 보장하며 국민의 안전과 초기대응을 지원한다. 강력한 지휘통제 시스템과 전문인력·조직을 갖추고 워싱턴D.C에 위치한 NRCC(National Response Coordination Center)를 통해 재난 및 구호활동에 대한 총괄 지휘·통제를 실시하고 있다. 9·11테러 사건과 같이 대규모의 인명과 재산의 피해를 초래하는 사건발생시 이에 대한 대처와 복구를 책임지고 있다. 이러한 사건에는 대규모의 폭발물이나 생물학적, 화학적 혹은 핵무기를 수반하는 경우도 있기 때문에 이 기관의 역할 또한 중요하다.

교통안전국(Transportation Security Administration)은 9·11테러 이후 11월 19일 「항공 및 운송 보안에 관한 법률」(Aviation and Transportation Security Act)의 개정으로 신설된 부서다. 이 법을 통해 공항 보안이 연방정부의 책임이 되었으며, 하향식 시스템을 통해 더욱 효과적인 항공 보안 시스템을 구축하게 되었다. 따라서 항공기 보안 검색 강화의 필요성과 효과적인 운영을 위해 연방정부가 공항 보안 시스템을 담당하게 된 것이다. 뿐만 아니라 미국 국민의 교통수단 이용과 운송의 자유를 보장하기 위하여 국가의 교통시스템을 보호하는 역할을 수행하고 있다.

이처럼 국토안보부는 28개 기관이 하나의 기관으로 통합되어 설립되었기 때문에 역할과 업무의 비중이 막중하다. 그러나 통합된 모든 기관이 당초의 설립 목적과 취지가 테러대응 혹은 국가안보와 직접적으로 관련된 것은 아니었기 때문에 임무와 책임이 다른 28개의 기관을 하나로 통합하는 것은 쉬운 일이 아니다. 또한, 국토안보부가 테러공격으로부터 미국을 보호하는 일을 하는 유일한 기관이 아니다. 미국정부는 테러예방 및 대응과 관련된 일을 여러 개의 연방정부에 역할을 분담하고 있다. 예를 들어 미국인에 대한 테러공격을 수사하는 일은 FBI가, 해외에서의 테러관련 업무는 국무부가, 그리고 생물학적 및 화학적 공격으로부터 발생하는 의료적인 문제는 보건사회복지부(Department of Health and Human Services)가 담당하고 있다. 따라서 국토안보부의 설립으로 이러한 테러위협을 완전히 제거할 수 있느냐하는 문제는 국토안보부를 포함하여 미국 정부가 풀어야 할 숙제이기도 하다.

2) 국가정보국(ODNI: Office of the Director of National Intelligence)[71]

국가정보국은 1955년에 의회에서 정보와 관련된 모든 일을 책임지는 임무를 수행하는 기구의 필요성이 논의되었으나 미루어오다가 9·11테러 사건 직후에서야 정보체제에 대한 대대적인 개편과 함께 설립이 본격적으로 시작되었다. 2004년 12월 7일 「정보 개편과 테러리즘 방지법」(Intelligence Reform and Terrorism Prevention Act of 2004)이 제정되면서 2005년 설립되었다. 국가정보국은 백악관

71) https://www.dni.gov/index.php 최종검색: 2018.2.27.

직속기관이 아니라 별도의 독립기관이고, 국장은 장관급이지만 국무위원은 아니다. 임무는 미국의 모든 정보기관을 관리·감독하는 역할을 맡고 있으며, 군사와 관련된 정보활동의 예산을 제외하고 기존에 국방부 장관이 관할하던 모든 정보기관에 대한 예산 관리 및 분배권을 쥐고 있다. 국가정보국은 미국의 16개의 정보기관이 모인 정보연합체(Intelligence Community)를 관리하면서[72] 이를 효율적으로 운영하기 위해 각 정보기관들이 수집된 정보를 통합하고 공유하는 역할을 수행하고 있다.

백악관과 다른 정보기관간의 유기적인 정보 통합, 정보공유시스템의 개발, 정보자원과 정보수집역량에 대한 전략적인 배치, 지역의 특성과 기능을 고려한 통일된 정보체계 개발, 다른 정보기관과의 협력강화, 최신정보관련 기술 개발, 다양한 정보기술자들의 고용, 그리고 정보연합체의 효율적인 지원을 임무로 하고 있다.

국가정보국 산하에는 국가적 재난(재해포함)시 비상계획수립 및 관리하는 안전센터(Center for Security Evaluation(CSE)/National Interlligence Emergency Management Activity(NIEMA), 정보기관과 외국정부와의 정보공유를 촉진하는 Information Sharing Environment(ISE), 정보기관과 관련된 각종 과학적 연구를 수행하는 intelligence Advenced Research Projects Activity(IARPA), 국내 스파이활동을 조사하고 방지하는 국가방첩관실(NCIX: Ofiice of The National Counterintelligence Executive), 국내외 대량살상무기(WMD)확산활동을 방지하는 국가대량살상무기확산방지센터(NCPC: National Counterproliferation Center), 국가대테러센터(NCTC: National Counterterrorism Center), 국가정보위원회(NIC: National Intelligence Council), 비밀을 관리하는 Special Security Center(SSC) 등 7개의 센터와 15개의

72) 정보공동체(IC) 구성기관(16개 기관): ① 중앙정보국(CIA), ② 연방수사국(FBI), ③ 마약단속국(DEA/ONSI: Drug Enforcement Administration/ Office of National Security Intelligence), ④ 에너지부정보실(IN: Ofiice of Intelligence), ⑤ 국토안보부 정보분석실(I&A: Office of Intelligence & Analysis), ⑥ 해안경비대 정보국(CGI: Coast Guard Intelligence), ⑦ 국무부 정보조사국(INR: The Bureau of Intelligence and Research), ⑧ 재무부 정보분석실(OIA: Office of Intelligence and Analsis), ⑨ 국가안보국(NSA: National Security Agency), ⑩ 국가지리정보국(NGA: National Geospatial Intelligence Agency), ⑪ 국가정찰국(NRO: National Reconnaissance Office), ⑫ 국방정보국(DIA: Defence Intelligence Agency), ⑬ 육군정보참모부(MI: Army Military Intelligence), ⑭ 해군정보국(ONI: Ofiice of Naval Intelligence), ⑮ 공군정보감시정찰국(AFISRA: The Air Force Intelligence, Surveillance and Reconnaissance Agencey), ⑯ 해병정보국(MCIA: Marine Corps Intelligence Activity).

실(office)이 있다.

3) 국가대테러센터(NCTC: National Counterterrorism Center)[73)]

대테러센터는 「정보 개편 및 테러리즘 방지법」(Intelligence Reform and Terrorism Prevention Act of 2004)과 대통령령 13354에 근거하여 2004년 5월 설립되었다. 미국의 모든 정보기관을 통솔하는 ODNI 소속이다. 센터장은 행정부의 대테러정책 수립과 관련하여 대통령에게 보고하는 일을 하고, 테러대응과 관련된 정보운영과 분석에 대해 조언하며, 국가정보장의 승인 하에 각 정보기관의 대테러 임무를 지휘한다. 이 기관의 주된 임무는 미국영토, 미국인 그리고 미국의 이익을 위협하는 국제적인 테러의 위협을 억제하기 위해 테러대응전략을 세우고 정보분석 시스템을 운영한다. 센터는 대통령과 국토안보부 및 국토안보위원회가 정하는 테러정책의 방향에 따라 테러관련 정부기관 간의 테러에 대한 의견을 수렴하고 각 기관들이 해야 할 역할과 책임을 계획하고 분배하며 미국정부의 대테러활동의 효과를 평가하는 일을 한다. 즉, 정보와 관련하여 부족한 문제점, 정보수집에 있어서의 부족한 자원 등을 파악한다. 또한 테러대응 정보계획(CT Intelligence Plan)을 수립하여 국가정보프로그램(National Intelligence Program)과 국가정보전략(National Intelligence Strategy)에 관련된 활동에 있어서 우선순위를 각 정보기관에 전달하고 정보기관이 이러한 목적들을 얼마나 잘 수행했는지를 평가한다. 그러나 NCTC는 테러관련 정보를 수집할 수 있는 기관으로부터 수집된 정보를 취합하여 종합분석하고 필요한 전략 운영계획을 수립하는 역할을 담당할 뿐, 독자적으로 첩보활동을 하거나 대테러 대책을 실행하거나 후속 조치를 지휘하는 기구는 아니다. 가장 중요한 임무는 역시 미국에 대한 테러위협 분석, 테러관련 정보의 공유, 대응수단의 통합이다.

첫째, 테러위협분석은 각 정보기관이 수집한 국내외 정보를 통합 분석하여 정책입안자를 비롯해서 정보기관, 수사기관, 외국기관 등을 지원하기 위해 정보평가를 하는 것을 말한다. 대통령 일일보고서(President' Daily Brief), 일일 국가테러리즘 게시판(Daily National Terrorism Bulletin) 등을 발행한다. 센터는 기관 간의 협력을 도모하고 정책입안자들에게 국토위협에 대한 최신 정보를 제공하기 위해

73) https://www.nctc.gov/ 검색: 2018.2.27.

ODNI의 국토위협 태스크포스를 지휘하고, 즉각적이고 광범위한 영향을 미칠 수 있는 테러관련 주요 안건에 대한 분석을 제공하는 역할을 수행한다. 정보 분석의 질, 분석 요원을 위한 훈련내용, 분석인력의 장단점 등을 평가하여 각 정보기관의 역할 분담으로 기관 간에 중복되는 일이 없도록 한다.

둘째, 정보공유는 테러리스트 혹은 국제테러단체로 알려지거나 의심받는 자들에 대한 수집 정보를 유관기관에 제공하는 것을 말한다. 또한 다른 기관들이 분석한 테러정보를 서로 공유하도록 제공한다. 효과적인 정보 공유를 위해 30개 이상의 정보기관, 군, 수사기관 그리고 국토안보기관을 조율한다. 테러리스트 신원정보시스템(TIDT: Terrorist Identities Datamart Environment)을 통하여 국제테러리스트들에 대한 통합된 정보저장소를 운영하고 테러범식별센터(Terrorist Screening Center)와 미국정부에서 관리하는 감시대상 시스템을 운영하기 위해 필요한 정보들을 제공한다. 또한 대테러와 관련된 문서들을 약 75개의 미국정부기관, 군기관, 그리고 주된 지휘관들이 사용할 수 있도록 다양한 시스템을 운영한다. 센터 산하에 위협평가 및 조정그룹(Interagency Threat Assessment and Coordination Group)은 국토안보부, 연방수사국 그리고 다른 기관과의 협조를 통해 각 정보기관과 주, 지역, 그리고 개인 협조자 사이에 원활한 정보공유를 제공한다.

셋째, 대응수단의 통합은 외교, 재정, 군사, 정보, 국토안보, 그리고 수사기관들의 다양한 수단을 한곳에 모으는 것을 말한다. 센터는 이를 통합하여 대테러 활동에 대한 전략적인 운영계획을 수립한다. 대테러 정책에 대한 효과적인 통합과 테러와의 전쟁에 참여했던 20개 이상의 정부기관들 간의 운영 통일을 위해 단일화되고 연합된 계획을 수립한다. 폭력극단주의, 테러리스트들의 인터넷 및 대량살상무기 사용, 테러사건 후의 수습 등과 같은 주요 안건에 있어서의 통합 및 조정을 위해 필요한 계획을 세운다. 또한 잠재적인 테러리스트들의 공격을 분석하고 모니터하며 저지하기 위해 기관 간 태스크포스를 운영한다.

4) 중앙정보국(CIA: Central Intelligence Agency)[74]

CIA는 2차 세계대전 후 통합된 정보기관의 필요성을 느껴 1947년 국가안보법(National Security Act of 1947)에 의해 설립되었다. 임무는 국가안보에 영향을 미

74) https://www.cia.gov/index.html 검색: 2018.2.27.

치는 국외정보를 수집, 평가, 보고하는 일을 관장한다. 대통령과 정부의 정책입안자들에게 국가안보와 관련된 결정을 하는 데 있어서 필요한 국외정보를 수집·분석하고 평가한 결과를 제공하는 것이다. CIA는 외국 테러조직의 공격 계획 혹은 생화학 무기 사용 계획 등에 정보를 수집·분석·보고를 통해 국제테러를 예방하고 우방국과의 테러관련 정보도 교류한다. 수집된 정보분석 결과를 대통령과 정책입안자들에게 보고한다. 다만 정보에 대한 보고를 할 뿐이지 정책적인 제언을 하지는 않는다. 정책적인 제언은 국무부 혹은 국방부와 같은 기관들에 의해 이루어지고 이들 기관은 제공하는 정보를 이용하여 다른 나라에 대한 정책을 결정한다. 또한 관련 수사는 주로 FBI에서 하지만 때론 FBI와 협력하여 대테러와 같은 중요사항들을 처리한다. 미국의회는 1980년에 제정된 「정보감독법」(Intelligence Oversight Act)에 의해 구성된 상원정보감독위원회와 하원정보감독위원회를 통해 중앙정보기관의 활동을 감독한다. 지난 2004년 제정된 「정보 개편 및 테러리즘 방지법」에 의해 지휘체계에 큰 변화가 생겨 그때까지 CIA국장이 국외의 모든 정보를 관리하고 정보연합체를 관장하였으나 이제는 그 임무를 국가정보장(Director of National Intelligence)이 하고 있다. CIA 산하에 운영부(Directorate of Operations), 분석부(Directorate of Analysis), 과학 및 기술부(Directorate of Science & Technology), 지원부(Directorate of Support), 그리고 통신혁신부(directorate of digital Innovation) 등 5개 부서를 두고 있다.

5) 연방수사국(FBI: Federal Bureau of Investigation)[75)]

FBI는 9·11테러 사건 이후 정보수집 능력과 테러대응력에 문제가 있음이 지적되어 재원과 인력의 재배치뿐 아니라 내부 조직과 업무처리 방식 등에서 대대적인 개혁을 단행하였다. 핵심은 FBI의 정보수집 및 분석 능력의 배양과 타 기관과의 협력의 강화다. 테러 정보의 수집과 관련하여 이전에는 발생한 개별 사건의 해결을 위해 정보를 수집하였으나 이제는 테러에 대한 종합적인 정보수집과 분석을 통해 테러범들 간의 연계를 차단하여 테러활동을 사전에 차단하는 방식으로 바뀌었다. 또한, 범죄수사에 집중 사용된 자원과 인력을 국가안보에 사용하도록 재배치하여 테러 정보를 수집하기 위해 각 지역본부 산하에 정보국을 두고 자원

---

75) https://archives.fbi.gov/archives/news.testimony/the-state-of-intelligence-reform-10-years-after-911 검색: 2018.2.27

을 확충하여 보다 효율적으로 대테러 능력을 키웠으며, 정보분석 전문가를 2배 이상으로 확충하고 수집된 정보의 효율적인 사용을 위해 현장에서 일하는 요원들의 정보 사용 능력을 강화하였다. 또한 수집된 정보의 활용력을 높이기 위하여 정보기술시스템인 CORE(Collection Operations and Requirements Environment)를 개발하여 수집된 정보를 다른 기관에 빠르게 전달·공유하도록 하였으며, 웹을 기반으로 한 응용프로그램인 IIR(Intelligence Information Reports)을 개발하여 수집되는 정보를 추적하고 표준화하여 다른 정보기관에 정보를 제공하는 능력을 효과적으로 증진시킬 수 있게 되었다.

9·11 이후 FBI는 정보수집 능력 및 수집된 정보의 활용력의 증가와 함께 강화된 분야는 다른 정보기관 및 연방, 주, 지역, 그리고 형사사법 기관 들과의 교류협력을 향상시킨 것이다. 이를 위해 위에서 본 것처럼 CORE를 개발하여 타 기관과의 정보공유를 확고히 하였을 뿐만 아니라 타 기관과의 직원 교류 프로그램도 시행하였다. 전국합동테러전담부서(National Joint Terrorism Task Force)는 2002년에 신설된 부서로 1980년대 설립된 미전역 104개의 합동테러전담부서를 총괄하여 합동테러전담부서에서 수집된 정보를 통합하여 다른 기관에 전달하는 일을 하고 있다. 현재 약 4천여 명의 요원들을 가지고 있는 합동테러전담부서는 십여 개의 형사정책기관과 정보기관의 수사관, 분석관, 언어학자, SWAT 전문가와 기타 전문가들이 함께 테러방지와 관련된 교육을 실시할 뿐만 아니라 테러관련 정보를 수집하고 공유하며, 테러위협에 대응하는 역할을 하고 있다. 여기서는 지역적인 차원에서 테러대응을 하고 전국합동테러전담부서는 모든 기관이 통합적으로 국가적 및 국제적 차원의 테러대응을 하는데 지금은 국가대테러센터(NCTC)로 이관되어 임무를 계속 수행하고 있다.

대테러Fly팀(Counterterrorism Division Fly Team)은 2002년에 설립되어 국내외 테러 관련 기관과의 전략 및 기술의 연합을 통해 해외에 있는 테리리스트들의 조직체를 파악하고 그 조직체를 붕괴시키는 일을 한다. 예로 중동과 북아프리카, 남아시아, 아프리카의 북동부지역 및 이라크와 아프가니스탄의 전쟁지역에서의 많은 작전을 수행해 왔다.

테러자금 담당부(Terrorist Financing Operations Section)의 주된 임무는 테러리스트들이 사용하는 자금의 출처를 파악하여 차단하는 일과 금융정보를 사용하여 아직 알려지지 않은 테러리스트들을 찾아내고 그들의 테러활동을 예방하는 것이다. 또한 미국과 외국에 있는 테러리스트로 의심되는 자들의 금융정보 및 자금지원구조에 대해 분석하고, 민간과 외국금융기관과 협력하여 테러자금 출처에 대해 조사한다. 정보기관 및 형사정책기관으로부터 받은 정보를 분석하여 테러범을 조사하고 테러로 의심되는 활동을 하는 자들을 파악해서 다른 기관에 통보하는 역할을 한다.

6) 국무부(Department of State)[76)]

1789년에 창설된 국무부는 대통령의 외교정책 보좌관으로서 주된 역할을 하고 있다. 국무부 산하에 대테러 임무를 담당하는 상설기관은 없었고 필요에 따라 일시적으로 대테러 관련 업무 지원을 하는 정도였으나 9·11테러 이후 다른 나라와의 협력을 통해 국제테러위협을 최소화하는 데 주력하고 있다. 2012년 설립된 테러 및 폭력극단주의 대응국(Bureau of Counterterrorism and Countering Violent Extremism)의 모체는 테러대응실(Office for Combating Terrorism)로 지난 1972년에 있었던 뮌헨올림픽 테러사건을 계기로 닉슨대통령에 의하여 설립되었다가 이번에 명칭이 바뀌었다. 이 조직의 주된 임무는 국외 테러를 억제하기 위한 정책을 개발하고 동맹국과의 대테러를 위한 협력을 통해 미국의 국가안전을 보장하는 것이다. 이 기관은 정부 및 국무부의 다른 기관들과의 협력을 통해 대테러정책과 전략 및 프로그램을 개발하고, 폭력극단주의를 제거하기 위한 프로그램을 감독하며, 국토안보를 강화하고, 테러를 효과적으로 다루기 위해 동맹국과의 협력관계를 유지하는 일을 하고 있다. 또한 대테러 외교에 있어서 미국정부를 대표하며 국토안보정책 및 프로그램과 관련된 대테러정책을 실행하는 역할을 한다. 최근에 테러의 전 세계적인 위협을 차단하기 위해 다른 나라와의 보다 효과적인 동맹관계의 필요성 때문에 이 조직의 역할이 어느 때보다 더 중요하게 인식되고 있다. 2017년부터는 국가기관간의 협력을 넘어서 민간기관, 지역단체 등과의 협력을 통해 보다 효과적인 대테러 정책을 구상하고 있다.

영사국(Bureau of Conslar Affairs)은 미국민의 여권 심사 및 발급을 담당할 뿐만 아니라 해외여행 중인 자국민을 보호하는 업무를 한다. 또한 이민자들에게 비

---

76) http://www.state.gov 검색: 2018.2.27.

자를 발급해주는 비자 프로그램을 담당하는데, 이를 통해 테러관련자 및 범죄자들을 색출한다. 9·11테러 사건 이후 테러지원국(State Sponsors of Terrorism)을 지정하여 테러지원국 국민들의 비자심사를 엄격하게 하고 있다. 예를 들어 시리아, 수단, 이란과 같은 나라의 국민들은 미국비자를 받기위해 특수한 경우를 제외하고는 성별과 상관없이 16세 이상이면 반드시 영사직원과 비자인터뷰를 받아야만 한다.

외교안보국(Bureau of Diplomatic Security)은 국무부에서 안보와 법집행을 담당하는 조직이다. 외교안보국은 위협분석, 사이버안보, 테러방지, 안보기술, 그리고 정보보호와 관련하여 중요한 역할을 하고 외교정책을 수행하기 위한 안전한 환경을 조성하는 책임도 맡고 있다. 외교안보국 산하에 있는 반테러지원실(Office of Antiterrorism Assistance)은 반테러지원프로그램을 운영하면서 테러와 관련된 일을 하는 정부기관 및 민간보안업체 담당자들을 대상으로 대테러 교육훈련도 시키고 있다. 이러한 교육은 미국뿐 아니라 동맹국에서 요청 시에도 실시해주고 있다. 외교안보국 산하의 정보수사부(Protective Intelligence Investigations Division)는 미국내외에서 발생한 테러사건 및 테러위협에 대한 조사와 함께 테러에 대한 취약성을 평가하고, 국내외 테러방지에 대한 지원프로그램을 운영한다. 1984년에 시작하여 2001년의 애국법(USA PATRIOT Act)에 근거하여 확대된 이 프로그램은 테러 및 테러리스트와 관련된 제보를 하는 경우에 보상을 하고 있어 테러활동 예방 및 테러범 체포에 큰 공헌을 하고 있다.

경제, 에너지 사업국(Bureau of Economic, Energy, and Business Affairs)의 주요 임무는 국내외적으로 미국의 경제적 안정을 보장하는 것이다. 테러와 관련하여 이 부서는 테러활동 준비 및 실행에 필요한 자금의 출처를 찾아 내여 차단하는 일을 한다. 특히, 테러리스트들의 자금을 효과적으로 차단 및 동결시키기 위하여 다른 나라와의 공조체계를 구축하고 이를 실행하기 위해 필요한 재정적 그리고 기술적 지원을 제공한다. 더 나아가 테러활동 및 범죄에 사용될 수 있는 불법자금의 흐름을 단속하여 차단한다.

국제 마약·수사국(Bureau of International Narcotics and Law Enforcement Affairs)은 마약이 불법으로 미국에 들어오는 것을 저지하고 미국 내에서의 마약범죄의 영향을 최소화하는 것이다. 국제마약 밀매를 퇴치하기 위한 정책은 테러리스트들과 테러집단의 자금조달에 지대한 영향을 미쳐 테러범들이 필요한 자금을 조달하기 위해 이러한 정책이 없는 나라에서 자금세탁이나 현금운송의 방법을 사용하도록 한다. 즉, 범죄단체의 하부구조와 부패의 고리 및 테러활동 음모를 사전에 파악할 수 있을 뿐만 아니라 범죄 및 불법 활동을 조장하는 범인들에 대한 정보를 수집하여 관련기관에 제공해주어 범죄억제효과가 있다. 불법수익은닉을 예방하고 불법수익의 추적과 환수를 용이하게 하여 세계적으로 테러 및 범죄활동 자금의 흐름을 방해하거나 차단시키고 있다.

국제안보 및 비확산국(Bureau of International Security and Nonproliferation)은 광범위한 비확산 정책, 프로그램, 조약 등과 관련된 일을 처리한다. 테러방지와 관련하여 이 조직은 대량살상무기(WMD)와 이를 제조하기 위해 필요한 재료, 기술 및 전문가가 테러집단에 유입되거나 넘어가는 것을 방지한다.

7) 국방부(Department of Defense)[77]

국방부의 주된 임무는 전쟁을 억제하거나 미국의 안전을 보장하기 위해 필요한 경우 군사력을 사용하는 것이다. 테러와 관련해서도 여러 정책을 시행하고 있는데 주로 테러에 취약한 부분들을 찾아내어 제거하는 것과 테러를 예방・억제하거나 테러사건이 발생시에 무력 진압하는 활동을 한다. 이를 위해 관련자들을 훈련시키고 대테러관련 장비 및 테러활동을 추적하기 위한 장비들을 개발한다. 특히, 산하에 있는 테러대응센터(Defense Combating Terrorism Center)는 테러예방, 억제 및 대응과 관련하여 정보를 수집하고 전략을 짜거나 실행하기 위해 필요한 통합적인 정보를 제공하는 역할을 수행한다. 또한 이러한 정보를 사용하여 테러범들의 취약점을 파악하거나 테러범의 능력을 배양하는 것을 억제시키고 테러활동 징후가 감지될 경우 즉시 합동참모부에 보고한다.

8) 재무부(Department of the Treasury)[78]

재무부는 1789년에 설립된 기관으로 미국의 금융과 관련된 전반적인 일을 담당한다. 9・11 테러이후 재무부의 역할 또한 많은 변화가 있었는데 중요한 것은 테러단체나 테러활동을 지원하는 국가들에 흘러들어가는 자금을 억제하는 것이

---

77) http://www.defense.gov/ 검색: 2018.2.27.
78) https://www.treasury.gov/Pages/default.aspx 검색: 2018.2.27

다. 또한, 미국 은행시스템을 사용하여 자금세탁을 하는 것을 방지하거나 테러활동에 필요한 대량파괴무기를 구입하는 네트워크를 붕괴시킴으로써 테러위협을 차단하고 국제금융시스템을 보호하는 것이다. 이를 위해 2003년 3월 31일에 산하에 외국자본통제실(Office of Foreign Assets Control)을 설치하여 테러활동과 이들의 금융정보에 대하여 수집・보고하고, 국제테러단체나 국제마약밀매단체를 지원하는 국가에 대한 경제적 압박이나 무역제제를 가한다. 또한 대량파괴무기의 확산이나 국제사회 안전을 위협하는 자에 대해 재정적인 제재를 가하는 일을 한다.

3. 대테러 부대

미국의 대테러부대는 육군의 델타포스(Delta Force), 해군의 씰(Navy SEAL), 경찰의 HRT(Hostage Rescue Team)와 SWAT(Special Weapon and Tactics) 등이 있다.

(1) 델타포스(Delta Force)

정식 명칭은 미육군 제1특수작전부대(1st Special Forces Operational Detachment)로 통상 델타포스라는 별칭으로 불린다. 1977년 창설되어 주로 해외에서 발생하는 미국에 대한 테러사건을 진압하는 임무를 수행하고, 마약이나 핵물질 밀매의 와해 공작 등도 수행한다. 창설이후 최첨단 무기와 장비로 무장하고 주로 인질구출을 주 임무로 테러범 소탕과 같은 가장 민감한 군사 작전을 수행하는 전 세계 최고의 대테러부대로 알려져 있다. 대원들은 목표물에 대한 숙달 적응을 위해 유럽을 비롯하여 외국 주요도시의 가상 목표물을 대상으로 정찰활동을 수행하고, 영국의 SAS, 독일의 GSG-9, 프랑스의 GIGN 등의 대테러부대와 상호 교환훈련을 실시하고 있다.

(2) 씰(Navy SEAL)부대

이 부대는 1961년 4월 쿠바 전복 작전인 피그만 사건의 실패로 당시 UDT가 수행해 오던 상륙작전과는 전혀 새로운 부대로 창설되었다. SEAL은 바다(Sea)와 하늘(Air)과 육지(Land)의 머리글자를 따서 합성된 것이다. 해군의 상륙부대를 일컫기도 한다. SEAL팀은 해상에서 발생하는 테러사건에 대비하여 여러 군사적 목적을 위하여 스쿠버다이빙과 낙하산, 항해와 폭약을 다루는 일 등에 능통한 특수 활동을 수행할 수 있도록 훈련된 병력이다. 베트남전쟁에서 군사정보 수집과 군사 시설의 폭파임무 수행과 적 후방에 침투하여 미군의 군사작전에 도움을 주었다. SEAL팀 이러한 군사임무 수행에서 대테러 작전활동으로 전환한 계기는 444일 간이나 계속된 테헤란 미국대사관 점거사건 이후이다. 1979년 11월 4일 이란 주재 미국 대사관 점거 사건으로 억류된 인질 100여 명을 구출하기 위해 투입되었으나 작전 중 헬리콥터가 추락하여 대원 8명이 사망하고 구출에 실패하면서 100명 규모로 전문적인 테러사건을 진압하는 SEAL-6팀을 창설하였다. SEAL-6는 육군의 델타포스와 함께 합동특수전사령부(Joint Special Operations Command)에 소속되어 있다.

(3) HRT(Hostage Rescue Team)

미국의 국내에서 테러사건 발생시 진압작전을 수행하는 부대로 FBI 소속이다. 이 팀은 1972년 뮌헨 올림픽 당시 일어났던 이스라엘 선수촌 테러사건과 같은 사태에 대비하기 위해 1982년 미국의 L.A 올림픽 개최를 계기로 창설되었다. HRT의 임무는 FBI국장 지시가 있으면 미국 내 어디든지 4시간 이내에 출동하여 테러범이나 범죄자 등의 적대적 행위로 인질이 되어있는 미국 시민을 성공적으로 구출하는 것이다. 또한 FBI지부의 활동을 지원하고, 다양한 환경에서 FBI의 효과적인 법집행을 위해 전술적 기능을 수행한다. 즉, 인질 구출작전은 물론 무장 농성자 검거, 위험한 수색 및 체포영장 집행, 그리고 수중 수색활동 등의 임무를 수행하고, 태풍 복구 작업이나 요인 경호 임무, 전술적인 수색과 더불어 올림픽 경기, 대통령 취임식 및 정당 집회 등의 중요한 국가 행사를 지원하는 역할도 수행한다.

(4) SWAT(Special Weapon and Tactics)

이 부대는 경찰특공대를 의미한다. 1974년 미국의 도시에서 강력범죄가 증가하면서 무장경찰의 필요성으로 창설되었다. 대테러 진압부대로서 능력을 갖춘 것은 1982년 LA올림픽을 계기로 대회안전을 책임지면서부터다. 각 지역별로 구성되어 경찰의 활동을 지원하고 태풍 등 재난사고시에 인명을 구조하는 역할도 수행한다.

Ⅱ. 영 국

1. 대테러 관련법제

영국은 아일랜드 공화군(IRA)의 분리 독립을 위한 테러에 대처하기 위해 1973년 「북아일랜드 긴급권법」(North Ireland Emergency Provisions Act) 및 1974년 「테러방지 임시조치법」(Prevention of Terrorism Temporary Provisions Act)을 제정하였다가 이후 2000년 국내 테러 관련법을 통합하여 테러혐의자 수사 및 처벌 등을 목적으로 하는 「2000 테러리즘법」(Terrorism Act 2000)을 제정하였다. 그리고 9·11테러 발생 후 2001년 「반테러와 범죄 및 보안법」(Anti-Terrorism, Crime and Security Act 2001, 일명 「2001 반테러법」)을 제정하여 기존의 「2000 테러리즘법」보다 더욱 강력한 법을 제정하였다.

2005년에는 영장 없이 테러용의자의 구속을 폐지하는 대신 테러범 행동의 자유를 대폭 제한하는 「테러예방법」(The Prevention of Terrorism Act 2005)을 제정하였다. 이는 후술할 예정인 「2001 반테러법」에 따른 무기한의 구금처분 규정이 유럽인권협약 제5조와 충돌하여 2005년 3월에 실효될 예정임에 따라 새로운 조치를 규정하기 위하여 만들어진 법이다. 2005년 테러예방법에서는 무기한의 구금처분제도를 대신하여 새롭게 통제명령(control order)을 규정하였는데 이는 자택감금명령으로서 테러리즘으로부터 공공을 보호하기 위하여 내무부장관이 재판을 거치지 않고 조치를 할 수 있는 것이었다. 즉 지정된 물건·물질의 사용 및 소지금지, 지정된 서비스 및 시설의 사용 금지, 특정 직업에 대한 제한, 특정 행동에 대한 제한, 특정 인물 또는 대중과의 의사소통 금지, 거주지의 제한 및 방문자의 제한, 특정지역 및 특정시간의 이동 제한, 여권의 압류, 소지품의 압류 및 분석 강제, 전자감시 및 사진촬영 강제, 그 외에 어떠한 내용이든 24시간 내에서 필요한 경우에 강제할 수 있도록 하고 있다. 이는 적법절차에 의하지 않고는 자유권을 제한할 수 없음을 천명한 유럽인권협약 제5조(European Convention on Human Rights, Article 5)와 대립될 수 있다는 점에서 문제가 되었으나 2005년 7월 7일 발생한 7.7 런던 지하철 테러의 충격으로 보다 강화된 「2006 테러법」(Terrorism Act 2006)을 제정하여 시행 중이다.[79)]

「2006 테러법」은 테러의 실행·준비·선동을 직·간접으로 조장하는 행위, 인터넷을 포함하여 테러를 직·간접으로 장려하거나 방조하는 간행물을 배포하거나 진열하는 행위, 테러 준비를 위한 훈련을 범죄로 규정하였다. 또한 테러범죄에 대해서 국내재판권을 확장하였고, 테러행위로 체포된 피의자의 경찰유치기간을 최장 14일에서 28일로 연장하여 테러범죄의 수사권한을 강화하였다. 구체적인 내용은 테러를 '사람에 대한 심각한 폭력 및 재산에 대한 손해, 행위자 이외의 생명을 위험에 처하게 하거나 또는 공중 또는 그 일부의 건강과 안전에 중대한 위험을 가하는 행위로 규정하고 있다(동법 제34조). 그리고 전자시스템의 중대한 방해 또는 파괴를 의도한 행위, 그러한 행위의 실행 및 협박이 정부에 영향을 주거나 일반 대중을 협박(intimidate)하기 위한 경우, 정치, 종교 및 이념적(ideological) 목적을 달성하기 위한 경우로 규정하고 있다.[80] 또 제1조는 테러의 실행·예비를 직·간접적으로 선동하는 행위를 규제하고 있는데 '간접적 선동'은 테러행위를 찬양·고무하는 모든 발언을 의미한다. 이때 찬양·고무는 과거에 발생한 테러뿐만 아니라 미래에 발생 가능성이 있는 테러는 물론이고 테러리즘 사상에 대한 찬양 또한 포함되고 처벌도 최대 7년의 징역으로 규정되어 있다. 유인물의 배포도 테러를 직·간접적으로 선동하거나 또는 테러의 실행 및 예비에 도움이 되는 정보를 담은 경우 최대 7년의 징역형이 규정되어 있다(동법 제2조). 이처럼 테러에 대한 모든 의도적 예비행위를 금지하고 있고 처벌의 상한은 최고 종신형에 이른다. 테러를 위하여 타인을 훈련시키거나 훈련을 받는 행위를 금지하고 처벌의 상한선은 10년의 징역형으로 규정되어 있다(동법 제10조). 그리고 훈련 장소에 정황을 알고 참석한 자에 대해서도 마찬가지로 적용되며 훈련 장소는 영국 내외를 가리지 아니한다. 또한 테러행위의 수행, 준비 또는 교사 목적으로

---

79) http://www.legislation.gov.uk/ukpga/2006/11/pdfs/ukpga_20060011_en.pdf,(검색: 2018.3.2).

80) Terrorism Act 2006. Section 34: The section amends the definition of "terrorism", in section 1 of the TACT to include the carrying out of acts where the use or threat is designed to influence an international governmental organization. The new definition, as amended will read: 1. (1) In this Act "terrorism" means the use or threat of action where- (a) the action falls within subsection (2), (b) the use or threat is designed to influence the government or an international governmental organization or to intimidate the public or a section of the public, and (c) the use or threat is made for the purpose of advancing a political, religious or ideological cause.

물품을 소지한 경우에 10년 이하의 징역에 처하도록 하였던 것을 15년 이하의 징역으로 상향 조정하였다(동법 제13조).

출입국과 관련하여 「2001 반테러법」과 함께 우리의 출입국관리법에 해당하는 2002년 「국적·이민·망명법」(Nationality, Immigration and Asylum Act 2002)의 두 법률에 따라 테러 용의자에 대한 무기한 구금처분이 가능하다. 2001년 반테러법상의 테러용의자는 국적과 상관없이 영국 내무부장관이 테러범이라고 의심되고 영국의 국가안전에 위험을 발생시킨다고 인정된 자를 말한다(「2001 반테러법」, 제21조). 내무부장관은 이러한 테러용의자에 대해 강제퇴거, 입국거부 등의 조치를 취할 수 있다(동법 제22조). 그러나 지난 1996년 유럽인권재판소는 인권조약 제3조에서 규정하는 고문금지는 민주사회의 근본가치를 구체화한 것으로 이 조항으로부터 면탈은 허용되지 않는다고 판시한 바가 있었다. 따라서 테러용의자에 대한 내무부장관의 퇴거강제권한도 이 판결에 따라 행사되어야 한다. 때문에 내부무장관은 테러용의자의 국외퇴거에 대해서 법적인 장애가 있는 경우에는 그 자를 구금할 수 있도록 규정하였다(동법 제23조). 이러한 내무부장관의 구금권한은 출입국관리법상의 퇴거강제권한의 부수적인 것이기 때문에 구금처분의 대상이 되는 자는 퇴거강제의 가능성이 있는 외국 국적자에 한한다. 구금기간은 처음에는 6개월이지만 재심사에 따라 3개월씩의 경신이 가능하고 경신에는 횟수의 제한이 없으므로 결국 정식 재판이 없는 상태에서 무기한의 구금에 처해질 수 있다.

이처럼 영국의 국가안보에 위협이 되거나 테러혐의자로 의심되는 경우 입국금지 및 구금·추방할 수 있는 대상을 확대하였고, 특히 경찰관과 이민국 직원 및 세관원은 공항만에서 출입국하려는 자에 대해 테러와의 연관성에 대한 의심의 여지와 상관없이 검문검색이 가능하도록 하였다. 이는 차량은 물론 항공기나 선박에 대해서도 해당한다(「2000 테러리즘법」 제29조 및 제30조). 또한, 감청, 체포, 수색 및 검색 등에 대한 특례를 두어 「조사권 규제법」(Regulation of Investigator Powers Act)을 개정하여 테러혐의자에 대한 최초 감청기간을 3개월에서 6개월로 연장하였고, 감청기간 연장도 9개월에서 12개월까지 가능하도록 하였다. 경찰관은 일정요건하에서 특정인이 테러범이라고 의심할 만한 합리적 이유(reasonably suspect)가 있을 경우 영장 없이 체포할 수 있도록 하였고, 48시간 동안 구금이 가능토록 하였다. 아울러 경찰관은 테러와 관련하여 사용될 수 있는 물품 수색을 위해 특정 지역의 차량이나 해당 차량의 운전자 및 탑승자를 검색할 수 있도록 하였는데 이때 그러한 물품이 있을 것으로 의심할 만한 합리적 사유가 있는지 여부와 상관없이 검색을 할 수 있도록 하였다(동법 제5장). 테러관련 정보수집 및 처리에 대해서는 「2001 반테러법」에서 테러용의자에 대한 신분확인 권한을 두어 신분 확인에 협조하지 않거나 허위로 신분을 위장할 경우 지문을 채취하거나 유전자 검사를 위해 신체의 일부를 채취할 수 있도록 하였다.

2008년에 제정된 「2008 대테러법」(Counter-Terrorism Act 2008)」에서는 테러범죄자 등록 및 동향관찰, 해외여행 사전 제한 등이 가능하도록 하였고, 개인 지문과 유전자(DNA) 시료를 채취하여 테러수사에 활용할 수 있도록 하였다(동법 제5장). 또한 핵무기의 사용·개발·이송 등에 대한 가담이나 사용 또는 사용을 위협하는 군사행동에 종사하는 것을 범죄로 규정하였다. 이는 1983년에 제정된 「핵물질범죄법」(Nuclear Material Offences Act)에서 규정된 것으로 당시 핵물질을 이용하거나 핵물질과 관련하여 행하여진 살인·강도·사기 등 각종 범죄행위 및 핵물질의 수령·소지·처분 및 이를 이용한 협박·공갈 등을 처벌할 수 있게 하였고, 국적과 범죄 지역에 관계없이 영국에서 처벌할 수 있도록 하였다. 이를 확대해 핵무기 사용금지에 위반하는 행위와 영국의 핵시설이나 핵물질의 안전에 해를 끼칠 수 있는 정보가 있다면, 의도적 또는 미필적 고의에 의한 누설을 처벌대상으로 하였다. 또 대테러업무에 종사하는 경찰·군·정보기관요원을 상대로 정보 수집을 제한하고 위반시 최고 징역 10년형으로 처벌할 수 있도록 하였다.

2009년 「검시관 사법법」(Coroners and Justice Act 2009)은 2003년 형사사법법의 선고 조항을 테러범에게도 적용하도록 확장하였다.

2011년 「테러예방과 수사조치법」(The Terrorism Prevention & Investigation Measures Act 2011)은 그동안 인권침해 논란의 중심에 있던 「통제명령」(control orders) 제도를 폐지하고, 대신 내무부장관이 테러예방과 수사조치(TPIM: Terrorism Prevention and Investigation Measures)라는 경고 수단을 바탕으로 테러 의심 용의자에 대한 제약을 가할 수 있도록 권한을 부여하였다. TPIM은 행동의 자유, 금융활동 그리고 통신의 자유를 제약하는 행정통제이다. 그러나 TPIM은 관리의 비효율성으로 테러 예방에 기존의 통제 명령보다 제도적으로 미흡하다는 비판을 받고 있다.

2013년 「정의와 안보에 관한 법(Justice and the Security Act 2013)」은 영국과 웨일즈의 주요 형사법원에서 '비밀스럽고 접근이 금지된 절차'(CMP: Closed Material Procedures)를 연장할 수 있고, 의회는 그와 같은 행위에 대하여 정보기관이 좀 더 책임있는 서비스를 제공할 수 있도록 해야 한다고 규정하였다. 이후 대테러 관련하여 제정된 법은 2014년 「반사회적 행위와 범죄경찰법(Anti-social Behaviour, Crime and Policing Act 2014)」과 2015년 「대테러 및 안보법」(Counter-Terrorism and Security Act 2015)으로, 통신데이터 관련한 정보의 보유에 관한 사항을 규정한 법이 있다. 특히 2015년도에 제정된 「대테러 및 안보법」은 항공, 선박, 철도교통을 통한 운송 과정에서의 운송 권한과 보안 규정 등을 포함하여 테러로부터 영국을 보호하기 위한 다수의 규정을 마련하였다.

2016년에는 새로운 감시법인 「수사권 법」(Investigatory Powers Bill, 일명 엿보기 법<snooper's charter>)이 제정되었다. 이 법은 인터넷 서비스 업체와 통신업체에 이용자가 웹사이트, 앱, 그리고 메시징 서비스를 방문한 기록을 12개월 동안 보관하도록 요구하고 있고, 이들 정보는 경찰과 보안당국, 정부부처, 세관 등이 접근할 수 있게 하는 권한을 부여한 것을 주요 내용으로 하고 있다. 정보당국과 경찰이 휴대전화나 컴퓨터의 웹브라우징에 대한 해킹을 더욱 쉽게 하도록 했다. 국가보안국(MI5), 국가통신본부(GCHQ), 국방부 등 정보기관들과 경찰이 '사망, 부상, 신체적 또는 정신적 건강에 손상을 예방하는 것을' 목적으로 하는 휴대전화나 컴퓨터의 웹브라우징에 '장비 개입'을 할 수 있도록 허용했다. 이때 '장비 개입'은 컴퓨터나 다른 장비로부터 통신, 정보, 기타 데이터 등을 얻는 행위로 휴대전화나 컴퓨터를 해킹하는 것을 뜻한다. 개인 정보들을 무더기로 수집할 수 있는 법적 권한을 정보기관들에 부여한 셈이다. 아울러 법원은 경찰이 요청하면 언론의 통화 내역과 인터넷 기록 정보에 접근할 수 있도록 허가해야 한다.[81]

2. 대테러 관련기관

영국의 테러대응체계를 살펴보면 다음의 [체계도]에서 볼 수 있듯이 정부부처

81) 『경찰의 대테러 관련 법・조직・임무 재정비 방향 연구』(경찰청, 2016), pp. 111-114.

로는 내무부(Home Office)를 중심으로 외무부, 수상실, 북아일랜드부, 산업 및 과학기술부, 국방부가 대테러 관련 업무를 수행한다. 수상 밑에 내무부장관(Home Secretary)이 테러대책을 총책임을 지고 있다. 내무부장관은 대테러안보실(OSCT), 합동정보위원회(JIC) 등과 협조하에 국가보안국(SS: Security Service, 일명 MI5), 경찰, 국가통신본부(GCHQ: Government Communications Headquarters)를 관장하고 있다. 외무부의 비밀정보국(SIS: Secret Intelligence Service, 일명 MI6), 국방부의 국방정보국의 협조를 받아 대테러리즘을 수행한다. 대테러리즘을 실질적으로 책임지고 수행하는 기관은 국가보안국(MI5)이다.

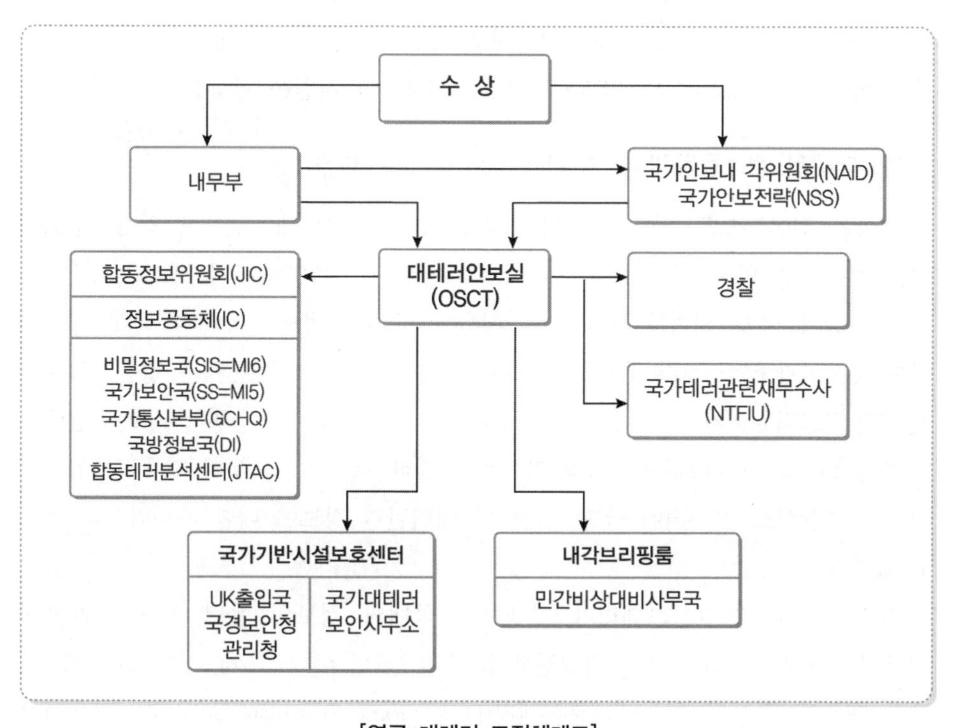

[영국 대테러 조직체계도]

출처: 『경찰의 대테러 관련 법·조직·임무 재정비 방향 연구』(2016, 경찰청) p. 118 수정.

(1) 대테러안보실(OSCT: The Office for Security and Counter-Terrorism)

테러대응체계 정책기구로 2007년 3월에 내무부 산하에 설치되었다. OSCT에서는 테러리즘 대응전략의 구상 및 집행, 통제 등의 업무와 테러 상황에 대한 범정부 차원의 대응, 국가핵심기반 시설의 보호 등의 업무를 수행하도록 하고 있다. 즉 테러사건에 대한 범정부적 대응, 테러리즘 관련 법률 발전, 정부요인에 대한 보안과 보호조치 제공, 국가의 핵심기반시설 보호, 화생방 유출 대응, 테러사건 및 대테러작전시 정부의 비상대비업무 수행 등 6가지다.[82] 다양한 기관으로부터 파견된 300여명의 인원으로 구성되어 있다. 여기서는 합동정보위원회(JIC: Joint Intelligence Committee)에서 비밀정보국(MI6)과 국가통신본부(GCHQ)의 정보수집 우선순위 결정, 정보활동수준과 필요한 정보를 구체적 지시, 상호업무의 중복 조정을 담당하며, 수집된 정보보고서를 생산하여 소속부처로 직접 전달해 부처의 정책결정을 지원하고 있다. 관련기구로는 내무부 합동정보위원회(JIC)가 국내외 테러정보 공유와 대테러 경보를 발령하고 있으며, 경찰은 국가보안국 및 비밀정보국 협조 하에 테러정보 분석과 공작활동 수사 및 지원을 담당한다.

(2) 대테러 정보공동체(IC: Intelligence Community)

영국은 전통적으로 국내와 국외의 위협을 구분하여 대응해오고 있다. 정보를 취급하는 기구 역시 국내와 국외로 구분되어 왔다. 1909년부터 제2차 세계대전 전후에 걸쳐 국외 위협에 대처하는 정보기구로 비밀정보국(MI6)과 국내 테러에 대처하는 국가보안국(MI5)을 중심으로 운영되어 왔다. 1936년에는 합동참모본부에 합동정보위원회가 설립되어 군에서도 정보분석 업무를 수행하다 1950년대부터 수상실(Cabinet Office)이 조정 역할을 수행하면서 1957년부터 합동정보위원회(JIC)가 수상실로 이관되어 국방, 안보 및 테러관련 정보에 대한 자문역할을 해오고 있었다.

그러나 2001년 9·11테러가 발생하자 국내외 정보의 통합 필요성 때문에 2003년 6월에 국가보안국에 비밀정보국, 경찰, 국방부 등 16개 정부 부처 및 기관의 대표로 구성된 합동테러분석센터(JTAC: Joint Terrorism Analysis Centre)를 설치하여 국내외 테러리즘에 대한 통합된 정보 분석·평가를 실시하고, 이를 바탕으로 테러경보를 발령하는 등의 역할을 수행하도록 했다. 영국의 테러경보는 모두 5단계로 낮음(low) → 보통(moderate) → 상당(substantial) → 심각(severe) → 위급(critical) 등으로 되어 있다.[83] 또한 최신의 테러리즘 경향과 공격능력 등에

82) Office for Security and Counter-Terrorism 홈페이지 참조.

대하여 자세한 보고서를 생산하여 각 정부 기관 등에 제공하고 있다. 국가보안국 내 국제테러대응(ICT: International Counter Terrorism) 부서는 영국 국내 테러의 현장활동 조사를 주로 담당한다. 또 2007년 2월 국가보안국의 통제하에 국가기반보호센터(CPNI: Centre for the Protection of National Infrastructure)를 설치하여 영국의 핵심기반 시설보호에 대한 대책조언과 테러 등의 위협으로부터 취약성을 감소시키는 역할을 수행하고 있다.[84]

(3) 국가보안국(SS: Security Service)

국가보안국은 1900년 당초 방첩 활동을 수행하는 육군의 군사정보총국 제5과(Military Intelligence Section 5)로 창설되어 1924년 국가보안국(Security Service)으로 명칭을 변경하고, 1940년에는 런던경시청의 특별국과 병합되어 내무부 산하기관이 되었다. 이런 군조직의 일부로서 출발한 관계로 일명 MI5라고도 한다. MI5는 국내정보와 보안업무를 책임지고 있고, 안보와 관련하여 모든 중앙 부처들에게 정책 조언을 하고 있다. MI5는 MI6, 국가통신본부(GCHQ) 및 국방정보국(DI: Defence Intelligence)과 긴밀히 협조하며 대테러전을 수행한다. MI5는 합동정보위원회(JIC)의 통제를 받으며 1989년의 국가보안국법(Security Service Act)과 1994년 정보보안법(Intelligence Service Act)에 근거하여 직무를 수행하고 있다. MI5는 영국 의회민주주의를 수호하고 경제적 이익과 영국 내 대테러 및 방첩 임무를 담당한다. MI5는 맨체스터에 북부지부, 그리고 글래스고에 스코틀랜드지부를 두고 있는 것으로 알려져 있다. MI5의 합동테러분석센터(JTAC)는 국내외 테러리즘에 관한 모든 정보를 분석하고 평가한다. 위협수준을 결정하고 위협 및 테러분자와 관련된 광범위한 정부부처 및 기관들로부터 시민들을 위한 사항들에 관한 경고를 발령하고 테러분자 네트워크 및 동향, 능력에 관한 깊이 있는 보고서를 생산한다. 합동테러분석센터는 경찰, 정부부처 및 기관들로부터의 대테러전문가들을 모아서 대테러정보들을 함께 분석하고 공유한다.

국가보안국은 그동안 비밀에 싸여 활동해 왔으나 1989년 국가보안국법이 제

83) low(공격가능성이 매우 낮은 상태) → moderate(공격가능성은 있지만 일어날 것 같지는 않은 상태) → substantial(공격가능성이 높은 상태) → severe(공격가능성이 매우 높은 상태) → critical(공격이 임박한 상태) National Counter Terrorism Security Office 홈페이지 참조,

84) Centre for the Protection of National Infrastructure (https://www.cpni.gov.uk/) 참조.

정되면서 공식적으로 인정되었고, 주 임무는 영국 내의 테러방지, 방첩, 국가전복기도 방지, 방호보안, 보안정보활동 등 다섯 가지로 되어 있다. 이를 사전에 탐지 및 예방하고 이와 같은 임무 달성을 위해 지하공작 업무도 수행하고, 최근에 테러, 마약, 불법이민, 조직범죄 등 경찰이 담당하는 영역까지 활동범위를 확장하여 경찰과 마찰을 빚기도 하였다. 대테러와 관련하여 테러관련 정보의 수집·분석 및 배포에 중점을 두고, 경찰, 군, 비밀정보국, 국가통신본부, 외국 각 부처 및 외국 정보기관 등과도 공조체제를 유지하고 있다.

(4) 경 찰

정보공동체(IC)가 대테러 정보의 수집과 평가업무를 수행한다면, 일상의 대테러 활동은 경찰이 담당한다. 경찰은 전국 차원의 국가대테러망(National Counter-Terrorism Network)를 구축하여 활동하고 수도경찰청(MPS)은 대테러 활동에 있어 국가적 차원에서의 조정과 지도적 역할을 수행한다. 조직은 정보국·운영국·공공업무국·중앙운용국·지역경찰활동국·특수작전국·특수전문범죄수사국·자원국 등이 있는데, 이 중에서 대테러를 담당하는 부서는 특수작전국(Specialist Operations)으로 대테러본부(SO15/CTC: Counter Terrorism Command), 경호본부(Protection Command), 경호보안본부(SO2: Protective Security Command)로 구성되어 있다. 대테러본부(CTC)는 2005년 발생한 7.7 런던 지하철 테러를 계기로 2006년 10월 반테러처(SO13: Anti-Terrorist Branch)와 특수처(Special Branch)를 통합하여 단일 조직으로 신설되었다. 임무는 ① 테러범이나 극단주의자 또는 이와 관련된 공격에 대한 처벌과 예방 및 저지, 선제적 조치, ② 테러 및 극단주의자들과 관련된 정보 수집 및 활용, ③ 대테러활동을 위한 정보의 평가·분석, ④ 폭발성 있는, 화학적인, 생화학적인, 방사성, 핵무기에 대한 해체, ⑤ 영국 MI5와 비밀정보국(MI6) 등 대테러 유관기관과의 협력 및 연락체계 일원화 등을 주로 수행하고 있다. 산하 지역에 테러수사를 담당하는 4개의 대테러처(CTU: Counter-Terrorism Unit)와 정보를 수집하는 5개의 대테러정보처(CTIU: Counter- Terrorism Intelligence Unit)가 있다. 이들을 연결하는 것이 국가대테러망이다. 2002년에 창설된 국가대테러보안국(NaCTSO: The National Counter Terrorism Security Office)은 다중밀집지역 보호와 테러 공격에 대한 피해 복구를 담당하고 있다.[85]

(5) 국경보안청(UK Boarder Agency)

국경보안청은 국가기반시설보호센터(CPNI: Center for Protection of National Infrastructure)의 산하기관으로 국경을 관리하는 것을 주임무로 한다. CPNI는 MI5 산하의 국가보안권고센터와 국가기반보안조정센터(NISCC), 정보인증에 대한 국가기술을 담당하던 통신전자보안단(CESG) 등이 통합하여 2007년 2월에 창설되었다. CPNI는 물리적 보안과 사이버보안을 통합적으로 수행하여 미국의 국토안보부와 비슷한 역할을 수행하고 있다. 국경보안청은 테러분자 및 범죄조직들이 영국으로 불법 입국하는 것을 차단, 관리하는 것이다. 국경보안청은 2013년 내무부 산하로 편입되었고 그 자리에는 비자이민국이 들어서 있다. 국경보안청 산하의 국경수비군은 2012년 3월에 창설되었는데, 국경을 보호하고 국경을 통과하는 개인과 물자의 법적인 요건을 철저히 관리한다. 국경보안청으로부터 분리된 영국의 비자이민국(UK Visas and Immigration)은 약 7,500명의 직원이 영국을 방문하고 이민 오는 사람들에 대한 자격심사를 하고 있다. 영국에 입국하려는 사람들의 자격 요건과 안보에 대한 강조사항 등에 관하여 치밀한 심사를 진행하여 테러분자나 범죄조직원들을 색출하고 입국을 차단한다.

3. 대테러 부대

(1) SAS(Special Air Service)

SAS는 1941년 독일 롬멜 원수가 지휘하는 전차군단을 무력화시키기 위해 보급로 차단, 공군기지 파괴 등의 기습작전을 수행하기 위해 '사막의 기습 특공대'(Special Forces in the desert raids)라는 이름으로 국방성 예하 합동참모부 직할부대로 창설되었다. 2차 세계대전 중 5천여 명의 적을 사살하고 장갑차와 트럭 등 각종 작전용 차량 700대를 파괴하는 등의 전과를 거두었고 이후 아시아와 중동 각지에서 영국 식민지의 독립열풍과 공산게릴라의 준동으로 제22 SAS연대로 재편성되어 낙하산 강하, 선무공작, 기습 등의 새로운 전술을 통해 작전을 성공적으로 수행했다. SAS 임무는 영국 국내외에서의 대테러 작전, 적 후방의 정보

85) The National Counter Terrorism Security Office, 홈페이지 참조. (https://www.gov.uk/government/organisations/national-counter-terrorism-security-office/)

수집이나 사보타주 및 기습공격, 외국 내란의 저지, 요인 보호 등이다. 테러상황 발생시 즉각 현장에 투입되며, 인질, 유괴, 선박 및 항공기 납치, 폭파공격, 암살 등을 포함한 모든 형태의 테러사건에 대처하여 사건을 진압한다. 또한 중요인물의 경호, 주요시설에 대한 시설 경비 및 폭발물 탐지 및 제거 등의 대테러 임무를 수행한다.

이러한 대테러임무는 1972년 뮌헨 올림픽에서 발생한 이스라엘 선수촌 테러사건을 계기로 SAS에 전담팀(CRW)이 설립되어 처음에는 20명으로 SAS Counter Terrorist(CT)로 출발하였으나 후에 확대되었다. 대표적인 진압작전은 1980년 5월 런던 주재 이란대사관의 인질구출작전으로 인질 19명 전원을 구출하고 테러범 6명 중 5명을 사살하는 전과를 거뒀다. 이후 1990년 걸프전, 2001년 아프가니스탄 전쟁, 2003년 이라크 전쟁, 2016년 리비아 전쟁 등 대테러 전쟁에 참여하고 있다.[86]

(2) SBS(Special Boat Service)

이 부대는 1944년 영국의 왕립 해병대(The Corps of Her Majesty's Royal Marines) 산하로 창설되었다. 제2차 세계대전이 있은 후 이 부대는 1974년에 the Special Boat Squadron로, 1987년에 해상 대테러부대 임무를 수행하면서 지금의 SBS로 명칭이 변경되었다. 2001년 SBS는 왕립 해병대에서 해군으로 옮겨져 그린베레(the Green beret)로 유지되고 있다.

SBS의 주요 임무는 정보보고 및 목표 획득을 포함하는 감시와 정찰(Surveillance Reconnaissance)이다. 공습, 포병 및 해상 공격의 지시, 정밀 유도 무기의 지정, 필수 무기 및 철거의 사용을 포함한 공격적 행동 및 지원 역할을 한다. 또한 해상에서 일어나는 테러에 대한 즉각적인 군사대응을 실시한다. SBS는 전술한 SAS와 운영 구조는 대체로 유사하지만 해상과 수륙 양용의 환경에 적응하는 데 필요한 추가 교육 및 장비를 갖추고 있다. 두 부대 모두 특수전 사령부(DSF: HQ Directorate of Special Forces)의 작전 지휘를 받고 있다. SBS는 역할에 따라 4개 편대로 구성되어 지휘부와 수중침투를 위한 'C'작전대, 대테러 및 해상선박 작전을 위한 'M'작전대, 소규모 선박침투를 위한 'X'작전대, 이들을 지원하는 'Z' 비행

86) History of the Special Air Service (Wikipedia) 참조.

중대로 구성된다. 한번 출격에 대략 200-250명의 대원으로 편성되며 이들은 수영, 다이빙, 낙하산, 항해, 철거 및 정찰의 전문가들이다. SBS는 우리나라 6.25전쟁에도 참여했으며, 포클랜드 전쟁과 걸프전에도 참전했다. 2001년 아프가니스탄 전쟁, 2003년 이라크 전쟁, 2011년 리비아 전쟁 등에도 참여하고 있다. 주로 정보 수집, 대테러 작전(감시 또는 공격), 적의 기반 시설의 파괴, 특정 개인의 체포, 고위 정치인 및 군사 요원 보호 등의 역할을 하였다. 2012년 3월 8일 나이지리아에서 보코 하람 테러 조직에 의해 납치된 영국인(Chris McManus)과 이탈리아인(Franco Lamolinara) 두 명의 인질 구출을 시도하였으나 작전 전에 인질은 사망하고 인질범은 살해되었다.[87]

Ⅲ. 독 일

1. 대테러 관련법제

독일에서 테러 대응은 이미 오래전부터 공공안전과 관련된 정치영역의 중심사상이며, 형법에서 가장 해결하기 어려운 도전 중의 하나로 간주되고 있었다. 1972년 뮌헨 올림픽 경기도중 발생한 팔레스타인 테러단체의 이스라엘 선수단 인질사건을 계기로 1974년 12월 12일 형사소송법 개정을 통해 최초로 테러행위를 처벌하였고, 1975년 2월 27일에 발생한 페터 로렌츠(Peter Lorenz) 납치사건[88]과 1975년 4월 24일에 스톡홀름에서 발생한 독일대사관에 대한 불법 점거사건[89]을 겪으면서 테러에 대하여 형법, 형사소송법, 법원조직법, 연방변호사법, 행형법 등의 실체법과 절차법의 전반적인 사항을 1976년 8월 18일 개정하였다. 이른바 반테러법(Anti-Terrorismusgesetz)으로 일컬어지고 있다. 이후 적군파(赤軍派, RAF: Rote Armee Fraktion)가 1977년 9월 5일 당시 독일상공인협회 회장인 쉴라이어(Hans-Martin Schleyer)를 납치하여 인질로 삼고[90] 동료 석방을 요구하였고, 이어

87) 위키백과(https://en.wikipedia.org/wiki/Special_Boat_Service) 참조.
88) 좌익 테러단체인 6・2 운동파(Bewegung 2. Juni)가 1975년 2월 27일 베를린 CDU 의장 페터 로렌츠(Peter Lorenz)를 인질・납치하여 동료 석방을 요구한 사건이다. 정부는 그들에 요구에 응하여 5명의 테러범을 석방해 주었다.
89) 적군파(RAF)가 1975년 4월 24일 스웨덴 스톡홀름에 있는 독일대사관을 불법으로 점거, 직원을 인질로 잡고 구속된 적군파 회원 25명의 석방을 요구한 사건으로 폭발물 폭발로 실패하였다.

서 10월 13일 팔레스타인 해방인민전선(PFLP)과 공모하여 독일 루프트한자(Luft Hansa) 비행기를 납치하여 정부에 압력을 가하였다. 이를 계기로 1978년 4월 14일 또다시 형사소송법을 개정하였다. 당시 직접적으로 테러행위를 법에 정의하고 있지는 않았으나 테러단체조직죄(형법 제129a)를 신설하여 모살, 교살 또는 민족말살, 약취강도 또는 인질, 중요 산업수단 등 파괴, 대형방화, 폭발물이나 원자력에 의한 폭발 등 공공안전을 해하는 범죄행위 등을 목적으로 단체를 조직한 자나 구성원으로 가입한 자를 처벌할 수 있게 하였다. 9·11테러 이후 변화된 국제테러환경에 대처하기 위해 2002년 1월 9일 「국제테러대책법」(Gesetz zur Bekäpfung des Internationalen Terrorismus, 일명 대테러법)을 제정하였다. 동법 제10조에서는 「연방범죄수사법」(Bundeskriminalamt)을 개정하여 외국 테러조직의 추종자 등에 대한 수사 및 중범죄관련 정부기관 간 정보공유를 위한 네트워크를 구축하는 임무를 부과하고, 외국인 등록 관련자료를 대테러기관과 공유할 수 있도록 하였다. 또 안전관련 정보기관과 경찰의 권한 확대 및 실체법을 확장·강화하였다. 이처럼 9·11테러는 독일에서도 관련법의 기본체계와 안보정책에 근본적인 변화를 가져다주었다.

(1) 대테러법(TGB: Terrorismusbekämpfungsgesetz)

대테러법은 9·11테러 이후인 2002년 1월 9월 발효된 법으로 테러와 관련된 20여개의 각종 법의 조문을 개정하도록 하는 「조항법(Artikelgesetz)」이다. 이 법은 「연방헌법보호청법」, 「연방군사정보부법」, 「연방정보부법」, 「여권법」, 「기본법」 제10조 법(Artikel 10-Gesetz), 「연방국경수비대법」, 「연방범죄수사청법」, 「외국인법」, 「난민절차법」, 「항공교통법」 등 총 20여개의 법 개정을 주요 내용으로 하고 있다.

이 법을 통해 특히 정보기관의 정보수집 권한이 확대되었으며, 그 결과 우편 및 통신비밀의 자유가 광범위하게 제한되었다. 이 법의 주요 규정들은 2007년까지 유효한 한시법이었으며, 지속적인 적용을 위해 규정들의 효과성에 대한 평가

90) 독일 적군파(RAF)가 1977년 9월 독일 경영자 연맹 회장인 한스 마르틴 슐라이어(Hanns-Martin Schleyer)를 납치하여 동료의 석방을 요구하였다. 그러나 적군파 간부가 수감중 옥중에서 잇따라 자살하면서 그해 10월 18일 슐라이어 회장은 살해된 후 시체로 발견되어 큰 충격을 주었다(위키백과).

를 요구하였다(동법 제22조 제2항, 제3항). 독일 연방정부는 대테러법의 시행 결과 주요 규정들이 대체로 효과가 있었고, 일부 미흡한 부분들에 대해서는 보완이 필요하다 평가하였고, 이를 바탕으로 「대테러법 보완을 위한 법」(Gesetz zur Ergänzung des Terrorismusbekämpfungsgesetzes)이 2007년 1월부터 발효·시행중이다.

(2) 대테러정보법(ATDG: Antiterrordateigesetz)

2006년 12월 발효한 「대테러정보법」은 연방범죄수사청(BKA), 연방경찰, 연방헌법보호청(BfV), 군사정보부(MAD), 연방정보부(BND) 등 테러 유관 기관들 간의 공동 대테러정보체계를 구축할 수 있는 법적 근거다. 대테러정보시스템은 연방범죄수사청(BKA)에 구축하여(동법 제1조 제1항) 2007년 4월 1일부터 운영을 시작하였다. 대테러정보시스템은 총 38개의 연방 및 주 경찰기관, 정보기관들이 참여하였다. 이 법의 주요 목적은 국제 테러 대응과 관련된 각 기관들의 임무 수행을 원활히 지원하는 것에 있다(동법 제1조 제1항). 이러한 시스템을 통해 참여기관들은 효과적으로 정보 교류를 할 수 있게 된다. 즉 대테러정보시스템 상의 검색 기능을 통해 각 기관은 자신들이 필요한 정보를 어떤 기관이 가지고 있는지를 확인할 수 있고, 해당 기관에 필요한 정보를 요청할 수 있게 되었다. 각 기관들은 테러와 관련된 개인의 인적 사항, 단체 활동, 주소, 이메일 주소, 홈페이지 등을 대테러정보시스템에 저장할 의무가 있다(동법 제2조). 정보 저장대상은 테러단체에 속해 있거나 이러한 단체를 지원하는 자, 혹은 폭력을 통해 국제정치·종교적 이익을 추구하는 자 등이 해당한다.

이 법에서 특징적인 점은 테러와 관련된 활동을 하는 당사자뿐만 아니라 그 주변 인물 정보까지 저장의 대상이 된다는 점이다(동법 제2항 제1문 제3호). 대테러정보는 기본 정보와 확장된 정보로 구분된다. 기본 정보를 통해서 테러단체에 속하거나 이를 지원하는 개인을 특정할 수 있으며, 여기에는 이름, 성별, 생년월일, 출신지, 국적, 주소, 신체적 특징, 언어 등이 포함된다(동법 제3조 제1항 제1호 a). 확장된 정보에는 이메일 주소, 은행 계좌, 차량 정보, 가족 관계, 인종, 종교, 학력, 방문 장소, 접촉 인물 등에 관한 정보가 해당한다. 만약 특정 기관이 특정 인물에 관한 인적사항 등의 정보를 시스템 상에 요청(입력)할 경우 기본 정보가 공개된다. 하지만 확장된 정보의 경우 세부 내용이 공개되지 않고, 어느 기관이 해당 정보를 가지고 있는지만 공개된다. 따라서 요청 기관은 정보를 보유하고 있는 기관에 해당 정보를 제공해 줄 것을 요청하여야 하며(동법 제5조 제1항), 정보제공여부에 대해서는 정보를 보유하고 있는 기관이 결정한다. 그러나 생명, 신체 등에 대한 급박한 위험으로 인해 정보 제공 요청을 할 시간적 여유가 없을 경우에는 확장된 정보도 즉시 접근 가능하며, 사후 승인을 받아야 한다(동조 제2항). 만약 사후 승인을 받지 못할 경우 해당 정보의 계속적 사용이 불가능하며 즉시 삭제하여야 한다.

(3) 연방범죄수사청법(BKAG)

연방범죄수사청(BKA)은 그 명칭에서 알 수 있듯이 행정법·경찰법적인 위험방지 임무가 아닌 범죄수사를 주된 임무로 맡고 있는 기관이다. 하지만 2008년 관련법 개정을 통해 BKA는 국제테러 위험방지와 관련된 영역에서 처음으로 예방적 권한들을 갖게 되었다. 즉 2008년 이전까지는 수사가 아닌 위험 방지와 관련된 활동은 주(州)경찰의 독자적인 권한이었지만, BKA법의 개정을 통해 테러분야에 한해서는 BKA도 위험방지 활동을 할 수 있게 된 것이다.

이러한 개정은 2006년 9월 제1차 연방제 개혁(Föderalismusreform I)을 바탕으로 이루어진 개헌(「기본법」 개정)을 통해 가능하게 되었다. 즉 신설된 「기본법」 제73조 제1항 제9a호에 따라 위험이 여러 주에 걸쳐 존재하거나, 주의 관할 여부가 불명확한 경우, 그리고 주의 관할 관청이 요청할 경우 연방은 국제테러 위험방지에 관한 배타적 입법권한을 행사할 수 있게 되었다. 이러한 헌법상 규정을 근거로 연방 입법자는 BKA법 제4a조를 신설, 국제테러 위험방지 등에 관한 권한을 신설하였다. 이를 통해 연방범죄수사청을 중심으로 한 합동대테러센터(GTAZ), 대테러정보(Anti-Terrordatei) 등의 운영이 가능하게 되었다.

국제테러 위험 방지와 관련된 BKA의 주요 권한은 BKA법 제20a조에서 제20x조에 규정되어 있다. 주요 내용으로는 개인정보수집(제20b조), 불심검문 및 진술의무(제20c조), 신원확인(제20d조), 소환(제20f조), 장기간의 감시(제20g조 제2항 제1호), 주거지 외에서의 사진촬영·녹화·녹음 등을 통한 감청(제20g조 제2항 제2호), 비밀정보원(Vertrauensperson) 활용(제20g조 제2항 제3호), 신분위장수사관(Verdeckter Ermittler) 투입(제20g조 제2항 제5호), 주거지에 대한 비밀장비를 활용한 감청(제20h조), 데이터 필터링 수사(Rasterfahndung)(제20j조), 온라인 수색(제20k조), 통신감청(제20l조), 통신사실확인자료(Verkehrsdaten) 수집(제20m조), 휴대전화·SIM카드 정보 및 위치확인(제20n조), 퇴거명령(제20o조), 보호조치(제20p조), 신체수색(제20q조), 물건의 수색(제20r조), 영치(제20s조), 가택의 출입과 수색(제20t조), 정보수집 사실의 통지(제20w조), 정보제공의무(제20x조) 등이 있다.

이러한 규정들을 통해 BKA는 국제테러 방지 임무를 수행함에 있어서 필요한 대부분의 권한들을 가지고 있고, 그것들이 법적으로 명확하게 규정되어 있다는 점을 알 수 있다. 물론 신설된 24개의 조문들 중 상당수가 대상자가 인식하지 못하는 상황에서 이루어지는 비밀정보 수집 활동에 관한 것이며, 이러한 수단들은 당사자들의 개인정보자기결정권에 대한 중대한 침해를 야기할 수 있다. 그러나 독일의 연방 입법자들은 국제 테러 방지 활동에 있어 정보수집의 필요성 및 불가피성을 인식, 엄격한 요건하에서 통신 감청, 온라인 수색, 비밀 정보원 활용, 휴대전화 위치 확인 등의 권한을 경찰에게 부여하고 있다.[91)]

다만 독일연방헌법재판소는 2016년 4월 20일 국제테러의 위험을 방지하기 위한 BKA법의 수사권 규정들에 대하여 일부 위헌 결정을 내렸다. 이유는 BKA에 부여되어 있는 테러위험 방지 규정들은 기본적으로 헌법에 합치하지만, 일부 규정의 경우 내용이 명확하지 않고 너무 광범위하여 법치국가 보장, 사생활과 관련한 핵심 영역의 보호, 감독과 통제 등이 결여되어 있어 비례성 원칙을 충족하지 않는다고 본 것이다. 특히 통신감청권과 관련해서 통신 감청에 관한 규정(제20ℓ조)은 부분적으로만 헌법에 합치된다며 동법 제20ℓ조 제1항 제1문 제1호의 경우 테러범죄를 준비하고 있다고 추정될 시에도 통신감청을 허용하고 있는데 범죄예방의 목적으로 침해의 가능성을 앞당기는 것은 명확성과 비례의 원칙에 반한다고 하였다. 또 전기통신데이터의 수집에 관한 규정(동법 제20m조 제1항 및 제3항)도 위의 경우와 마찬가지라고 판시하였다. 또한 개인정보 수집을 위한 주거 내외에서 기술적 수단(위치추적 장치 등)을 설치하여 행하는 감시, 정보기술시스템에의 은밀한 침입과 온라인 수색, 기관 간의 데이터 교부와 이전 등에 있어서도 수사기관의 권한을 제한하거나 인권침해의 최소화를 위한 특별한 보호규정을 두어야

91) 이상의 내용은 『경찰의 대테러 관련 법·조직·임무 재정비 방향 연구』(경찰청, 2016, pp. 136-139) 내용을 재정리한 것임.

한다고 판시하였다.[92)]

(4) 형 법

독일 형법은 테러범을 가능한 한 초기단계에서 빨리 그리고 매우 효과적으로 척결하기 위해 실체법적 차원과 절차법적 차원에서 접근하고 있다.

실체법적인 차원에서는 형법 제129a조, 제129b조에 규정된 테러단체조직죄는 장래 실행할 것을 계획하는 자들과의 연계 행위도 처벌할 수 있다. 이를 위해 테러행위와 관련하여 단순한 구상단계도 처벌할 수 있고, 구체적인 착수행위를 요구하지 않는다. 조직원이 아니라도 단체의 활동을 지원하거나 장려하는 경우도 처벌되게 되어있다.

절차법적 차원에서는 형법 제129a조(테러단체조직죄), 제129b조(외국에 있는 범죄 및 테러단체죄)는 테러단체의 활동을 초기에 제압하기 위해 형사소추기관에게 다양한 수사권한을 부여하고 있다. 형법 제46조 제2항 제2문은 양형의 범위에서 이미 범한 죄에 대해 행위자의 범행동기와 목표를 고려할 수 있도록 하기 때문에 테러에 대한 동기는 형의 가중사유가 된다는 것이다. 이처럼 독일은 테러 예방을 위해 형법을 강화하고 새로운 구성요건의 도입을 통해 형량을 가중하였다. 최근에 신설된 테러관련 조문은 테러단체조직죄(형법 제129a조), 외국에 있는 범죄단체 및 테러단체죄(형법 제129b조), 국가를 위협하는 중한 폭력범죄의 예비죄(형법 제89a조), 국가를 위협하는 중한 폭력범죄의 실행을 위한 교류죄(형법 제89b조), 테러자금조달죄(형법 제89c조), 국가를 위협하는 중한 폭력범죄 범행안내죄(형법 제91조) 등이다. 이 규정들은 형사책임과 형법상 불법의 기준을 타인의 법익에 대한 구체적인 침해가 아니라 특정한 위험의 (추상적) 존재로도 처벌이 가능하도록 확장시킨 것이다. 위험을 사전에 척결하기 위해 많은 구성요건을 형법에 새로 도입하였다. 이 구성요건들은 형법을 법익에 대한 침해가 발생했을 때 사후적으로 사용하는 것이 아니라, 미리 사전 예방적으로 위험하다고 판단되는 예비행위를 범죄로 보고 처벌하고 있다.

---

92) 제성호, "독일의 테러방지 법령과 테러대응기구", 『법학논문집』 제41집 제1호(중앙대학교 법학연구원, 2017), pp. 97-99.

(5) 형사소송법의 절차규정

독일의 경우 앞에서 살펴본 것처럼 9·11테러이후 형법을 강화하여 테러를 사전에 예방·차단하는 데 역점이 주어졌고, 아울러 형사소송법의 절차규정에서도 잠재적인 테러예비 음모자의 범행의 전 단계에서 행위 자체를 실행에 옮기지 못하도록 규정을 보완하였다. 테러리즘에 대한 대응과 예방을 위해 형사소송법상 수사단계에서 정당화되는 가능한 조치로 대표적인 것이 다음과 같다. 통신감청(형사소송법 제100a조), 주거 내에서의 대화에 대한 감청(형사소송법 제100c조), 주거 외에서의 감청(형사소송법 제100f조), 통신자료조사(형사소송법 제100g조), 이동통신단말기(IMSI-Catscher)를 이용한 이동조사(형사소송법 제100i조), 피의자가 체류하고 있다는 추측이 있을 때 피의자가 실제 거주하지 않는 건물에 대한 수색(형사소송법 제103조 제1항 제2문), 잠입수사관의 투입(형사소송법 제110a조), 도로나 장소에 검문소 설치(형사소송법 제111조), 재범 위험시 구속사유(형사소송법 제112a조 제1항), 이른바 저인망식 수사(Schleppnetzfahndung, 형사소송법 제163d조), 재산압수(형사소송법 제443조), 입증부담의 완화 등이 그것이다.

특히 형사소추기관이 범죄혐의자를 체포할 경우 앞에서 살펴본 형법 제129a조(테러단체조직죄), 제129b조(외국에 있는 범죄단체 및 테러단체죄)에 의한 혐의는 다른 범죄혐의와 달리 형사소송법 제112조 제2항에 의한 추가적인 특별구속사유가 없어도 구속(형사소송법 제112조 제3항)이 가능하다. 또한 구속수사를 받고 있는 피의자에게는 원칙적으로 무제한의 법적 조언을 받을 수 있도록 변호인 접견권이 허용되어야 한다(형사소송법 제148조 제1항). 그러나 앞에서 본 형법 제129a조(테러단체조직죄)나 제129b조(외국에 있는 범죄단체 및 테러단체조직죄)에 대한 혐의를 받고 구속수사중인 피의자의 경우 변호인과의 서면교류가 감시된다(형사소송법 제148조 제2항). 따라서 접견 시에는 변호인에게 문서를 전달하는 것을 막기 위해 창유리로 된 분리칸막이를 설치하는 것이 허용된다(형사소송법 제148조 제2항 제3문). 이 외에도 구속된 테러단체관련 피의자에게는 접견을 금지할 수 있다(법원조직법 시행법 제31조). 그리고 변호인과의 서면교류와 구두교류 및 외부나 다른 수감자의 교류도 완전히 금지할 수 있으며, 피의자에게 변호사는 단지 연락해 주는 사람으로서의 역할을 하게 된다. 이처럼 독일에서의 테러대응은 형사소송법에서도 과거에 행한 법익침해에 대한 전통적인 형사소추에서 미래 실행되지 않은 범죄에 대한 처벌도 가능하도록 절차규정을 완화하는 방향으로 변하고 있는 것이다.

(6) 출입국 관련법

독일은 테러를 사전 예방적 차원에서 방지하기 위해 독일에 위해가 되는 자의 자유로운 여행을 막기 위해 여권법과 신분증법이 있다. 2015년 6월 30일 발효된 「대체신분증 도입을 위한 신분증 개정과 여권법 개정을 위한 법률」(Gesetz zur Aenderung des Personalausweisgesetzes zur Einfuehrung eines Ersatz-Personalausweises und zur Aenderung des Passgesetzes)을 통해 외국인테러전투원의 독일 국내에서의 출국에 대해 여권법과 신분증법상의 여러 조치가 취해졌다. 즉, 신분증의 거부와 정지를 위한 구성요건의 도입, 대체신분증(Ersatz-Personalausweis)의 도입, 여권거부의 사유가 존재할 경우 증서의 무효화, 여권법 및 신분증법상 처분의 즉각적인 실행에 대한 법적 명령 등이 그것이다. 물론 기존의 법으로도 국가를 위태롭게 하는 중한 폭력행위를 예비하는 자는 여권법(제8조)에 의해 여권을 박탈할 수 있다. 그러나 폭력을 행사할 준비가 되어 있는 자가 자신의 신분증을 가지고 외국으로 갈 가능성이 있는 만큼 이를 방지하기 위해 기존 신분증을 박탈하고 대신에 대체신분증을 발급할 수 있도록 한 것이다. 이 대체신분증은 독일의 국내에서 신원확인을 위한 것으로만 사용되며 독일을 떠나 해외로 가는 자의 신분증으로는 사용될 수 없다. 이러한 방법들을 통해 테러와 관련한 급진주의자들의 자유로운 해외여행을 효과적으로 억제하고 있는 것이다.

(7) 테러자금 차단 관련법

독일의 경우도 형법(제89c조)상의 테러자금조달죄를 비롯하여 테러에 사용되는 자금의 출처 및 흐름과 관련된 금융관계를 규율하는 관련 법규가 많다. 독일의 금융기관은 고객의 계좌에 대한 기본정보를 개별 데이터뱅크에 저장해서 운영할 의무를 가진다(신용법 제24c조). 독일에서 전산화된 컴퓨터 시스템에서 금융계좌에 대한 열람(Kontoabruf)을 허용하는 것은 무엇보다도 테러자금과 돈세탁 방지를 위한 것이었다. 이러한 자료는 기본적으로 독일의 사회보장시스템이 악용되지 않도록 재무부 관련기관이나 세관, 세무서 등이 이용하고 있다. 물론 이러한 은

행계좌와 계좌자금의 이동과 관련한 업무를 수행하는 데 많은 규정이 있어(국세법 제93조 등) 정보요청권과 같은 많은 권한을 가지고 이를 합법적으로 이용하고 있다. 또한 독일의 형사소추기관인 검찰과 경찰 등도 누가 어떤 은행계좌를 가지고 있는지 등에 대한 계좌의 기본정보를 이용할 수 있는 권한이 있다. 그러나 형사소추기관에게는 이러한 특별권한이 부여되어 있지 않아 법원의 영장을 통해 계좌내용을 알 수 있기 때문에 경찰이나 검찰이 은행에서 직접 계좌내용의 이동을 추적하지 않을 수도 있다. 그러나 연방헌법수호법 제8a조(특별한 정보요청권)과 헌법수호를 위한 주법에 의해 정보 수사기관은 은행계좌에 있는 금융자금의 이동내역을 알아낼 수 있다. 그 외에도 데이터뱅크 여과수사(형사소송법 제98a조) 등에서 다량의 금융거래데이터가 이용되고 있다. 한편 전산화된 컴퓨터 시스템에서 금융계좌의 열람과 관련해서 은행정보비밀에 대한 침해라는 비판이 있지만, 2007년 7월 12일 독일 연방헌법재판소는 형사소추기관(신용법 제24c조 제3항 제1문 제2호)과 재무기관(국세법 제93조 제7항)의 자동화된 전산 시스템에서의 계좌열람에 관한 규정은 헌법에 위배되지 않는다고 재차 결정했다.[93]

2. 대테러 관련기관

독일의 대테러 관련기관은 테러정보를 수집하는 정보기관과 수사를 담당하는 수사기관으로 크게 나눌 수 있다. 정보기관으로는 연방헌법보호청 및 각 주의 헌법보호청, 해외를 담당하는 연방정보부, 군을 담당하는 군보안청이 있고, 테러의 예방과 수사를 담당하는 기관으로 연방범죄청과 연방검찰청 및 연방경찰 등이 있다. 또한 정보기관과 수사기관을 통합하여 정보공유와 협조를 하는 대테러합동기구가 있다.

다음은 독일의 [테러대응체계도]이다.

93) 이상은 『테러 예방 및 대응을 위한 수사의 실효성 및 예측의 효율성 확보 방안』(형사정책연구원, 2016, pp. 22-141)의 내용을 재정리한 것임.

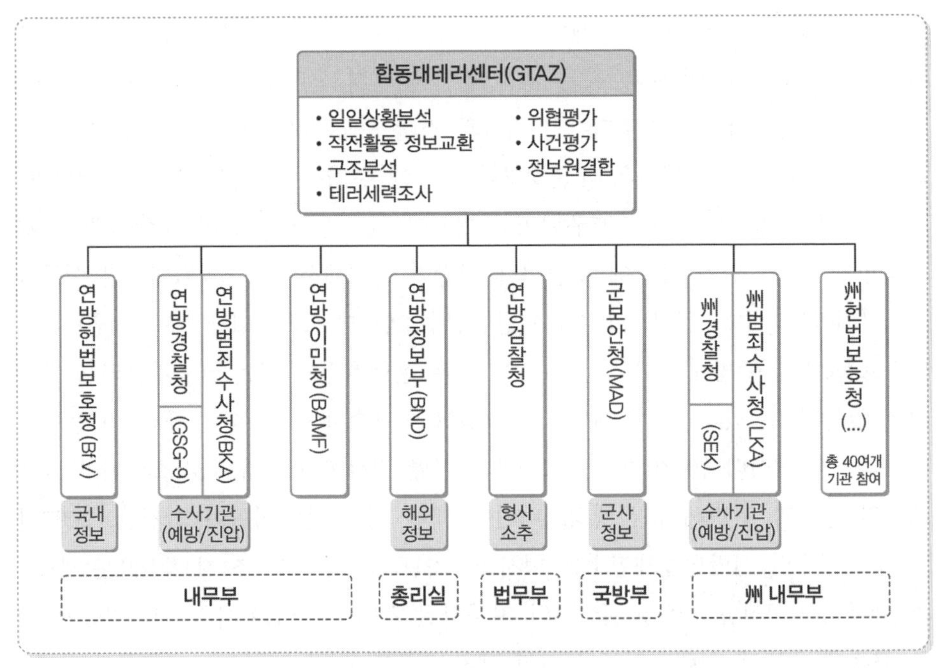

[독일 테러대응체계도]

출처: 테러방지법 해설(국무총리실, 대테러센터, 2017.4), p. 66.

(1) 대테러 통합기구

독일의 대테러 관련 대표적인 합동기구는 합동대테러센터, 급진파와 테러방지 합동센터, 합동인터넷센터 등이 있다.

합동대테러센터(GTAZ: Gemeinsames Terrorrismusabwehrzentrum)는 국제테러 척결 및 예방을 위해 연방과 주(州) 차원에서 모든 유관기관들의 정보를 통합하여 분석·평가하는 기구로 9·11테러를 계기로 2004년 12월에 설립되었다. 이 센터는 연방 내무부가 관장하고 독일에 있는 40여 개의 정보·수사기관이 합동으로 베를린 소재 연방범죄수사청(BKA) 분소에 위치한 한 건물에서 근무하며 테러관련 최신 정보를 상호 교환하고 있다. 주요 참여 기관은 연방헌법보호청(BfV: Bundesamt fuer Verfassungsschutz), 연방범죄수사청(BKA: Bundeskriminalamt), 연방정보부(BND: Bundesnachrichtendienst), 연방검찰청(Vertreter des Generalbundesanwaltes), 연방이민청(BAMF: Bundesamt fur Migration und Fluechtlinge), 연방경찰(Bundespolizei),

군보안청(MAD: Militaerischer Abschirmdienst), 세관범죄청(Zollkriminalamt), 16개 주(州)범죄수사청(LKA: Landeskriminalaemter)과 주(州)헌법보호청(Landesaemter fur Verfassungsschutz) 등에서 파견을 나온 230여명이 근무하고 있다.

GTAZ는 독립된 기관이 아니라, 정보기관과 수사기관의 분리원칙을 유지하면서 관련된 중요한 정보를 모든 유관기관이 공유하고 효율적인 공조를 가능하게 하는 연방과 주정부의 합동기구이다. 독자적인 관청이 아닌 대테러 유관 기관 간의 정보 교류 협력체로서 참여기관의 권한상의 변동은 없으며 각 기관의 독자성이 유지된다. 즉 특정기관이 대테러센터를 주도하는 것이 아니라 각 기관은 대등한 지위에서 자발적으로 정보교류를 한다. 따라서 별도의 센터장이 없고 대등한 지위의 참여기관이 권한과 임무상의 변경 없이 운영되고, 센터 운영의 근거가 되는 별도의 법이 필요하지 않으며, 각 기관에 적용되는 기존의 법 및 정보교류 관련 규정에 의거하여 운영된다. 다만 대테러센터 운영을 위한 장소, 회의를 위한 행정적 준비 등은 필요하기 때문에 운영 업무는 연방범죄수사청(BKA)이 담당한다. 각 기관들은 대등한 관계에서 정보 교류를 하지만 실질적으로는 연방범죄수사청(BKA)과 정보 기관인 연방헌법보호청(BfV)이 주도적인 역할을 담당하고 있다. 주요 부서는 9개로 나누어져 있는데 일일현황 회의팀, 위험평가팀, 작전정보교환팀, 사안분석팀, 구조분석팀, 잠재적 이슬람 테러분자 규명팀, 탈급진화분석팀, 이슬람테러리즘 영향요소 분석팀, 신원법상의 정보분석팀 등이다.[94)]

급진파와 테러방지합동센터(GETZ: Gemeinsames Extremismus und Terrorismus-abwehrzentrum)는 2011년 밝혀진 민족사회주의지하당(NSU) 사건[95)]을 계기로 합동극우주의대응센터(GAR: Gemeinsames Abwehrzentrums gegen Rechtsextremismus)가 설립되었다가 2012년 지금의 급진파와 테러방지 합동센터(GETZ)로 발전되었다. 앞의 두 센터가 주로 이슬람 관련 테러방지를 위한 기구인데 반해 이 센터는 극우, 극좌, 외국인 급진파, 간첩행위 등을 방지하기 위한 기구로 2012년 설립되었다. 이는 기존의 합동극우방지센터(GAR)와 새로 극좌, 외국인 급진파 및 간첩행위가 추가된 기구다. 이 센터의 임무는 극우파와 극우테러, 극좌파와 극좌테러,

---

94) 위키백과(https://de.wikipedia.org/wiki/Gemeinsames_Terrorismusabwehrzentrum) 참조.

95) 민족사회주의자지하당(NSU) 사건은 NSU소속 3명의 극우주의자들의 2000년부터 2007년까지 이민자 중 터키 출신 8명, 그리스 출신 1명, 그리고 여성 경찰관 1명 등 모두 10명을 살해하고 은행 강도를 15건 저지른 사건을 말한다. 일명 나치지하당 사건이라고도 한다(위키백과).

외국인 급진파, 간첩행위 방지와 대량학살무기의 유포 등에 대처하는 것이다. 이를 위해 경찰과 헌법수호기관이 이러한 정보의 상호교환과 인적교류를 통해 상황을 평가하고 분석하며, 가능한 위협을 조기에 포착하고 적절한 조치를 강구하는 것이다. 이 센터 역시 새로운 기구가 아니라 모든 관련 기관들의 정보를 상호 교류하는 것이다. 이 센터도 각 기관의 관할이나 권한에 영향을 주는 것이 아니고 각 기관의 전문능력을 서로 보완하고 신속한 정보의 교환이다. 이 센터에 관여하는 기관으로는 연방범죄청, 연방경찰, 유로폴, 연방검찰, 세관범죄청, 연방헌법보호청, 연방정보국, 군보안국, 연방이민청, 연방경제수출통제부, 각 주의 범죄청 및 헌보청 등 40여개 기관이 참여하고 있다.

합동인터넷센터(GIZ: Gemeinsames Internetzentrum)는 인터넷상의 이슬람 테러행위 척결을 위해 2007년 설립되었다. 설립 배경은 독일 내 급진주의자들이 인터넷을 선전도구로 활용하고 있을 뿐만 아니라 조직원간에 소통의 수단으로 이용하기 때문이다. 이에 따라 독일은 연방헌법보호청, 연방범죄청, 연방정보국, 군보안청, 연방검찰 등을 포함하여 지역 16개 주의 기관들 합동으로 이 센터를 만들었다. 목적은 급진주의자와 테러조직의 활동을 조기에 포착하기 위해 인터넷상에 유통되는 이슬람 및 지하드와 관련된 내용을 관찰하고 평가·분석하는 것이다. 그때까지 여러 기관에서 개별적으로 관리하고 있는 테러혐의자 및 단체 관련 정보를 중앙 데이터베이스에 결집하고, 모든 수사당국에서 접근·공유할 수 있게 하였다. 즉, 각 유관기관들의 언어능력, 기술능력, 전공능력을 한 장소에 모아 능력을 배가시켰다. 이 데이터베이스는 제1항목에서 테러혐의자의 기본 인적사항을 기록하고, 제2항목에서 소속 테러단체, 종교 성향, 무기등록, 통신 및 인터넷 사용기록, 은행계좌, 여행기록 등 광범위한 정보를 수록하고 있다.

(2) 연방헌법보호청(헌보청, BfV)

독일은 헌법을 수호하기 위하여 헌보청을 두고 있는데 연방차원의 연방헌보청과 각 주의 헌보청은 조직상으로는 분리된 기구이지만 헌법수호라는 동일한 임무를 수행하기 때문에 여기서는 연방헌보청을 중심으로 살펴본다.

헌보청의 조직은 연방내무부 산하로 청장과 부청장이 있고, 중앙부서와 6개의 분과로 나뉘고 있다. 6개의 분과는 일반분과(제1분과 Grundsatz), 극우주의/극우테러 분과(제2분과 Rechtsextremismus/terrorismus), 중앙 전공지원과(제3분과 Zentrale Fachunterstuetzung), 간첩방어, 비밀보호, 태업보호 및 경제보호과(제4분과 Spionageabwehr, Geheim-, Sabotage- und Wirtschaftsschutz), 외국인과 극좌주의 분과(제5분과 Auslaender- und Linksextremismus), 이슬람과 이슬람 테러리즘 분과(제6분과 Islamismus und islamistischer Terrorismus)로 구분된다. 인적 구성은 필요에 따라 유동적으로 충원되고 있는데 소속된 직원은 약 3천여 명 정도로 2015년에는 약 2810명 정도였다.[96)]

헌보청의 임무는 자유민주적 기본질서를 보호하는 것이다. 「연방헌법보호법」 제3조 제1항에 의하면 헌법보호기관은 자유민주적 기본질서, 연방과 주의 존립과 안전, 연방과 주의 헌법기관이나 그 구성원에 대한 대항을 목적으로 하는 정치적 급진주의나 테러리즘의 인지(동항 제1호), 방첩(제2호), 이른바 급진적인 외국인의 규명(제3호), 민족과 국가 간의 평화보장과 관련되는 운동(제4호)에 대한 정보를 수집하고 분석하고 평가할 임무를 진다고 규정하고 있다. 동법은 9·11 테러 이후 임무를 '민족에 대한 의사소통'과 '국민의 평화로운 공존'의 보호로 확대했다(동항 제4호). 동법 제3조 제2항에 헌보청의 구체적 임무를 ① 공익상 비밀유지의 필요가 있는 사실, 대상, 인식에 대해 알고 있는 자, 이에 대한 접근이 가능하거나 접근을 하게 할 수 있는 자의 신원조사(이른바 인적비밀보호), ② 생명이나 방위에 중요한 기관에서 안전에 민감한 지위에 종사하거나 종사하게 되는 자의 신원조사(인적 태업보호), ③ 권한 없는 자의 검토에 대하여 공익상 비밀유지의 필요가 있는 사실, 대상 또는 인식의 보호를 위한 기술적 안전검사(물적 비밀보호) 등으로 규정하고 있다. 즉 위험인물들이 국가의 요직이나 민간시설로 안전과 관련하여 중요한 시설이나 공공시설의 조직에 들어가는 것을 원천적으로 배제되도록 한다. 이를 위해 헌보청은 구체적인 법익에 대한 침해가 존재하지 않아도 관련 절차를 개시할 수 있다. 안전의 위태로운 조짐만으로 헌보청은 사태파악을 위해 위험인물에 대한 추적이나 조사를 할 수 있다. 개인관련 정보를 포함하여 필요한 정보를 조사하고, 사용 및 이용할 수 있고(동법 제8조 제1항), 조사를 위해 비밀요원의 투입, 감시, 영상이나 음향의 녹음 등의 각종 수단을 사용할 수 있고, 은밀하게 정보를 수집하거나 기구 등을 사용할 수 있다(동법 제8조 제2항). 이 외에도

96) 위키백과(https://de.wikipedia.org/wiki/Bundesamt_f%C3%BCr_Verfassungsschutz) 참조.

헌보청은 법원의 영장이 없이도 금융기관에 지불거래에 관여한 사람의 은행계좌, 자금유통, 자금투자에 대한 정보를 수집할 수 있고, 항공사에 고객의 이름과 주소 그리고 항공이용의 상황에 대한 정보와 우편, 전기통신 및 전신업무의 상황에 대해 광범위한 정보를 수집할 수 있다(동법 제8a조 제2항). 특히 우편 및 통신사의 정보제공의무는 이제 이 기업들과 고객의 계약관계 성립, 내용상의 형태, 변경 또는 해지에 관한 정보가 저장되어 있는 이른바 '내역데이터(Bestanddaten)'에도 적용된다(동법 제8a조 제1항). 그 밖에도 정보기관의 소위 이동통신단말기(IMSI-Catcher) 사용요건을 완화하여 표적이 되는 사람의 핸드폰 카드번호가 결정될 수 있고, 국가경찰 정보시스템(INPOL)과 쉥엔(Schengen)정보시스템(SIS)에서 인력이나 물건을 공고할 권한도 있다(동법 제17조 제3항). 또한 개인정보는 예외적으로 다른 결정을 하지 않는 한, 마지막에 정보를 보존한 시점부터 15년 후 소거하도록 하고 있다(동법 제12조 제3항).

헌보청은 다른 기관과 마찬가지로 다양한 통제받고 있다. 이러한 감독과 통제는 의회와 법원에 의한 통제부터 여론에 이르기까지 다양하다. 연방내무부(BMI)가 직무에 대한 감독을 하고, 독일 연방정보보호와 정보자유 위원회(BfDI)는 개인정보규정의 이행에 관한 사항을 감독하고, 연방감사원(Bundesrechnungshof)은 정보기관에 대한 재무감사를 한다. 의회는 연방의회에서의 질의 토론 등의 방법이나 또 내무위원회나 재무위원회의 보고서 등에 의해서 이루어지고 시민들도 연방의회에 청원을 할 수도 있다. 법원은 헌보청의 모든 권한 행사를 감독할 수 있고, 시민들은 직, 간접의 청원이나 문의를 통해 정보기관을 감시할 수 있다.[97]

(3) 연방정보부(BND)

연방정보부는 해외정보를 수집하는 기관으로 1990년부터 「연방정보부에 관한 법률」(연방정보부법, BNDG: Gesetz über den Bundesnachrichtendienst)에 의해 설립되었다. 동법 제1조는 연방정보부는 수상 관할로 경찰과 통합해서는 안 된다고 규정하여 원칙적으로 체포와 같은 경찰의 수사권한은 없다. 임무는 국외 및 안보와 관련하여 외국에 대한 필요 정보를 수집·분석·평가하는 것이다(동법 제1조 제2항). 중점업무 중의 하나는 이슬람 배후의 국제테러리즘에 대한 규명이다. 이

97) 형사정책연구원, 앞의 책, pp. 123-128.

를 위해 정보기관의 각종 수단을 이용할 수 있고(동법 제8조 제2항과 제9조), 국내에서 활동할 경우는 「우편, 통신비밀제한에 관한 법률」(Gesetz zur Beschränkung des Brief-, Post- und Fernmeldegeheimnisses, Artikel 10-Gesetz, G 10)의 규정과 통제를 받는다. 연방정보부가 획득한 정보는 독일 연방정부와 연방의회(Bundestag)에 전달한다. 외국으로부터의 정보를 수집·분석·평가하여 정책에 필요한 정보판단자료를 지도층에 제공하고, 정치, 군사, 경제, 과학, 기술 등의 모든 분야에 대한 국제정세를 정확히 예측하여 정책결정의 자료로 활용할 수 있도록 한다. 국가수준의 전략정보를 생산하여 정책입안자들에게 제공해 줄 뿐만 아니라 다양한 군사첩보를 수집하여 국방성 정보국에 통고하여 주는 등 타 정보기관에 대한 정보협력 및 지원하고 있다.

조직은 2009년부터 12개의 분과로 되었으며, 그중의 한 분과가 국제테러리즘과 국제조직범죄를 담당하고 있다. 이 국제테러리즘 분과는 많은 국제적인 협약기관과 안전 및 연구기관과 협력하며, 외국의 450개가 넘는 (정보)기관과 공조하고 있다. 특히 중점업무 중의 하나는 이슬람 배후의 국제테러리즘에 대한 규명이다. 전문요원들이 24시간 공중 전파를 감청하고 있고, 전화나 팩스 등 각종 통신수단을 통해 전달되는 정보를 모니터링하고 있다. 주로 무기나 마약거래, 핵물질의 이동, 테러조직의 움직임과 이들에 의한 위협에 초점이 두어진다. 경찰, 세관, 이민국 등 독일 내의 다른 정보기관과 정보를 교환하기도 하고, 위기상황 발생시 자체적으로 보유하고 있는 자원과 타국으로부터의 정보지원을 종합하여 상황을 평가하고 판단한다.

연방정보부의 활동은 독일의 다른 기관과 마찬가지로 의회 감사의원회의 감사를 받는다. 독일 전역과 외국에 지부를 두고 있는 연방정보국에는 현재 약 6500명의 직원이 종사하고 있고, 이 중 외국에서 근무하는 직원은 약 1550명 정도이며, 이 기관의 예산이 해마다 증가하는 것을 보면 이 기관의 중요성을 짐작할 수 있다.[98]

(4) 연방범죄수사청(BKA: Bundeskriminalamt)

연방범죄수사청은 연방내무부 산하로 각 주의 범죄청들과의 긴밀한 협력으로

98) 형사정책연구원, 앞의 책, pp. 130-131.

독일내의 범죄예방을 조정하고 외국과 관련된 특정한 중대 범죄영역에서 수사를 담당하고 있다(기본법 제73조 제1항 제10호와 제87조). 또한 연방헌법기관의 구성원(즉 연방의회, 연방하원, 연방대통령, 연방정부, 연방헌법재판소)을 보호하고, 인터폴(Interpol)과 유로폴(Europol)과 협력하여 범죄예방의 발전방향을 모색하고 분석한다. 독일은 연방국가이기 때문에 연방과 주의 권한 분배로 원칙적으로 위험예방과 범죄예방을 관할하는 곳은 주(州) 경찰이다. 예외로 「연방범죄청과 형사경찰의 사안에서 연방과 주의 협력에 관한 법률」(연방범죄수사청법, BKAG: Gesetz ueber das Bundeskriminalamt und die Zusammenarbeit des Bundesund der Laender in kriminalpolizeilichen Angelegenheiten)에 의해 외국과 관련된 특정한 중대 범죄영역에서 수사를 담당하고 있다.

조직은 청장을 중심으로 업무에 따라 크게 9개 분과로 나뉘어 있고, 각 분과는 다시 구체적 내용에 따라 많은 하위부서로 세분화되어 있다. 즉 국가안보국(ST, Polizeilicher Staatsschutz), 중범죄 및 조직범죄국(SO, Schwere und Organisierte Kriminalitaet), 경호국(SG, Sicherungsgruppe), 중앙정보관리국(ZI, Zentrales Informationsmanagement), 전략적 투입·수사지원국(OE, Operative Einsatz- und Ermittlungsunterstützung), 국제협력, 교육·연구센터(IZ, Internationale Koordinierung, Bildungs-/Forschungszentrum), 범죄수사연구소(KT, Kriminaltechnisches Institut), 정보기술국(IT, Informationstechnik), 중앙행정국(ZV, Zentrale Verwaltung)으로 이루어져 있다.

2009년에 발효된 「연방범죄수사청법」 제4a조 및 제20a조는 국제테러의 위험을 예방하기 위해 연방범죄청의 관할과 다양한 권한이 명시되어 있는데 특히 위험이 여러 주에 확산되어 있거나, 주 경찰의 관할로 볼 수 없거나, 주(州)의 최상급관청이 요청하는 경우에 국제테러 위험방지 임무를 수행한다. 이를 위해 BKA는 개인관련 정보수집(동법 제20b조), 조회(동법 제20c조), 신원확인 및 자격증 검사(동법 제20d조), 식별업무상의 처분(동법 제20e조), 소환(동법 제20f조), 데이터수집을 위한 특별수단의 사용(동법 제20g조), 주거 내·외에 기술적 수단의 투입(동법 제20h조), 데이터뱅크 여과수사(동법 제20j조), 이른바 온라인 비밀수색(동법 제20k조), 전기통신감청(동법 제20l조), 이동통신카드와 단말기 확인과 위치확인(동법 제20n조), 장소 접근금지명령(동법 제20c조), 유치(동법 제20p조), 사람과 물건에 대한 수색(동법 제20q조와 제20r조), 위험한 물건의 확보(동법 제20s조), 주거에 대한 출입과 수색(동법 제20t조) 등을 할 수 있다.

이 중 테러와 관련된 사건을 담당하는 주무부서는 국가안보국(ST)이다. 국가안보국(ST)에서는 효과적인 테러 대응을 위해 국내외 경찰 기관 및 정보기관과의 협력을 추진하고 있다. 이러한 협력은 특히 합동대테러센터(GTAZ) 및 급진파와 테러방지합동센터(GETZ)를 통해 이루어진다. 이러한 테러범죄는 정치적 동기에서 행해지는 범죄의 극단적 형태이고 이의 척결은 국가를 보호해야 하는 연방범죄수사청의 임무이다.

BKA에서 국가안보국(ST)은 국제테러, 정치적 동기가 있는 국제범죄 등을 다루고 있다. 이때 정치적 동기 범죄는 ① 정치적 목적달성이나 저지 또는 정치적 결정의 실현에 반대하는 민주적 의사결정 과정에 영향을 주려는 행위, ② 자유민주적 기본질서에 반하거나 또는 연방과 주의 존립과 안전 또는 헌법기관 구성원의 직무수행을 위법하게 침해하려는 행위, ③ 폭력을 사용하거나 폭력을 겨냥한 예비행위로써 독일의 대외적 이해를 위태롭게 하는 행위, ④ 정치적 견해, 국적, 민족, 인종, 피부색, 종교, 세계관, 출신에 의해 또는 외모나 장애, 성적 정체성, 사회적 지위로 인해 어떤 사람에 대한 행위 그리고 그 행위가 인과관계가 있거나 이 맥락에서 기관이나 사물 또는 대상에 대한 행위 등을 말한다. 이 외에도 테러관련 범죄들, 예컨대 국가를 위협하는 중한 폭력행위의 예비죄(형법 제89a조), 국가를 위협하는 중한 폭력행위의 실행을 위한 교류죄(형법 제89b조), 테러자금조달죄(형법 제89c조), 국가를 위협하는 중한 폭력행위의 범행안내죄(형법 제91조), 테러단체조직죄(형법 제129a조), 외국에 있는 범죄단체 및 테러단체죄(형법 제129b조) 등이 해당된다.

(5) 연방검찰청(Bundesanwaltschaft)

연방검찰청은 국가보호의 영역에서 독일의 최고 형사소추기관으로 국내외의 안전과 관련된 중대하고 어려운 국가수호에 관한 형사사건에서 검찰업무를 수행한다(법원조직법 제142a조 제1항, 제3항). 연방검찰청은 1970년대와 80년대 독일 적군파(RAF)의 테러행위와 극좌파 테러단체의 소추에 크게 기여했다. 형사소추의 중점이 그동안 많이 바뀌어 현재는 이슬람 테러와 극우파의 소추에 중점을 두고 있다. 이 외에도 외국인 급진파와 극좌파 소추도 관심을 갖는 영역이다. 특히 이슬람 테러에 있어 소추는 형법 제129a조(테러단체조직죄)와 제129b조(외국에 있는 범죄단체 및 테러단체죄)로 인한 것이 대부분이고, 외국인 급진파의 경우에는 주로 터키나 쿠르드 급진파에 대한 소송이다. 이 밖에도 연방검찰청의 관할에는 또 국제형법에 의한 범죄의 소추도 관여한다(법원조직법 제120조 제1항 제8호). 연방검찰은 국가수호사안을 관할하는 고등법원에 공소를 제기하며, 이 소송에서 기관대여(기본법 제96조 제5항) 방식으로 연방관할권을 행사한다(법원조직법 제120조 제6항). 연방검찰은 BKA, 각 주의 범죄수사청 그리고 기타 연방과 주 경찰기관에 수사를 의뢰할 수 있으며, 각 기관들은 이 지시나 의뢰를 이행해야 한다(형사소송법 제161조). 또 외국에서의 수사와 관련된 수사절차를 주재하며, 중대범죄의 소추에서 국제적인 법공조를 개선하기 위해 유럽연합 소속국들과 유럽사법망을 만들어 사법기관의 국제공조를 담당하고 있다.

(6) 연방경찰(Bundespolizei)

연방경찰은 2005년까지는 1951년 설립된 연방국경수비대(Bundesgrenzschutz)라는 명칭으로 불렸으나 법 개정을 통해 연방경찰로 명칭을 변경하였다. 이후 2008년 「연방경찰법」을 개정하여, 현재의 조직으로 전면 개편하였다. 연방경찰청은 포츠담에 위치해 있으며, 산하에 9개 지방 경찰청으로 이루어져 있다. 경찰은 주 정부 관할이며, 연방경찰은 연방내무부에 산하 외청으로 청장은 내무부장관의 추천에 의하여 연방내각에서 임명되는 정무직공무원이다. 연방경찰청 및 소속 관서에는 총 4만여 명이 근무하고 있으며, 그중 약 3만 명이 경찰관으로 독일 전역 국경, 공항, 항만, 철도 등에 배치되어 있다. 조직은 상황분석(Lage und Auswertung), 위험 방지, 범죄 대응, 국제 협력, 기타 행정부서들로 이루어져 있다. 특히 범죄대응과(3과)에는 대테러 유관 기관 간 정보 교류 협력체인 합동대테러센터(GTAZ)와 급진파와 테러방지합동센터(GETZ)가 있다. 부속기관으로는 대테러특수부대인 GSG-9이 있는데 GSG(Grenzschutzgruppe)는 국경수비대의 약자로 연방경찰로의 명칭 변경에도 불구하고 인지도 등을 고려하여 여전히 명칭을 그대로 유지하였다. GSG-9은 1972년 9월 뮌헨 올림픽 인질 사건을 계기로 설립되어 테러, 중요범죄, 인질사건 등에 투입되며, 테러대응, 인질석방, 폭탄제거를 전문으로 하고 작전국의 동의하에 해외에도 투입될 수 있다(연방경찰법 제9조). 테러, 인질 상황 등에서의 GSG-9 투입여부는 연방내무부에서 결정한다.

연방경찰의 임무는 「연방경찰법」(Bundespolizeigesetz) 제1조에서 제13조에 규정되어 있으며, 주요 임무는 국경경비(Grenzschutz), 철도경찰(Bahnpolizei), 항공안전(Luftsicherheit), 연방기관의 보호, 해상경비 등이다. 구체적 역할은 우리나라의 경찰과 같이 범죄의 수사다. 즉 국제범죄, 조직범죄, 마약, 폭발물 관련범죄, 위조화폐, 무기밀매, 요인암살기도행위 등의 수사에 있어서 관할권을 가지고 범죄정보의 수집・분석의 임무를 수행한다. 이 외에도 국경보호(연방경찰법 제2조), 연방의 철도영역에서 공공 안전과 질서를 위한 위험방지(동법 제3조), 항공안전(동법 제4조), 항공안전을 위해 항공기에 투입(동법 제4a조), 연방기구의 보호(동법 제5조), 해양안전(동법 제6조), 범죄소추(동법 제12조) 등의 특수경찰 역할을 수행하고 있다.[99]

(7) 군보안청(MAD: Amt fuer den Millitaerischen Abschirmdienst)

독일국방부(BMVg: Bundesministerium der Verteidigung) 산하로 헌법보호기관의 임무를 수행하고, 연방군의 군사적 안전과 전투준비를 위한 기관이다. 핵심 임무는 「군정보안청법」(MADG: Gesetz ueber den Militaerischen Abschirmdienst 제1조 제1항)[100]에 의한 테러방지 및 방첩을 위한 정보의 수집・평가이다. 또한 군보안청은 연방군대(Bundeswehr)의 본부나 기구의 안전상황에 관한 평가를 하고, 국방부 관할의 모든 인적・물적 비밀사항 보호와 관련된 안전점검도 맡고 있다. 군보안청은 해외파병 독일군의 안전을 위협하는 모든 활동에 대한 정보를 수집・평가하고, 파병지역에 대한 위험검토와 기술적인 안전조치를 담당하고 있다. 테러 척결을 위해 독일의 모든 헌법수호기관, 연방정보국, 연방과 주의 안전기관 그리고 외국의 정보기관과 긴밀히 협력하고 있다(동법 제3조).

---

99) 세부 내용은 경찰청, 앞의 책(pp. 136-150) 참조.

100) MADG는 제1조 과제, 제2조 특수사례의 관할, 제3조 헌법수호기관과의 협력, 제4조 군보안청의 권한, 제4a조 특별 정보요청, 제4b조 기타 정보요청, 제5조 데이터조사의 특수형태, 제6조 개인관련 데이터의 사용과 시정, 제7조 미성년자의 개인관련정보의 사용, 제8조 데이터배열, 제9조 당사자에 대한 안내, 제10조 군보안청에 정보의 전달, 제11조 군보안청을 통한 개인관련 데이터의 전달, 제12조 정보의 전달에 관한 절차, 제13조 정보보호법의 적용, 제14조 외국에서의 특수한 사용 등으로 구성(https://www.gesetze-im-internet. de/madg/) 참조.

조직은 기관장하에 전체업무를 담당하는 중앙부서가 있고, 업무영역에 따라 네 분과로 나누어지며 14개 지부가 있다. 그중 제2분과가 과격주의 및 테러리즘 예방, 방첩과 태업예방을 담당하고 있다. 이러한 임무 수행을 위해 법적 요건이 충족되면 당사자가 알지 못하게 비밀로 조사를 할 수 있는 다양한 수단을 이용할 수 있다(동법 제4조). 직원 및 이에 준하는 자가 국민협조의 사상(기본법 제9조 제2항), 특히 국민의 평화적 공존(기본법 제26조 제1항)에 반하여 참여하는 것에 관한 정보인 인적·물적 관련 보고, 뉴스와 자료의 수집 및 분석을 할 수 있고(군정보기관법 제9조 제1항), 휴대전화의 조사도 허용된다(기본법 제5조). 또한 전기통신 접속데이터 및 통신서비스 이용데이터에 관한 정보의 수집이 허용된다(군정보기관법 제10조 제3항). 이 기관 또한 의회와 전문위원회에 의한 통제를 받는다.[101)]

3. 대테러 부대

(1) GSG-9

정식명칭은 국경수비대 제9국경 경비대(GSG-9: Grenzschutzgruppe 9 der Bundespolizei)로 연방경찰에 소속된 대테러부대이다. 지금의 연방경찰은 1951년 설립된 연방국경수비대(Bundesgrenzschutz)라는 명칭으로 불렸으나 2005년 법 개정을 통해 연방경찰로 명칭을 변경하게 된 데 기인한다. 뮌헨 올림픽 참사 이후 1873년 창설되었는데 당시 연방경찰의 국경수비대(GSG)에는 8개 부대가 있었고 1개 부대를 추가한다는 의미로 GSG-9이라는 명칭이 붙여졌다. GSG-9는 250여명으로 참모조직, 작전조직, 지원조직으로 나누어진다. 참모조직은 3개로 정보입수 등 작전지원 참모, 무기·무전기 등 전투장비 지원 참모, 재교육 담당 참모 등 이다. 작전조직은 직접 현장에 투입되는 부대로 100여명 요원은 이라크, 아프리카 등 분쟁지역에서 독일공관 경비, 요인보호, UN평화유지군 임무를 수행하고, 3개 제대는 각 30-40명으로 편성되어 제1제대는 지상 작전을 수행하는 부대로 1개팀 5명 6개팀(저격수 보강), 제2제대는 해상작전 부대로 1개팀 5명 6개팀(잠수요원 보강), 제3제대는 고공작전 부대로 1개팀 5명 6개팀(고공요원 보강) 등이다.

---

101) 세부 내용은 형사정책연구원, 앞의 책(pp. 128-131) 참조.

지원조직은 3개 지원대로 기계조작, 해정술 등을 담당하는 기술지원대, 위성이나 전화감청 등을 담당하는 정보통신대, 신규직원 교육 및 작전기록이나 촬영기술 등을 교육하는 교육대 등이다. 이들의 주 임무는 테러사건 발생시 인질구출이지만 연방경찰(BKA: Bundes KriminAlt)의 범인 체포, 신(新)나치조직 또는 조직범죄의 소탕임무도 맡고 있다. 또 국가 중요행사가 있을 경우 요인을 경호하고, 테러 및 강력사건 대처를 위해 평소 철저한 목표분석을 실시한다.

테러사건 발생시 투입 절차는 16개 각 지방정부에서 GSG-9 투입을 요청하면 내무부의 국경수비대 사령부에서 투입을 결정하여 작전 개시까지 연방이라는 특성으로 독립성을 가진 각 주정부와 각 사건의 성격과 작전 시 업무분장에 관한 협약을 체결하여 일사 분란한 작전을 수행하다. 작전 준비는 투입요청이 있을 경우 출동명령을 기다리지 않고 선발대를 현장에 파견하여 관측 등 현장을 관리하며 작전에 대비한다. 창설 이후 현재까지 1,500회 이상 작전에 투입되어 1977년 모가디슈 항공기 작전 등 매년 30-50회 정도의 작전을 수행하고 있다.

(2) KSK(Kommando Spezialkräfte)

독일의 연방군에 소속된 대테러부대이다. 원래 독일에는 1973년에 창설된 GSG-9이 있었으나 연방경찰 조직으로 해외에서 발생하는 사건현장에 파견하는데 여러 제약이 많아 1996년 육군소속으로 창설했다. 1994년 르완다 내전 당시 르완다에 거주 중인 독일인들의 귀환작전을 실시하고자 했으나 GSG-9은 경찰조직 산하로 해외에 파견되는 데 많은 제약이 있어 결국 귀환작전은 벨기에 공수특전단의 도움 아래 이루어졌고, 이로 인해 1996년 4월 1일 KSK가 창설되었다. 기본임무는 독일 영토의 방위, 위기 상황의 대처, 평화 유지 및 지원 등이고 이외에 적 후방지역 정찰 및 충돌 지역에서의 독일 시민의 안전 보호, 위험지역에서의 시민 철수 및 납치와 탈출 조종사 구출 등이다. 대원들은 천여 명으로 자원입대한 병사들 중에서 선발하고, 전원이 외국어, 화학, 의학 등의 개인특기를 가지고 있다. 지원자 중 육체 및 정신적 시험에서는 40% 정도만이 통과되고 생존력 시험에서 남은 지원자들 중 10% 정도만이 통과하며, 이후 2~3년 동안 도시, 사막, 정글, 알프스, 북극 등 곳곳에서 극지훈련을 받게 된다.

조직은 5개 팀으로 구성되어 있는데 지상 침투팀, 정보 수집 및 공중침투팀,

수중 침투팀, 특수 지역 및 악천후 활동팀, 정찰 및 저격팀 등이다. 1998년 코소보 사태, 2001년부터 아프가니스탄 전투에도 참여했다. 2001년도에 미군은 테러조직 색출과 제거를 위해 8개국에서 특수부대원들을 모집해 Task Force K-bar를 만들었는데 여기에 캐나다, 덴마크, 뉴질랜드 등과 함께 KSK도 참여하여 107명에 달하는 테러범을 체포하였고 115명을 사살했다.[102)]

Ⅳ. 프랑스

1. 대테러 관련법제

프랑스 국내법에서 최초로 테러를 다룬 것은 1986년 프랑스 형법전(Code penal)으로 제421-1조에 의하면, 테러리즘을 '개인 또는 집단의 획책 아래 의도적으로 위협 또는 공포에 의하여 공공질서를 현저하게 방해할 목적으로 행해지는 범죄'로 정의하면서 범죄의 종류를 크게 두 가지로 분류하고 있다.[103)]

첫째, 현행범죄(infractions existantes)로 ① 사람에 대한 죄로 고의에 의한 생명 및 사람의 완전성에 대한 침해, 약취, 감금 및 항공기, 선박 기타 모든 수송수단의 탈취, ② 물건에 대한 죄로 절도, 강요, 손괴, 훼손, 효용상실 및 정보처리, ③ 해산된 무장단체에 관련한 범죄와 동법 제434-6조와 제441-2조부터 제441-5조까지 규정된 범인은닉 등의 원조행위, 공문서위조, 위조한 공문서 소지 및 행사, 공문서 부정발급, ④ 국방법전(le Code de la defense)에 규정된 무기·폭발물·핵물질에 관련된 범죄, ⑤ 위에 열거된 범죄행위로부터 나온 산출물의 은닉, ⑥ 자금세탁범죄, ⑦ 재정통화법전(le Code monetaire et financier) 제465-1조에 규정된 자신의 지위와 특수정보를 이용하여 투자자의 이익과 금융시장의 투명성을 해치는 행위 등이다.

둘째, 독립적(autonome) 범죄로 위의 현행범죄에 해당하지 않는 범죄로서 테러를 획책하는 모든 범죄를 말한다. 다만 너무 포괄적이어서 형법상의 죄형법정주의

---

102) 위키백과(https://de.wikipedia.org/wiki/Kommando_Spezialkr%C3%A4fte) 참조.
103) 법무부, 프랑스 형법(Code penale) 한국어 번역본((file:///C:/Users/user/Downloads/프랑스 형법.pdf)(2008), pp. 235-241.

원칙에 위배된다는 문제가 제기되었으나 프랑스 헌법재판소(Conseil constitutionnel)는 1986년 '테러 획책(entreprise terroriste)'이란 표현 자체에 문제가 없다고 판단하였다.

이러한 과정을 통해 1986년 9월 9일 프랑스 최초로 테러리즘을 규정한 법률이 탄생하였다. 이 법 제정의 의의는 첫째, 프랑스 형사소송법을 통해 테러리즘을 정의하고 프랑스 해외 지역에서 행해지는 모든 테러리즘과 연관된 혐의를 인정한 것이다. 둘째, 테러리즘에 대한 형사소송법 절차를 공포하여 ① 보호유치기간 4일 연장, ② 보호유치에 변호사 개입 72시간 연기, ③ 형(刑)의 가중, ④ 테러리즘 옹호·찬양에 혐의 적용, ⑤ 테러 희생자에 대한 보상 검토, ⑥ 테러범죄 용의자의 동의 없이도 가택수색 허가, ⑦ 테러 범죄를 억제하도록 도운 범인에게 형 면제 적용 등이 그것이다. 셋째, 형사소송법 제706-17조를 통해 테러범죄에 대한 관할 절차를 명시하였다. 프랑스의 경우 기소는 검찰, 예심수사(instruction)는 수사법원, 판결은 판결법원(juridiction de jugement)이 하도록 업무가 분리되어 있는데 이는 형사재판에 있어서 공정함과 객관성을 유지하기 위함이다. 그러나 테러범죄의 경우 기소와 예심수사를 파리에 있는 검사 및 예심판사에게 관할권한을 부여하여 프랑스 전역에서 일어나는 사건의 권한을 행사할 수 있게 하였다.

1992년 7월 22일 법률 제92-686호는 테러범죄 행위에 반국가적 범죄(crimes)·범법(delits) 혐의를 추가하여 형법전을 보완하였고, 형법전 제 421-2조의 준(準) 테러행위에 생태적 테러를 추가하여 "개인 또는 집단의 획책 아래 의도적으로 위협 또는 공포를 주어 공공질서를 현저하게 방해할 목적으로 사람이나 동물의 안전을 해하거나 자연환경에 위해를 가하는 성질의 물질을 대기, 지상, 지하, 음식물 또는 음식물의 재료 안, 수중 및 영해에 투여 또는 방출하는 행위"로 규정하고, 이러한 생태적 테러행위를 자행한 자에 대해 20년 징역형에서 무기징역까지 처벌이 가능하도록 했다.

1996년 7월 22일 법률 제96-647호는 테러리즘 억압 및 공권력 집행자 혹은 사법경찰 분야의 공공기관에서 요직을 맡는 인물에게 가하는 물질적·정신적 피해에 대한 처벌을 강화한 것이다. 이를 형법전 제421-2-1조에 추가하여 '특정 단체 혹은 조직의 테러행위 시도 연관 혐의'를 도입하였다.

2001년 프랑스는 9·11테러가 발생하자, 2001년 11월 15일 「일상안전에 관한 법」(Loin°2001－1062 du 15 novembre 2001 relative à la sécurité quotidienne)을 제정하였다. 법률 제2001-1062호인 이 법은 일상생활의 안전을 강화하기 위하여 사법경찰의 권한을 보강한 것이다. 즉 테러를 예방하기 위한 수단으로 사법경찰의 일반인 검문, 차량 내부, 항만 시설 및 비행장 수색을 강화하도록 하였고, 민간경비업체도 민간인을 상대로 검문·수색을 할 수 있도록 하였다. 이로써 사법경찰 및 민간경비는 의심 인물에게 적극적인 수색 및 신체검사를 할 수 있게 되었으나 권한의 남용을 막기 위해 상대방의 동의하에 하고 경찰서 같은 기관 내에서만 조사를 할 수 있도록 제한하였다. 또한 테러자금 조달관련 혐의가 있는 용의자의 전 재산을 몰수할 수 있도록 하였다.

2003년 3월 18일 법률 제2003-239호는 테러범죄의 수사상 절차를 완화하는 것을 주 내용으로 한 것인데, 예를 들어 특정한 경우에 경찰관 및 헌병대가 의심되는 차량의 내부를 수색할 수 있고, 사법경찰관은 용의자 수배자료 접근 및 국내유전자 감식파일(FNAEG: fichier national des empreintes genetiques)을 활용할 수 있도록 하였다. 또한 테러 범죄자와 지속적인 접촉을 가지면서도 자금출처를 증명하기에 어려운 경우에 테러행위와의 연관 혐의만 명시하면 용의자를 기소할 수 있는 내용을 형법전 제 421-2-3조에 추가하였다. 이러한 혐의로도 10년 금고형 및 22만5천유로의 벌금형을 부과하고, 주도인물에게는 20년의 징역 및 50만유로의 벌금형을 부과할 수 있다.

2006년 1월 23일 「테러방지 및 치안과 국경통제에 관한 규정에 관한 법」(Loi n°2006-64 du 23 janvier terrorisme et portant dispositions relatives à la sécurité et aux contrôles frontaliers, 일명 대테러법)을 제정하였다. 법률 제2006-64호인 이 법은 국경보안 및 국경통제 강화를 다룬 것으로 총 11장(Chapitre)으로 구성되어 있다. 제1장은 비디오카메라에 의한 감시 강화, 제2장은 테러 용의자의 이동 및 통신 기록 감시 및 통제, 제3장은 개인 이동정보 관리 자동화(출입국정보 관리 강화), 제4장은 테러리즘 진압 및 형벌 집행 강화, 제5장은 테러리즘 피해자 관리, 제6장은 프랑스 국적 박탈, 제7장은 음성 및 영상 자료관리, 제8장은 테러리즘 자금조달 방지, 제9장은 개인 활동 안전 보장 및 공항 안보 강화, 제10장은 해외 프랑스 관할지역 관리강화, 제11장 최종 방안 등이다. 특히, 이 법은 모든 통신회사, 인터넷보급자 및 인터넷 접속을 제공하는 공공기관은 모든 통신자료를 1년

간 의무적으로 보관해야 하고, 통신자료 접근을 사법권이 아닌 국가통신보안관리위원회(CNCIS)[104]가 임명한 공무원의 권한으로 가능하도록 하였다.

2012년 12월 21일 법률 제2012-1432호는 프랑스 남부 툴루즈(Toulouse)에서 이슬람 극단주의자 모하메드 메라(Mohamed Merah)에 의해 자행된 테러[105]를 계기로 제정되었다. 당시 용의자는 경찰의 감시를 받고 있는 가운데 테러를 자행하여 용의자에 대한 지속적인 감시 및 데이터 수집의 중요성이 부각되면서 「보안 및 대테러관련 법률」(Promulgation de la loi relative a la securite et a la lutte contre le terrorisme)로 제정되었다. 제정 당시 유효기간을 2012년 연말로 하였으나 2015년 12월 31일까지 연장하면서 해외에서 행해진 테러범죄 혹은 테러범 훈련이나 활동에 연루된 재외국민까지 소추할 수 있도록 형법전을 개정하였고, 테러에 직접 가담하지 않더라고 테러를 찬양하는 언행에도 최고 5년의 징역과 45,000유로의 벌금을 물도록 하였다.

2014년 11월 13일 법률 제2014-1353호는 기존의 대테러법(2006)을 강화한 「대테러 조치 강화에 관한 법(Loi n 2014-1353 du 13 novembre 2014 renforçant les dispositions relatives à la lutte contre le terrorism)」을 개정하였다. 이 법은 인터넷과 휴대폰 전화기록 조회권을 강화하였고, 테러위험인물은 최장 6일 간 억류시킬 수 있도록 하였으며, 테러의심 자국민에 대하여 해외여행을 제한하는 등의 내용으로 극단주의 및 이슬람 테러에 대한 경각심을 반영한 것이다. 특히 자생테러를 테러개념에 포함시켜 프랑스 형법에서 규정된 테러리즘의 정의에 '개인의 테러리즘 획책(entreprise terroriste individuelle)'을 추가하였다.

2015년 7월 24일 법률 제2015-912는 「정보처리 관련법」(projet de loi sur le renseignement)으로 서구 국가 중에서 가장 뒤늦게 마련한 것이다. 제정 과정에서 시민의 자유를 보호하는 프랑스 기본법(loi fondamentale)에 부합하면서 대테러와 국익을 수호하기 위한 목적 외에 남용될 수 없다는 점을 명시하였다. 구체

104) CNCIS(Commission nationale de controle des interceptions de securite)는 1983년에서 1986년까지 미테랑(Francois Mitterand) 대통령이 7년 동안 엘리제궁을 도청한 사건을 계기로 1991년 7월 10일 제정한 「내부안전법전」(Code de la securite interieure)에 의거 통신보안을 보장하기 위하여 최초로 설립되었다.

105) 범인은 프랑스·알제리 이중국적자로 알 카에다와 지속적인 접촉을 시도한 자로 2012년 12월 21일 툴루즈에서 총격 테러로 3명의 프랑스 군인과 오자르 하토라(Ozar Hatorah) 유대인 학교 어린이 3명과 교사 1명이 사망하였고, 6명이 부상을 입었다.

적으로 정보처리기관에 법적 테두리를 제시함으로써 정보 접근에 있어 필요한 기술적 방책을 제공하면서 시민의 자유 및 개인정보를 보호하고 있다.

2016년 6월 3일 법률 제2016-731은 「조직범죄와 테러자금조달 대응 강화 및 형사소송법절차 효율성·확실성 강화 법률(대테러강화법)」(La loi renforçant la lutte contre le crime organisé, le terrorisme et leur financement, et améliorant l'efficacité et les garanties de la procédure pénale)을 제정하였다. 이 법은 지금까지의 테러 및 조직범죄에 좀 더 효과적으로 대응하기 위해 형사절차를 개혁하겠다는 좀 더 광범위한 목적 하에 제정된 것으로 수사기관의 활동을 최대한 보장하고 절차를 간소화하여 효율성을 높이는 데 중점을 두었다. 즉 이 법은 야간 가택수색, 비밀녹음 및 촬영, 전자 통신 자료 캡처 등 새로운 수단을 활용할 수 있도록 하였고, 소지품에 대한 검사와 수색 권한 확대, 테러 연루 의심자에 대한 억류, 특정인 또는 특정 시설에 대한 행정 통제를 강화하였다.[106]

2. 대테러 관련기관

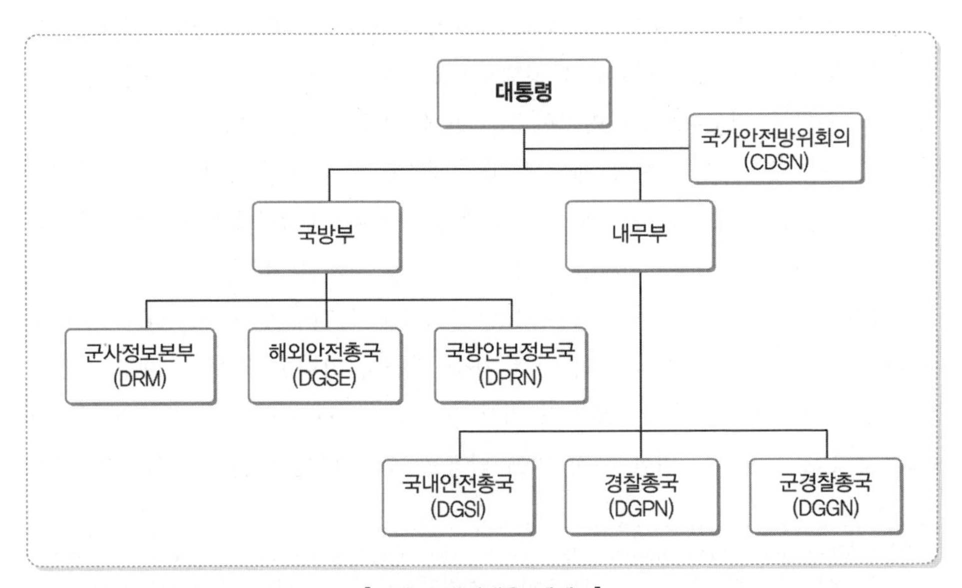

[프랑스 테러대응 체계도]

출처: 경찰청, 앞의 책, p. 129.

106) 세부 내용은 경찰청, 앞의 책(pp. 120-128) 참조.

프랑스의 대테러 관련기관은 크게 대통령 산하의 국가안전방위회의(CDSN), 국방부(Ministere de la Defense), 내무부(Ministere de l'nterieur), 법무부(Ministere de la Justice), 그리고 국무총리(Premier ministre) 산하 기관이 있다

(1) 국가안전방위회의(CDSN: Conseil de Défense et de Sécurité nationale)

CDSN은 2001년 미국의 9 · 11테러 이후 만든 국가안보회의(CSI)의 후신으로 군사 기획, 군사 억제, 해외작전 수행, 주요 위기 상황시 대응, 정보, 경제 · 자원 안전, 국가 안보와 테러리즘 척결 등에 대하여 지침을 제시하는 곳이다. 이 위원회는 법 집행 및 정보 공동체 간 협력을 위해 창설되었고, 대테러조정본부의 중요한 결정사항을 보조하고 대테러 관계기관 간 현안을 논의한다. CDSN은 대통령이 회의를 주재하고, 국무총리, 국방부장관, 내무부장관, 재정경제부장관, 예산장관, 외교부장관이 참석하며, 대통령이 요청할 시 타부처장관도 참석할 수 있다.

(2) 국방부(Ministere de la Defense)

국방부 산하에는 테러와 관련한 대표적인 조직으로 군사정보본부(DRM), 해외안전총국(DGSE), 국방안보정보국(DPRN)이 있다.

군사정보본부(DRM: Direction du Renseignement Militaire)는 군사 관련정보를 담당하는 기관으로서 1800명의 군인과 민간인으로 구성되어 있다. 이 기관은 파리와 크레유(Creil) 두 곳에 있으며, 군사정보 활동을 기획 · 조정 그리고 조사업무를 수행하여 군의 작전을 지원하는 역할과 군사정보를 효율적으로 활용하여 대통령, 총리, 국방부 장관 등의 정치적 · 군사적 의사 결정에 도움을 주는 역할을 담당하고 있다.

해외안전총국(DGSE: Direction Générale de la Sécurité Extérieure)은 프랑스 자국민의 이익을 보호하는 정보기관으로 주로 프랑스 밖에서 전 세계 국가안보기관과 협력하며 활동하고 있다. 대테러와 관련하여 테러 발생 가능성을 사전 예방하고 억제 · 제압하는 것이다. 테러에 대한 외부의 위험(menace)을 감지하기 위해 위험 요인에 대한 정보를 수집하고 이를 활용하여 위험인물과 조직에 대한 신원을 조회하여 그들의 전략과 목적을 분석한다. 인적 · 기술적 · 실용적인 자료를 활용하여 위험요소 분석과 평가의 질을 높이는 데 힘쓴다. DGSE는 대테러활동에

대한 복합적이고 광범위한 정보수집을 위해 국내에서는 프랑스 내무부와 협력을 하고 국외적으로는 EU 내 동맹국과 그 외 국가들과 지속적인 교류・협력을 도모한다.

국방안보정보국(DPRN: La direction du renseignement et de la sécurité de la défense)은 2016년 10월 국방보안국(DPSD: la direction de la protection et de la sécurité de la défense)에서 명칭을 바꾼 것이다. DPRN은 기존의 국방보안국의 임무와 역할을 그대로 유지하고 있으면서 정보(intelligence)의 범위를 크게 넓혀 이를 수집하고 분석하는 역할을 추가하였다. 특히 사이버상의 데이터 정보수집이 기존과 다른 변화라고 할 수 있다. 기본임무는 국방과 관련한 군대와 군수산업을 위험으로부터 보호하는 역할을 수행하고 있다.

(3) 내무부(Ministere de l'Interieur)

내무부는 국내 안보(securite interieure), 국토 행정(administration du territoire) 그리고 공적 자유(libertes publiques)에 관한 분야를 담당한다. 산하에 총괄기구인 국내안보총국(DGSI: Direction generale de la securite interieure), 테러・마약・초국가 범죄 및 사이버 범죄를 담당하는 경찰총국(DGPN: Direction Generale de la Police Nationale), 군경찰총국(DGGN: La Direction Generale de la Gendarmerie Nationale), 그리고 국내 외국인관리국(DGEF: Direction Generale des Etrangers en France) 등이 있다.

DGSI는 2014년에 설립된 국내의 정보를 총괄하는 기구로 테러정보 수집 및 감시 활동을 수행하고, 1,400여명이 인력으로 구성되어 있다. 프랑스 전역에 걸쳐 국내안보(securite interieure) 혹은 국익과 관련된 모든 자료를 한 곳으로 수집하고 그 정보를 활용하는 곳이다. 정보처리・관리 기능 외에도 정부의 행정 업무를 도울 뿐만 아니라 다른 산하 부처에 필요한 모든 인적・물적・지식적 자원을 제공한다. 테러의 사전 예측 및 사법권과 정보수집기관 간의 긴밀한 협력 필요성으로 정보 수집 및 사법 경찰의 업무를 동시에 수행한다. 특히, 테러 조직이 인터넷과 소셜 네트워크(SNS)를 활용하여 생겨나는 외톨이형 테러에 대비하기 위하여 폭력적인 급진주의에 주목하고, 위험 지역을 집중 감시하며, 이슬람 원리주의와 지하드 전투원으로 참가하는 기도를 차단하며, 국내 테러와 연관된 개인 및 조직을 찾아내 조사와 수사를 맡는다.

DGPN은 내무부장관의 지휘 아래 중앙 집권적 체제를 유지하면서 국립경찰과 군경찰로 구분된다. 일부 지방자치단체에서 국가경찰의 보조적 역할을 수행하는 자치경찰을 제한적으로 운용하고 있다. 국립경찰 주도로 대테러공작, 테러사건 수사 및 대테러 정보기관의 수사를 지원하는 활동을 한다. 이 조직은 정보기관과 협력관계를 통해 독자적 권한과 임무를 수행하고, 특공대를 통해 테러 사건을 진압한다. 국립경찰의 3대 주요 임무는 공공의 안전과 평화 유지, 사법 경찰권의 행사, 치안정보 수집이다. 경찰의 대테러 활동은 국립경찰에서 주도적으로 수행하고 테러 사건 수사 및 정보기관의 수사 지원활동도 동시에 전개하고 있다.

국립경찰에는 테러와 관련된 중요한 기구로 대테러조정통제본부(UCLAT: Unite de Coordination de la lutte Anti-Terroriste)가 있다. 이 조직은 1987년에 설립되어 2014년 폭력적인 급진주의 및 지하드에 집중하는 기관으로 변모하였다. 구성은 국내안전총국, 국외안전총국, 군경찰, 세관수사, 정보국 등에서 파견된 요원과 국가안전방위회의(CDSN) 대테러 전담경찰 등으로 구성되어 있다. 임무는 대테러 관련 부서의 활동을 조정하고, 테러관련 정보의 취합・분석・전파, CDSN에 테러 관련 안건을 상정한다. 또한 테러 위험요소를 평가・분석하여 내무부의 안보 정책을 위해 지원하고, 폭력적인 급진주의 및 지하드에 대한 대책을 총괄하며, 대테러 유관 기관(국내 경찰・안보기관 및 유럽공동체・국제기구의 대테러기관)과의 긴밀한 협력을 통해 수집한 정보를 종합 분석하며, 유럽 공동체와 국제사회에서 프랑스의 대테러 기관을 대표하는 등의 역할을 한다. 2014년 산하에 급진주의 예방연구센터(CNAPR)를 설립하여 프랑스 국내에서 급진주의 현상이 관찰되거나 목격될 경우 시민들이 신고할 수 있도록 했다.

군경찰(Gendarmerie Nationale)은 당초 12세기 프랑스 전역에서 치안 업무를 수행했던 기마경찰대(maréchaus sée)로 1373년 샤를르 5세는 약탈 피해가 심한 농촌 지역에 주둔 부대 헌병들로 하여금 치안을 맡게 한 후 1536년 칙령에 따라 사법・경찰 기능을 수행하였고, 1720년에 기마경찰헌병장교(prévôt des maréchaux)라는 직위가 부여되었으며, 1791년에 근위대와 기마경찰대를 합하여 군경찰을 창설하였다. 1798년에 군경찰의 임무 등에 관한 기본법을 제정하였다. 1981년에 국방부 장관 산하에 군경찰총국(DGGN)을 창설하고, 2002년에 군경찰의 지휘를 내무부장관으로 이관(소속은 국방부 장관으로 존치)하였으며 2009년에 군경찰의 조직・예산까지 내무부장관으로 이관(신분은 군인)하게 되었다. 군경찰의 조직은 직무운영국, 지원・재정국, 경찰인사국, 장비・복지 구매실, 정보시스템 기술실 등 5개의 실국으로 구성되어 있고, 특별 조직으로 공화국경비대, 경찰특공대로 구성되어 있다. 임무는 위의 국립경찰과 동일하나 사법경찰, 행정경찰, 국방의 임무는 따로 다루어지고 있다.

테러사건 발생시 진압부대로는 헌병특공대(GIGN), 경찰특공대(RAID), 무장경찰(BRI), 지방경찰특공대(GIPN), 무력개입 협력부대(UCoFI) 등이 있다.

3. 대테러 부대

(1) 헌병특공대(GIGN: Groupe d'Intervention de la Gendarmerie Nationale)

GIGN은 프랑스 육・해・공군으로부터 독립되어 있는 국가헌병대(Gendarmerie) 소속의 대테러부대로 1974년 창설되었다. 1973년 9월 5일 프랑스 주재 사우디아라비아 대사관 점거로 13명의 인질이 억류되는 사건이 발생하였으나 프랑스 정부가 제대로 대처하지 못한 것을 계기로 그해 11월 이 부대를 창설하게 되었다. 당시에는 제1GIGN과 제4GIGN의 2개의 부대로 분리되어 있었으나 1976년에 통합되었고, GIGN의 임무가 점차적으로 늘어나자 1979년에는 핵심 요원을 15명에서 42명으로 보강했고, 1984년에는 58명(장교 6명)으로 증원되었고 현재는 420여명인 것으로 알려져 있다. 조직은 작전팀(4개 타격대), 관측 및 검색팀, 보안 및 보호팀, 요인 경호팀, 운영 지원팀 등으로 구성된다. 그중 작전팀은 12명으로 구성된 4개의 타격대(Strike Unit)로 되어 있고 4개의 타격대 중 1개 타격대는 비상대기조로 언제든지 출동태세를 갖추고 24시간 대기하고 있다.

주된 임무는 테러사건 발생시 인질 구출작전이다. 프랑스에서 테러 대응은 네 단계로 구분되는데 Ⅰ급은 프랑스와 수교를 맺은 국가에서의 테러사건, Ⅱ급은 다수 테러범에 의한 인질 사건, Ⅲ급은 인질이 없는 상황 하에서 3명 이상의 정신 이상자가 난동을 부리는 경우, Ⅳ급은 인질이 없는 상황 하에서 1~2명의 정신 이상자가 난동을 부리는 경우로 Ⅰ급~Ⅲ급은 GIGN이 관여하고 Ⅳ급은 시・지방 경찰이 관여한다. 이외에도 VIP에 대한 경호, 주요 시설물에 대한 방어, 흉악범 호송 등을 수행하고, 민간의 무장강도나 인질극이 벌어졌을 때도 개입한다. 창설이후 1976년 지부티에서의 발생한 스쿨버스 인질구출작전, 1979년 사우디 아라비아의 회교 원리주의자들이 일주일간 장악하고 있던 메카사원 진압작전, 1983년 파리의 오를리 공항 납치범 제압작전 등이 있고, 가장 대표적인 작전이 1994년 발생한 에어 프랑스 항공기 납치사건의 구출작전으로 당시 알제리의 공항에서 이슬람 원리주의 테러범 4명이 항공기를 납치하여 프랑스의 마르세유 마리난 공항에 강제 착륙시키고 대치하자, GIGN이 투입되어 17분 만에 납치범 4명 전원을 사살하고 인질 1백 70명을 성공적으로 구출하였다. GIGN이 설립된 이래로 지금까지 1,800여 회 작전으로 600명 이상의 인질을 구조하고, 1500명의 용의자를 체포하여 세계에서 가장 경험이 풍부한 대테러부대로 불린다.[107)]

(2) 경찰특공대(RAID: Recherche Assistance Intervention Dissuasion)

RAID는 1985년 창설된 국립경찰에 소속된 경찰특공대로 RAID라는 명칭은 프랑스어로 Recherche(조사), Assistance(지원), Intervention(진압), Dissuasion(억제)의 준말이다. 모토는 '실패없이 임무를 수행한다'(Servir sans faillir)이고 약 170명이 임무를 수행하고 있다. 2009년 이후로는 또 다른 경찰 특수부대 GIPN과 BRI와 함께 프랑스 국립경찰 내에 속해 있다. 임무는 위에서 본 GIGN과 같이 테러진압작전과 VIP 보호, 인질 구출 등이다. 구체적으로 ① 공공질서를 위협하는 중대한 범죄(테러리즘, 인질극 등) 발생 시 진압, ② 해외공관에 파견된 외교관 및 외교업무 수행자 보호, ③ 주요사태(grands événements) 관리, ④ 조직범죄 및 테러리즘 억압과 예방을 위한 작전 보조, ⑤ 고위직 인사 경호, ⑥ 경찰 특정임무 지원, ⑦ 경찰의 다른 부서와 연구, 기술, 물질적 협력 도모, ⑧ 해외 파견부대의 무력작전 지원, ⑨ 외국 경찰 훈련·지원 및 새로운 장비에 대한 평가 등이다. 조직은 작전팀, 연구개발팀, 협상팀 등 3개 조직 320여 명으로 구성되고, 요원은 국립경찰 중에서 40세 미만으로 시험에 통과한 자에 한하여 5년 동안 근무하고 표창을 받으면 5년 더 연장이 가능하나 모든 대원은 10년 후에 부대를 떠나야 한다.

성공적인 작전 사례는 1993년 5월 에릭 슈미트(Erick Schmitt)라는 범인이 대

---

107) 위키백과(https://en.wikipedia.org/wiki/GIGN) 참조.

량의 폭탄을 갖고 뇌이쉬르센에 있는 학교에서 21명의 학생을 인질로 잡고 대치 중에 대치 46시간 뒤 작전을 개시하여 3발의 총으로 범인을 사살하고 6명의 인질을 구출해냈다. 1996년 프랑스 루 베릭스(Roubaix)에서 알제리 무장 단체(GIA)에 인질로 잡혀있던 14명을 구출하고 4명의 테러범을 사살했다. 2015년 11월 파리 바타클랑(Bataclan) 극장과 인질테러 사건에 투입되었다.[108]

또 다른 경찰 특수부대로는 지방 경찰특공대(GIPN: Group d'Intervention de la police Nationale)가 1992년 창설되어 지방에 7개 부대, 해외에 2개 부대로 지방에서 발생하는 테러 및 인질 사태의 진압 임무를 띠고 있다. 무장경찰(BRI, Brigade de recherche et d'intervention)은 강력계 부대(Brigades antigang) 혹은 강력계(Antigang)라고도 불린다. 1985년에 설립되었으며, 파리 사법경찰(police judiciaire)의 주요 부대 중 하나로 위기 상황에서 공공질서 유지 및 테러・조직범죄에 대응한다. 무력개입 협력부대(UCoFI: Unité de coordination des forces d'intervention)는 테러범의 공격시 피해자 발생을 최소화하기 위해 전문적인 무력개입을 하기 위하여 2011년 설립된 부대다.

Ⅴ. 일 본

1. 대테러 관련법제

일본의 경우 지금까지 국제적인 테러단체에 의한 심각한 테러행위를 경험하지 못한 이유로 2차 대전 패전직후부터 일본 내의 극좌파나 극우파에 의한 폭력사태가 지속적으로 발생하여 이에 대한 대응책으로 다루어져 왔다. 일본은 전후 평화 헌법제정과 문민통제 그리고 전수방위 등의 원칙 때문에 군사력의 자유로운 사용이 강하게 제약 받아왔기 때문에 테러에 대처하기 위한 개별 법령을 별도로 제정하여 시행하여 왔다. 1953년에 제정된 현행 형법은 테러행위에 대한 직접적인 규정은 없었다. 따라서 대테러정책은 주로 국내의 폭력행위에 대응하는 방식으로 기존의 형법 범위에서 원용하여 왔다. 즉, 형법상 살인죄, 상해죄, 방화죄, 체포감금죄, 폭발물파열죄 등을 적용하는 방식으로 대응하거나 특별법으로 「파괴

108) 위키백과(https://en.wikipedia.org/wiki/RAID_(French_Police_unit) 참조.

활동방지법」(1952년 제정), 「항공기의 강취 등의 처벌에 관한 법률」(1970년 제정), 「화염병의 사용 등의 처벌에 관한 법률」(1972년 제정), 「항공의 위험을 발생시키는 행위 등의 처벌에 관한 법률」(1974년 제정), 「인질에 의한 강요행위 등의 처벌에 관한 법률」(1974년 제정, 1978년 개정) 등을 제정하여 대응하는 방식을 취해왔다. 절차법적으로도 형사소송법상의 일반적인 수사절차나 기소, 재판절차로 테러사건을 처리하여 왔다.

이러는 과정에 옴진리교(교주: 아사하라 쇼코, 본명: 마츠모토 지즈오)라 불리는 신흥종교단체가 자행한 1994년 마츠모토 사린(GB)사건과 1995년 동경 지하철 사린사건이 발생[109]하였다. 이 사건은 당시 수도인 동경에서 출근하는 수많은 사람들이 밀집한 지하철을 범행대상으로 삼아 동시다발적으로 일어난 테러로 세계적으로도 전례가 드문 사례였다. 이를 계기로 처음으로 테러행위에 대한 강력한 대응 차원에서 「사린 등에 의한 인식피해의 방지에 관한 법률」(1995년 제정)과 「화학병기의 금지 및 특정물질 규제 등에 관한 법률」(1995년 제정)이 제정되었다. 이 법률은 사린 등의 독물이나 화학병기에 대한 제조, 수입, 소지, 양도, 양수를 금지·처벌하는 규정과 사린 등을 발산하는 행위에 대하여 엄벌하도록 하고, 피해발생시의 구체적인 조치 등을 규정하게 되었다. 또 화학병기의 제조에 쓰일 위험성이 있는 '특정물질'의 제조 등을 규제하며, 특정물질 이외의 독성물질 및 원료물질 가운데 화학병기의 제조에 쓰일 위험성이 있는 '지정물질'의 제조 등에 관해 사전에 신고하도록 하는 의무규정을 두고, 이에 위반하는 행위와 독성물질 등을 발산시키는 행위를 강력히 처벌하고 있다. 또한, 1999년에는 「무차별 대량살인행위를 행한 단체의 규제에 관한 법률」을 제정하여 해당 단체에 대해 공안위원회가 정기적으로 감독·감시하는 '관찰처분'은 물론 위험방지를 위해 시설의 취득이나 사용, 기부금의 수령 등을 금지시키는 '재발방지처분'을 명할 수 있도록 하였다.

2001년 9·11테러 이후 일본은 동맹국인 미국과의 공동대응의 필요성은 물론

109) 마츠모토 사린사건은 1994년 6월 27일 일본 나가노현(縣) 마츠모토시(市)에서 일어난 사린가스 살포사건으로 옴진리교 간부들이 특수 개조한 트럭을 이용해 마츠모토시 재판소 관사가 있는 지구에 사린 가스를 살포하여 총 7명이 사망하고 600명이 부상자가 발생하였다. 동경 지하철 '사린(GB)' 사건은 1995년 3월 옴진리교(Aum Shinrikyo) 신자들이 08:00경 출근시간에 지하철 3개 노선 5대의 전동차에 액체 사린을 동시다발로 살포하여 12명이 사망하고 5,510여명이 중독된 사건이다.

자국을 포함한 국제사회의 평화와 안전을 지킨다는 명목하에 테러의 방지와 근절을 위해 적극적인 대응책을 추진하였다. 생물화학테러대책을 적극적으로 강구하기 위하여 2001년 10월 31일 「테러자금조달의 억제를 위한 국제협약」에 서명하고, 11월 8일 '생물화학테러대처 정부기본방침'을 채택하고, 「테러대책특별조치법」을 제정하는 등 발빠른 움직임을 보였다. 일본에는 이슬람 테러조직이 목표로 하는 미국의 관련시설이 다수 있고, 알 카에다가 테러의 목표로 직접 지명한 시설도 있으며, IS의 대두로 이러한 위협은 현실적인 것이 되었다. 물론 일본 국내가 직접 테러의 대상이 된 적은 아직 없으며, 해외에서 일본인이 피해를 당한 경우는 2010년대 이후 2013년 알제리에서 일본인 테러, 2015년 시리아에서 일본인 살해사건, 2015년 튀니지에서의 테러, 2015년 방글라데시에서 일본인 살해사건 등 증가하고 있는 실정이다.

최근 일본은 2020년 도쿄 올림픽의 안전한 개최 등을 위해서 2017년 6월 15일 조직범죄처벌법(組織犯罪処罰法: 組織的な犯罪の処罰及び犯罪収益の規制等に関する法律) 개정법률 일명 공모죄법(共謀罪法)을 통과시켰다. 이는 기존의 「조직범죄처벌법」을 개정하여 '공모'범죄 협의대상을 바꿔 '테러'와 같이 조직적이고 중대한 범죄는 준비하는 단계에 참여하는 것도 처벌하도록 하는 것을 내용으로 하고 있다. 이 법에 의하면 조직범죄를 사전에 계획하고 준비하기만 해도 계획에 합의한 전원을 처벌할 수 있도록 한 것이다. 이는 범죄가 실행돼야 처벌하는 현 일본의 형사법 원칙을 크게 바꾸는 것으로 과거 세 차례 무산된 전례가 있던 것을 이번에 통과하게 된 것이다.[110]

다음에서는 먼저 9・11 이전에 제정된 법으로 「파괴활동방지법」(破壊活動防止法)과 「무차별 대량 살인행위를 한 단체의 규제에 관한 법률」(無差別大量殺人行為を行った団体の規制に関する法律)에 대해 살펴보고, 9・11테러 이후 제정된 「테러대책특별조치법(テロ対策特別措置法)」(2001년), 「공중 등 협박목적 범죄행위를 위한 자금제공 등의 처벌에 관한 법률」(公衆等脅迫目的の犯罪行為のための資金の提供等の処罰に関する法律)(2002년), 무력공격사태대처법(武力攻撃事態対処法)」(2003년), 국민보호법(国民保護法)(2004년), 「개정 출입국관리 및 난민보호법」(改正出入国管理・難民保護法)(2006년), 「조직범죄처벌법」(組織犯罪処罰法)(2017년)에 대해서

110) https://ja.wikipedia.org/wiki/%E5%85%B1%E8%AC%80%E7%BD%AA.

살펴본다.

(1) 파괴활동방지법

이 법은 미군정(美軍政)이 종료되면 필연적으로 새로운 반체제적 공격행위가 있을 것이고 동시에 치안기구가 약화될 가능성이 있을 것이라는 우려 때문에 반체제적 단체의 불법적인 폭력 파괴활동을 규제한다는 취지로 1952년에 제정되었다. 주요 내용은 공안심사위원회는 단체의 활동으로 폭력적 파괴활동을 한 단체에 대해 계속적 또는 반복적으로 장래에도 폭력적 파괴활동을 할 명백한 우려가 있을 때 활동을 제한하고(동법 제5조), 해산의 지정을 할 수 있다(동법 제7조). 공안심사위원회는 공안조사청장관이 제출한 처분청구서, 증거, 조서 및 해당 단체가 제출한 의견서에 대해서 심사를 행해고(제22조), 해산의 지정을 할 수 없는 경우라도 기각결정이 아닌 단체활동을 제한하는 결정을 하여야 한다(동법 제22조 제6항). 벌칙도 규정하고 있다.

(2)「무차별 대량 살인행위를 한 단체의 규제에 관한 법률」

1994년과 1995년에 자행된 마츠모토 사린사건과 동경 지하철 사린사건을 계기로 1999년 제정되었다. 불특정다수인의 생명·신체에 피해를 가하는 것과 같은 무차별 대량 살인행위를 자행하는 경우에 일시적으로 해당 단체의 활동일부를 정지시킬 수 있도록 하기 위해 제정되었다. 주요내용은 무차별 대량 살인행위를 한 단체에게 그 활동상황을 밝히고 또는 행위의 재발을 방지하기 위하여 필요한 규제조치를 할 수 있도록 규정하였다. 이때 단체의 임직원 또는 구성원은 ① 주모자가 해당 단체의 활동에 영향력을 가지고 있는 경우, ② 이에 관여한 자의 전부 또는 일부가 해당 단체의 임직원 또는 구성원인 경우, ③ 해당 단체의 임원이었던 자의 전부 또는 일부가 해당 단체의 임원인 경우, ④ 해당 단체가 명시적으로 또는 암시적으로 살인을 권하는 강령을 가지고 있는 경우, ⑤ 이 외에 해당 단체에 무차별 대량 살인행위에 미칠 위험성이 있다고 인정하기에 족한 사실이 있는 경우 등이다. 이 경우 공안심사위원회는 국민생활의 평온을 포함한 공공의 안전의 확보에 기여하기 위해 단체의 임직원 또는 구성원이 단체의 활동으로서 위와 같은 사항에 해당하고, 그 활동상황을 계속해서 명백하게 할 필요가 있다고 인정되는 경우에는 해당 단체에 대해 3년을 초과하지 않는 기간을 정하여 관찰처분을 실시할 수 있고(동법 제5조 제1항), 관찰처분에 해당하는 경우에는 해당 단체에 대해서 6월을 초과하지 않는 기간을 정하여 처분의 전부 또는 일부를 행하는 재발방지처분을 할 수 있다(제8조 제1항). 공안심사위원회는 공안조사청장관이 제출한 처분청구서, 증거서류 및 해당 단체의 의견 및 해당 단체가 제출한 증거서류 등에 대해서 심사를 행한 후에 처분의 청구가 부적법한 때에는 각하결정을 하여야 하고, 처분의 청구가 이유 없는 때에는 기각결정을 하여야 하며, 처분의 청구가 이유 있는 때에는 그 처분을 행하여야 한다(제22조 제1항).

(3) 테러대책특별조치법

이 법은 9·11테러 직후인 2001년 11월 2일 공포·시행되었고 정식 명칭은 「2001년 9월 11일 미국에서 발생한 테러에 의한 공격에 대응해서 이행되는 국제연합헌장의 목적달성을 위한 제외국의 활동에 대해서 일본이 실시하는 조치 및 관련하는 국제연합결의 등에 근거한 인도적 조치에 관한 특별조치법」(平成13年9月11日のアメリカ合衆国において発生したテロリストによる攻撃等に対応して行われる国際連合憲章の目的達成のための諸外国の活動に対して我が国が実施する措置及び関連する国際連合決議等に基づく人道的措置に関する特別措置法)이다.

이 법은 목적(제1조), 기본원칙(제2조), 정의 등(제3조), 기본계획(제4조), 자위대에 의한 협력지원활동으로서의 물품 및 역무제공의 실시(제5조, 제6조), 수색·구조 활동의 실시 등(제7조), 자위대에 의한 이재민구호활동의 실시(제8조), 관계행정기관에 의한 대응조치의 실시(제9조), 물품의 무상대부 및 양여(제10조), 국회에의 보고(제11조), 무기의 사용(제12조), 정령의 위임(제13조), 부칙으로 되어 있다. 우선 이 법의 목적은 국제적인 테러리즘 방지 및 근절을 위한 국제사회의 일원으로 적극적 및 주체적으로 기여하는 것이고(제2조 제1항), 그 대상은 피해를 받은 미국에 한정하지 않고, 미국 기타 외국의 군대 기타 이와 유사한 조직으로(제1조 제1항) 규정하고 있다. 제3조에는 협력지원활동과 수색구조활동 및 이재민구호활동에 대해서 정의하고 있다. 이러한 활동을 위해 자위대의 부대 등의 대원은 자기 또는 자기와 함께 현장에 소재하는 다른 자위대원 혹은 그 직무를 행함에 따라 자기의 관리의 아래에 있는 자의 생명 또는 신체의 방호를 위해서 필요가 있다고 인정할 상당한 이유가 있는 경우에는 그 사태에 대응할 합리적 필요성이 있다고 판단되는 한도에서 무기를 사용할 수 있다(제12조 제1항)고 규정하고 있다. 이 법은 당초 시행일부터 기산해서 2년을 경과한 날에 효력을 상실한다고 부칙에 규정하였으나 계속 연장되어 오다 국회의 공전으로 2007년 11월 1일 실효되었다.

(4) 「공중 등 협박목적 범죄행위를 위한 자금제공 등의 처벌에 관한 법률」

이 법은 1999년 체결된 「테러자금조달의 억제를 위한 국제협약」에 근거하여 2002년 6월 제정한 것으로 “공중 등 협박목적의 범죄행위”를 ‘공중 또는 국가·지방공공단체 또는 외국정부 등을 협박할 목적을 가지고 행해지는 범죄행위’로 규정함으로써(동법 제1조) 국제테러자금의 제공행위를 차단하는 근거를 마련하였다. 구체적인 범죄행위는 다음과 같다.

첫째, 사람을 살해하거나, 또는 흉기의 사용 또는 기타 사람의 신체에 중대한 위해를 가하는 방법으로, 그 신체를 상해하거나, 사람을 약취, 유괴 또는 인질로 하는 행위로 ① 항행 중인 비행기를 추락, 전복, 침몰시키거나, 또는 그 항행에 위험을 발생시키는 행위, ② 항행 중인 선박을 침몰, 전복시키거나, 그 항행에 위험을 발생시키는 행위, ③ 폭행 또는 협박하거나, 기타의 방법으로 사람을 저항불능의 상태에 빠뜨려, 항행 중인 항공기 또는 선박을 강탈하거나, 자의적으로 그 운항을 지배하는 행위, ④ 폭발물을 폭파, 방화하거나, 또는 기타의 방법으로 항공기 또는 선박을 파괴하거나, 기타 이것에 중대한 손상을 입히는 행위

둘째, 폭발물을 폭발, 방화하거나, 또는 기타 다음에 열거된 것에 대해 중대한 위해를 가하는 방법으로, 이것을 파괴하거나 기타 이것에 중대한 손상을 입히는 행위로 ① 전차, 자동차, 기타 사람의 운송에 이용되는 차량으로서, 공용 또는 공중의 이용에 기여하는 것 또는 그 운행의 이용에 기여하는 시설, ② 도로, 공원, 역, 기타 공중의 이용에 기여하는 시설, ③ 전기 또는 가스를 공급하기 위한 시설, 수도시설, 하수도시설 또는 전기통신을 위한 시설로서, 공용 또는 공중의 이용에 기여하는 것, ④ 석유, 가연성천연가스, 석탄 또는 핵연료인 물질 또는 그 원료가 되는 물질을 생산하거나, 정제 및 기타 연료로 하기 위한 처리를 하거나, 수송하거나, 저장하기 위한 시설, ⑤ 기타 건축물 등이다.

또한 이 법은 자금 제공죄(제2조)와 자금 모금죄(제3조)에 관해서 자금 제공죄는 "정을 알면서 공중 등 협박목적의 범죄행위의 실행을 용이하게 할 목적으로 자금을 제공한 자는 10년 이상의 징역 또는 천만엔 이하의 벌금에 처한다."고 규정하고 있고, 자금 모금죄에 대해서는 "공중 등 협박목적의 범죄행위를 실행하려고 하는 자가, 그 실행을 위해 사용할 목적으로 자금의 제공을 권유, 요청하거나, 또는 기타의 방법으로 모금한 경우에는 10년 이하의 징역 또는 천만엔 이하의 벌금에 처한다"고 규정하고 있다.

(5) 무력공격사태대처법

이 법은 2003년 6월 제정되었고, 정식명칭은 「무력사태 등에 있어서 일본의 평화와 독립 및 국가와 국민의 안전의 확보에 관한 법률」(武力攻撃事態等における我が国の平和と独立並びに国及び国民の安全の確保に関する法律)이다. 다른 나라의 무력공격사태에 대처하는 절차 등을 규정한 유사시 대비법이다.

이 법은 제1장(총칙), 제2장(무력공격사태 등에의 대처를 위한 절차 등), 제3장(무력공격사태 등에의 대처에 관한 법제의 정비), 제4장(긴급대처사태 기타 긴급사태에의 대처를 위한 조치) 등 총 4장과 부칙으로 구성되었다. 세부적으로 보면 제1장은 목적(제1조), 정의(제2조), 무력공격사태 등에의 대처에 관한 기본이념(제3조), 국가의 책무(제4조), 지방공공단체의 책무(제5조), 지정공공기관의 책무(제6조), 국가와 지방공공단체와의 역할분담(제7조), 국민의 협력(제8조)을 규정하였고, 제2장은 대처기본방침(제9조), 대책본부의 설치(제10조), 대책본부의 조직(제11조), 대책본부의 소관사무(제12조), 지정행정기관의 장의 권한의 위임(제13조), 대책본부의 장의 권한(제14조), 총리의 권한(제15조), 손실에 관한 재정상의 조치(제16조), 안전의 확보(제17조), 국제연합 안전보장이사회에의 보고(제18조), 대책본부의 폐지(제19조), 주임(主任)의 대신(大臣)(제20조) 등을 규정하였으며, 제3장은 사태대처법제의 정비에 관한 기본방침(제21조), 사태대처법제의 정비(제22조), 사태대처법제의 계획적 정비(제23조) 등을 규정하였으며, 제4장은 기타 긴급사태대처를 위한 조치(제24조), 긴급대처사태 대처방침(제25조), 긴급대처사태 대책본부의 설치(제26조), 준용(제27조) 등을 규정하였다.

(6) 국민보호법

이 법은 2004년 6월 제정되었고, 정식명칭은 「무력공격사태 등에 있어서 국민의 보호를 위한 조치에 관한 법」(武力攻擊事態等における国民の保護のための措置に関する法律)이다. 일본이 외국으로부터 무력공격을 받았을 경우에 정부에 의한 경보의 발령, 주민의 대피유도·구조 등의 절차를 규정한 법이다.

이 법은 제1장(총칙), 제2장(주민의 피난에 관한 조치), 제3장(피난주민 등의 구조에 관한 조치), 제4장(무력공격 재해에 관한 조치), 제5장(국민생활의 안정에 관한 조치 등), 제6장(복구, 비축 기타 조치), 제7장(재정상의 조치 등), 제8장(긴급대처사태의 대처를 위한 조치), 제9장(잡칙), 제10장(벌칙), 제11장(사태대처법의 일부개정), 부칙으로 되어 있다.

(7) 「개정 출입국관리 및 난민보호법」

이 법은 일본정부가 2004년 12월 발표한 "테러의 사전방지에 관한 행동계획"(テロの未然防止に関する行動計画)에 따라 테러범의 입국을 사전 차단하기 위해 2006년 5월 개정되었다. 주요 내용은 일본에 입국하는 16세 이상의 외국인에 대하여 지문이나 얼굴사진의 제공을 의무화하는 것이다. 또한 일본에 입국하는 선박 등을 운항하는 운송업자는 외국인이 불법하게 일본에 입국하는 것을 방지하기 위해 해당 선박 등에 승선하려고 하는 외국인의 여권, 선원수첩 또는 재입국허가서를 확인해야 하는 규정(제56조의2)을 신설하고, 선원이나 승객에 관한 사항의 보고의무로서 일본에 입국하는 선박 등의 장은 법무성령(法務省令)에서 규정하는 바에 따라 그 선박 등이 도착할 출입국 항의 입국심사관에 대해 그 선원·승객에 관한 이름 기타 법무성령(法務省令)에서 규정하는 사항을 보고해야 하는 규정(제57조 제1항)이 신설되었다. 또한 테러범이 자유롭게 활동할 수 없도록 하는 대책의 일환으로 강제퇴거에 관한 제24조 제1항 3호의 2가 신설되었고, 공중 등 협박목적의 범죄행위의 예비행위 또는 범죄행위의 실행을 용이하게 하는 행위를 할 우려가 있다고 인정하기에 상당한 이유가 있는 자로서 법무대신이 인정한 자는 강제퇴거의 대상이 된다.

(8) 조직범죄처벌법

이 법의 정식 명칭은「일본의 조직적 범죄와 처벌 및 범죄수익 규제 등에 관한 법률」(日本の組織的な犯罪の処罰及び犯罪収益の規制等に関する法律)로 약칭하여 조직범죄처벌법(組織犯罪処罰法)이라고 한다. 이 법의 제2장에 조직적인 범죄의 처벌 및 범죄 수익의 몰수 등을 신설하는 것을 내용으로 2005년 8월과 2009년 7월 두 차례 심의과정에서 폐기된 바 있다. 2017년 6월 15일 국회에서 동법의 6조의2 조항에 범죄의 공모를 구성요건으로 하는 일종의 “공모죄”에 “테러 등 준비 죄’를 신설하였다.

핵심 내용은 동법 제6조의2 조항의 공모죄에 지금까지 일본의 형법은 미수 혐의는 “범죄의 실행에 착수”하는 것을 구성 요건으로 하여(형법 제43조), 공동 정범도 “범죄를 실행”하는 것을 구성 요건으로 하고 있었다. 그러나 이 법에서 해당 행위를 수행하는 두 명 이상의 조직에 의해 계획한 자는 한 사람이라도 그 계획에 따라 자금 또는 물품 준비, 관계 장소의 예비조사, 기타 준비 행위를 한 때에는 처벌하도록 했다는 것이다. 즉 동법 제6조의2 제1항은 테러집단 기타 조직적인 범죄집단이 단체 활동으로 해당 행위를 수행하는 조직에 의해 행해지는 두 명 이상으로 계획한 자는 그 계획을 한 사람 중 하나가 그 계획에 따라 자금 또는 물품 준비, 관계장소의 예비조사나 기타 계획한 범죄를 실행하기 위한 준비 행위를 한 때에는 각 호에 정한 형에 처한다. 그러나 실행에 착수하기 전에 자수한 자는 그 형을 감경 또는 면제한다. 동조 제2항은 제1항 각 호의 죄에 해당하는 행위, 테러집단 기타 조직적인 범죄집단으로 부정 이익을 얻거나 테러집단 기타 조직적인 범죄집단의 부정 이익을 유지 혹은 확대할 목적으로 행해지는 두 명 이상으로 계획한 자도 그 계획을 한 사람 중 하나가 그 계획에 따라 자금 또는 물품 준비, 관계 장소의 예비조사 기타 계획한 범죄를 실행하기 위한 준비행위를 때에도 같이 처벌한다고 규정하고 있다. 그리고 여기에 해당하는 277개의 범죄(「共謀罪」の対象犯罪277)를 규정하고 있는데 구체적으로 테러실행에 관한 범죄(テロの実行に関する犯罪) 110가지, 약물 관련범죄(薬物に関する犯罪) 29가지, 인신착취 관련범죄(人身に関する搾取犯罪) 28가지, 테러자금 관련범죄(その他資金源犯罪) 101가지, 사법방해 관련범죄(司法妨害に関する犯罪) 9가지 등이다. 야

당·시민단체 등은 처벌 대상범죄가 277개로 범위가 너무 넓고 불명확해서 일반 시민이 억울한 죄를 뒤집어쓸 수 있고, '범죄계획 합의'나 '준비행위'를 판단하는 것도 수사기관의 자의에 달려 있어 오·남용될 수 있다는 지적이 나오고 있다.[111]

2. 대테러 관련기관

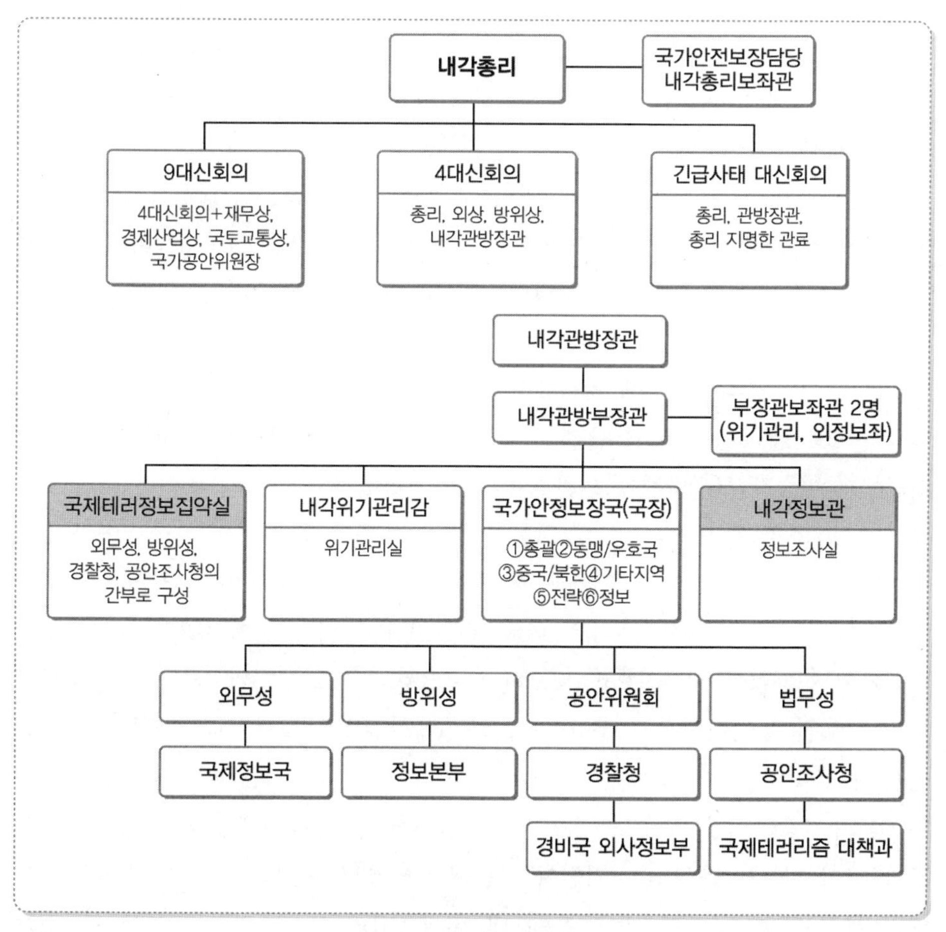

[일본 테러대응체계도]

출처: 테러방지법 해설(국무총리실, 대테러센터, 2017.4), p. 67.

111) 일본 위키백과(https://ja.wikipedia.org/wiki/; https://www.nikkei.com/article/) 참조.

일본의 대테러기관은 위에서 보는 바와 같이 내각관방장관 산하에 국제테러정보집약실과 내각정보조사실이 중심이고 외무성, 방위성, 공안위원회(경찰청), 법무성(공안조사청) 등 부처별로 임무를 분담하여 대테러업무를 수행하고 있다.

(1) 국제테러정보집약실(国際テロ情報集約室 혹은 国際テロ情報収集ユニット, International Counter-Terrorism Intelligence Collection Unit)

이 조직은 2015년 11월에 발생한 프랑스 파리 동시다발 테러사건의 영향으로 그 해 12월 8일 내각관방장관 산하에 국제테러관련 정보의 수집과 수집활동 조정을 위해 발족했다. 외무성, 경찰청, 국방성, 공안조사청, 내각정보조사실 등 6개 관계기관 20여 명의 직원으로 구성되었다. 파견인원은 현지 언어 및 지역 정세에 정통한 직원들이 선발되어 4명의 심의관이 북아프리카, 중동, 서남아시아, 동남아시아 등의 4개 반으로 나누어 현지 대사관과 각국의 정보기관과의 긴밀한 협조 하에 국제테러 관련정보 수집을 임무로 한다. 특히 이슬람 과격단체 등의 테러첩보 수집에 주력하고 있다.[112)]

이 조직은 일본판 CIA에 해당하는 대외정보기구로 알려져 있는데 조직 창설 배경은 2013년 1월 일본의 플랜트 건설회사가 참여한 알제리의 천연가스 생산 시설에서 이슬람 무장단체에 의한 인질사태가 발생하여 일본인 10명이 사망했고, 2015년 1월에는 일본 언론인 고토겐지(後藤健二) 등 2명이 IS에 인질로 잡혔다가 참수당하는 큰 충격을 주는 사건이 발생하였다.[113)] 또한 2013년에 창설된 국가안전보장회의(NSC) 창설을 계기로 이를 뒷받침하기 위한 국가차원의 전략정보의 수집과 분석능력이 절대적으로 필요하다는 것이다. 또 2015년 9월 안전보장관련법이 의회를 통과하면서 그동안 헌법상 인정할 수 없다고 해온 집단적 자위권 행사가 '존립위기사태(存立危機事態)' 발생시에 가능하게 되었다. 일본의 안보에 큰 영향을 줄 수 있는 '중요영향사태(重要影響事態)' 발생시에는 자위대가 지리적 제한 없이 미군에 대한 후방지원이 가능해졌을 뿐만 아니라 해외에 파견된 자위대가 무장세력에 습격을 받은 유엔 및 비정부기구(NGO) 직원을 구할 수 있는

112) 내각관방 홈페이지(https://www.cas.go.jp/jp/gaiyou/jimu/jyouhoutyousa/torikumi.html) 참조.

113) IS는 2014년 사업가 유카와 하루나(湯川遥菜)와 분쟁지역 취재전문 언론인 고토겐지(後藤 健二)를 시리아에서 차례로 억류하고, 2015년 1월 인터넷 영상을 통해 몸값 2억 달러를 요구했지만 일본 정부가 응하지 않자 살해한 뒤 살해영상을 인터넷에 공개했다.

‘출동경호(駆けつけ警護)’도 해제됨으로써 정당방위에만 한정되던 자위대의 무기사용기준도 대폭 완화되었다. 이로 인해 방위성 및 자위대의 정보수집능력을 강화할 필요성도 생겼다.

당초 이 조직을 외무성 산하에 두려고 하였으나 위와 같은 이유로 내각을 총괄하는 관방장관 산하로 하고 내각조사실, 외무성, 방위성, 경찰청, 공안조사청 등의 파견요원 공동으로 발족하였다. 대외정보의 수집 역량을 강화하기 위해 재외공관에 파견된 외무성직원, 방위주재관, 경찰관들과 긴밀히 협조하는 체널을 구축하고, 체류국의 정보수집을 효과적으로 실시하기 위하여 체류국의 정보기관과 정보교환을 실시하기로 하였다.

(2) 내각정보조사실(内閣情報調査室, CIRO: Cabinet Intelligence and Research Office)

일본은 제2차 세계대전 패배로 인해 무장해제를 당하고 어떠한 형태의 전쟁을 위한 군사력이나 국가차원의 정보기구를 가지지 못하게 되어 미국의 CIA와 같은 통일된 정보기관이 없었다. 이러한 전후 배경을 바탕으로 1952년 총리부 설치령에 따라 관방장관 산하에 내각조사실을 창설하고, 1957년에 전국 차원의 종합정보판단기관으로 재발족하였다가 1976년에 이르러 조직규칙 제정으로 총무부, 국내부, 국제부, 경제부, 자료부 등 5개 부서를 설치하면서 본격적인 정보기관의 역할을 할 수 있었다. 1986년에는 내각정보조사실로 명칭을 변경하고 국내부와 국제부를 각각 2개로 나누어 총 7개부서로 확대하였다. 1995년의 고베대지진을 겪으면서 1996년에는 그 기능을 확대하여 재해정보 수집기능을 추가하고, 기상청, 국토청, 소방청 및 방위청과 핫라인을 설치하여, 이 기관들이 공동으로 참여하는 내각정보종합센터를 만들었다. 2006년에는 관방장관을 의장으로 하는 정보기능강화검토회의(情報機能強化検討会議)가 설치되면서 정보기능을 강화하기 위해 5인으로 구성되는 정보분석실을 설치하여 각 성청(省廳)으로부터 나오는 정보를 종합으로 분석하여 총리에게 보고하는 「정보평가서」를 생산한다. 여기에는 경찰청(警察廳), 방위성(防衛省), 외무성(外務省), 공안조사청(公安調査廳)의 국장이 격주로 합동정보회의를 개최하여 그 결과를 포함하고 최근에는 재무성(財務省), 경제산업성(經濟産業省), 금융청(金融廳), 해상보안청(海上保安廳)도 추가되어 폭넓은 정보를 생산한다. 이는 이러한 정보기능 강화 검토회의를 통해 북한 미사일 발사와 같은 사태에 대한 신속하고 정확한 판단과 종합대책을 수립·시행하기 위한 것이다. 2012년 12월 아베총리가 재집권에 성공하면서 정보 개혁은 또다시 본 궤도에 오르기 시작하고 2013년에는 외교·안보 분야의 장기적 전략 수립과 위기관리에 있어 중추적인 사령탑 역할을 하는 일본판 국가안전보장회의(NSC: National Security Council)가 설치되었고, 방첩기능 강화를 위해 「특정비밀보호법」(特定秘密保護法)이 제정되었다.[114]

이처럼 내각정보조사실은 내각의 중요 정책에 관한 정보의 수집 및 분석 기타 조사에 관한 사무 및 특정 비밀 보호에 관한 사무를 담당하고 있다. 특히 언론 논조를 중요시하고 국내 치안관련 정보도 수집한다. 조직은 내각관방부(副)장관을 실장으로 내각정보관과 그 밑에 1명의 차장과 6개 부서로 나누어지는데 총무 담당, 국내 담당, 국제 담당, 경제 담당과 대규모 재난이나 응급사태시 관련 정보를 수집 지원하는 내각정보집약센터와 해외위성정보를 수집하는 내각위성정보센터 등을 두고 있다. 산하기관은 없으나 풍부한 자금을 바탕으로 많은 외곽 단체를 운영하고 민간 연구기관을 최대한 활용하고 있다. 특히 외곽단체의 인건비, 사업비 등 예산을 거의 전적으로 부담하고 있기 때문에 사실상의 산하기관의 구실을 하고 있다고 평가된다. 내각 정보조사실의 외곽단체로는 세계정경조사회, 동남아시아 조사회 등 10개가 있는 것으로 알려져 있다.[115]

(3) 공안조사청(公安調査廳, PSIA: Public Security Investigation Agency)

공안조사청은 1952년 일본 좌익단체의 활동을 통제하기 위해 「파괴활동방지법」(破壞活動防止法)과 「공안조사청설치법」에 의거하여 법무성 외청으로 설립되었다. 법무성은 형사국 내에서 공안업무를 담당하는 공안과가 대테러 관련 업무를 담당하면서 국제조약을 체결할 경우나 이와 관련된 국내법 제정을 담당하고 있다. 법률해석과 관련된 의견을 제시하고, 검찰이 테러 사건을 수사하는 과정에서 법률의 해석과 관련된 문제가 발생하는 경우에는 법무성의 의견에 따르는 것

114) 이 법은 방위, 외교, 스파이활동 방지, 테러방지 등 4개 분야에서 기밀성이 높은 정보를 '특정비밀'로 지정하고 이를 유출하거나 부정 입수할 경우 최고 10년형을 선고할 수 있다.
115) 내각관방 홈페이지(https://www.cas.go.jp/jp/gaiyou/jimu/jyouhoutyousa/yakuwari.html) 참조.

이 원칙이다. 공안부는 테러 관련 사건이 발생할 경우, 수사를 담당하는 일선 청 공안부 검사와 사건처리 방향에 관한 협의를 진행한다. 수사 초기단계부터 의견이 조율되고 만약 의견차이가 발생하는 경우에는 최고검찰청의 의견을 수용한다.

임무는 「파괴활동방지법」에 따른 단체의 규제에 한 조사와 처분의 청구, 「무차별 대량 살인행위를 한 단체의 규제에 관한 법률」(無差別大量殺人行為を行った団体の規制に関する法律)에 따른 규제와 관련된 조사・처분의 청구와 규제조치를 하고, 공공의 안전을 확보하는 것이다(공안조사청 설치법 제3조). 공안조사청은 폭력단체 등에 대한 조사업무를 수행하나 수사권이 없으며 필요한 경우에는 규제처분이 가능한 공안위원회에 규제를 청구할 수 있다. 국내첩보는 공안경찰과 공안조사청이 수집해왔다. 특히 9・11테러 이후 공안조사청은 「파괴활동방지법」에 기초하여 폭력주의적 파괴활동을 행하는 위험한 단체에 대한 조사에 중점을 두어 왔다. 이러한 단체에 대해 규제의 필요가 있는 경우에는 공안심사위원회에 그 단체의 활동제한이나 해산 지정 등의 청구를 할 수 있다. 또한 무차별 대량 살인행위를 행한 단체의 규제를 위한 조사, 처분청구 및 규제조치 등을 하고 있다. 단체에 관한 조사는 공안조사관이 담당하여 직접 조사하기도 하며, 증거물을 압수하거나 가택수색을 행하는 등 강제적인 것이 아니라 임의조사에 한한다. 다만 그 실효성을 담보하기 위하여 금지행위 위반과 출입검사 거부시 처벌을 규정하고 있다. 파괴적 단체 등에 대한 조사 과정에서 수집한 내외 정보 및 자료를 내각 정보위원회 등 관계 기관에게 제공함으로써 정부의 정책수립에 기여하고 있다.

조직은 공안조사청장을 중심으로 총무부, 조사1부, 조사2부로 구성되어 있다. 조사1부는 제1과(국내공안동향, 선거정보 등), 제2과(中核, 革8協), 제3부문(日共), 제4부문(右翼), 제5부문(革マル), オウム특별조사실이 있고; 조사2부는 제1과(日本赤軍, よと号, 국제테러), 제2과(외국정보기연락), 제3부문(총무, 북한), 제4부문(중국, 러시아, 기타지역)으로 구분되어 있다. 지방조직으로는 북해도(北海道), 동북(東北), 관동(關東), 중부(中部), 근기(近畿), 중국(中國), 사국(四國), 구주(九州) 등 8개 곳에 지청을 두고 있고, 공안조사사무소는 13개 곳에 두고 있다.

(4) 경찰청(警察廳)

일본의 경찰은 원칙상 지방자치경찰을 표방하고 있으나, 그 구조는 경찰청을

정점으로 하여 전국 각지의 도도부현(都道府縣) 경찰을 배후에 둔 실질적인 중앙집권적 국가경찰이다. 경찰청은 중앙에 경비국, 형사국, 교통국, 생활안전국, 정보통신국이 있는데 이중 대테러와 관련있는 부서는 경비국이다. 경비국에는 경비기획과(경비정보의 종합분석 조사), 공안과(정보수집, 공안사건수사), 경비과, 외사정보부(외사과, 국제테러대책과)가 있고, 외사정보부에는 외사과(외국인과 련된 경비정보수집과 외사사건수사), 국제테러대책과(국제테러와 관련된 정보의 수집·수사)가 있다. 경비과는 테러 사안에 대한 경찰운영, 국외에서의 일본인 테러피해 대처, 외국의 경찰과의 상호교류 등을 수행한다. 외사정보부의 국제테러대책과는 1977년 일본 적군파(JRA: Japanese Red Army)가 일으킨 다카 사건(ダッカ事件)[116]에 대하여 효과적으로 대응하지 못한 것을 계기로 설치되었다. 이 조직은 전국의 경찰 대테러 부서의 총괄하는 기획담당, 국내외에서의 정보를 수집하고 분석하는 정보담당, 해외에서 테러가 발생했을 때 현지에 들어가 수사를 담당하는 해외긴급대응팀(TRT-2: Terrorism Response Team-Tactical Wing for Overseas)으로 구성된다. 경찰청의 지방조직에는 동경도(東京都) 경시청(警視廳) 공안부, 도도부현(都道府縣) 경찰본부 경비과, 경찰서의 경비과와 외사과가 있다.

일본 경찰은 2004년 4월 경비국(警備局)에 외사정보부(外事情報部)를 설치함과 동시에 종전 외사과(外事課)에 놓여 있던 국제테러대책실(国際テロ対策室)을 외사정보부 내 국제테러대책과(国際テロリズム対策課)로 개편하여 보강하였다. 이로써 외사정보부는 외국 치안 정보기관 등과의 긴밀한 협력으로 양질의 정보를 수집하거나, 관련 정보의 유기적 통합·분석 등으로 한층 더 능력이 강화되었고, 해외에서 테러가 발생한 경우에는 해외긴급대응팀을 통하여 신속하고 정확하게 대응할 수 있게 되었다. 또한 북한 공작원에 의한 각종 불법 행위 대량 살상 무기 관련 물자 등의 불법 수출, 불법 입국·불법 체류 사범 등에 대해서도 관련 정보수집 및 단속을 유기적으로 강화할 수 있게 되었다.

(5) 방위성(防衛省)

일본의 방위성은 우리나라의 국방부에 해당하는 부처로 대테러업무를 담당하

---

116) 일본 적군파에 의해 1977년 9월에 발생한 사건으로 적군파 5명이 일본 항공기를 공중 납치하여 인질을 풀어주는 대가로 구류 중이던 대원 6명과 현금 600만 달러를 이송시킨 사건이다.

는 곳은 정보본부(DIH: Defense Intelligence Headquarters)로 대테러를 포함한 모든 군사정보를 다루는 비밀기관이다. 당초 방위성 산하 방위국을 비롯해 3개 자위대 소속의 참모부가 정보 업무를 담당해오다 정보의 효율성이 떨어진다는 지적에 따라 1997년 창설된 군 통합 정보부서다. 창설 당시 인원은 약 1천7백명 규모로 추산됐으나 자위대 활동이 늘어나면서 현재는 약 2천4백여 명의 규모인 것으로 알려져 있다.

조직은 자위대 소장급을 본부장으로 6개 부서와 각 지역별 통신소를 두고 있다. 본부장은 방위성 설치법에 의거해 방위회의위원을 겸하며, 부본부장은 관방성대신의 방위 서기관 업무를 겸하는 민간인이 맡아 본부장을 보좌하거나, 유고시 본부장을 대신한다. 정보와 관련된 주업무를 하는 전문 인력으로 4명의 정보관을 별도로 두고 있는데 이들은 각각 사무관과 자위관으로 나누어 업무를 분담한다. 여기서 사무관은 주로 정보를 총괄하는 역할을 하며 자위관은 담당 지역의 군사 동향과 정세를 총괄 분석한다. 또 이들 아래 각 2명씩에 걸쳐 정보평가관과 보전관을 두고 있다. 정보본부의 부서는 총 6개로 총무부와 계획부, 분석부, 통합정보부, 화상-지리부, 전파부로 이뤄져 있다. 이들 부서 가운데 계획부는 정보관리와 수집에 관한 계획을 수립하는 부서로 각 부서간 연락과 조정 업무도 동시에 수행하고 있다. 또 분석부는 수집된 정보를 분석하는 부서며 이 외에도 통합 방위 계획과 특수부대 운용 등에 대한 정보를 취급한다. 통합정보부는 정보본부의 핵심부서로 자위대에 직접 군사 정보를 지원하는 역할을 하며, 특히 긴급을 요하는 국내외 군사 동향을 파악하는 것이 주된 임무다. 아울러 화상-지리부는 지구 관측 위성장비를 바탕으로 화상정보 시스템을 운용하는 것이 주임무며 전파부는 통신 분야를 관리하는 일을 한다. 이 밖에 정보본부는 6개 지역에 통신소를 설치하고 운용 중인데 무선전파 감청 시스템과 레이더 돔을 통해 전 국토에 걸쳐 전방위 방위 정보 체계를 구축하고 있다.

(6) 외무성(外務省)

외무성은 기본적으로 해외 대테러정보를 수집하는 곳이다. 각국의 정보를 취합하는 부서가 국제정보통괄조직(國際情報統括官組織)으로 기획 총괄하는 제1국제정보조사실(第一國際情報調査官室), 국제테러와 대량살상무기(WMD: Weapons of

Mass Destruction)정보를 취급하는 제2국제정보조사관실(第二國際情報調査官室), 지역별로 담당하는 제3국제정보조사관실(第三國際情報調査官室: 동아시아, 동남아시아, 동서아시아, 대양주), 제4국제정보조사관실(第四國際情報調査官室: 유럽, 미주, 중앙아시아, 중동, 아프리카)이 있다. 또한 9·11테러이후 국제적인 대테러 협력 강화를 목적으로 2001년 12월에 국제대테러협력실을 설치하였다. 또한 2002년 3월에는 국제테러대책 담당대사를 임명하였다.

3. 대테러 부대

(1) JGSDF(Special Forces Group)

일본을 대표하는 대테러부대로 특수작전군(特殊作戰群)이라고 하며 육상 자위대 최초로 2004년 3월 27일 창설되었다. 이 부대의 임무와 훈련의 내용, 보유 장비 등은 설립 때부터 일절 공개되지 않았지만 미국의 씰(Navy SEAL)이나 델타포스(Delta Force) 등뿐만 아니라 다른 나라의 대테러부대가 수행하는 특수 정찰과 작전, 첩보 수집 등 다양한 임무를 수행하고 있다. 일본은 1970년대에는 일본 항공 472편 납치사건[117] 후 이를 구출하기 위한 공수교육대에서 가끔 특수부대가 편성되어 활동하였으나 사건이 해결되면 사라지는 응급부대 성격이었다. 이를 기초로 이번에 정식으로 창설된 이 부대의 초대 부대장은 직접 부대 창설에 참여한 구로사와 아키라(荒谷卓)로 테러를 비롯한 각종 특수임무를 실제로 수행할 적임자이다. 이 부대의 편성과 장비, 훈련 내용과 구체적 임무에 대해서는 거의 밝혀져 있지 않지만, 테러 진압작전이나 요인 경호 등 다른 나라의 특수부대와 거의 동일한 임무를 수행할 것으로 판단된다. 발족 당시 부대원 수는 약 300명으로 그중 전투 요원은 약 200명으로 구성되어 있다.[118]

---

117) 1977년 9월 28일 파리를 출발하여 하네다 공항으로 향하던 일본항공 소속 472편(승무원 14명, 승객 137명 탑승)은 중간 기착지인 뭄바이 공항을 이륙한 직후, 권총과 수류탄 등으로 무장한 일본적군파 5명에 의해 납치당했다. 범인들은 472편을 방글라데시의 다카 국제공항에 착륙시키고 600만 달러의 돈과 수감 중인 적군파 9명의 석방을 요구했다. 당시 일본 총리 후쿠다 다케오는 범인들의 요구 조건을 모두 수락하고 10월 2일에 요구한 돈과 석방된 6명이 다카에 도착, 인질로 잡혀 있던 151명 중 118명과 교환되는 형태로 풀려났다. 10월 3일 472편의 항공기는 이륙하여 쿠웨이트와 다마스커스를 거치며 승객 17명을 풀어주고, 알제리 공항에서 나머지 승객을 풀어주고 사건은 종결되었다.

118) 일본 위키백과(https://ja.wikipedia.org/wiki/) 참조.

(2) SAT(Special Assault Team)

일본은 1972년 이래 적군파(JRA)에 의한 8건의 테러, 1995년 옴진리교의 도쿄 지하철 사린가스 살포사건 등 많은 테러사건이 발생하여 이러한 테러에 대응하기 위하여 1977년 특수무장경찰(Special Armed Police)이 창설되어 활동해 오다가 1996년 4월 1일에 현재의 SAT로 재편성되었다. 무장경찰 창설은 1977년 일본 항공기 납치사건 당시 일본 정부는 적군파의 요구를 모두 수용하는 미흡함을 보인 것이 계기가 되어 독일의 GSG-9을 모델로 한 무장경찰을 만들었다.

SAT의 주요 임무는 납치와 테러에 대한 진압대응이다. 조직은 현재 나리타·도쿄·중부·관서의 각 국제공항이 있는 지역, 그 이외에서 국제·국내선 거점이 되는 공항이 있는 일부 지역, 주일 미군 관련 시설이 집중되어 있는 지역에 부대가 배치돼 있다. 5개의 도(道)와 현(県) 경찰에도 1개씩 창립되었다. 따라서 총 8개 소속 도도부현 경찰본부(都道府県警察本部)인 경시청(警視庁), 오사카부(大阪府) 경찰, 홋카이도(北海道) 경찰, 치바현(千葉県) 경찰, 카나가와현(神奈川県) 경찰, 아이치현(愛知県) 경찰, 후쿠오카현(福岡県) 경찰에 편성되어 있다. 대원은 경찰 기동대에서 격투기 무술과 사격실력 등이 뛰어난 25세 이하의 요원을 선발해 총 10개팀, 200여 명으로 구성되며, 1개팀은 20명으로 구성되어 있다. 팀은 진입반, 저격반, 지원반으로 나누어진다. 최근 2017년 8월 23일 아이치현에서 발생한 이탈리아인 권총 농성 사건 당시 출동한 사례가 있다.

(3) SST(Special Security Team)

이 부대는 해상보안청 소속으로 1996년에 창설되었다. 창설 배경은 1992년~1993년 프랑스로부터 재처리되어 들어오는 플루토늄의 해상 반입을 반대하는 시민단체로부터 플루토늄을 안전하게 보호하기 위해서였다. 당시 수송함에 13명의 해상 보안청 소속의 대원을 비밀리에 승선시킨 것을 계기로 해상에서의 테러에 대비한 특수부대의 필요성을 공감하여 오사카 '간사이 국제공항경비대'(KAMG: Kansai International Airport Marine Guard)와 '플루토늄수송함 경호대'를 통합하여 창설하였다. 임무는 일본 해역의 모든 선박에 대한 테러 및 납치 사건에 대한 신속한 대응이다.

조직은 고베에 있는 제5관구 해상 보안청 본부의 오사카 특수경비 본부 소속으로 3개팀 약 40명으로 구성되며, 각 팀은 10명으로 편성되어 있다. SST의 대원들은 해상경비순시선에 승선하여 활동하고, 한국어, 중국어가 가능한 통역요원과 잠수요원, 저격수, 폭발물처리와 구난 대원들도 함께 승선한다. SST는 1989년 오키나와 해역의 파나마 선적 선박에서 필리핀 승무원들이 영국인을 폭행하자 지원을 요청받고 KAMG요원들이 출동하여 승무원들을 모두 체포하였다. 1992년에는 프랑스에서 방사성 폐기물을 운송하는 선박을 보호하기 위해 출동하여 반핵운동단체의 공격을 저지하였다. 1999년에서 2002년까지 일본 해역에 침입한 북한 선박을 나포하였고 최근에는 호주에서 대량살상무기(WMD)와 관련 물자들이 확산되는 것을 막으려는 목적으로 이들 물자의 이동을 제한하는 정책인 대량살상무기 확산방지구상(PSI) 운동에도 참가했다.[119)]

제4절 국제테러단체 지정

UN을 비롯한 세계 각국은 각각의 기준에 따라 국제테러단체를 지정하여 이에 대한 제재와 대응을 하고 있다. UN의 경우 1999년의 안보리 결의안 제1267호, 2008년의 1844호, 2011년의 제1989호와 제1988호, 2015년의 제2253호 등에 의해 현재 총 81개를 테러조직으로 규정하고 있다. 미국의 경우는 「이민 및 국적법」(INA: Immigration and Nationality Act)과 행정명령 제13224호(Executive Order 13224)에 의거 테러조직을 지정하고 있고, 영국의 경우는 「Terrorism Act 2000」 제3조에 의해, 캐나다의 경우는 「Anti-Terrorism Act 2001」 제4조에 의해, 호주의 경우 「Anti-Terrorism Act 2004」에 의거 각각 테러단체를 지정・관리하고 있다. 여기서는 대표적으로 UN과 미국・영국의 경우를 살펴본다.

119) 이상의 내용은 일본 위키백과(https://ja.wikipedia.org/wiki/) 참조.

Ⅰ. UN의 테러단체 지정

UN은 현재 193개의 회원국에 대하여 구속력을 가지는 UN헌장을 가지고 있다. 이에 근거하여 취해지는 안전보장이사회(United Nations Security Council)의 제재조치는 UN이 국제평화와 안전유지에 위협이 되는 행위를 자행하는 국가나 단체에 대하여 가하는 매우 유용한 수단이라고 할 수 있다. 안전보장이사회는 UN의 신속하고 효과적인 조치를 확보하기 위하여, UN회원국은 국제평화와 안전의 유지를 위한 일차적 책임을 지고(UN헌장 제24조 제1항), 이러한 의무를 이행하기 위하여 부여된 특정한 권한은 제6장, 제7장, 제8장 및 제12장의 규정에 의하도록 되어 있다(UN헌장 제24조 제2항). 이에 따라 이 헌장 제7장은 "평화에 대한 위협, 평화의 파괴 및 침략행위에 관한 조치"를 취하도록 규정하고 있다.

안전보장이사회는 먼저 헌장 제39조에 따라 문제가 되고 있는 행위가 평화에 대한 위협, 평화의 파괴 또는 침략행위에 해당하는지를 결정하고, 해당 사태가 이 세 가지 중 하나에 속한다고 판단되면 국제평화와 안전을 유지하거나 이를 회복하기 위하여 권고하거나, 또는 제41조 및 제42조에 따라 어떠한 조치를 취할 것인지를 결정한다. 헌장 제41조는 안전보장이사회가 무력사용 이전의 조치로 경제관계 및 철도·항해·항공·우편·전신·무선통신 및 다른 교통통신수단의 전부 또는 일부의 중단과 외교관계의 단절을 취할 수 있도록 하고 있고, 제42조는 제41조의 조치가 불충분할 경우에 필요한 공군·해군 또는 육군에 의한 조치로 시위·봉쇄 및 다른 작전을 취할 수 있도록 하고 있다. 이에 따라 안보리는 주로 제재결의를 통하여 다양한 조치를 취하고, 회원국들은 헌장 제25와 제48조에 따라 안보리의 결정을 수락하고 이행할 의무를 진다. 즉 헌장 제7장에 근거한 안전보장이사회 결의는 회원국들에게 법적 구속력을 가지는 것이다. 이에 회원국들은 각 국의 국내법 체계를 정비하여 결의 이행을 위해 노력하고 이행상황을 보고서 형식으로 각 제재위원회에 제출하고 있다.

국제테러단체에 대한 안보리 결의안은 모두 6개로 제1267호(1999), 제1844호(2008년), 제1989호·제1988호(2011년), 제2253호(2015년), 제2368호(2017년) 등이다. 1999년 채택된 안보리 결의안 제1267호는 주로 아프가니스탄(Afghanistan) 사태와 관련하여 탈레반연계 단체와 인물을 제재대상으로 하였고, 2008년 채택된 안보리 결의안 제1844호는 주로 소말리아 사태와 관련한 단체와 인물을 제재대상으로 하였으며, 2011년 채택된 안보리 결의안 제1988호와 제1989호는 주로 알카에다와 탈레반 관련 단체와 인물을 제재대상으로 하였으며, 2015년 채택된 안보리 결의안 제2253호는 주로 IS와 중동과 북아프리카, 알 누스라 전선(ANF), 알카에다 등과 관련된 단체와 인물을 제재대상으로 하였으며, 2017년 채택된 안보리 결의안 제2368호는 IS과 알 카에다에 관한 추가 사항을 보완한 것이다.

이러한 제재결의를 통해 UN이 지정한 테러단체는 2017년 현재 테러활동 중인 단체가 35개(IS · 알 카에다 연계 33, 탈레반 연계 1, 소말리아 관련 1), 테러활동이 약화된 단체가 15개(IS · 알 카에다 연계 15), 테러자금을 지원하고 있는 단체가 31개(IS · 알 카에다 연계 27, 탈레반 연계 4)등 총 81개다.[120] 이들 단체와 인물에 대해서는 자산을 동결하고, 자유 이동을 차단하며, 모든 무기와 테러 수단으로 이용되는 물질과 기술 등의 지원을 금지해야 한다.

Ⅱ. 미국의 테러단체 및 테러지원국가 지정

1. 테러단체 지정

미국의 경우 「이민 및 국적법」(INA)과 행정명령 제13224호에 의거 테러조직을 지정하고 있다. 국적법 제219조(INA, Sec. 219.(a)(1))는 해외테러조직(FTO: Foreign Terrorist Organizations)의 지정을 규정하고 있는데, 이에 따르면 국무장관은 테러활동이나 테러에 관여할 능력과 의도가 있고, 미국 국민의 안전과 안보에 위협이 되는 외국단체를 해외테러조직으로 지정할 수 있다. 이때 테러활동은 "테러가 발생하는 국가(미국 내에서 발생할 경우 주정부 포함)의 법률에 의거 불법적인 활동"을 의미하는데 구체적으로 ① 항공기, 선박, 차량 등 운송수단의 강탈이나 파손, ② 나포나 구금된 자를 석방시키기 위해 정부를 포함한 제3자로 하여금 어떤 행동을 하거나 못하도록 강요할 목적으로 일반인의 살상이나 억류 및 위협, ③ 국제적으로 보호 받는 사람에 대한 폭력, ④ 암살, ⑤ 인명이나 재산을 손상할 목적으로 화생 및 핵물질, 그리고 폭발물의 사용, ⑥ 금지한 것을 하도록 하기 위

120) 세부 테러단체 명칭 및 내용은 제7장 제3절 참조.

한 위협, 시도 또는 음모가 포함된다(INA Section 212(a)(3)(B)1a). 또 테러활동의 관여에는 ① 테러범 활동의 선동이나 직접적 감행, ② 테러 활동의 준비나 계획, ③ 테러대상에 대한 정보수집, ④ 테러 활동이나 테러조직을 위한 재정 및 물자의 지원이 포함된다(INA Section 212(a)(1)(B)(iv)).

테러조직 지정 절차는 일단 테러조직으로 지정될 개연성이 높은 조직이 확인되면, 미 국무부의 대테러조정관실(Office of the Coordinator for Counterterrorism)은 관련 정보를 수집하여 구체적인 증거를 축척한다. 국무장관은 법무장관 및 재무장관과의 협의를 거쳐 테러조직 지정이 결정되면 미 의회에 관련 사실을 통보한다. 의회는 이민법 규정에 따라 7일간의 검토과정을 거치고 끝나면, 국무부는 연방기록국(Federal Register)의 출판을 통해 테러조직지정을 공표하게 된다(INA Section219(a)(2)(A)(i)(ii)(B)(i)(ii)). 만약 이러한 테러조직의 지정에 이의를 제기하고자 할 때에는 테러조직 지정 30일 이내에 콜롬비아 순회재판부에 항소를 할 수 있다(INA Section219(c)(1); US Department of State, 2010: 235). 2004년에 제정된 「정보개혁 및 테러예방법」에 의하면 테러조직으로 지정된 단체는 지정일 혹은 재지정일로부터 2년 후 테러조직 지정 철회를 신청할 수 있다. 테러조직지정 철회를 위해서는 테러조직으로 지정된 사실이 부당하다는 충분한 증거를 제시해야 한다. 테러조직지정의 부당성을 주장하는 증거에 대한 검토가 5년 동안 이루어지지 않으면, 국무장관은 철회에 대한 청원이 정당한 것인지를 재검토해야 한다. 테러조직 재지정절차는 테러조직 지정 절차와 동일하며, 국무장관은 언제든지 지정 철회 혹은 재지정에 대한 상황의 변화가 생기면 필요한 조치를 할 수 있다. 테러조직의 지정과 철회의 핵심적인 기준은 미국의 안보 위협이다. 테러조직의 지정 철회는 의회가 할 수도 있으며, 법원의 결정에 따라 이루어질 수도 있다(US Department of State, 2010: 235).

테러조직으로 지정되면, ① 미국법의 적용을 받는 자가 테러조직에 물질적, 재정적 지원을 하게 되면 위법으로 처벌받게 되어 있고, ② 테러조직의 멤버나 대표는 만약 외국인이라면 입국을 불허하고, 상황에 따라 미국으로부터 추방하도록 되어 있으며, ③ 테러조직이나 그 대리인이 보유하고 있거나 통제하고 있는 자산을 알고 있는 미국의 금융기관은 그 자산을 동결하고 미 재무성의 해외자산통제국에 보고하도록 되어 있다.[121)]

이러한 과정을 거쳐 미국이 지정하고 있는 해외 테러조직은 2018년 5월 현재 다음의 <표>에서 보는 바와 같이 알 카에다를 포함하여 64개 조직이다.[122] 64개 조직 명칭은 다음과 같다.

〈미국 지정 테러단체 현황(64개)〉

지정 연도	계	테러조직 명칭
1997	18	Abu Sayyaf Group(ASG), Aum Shinrikyo(AUM), Basque Fatherland and Liberty(ETA), Gama'a al-Islamiyya(IG: slamic Group), HAMAS, Harakat ul-Mujahidin(HUM), Hizballah, Kahane Chai(Kach), Kurdistan Workers Party(PKK), Liberation Tigers of Tamil Eelam(LTTE), National Liberation Army(ELN), Palestine Liberation Front(PLF), Palestinian Islamic Jihad(PIJ), Popular Front for the Liberation of Palestine(PFLP), PFLP-General Command(PFLP-GC), Revolutionary Armed Forces of Colombia(FARC), Revolutionary People's Liberation Party/Front(DHKP/C), Shining Path(SL)
1999	1	al-Qa'ida(AQ)
2000	1	Islamic Movement of Uzbekistan(IMU)
2001	3	Real Irish Republican Army(RIRA), Jaish-e-Mohammed(JEM), Lashkar-e Tayyiba(LeT)
2002	5	Al-Aqsa Martyrs Brigade(AAMB), Asbat al-Ansar(AAA), al-Qaida in the Islamic Maghreb(AQIM), Communist Party of the Philippines/New People's Army(CPP/NPA), Jemaah Islamiya(JI)
2003	1	Lashkar i Jhangvi(LJ)
2004	3	Ansar al-Islam(AAI), Continuity Irish Republican Army(CIRA), Islamic State of Iraq and the Levant(formerly al-Qa'ida in Iraq)
2005	1	Islamic Jihad Union(IJU)
2008	2	Harakat ul-Jihad-i-Islami/Bangladesh(HUJI-B), al-Shabaab
2009	2	Revolutionary Struggle(RS), Kata'ib Hizballah(KH)
2010	4	al-Qa'ida in the Arabian Peninsula(AQAP), Harakat ul-Jihad-i-Islami(HUJI), Tehrik-e Taliban Pakistan(TTP), Jundallah

121) US Department of State, Office of the Coordinator for Counterterrorism, Foreign Terrorist Organizations,(https://www.state.gov/j/ct/list/) 참조.

122) 미 국무부 홈페이지(https://www.state.gov/j/ct/rls/other/des/123085.htm)"Foreign Terrorist Organizations" 참조.

2011	2	Army of Islam(AOI), Indian Mujahedeen(IM)
2012	3	Jemaah Anshorut Tauhid(JAT), Abdallah Azzam Brigades(AAB), Haqqani Network(HQN)
2013	4	Ansar al-Dine(AAD), Boko Haram, Ansaru, al-Mulathamun Battalion(AMB)
2014	6	Ansar al-Shari'a in Benghazi, Ansar al-Shari'a in Darnah, Ansar al-Shari'a in Tunisia, ISIL Sinai Province(formally Ansar Bayt al-Maqdis), al-Nusrah Front, Mujahidin Shura Council in the Environs of Jerusalem(MSC)
2015	1	Jaysh Rijal al-Tariq al Naqshabandi(JRTN)
2016	3	ISIL-Khorasan(ISIL-K), Islamic State of Iraq and the Levant's Branch in Libya(ISIL-Libya), Al-Qa'ida in the Indian Subcontinent
2017	1	Hizbul Mujahideen(HM)
2018	4	ISIS-Bangladesh, ISIS-Philippines, ISIS-West Africa, ISIS-Greater Sahara

2. 테러지원국가 지정

미국은 제도가 시행된 1979년부터 리비아(1979년-2006년), 이라크(1979년-1982년, 1990년-2003년), 남예멘(1979년-1990년), 시리아(1979년-현재), 쿠바(1982년-2015년), 이란(1984년-현재), 수단(1993년-현재), 북한(1988년-2008년, 2017년-현재) 등 8개국을 테러지원국으로 지정·관리해오고 있다. 2018년 현재 이란, 수단, 시리아, 북한 등 4개국을 테러지원국으로 지정·관리하고 있다. 국무부는 매년 4월 『테러리즘에 관한 국가보고서』(Country Reports on Terrorism)를 발표하여[123] 테러지원국으로 추가 지정이나 해제를 하고 있다.

123) 미 국무부가 「연방법」에 의거하여 매년 4월 30일까지 의회에 제출하는 보고서로 이전에는 『대테러(Counter-Terrorism)와 국제테러양상(Patterns of Global Terrorism)』이라는 제목으로 발행되다가 2004년부터 『테러리즘에 관한 국가 보고서』(Country Reports on Terrorism)로 발행되고 있다. 내용은 크게 네 가지 항목으로 첫 번째는 아프리카, 동아시아·태평양, 유럽, 중동아시아·북아프리카, 남아시아, 서방 등 6개 지역으로 나누어 각 지역별 테러 발생 현황과 각국의 대응, 두 번째는 테러지원국을 지정하고 있는 이유를 설명, 세 번째는 화생방 및 핵테러(CBRN) 방지를 위한 국제협력, 마지막은 해외테러조직(FTOs) 지명이다.

(1) 테러지원국가 지정 및 해제 절차

특정국가를 테러지원국으로 지정하는 법적 근거는 1979년 개정된 「수출관리법」(Export Administration Act)으로 이 법 제6조 j항은 "테러지원국 명단에 있는 어떤 국가에게도 통제 품목과 기술을 수출할 때는 허가를 필요로 한다. 상무부와 국무부는 반드시 하원 외교위원회, 상원 금융·주택·도시문제 위원회와 외교위원회에 이 국가의 군사력이나 테러지원능력을 강화할 것으로 판단되는 재화와 서비스에 대한 수출허가를 내리기 최소 30일 전에 고지해야 한다"고 규정하고 있다.

이 법에 따라 매년 1월 초 미국의 상무장관이 국무장관과 논의하여 관련 국가의 명단을 선정하고, 이를 의회에 보고함으로써 공식적으로 테러지원국으로 지정된다. 이를 위해 미 국무부는 1년 내내 전 세계에서 발생하고 있는 테러사건 관련 자료를 모으고, 11월이 되면 공식적으로 테러지원국의 명단을 갱신하는 절차를 밟는다. 이처럼 갱신된 명단은 의회의 승인을 거쳐 새롭게 『연방관보』(Federal Register)에 공고됨으로써 공식적인 효력이 발효된다. 이때 미국이 지정하는 테러지원국에 대한 정의는 1989년 제정된 「반테러 및 무기수출 수정법」(Anti-Terrorism and Arms Export Amendments Act of 1989)과 관련하여 하원 외교위원회가 채택한 보고서(H.Rept. 101-296)에 명시되어 있는데 ① 자국의 영토를 테러범의 은신처로 사용할 수 있도록 제공하는 국가, ② 테러범 또는 단체에게 무기, 폭발물, 치명적 물질 등을 제공하는 국가, ③ 테러범 또는 단체에게 병참(兵站)을 지원하거나 제공하는 국가, ④ 테러범 또는 단체에게 안전한 피난처 혹은 지휘소를 제공하는 국가, ⑤ 테러범 활동을 위한 계획, 지시, 훈련 또는 지원하는 국가, ⑥ 테러 단체에 대한 직접적 혹은 간접적 자금을 지원하는 국가, ⑦ 테러활동을 선동하거나 지원하는 용도로 외교적 편의를 제공하는 국가 등이다.

테러지원국의 해제 절차도 기본적으로 수출관리법 제6조 j항에 의하지만 지정 절차와 약간의 차이를 보인다. 즉 이 법률 제6조 j항의 4는 대통령이 하원의 외교위원회와 상원의 금융·주택·도시문제 위원회 및 외교위원회에 테러지원국의 해제를 서면으로 보고하지 않을 경우 명단에서 삭제할 수 없도록 규정하고 있다.

이때 테러지원국 해제는 두 가지 경우로 나누어 볼 수 있는데, 하나는 해당 국가가 테러지원국 지정 당시와는 전혀 성격이 다른 정부로 정권이 교체되었을 경우이다. 이 경우 미국의 대통령은 선거, 쿠데타, 다른 여러 수단 등으로 인해 해당 국가 정부의 지도부나 정책에 근본적인 변화가 있고, 더 이상 국제테러활동을 지원하지 않으며, 앞으로도 국제테러활동을 지원하지 않겠다는 약속을 했다는 점을 의회에 보고해서 테러지원국 명단에서 삭제할 수 있다. 또 하나는 해당국가의 정부가 테러지원국 지정 당시와 동일한 경우이다. 지금의 북한과 같은 경우는 미국의 대통령이 해제를 희망하는 날 45일 전까지 해당 국가가 최근 6개월 동안 국제 테러를 지원하지 않았고, 향후에도 지원하지 않을 것이라는 약속을 했다는 점을 입증하는 보고서를 의회에 제출해야만 한다. 이 경우 의회는 이를 승인할 수도 있고 거부할 수도 있다.

1989년에 이런 절차가 입법화된 이래 현재까지 테러지원국으로 지정된 국가가 정권이 바뀌지 않고 명단에서 삭제된 경우는 두 번으로 한번은 1982년 이라크의 사례와 2006년 6월 리비아의 사례이다. 이라크는 이란에서 호메이니가 집권한 후 테러지원국에서 삭제되었다가 1990년 8월 쿠웨이트 침공 후 다시 테러지원국에 지정되었다.[124] 리비아의 경우는 1988년 12월 미국 팬암항공사 소속 민간여객기가 스코틀랜드 로커비 상공에서 폭발한 로커비사건과 관련하여 테러지원국으로 지정하고 각종 경제제재를 가하자 리비아의 독재자 카다피는 1990년대 말부터 점진적 경제 개혁과 실리주의 노선으로 전환하면서 로커비사건 용의자 2명을 서방측에 인도하였다(1999.4). 또 핵과 대량살상무기(WMD) 포기를 선언하면서(2003.12) 미국은 2006년 6월 30일 리비아를 테러지원국에서 해제하고 리비아의 외교관계도 정상화되었다. 이외에도 남예멘의 경우는 북예멘과 1990년 통일이 되면서 자동적으로 테러지원국 지정에서 해제되었다.

(2) 테러지원국가 제재

테러지원국으로 지정된 국가들은 다양한 미국 국내법에 따른 경제·군사·외교적 제재를 받게 되어 있다. 미국의 제재관련법은 「수출관리법」, 「적성국 교역법」(Trading with the Enemy Act of 1917)과 시행령인 해외자산통제규정(FACR: Foreign Asset Regulations for Exporters and Importers, 1950.12 제정), 「수출입은행

124) 이라크의 경우 1979년 테러지원국 지정 → 1982년 해제 → 1990년 재지정 → 2004년 다시 해제되었다.

법」(Export-Import Bank Act of 1945), 「해외원조법」, 「국제금융기구법」, 「국제무기거래규정」(International Traffic in Arms Regulation), 「무기수출통제법」, 「애국법」, 「에너지법」 등이 있다. 이러한 법령들에 근거해 이루어지는 테러지원국에 대한 제재조치로는 무역제재, 무기수출 금지, 테러에 사용될 가능성이 있는 이중용도품목 수출금지, 대외원조금지, 일반특혜관세제도의 적용금지, 대외원조 및 수출입은행의 보증금지, 국제금융기구에서의 차관지원 반대 등이 있다.

첫째, 군사적으로 전용될 수 있는 이중 용도의 기술과 군수품의 판매가 금지된다. 위에서 살펴본 대로 미국의 제재 법령 중에서 가장 광범위하고 종합적인 법령이 1979년 개정된 「수출관리법」과 그 시행령인 수출관리 규정(EAR: Export Administration Regulation of 1996)이다. 이 법 제6조 j항은 "테러지원국 명단에 있는 어떤 국가에게도 통제 품목과 기술을 수출할 때는 허가를 필요로 한다"고 규정하고 있고, 동 시행령 제742조는 교역통제물품목록(CCL: Commerce Control List)에 근거한 수출 통제를 명문화하고 테러지원국에 대해 규정된 품목의 수출과 재수출을 금지하고 있다. 따라서 CCL에 올라 있는 모든 품목은 수출과 재수출을 위해서는 허가를 얻어야 한다. 또한 1976년 제정된 「무기수출통제법」(Arms Export Control Act of 1976)은 방위물자 수출관련 일반적 제한 조항(22 United States Code 2778, 이하 United States Code를 USC로 약칭함)에서 군수물자 수출을 금지하고 있고, 외국인의 미사일확산에 대한 개별 제재 조항(22 USC 2797b)에서 미사일 관련 계약과 허가의 거부를 규정하고 있다. 또 1986년 제정된 「외교안보와 반테러법」(Omnibus Diplomatic Security and Anti-terrorism Act, P.L. 99-399) 제509조 a항은 테러지원국 명단에 있는 국가들에게 군수품 수출을 금지하도록 규정하고 있다. 2005년 제정된 「에너지법」(the Energy Policy Act, P.L. 109-58)은 테러지원국에게 미국의 핵물질이나 기술을 수출, 재수출, 이전 및 재이전하는 것을 금지하고 있다. 이 법의 제632조은 미국의 핵기술이 이들 국가에게 직접 전파되는 것은 물론 제3국의 민간 활동을 통해서 전파될 가능성까지를 모두 차단하는 광범위한 제한 조치를 담고 있다.

둘째, 가장 중요한 경제적 제재로 1988년 제정된 「국제금융기구법」(International Financial Institutions Act, P.L. 95-118)의 제1621조이다. 테러지원국에 대한 국제금융기구의 원조 반대를 규정하고 있는 이 조항은 "1961년 해외원조법 제620조

A항 또는 1979년 「수출관리법」 제6조 j항에 의거, 재무부는 각 국제기구에 있는 미국의 이사들에게 국무부가 결정을 내린 나라에 대해서나 그런 나라를 위해서 각 기구가 자금이나 차관을 주는 데에 반대하는 투표권이나 발언을 행사하도록 지시하여야 한다"고 규정하고 있다. 즉 미국은 세계은행이나 IMF와 같은 국제기구가 테러지원국 명단에 있는 국가들에게 금융지원을 실시하는 것을 반대해야 한다는 것이다.

셋째, 1961년 제정된 미국의 「해외원조법」(the Foreign Assistance Act)은 테러지원국에 대한 해외원조를 금지하고 있다. 이 법은 공산주의 국가에 대한 원조금지(22 USC 2370), 외교관계가 단절된 국가에 대한 원조제약(22 USC 2370), 테러지원국에 대한 원조금지(22 USC 2371) 등의 조항에 의해 제제를 하고 있다. 이때 미 대통령은 통제국가 목록을 작성해야 하는데 1961년 당시 공산주의 국가 목록에 있는 나라들은 자동적으로 포함되어 북한의 경우도 포함되었었고, 1988년 1월 이후 테러지원국으로 지정되면서 이중으로 규제를 받고 있는 것이다.

(3) 테러지원국(4개국) 지정 사유

1) 북 한

북한은 1983년 버마 아웅산 묘지 폭탄테러 사건과 1987년 11월 29일 대한항공 858기 폭파로 115명의 사망자가 발생 사건이후 1988년 1월부터 공식적으로 미국의 테러지원국에 지정되어 왔다가 2008년 10월에 해제된 후 2017년 11월 20일 다시 테러지원국으로 재지정되었다. 미 국무부가 2007년 발표한 『테러리즘에 관한 국가보고서』는 북한이 테러지원국 명단에 속한 이유로 " …북한은 1970년 항공기 납치 사건과 관련된 일본 적군파 요원 4명을 계속 보호하고 있다. 일본 정부는 2002년 이후 일본으로 귀환한 5명의 납북자 등 북한 정부에 의해 납치된 것으로 추정되는 12명의 일본인에 대한 설명을 지속적으로 요구하고 있다…"를 들고 있다. 또 2006년 발간된 『테러리즘에 관한 국가보고서』에서도 "1987년 대한항공기 폭파사건 이후 북한이 다른 테러행위를 지원했다는 사실은 알려진 바 없다. 2003년 북한은 생존 납치 피해자 5명의 귀환을 허용하였으며 2004년에는 이들의 가족 8명(대부분 자녀)의 귀환을 허가하였다. 다른 납치 피해자들의 생존여부에 대한 문제는 현재 북일간에 진행되는 협상의 의제가 되고 있다. 북한은 사망한 것으로 밝힌 납치 피해자 두 명의 유골을 11월에 일본에 반환하였다. 현재까지 이 문제는 쟁점이 되고 있다. 또한 다른 국가의 사람도 해외에서 납치되었다고 하는 신뢰할 수 있는 정보도 있다. 한국정부는 한국전쟁 이후 민간인 약 485명이 납치 또는 감금된 것으로 추정하고 있다. 1970년 항공기 납치사건과 관련된 일본 적군파 요원 4명은 북한에 머물러 있지만 그들 가족 중 5명은 2004년에 일본에 귀환하였다"고 설명하고 있어 미국이 북한을 테러지원국으로 지정한 것은 1987년 KAL 858기 폭파사건과 일본인 납치문제 때문임을 구체적인 이유로 들고 있다.

또한 북한은 레바논의 헤즈볼라와 스리랑카의 타밀반군에 무기를 제공하고 무장요원들을 훈련시켰다. 1980년대 후반부터 1990년대 초반까지 헤즈볼라 간부들이 북한을 방문하여 몇 달 동안 (군사)훈련을 받았고, 2000년 이후에는 북한 교관들이 직접 남부 레바논에 파견되어 헤즈볼라 간부들에게 지하 군사시설을 건설할 수 있는 방법을 교육했다. 이러한 헤즈볼라의 지하 시설에 로켓트 발사대 1,000~1,500대를 숨길 수 있어 2006년 전쟁 당시 이스라엘 공군이 이를 찾는데 어려움이 있었다. 또한 북한은 2006년 말부터 2007년 초까지 스리랑카의 타밀반군에게 기관총, 자동소총, 대전차 로켓 등을 포함하여 무기를 매매하려고 시도했었다. 또한 국제적으로 아시아, 태평양 지역의 6개국 9개 테러조직, 중동과 아프리카 지역에 13개국 14개 테러조직, 유렵과 미주지역에 17개국 32개 테러조직 등 총 36개국 55개 테러조직을 직·간접으로 지원하고 있는 것으로 파악되고 있다.

이러한 구체적인 이유 말고도 미국은 북한에 대해 크게 두 가지를 의심하고 있는데 하나는 국제테러단체와의 관계 유지 가능성과 다른 하나는 WMD 제조능력과 같은 기술을 테러단체에게 이전하는 것이다. 예를 들어, 2005년 1월 미국의회의 일리노이 대표단은 북한의 유엔대사에게 2000년 중국에서 북한 요원에 의해 납치된 김동식에 관한 정보를 요청하는 서한을 보내면서 이 문제가 해결되기 전에는 테러지원국 해제에 반대한다고 천명했다. 또한 2007년 9월 하원이 발의하고 27명의 의원이 지지한 H.R. 3650 법안은 북한의 핵과 미사일 확산 문제, 테러단체에 대한 훈련과 무기 공급, 미국 화폐 위조 등 불법적 거래, 납치된 일본인과 김동식 문제, 한국전쟁시의 남한 포로 송환 등과 같은 문제들이 해결되기 전까지는 테러지원국에서 제외할 수 없다고 규정하고 있다. 또 2006년 리비아 테러지원국 해제 당시 '리비아와 수단은 테러에 대한 범세계적인 전쟁에 협조하는 의미 있는 조치를 지속적으로 취해왔으나 북한, 쿠바와 이란, 시리아는 테러단체들과의 관계를 유지하여 왔다. 테러지원국은 비정부 테러단체에게 상당한 지원을 해왔다. 정부의 지원 없이는 테러 단체가 자금, 무기, 물자, 작전을 계획하고 수행할 안전한 장소 등을 얻는 것이 매우 곤란하다. 가장 걱정되는 것은 이런 국가들이 WMD를 제조할 수 있는 능력이 있고, 테러범들이 입수할 수 있는 불안정한 다른 기술을 가지고 있다는 것이다'고 설명하고 있다.

최근에도 미국은 북한의 장거리 미사일 실험(2006.7.5)과 핵실험(2006.10.9) 이후에는 UN 안전보장이사회 결의안(UNSCR) 1695호 및 1718호 등 국제법에 근거하여 미국내 북한 자산동결, 무역 · 금융거래 · 원조 및 인적 교류 제한, IMF · 세계은행 등 국제금융기구의 자금지원 불허 등 다양한 대북제재를 시행중이다. 또한 1917년 제정된 「적성국 교역법」은 공산국가 등 적성국에 대해 행정부의 승인 없이는 교역 및 금융거래를 할 수 없도록 전면 금지하고 있는데 현재 이 법의 적용 대상국은 북한뿐이다. 북한이 "공산국가"로 지정되어 있는 한 미국 수출입은행의 수출금융 지원 대상에서 제외되고, 인도적 원조를 제외한 미국의 개발원조도 북한에 제공될 수 없다. 북한체제가 바뀌지 않는 한 "공산국가"에 따른 제재가 계속 적용될 것이다.

이처럼 미국은 2000년대 초까지는 1977년 일본 민항기 납치를 시도했던 일본 적군파 요원들을 북한이 임의로 보호하고 있다는 점을 주요하게 제기해왔으나 1990년대 후반부터 이 문제가 일본 내에서 극도로 정치화되어 북 · 일 관계의 핵심적인 의제로 대두되면서 북한의 소극적인 태도를 문제 삼았다. 이후 2001년 9 · 11테러 발생으로 국제적인 테러와의 전쟁(War on Terror)에 불성실한 협조를 문제 삼았다.

한편 북한은 미국에 일관되게 테러지원국 명단에서 삭제해줄 것을 요구해왔다. 2000년 초 북한은 북 · 미 양자 고위급 회담의 조건 중 하나로 테러지원국 해제를 제시하였고, 2003년부터 개최된 6자회담에서 북한은 다시 한 번 미국에 테러지원국 지정 해제를 요구하였고 2006년 말 미국의 부시 행정부가 들어선 이래로 첫 양자회담을 추진하면서도 이 문제를 주요 의제로 올린 것이다. 이처럼 북한은 테러지원국 해제 문제를 미·북 관계에서 중요한 외교 문제로 생각했다. 이러한 우여곡절 끝에 2010년 부시 대통령이 북한을 테러지원국 명단에서 삭제하였으나 미국 내에서는 이 문제가 계속 논쟁이 이어지고 있었다. 특히 2010년 천안함 폭침 사건과 2014년 11월 소니픽처스 엔터테인먼트(Sony Pictures Entertainment) 사이버 해킹 사건, 제3~6차 핵실험, 김정남 암살 등 거듭된 북한의 도발과 위협으로 결국 2017년 11월 테러지원국으로 재지정되었다.

2) 이 란

이란은 1984년 1월 19일 처음으로 테러지원국으로 지정되었다. 이유는 현재까지도 헤즈볼라에 대한 지원, 가자지구에서 팔레스타인 테러단체, 시리아, 이라크 등 중동 전역에 걸쳐서 테러범과의 친인척 관계를 유지하면서 직간접으로 지원하고 있다는 것이다. 이 팔레스타인 테러단체는 시나이반도에(서) 이스라엘 민간인들과 이집트와 바레인 보안군에 대해서 공격을 실시하고, 팔레스타인 가자지구와 요단강 서안 지구에서 비롯하는 많은 격렬한 공격을 자행하였다. 이란은 바레인 시아파 그룹들에 자금과 무기를 지원하고 있다. 또한 이란은 이라크에서 활동 중인 IS를 지원하고, 시리아에서 아사드(Assad) 정부를 지지하는 카타이브 헤즈볼라(Kata'ib Hezbollah)를 포함하여 다양한 이라크 시아파 테러단체를 지원하고 있다. 직접적으로 모집한 의용군과 장갑차·박격포·로켓포 등의 무기를 지원하고 있다. 또 이란은 UN 안보리 결의안 제1701호를 위반하여 수천의 로켓포와 미사일 그리고 소형무기를 헤즈볼라에 공급하였다. 이란은 레바논에서 헤즈볼라를 위해 재정적 지원을 하고 이란의 훈련장에서 대원들을 교육시키고 있다. 이러한 도움으로 헤즈볼라는 2016년에도 이스라엘과 레바논 국경을 따라 이스라엘군에 대한 공격을 실시하였다. 이란은 다른 나라의 사이버 대테러 프로그램을 공격하고, 알카에다의 대원들을 보호하면서 신원을 공개하지 않고 피난처가 되고 있다. 이란은 표면적으로는 이라크의 평화와 안정을 지지하면서 미군과 이라크를 상대로 끊임없는 테러를 지속하고 있으며 시리아의 시아파 조직에게 훈련과 자금 및 무기를 지원해오고 있다.

3) 시리아

시리아는 1979년 12월 29일 테러지원국으로 지정되었다. 당시부터 시리아는 하마스와 팔레스타인의 테러단체에게 계속적인 지원과 은신처를 제공해오고 있다. 헤즈볼라에게 무기를 지원하고 이란과 합동으로 테러 단체를 재무장시키고 있다. 2006년에 이스라엘은 이란에서 시리아 라타키아(Latakia) 항을 경유하여 헤즈볼라에 전달될 예정인 다량의 무기를 차단한 사례가 있다. 또한 시리아 정부는 알 카에다와 다른 테러단체에게 외국용병을 지원하고, 이들의 연계활동에 도움을 주고 있다. 외국 지원자들은 시리아를 통하여 IS에 합류하고 있고 그러한 통로를 제공하고 이들을 위한 홍보도 지원하고 있다. 시리아는 화학 무기 협약에 가입하였으나 의무를 이행하지 않고 있으며, 실제로 UN은 2016년에 독성 화학물질들을 사용하였다고 발표했다.

4) 수 단

수단은 1993년 8월 12일 테러지원국으로 지정되었다. 수단은 아부 니달 기구(ANO), 팔레스타인 이슬람 지하드, 하마스, 그리고 헤즈볼라 등을 포함하여 국제적 테러단체에 많은 지원을 하고 있다. 수단은 하마스를 팔레스타인의 합법적인 대표로 인정하고 있고, 아프리카 지역에서 활동하고 있는 우간다의 인민군(UPDF)과 신의 저항군(LRA: Lord's Resistance Army)이 수단의 인민해방군(Sudan Peoples Liberation Army)의 지원을 받고 있다. 그러나 하마스에 어떠한 직접적 지원이 제공되고 있는지에 대한 증거가 없고, 최근 미국이 추진하고 있는 국제적인 대테러 전쟁에 적극 참여하고 국제테러단체에 대한 테러 대책을 추진한 것이 인정되었고, 2016년 6월 미국도 수단의 이러한 대책에 대한 노력을 인정하였다. 그러나 수단 지방의 강경세력은 수단정부의 이러한 정책에 대해 반대하면서 독자적인 테러단체 지원을 계속해오고 있다. 실제로 수단의 지식인들은 알 카에다를 비롯하여 대미 무장항쟁을 지원하고 반미 테러조직에 대한 이념적·물질적 지원을 계속하고 있다. 따라서 수단의 이러한 이중적인 태도가 앞으로 테러지원국으로 계속 남을 것인가를 결정하는 요인이 될 것이다.[125]

125) 미국무부 연례보고서(Country Reports on Terrorism 2016, https://www.state.gov/documents/organization/272488.pdf) 참조.

Ⅲ. 영국의 테러단체 지정

영국은 1970년 초부터 북아일랜드의 분리 독립을 주장하며 테러를 자행하는 아일랜드 공화군(IRA)에 대응하기 위해 강력한 대테러 법적 조치를 취해 오고 있었다. 특히, IRA에 의해 자행된 버밍엄 선술집(Pub) 폭발물 테러로 평범한 영국 시민 21명이 사망하자 1974년에 한시법인 「테러방지임시조치법」을 제정하였다. 이 법은 IRA와 기타의 테러단체에 소속되거나 직·간접 지원을 하는 행위를 모두 처벌하도록 하고, 테러단체에 대한 불고지죄를 범죄행위로 규정하여 최장 5일 내의 범위에서 영장 없이 체포할 수 있도록 하고 있었다(Walker, 1986: 34-119). 그러나 이 법은 한시법으로 한계점을 드러내자 2000년 7월에 새로운 「2000 테러리즘법」을 제정하였다. 이 법은 기존의 테러가 북아일랜드 테러에 국한된 임시법적 성격을 가진 것에 비해 테러의 범위를 영국 내에서뿐만 아니라 국제 테러를 포함한 모든 테러 행위에 대한 단속을 가능하도록 하였다. 이 법에서 해외 테러조직의 지정에 관한 절차와 해제 등에 관한 조항이 포함되어 있고(동법 (c.11), Part II), 테러단체의 통화기록압수와 금융기관에 대한 테러수사목적의 예금계좌 확인요구 권한 등 테러에 대한 수사권을 강화하는 내용을 담고 있었다.

테러조직지정 절차는 영국 내무부가 테러혐의가 있는 조직들에 대한 활동금지 권한을 가지고 영국 내 활동을 차단하기 위한 모든 조치를 할 수 있고, 단체로 지정되면 자금모집이나 선전활동 및 3인 이상 조직원의 회합(會合) 등이 금지된다(동법 (c.11), Part II). 이때 테러를 정치적, 종교적 또는 이념적 목적을 달성하기 위해, 정부에 영향을 주거나 일반 대중을 협박함으로써 사람의 생명과 신체에 중대한 위험을 가하거나 심각한 재산상 피해를 유발하는 행위로 규정하고 있다(동법 (c.11), Part I. 1). 이러한 목적 달성을 위해 특정단체가 테러자행 또는 참여, 테러준비, 조장, 선동 기타 테러와 관련되어 있다고 판단할 만한 충분한 증거가 확보될 경우에 내무부장관은 해당 단체를 테러조직(PO: Proscribed Organizations)으로[126] 지정하게 된다(동법 Part II. 3). 테러에 연관된 것으로 믿어지는 조직에

---

126) 영국은 테러조직을 금지된 조직(PO: Proscribed Organizations)이라는 용어를 사용하고 있는데, 이는 국제테러조직은 물론 자국 내의 가장 큰 위협이 되고 있는 북아일랜드의 테러조직도 PO에 포함시키기 위한 것으로 보인다.

대한 활동금지 해제를 원하는 경우 이해 당사자 조직 혹은 테러조직지정에 따라 피해를 당하는 이해 당사자가 적법한 절차에 따라 충분한 증거자료를 제출하여 해제신청을 할 수 있다(동법 Part II. 4). 만약 내무부 장관이 테러조직 해제 요구를 거절하는 경우에는 금지조직항소위원회(POAC: Proscribed Organizations Appeal Commission)에 항소할 수 있다(동법 Part II. 5). POAC는 대법관(Lord Chancellor)이 임명하는 위원들로 구성된다.[127] 아울러 법원에 항소를 신청하고, 법원의 결정에 의해서도 테러조직 지정이 해제될 수도 있다(동법 Part II. 6).

테러조직으로 지정되면 테러조직에 가입이나 본인 스스로 조직원임을 공개하는 경우이거나 테러단체 지원을 권유하는 경우에는 10년 이하의 징역으로 처벌하도록 되어 있다(동법 (c.11)). 테러 관련 표현물을 전파하거나 배포 등을 하는 경우에는 7년 이하의 징역으로 처벌하고 테러 관련 훈련을 시키거나 받는 경우 및 테러훈련 장소를 방문하는 경우에는 10년 이하의 징역으로 처벌하도록 되어 있다(「2006 테러법」 (c.11)). 방사능 물질과 관련한 범죄는 더욱 강력한 처벌을 규정하고 있는데, 방사능장치 또는 물품 제조와 소지 및 방사능 장비, 물질 또는 시설과 관련한 테러 위협의 경우에는 종신형으로 처벌할 수 있으며 테러 목적으로 물품을 소지한 경우에는 기존 10년 이하에서 15년 이하의 징역으로 형량을 강화하였다(「2006 테러법」 (c.11)).

이러한 과정을 통해 현재 테러조직으로 지정된 단체는 알 카에다, 헤즈볼라, 하마스, 제마 이슬라미야 등 총 88개(국제테러조직 74, 북아일랜드 관련조직 14)이다. 구체적인 금지단체 명칭은 다음과 같다.

국제테러조직(74개): 17 November Revolutionary Organisation (N17), Abdallah Azzam Brigades, including the Ziyad al Jarrah Battalions (AAB), Abu Nidal Organisation (ANO), Abu Sayyaf Group (ASG), Ajnad Misr (Soldiers of Egypt), al-Ashtar Brigades(Saraya al-Ashtar, Wa'ad Allah Brigades, Islamic Allah Brigades, Imam al-Mahdi Brigades, al-Haydariyah Brigades), Al-Gama'at al-Islamiya (GI), Al Ghurabaa, Al Murabitun, Al Ittihad Al Islamia (AIAI), Al Qa'ida, Al Shabaab, Ansar Al Islam (AI), Ansar Al Sunna

127) UK Ministry of Justice, Proscribed Organizations Appeal Commission(POAC), (http://www.justice.gov.uk/) 참조.

(AS), Ansar Bayt al-Maqdis (ABM), Ansarul Muslimina Fi Biladis Sudan (Vanguard for the protection of Muslims in Black Africa) (Ansaru), Armed Islamic Group (Groupe Islamique Armé) (GIA), Asbat Al-Ansar ('League of Partisans' or 'Band of Helpers'), Babbar Khalsa (BK), Basque Homeland and Liberty (Euskadi ta Askatasuna) (ETA), Baluchistan Liberation Army (BLA), Boko Haram (Jama'atu Ahli Sunna Lidda Awati Wal Jihad) (BH), Egyptian Islamic Jihad (EIJ), Groupe Islamique Combattant Marocain (GICM), Hamas Izz al-Din al-Qassem Brigades, Harakat-Ul-Jihad-Ul-Islami(HUJI), Harakat-Ul-Jihad-Ul-Islami (Bangladesh) (Huji-B), Harakat-Ul-Mujahideen/Alami (HuM/A and Jundallah), Harakat Mujahideen (HM), Haqqani Network (HQN), Hasam(Harakat Sawa'd Misr, Harakat Hasm, Hasm Hizballah Military Wing, Hezb-E Islami Gulbuddin) (HIG), Imarat Kavkaz (IK), Indian Mujahideen (IM), Islamic Army of Aden (IAA), Islamic Jihad Union (IJU), Islamic Movement of Uzbekistan (IMU), Islamic State of Iraq and the Levant (ISIL), Jaish e Mohammed (JeM), Jamaah Anshorut Daulah. Jamaat ul-Ahrar (JuA), Jammat-ul Mujahideen Bangladesh (JMB), Jamaat Ul-Furquan (JuF), Jaysh al Khalifatu Islamiya (JKI), Jeemah Islamiyah (JI), Jund al-Aqsa (JAA), Jund al Khalifa-Algeria (JaK-A), Kateeba al-Kawthar (KaK), Partiya Karkeren Kurdistani (PKK), Lashkar e Tayyaba (LT), Liberation Tigers of Tamil Eelam (LTTE), Libyan Islamic Fighting Group (LIFG), Minbar Ansar Deen(Ansar al-Sharia UK), Mujahidin Indonesia Timur (MIT), National Action, Palestinian Islamic Jihad - Shaqaqi (PIJ), Popular Front for the Liberation of Palestine-General Command (PFLP-GC), Revolutionary Peoples' Liberation Party - Front (Devrimci Halk Kurtulus Partisi - Cephesi) (DHKP-C), Salafist Group for Call and Combat (Groupe Salafiste pour la Predication et le Combat) (GSPC), Saved Sect or Saviour Sect, Sipah-e Sahaba Pakistan (SSP), Jammat-ul Mujahideen Bangladesh (JMB), Tehrik Nefaz-e Shari'at Muhammadi (TNSM), Tehrik-e Taliban Pakistan (TTP), Teyre Azadiye Kurdistan (TAK), Turkestan Islamic Party (TIP), Turkiye Halk Kurtulus

Partisi-Cephesi (THKP-C) 등

북아일랜드 관련조직(14개): Continuity Army Council, Cumann na mBan, Fianna na hEireann, Irish National Liberation Army, Irish People's Liberation Organisation, Irish Republican Army, Loyalist Volunteer Force, Orange Volunteers, Red Hand Commando, Red Hand Defenders, Saor Eire, Ulster Defence Association, Ulster Freedom Fighters, Ulster Volunteer Force 등[128)]

128) United Kingdom Home Office. "Proscribed terrorist groups." (https://www.gov.uk/government/uploads/system/uploads/attachment_data/file/670599/20171222_Proscription.pdf) 참조.

Ⅳ

미래 테러위협 전망 및 대응전략

여기서는 미래에 우리나라에 위협이 될 것으로 예상되는 위협전망과 이에 대한 대응전략을 다루었다. 우리나라의 경제발전 추세와 국내외 상황을 고려하여 필자가 나름대로 추측해보는 예상 테러위협과 대응전략을 정리해 보았다. 가장 큰 위협으로 사이버테러를 꼽았고, 다음으로 기독교와 이슬람의 충돌, 자생테러의 출현, 북한의 대남테러 순으로 살펴보았다. 이에 대한 대응전략으로는 법과 원칙, 테러에 대한 보복 · 응징, 공정한 사회의 구현, 다양성과 공존의 원리를 꼽았다.

제10장은 우리나라에 대한 사이버테러의 위협과 대응을 다루었다. 현재도 심각히 진행되고 있는 사이버테러는 미래의 문제가 아니라 당면한 현안이나 미래에는 지금보다도 훨씬 더 위협적이고 발전된 사이버기술과 기법이 등장할 것으로 예상되어 여기서 다루었다. 다만 사이버테러에 관한 대응은 우리나라의 「테러방지법」에서 이야기하는 소위 물리적 테러에 대응과는 확연히 다른 체제로 대응해야 하는 문제로 훨씬 광범위하고 전문적인 지식이 필요한 분야이다. 따라서 여기서는 간단히 소개하는 선에서 그칠까 한다. 현재 진행되고 있는 사이버테러 실태와 우리나라의 대응체제를 알아보고, 북한의 사이버테러 위협실태를 소개하였다.

제11장은 우리나라에 대한 미래 테러 양상을 다루었다. 가장 위협적인 문제로 기독교와 이슬람의 갈등을 상정하고 두 종교 간의 충돌과 테러의 역사, 우리나라에서 충돌 가능성을 살펴보았다. 다음으로는 자생테러의 출현 문제로 이는 앞에서 다룬 우리나라의 '묻지마 범죄'가 자생테러로 발전할 가능성을 점쳐 보았다. 각종 해외 사례와 우리나라의 테러 환경 등을 통해 '외로운 늑대'의 출현 가능성을 타진해 보았다. 마지막으로 북한에 의한 대남테러로 이 문제는 장차 북한은 국지적인 군사도발을 통해 위협을 계속 자행할 것으로 예상되어 군사적 차원에서 다루어야 한다는 의미에서 거론하였다.

제12장은 이러한 위협에 대한 대응전략을 다루었다. 국가마다 테러의 위협이 다르고 대처하는 방식이 다른데 여기서는 우리나라의 환경과 현실에 맞게 전략을 제시해 보았다. 우선 테러에 대한 법과 원칙적 대응이 가장 먼저이고, 이러한 테러에 대한 강력한 응징과 보복이다. 이와 병행하여 공정한 사회의 실현을 위한 노력과 다양성과 공존의 원리가 살아 있는 사회를 만드는 문제를 거론하였다.

제10장

사이버테러

여기서는 사이버테러의 문제를 다루었다. 우리나라에서 현재도 심각히 진행되고 있는 사이버테러는 미래의 문제가 아니라 당면한 현안이나 미래에는 지금보다도 훨씬 더 위협적이고 발전된 양상으로 전개될 것이 예상되어 여기서 다루었다.

현재 우리나라에서 벌어지고 있는 사이버테러 위협실태와 대응체제를 상세히 알아보고, 종합적인 「사이버테러 방지법」 제정 필요성을 촉구하였다. 특히 현재 북한에 의한 사이버공간을 이용한 대남 사이버테러는 저렴한 비용으로 치명적인 위협을 줄 수 있을 뿐만 아니라 양성한 전문 해커만도 6천여 명으로 장래에 더욱 기승을 부릴 것이다. 이러한 현실에서 이를 막기 위한 종합적인 「사이버테러 방지법」 제정이 아주 절실한 실정으로 지난 2017년 1월 국무회의심의를 거쳐 국회에 제출된 「국가사이버안보법안」의 조속한 처리를 기대한다.

다만 사이버테러에 관한 대응은 우리나라의 「테러방지법」에서 이야기하는 소위 물리적 테러의 대응과는 확연히 다른 체제로 대응해야 하는 문제로 훨씬 광범위하고 전문적인 지식이 필요한 분야이다. 따라서 여기서는 간단히 사이버테러에 대한 일반적인 특징과 수단, 우리나라에 대한 현실태와 예상되는 북한의 공격유형 등을 소개하는 선에서 정리하였다.

제1절 사이버테러 일반

Ⅰ. 사이버테러 개념

사이버테러(cyber-terrorism)는 테러가 사이버공간(cyberspace)[1)]에서 발생하는 것을 말한다. 즉 사이버라는 의미는 인공이나 가상, 인터넷상의 등과 같은 뜻으로 기본적으로 사이버공간에서 발생하는 테러인 것이다. 문제는 테러의 개념에 전쟁과 범죄의 개념이 중첩적으로 나타나기 때문에 사이버공간에서 발생하는 경우 이것이 사이버전쟁인지, 사이버범죄인지를 구분하는 것이 어렵다는 것이다. 왜냐하면 대처방법이 다르기 때문이다. 사이버전쟁은 정치나 군사적으로 해결해야 하고, 사이버범죄는 형사사법에 의해 해결을 해야 한다. 사이버테러의 경우는 일부는 정치나 군사적으로, 일부는 형사 사법적으로 해결해야 할 필요성이 생기기 때문이다. 일부에서는 보호법익을 기준으로 사이버공간에서 국가안보와의 관련성을 침해하는 정도가 강하면 사이버전쟁으로 하고, 그보다 다소 약한 경우를 사이버테러라고 하며, 가장 약한 경우를 사이버범죄라고 구분하기도 한다. 그에 따른 대응에 있어서도 사이버전쟁에 속하는 경우 국제법을 통해서 해결하고, 사이버범죄의 경우 형사 처벌과 사이버 안전한 시스템을 통해 해결하며, 사이버테러는 전쟁과 범죄의 중간에 해당하는 것으로 이에 걸맞은 국가적 대응이 필요하다는 것이다.

사이버공격에 대한 구분을 정보보호의 3요소(CIA: Confidentiality(기밀성), Integrity(무결성), Availability(가용성))를 기준으로 기밀성에 대한 공격은 정보의 유출을 말하고, 무결성에 대한 공격은 데이터를 무단으로 변경하거나 삽입·삭제하는 등을 말하며, 가용성에 대한 공격은 데이터를 최대한 활용할 수 없도록 하는 것이다. 이때 기밀성의 침해 정도는 유출된 정보의 내용에 따라 개인신용정보의 경우는 사이버범죄로, 국가기밀일 경우에는 사이버테러나 사이버전쟁으로 볼 수 있다.

---

1) 사이버공간(cyberspace)이라는 말은 1984년 윌리엄 깁슨(William Gibson)의 사이버소설인 『뉴로맨서』(Neuromancer, 1984)에서 처음 사용되었고, 가상현실을 기반으로 하는 컴퓨터네트워크라는 의미로 사용되었다(위키백과).

가용성의 침해는 서비스거부공격(DDoS)이 대표적으로 어떤 서버를 공격하는지에 따라 구분할 수 있을 것이고, 무결성의 경우 데이터를 변경하거나 삭제하는 경우 그 데이터가 국가의 전략과 관련된 것인지, 아니면 일반적인 데이터 인지에 따라 대응이 달라질 수 있게 된다. 이 경우도 물론 정보보호의 3요소(CIA)만을 가지고 판단하는 것은 쉽지 않지만 사이버전쟁과 사이버테러, 사이버범죄를 구분하기 위한 한 가지 방법에 해당한다고 볼 수 있다.

우리나라의 경우 지난 2016년 2월에 서상기 의원이 대표발의한 「국가 사이버테러방지 등에 관한 법률(안)」에 의하면 "사이버테러"란 "외국이나 대한민국의 통치권이 사실상 미치지 아니하는 한반도 내의 집단, 해킹·범죄조직 및 이들과 연계되거나 후원을 받는 자 등이 국가안보 또는 공공의 안전을 위태롭게 할 목적으로 해킹·컴퓨터 바이러스·서비스방해·전자기파 등 전자적 수단에 의하여 정보통신망을 공격하는 행위를 말한다"고 정의하고 있다. 또 「정보통신망 이용촉진 및 정보보호 등에 관한 법률(정보통신망법)」 제2조(정의) 제7항에 의하면 사이버테러 공격이란 "해킹, 컴퓨터바이러스, 논리폭탄, 메일폭탄, 서비스 거부 또는 고출력 전자기파 등의 방법으로 정보통신망 또는 이와 관련된 정보시스템을 공격하는 행위를 하여 발생한 사태를 말한다"라고 규정하고 있다. 또한 「국가사이버안전관리규정」(대통령훈령 제141호)은 사이버공격에 대해서 "해킹·컴퓨터 바이러스·논리폭탄·메일폭탄·서비스방해 등 전자적 수단에 의하여 국가정보통신망을 불법침입·교란·마비·파괴하거나 정보를 절취·훼손하는 일체의 공격행위를 말한다"라고 정의하고 있다. 경찰청(사이버안전국)에서는 정보통신망 침해범죄란 "정당한 접근 권한 없이 또는 허가된 이용 권한을 넘어 컴퓨터 또는 컴퓨터시스템에 침입하고, 시스템의 프로그램을 변경, 멸실, 훼손한 경우와 정보통신망(컴퓨터시스템)에 장애(성능저하·사용불능)를 발생하게 한 경우라고 정의하고 있다. 또한 이러한 사이버테러 범죄를 3가지로 분류하여 첫째, 정보통신망 침해범죄로 해킹(피싱-Phishing, 파밍-Pharming, 스미싱-Smishing),[2] DDoS와 악성프로그램

2) 피싱(Phishing)은 개인정보(Private data)와 낚시(Fishing)의 합성어로 불특정 다수의 개인금융정보를 몰래 빼내는 수법이고, 파밍(Pharming)은 경작(Farming)과 피싱의 합성어로 악성코드를 컴퓨터에 심어 피싱 사이트로 유도해 개인금융정보를 빼내는 방식이며, 스미싱(Smishing)은 문자메시지(SMS)와 피싱의 합성어로 스마트폰 문자메시지로 악성코드를 유포시켜 개인금융정보를 빼내거나 가짜 앱 설치를 유도해 소액결제하게 하는 사기 수법이다.

등을 수단으로 하는 경우, 둘째, 정보통신망 이용범죄로 인터넷 사기, 사이버금융 범죄 등을 통하여 실행하는 경우, 셋째, 불법콘텐츠 범죄로 사이버음란물, 사이버 도박, 사이버명예훼손 등을 야기하는 경우로 구분하고 있다.[3]

이상에서 사이버테러의 내용을 종합해 보면 정당한 접근 권한이 없이 인가된 취급권한을 넘어서 정보통신망에 침입하여 서비스 방해, 컴퓨터 바이러스, 해킹, 전자기파 등 전자적인 방법으로 정보통신시설 시스템의 마비 교란, 파괴하거나 정보를 왜곡전파, 위조, 훼손, 멸실, 절취하는 경우, 그리고 장애(성능저하, 사용불능)를 유발하게 하는 모든 행위를 말하는 것으로 정의할 수 있겠다.

이처럼 사이버테러의 개념을 규정하기가 쉽지 않지만 그럼에도 불구하고 사이버테러를 구분하고, 그에 대한 적절한 대응을 하려는 노력은 그만큼 사이버테러가 장차 테러범들이 사용할 수 있는 가장 효과적인 테러무기가 될 것이 예상되기 때문이다. 특히 북한의 사이버부대가 우리나라에 대해 행하는 사이버공격은 사이버테러의 수준을 넘어 사이버전쟁에 해당하는 행위로 보아야 할 것이다. 공격의 주체가 군이고, 공격 대상이 우리나라의 안보에 영향을 주는 국가 주요 전산망이기 때문이다.[4]

Ⅱ. 사이버테러 특징

사이버테러는 전 세계에 그물망처럼 연계된 인터넷망(網)을 통해 신속히 진행되고 소요시간도 일반적인 테러와는 달리 수분이내에 끝나면서도 피해규모에 있어서는 상상을 초월하여 국가 안보에 심각한 위협이 된다는 것이다. 따라서 사이버테러는 통상의 테러와는 다음과 같은 특징이 있다.[5]

첫째, 국제성과 다양성이다. 사이버테러는 공격대상 목표가 네트워크가 연결된 곳이라면 세계 어느 곳이든 언제라도 공격을 감행할 수가 있다. 네트워크망에 대

3) 경찰청(사이버안전국), 사이버 범죄의 분류(http://cyberbureau.police.go.kr/index.do) 참조.
4) 현실적으로 사이버공격이 사이버테러에 해당하는가 사이버범죄에 해당하는가를 구분하기가 쉽지 않기 때문에 그에 대한 대응 또한 구분하여 기술하기가 어렵다. 때문에 여기서는 일반적인 전산망을 보호하는 기술을 위주로 설명하고자 한다.
5) G. Alexander Crowther, PhD, "National Defense and the Cyber Domain", *2018 Index of U.S. Military Strength*, (2018), pp. 83-94.

한 보안시스템이 잘 완비되고 국민들의 보안의식이 높은 선진국은 물론 보안시스템이 취약한 국가나 지역을 구분하지 않고 공격이 가능하다. 공격지역이 광범위하고, 시간과 공간을 초월하며 기습성이 있다. 그리고 목표로 정한 정보통신망에 접근하여 필요한 정보를 불법적으로 탈취하는 우회적인 방법이나 제3국을 경유지로 하여 공격하는 등 시간과 장소에 제약이 없는 무한대로 이루어지고 있다. 따라서 사이버테러에 대한 피해조사는 피해를 당한 전산망에 대한 조사만으로는 한계가 있고 국제적인 협력과 조사가 필요하다. 또한 사이버테러를 대비하기 위해서는 과거처럼 경찰이나 군 등이 책임지역이나 영역을 가지고 독자적으로 업무를 수행할 수 있는 것이 아니라 네트워크에 연계된 각국의 관련 기관들이 공동으로 상호 유기적인 협조체제를 구축하지 않고서는 적절한 대비가 어렵다는 것이다.

둘째, 범인의 익명성이다. 사이버테러는 테러행위를 자행한 범인의 신분을 노출시키지 않은 상태로 공격이 가능하다는 점이다. 사이버테러는 사이버공간에서 행해지는데, 사이버 공간에서의 활동, 즉 인터넷을 이용할 때 정확한 인적 사항을 필수적으로 요구하지 않는 경우가 많으며 타인의 신원 사항이나 ID를 도용하면 완벽하게 익명성을 보장받을 수 있다. 이로써 범인은 범죄의식을 받지 않고 있다. 전통적 테러는 폭탄이나 생화학 무기 등 살상 장비를 이용, 요원들이 눈앞에서 피를 보게 됨으로써 불가피하게 심리적으로 많은 죄의식을 가지게 되지만 사이버테러는 직접적인 인명의 손상을 육안으로 확인하지 못하고 사이버공간 상에서의 장애 또는 방해를 유발함으로써 심리적 거부감이 적을 수밖에 없다.

셋째, 피해가 막대하다. 최소의 인원으로 최대의 효과, 즉 피해를 극대화시킬 수 있다는 점이다. 사이버테러는 인터넷, 컴퓨터 네트워크 등을 이용하여 설정된 목표의 통신망에 침투한다. 이러한 침투는 훈련된 사이버테러 요원 몇 명으로 가능하다. 컴퓨터 네트워크를 이용하여 적의 정보통신망에 침투하기 위한 최소한의 기술만 있으면 사이버테러는 가능하다. 물리적인 테러를 위해서는 대규모 혹은 소수라도 다수의 인원을 필요로 하는 것에 비해 사이버테러는 아주 적은 인원 혹은 혼자라도 테러를 감행할 수 있다. 사이버테러는 많은 비용과 지원이 소요되는 일반테러와 달리, 단지 인터넷 정보통신체계에 대한 지식만 가지고 있어도 사이버테러 기술과 무기를 개발할 수 있으며, 정보통신망 체계들은 상호 긴밀히 연결되어 있기 때문에 특정한 정보통신 체계 마비는 전체 정보통신망 체계에 큰 피해를 입힐 수 있다. 그러나 이 경우에도 타격대상이 되는 정보통신시스템을 파괴 또는 마비시킴에 따른 경제적·사회적 파급효과는 정보통신기반시설이 더욱 선진화되고 의존도가 높으면 높을수록 비례하여 커진다고 할 수 있겠다. 사이버테러는 네트워크에 연결된 모든 컴퓨터 및 전산망의 작동을 멈추게 하여 심각한 결과를 초래한다. 즉 국가 중요 기반시설인 전력·가스·수도의 공급시설, 통신망, 육·해·공로의 교통시설 등에 침투하여 국가기능 자체가 마비되는 심각한 사태가 발생될 수도 있다. 영속적인 속성을 가지고 있어 한 번의 사이버테러로 계속적인 테러가 가능하다. 접근이 용이하고, 장기간 잠복하며, 감염성이 강하여 대규모 피해를 발생시키는 것이다. 또한 사이버테러는 컴퓨터를 이용하여 반복적·영속적으로 자행할 수 있어 한 번의 행위가 작을지라도 계속적으로 자동적인 프로그램의 실행·확산을 통하여 피해가 계속하여 누적 확대될 가능성이 있다.

넷째, 증거의 은닉성과 피해의 비가시성(非可視性)이다. 사이버테러는 사이버공간의 특수성을 이용하기 때문에 수사기관들의 추적을 따돌리고 증거를 변조하거나 삭제하기가 쉽다. 범행 흔적을 남기지 않는 은밀성과 접속한 정보통신매체 등에 대한 감염을 확산시키면서 계획된 조건이 충족되기를 기다렸다가 공격을 개시하는 기습성이 있다. 증거가 되는 원본과 사본 구별이 어렵고, 법적 증거능력을 갖는 디지털증거 수집에 어려움이 있다. 디지털 자료는 눈에 보이지 않고 피해가 비가시성으로 입증하기에 컴퓨터 포렌식(Computer Forensics)이라는[6] 특별한 방법과 절차를 동원해야 한다. 컴퓨터와 관련된 증거를 수집함에 있어서는 전통적 증거의 수집과 달리 증거수집 절차에 있어서 새로운 기법이 동원되어야 한다. 컴퓨터에 의하여 처리되고 저장된 데이터 또는 프로그램 등이 저장되어 있는 자기테이프나 디스크는 유체물이기 때문에 압수대상이 되지만 데이터나 프로그램 그 자체로는 유체물이 아니기 때문에 형사소송법상 압수수색대상 여부에 대한 다툼이 있고, 해킹의 경우 그 기술이 발전할수록 보안기술도 발전해 왔지만 알려지지 않은 행위나 새로운 공격 기법에 대하여 방어하기에는 역부족이고 해킹을 당한 대부분의 시스템관리자들도 해킹을 당했는지조차 모르는 경우가 많다. 사이버테러 범죄자들은 일반적으로 수사 기관의 추적을 방해하고 회피하기 위해 증거를

---

6) 컴퓨터 포렌식(Computer Forensics)은 컴퓨터 등과 같은 정보처리기기에서 수집할 수 있는 디지털 자료가 법적 증거능력을 갖게 하기 위한 제반 절차와 방법을 통칭하는 것이다(위키백과).

변조하고 내용을 삭제하면서 결정적 증거를 없애기 때문에 사이버테러 범죄 수사에 어려움이 많이 있다. 우리나라에서 발생한 사이버테러의 대부분이 해외에서 국내로 침투하였으며, 외국해커 상당수가 우리나라를 경유지로 활용하고 있다. 이로써 수사기관들의 범죄수사에 사실상·법률상의 많은 어려움을 안겨 주고 있을 뿐만 아니라 국제형사사법 공조의 필요성을 제기하고 있다.

Ⅲ. 사이버테러 수단

사이버테러는 해킹, 바이러스 유포, 논리폭탄 전송, 대량정보전송 및 서비스거부공격, 고출력전자총 등 전자적인 수단을 이용하여 정보통신망에 침입하여 정보통신시설 시스템의 마비 교란, 파괴하거나 정보를 왜곡전파, 위조, 훼손, 멸실, 절취하여 사회적·국가적으로 공포심 내지 불안감을 조성하는 행위다. 그러므로 단순한 개인이나 기업에 대한 사이버공간상의 공격행위를 모두 사이버테러라고 할 수 없고, 공격의 주체·대상·피해의 정도 등에 따라 다양한 형태가 있을 수 있다.

경찰청(사이버테러대응센터)은 다음의 <표>에서 보는 바와 같이 정보통신망 자체를 공격대상으로 하는 불법행위로서 해킹, 바이러스유포, 메일폭탄, DoS공격 등 전자기적 침해장비를 이용하여 컴퓨터시스템과 정보통신망을 공격하는 행위를 사이버테러형 범죄로 분류하고, 이를 해킹(단순 침입, 사용자 도용, 파일 등 삭제와 자료유출, 폭탄메일, 서비스거부공격)과 악성프로그램(트로이목마, 인터넷웜, 스파이웨어)으로 구분한다.[7]

〈경찰청 사이버테러 유형 분류〉

유 형	내 용
해킹	
단순 침입	정당한 접근권한 없이 또는 허용된 접근권한을 초과하여 정보통신망에 침입하는 것
사용자 도용	정보통신망에 침입하기 위해서 타인에게 부여된 사용자계정과 비밀번호를 권한자의 동의 없이 사용하는 것

7) http://www.netan.go.kr.

파일 등 삭제와 자료유출	정보통신망에 침입한 자가 행한 2차적 행위의 결과로 자료를 삭제하거나 몰래 빼가는 것
폭탄메일	메일서버가 감당할 수 있는 한계를 넘는 많은 양의 메일을 일시에 보내 장애가 발생하게 하거나, 메일내부에 메일 수신자의 컴퓨터에 과부하를 일으킬 수 있는 실행코드 등을 넣어 보내는 것
서비스거부공격 (DoS)	정보통신망에 일정한 시간 동안 대량의 데이터를 전송시키거나 처리하게 하여 과부하를 야기시켜 정상적인 서비스가 불가능한 상태를 만드는 행위
악성 프로그램	
트로이목마	외부의 해커에게 정보를 유출하거나 원격제어기능 수행. 감염사실 알아채기 어려움
인터넷웜	시스템 과부하를 목적으로 이메일의 첨부파일 등으로 자신을 복제함
스파이웨어	공개프로그램. 셰어웨어, 평가판 등의 무료 프로그램에 탑재되어 정보를 유출시키는 기능이 있는 프로그램

국가정보원(사이버안전센터)에서는 사이버테러를 국가안전보장 또는 국가이익에 큰 피해를 유발할 우려가 있는 안보위해공격으로 규정하고, 다음의 <표>에서 보는 바와 같이 안보위해공격 유형을 국가기밀 공격, 반국가단체 등 공격, 통신기반시설 공격, 국가핵심기술 공격 등으로 분류하고 있다.

〈국정원 안보위해공격 유형 분류〉

유 형	내 용
국가기밀에 속하는 문서·자재·시설·지역 등을 대상으로 한 공격	「국가정보원법」 제3조 및 「보안업무규정」에 따른 국가기밀에 속하는 문서·자재·시설·지역 및 이를 관리하는 인원을 대상으로 한 사이버공격
반국가단체, 국제범죄조직 및 테러단체에 의한 공격	「국가보안법」 제2조에 따른 반국가단체. 「국가정보원법」 제3조에 따른 국제범죄조직·테러단체에 의해 자행되는 사이버공격
주요정보통신기반시설을 대상으로 한 공격	「정보통신기반 보호법」 제7조 제2항에 따른 국가안전보장 관련 주요정보통신기반시설 및 이를 관리하는 인원을 대상으로 한 사이버공격
국가핵심기술을 대상으로 한 공격	「산업기술의 유출방지 및 보호에 관한 법률」 제9조에 따른 국가핵심기술 및 이를 취급하는 인원을 대상으로 한 사이버공격

출처: 윤해성 외, 『사이버안전체계 구축에 관한 연구』, 형사정책연구원(2010), p. 43.

여기서는 기술적으로 어떤 공격수단을 사용하는가에 따라 그 유형을 분류해보기로 한다. 가장 대표적인 것이 해킹과 컴퓨터 바이러스이다.

1. 해 킹

사이버테러의 공격수단으로 가장 많이 사용하는 것이 해킹이다. 해커들은 시스템이나 네트워크 취약성을 이용·침입하여 시스템의 정상적인 작동을 방해하고, 사용자가 요구하는 서비스를 처리하지 못하도록 서비스거부공격(DoS: Denial of Service)을 감행하거나, 백 오리피스(back Oriffice)도구를 이용하여 개인들이 주로 사용하는 윈도우 95나 98, 2000 및 XP 그리고 기업체에서 주로 사용하는 서버용 NT(New Technology)시스템이나 유닉스(Unix)계열 운영체계를 공격하거나, CGI[8] 취약점을 이용하여 웹서버나 홈페이지를 공격하는 등 다양하고 복잡한 기법을 이용한다.

해킹의 방법은 스니퍼(sniffer), 스푸핑(spoofing),[9] S스캔 방법 등이 있는데 스니퍼는 상대적으로 가까운 거리에 있는 LAN상에서 네트워크 장비의 설정변경(혼합모드)을 통해 모든 송·수신 데이터를 훔쳐볼 수 있는 기능을 악용하는 방법이다. 즉 LAN상의 사용자 이름, 비밀번호 등을 파악하여 송·수신되는 모든 메일내용들을 도용하는 것으로 대표적인 수법이 트로이목마(Trohan Horses) 공격이다. 트로이목마는 프로그램을 사용자가 전송 받아 컴퓨터에 설치하면 해킹 프로그램이 자동으로 작동하여 해커가 침투할 수 있는 통로를 열어주는 것이다. 스푸핑은 여러 대의 컴퓨터가 정보를 서로 공유하고 있을 경우, 그중 한 컴퓨터가 다른 컴퓨터에 마치 정당한 통신인 양 신호를 보내고 침투한다. 침투한 해커는 정당한 사용자에게 엉뚱한 일을 시키고 해커를 정당한 사용자로 착각하게 하여 컴퓨터 사용을 허가하는 것이다. S스캔 방법은 다수의 인터넷 홈페이지 등 사이트를 대상으로 운영 체제의 취약점과 종류 등을 자동으로 파악하여 침투하는 방법을 말한다. S스캔은 프로그램의 취약점을 발견할 경우 그 즉시 시스템을 공격하

8) CGI(Common Gateway Interface)는 웹 서버 상에서 사용자가 프로그램을 동작시키기 위한 조합으로 미리 준비된 정보를 이용자 요구에 응답해 보내는 것이다(위키백과).
9) 스푸핑(Spoofing)의 사전적 의미는 '속이다'로 네트워크에서 MAC 주소, IP주소, 포트 등 네트워크 통신과 관련된 모든 것을 대상으로 속임을 이용한 공격을 총칭한다(위키백과).

여 자료유출이나 시스템 파괴 등의 활동을 할 수 있다. 또한 사용자 도용은 정보통신망에 침입하기 위해서 타인에게 부여된 사용자 계정과 비밀번호를 권한자의 동의 없이 사용하는 것을 말한다. 파일 등의 삭제와 자료유출은 정보통신망에 침입한 자가 행하는 2차적 행위의 결과로 일반적으로 정보통신망에 대한 침입 행위가 이루어진 뒤에 이루어지는 행위 유형이다. 폭탄메일은 메일서버가 감당할 수 있는 한계를 넘는 많은 양의 메일을 일시에 보내 장애가 발생하게 하거나 메일 내부에 메일 수신자의 컴퓨터에 과부하를 일으킬 수 있는 실행코드 등을 넣어 보내는 행위유형을 말한다. 스파이웨어(Spyware)는 이용자의 동의 없이 정보통신기기에 설치되어 정보통신시스템, 데이터 또는 프로그램 등을 훼손·멸실·변경·위조하거나 정상 프로그램 운용을 방해하는 기능을 수행하는 악성 프로그램이다.

기타 다른 해킹수법은 서비스거부(DoS: Denial of Service), 전파무기, 밴엑크, 전자기 폭탄 등이 있다. DoS는 정보통신망에 일정한 시간 동안 대량의 데이터를 전송시키거나 처리하게 하여 과부하를 야기하여 정상적인 서비스가 불가능한 상태를 만드는 일체의 행위이다. 이때 서비스거부공격은 정보시스템의 데이터나 자원을 정당한 사용자가 적절한 대기시간 내에 사용하는 것을 방해하는 행위로 주로 시스템에 과도한 부하를 일으켜 정보 시스템의 사용을 방해하는 공격 방식이고, 분산서비스거부공격(DDoS: Distributed Denial of Services)은 네트워크로 연결되어 있는 많은 수의 호스트들의 패킷을 범람시킬 수 있는 DoS 공격용 프로그램을 분산 설치하여 이들이 서로 통합된 형태로 공격 대상 시스템에 대해 성능 저하 및 시스템 마비를 일으키는 좀 더 진화된 공격수법이다. 최근 북한이 자행한 사이버테러의 대부분이 이런 서비스 거부로 단순히 홈페이지 변조뿐만 아니라 해킹한 서버를 이용하여 다른 사이트에 대한 대규모 서비스거부공격으로 이어지고 있다. 전파무기는 고출력 전자파를 발사함으로써 컴퓨터를 오작동 또는 정지시키는 것을 말하고, 밴엑크는 통신케이블에서 흘러나오는 전자파를 활용하여 그 안에 전송되는 정보를 빼내는 방법이다. 전자기 폭탄은 일시에 강한 전자기를 뿜어 국가통신시스템·전력·물류·에너지 등 사회인프라를 한 순간에 무력화시키는 방법을 말한다. 또한 공격대상에게 전자우편을 대량으로 발송하여 컴퓨터의 용량을 초과하여 컴퓨터와 네트워크에 장애를 일으키게 하는 전자우편폭탄(E-MAIl

Bomb)이 있으며 이것은 스팸메일이라고도 한다. 파밍(pharming)은 합법적으로 이용하는 특정인의 도메인을 절취하거나 도메인네임시스템(DNS)이나 또는 프락시 서버의 IP를 변경함으로써 이용자들이 진짜 사이트로 오해하여 연결하도록 유도하여 개인의 정보를 탈취하는 새로운 컴퓨터 범죄 수단이다. 랜섬웨어(ransomware)는 몸값을 뜻하는 ransome과 제품을 뜻하는 ware의 합성어로 사용자 컴퓨터 시스템에 침투하여 중요 파일에 대한 접근을 차단하고 금품(ransom)을 요구하는 해킹수법이다. 즉 컴퓨터에 침입해 저장파일을 의도적으로 암호화시켜 오픈하지 못하게 한 후 금품이나 비트코인을 요구한다.

일반적으로 해커들이 정보시스템에 침입하는 과정은 7단계로 이루어진다.[10)]

첫째, 정보 수집단계로 대상 목표시스템의 운영체제, 제공하는 서비스의 종류 및 버전을 확인하는 단계이다. 해커들이 관심 있는 일차 정보는 목표 시스템이 제공하는 서비스의 종류와 그 버전이다. 서버의 종류와 그 서비스 프로그램의 버전을 알게 되면 해당 버전의 취약점을 확인할 수 있기 때문이다. 이때 취약점이란 프로그램 상의 버그나 오류를 말하는데 해당 프로그램의 버전이 낮을수록 알려진 취약점이 많다. 이런 취약점을 이용하여 시스템의 잘못된 행동을 유도할 수 있다. 취약점에 대한 정보를 수집하기 위해 보통 다양한 도구 및 스캔용 프로그램을 사용한다. 따라서 평소에 시스템 관리를 하지 않아 오래된 버전의 서비스프로그램을 사용하게 된 경우 그 시스템은 쉽게 해커의 사냥감이 된다. 통상 프로그램이 계속 새로운 버전을 만들어 제공하는 이유 중의 하나가 바로 이러한 취약점이 발견되어 이를 해결해야 하기 때문이다.

둘째, 불법 접근단계로 시스템의 취약점을 찾아 비합법적인 방법으로 접근을 시도하는 단계이다. 발견한 특정 시스템의 취약점을 이용하여 실제로 시스템에 접근 시도를 하게 된다. 주로 특정 취약점을 공략하여 침입하는 해킹프로그램을 이용하여 불법적인 접근을 시도한다. 이러한 프로그램들은 시스템에 예기치 못한 요청을 보내는데 취약한 시스템 서비스는 이러한 요청을 제대로 처리하지 못하고 결국 시스템 내로 접근하는 것을 허용하게 된다. 또한 이러한 방식 외에 스니핑 등을 통해 알아낸 계정 및 암호를 이용하여 정상적으로 접속할 수 있고 간단한 암호들을 연속적으로 시도하여 접속에 성공하는 경우도 있다. 이처럼 불법적으로

10) 『사이버테러 유형 및 대책』, 국가보안기술연구소 · 국가정보보안협의회(2002), pp. 18-22.

시스템에 접속하는 방법은 두 가지 경우로 일반 계정의 권한으로 접속하든지 혹은 관리자(root)의 권한으로 접속하든지이다.

셋째, 관리자 권한 획득단계로 합법적인 관리자 권한을 얻거나 일반사용자 계정을 획득하여 이를 이용한 관리자 권한을 획득한 단계이다. 일단 일반 계정의 권한을 얻은 후에는 시스템 내에서 활동할 수 있는 행동반경의 범위가 훨씬 넓어지고 또한 취약점도 쉽게 발견할 수 있기 때문에 손쉽게 관리자 권한을 획득할 수 있다.

넷째, 수집 도구 설치단계로 네트워크에 스니핑(sniffing) 도구와 같은 정보 수집 도구를 설치하고 추가적인 해킹 시도하는 단계이다. 그중 대표적인 것이 네트워크 스니핑 도구이다. 이는 사용자의 계정(ID) 및 암호 등을 훔쳐보는 것을 의미한다. 해커는 목표 시스템에 이러한 도구를 설치해 둠으로써 몇 주 혹은 몇 달 동안 알아낸 사용자 계정 및 암호를 수집한다. 이러한 이유로 하나의 시스템이 해킹을 당하게 되면 같은 네트워크에 있는 다른 시스템이 연쇄적으로 해킹을 당하는 사례가 많다.

다섯째, 백도어(backdoor) 설치단계다. 이 단계에서는 해커가 시스템에 침입한 후 바로 백도어 및 루트킷(rootkit)을 설치한다. 이유는 백도어가 해커 자신만이 아는 접속 창구이기 때문에 해커만이 아는 방식으로 접속을 허용하는 것이다. 관리자가 현재 시스템의 취약점을 발견하여 업그레이드 및 패치를 하거나 노출된 암호를 바꾸었더라도 백도어가 설치된 경우에는 이후 언제라도 해커의 재침입이 가능하게 된다. 루트킷은 주로 해커의 행동 및 흔적을 숨기기 위한 용도로 사용되는 프로그램들을 지칭한다. 루트킷 때문에 해킹된 채 몇 달 동안 해커가 들어와 시스템을 이용하고 있어도 알지 못하는 경우가 많다. 이러한 백도어 및 루트킷 프로그램은 다양한 종류가 있으며 백도어와 루트킷이 합쳐져 하나의 프로그램으로 되어 있는 것도 있다.

여섯째, 불법행위를 수행하는 단계로 중요자료를 복사, 삭제 및 변조하거나 또 다른 시스템에 침입하기 위해 경유지로 활용하는 단계이다. 시스템의 소유주 입장에서 볼 때 가장 큰 피해는 바로 저장된 중요자료의 삭제 및 변조일 것이다. 해킹을 당하였어도 중요한 자료가 파괴되지 않아 대수롭지 않게 여기는 경우 다른 중요시스템에 접근하기 위한 '경유지'로서 이용당하는 경우가 많다. 또 자료를 파괴하지 않더라도 개인의 정보를 빼내 추후에 이를 악용하는 경우도 많다.

일곱째, 마지막으로 침입의 흔적을 제거하거나 해킹의 흔적을 없애기 위해 주요 로그파일을 삭제하는 단계이다. 이는 앞에서 설명한 루트킷 프로그램에 포함되는 경우도 있고 이러한 행위들이 일반 관리자들이 해킹 유무의 판단을 더욱 어렵게 만들고 있다.

2. 컴퓨터 바이러스

이는 일반적으로 컴퓨터에 이상을 일으키거나 파일을 손상시키며 자신을 복제하는 등의 행위를 하는 프로그램을 지칭하는 말이다. 이는 컴퓨터는 우리 주변에 존재하는 살아 있는 생명체가 아니라 컴퓨터 프로그래머가 만든 프로그램일 뿐인데 마치 생명체인 바이러스와 같이 파괴(Breaking), 감염(Infection) 등을 행한다고 하여 붙여진 이름이다. 바이러스는 시스템에 피해를 주기 때문에 컴퓨터 범죄자들은 다른 시스템을 공격하고자 할 때 이 바이러스를 사용한다. 현대 사회에 있어서 전 세계가 컴퓨터 네트워크로 연결되고 모든 분야에 걸쳐 컴퓨터에 의존해 일을 처리하는 상황에서 이러한 악성 바이러스로 인해 입게 되는 피해는 상상을 초월하는 결과를 가져온다.

바이러스의 특징은 일단 제작·전파된 바이러스는 퇴치가 힘들어 컴퓨터와 프로그램이 존재하는 한 계속되고 강한 전파성을 가진다는 특징을 가지고 있다. 1970년대 처음 발견된 바이러스는 최근에는 하루에도 5~10개씩 새로운 종류의 바이러스가 만들어지고 있고, 인터넷의 성능과 속도가 향상되면서 확산 속도가 빨라져 불과 4~5년 전만 해도 전 세계로 확산되는 데는 2년 정도가 소요되었지만 현재에는 불과 몇 시간 안에 전 세계적으로 확산된다. 특히 멜리사(Melissa)와 파파(PAPA)처럼 E-mail을 이용한 매크로 바이러스가 널리 퍼지고 있고 파급효과도 막대하다.

웜(worm)은 한 가지 목적만을 위한 컴퓨터 바이러스 프로그램으로서 자기 자신을 복제하는 프로그램이다. 웜이 있는 디렉토리 즉, 디스크에 저장된 파일들의 목록을 담고 있는 영역은 디스크에 끊임없이 자기 자신을 복제해 확대 재생산하여 네트워크와 컴퓨터에 웜이 가득 차게 함으로써 컴퓨터를 마비시킨다.

논리폭탄(logic bomb)은 프로그램에 숨어 있는 명령집단으로서 특정조건이 만족될 경우 실행되는 응용프로그램으로 매주 책정된 요일, 매월 일정한 날짜, 특정 요일, 특정 날짜 등 조건이 만족될 경우 활동하는 바이러스이다. 논리폭탄은 특정조건(특정신호, 지정된 시간 등)에 의하여 동작을 시작하여 정보를 파괴 또는 왜곡하거나, 하드웨어나 소프트웨어의 작동을 방해한다. 트로이목마가 무조건적 수행이라면 논리폭탄은 일정한 조건을 주어 범행을 실행하는 것이다.

3. 기타 수법

이 밖에도 특정 조건이 만족되면 동작하는 기능이나 회로를 칩(Chip)의 일부분에 하드웨어적으로 삽입하는 치핑(Chipping)과 개미보다 작은 크기의 로봇을 적의 정보센터 등에 살포하여 컴퓨터 하드웨어를 파괴하는 나노머신(Nano Machine), 출력전파를 발생시켜 전자장비들을 마비 또는 파괴하는 전자총(HrefGun)이나 전자기파를 발생시키는 EMP(Eletro Magnetic Pulse)폭탄, 그리고 미세한 탄소섬유를 변압기 등 고압전류가 흐르는 시설에 살포하여 단전 및 과부하를 유발시켜 전력공급 중단이나 화재 유발로 발전시설을 무력화하는 흑연폭탄(CBU-94) 등은 사이버테러 수단으로 무시할 수 없는 무기들이다. 특히 전자총은 컴퓨터가 전자회로로 이뤄져 있어 고출력 전자파를 받으면 오작동하거나 정지되는 약점을 노린 것으로 사람에게는 피해를 주진 않지만 전산망을 일시에 무력화시킬 수 있다. 목표 컴퓨터가 있는 건물에서 어느 정도 떨어진 자동차 등에 설치해 원격 조정한다면 일시에 전산망을 무력화시키는 수단으로 가장 우려하는 사이버테러 공격이 될 수 있다.

제2절 사이버테러 위협

Ⅰ. 인터넷과 테러

인터넷은 현대 인간생활의 모든 면에서 다양한 편리성과 효용성으로 인해 분리해 생각할 수 없고 미래에도 그 효용성은 더욱 증대할 것이다. 인터넷은 본질적으로 독자적인 작업 환경을 제공하여 접근차단이나 암호화 등 다양한 보안기법 활용이 가능하고, 필요시에는 임의로 삭제·훼손할 수도 있으며 증거인멸 또는 역정보를 흘리기 위한 안티포렌식(Anti-Forensics) 도구를 활용하는 방법도 있다. 이런 장점으로 정보망에 은밀히 접근하여 기밀정보를 절취하고, 국가 중요시설 시스템의 파괴 등을 실행함으로써 국가기능의 마비를 초래하기 위한 유용한 수단이다. 또 맞춤형 통신과 멀티미디어 통신도 가능하여 의도한 상대방에게 정확한 시간과 장소에 통신할 수 있고 정확한 정보를 정확한 대상에게 적시에 전달할 수 있다. 멀티미디어 기능은 종래의 일방적 통신을 개방·공유·참여를 통해 쌍방향으로 진화시킴과 동시에 음성·문자뿐만 아니라 영상·CC 등 정보를 공유할 수 있도록 함으로써 확장성을 높이고 파급효과를 극대화하고 있다. 이 기능은 앞으로도 더욱 진화·발전할 수 있는 분야로 간주된다. 인터넷의 가장 중요한 가치는 정보수집의 보고(寶庫)이기 때문이다. 인터넷은 통신·신호·공개 정보를 이용하여 통신정보(COMINT), 기술정보(TECHINT)뿐만 아니라 공개정보(OSINT) 수집활동도 가능하게 한다.

이러한 인터넷의 강점은 테러조직에게도 다양한 기회를 만들어 주고 있고 향후에도 이의 활용은 더욱 더 증가할 것이다. 테러조직에게 인터넷은 가장 중요한 수단이자 무기이다. 우선 테러조직은 인터넷을 통해 테러의 이념과 정당성을 주장한다. 인터넷이 가장 유용한 이념화 도구이자 지원자를 모집하는 중요한 도구로서 기능하고 있다. 테러조직의 지휘부에서 웹 사이트로 격문(檄文)이나 지시가 하달하면 이를 기다리던 하부 조직이 소셜 미디어, 카페, 블로그, 게시판, 텍스트 메시징, 카톡 등 다양한 수단을 사용하여 신속하게 확산시키고, 댓글이나 퍼나르기 등의 방법으로 일반 네티즌들이 접속하는 인기 사이트나 블로그, SNS로 유포시켜 나간다. 또한 인터넷은 다른 통신수단에 비해 비용을 거의 들이지 않으며 대량의 정보를 외부의 방해를 받지 않고 무결점 상태로 상대방에게 일시에 전달할 수 있는 유일한 수단이다. 시간과 장소로 인한 제약을 극복함으로써 적시적인 명령하달과 이행보고, 교육·훈련을 실시하고 조직원 상호간 동질감과 현장감을 실시간으로 공유하면서 적시에 적정한 대응을 할 수 있는 효율성을 가지고 있다. 그럼에도 뛰어난 보안성으로 정보·사법기관의 추적을 따돌리고 조직을 보호할 수 있다.

테러조직은 이러한 소셜 미디어를 아주 잘 사용하고 있다. 소셜 미디어는 국적이나 성별, 종교, 정치성향, 인종, 거주국가 등을 구분하지 않고 비슷한 이념을 가진 개인들을 세계적으로 연결시키도록 하여 급진 의식화와 폭력을 선동하는 역할을 하고 있는 것이다. IS에서 탈레반에 이르기까지 조직원 모집, 과격화 학습, 선전활동, 자금모금 등에 소셜 미디어를 적극 활용하고 있다. 테러범은 수사기관의 추적을 피해 인터넷 공간으로 파고들어 수많은 웹사이트를 생성하여 가상의 공간에서 메시지를 주고받고 관련정보를 교환하고 있다. 미국 브루킹스 연구소에서 2014년 10월부터 11월간 조사한 결과를 보면 IS의 지하드 활동을 지지하는 트위터 계정이 4만 5천개에서 7만여 개에 달하고 비활성 계정까지 포함할 경우 최대 9만여 개를 넘을 수도 있다고 한다. 이들 계정의 18%는 영어로 운영되고 있으며, 73%는 아랍어를 사용하고 있고, 프랑스어를 사용하는 사이트도 6%에 이르는 것으로 조사되었다.[11] 테러조직이 소셜 미디어를 선호하는 이유는 자신의 조직과 동조의사를 가진 대중들의 경향을 알 수 있고, 이용에 비용이 거의 들지 않는다는 것이다. 또한 소셜 네트워크는 동조자가 직접 찾아오기를 기다리던 과거 웹사이트와는 달리 스스로 연결되어 접촉이 가능하도록 해 주기 때문이다. 정보수사 기관의 추적이나 해당 트위터 계정의 차단·폐쇄에도 불구하고 계정 이름을 조금씩 바꾸어 가면서 지속적으로 재개설하고 동조자 또는 잠재적 테러범과 소통하려고 애를 쓰고 있다.

앞으로도 테러조직의 인터넷 활용으로 소규모 테러 또는 외로운 늑대(lone wolf)형의 단독 테러가 증가할 것으로 전망을 하고 있다.[12] 이유는 테러범죄에 대한 비용-편익 분석(cost-benefit analysis) 결과, 외로운 늑대형 테러가 "최소 비용으로 최대의 효과"라는 경제원칙에 가장 부합한다는 것이다. 단독형 테러는 특별한 훈련을 받지 않은 초보자도 어렵지 않게 테러를 감행할 수가 있고, 여론의 주의를 환기하면서 정치적 선전을 극대화시킬 수 있는 가장 효율적인 수단이기 때문이다. 비용이나 시간을 크게 들이지 않으면서도 대상 국가나 목표에 가장

11) Berger, J. M. & Morgan J., "The ISIS Twitter Census: Defining and describing the population of ISIS supporters on Twitter", *Center for Middle East Policy at Brookings* (2015.3.), p. 14.
12) Bergen, P. & Hoffman, B., "Assessing Terrorist Threat", *National Security Preparedness Group*(2010), p. 26.

심대한 타격을 줄 수가 있는 사건을 적시에 발생시킬 수 있다는 점이다. 또한 테러를 위한 전략수립을 위해 장시간 투자하거나 기술이나 지식을 가진 전문가의 도움을 받을 필요가 없다. 소규모 테러를 위한 간단한 매뉴얼과 활동요령, 필요장비에 대한 내용이 인터넷에 널려 있고 누구든지 손쉽게 구할 수 있기 때문이다. 특히 외로운 늑대형 테러는 자신이 가진 신념을 아주 쉽게 유명한 테러조직의 투쟁목표나 이념과 결합시킬 수 있다는 것이다. 테러조직과 외로운 늑대형 테러범이 테러에 대한 신념이나 동기를 서로 공유하고 있어 두 세력이 별개로 움직이는 것이 아니라 일정 수준의 연결 관계에 있는데 이는 인터넷을 통해서다. 인터넷이라는 사이버공간에서 폭력성을 키우고, 폭발물 제조 방법을 익히거나 살해 기법을 전수받고, 테러활동에 대한 정의감을 부여받게 되는 것이며, 실질적인 과격 급진 의식화를 실행하고 있는 것이다. '외로운 늑대'의 경우 인터넷을 통해 고립된 사회로부터 벗어나 비로소 자신의 존재감을 인정해 주는 '영혼의 안식처'를 찾았다는 안도감과 희열에 빠지게 된다는 것이다. 많은 연구들은 인터넷이 미래의 테러형태나 외로운 늑대 테러의 증가에 커다란 영향을 미치고 있다는 상호연관성을 보여 주고 있다. 이러한 기술의 진보가 테러범들의 활동을 채팅방, 온라인 SNS, 비디오 공유 사이트 등 양방향 통신 환경으로 변화시켜 주었고 정보통신기술에 의존하게 된 기능과 방법에 대한 연구를 통해 기술이 테러활동을 증가시키는 지원역할을 하고 있다는 것이다.

Ⅱ. 사이버테러 위협 실태

국제적으로 사이버테러에 대한 심각성이 알려진 것은 1989년 3월 서방국가의 정보통신망에서 빼낸 기밀을 소련의 KGB에 넘겨준 8명의 컴퓨터 해커들이 체포된 사건이었다. 사건 내용은 1985년 서독 청년 3명은 KGB 요원이 돈과 마약을 주겠다는 제안에 따라 미국과 유럽 및 일본의 방위기술연구소 컴퓨터 시스템에 침입하여 암호를 해독하고 극비 군사기밀을 빼내어 KGB 요원에게 전달하였다. 소련은 이들로부터 입수한 정보를 이용하여 서방국가 각 기관의 해당 컴퓨터에 직접 접근할 수 있었고, 미국의 군사·병참시설 통계나 유럽의 원자력과 우주항공연구의 컴퓨터에도 접근한 것으로 알려졌다. 문제는 이들의 범죄행위가 시작부터 4년이 지나서야 적발되었다는 사실이다.

컴퓨터 바이러스 개념은 1972년 『When Harlie Was One』이라는 공상 과학 소설에서 처음 등장하여 이 상상이 현실화된 것은 1985년으로, 파키스탄에서 세계 최초의 컴퓨터 바이러스인 브레인(Brain) 바이러스가 만들어졌다. 파키스탄의 한 프로그래머 형제가 자신들이 애써 개발한 프로그램들이 잘 팔리기는커녕 불법복제가 성행하는 것을 보고 불법 복제한 사용자들을 골탕먹이기 위해 컴퓨터 바이러스라는 악성 프로그램을 개발하였다고 한다. 1990년대 중반에 매크로 바이러스가 일상화되었다. 이 바이러스 대부분이 워드와 액셀과 같은 마이크로소프트 프로그램을 위한 언어로 기록되어 마이크로소프트 오피스를 통하여 문서와 스프레드시트를 감염시키며 퍼져나갔다.[13] 이후 벌꿀·LBC·일요일·양파·산 등 이름도 별난 수천 가지의 바이러스가 나타났고, 1999년 4월 26일 CIH(체르노빌, Win95/CIH)바이러스[14]가 컴퓨터의 하드디스크를 날려 버리거나, 메인보드의 바이오스를 날려 버리는 바람에 컴퓨터를 못 쓰게 되어 엄청난 피해를 보는 사건이 발생했다. 이날 하루 동안 CIH 바이러스에 감염된 컴퓨터는 100만여 대이고, 피해 액수는 부품교체 비용만도 400억 원이며 잃어버린 데이터의 정보가치까지 포함하면 수천억 원에 달했다. 2001년도에 가장 극성을 부린 대표적인 바이러스는 PC안의 문서파일을 임의로 골라 감염시킨 뒤 메일에 첨부해 전송하는 '서캠(Sircam)', 윈도우NT와 윈도우2000 기반의 웹 서버를 공격해 대형 전산망을 노리는 '코드레드(Code Red)', 첨부파일을 실행시키지 않고 메일을 여는 것만으로도 피해를 일으키는 '님다(nimda)' 등이었다. 이 '님다' 바이러스의 경우 전 세계적으로 천만여 대가 넘는 PC에 피해를 입혔고, 그 손실액은 6억 달러 이상으로 추산되고 있다.

2003년 1월 25일 슬래머 웜(Slammer worm) 등으로 알려진 바이러스에 의해 한국의 인터넷이 마비되는 초유의 사태가 발생하였다. 슬래머 웜은 일반적인 웜과 같이 파일형태로 저장되어 감염되는 것이 아니라 메모리에 상주하는 악성코드

13) 위키백과 참조.
14) 이 바이러스는 1998년 대만에서 처음 발견되었는데 제작자는 대만의 Chen Ing-hou로 자신의 이름 첫 글자를 따 CIH라고 이름지었고, 사고일인 4월 26일이 소련의 체르노빌 원전 사고일과 같아서 체르노빌 바이러스라고 불리기도 한다(위키백과).

로 작동하게 되면 무작위 IP로 패킷을 보내게 되어 실제적으로 서비스 거부(DoS)를 유발하는 결과를 낳게 된다. 조사 결과, 윈도우즈 서버의 취약점을 이용한 슬래머 웜 바이러스가 대량의 네트워크 트래픽을 유발하여 인터넷 접속장애를 일으켜 발생한 것으로 밝혀졌다. 슬래머 웜은 불과 수분 만에 전 세계 7만 5천여 개의 시스템을 감염시켰고 국내에서는 2003년 1월 25일 오후 2시 10분경 미국, 호주 등에서 유입되어 전세계 감염대수의 11.8%에 해당하는 8,800여대를 감염시킨 것으로 조사됐다. 감염된 서버는 초당 1만~5만개의 패킷을 생성하여 네트워크 트래픽을 폭발적으로 증가시켜 감염서버가 있는 대학, 연구소, 기업은 물론 주변 이용자들의 인터넷 접속 경로를 차단하였다.

2004년 9월 10일 발생한 마이둠(Win32/Mydoom.worm.18200) 변종 웜은 다양한 첨부파일을 갖고 있어 특정 웹 페이지에 접속해 트로이목마 프로그램(해킹툴)을 내려받기 때문에 정보 유출의 우려도 있다. Mydoom으로 인해 전 세계적으로 2백여 만대의 컴퓨터가 피해를 입었고, 한국에서도 2천여 대의 컴퓨터가 피해를 입었다. 또한 2009년 7월 7일 한국과 미국의 주요 국가기관과 금융기관의 인터넷 사이트가 나흘간에 걸쳐 분산서비스거부(DDoS)에 의한 사이버테러 공격을 당해(일명 7.7사이버 테러) 미국의 경우에는 백악관과 국토안보부 등 14개 사이트가 마비되었고, 한국의 경우 청와대와 국방부 등 11개 사이트가 마비되었다. 이 경우 안보, 정치, 금융, 언론 등 핵심 사이트만 골라 족집게 공격을 했다는 점에서 지금까지와는 성격이 다른 사이버테러였다.

최근 2017년 5월 12일 전 세계 150여 개국에서 20만여 건이 동시다발적으로 발생한 최악의 랜섬웨어 공격이 다행히 한 영국 청년의 기지로 일단 멈췄지만, 추가 공격 가능성이 여전히 남아 있는 상태다. 이번 공격은 마이크로소프트 윈도의 네트워크 공유 기능의 보안상 약점을 파고들었기 때문에, 공유 기능을 많이 사용하는 정부 및 대형기관, 기업을 중심으로 빠르게 퍼진 것으로 보인다. 이 랜섬웨어 공격은 영국과 러시아를 비롯한 150여 개국에서 정부 및 기업 컴퓨터를 중심으로 빠른 속도로 확산됐다. 공격에 사용된 랜섬웨어는 윈도의 파일공유 기능상의 약점을 이용하는 '워나크라이'(WannaCry) 혹은 '워나크립트'(WannaCrypt)의 변종으로 알려졌다. 통상 공격은 이메일에 첨부된 파일 등을 클릭하면 진행되지만 이번 공격은 인터넷에 연결만 돼 있으면 네트워크를 통해 퍼져 확산 속도가 빨랐고, 개인보다는 네트워크 공유 기능을 많이 사용하는 정부기관 등의 컴퓨터가 한꺼번에 감염되면서 급속도로 퍼졌다. 이번 공격에서 해커는 공격당한 컴퓨터마다 300달러(약 34만원)어치의 비트코인을 요구했고, 유럽연합(EU) 형사기구인 유로폴은 150개국 이상에서 20만건 이상의 피해 사례가 있었다고 밝혔다.[15)]

우리의 경우 국제전기통신연합(ITU: International Telecommunication Union) 발표에 따르면,[16)] 정보통신기술발전지수(ICT Development Index)[17)]에서 이 지수가 처음 발표된 2009년 이래로 줄곧 1~2위를 차지해 왔고, 2017년도의 경우 조사대상 176개국 중 한국이 2위를 차지했다. 2017년의 경우 전년대비 종합점수가 0.05점 상승하여 8.85점이 되었지만, 아이슬란드가 0.20점 상승하여 8.98점이 되면서 2위가 되었다. 이처럼 우리나라는 수년 만에 지구촌 최고의 인터넷 정보통신국가로 성장하면서 사회적으로 IT기술 의존도가 높아졌지만 이에 따라 그만큼 사이버리스크로 인한 손실이 지속적으로 증가하는 추세에 있다. 우리에게 다양한 편리함을 제공하고 있지만 다른 한편으로는 잠재적 사이버테러 보안리스크에 노출시키고 있는 것이다. 경찰청(사이버테러대응센터)에 따르면 다음의 <표>에서 볼 수 있듯이 우리나라의 사이버범죄는 2011년 116,961건에서 2017년 131,734건으로 증가하여 최근 7년간 연평균 131,450건이 발생하고 있다.

〈사이버범죄 발생 및 검거 현황(2011-2017)〉

연도	2011	2012	2013	2014	2015	2016	2017
발생건수	116,961	108,223	155,366	110,109	144,679	153,075	131,734

출처: 경찰청(사이버범죄통계).

이러한 사이버범죄는 사이버공간에서 일어나는 범죄행위이지만 중요한 것은 사이버범죄의 그 결과나 행위의 양태에 있어서 사이버테러와 서로 중첩되고 사이버범죄가 사이버테러로 발전할 가능성이 충분히 예측된다는 점이다. 특히 사이버테러를 테러리즘의 한 양태로 보았을 때, 종적인 측면에서 국제형사법에서 언급

15) 연합뉴스(2017.5.14.).
16) 과학기술정보통신부 보도자료(2017.11.16.).
17) ICT 발전지수는 ITU에서 세계 166개국의 ICT에 대한 접근성(40%), 이용도(40%), 활용력(20%) 등을 종합평가하여 그 나라의 ICT발전 정도와 정보역량을 종합적으로 나타내는 지수다.

되는 국제범죄에 해당할 수 있지만 횡적인 측면에서 국내범죄 또는 국경을 뛰어넘는 국제범죄로 인식된다. 또한 사이버전쟁은 국가에 의한 인터넷을 수단으로 하는 공격행위를 지칭하기 때문에 국가가 행위의 주체가 된다는 점에서 사이버테러보다 더 심각한 결과를 야기할 수 있고, 그 양태는 사이버범죄와 매우 유사하지만 그 주체와 목적이 다르다는 특징이 있다.

이처럼 국가사회 시스템이 네트워크로 연결되고, 지식정보의 가치가 커지면서 국가기관·첨단기업의 중요 자료 절취 시도, 해킹, 개인정보 유출 피해 등 인터넷 침해사고의 지속 증가하고 있다. 우리 사회도 대량의 개인정보 유출사고가 몇 차례 반복적으로 발생하면서 크게 이슈가 되었다. 이 해킹수법은 공격자가 자신의 장비에서 보안이 취약한 다른 여러 곳의 서버에 침투하여 해킹 마스터 프로그램을 몰래 설치한 뒤 여기에 공격할 대상과 시간을 지정해 두면, 이들 서버가 한 개의 목표 서버에 수많은 패킷을 전송해 일시에 서버 기능을 무력화시키는 방법이다. 2008년 초의 경우 한·미 쇠고기 협상, 한반도 대운하 등의 사회적 찬반 논쟁이 오프라인을 넘어 일부 정부기관 웹사이트를 대상으로 변조, 분산서비스거부 공격 등 온라인의 사이버 시위로 이어져 사이버테러로 발전하였고, 일본 중학교 사회 학습지도 요령 해설서의 독도 표기 등 독도에 대한 한·일 네티즌 간의 사이버 공격은 국제적인 사이버테러의 연례행사가 되어가고 있다. 특히 최근 크게 증가하고 있는 무선 네트워크 보급 및 무선 네트워크 기능이 기본 탑재된 노트북의 보급률이 높아짐에 따라 개인 사용자들도 크게 증가하고 있는 상황에서, 관련 인증·보안시스템을 통한 외부 침투시도에 적극적 대응이 필요하다. 더욱이 최근 외국산 스마트폰의 국내 도입 및 활성화가 예상되어 개인정보 유출, 불법 스팸발송 및 문자 메세지 전송으로 인한 피해가 발생할 위험성이 증가하고 있다.

최근 사이버테러 위협 동향은 첫째, 악성코드 감염이 증가하고 있다. 악성코드가 숨겨진 첨부 문서파일(hwp, doc, pdf, exe) 형태의 메일을 발송하여 첨부파일을 열어보면 순식간에 악성코드에 감염되는 것이다. 주로 인터넷뱅킹을 이용하는 고객들의 금융정보를 노리는 경우가 대부분이지만 2016년 5월 발생한 파밍(Pharming) 악성코드는 국내 광고 프로그램을 설치한 사용자를 대상으로 활발하게 유포가 이루어졌고, 다운로드된 EXE파일은 곰플레이어 파일 아이콘 모양으로 위장하여 내부에 영상파일(.mp4)과 악성 EXE파일이 포함되어 있어 다운로드된 EXE 파일을 실행할 경우 악성 EXE파일을 생성하여 유포하는 수법이 사용되었다. 둘째, 지능형지속공격(APT: Advanced Persistent Threat) 및 기업대상 공격이 증가하고 있다. 2016년 5월, 대형 인터넷 쇼핑몰 '인터파크'가 APT공격을 받았는데 이메일에 악성 코드를 심은 파일을 첨부하여 발송하는 스피어 피싱(Spear Phishing)[18] 수법이 사용되었다. 셋째, 모바일 위협이다. 최근 스마트 핸드폰의 보급이 확대되어 기존 개인용 컴퓨터 환경에서 모바일 도구로 빠르게 전환되고 있다. 이에 따라 무선인터넷에 기초한 스마트 핸드폰을 좀비 PC로 이용한 분산서비스거부(DDoS)공격 가능성이 예상되고 있다. 증권사, 은행 등 금융기관도 모바일뱅킹을 보편화하고 있고 스미싱(Smishing)과 같은 모바일 사이버테러 위협으로 주로 허가받지 않은 사용자가 기밀 데이터에 접근하여 정보를 탈취하는 수법이다.

사이버테러로 인한 경제적 손실도 지속적으로 증가하는 추세에 있다. 외국의 경우 세계적인 보안 업체인 젬알토(GTO: Gemalto)는 2016 데이터유출지수(BLI: Breach Level Index)[19]를 발표하면서 2016년 한 해에 약 14억 건의 데이터 기록 유출되었다는 것이다. 이 조사에 따르면, 2016년 세계적으로 1,792건의 데이터 유출 사고가 발생하여 14억 개의 개별 데이터가 노출되어 2015년과 비교해 86% 증가한 규모다. 유출 사고를 기준으로 집계에 들어간 2013년부터 지금까지 70억 개 이상의 개별 데이터가 노출된 것으로 매일 300만 개 이상의 데이터, 즉 1초에 44개의 데이터 기록물이 침해되고 있다는 것이다.[20] 아울러 보안업체 맥아피(MacAfee)는 국제전략문제연구소(CSIS: Center for Strategic and International Studies)와 함께 사이버 범죄가 전 세계 경제에 끼치는 피해가 연간 6천억 달러라고 발표했다. 이는 전 세계 GDP의 0.8%에 해당한다. 2014년과 비교했을 때

18) 특정인을 목표로 한 피싱 공격으로 물고기를 작살로 잡는 '작살 낚시(Spearfishing)'에 빗대 '스피어 피싱'이라 부른다. 이는 가짜 인터넷 사이트를 만들어 놓고 이곳에 접속한 불특정 다수의 개인 정보를 훔치는 일반적인 피싱(Phishing)과는 다르다(네이버 지식백과).

19) BLI는 데이터 유출사고를 추적한 뒤, 침해 데이터 개수와 데이터 유형, 유출 소스, 데이터 사용처 및 암호화 여부 등 다층적 기준에 의거해 유출 심각성을 측정하는 글로벌 데이터베이스다. BLI는 각 유출 사고마다 심각성 점수(1점부터 10점)를 매겨 비교 가능한 순위를 만들었고, 심각한 피해를 끼친 사고와 그렇지 않은 사고를 구분했다.

20) 암스테르담, Mar 28, 2017 - (ACN Newswire).

20%나 오른 수치이기도 하다. 기업을 대상으로 리스크 우려를 조사하는 "Allianz Risk Barometer"에 따르면 사이버보안 리스크는 2013년 15위(6%)에서 2015년 5위(17%)로, 2016년 3위(28%)까지 높아져 사이버보안 리스크의 중요도 순위가 상승했다.[21] 최근 미국에서 조사된 소비자 리스크 인덱스(CRI)에서도 '사이버 위협'은 '개인의 안전', '자연 재해'를 제치고 전년 5위에서 3위로 올라섰다고 밝혔다. 지난 2015년 데이터 유출에 따른 평균 비용은 2년간 23% 증가한 379만 달러에 달하고, 1인당 평균비용도 2014년보다 6% 증가한 154달러로 데이터 유출 사고 비용은 계속 증가하고 있다. 우리나라도 최근 삼성, 애플 등 글로벌 IT 기업은 독자적 사물인터넷 플랫폼(platform)을 공개함으로써 본격적인 사물인터넷 시대를 알렸다. 사물인터넷의 도입이 본격화되면 인류는 보다 편리한 생활을 누리게 될 것이다. 그러나 다른 한편으로는 개인정보 유출, 해킹에 따른 전자제품, 이용불가, 해커에 의한 부정조작 등 잠재적 사이버보안 리스크에 대한 노출도 확대될 것으로 보인다. 또한 인터넷 및 모바일의 발달에 따라 정보기술(IT)과 금융의 융복합도 가속화되고 있는데 핀테크(Fin-tech)[22]가 바로 핵심 기술이다. 정부도 핀테크의 육성을 위해 관련 규제를 대폭 완화하면서 2016년 이후부터 이 산업의 성장이 본격화될 것이나 이에 따라 관련 범죄도 급증할 것으로 예상된다.

Ⅲ. 북한의 사이버테러 위협

북한은 대남 정보수집과 사이버심리전을 위하여 사이버공간을 이용하고 있을 뿐만 아니라 2009년 7.7 사이버테러 사건과 2011년 3.3 DDoS공격, 농협 전산망 공격, 2013년 3.20 사이버테러 공격과 6.25사이버테러 공격, 2014년 12월부터 2015년 3월까지 한국수력원자력 해킹공격, 2016년 하반기의 비트코인(bitcoin)[23]

21) IT Chosun, "해킹피싱 등 사이버피해 급증..기업당피해액379만달러"(조선일보 2016.7.22.) 보도기사 http://it.chosun.com/news/article.html?no=2822012,2016.10.24. 방문.

22) 핀테크(FinTech)는 금융(Financial)과 기술(Technology)의 합성어로, 금융과 IT의 융합을 통한 금융서비스 및 산업의 변화를 통칭한다.

23) 비트코인(bitcoin)은 물리적 형태가 없이 거래되는 온라인 디지털 가상화폐로, 익명으로 거래되고, 인터넷이 연결되면 누구라도 계좌를 만들 수 있으며, 비트코인을 사고팔아 현금화할 수 있다. 비트코인은 이미 중국과 유럽 및 북미 등에서 현금처럼 쓰이고 있고, 한국에도 '코빗'이라는 거래소가 2013년 4월에 개설되었다.

거래소 공격 등에서 보듯이 사이버테러를 집요하게 조직적으로 감행하고 있다. 금융보안원에서 발행한 "2017 사이버 위협 인텔리전스 보고서"에 의하면 2013년부터 2017년까지 국내 금융기관, 군대, 방위산업 기지, 언론 매체를 노린 8건의 주요 해킹 사건은 북한을 배후에 둔 라자루스(Lazarus)의 소행[24)]으로 밝혀졌다.[25)] 또 다른 외국 보고서에 의하면 북한은 APT37(Reaper)[26)]이라는 해킹그룹이 2014년부터 2017까지 주로 한국 정부, 군대, 방위산업, 언론 매체를 집중적으로 공격하여 2017년부터 화학, 전자, 제조, 항공우주, 자동차, 의료기관 등 다양한 산업군으로 활동범위를 확대하면서 일본, 베트남, 중동 등의 지역으로까지 활동 영역을 확장하고 있다고 밝혔다.[27)] 실제로 2013년에는 간첩교신의 수단으로 악용되었고, 2016년 9월 발생한 국방망 해킹사건은 북한에 의해 자행되어 김정은 참수(斬首) 작전이 포함된 '작계 5015'를 비롯하여 북한의 대남 침투 국지도발 대응계획인 '작전계획 3100', 북한내 급변 사태 발생 또는 대남 도발시 우리 특전사가 수행할 '비상계획(Contingency Plan)'과 같은 최고급 군사기밀 총 295건(Ⅱ급기밀 226건, Ⅲ급기밀 42건, 대외비 27건)이 탈취당하는 사건이 일어났다. 이 사건으로 우리 군은 대북 군사작전 계획의 일부를 수정하지 않을 수 없게 되었다.

북한의 사이버테러 전담부서는 조선인민군 총참모부 직할부대인 정찰총국의 지휘를 받고 있는 제6국(기술국)으로 통신감청, 암호통신 분석, 사이버 해킹 등

---

24) '라자루스(Lazarus)'는 2009년부터 활동해온 북한의 사이버 공격조직으로 초기에는 한국과 미국을 집중 공격 대상으로 삼았으나 2010년 이후 18개국 이상의 제조기업과 미디어, 금융 기관을 해킹했다. 국내에서는 2009년 7월 7일 DDoS 공격, 2013년 3월 20일 방송사와 금융기관 공격·마비, 2014년 12월 9일 한국수력원자력 원전 도면 등을 인터넷에 공개 등이 대표적이고, 외국에서는 2014년 11월 24일 미국 소니픽처스사(社) 해킹, 2016년 방글라데시 중앙은행에서 8100만 달러 불법 인출, 베트남·에콰도르·폴란드 등 30여개 은행에서 최소 9400만 달러를 탈취, 2017년 5월 12일 워너크라이 랜섬웨어 유포 등의 사건을 저질렀다(전자신문, 2017.5.19.).

25) "2017 사이버위협 인텔리전스 보고서"(금융보안원, 2017.3.), pp. 6-7.

26) APT(Advanced Persistent Attack)는 지능형지속공격이란 뜻으로 공격자가 특정 대상을 목표로 다양한 해킹 기술을 이용해 은밀하게 지속적으로 공격하는 행위를 말한다. APT 다음에 붙는 숫자는 국가의 지원(state-sponsored)을 받는 해킹집단을 구분하는 부호이다. 예로 APT1은 중국의 61398부대, APT28과 APT29는 지난 미국 대선시 민주당을 해킹한 러시아 해킹그룹을 나타내며, APT30은 동남아시아를 무대로 활동 중인 중국 스파이 해킹그룹, APT32는 베트남 정부의 지원을 받는 해킹 그룹, ATP37은 북한의 지원을 받는 해킹그룹을 칭한다(『연례정세전망 보고서』, 국가안보전략연구원, 2017, p. 171).

27) "APT37: 모두가 간과했던 북한공격자", 『위협 인텔리전스 보고서』(FireEye, 2017) https://www.fireeye.kr/current-threats/threat-intelligence-reports.htm, pp. 3-8.

대남 사이버테러 관련한 기술을 연구·개발하고 있다. 또 사이버 공작을 전담하는 부서인 '110 연구소'는 정찰총국의 지휘를 받으면서 한국과 미국 등에 대한 DDoS공격, 댓글 공작 등 사이버 심리전, 사이버테러, 전략정보 수집 등을 전담하고 있다. 북한의 사이버 해커 양성과정은 3단계로 1단계는 금성고등학교에서는 15~18세 청소년을 선발해서 기초 해킹 기술을 교육하고, 2단계는 압록강대학, 미림군사대학, 모란대학, 컴퓨터기술대학 등 해커 전문양성 대학에 입학하여 한 학년에 30~40명씩 편성해서 집중적인 이론 교육을 시키며, 졸업생 중 20~25%는 사이버전 군부대로 배치된다. 3단계는 실전 전문해커 양성과정으로 2단계에서 졸업한 학생 중 선발된 인원은 정찰총국의 제1국(작전국) 414연락소와 제7국(후방지원국) 258연구소로 배치하여 특수 교육을 받는다. 이곳을 졸업하는 인원은 정찰총국 예하 부대로 배치되어 한국 및 미국을 대상으로 체계적인 사이버 전문교육과 실전 훈련을 받게 된다. 2017년 1월 국방부에서 발간한 국방백서에 따르면 북한의 사이버전 전력은 전문 해커요원과 지원인력을 모두 합쳐 6,800명에 달하는 것으로 알려지고 있다.[28] 2013년 3천여 명 수준이었던 것과 비교할 때, 김정은이 집권한 이후 4년간 북한의 사이버전 전력이 2배 이상 증가했다는 것을 알 수 있다. 현재 북한이 양성한 전문 해커만도 1천7백여 명, 프로그램 개발 등 지원인력도 13개 조직 4천3백여 명으로 알려져 있어 이들을 동원한 대남 사이버테러에 집중할 것이 예상된다.

북한이 사이버공간에서 직접 운용하거나 해외에 서버를 두고 운영하고 있는 대남 선전 사이트도 우리사회 종북세력 또는 급진 좌경 의식을 가진 네티즌들에게 이념적 사상적 오염의 원천이 되고 있다. 북한이 "우리민족끼리"(uriminzokkiri)라는 id로 트위터와 페이스북에 공식적으로 계정을 오픈한 것은 2010년 7월경의 일이며, 이어 유튜브에서도 계정을 개설하고 선전 동영상을 지속적으로 내보내고 있다. 북한이 공개적으로 소셜 미디어에 등장한 것은 북한에 대해 호기심을 가진 우리사회 네티즌들의 주목을 이끌어냄으로써 자신들의 사상과 체제 선전을 위한 도구로 활용하면서, 나아가 우리사회 내부에서 활동하고 있는 종북 인물들과 보이지 않는 접촉을 강화하기 위한 방책으로 볼 수 있다. 북한 조국평화통일위원회(조평통)가 체제 선전용으로 2003년부터 운영해 온 "우리민족끼리"는 북한 안팎

---

28) 『2016 국방백서』(국방부, 2017), p. 23.

소식과 함께 남한의 탈북자에 대한 인신공격과 한국과 미국 정부를 비난하는 기사와 영상 형태로 게시하던 웹사이트로 구독자가 크게 증가하고 있다. 개설 직후인 2010년 10월 1천903명에서 5년이 지난 2015년 7월 현재 1만1천733명으로 6배 이상 증가한 것으로 알려지고 있다.[29] 이에 고무 받은 북한이 페이스북에도 "우리민족끼리" 계정을 개설하였으나 가상인물이 아닌 실제 인물들이 서로 연결하여 활동하는 것을 원칙으로 하는 페이스북측에 의해 폐쇄되었다. 우리 정부도 북한의 트위터 계정에 대해서는 2010년 8월 접속을 차단 조치하였으나, 프록시를 이용하여 우회 접속하거나 해외에서 자유롭게 접속할 수가 있고, 유튜브는 여러 가지 기술적 어려움으로 인해 차단에 한계가 있어 현재도 수백개 이상의 선전선동 계정이 여전히 활동하면서 온라인 심리전을 자행하고 있다.

북한의 대남사이버 테러수행 해외거점은 중국 내의 산동성, 흑룡강성, 복건성을 비롯한 북경 인접지역에 있는 것으로 확인되고 있다. 또한 정보네트워크를 이용한 정보 및 첩보수집 활동을 하고 있는 거점으로는 요녕성 단둥시를 지목하고 있다. 단둥시는 신의주를 압록강 건너로 마주보고 있는 북한의 대중무역의 중심지로 한국기업과의 교류도 활발하게 이루어지고 있는 창구 역할을 담당하고 있는 국경도시이다. 따라서 북한은 북한 내의 열악한 통신 인프라를 극복하고 대남 사이버테러 공격 시 중국을 우회하는 수법을 활용함으로써 추적을 피하면서도 유용한 첩보 및 정보를 수집하는 거점으로 유용하게 운용되고 있는 것으로 분석된다. 구체적으로 중국 조선족 교포가 운영하는 호텔들로 이곳에 2002년 말부터 별도의 안전 가옥을 설치하고 아래층에는 식당과 카페 등의 영업행위를 합작형태로 위장운영하면서 사이버테러를 감행해 온 것으로 분석된다. 이와 같은 수법으로 사이버전에 대비하면서 평시에는 정보네트워크를 통한 정보수집 및 첩보 활동과 인터넷을 통한 심리전을 전개하여 정보왜곡 등을 통해 우리 사회의 혼란을 획책하고 있는 것이다.

북한은 지난 2016년 2월 미국의 「2016년 북한 제재 및 정책 강화법」(North Korea Sanctions and Policy Enhancement Act of 2016)이 발효되면서 미국을 비롯한 국제사회가 북한을 전 방위적으로 압박하고 있다. 이에 따라 북한은 최근 6차 핵실험과 수차례에 걸쳐 장거리 탄도미사일을 발사하는 등으로 한반도의 긴장 조

29) 연합뉴스(2015.7.23.).

성과 국제제재 위기로 어떤 형태로든 대남 사이버테러를 통해 위기를 돌파하려 할 것이다. 또한 북한은 사이버공간을 군사적 비대칭전략으로 간주해 사이버전 핵심부서인 정찰총국에서 총괄 지휘하고 계속 정예화하면서 그 규모를 증강시키고 있다. 이러한 북한의 사이버전 능력을 고려해볼 때 향후 우리의 원자력 발전소, 에너지, 항공, 교통, 국방 보안시설 등 주요기반시설을 대상으로 메인서버를 집중적으로 공격하고, GPS(위성항법장치)전파교란 및 EMP탄, 드론(drone) 등에 의한 물리적 테러와 사이버테러를 복합해서 동시에 감행할 것이 예상된다. 북한의 입장에서는 사이버테러는 저렴한 비용으로 효과적인 위협 수단이 가능할 뿐만 아니라 공격하기가 쉽고 성공하면 남한의 국가경제와 안보에 심각한 영향을 주고 침투범위가 광범위하며 이를 추적하고 저지하는 것 또한 용이하지 않기 때문이다. 북한으로서는 저비용으로 높은 효과를 달성할 수 있는 수단으로 이를 계속 활용하고 역량을 강화할 것이 틀림없다. 북한의 예상되는 대남 사이버테러를 구체적으로 살펴보면 다음과 같다.

첫째, 북한은 외화벌이 수단으로 비트코인(bitcoin)과 랜섬웨어(ransom ware)를 이용해 사이버테러 공격을 시도할 가능성이 있다. 북한은 이전에도 돈벌이 수단으로 해킹공격을 하였지만 최근에는 랜섬웨어 공격을 통해 외화벌이를 시도하고 있다. 실제로 2016년 방글라데시 중앙은행에서 8100만 달러 불법 인출한 바 있고,[30] 베트남·에콰도르·폴란드 등 외국의 30여개 은행에서 최소 9400만 달러를 탈취한 전례가 있다. 북한의 사이버테러 전문 분석기관인 '이슈메이커랩'(Issue Makers Lab)은 지난 2016년 9월 22일 북한의 랜섬웨어 공격을 예상한 바 있고, 이미 2013년 5월에 비트코인 거래를 시도했는데, 추적의 위험성 때문에 익명으로 일 대 일 대면거래로 비트코인을 세탁해 현금화하고 하였으며, 지난 2016년 5월 인터파크 해킹공격 때에도 비트코인을 요구한 것을 보면 북한이 비트코인을 충분히 자유롭게 사용할 수 있는 수준임을 알 수 있다.[31] 북한은 2016년 이후 국제금융결제시스템에서 퇴출되는 등 국제사회로부터 사이버공간의 불량국가(rogue state)로 이미 지목되었지만 대외 자금줄이 차단된 북한으로서는 더욱 다

30) 이 사건이후 북한은 국제금융결제망(SWIFT)에서 퇴출당하였고, 국제사회로부터 사이버공간의 불량국가(rogue state)로 지목되고 있다(『연례정세전망보고서』, 국가안보전략연구원, 2017, p. 174).

31) 데일리시큐(2016.9.29.).

양한 사이버 해킹조직과 더 많은 전문가들을 동원해 보안이 취약한 지역의 네트워크를 이용한 금융사기를 더 폭넓게 전개할 것으로 예상된다. 이를 위해 손쉽게 거액을 절취할 수 있는 가상화폐 확보에 주력할 것으로 전망된다.

둘째, 의료기관을 대상으로 사이버테러 공격을 시도할 가능성이 있다. 북한은 지난 2014년 8월부터 2015년 4월까지 8개월간 보안업체인 하우리의 업무용 컴퓨터를 해킹하고, 여기서 발견한 취약점을 악용해 서울 모 병원의 전산시스템을 완전하게 장악한 바 있는데 이는 지난 2013년 3월 북한의 정찰총국이 국내 언론 및 금융기관을 공격한 일명 '3.20 사이버테러' 당시에 활용된 평양의 인터넷 주소(IP)와 일치한 것으로 보아 앞으로도 이러한 형태의 사이버테러가 예상된다.[32] 북한은 과거에 국내 IT기업이나 방위산업체, 국방망을 공격하는 데 동원됐던 북한의 악성코드가 ATM해킹이나 보안수준이 낮은 민간 의료기관 공격 등에 동원되어 금전적 이익을 취하는 방식으로 변모하는 양상이다. 외국의 경우 2016년 2월 우리나라 차병원에 투자한 미국 LA 할리우드 장로병원이 랜섬웨어 공격으로 1주일 동안 병원 내 모든 정보시스템이 마비되어 긴급한 환자는 다른 병원으로 이송하고 수작업으로 진료업무를 처리하였다. 결국 1주일 만에 범인이 당초 요구했던 360만 달러(9천 비트코인)를 1만7천 달러(40 비트코인)로 낮춰 지불한 후에야 정상적으로 회복할 수 있었다.[33] 이처럼 북한도 의도적으로 의료기기 소프트웨어에 악성코드를 감염시키거나 랜섬웨어 공격을 통해 환자의 생명에 직접적으로 위협을 가할 수 있기 때문에 이러한 사이버테러의 형태가 자행될 가능성이 있다.

셋째, 북한은 드론(drone)[34]을 이용해 주요기반시설(원전)을 대상으로 사이버테러 공격을 시도할 가능성이 높다. 드론은 미사일과 폭탄을 장착하여 공격할 수 있고, 비디오 카메라, 적외선 감지기, 기상레이더 등을 갖추고 정찰활동도 가능하며, 용도에 따라 다양하게 장비(적외선, 광학, 레이더 센서)를 장착하여 사용할 수 있다. 북한이 이와 같이 고도로 발전된 드론의 기술체계와 취약점을 이용하여 국내의 주요기반시설(원전 등)에 대한 사이버테러 공격을 감행할 경우, 방사능 누출

---

32) 보안뉴스(2015.8.13.).
33) 보안뉴스(2016.5.17.).
34) 드론의 정식 명칭은 UAV(Unmanned Aerial Vehicle)으로 사람이 탑승하지 않는 무인항공기이다. 드론은 비행체와 이를 원격 조종하고 자동・반자동・자율 비행을 제어하는 지상통제장비(Ground Control Station System), 그리고 통신・지원 장비로 구성된다.

등으로 직접적인 피해뿐만 아니라 전력 생산 중단으로 핵심 산업시설의 미가동 등 국가 경제에 심각한 영향을 미칠 수 있다.

넷째, 광케이블을 대상으로 하는 사이버테러 공격이다. 정보통신기술(ICT)발전에 따라 사이버테러 공격 대상은 국방이나 경제, 금융 등 사회 정보망으로부터 개인정보, 위성TV, 교통정보, 비디오 스크린, 방송 프로그램으로까지 확대되었다. 현재 우리가 사용하는 인터넷은 물론이고 국가 기간통신망도 모두 광케이블로 연결되어 있고, 모든 산업분야 인프라가 광통신망과 연결되어 있으며, 국내외 모든 통신이 광케이블로 실시간 전송되고 있다. 이처럼 초고속 정보통신을 가능케 하는 광케이블이 북한의 공격 대상이 예상되고 있다. 외국의 경우 지난 2013년 미국 국가안보국 전 직원 '에드워드 스노든'이 영국 국가통신본부(GCHQ)가 2011년 가을부터 '템포라'라는 프로그램을 이용해 대서양 해저를 지나는 광케이블을 해킹해 20억명 가까운 민간인 정보를 빼냈다고 폭로한 바 있고, 미국도 지난 2013년 '프리즘'을 이용해 광케이블을 해킹해 전 세계의 전화통화와 이메일 등을 조직적으로 사찰해온 사실이 폭로되었다.[35] 한국의 경우 광통신망을 민간업체에 위탁해 운용하면서 통신시설이나 맨홀, 전신주 등의 광케이블에 대한 보안관리가 허술한 실정이다. 광통신기술은 모든 유・무선통신의 인프라로 가입자까지 광케이블에 인입되는 가정용 광케이블(FTTH: Fiber To The Home)로 전개될 정도로 발전해 통신서비스에 영향을 주지 않고 광신호를 검출해 변조나 복재하는 기술도 등장했다. 따라서 광케이블 공격 방지를 위해 관계기관과 업계가 긴밀한 협조체계를 구축해 보안 솔루션에 대한 기술 개발을 서둘러야 하고, 광케이블을 지나는 정보 자체를 암호화하거나 통신선로를 수시로 교체하는 등 대책을 강구해야 할 것이다.

다섯째, 북한은 사물인터넷(IoT)[36]을 통하여 사이버테러 공격을 시도할 가능성이 높다. 사물인터넷 디바이스의 확산은 이미 우리 일상생활에 깊숙이 침투해 인간의 활동영역에 지대한 영향을 미치지만, 불행하게도 이에 따른 효과적인 보안 대책이 수반되지 못하고 있다. 사이버테러는 IoT 디바이스를 해킹하여 일반 기업

35) 전자신문(2014.12.1.).

36) IoT(Internet of Things)는 서비스-사물-인간 등 3가지로 분리된 통신환경에서 인간의 명령 없이 상호간에 네트워킹, 센싱, 정보처리를 하는 등 지능적 통신을 하는 사물의 사이버공간 연결시스템을 말한다. 즉 휴대용 스마트 통신기기를 이용하여 사람-사물, 사물-사물 간에 상호 통신이 가능하고 인터넷으로 연결하여 사물뿐만 아니라 현실과 사이버상의 모든 정보를 연결할 수 있다.

체의 첨단 기술이나 국방부의 첨단 무기 기술체계, 국가의 중요 기밀문서 등을 탈취하거나 스마트 전력망 등을 파괴 또는 마비시키고, 악성프로그램을 유포시켜 DDoS를 자행할 수도 있다. 또한 IoT 단말기 중에는 스마트 자동차, 웨어러블(wearable technology) 디바이스(특히 의료용),[37] 체내 이식용 디바이스 등 생명과 직결되는 기기들이 있어 목표 인물을 살상할 수도 있다. 정보통신기술(ICT)의 발달과 IoT의 상용화, 4차 산업 도래에 따른 초연결사회(hyper-connected society)가 실현됨에 따라 산업 민간 부문의 사이버 보안상 취약 구간이 사이버상에서 증가하고 있고 이러한 취약한 사이버 공간 확대는 북한에게 손쉬운 공격 대상이 될 수 있다. 특히, 기업의 산업통제시스템(ICS), CCTV 등 사물인터넷의 취약한 보안수준이 해커들의 공격 기회를 배가시켜 주고 있다. IoT가 확산되면서 피싱, 스미싱과 사회공학적 기법을 상호 연결한 융·복합적 기법으로 보안수준이 낮은 민간기업과 개인을 겨냥한 침투 공세가 거세질 것이다. 또한 공항, 고속도로, 철도 및 지하철 운송, 전력망, 댐, 발전소, 항만, 정유공장 등 국가 주요기반시설에 대한 사이버테러 위협은 간과할 수 없는 분야이다. 이러한 주요 기반시설은 초연결의 특성과 시스템 상호간의 강한 의존성으로 한 곳이 공격당하면, 연결된 다른 부분에까지 피해가 확산되어 국가기능 마비와 경제에도 심각한 영향을 줄 수 있다.

여섯째, 북한은 인공위성을 사이버테러 공격대상으로 할 가능성이 있다. 지난 2016년 9월 22일 영국 인디펜던트 왕립국제문제연구소인 채텀하우스(Chatham House)는 대부분의 인공위성들이 사이버테러 공격으로부터 무방비하여 이에 대한 보안대책을 시급히 세워야 한다고 밝혔다. 사이버테러 조직이 해킹을 통해 인공위성을 장악한 뒤 사이버테러 공격을 감행할 경우 전 세계 통신망과 무역거래, 금융서비스 등이 순식간에 마비될 수 있다고 경고했다.[38] 실제로 인공위성이 해킹을 받은 사례는 2007년과 2008년에 미국의 인공위성 랜드샛-7과 테라 AM-1 위성이 4차례에 공격을 받아 그때마다 2분에서 12분 이상 인공위성의 제어권이 해커들에게 넘어갔었다고 밝혀졌다.[39] 우리나라의 경우 1999년 발사된 우리별 3

---

37) 정보통신기기를 사람의 몸에 지니고 다닐 수 있는 기기로 만드는 기술로, 최근에는 기기를 피부 속에 이식하는 베리칩 등으로 응용되어 개인용은 물론 군사·의료 산업 등 모든 분야에 활용된다.

38) NEWSIS(2016.9.22.).

39) 보안뉴스(2011.10.28.).

호와 과학위성 1호(2003년), 아리랑 1호(1999년), 아리랑 2호(2006년) 등에는 위성의 움직임을 통제하는 관제보안시스템이 전혀 탑재되어 있지 않다. 이러한 구형 인공위성들은 대역폭 탈취, 허위정보 유포, 신호교란, 보안코드 해독, DDoS, 신호조작, 통신도청, 사용자를 가장하는 등 사이버테러 해킹 위협이 상존해 언제든지 북한에게 탈취당할 수 있다. 따라서 이러한 우주 공간의 보안문제를 해결하기 위해서는 각 나라별로 독자적으로 할 수 없어 국제적으로 공동협력이 필요한 분야라 하겠다.

이와 같이 사이버테러는 기존에 물리적 범죄가 발생하면 그 피해 정도나 영향력은 특정 대상이나 일부 지역에 한정되었지만, 오늘날 사이버테러 범죄는 기존의 물리적 범죄 양상의 모든 경계를 허물어 버리고 시간과 장소에 구애 받지 않고 예기치 못하게 일어난다. 사이버공간 속에 은밀히 숨어서 우리의 사생활을 24시간 감시하고, 사회적으로 보이지 않는 울타리 속에 우리를 가두어 위협하고 있는 것이다.

이러한 사이버테러 위협으로부터 안전하게 생활할 수 있는 자유는 모든 국민의 권리이며, 이 권리를 보장해 주어야할 대상자는 바로 국가이다. 이는 당연히 해야 할 당위성 있는 국가의 의무인 것이다. 따라서 국가는 사이버테러 위협으로부터 적극적으로 국민의 안전한 사이버공간 이용과 대외적으로는 미래의 국방 안보를 튼튼하게 지키고 보호할 수 있는 종합적이고 실효성 있는 사이버테러 공격 대응책 마련에 국가의 역량을 집중해야 할 것이다.

제3절 사이버테러 대응

Ⅰ. 사이버테러 관련법제

우리나라의 사이버테러 관련 법령체계는 기본법을 중심으로 관련 법령들이 제정되기 보다는 소관 부처별로 필요에 의해서 개별법이 만들어져 여러 곳에 흩어져 있다. 그동안 사이버테러 예방을 위한 종합적인 법률제정을 위해 많은 시도가 있었으나 안보를 명분으로 개인의 통신자유를 침해한다는 비판으로 국회에 상정조차 되지 못하고 폐기되었다(상세한 내용은 후술). 여기서는 우선 사이버테러와 관련한 법 중에서 공공부분에 적용되는 「국가사이버안전관리규정」, 민간부분에 적용되는 「정보통신망 이용촉진 및 정보보호 등에 관한 법률」(정보통신망법), 공공과 민간에 공히 적용되는 「정보통신기반보호법」, 「통신비밀보호법」, 「전자정부법」, 「전자서명법」, 「산업기술의 유출방지 및 보호에 관한 법률」(산업기술보호법), 「형법」 등의 개별 법률 속에 부분적으로 규정된 내용을 위주로 살펴본다.

1. 국가사이버안전관리규정

이 규정은 2005년 1월 제정된 대통령훈령(제141호)으로 제정되어 수차례 개정을 통해 현재까지 시행 중인데, 국가안보를 위협하는 사이버공격으로부터 국가정보통신망을 보호함을 목적으로 우리나라의 국가사이버안전에 관한 조직체계 및 운영에 관한 사항과 관련 기관의 역할과 협력 등을 총괄적으로 제시한 법령이다. 동 훈령 제4조(사이버안전 확보의 책무)는 중앙행정기관·공공기관 및 지방자치단체의 장으로 하여금 소관 정보통신망에 대하여 안전성을 확보할 책임을 규정하고, 국가사이버안전정책의 총괄 조정 및 관리(제5조)와 국가사이버안전에 관한 중요사항을 심의하기 위한 국가사이버안전전략회의(제6조)를 국가정보원이 중심이 되어 운영토록 규정하고 있다. 특히 동 훈령 제8조에 사이버공격에 대한 국가차원의 종합적이고 체계적인 대응을 위하여 국가정보원장 소속하에 국가사이버안전센터를 두고, 그 임무는 ① 국가사이버안전정책의 수립, ② 전략회의 및 대책회의의 운영에 대한 지원, ③ 사이버위협 관련 정보의 수집·분석·전파, ④ 국가정보통신망의 안전성 확인, ⑤ 국가사이버안전매뉴얼의 작성·배포, ⑥ 사이버공격으로 인하여 발생한 사고의 조사 및 복구 지원, ⑦ 외국과의 사이버위협 관련 정보의 협력 등을 수행하도록 규정하고 있다. 이를 위해 국가정보원장은 국가 차원의 사이버위협에 대한 종합판단, 상황관제, 위협요인 분석 및 합동조사 등을 위해 사이버안전센터에 민·관·군 합동대응반을 설치·운영할 수 있도록 하고 있다.

2. 정보통신망법

이 법은 1986년 1월 「전산망 보급 확장과 이용 촉진에 관한 법률」로 제정되어 시행되다 2014년 5월 현재의 법으로 개정된 것으로 정보통신망의 이용을 촉진하고 정보통신서비스를 이용하는 자의 개인정보를 보호함과 아울러 정보통신망을 건전하고 안전하게 이용할 수 있는 환경을 조성하기 위한 법률이다. 동 법은 정보통신망의 이용촉진, 전자문서중계자를 통한 전자문서의 활용, 개인정보의 보호, 정보통신망에서 이용자 보호, 정보통신망의 안전성 확보, 국제협력 등을 규정하고 있다. 동법 제2조(정의) 제1항에서 "침해사고"를 해킹, 컴퓨터바이러스, 논리폭탄, 메일폭탄, 서비스 거부 또는 고출력 전자기파 등의 방법으로 정보통신망 또는 이와 관련된 정보시스템을 공격하는 행위를 하여 발생한 사태로 규정하고, 이러한 정보통신망 침해에 대한 대응(제48조의2), 처벌(제48조, 제70조-제76조)을 규정하고, 사이버테러범죄에 대한 처벌과 침해사고의 신고(제48조의3)를 의무화하고 있다.

3. 정보통신기반보호법

이 법은 2001년 1월 전자적 침해행위에 대비하여 주요 정보통신 기반시설의 보호에 관한 대책을 수립 · 시행함으로써 동 시설을 안정적으로 운용하도록 하여 국가의 안전과 국민생활의 안정을 보장하기 위하여 제정되었다(동법 제1조). 여기서 "정보통신기반시설"이라 함은 국가안전보장 · 행정 · 국방 · 치안 · 금융 · 통신 · 운송 · 에너지 등의 업무와 관련된 전자적 제어 · 관리시스템, 정보통신망 이용촉진 및 정보보호 등에 관한 법률 제2조 제1항 제1호 규정에 의한 정보통신망, 즉, 전기통신설비를 이용하거나 전기통신설비와 컴퓨터 및 컴퓨터의 이용기술을 활용하여 정보를 수집 · 가공 · 저장 · 검색 · 송신 또는 수신하는 정보통신체제를 말한다(동법 제2조 제1항). 정보통신기반시설을 대상으로 해킹, 컴퓨터바이러스, 서비스거부 또는 전자기파 등에 의하여 공격하는 행위에 대하여 10년 이하의 징역이나 1억 원 이하의 벌금에 처하며, 미수범도 처벌하고 있다(동법 제28조). 또한 주요정보통신기반시설에 대한 취약점 분석 · 평가업무를 하는 기관, 침해사고의 통지 접수 및 복구조치와 관련한 업무를 하는 관계기관, 정보공유 · 분석센터 등에 종사하는 자 또는 종사하였던 자는 그 직무상 알게 된 비밀을 누설하여서는 아니되고(동법 제27조), 이를 위반하여 비밀을 누설한 자는 5년 이하의 징역, 10년 이하의 자격정지 또는 5천만원 이하의 벌금에 처하도록 규정하고 있다(동법 제29조).

4. 통신비밀보호법

이 법은 1993년 12월 「임시우편 단속법」을 대체한 법으로 통신 및 대화의 비밀과 자유에 대한 제한은 그 대상을 한정하고 엄격한 법적 절차를 거치도록 함으로써 통신비밀을 보호하고 통신의 자유를 신장하기 위하여 제정되었다(동법 제1조). 이 법은 통신 및 대화의 비밀을 보호를 규정하고(동법 제3조), 이를 위반하여 우편물의 검열 또는 전기통신을 감청하거나 공개되지 아니한 타인 간의 대화를 녹음하거나 전자장치 또는 기계적 수단을 이용하여 청취하는 경우 처벌하도록 하고 있고(제16조-제17조), 미수범도 처벌하도록 규정하고 있다(동법 제18조).

5. 기타의 법률

행정정보의 처리업무를 방해할 목적으로 행정정보를 위조·변경·훼손하거나 말소하는 행위, 행정정보 공동이용 정보시스템의 위조·변경·훼손하거나 프로그램을 공개·유포하는 행위를 처벌하는 「전자정부법」, 가입자의 신청 없이 가입자의 전자서명 생성정보를 보관하거나 전자사명생성정보의 보관을 신청한 가입자의 승낙 없이 이를 이용하거나 유출하는 행위를 처벌하는 「전자서명법」, 산업기술을 외국에서 사용하거나 사용되게 할 목적으로 절취·기망·협박 그 밖의 부정한 방법으로 대상기관의 산업기술을 취득하는 행위 등을 처벌하는 「산업기술보호법」 등이 있다.

Ⅱ. 사이버테러방지법 제정 필요

이처럼 우리나라의 사이버테러 관련 법령체계는 소관 부처별로 필요에 의해서 개별법이 만들어져 여러 곳에 분산되어 있다. 사이버테러는 특성상 공공부문과 민간부문을 구분하지 않는데다 물리적 네트워크나 업무적으로 상호 유기적으로 연계되어 있어 담당영역, 피해범위를 뛰어 넘어 개인적 침해로부터 시작해서 국가 안전을 위협하는 행위로 발전되는 특징이 있다. 즉 DDoS공격, 해킹, 좀비PC 등 사이버테러 수법들은 보호대상이 민간 개인이나 정부기관을 가리지 않는다. 따라서 사이버공격 유형이나 대상에 따라 각각의 관련법을 다르게 적용하고 있는 현실은 빨리 바뀌어야 한다. 또한 민간분야와 공공분야에 따라 적용 법령이 다르고 정보통신기반시설 여부에 따라 그 적용 법령이 달라진다. 즉, 한전, 농협, KT 등 주요 정보통신기반시설에 대하여는 공공부문과 민간부문 공히 「정보통신기반보호법」이 우선 적용되지만 그 외의 민간부문에는 「정보통신망법」이, 공공부문에는 「국가사이버안전관리규정」이 각각 적용된다. 이에 따라 대규모 침해사고가 발생할 경우 위기대응 능력이 분산되어 증거확보 및 정보분석이 늦어져 기관 간 공조체제가 작동하기도 어렵고, 통합적 대응이 이루어지지 못해 국가차원의 원인 규명과 종합대책 수립과 대응이 곤란한 실정이다. 따라서 사이버테러에 대한 종합적 대응을 위해 지금의 개별법을 흡수하고 공공·민간부문을 통합하는 국가차원의 종합적인 사이버테러 기본법을 제정하고 이 법을 중심으로 사이버테러의 개별적인 하부체계를 구성하는 법률체계가 조속히 구축되어야 할 것이다. 그동안 17-18대 국회에서 공성진 의원이 사이버위기대응 관련 2개 법안을 발의하였으나 당시 안보를 명분으로 개인의 통신자유를 침해하는 악법이란 비판으로 상정조차 못하고 자동 폐기된 이래 13-15년간 사이버테러 방지 관련 4개의 법안이 정보위에 회부되는 등 많은 시도가 있었으나 번번이 좌절되었다.

최근 2016년 말 국무회의(2016.12.27.)에서 「국가사이버안보법안」을 심의·의결하고 2017년 1월 3일에 정부입법안으로서 국회에 제출하였다. 이 법안은 국가안보를 위협하는 사이버공격을 신속히 차단하고 피해를 최소화하기 위하여 '국가사이버안보위원회'를 설치하고, 국가기관·지방자치단체 및 국가적으로 중요한 기술을 보유·관리하는 기관 등을 책임기관으로 하여 소관 사이버공간 보호책임을 부여하며, 사이버위협정보의 공유와 사이버공격의 탐지·대응 및 사이버공격으로 인한 사고의 통보·조사 절차를 정하는 등 국가사이버안보를 위한 기본법으로 조직 및 운영에 관한 사항을 체계적으로 정하고자 하였다. 이는 국가안보를 위협하는 사이버테러공격에 대한 대응체계를 정립하는 데 기여할 것으로 기대된다.[40]

사이버테러에 관한 방지기본법 제정방향은 분산된 법체계를 일원화하여 사이버테러 대응역량을 강화하기 위하여 우선, 사이버안보 최고정책기구의 설치와 그에 따른 법체계 통합을 위해 「정보통신기반보호법」, 「정보통신망법」, 「국가사이버안전관리규정」 등의 사이버테러 조항을 흡수하고, 국가차원의 사이버안보 기본전략을 수립하도록 해야 한다. 세부적으로 관련 전문업체 지정, 관리 및 연구개발, 인력 육성대책 수립과 함께 중요 시설에 대한 보호대책을 강구, 그 실태를 정기적으로 평가토록 의무화하고, 침해사고에 따른 신고·수습절차와 위험단계별 경보발령 체제를 마련하며 민·관·군 합동 사이버위기 대응이 되도록 법제화해야 할 것이다.

첫째, 「국가사이버안전관리규정」의 법률화 및 적용범위의 확대다. 현행 규정은 국가차원의 사이버안전에 관한 조직체계 및 운영에 관한 사항과 사이버안전업무를 수행하는 기관간의 역할과 협력을 규정함으로써 사이버테러에 대응하기 위한 기본법령임에도 불구하고 대통령훈령이라는 법규 효력에서의 근본적인 한계가 있다. 즉, 대통령훈령이라는 점 때문에 이 규정의 적용범위가 대통령과 행정부의 각 기관에만 미치고, 국회, 법원, 헌법재판소, 중앙선거관리위원회는 물론 사이버안전관련 민간기관이나 연구소 등 행정기관 이외의 기관에는 효력이 미치지 못해 국가전체의 효율적인 사이버테러 방어 체제를 확립하기가 어렵다. 또한 위반 행위에 대한 처벌을 규정할 수 없어 실효성을 확보하기가 어려울 뿐만 아니라 법률로 지정된 정부기관과 업무영역에서 오해와 충돌을 빚기도 한다. 따라서 이 규정을 법제화함은 물론 제3조의 적용범위를 행정부는 물론 국회, 법원 등 모든 공공기관과 사이버안전 유관 민간기관과 연구소까지 확대 규정하고, 법률위반에 대한 처벌 규정을 두어 사이버안보에 관한 정책실행의 실효성을 확보하여야 한다.

둘째, 가칭 「사이버테러 대응에 관한 법률」의 제정이다. 사이버테러범죄는 행태나 수법이 컴퓨터 기술 발달과 맞물려 계속 새로운 모습으로 나타나기 때문에 기존의 형법 등의 규정만으로 대응이 어렵다. 따라서 기존 형법에 대한 보충적 입법의 원칙을 취할 것인지 아니면 새로운 형태의 법제를 취하여 독자적인 법체계를 형성할 것인지가 아주 중요하다. 이러한 입법 정책상의 문제뿐만 아니라 현행 법령상 사이버안전에 관한 국가차원의 대책을 협의하는 기구는 「국가사이버

40) 2017 국가정보보호백서(2017), p. 42.

안전관리규정」 제6조에 의한 '국가사이버안전전략회의'와 「정보통신기반 보호법」 제3조에 의한 '정보통신기반보호위원회'이다. 사이버테러 행위에 대한 대응을 위한 국가차원의 대책기구로 임무는 비슷하나 이 사태를 사이버안전으로 보느냐 정보통신 기반보호로 보느냐에 따라 구분된다. 관련법과 조항이 다르다보니 정부가 국가기관간의 업무기능에 따라 공공분야와 민간분야를 인위적으로 구분하여 대책을 마련하게 된 것이다. 이러한 유사법령의 중복 적용 사례가 많아 관련기관에서 업무를 수행하는 데 효율성이 떨어지고 업무의 사각지대가 발행하게 된다는 비판이 지속적으로 제기되어 왔다.

이처럼 끊임없이 발전하는 사이버테러 수법은 위협이 특정개인에 대한 것일지라도 궁극적으로 사이버상의 국가 전체에 대한 위협으로 전환될 수 있기 때문에 공공분야와 민간분야를 구분하는 것이 의미가 없고 대응을 같은 차원에서 수행해야 하는 것이 필요하다. 이를 위해 현재 여러 부처에 산재해 있는 정보보호 관련 법률을 통·폐합하여 개별 법률에 의하여 규제되지 아니하는 사각지대의 발생을 막기 위해서 사이버테러 대응법의 제정이 필요하다는 것이다. 신종 사이버테러범죄를 규정하는 세부적 입법 기술적 측면에 대해서도 장래 발생될 것이 예상되는 범죄의 구체적 행위유형을 특정하여 구성요건으로 할 것인가 아니면 날이 갈수록 급변하는 사이버범죄의 특성을 고려하여 추상적이고 개방적인 행위유형으로 포괄하여 어떻게 구성 요건화할 것인가를 고려해야 한다.

특히 드론(drone)과 같은 첨단 기기는 우리나라뿐만 아니라 세계 각국에서 개인 레저스포츠, 사회경제, 산업 전반에 걸쳐 폭넓게 활용되고 있으나 안전성과 보안 취약성이 도사리고 있다. 드론을 구성하고 있는 다양한 센서와 통신장비 등은 개방된 상태로 있어 사이버테러 공격에 취약할 수밖에 없다. 드론에 대한 의무 등록과 함께 조종자의 자격 요건과 무게의 제한, 고도의 제한, 운영시간의 제한, 속도의 제한 등 구체적이고 엄격한 규제와 처벌이 요구되고 있는 실정이다. 이처럼 오늘날 사이버테러는 현실공간의 전쟁보다는 적은 비용으로 최대의 효과를 노릴 수 있기 때문에 발발할 위험성이 더 높고, 이러한 사이버테러는 사이버전쟁으로 발전할 수 있어 현실공간의 전쟁이 아니더라도 사이버상의 위기로 인하여 국가나 사회가 극도로 혼란에 빠질 수 있다. 이러한 사이버테러로 인한 혼란상태를 대비한 입법 마련이 절실히 필요한 시점이다.

셋째, 사이버테러 수사의 신뢰성 제고다. 사이버테러에 대한 범인의 추적이나 증거 확보는 이전의 수사 방법과 절차를 달리해야 한다. 사이버테러 관련된 증거는 무체성(無體性), 변조의 용이성, 원본과 사본의 구별 불가, 대량 유포, 별도 전문적 감정 필요 등의 특성을 가지고 있기 때문에 기존의 유체(有體)증거물을 전제로 한 엄격한 강제처분 절차의 적용과 법정 증거수집방법 만으로는 한계가 있다. 따라서 별도의 컴퓨터 포렌식 수사가 필요하고, 그에 따른 디지털포렌식에 관한 규정과 디지털증거분석을 위한 연구소의 설립을 위한 별도의 규정이 필요하다. 컴퓨터 포렌식(computer forensics) 또는 디지털 포렌식은 전자적 증거물 등을 사법기관에 제출하기 위해 데이터를 수집, 분석, 보고서를 작성하는 일련의 작업을 말하는 것으로, 초기에는 데이터의 복구에 초점을 맞추어 삭제된 DB의 복구를 위해 주로 법집행기관의 컴퓨터 전문가에 의해 수행되었다. 당시에는 저장장치의 용량이 적었고, 범죄 흔적도 그대로 남아 있어 분석에 별 어려움이 없었으나 현재는 안티포렌식 도구가 발견되면서 사이버 증거 수집을 어렵게 하고 있다. 즉, 데이터를 여러 번 덮어쓰는 기법으로 원본 데이터의 복원을 방지하는 완전삭제(Wiping), 데이터를 암호화하는 기법으로 암호키가 없는 경우 원본 데이터의 복원을 어렵게 하는 암호화(Encryption), 비밀통신을 위해 알고리즘을 모르는 경우 은닉된 데이트의 복원을 어렵게 하는 은닉(Steganography) 등의 수법이 동원될 뿐만 아니라, 휘발성 메모리로부터 의미 있는 증거를 획득하는 것은 매우 어려운 작업이다. 따라서 디지털증거에 접근하는 방법, 즉 디지털증거의 수집·보관·운반·분석 등의 과정 전반에 대한 절차를 규정하는 법률과 독립된 디지털증거분석 전문연구소 설립을 위한 법령의 제정이 필요하다.

넷째, 외국인 해커의 처벌이다. 사이버테러의 범인이 외국인인 경우 우리나라 형법상 보호주의 규정(제6조)에 의하여 처벌할 수 있다. 그러나 우리 형법에 의한 처벌을 위해서는 외국인 신병을 인도받아야 한다는 점에서 국제적인 처리가 요구된다. 이러한 범죄인 인도의 문제를 해결하기 위해서는 국가 간의 「형사사법공조조약」과 「범죄인인도조약」을 체결하여 수사상의 협력을 통해 공식적으로 양국간의 범죄인인도를 받는 방안이나 인터폴을 매개로 한 양국의 경찰간의 협력을 통하여 '사실상의 인도'를 받는 방법, 그리고 사이버테러를 국제범죄(International crime)로 지정하여 이를 자국의 형법으로 처벌하는 방법 등이 있어 입법적으로 해결해야 하는 과제가 되고 있다.

Ⅲ. 사이버테러 관련기관

우리나라의 사이버테러 대응은 다음에서 보는 바와 같이 정부가 국가안보차원의 사이버위협에 대한 대응을 하기 위한 범국가적 체계이다. 「국가사이버안전관리규정」(대통령훈령 제316호)에 의해 청와대가 사이버안전 컨트롤 타워 역할을 하고, 국가정보원이 실무총괄을 담당하며, 민·관·군 분야별 책임기관을 지정해 일원화된 대응체계를 마련하였다고 할 수 있다. 즉 청와대를 중심으로 전반적인 사이버안보 컨트롤타워 기능을 보다 강화하기 위해 국가안보실과 국가사이버안전센터를 통해 일원화하는 사이버안보 수행 체계 구축을 추진했다. 사이버안보비서관을 국가안보실에 두고, 유관부처 차관급이 참석하는 '사이버안보정책조정회의'를 두어 법·제도 개선, 인력양성 추진 등 사이버안보 분야의 주요정책을 수립·조정하고 있다.

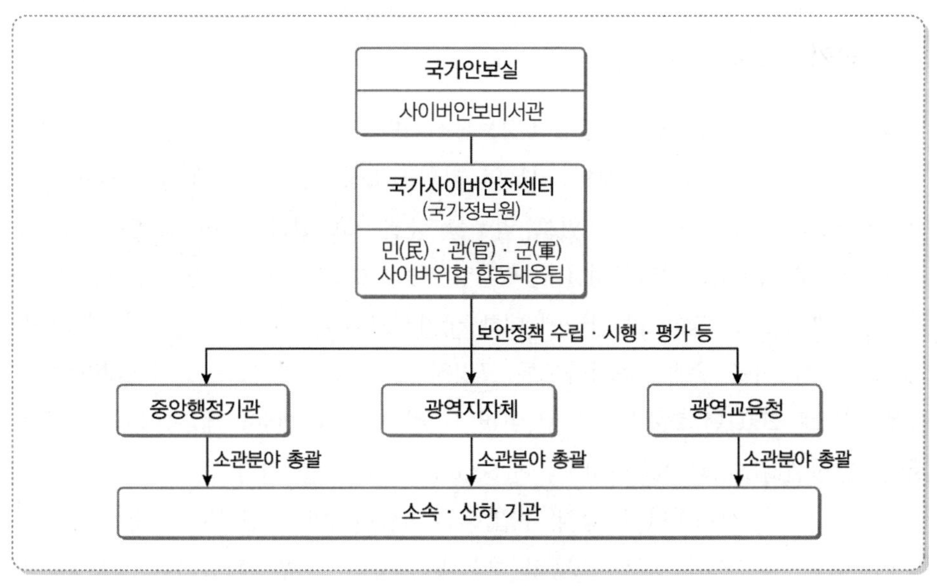

[사이버테러 대응체계도]

출처: 2017 국가정보보호백서(2017), p. 40.

국가정보원의 국가사이버안전센터에서 사이버안보 실무총괄 역할을 맡아 국가·공공부문사이버공격 예방 및 침해사고 조사, 사이버위협정보 수집·분석·배포, 사이버안전 기본계획수립 등의 업무를 수행한다. 또한, 국가사이버안전센터에 민·관·군 사이버위협 합동대응팀을 두어 사이버위협에 대한 범국가 차원의 체계적인 대응태세를 유지하고 있다. 사이버공격 등 위기상황 발생 즉시 각급기관은 국가안보실과 국가정보원(국가사이버안전센터)에 동시 최초 상황보고를 하며, 국가정보원은 사이버공격에 의한 피해 및 대응상황을 국가안보실을 통해 대통령에게 보고한다. 아울러 위기경보 발령 통제 및 범정부 사이버위기대책본부 구성·운영을 통해 위기대응업무를 수행하게 된다. 또한 국가사이버안전에 관한 중요사항을 심의하기 위해 국가정보원장 소속하에 '국가사이버안전전략회의'를 두고, 국가정보원 소속의 국가사이버안전센터는 국가·공공부문 사이버공격 예방 및 침해사고 조사 등의 업무를, 국방부의 국군사이버사령부는 군사분야 사이버전의 수행을, 과학기술정보통신부는 민간분야의 사이버안보 활동을 담당하고 있다. 또한 한국인터넷진흥원 소속의 인터넷 침해대응센터가 민간분야의 사이버공격 예방 및 침해사고 대응 등을 담당하고 있다.

1. 국가정보원

국가정보원은 「국가정보원법」, 「정보통신기반보호법」, 「전자정부법」 등 관계법령에 근거하여 국가 정보보안 업무의 기획·조정 및 보안정책 수립·시행 등 국가·공공기관에 대한 사이버안보 업무를 총괄하고 있다. 특히 2005년 1월 제정한 「국가사이버안전관리규정」(대통령훈령 제316호, 2013.9.2 개정)에서 국가의 사이버안전과 관련된 정책 및 관리에 대해 국가정보원장이 관계 중앙행정기관의 장과 협의하여 이를 총괄·조정하도록 규정하였다. 2003년 1.25 인터넷대란 발생 등을 계기로 2004년 2월에 「국가사이버안전관리규정」 제8조 제1항에 의거 국가사이버안전센터(NCSC: National Cyber Security Center)를 설립하였다.

임무는 국가 사이버안전 정책 수립, 국가 사이버안전 전략회의 및 대책회의 운영, 국가·공공기관 정보시스템의 보안대책 수립·지원, 각급기관 정보통신망 보안진단·평가 등 안전성 확인, 사이버공격에 대한 국가차원의 탐지·대응 체계의 구축 운영, 국가안보를 위협하는 사이버공격에 대한 조사·분석 및 검·경·

군 기무사와의 공조, 사이버위기 경보 발령, 공공분야 주요정보통신 기반시설 보호업무, 국가 · 공공기관용 암호장비 등 보안시스템의 개발 · 보급, 사이버안보 관련 해외 정보 · 보안기관과의 정보협력 등이다. 정보 공조체계 강화를 위해 NCSC에 유관기관이 참여하는 '민 · 관 · 군 사이버위협 합동대응팀'을 운영하고, 공공기관의 정보통신망에 대한 24시간 사이버 위협정보를 수집 · 분석 · 전파하며, 종합판단 · 정보공유 · 합동분석 · 합동조사 등 4개 분야의 역할을 수행하고 있다. 2015년 12월 대규모 사이버공격 발생시 국가 차원에서 예방 · 대응할 필요성이 제기되어, 유관부처와 합동으로 '국가사이버위협 정보공유시스템'을 구축하고 2016년 6월에는 전체 중앙행정기관으로 확대하였다.

2. 방송통신위원회

방송통신위원회는 「정보통신망법」 등 관계법령에 근거하여 정보통신서비스 및 방송 관련 개인정보보호 정책 업무를 수행하고 있다. 최근 우리 사회는 스마트 혁명 속에서 정보통신의 다양한 서비스의 혜택과 편익을 누리고 있지만 개인정보 침해의 위험성도 그만큼 높아졌다. 이에 따라 이 위원회는 개인정보의 침해사고를 사전에 예방하고 유 · 노출 사고에 신속히 대응할 수 있는 체계를 구축 · 운영하고 있다. 2011년 7월에 SK의 대량 개인정보 유출사고를 계기로 2차 피해를 예방하기 위한 '인터넷상 개인정보보호 강화방안'을 마련하여 개인정보 수집 · 이용 제한, 기술적 · 관리적 보호조치 기준 강화, 개인정보 이용내역 통지 등의 정책을 시행하고 있다. 2016년 「정보통신망법」을 개정하여 징벌적 손해배상제, 개인정보 분리 보관, CEO 징계권고 등의 내용을 규정하였다. 아울러 방송통신위원회는 국내외 개인정보 유 · 노출 사고에 신속히 대응하고 추가 피해를 방지하기 위해 인터넷에 노출된 개인정보를 찾아 신속히 삭제하는 개인정보 유 · 노출 대응시스템을 운영하고 있다.

3. 과학기술정보통신부

과학기술정보통신부는 「정보통신망법」, 「국가정보화기본법」, 「전자서명법」, 「정보통신기반보호법」, 「정보보호산업의 진흥에 관한 법률」 등 관계법령에 근거하여 정보보호 업무를 수행하고 있다. 민간 정보보호에 관한 정책의 수립·총괄 및 조정, 민간분야 주요정보통신기반시설의 지정·권고·보호대책·보호지원 및 보호계획, 민간 분야 침해사고 예방·대응체계의 구축 및 운영 등 민간 정보보호 및 정보보호산업 업무를 총괄하고 있다.

산하에 한국인터넷진흥원(KISA, Korea Internet and Security Agency)을 설립하여 정보통신망의 고도화 및 안전한 이용 촉진, 정보통신망의 이용에 따른 역기능 분석 및 대책연구, 인터넷 주소 자원관리 등을 수행하고 있다. 민간분야 사이버 침해사고 예방 및 대응, 개인정보보호 및 피해 대응, 정보보호산업 및 인력양성, 정보보호 대국민서비스, 국가도메인(.kr/.한국) 서비스, 불법스팸 관련 고충처리 등의 업무를 수행한다. 특히, 인터넷 침해사고를 예방하고 대응하기 위해 2009년에 인터넷침해대응센터(KISC, Korea Internet Security Center)를 설립하여 365일 24시간 인터넷 이상 징후를 실시간 모니터링하고, DDoS 대응시스템 및 사이버 대피소를 구축·운영하며, 주요 취약점을 모니터링하여 보안권고문을 배포하고 있다. 이 센터는 국내 민간부문 정보통신서비스 침해사고 사전예방 및 침해사고 발생시 신속대응으로 피해를 최소화하기 위한 다양한 업무를 수행하고 있다.

4. 행정안전부

행정안전부는 「국가정보화기본법」, 「전자정부법」, 「개인정보 보호법」 등 관계 법령에 근거하여 소관 정보보호 및 개인정보보호 정책 업무를 수행한다. 전자정부에 대한 사이버위협과 침해에 대한 선제적 예방 및 대응 체계를 강화하고, 공공·민간 등이 보유하고 있는 개인정보 유출로 인한 피해를 방지하기 위해 법제·체계 정비, 관리·기술적 보호강화, 교육 확대·피해구제 강화 등 다각적인 정보보호 대책을 수립·추진하고 있다. 전자정부 사이버침해 대응역량을 강화하기 위해 정부통합전산센터와 한국지역정보개발원 및 17개 시·도에 사이버침해 대응센터를 구축하여 각종 사이버공격에 공동 대응하고 있다. 그리고 도시철도, 교통신호 등 지자체 주요 기반시설의 보안관리를 강화하기 위해 98개 시설을 주요정보통신기반시설로 지정하여 보안취약점 점검 및 조치, 방화벽 등 필수 보안 인프라를 설치 보급하고 있다.

5. 금융위원회

금융위원회는 「전자금융거래법」에 따른 전자금융거래 이용자 보호 및 전자금융 분야 정보보안정책의 수립 및 제도개선에 관한 사항과 「전기통신금융사기 피해 방지 및 피해금 환급에 관한 특별법」에 따른 전기통신금융사기 피해 방지와 피해금 환급에 관한 정책 및 제도 개선사항 등을 관장하고 있다. 그리고 「정보통신기반보호법」 등에 따른 금융분야 주요 정보통신기반시설 보호 등의 업무를 수행하고 있다. 2015년 1월에 「전자금융거래법」을 개정하여 전자금융사기의 핵심 범죄수단인 대포통장의 불법 대여 및 보관·전달·유통행위에 대한 처벌 범위를 확대하고, 「재난 및 안전관리기본법」 등에 따라 금융분야의 국가 기반체계 보호 업무, 금융전산 분야에 대한 위기관리 업무를 수행 중이다. 2015년 4월 금융보안원을 설립하여 보안컨설팅 및 각종 가이드 제공, 취약점 분석·평가, FDS 등 정보공유시스템 운영 등을 수행하고 있고, 금융보안원을 정보공유·분석센터 및 침해사고대응기관으로 지정하여 전자적 침해사고 예방·대응체계를 운영하고 있다.

6. 대검찰청 사이버범죄수사단

대검찰청 사이버범죄수사단은 2011년 11월 대검찰청 첨단범죄수사과 내의 인터넷범죄수사센터와 디지털수사담당관실 내의 사이버통제팀을 통합 개편하였다. 2015년 2월에는 과학수사부를 만들면서 사이버범죄수사단을 흡수하여 수사기획관실과 4개과로 증편 보강되었다. 과학수사1과는 문서감정 등 범죄수사 관련 감정·감식을 담당하고, 과학수사2과는 DNA 및 생화학 법감식 등을 담당하며, 디지털수사과는 전자적 증거의 수집·분석을 담당하며, 사이버수사과는 사이버범죄수사단을 흡수하여 사이버테러, 해킹 등 사이버상 국가안보·금융·경제범죄에 대처한다. 또 국가기간산업, 금융 등 국민경제에 필수불가결한 분야에 대한 인터넷망과 통신 등을 공격하는 사이버범죄에 대응하며, 국내외 유관기관과의 협력체계도 구축하고 있다.

7. 경찰청 사이버안전국

경찰청 사이버안전국은 경찰청의 하부조직으로 1997년 8월 컴퓨터범죄수사대로 출발하여 사이버범죄수사대 → 사이버테러대응센터를 거쳐 2014년 6월 지금의 사이버안전국이 되었다. 조직은 사이버안전팀, 사이버수사대, 디지털포렌식팀으로 구성되어 사이버테러범죄에 대한 기존의 사후 대응체계에서 사전 위협분석을 통한 범죄 예방 및 피해 확산 방지를 위해 디지털 포렌식의 고도화 등 종합적인 사이버안전체계를 마련하였다.

8. 국군사이버사령부

국군사이버사령부는 지난 2009년 7월 7일 일명 '7.7사이버 테러'가 북한에 의해 우리나라와 미국의 주요 정부기관, 은행 사이트 등을 DDoS로 서비스를 일시적으로 마비시킨 사건을 계기로 2010년 1월 국방정보본부 예하의 부대로 발족하였다가 2011년 9월 국방부 직할부대로 개편되었다. 주요 임무는 군사분야 사이버전의 기획과 전쟁 수행, 부대 훈련, 유관기관과의 정보 공유 및 협조체제 구축 등이다. 국군기무사령부 산하의 국방정보전대응센터는 2003년 11월 설치되어 사이버테러대응팀과 정보통신 기반보호팀 등으로 구성된다. 사이버테러대응팀은 국방전산망에 대한 24시간 침해정보 탐지・분석과 침해사고 조사 및 예방활동, 원격・현장 피해복구 지원, 국내외 정보전・사이버전에 관련된 정보분석 등의 임무를 수행하고, 기반보호팀은 정보작전 방호태세 훈련간 모의공격과 국방정보통신 기반시설에 대한 취약성 분석・평가, 정보 시스템 보안측정 및 진단, 정보통신 보안 컨설팅 등의 업무를 수행한다. 또한 사이버전에 대비한 범국가 사이버 모의훈련 및 합참 주관 정보작전방호태세(INFOCON)훈련에 동참하여 사이버전 대응훈련을 실시하고 있고, 보안점검용 소프트웨어를 자체 제작하여 중앙보안감사시 원격 전산보안진단 업무에 활용하고 있다.

9. 국가보안기술연구소(NSRI: National Security Research Institute)

이 연구소는 주요 정보통신기반시설 등의 보호를 위한 기술 개발과 지원, 국가 · 공공기관의 정보통신시스템 및 정보통신망에 대한 사이버침해에 효과적으로 대응하기 위한 기술 및 정책의 개발 · 지원을 목적으로 「과학기술분야 정부출연 연구기관 등의 설립 · 운영 및 육성에 관한 법률」에 의해 2000년에 설립된 전문 연구기관이다. 이 연구소는 「국가사이버안전관리규정」, 「국가정보보안 기술연구 개발 지침」 등에 따라 공공 분야의 사이버안전 관련 기술 확보를 위한 연구 · 개발을 수행하고 있고, 국가암호기술 연구, 해킹대응기술 개발, 정보보안기술 개발 및 정책 지원, 관련 기반구축 및 지원활동 등을 수행하고 있다.

10. 한국전자통신연구원(ETRI: Electronics and Telecommunication Research)

1999년에 민간부문 정보보호 핵심 · 원천 기술을 개발하기 위해 정보보호기술 연구본부를 설립하였다. 산하에 정보보호연구본부를 두고 '무범죄 안전국가'를 건설하기 위한 현안 문제를 해결하고, 산업경쟁력을 제고하는 연구개발 역량을 목표로 다양한 정보보호 영역에 대한 연구 · 개발을 중점 추진하고 있다. 네트워크 인프라 마비, 불건전 · 유해정보 유통, 개인정보 유출 및 프라이버시 문제 등 유비쿼터스 사회로의 진입에 걸림돌이 되는 정보화 역기능 해소를 위한 정보보호 선도기술을 확보하고, 보유기술의 신속한 산업화를 지원하고 있다.[41]

---

41) 『2017 국가정보보호백서』, (2017.4), pp. 40-70.

제11장

미래 테러 양상

여기서는 우리나라에 대한 미래 테러위협 양상을 다루었다. 가장 위협적인 문제로 이슬람과 기독교의 갈등을 꼽았고, 다음으로는 자생테러의 출현 문제와 북한의 대남테러 문제를 거론하였다.

우선 기독교와 이슬람의 충돌 문제로 외국에서 이미 거론된 헌팅턴(Huntington)의 문명충돌론과 조던-바이치코프(Jordan-Bychkov)와 도모쉬(Domosh)의 종교분쟁론 등을 소개하고 현재 세계 곳곳에서 진행되고 있는 두 문명의 충돌과 갈등지역을 중동의 이스라엘과 팔레스타인의 분쟁 등 대표적인 곳을 중심으로 살펴보았다. 우리나라의 두 종교의 충돌문제로 먼저 해외에서 이슬람 지역에서의 공격적인 선교로 인한 테러위협 사례와 국내에서의 이슬람 인구의 증가와 무슬림의 할랄식품(Halal Food), 「이슬람채권법」 일명 수쿠크(Sukuk)법 추진과정 등 이슬람 문화에 대한 관심, 저출산으로 인한 이슬람 자녀의 증가 등의 요인을 통해 충돌 가능성을 종합적으로 다루어 보았다.

자생테러의 문제로 우리나라의 '묻지마 범죄'가 자생테러로 발전할 가능성을 점쳐 보았다. 우선 자생테러의 특징을 살펴보고 해외에서 발생한 대표적인 자생테러의 사례를 소개하였다. 이를 바탕으로 우리나라에서 이러한 '외로운 늑대'의 출현 가능성을 우리사회의 발전된 사이버환경에서 소셜 미디어(SNS) 이용의 확산, 다문화사회로의 진입, 외국인 범죄의 증가, 탈북자 동화(同化)문제, 사이버 폭력의 증가, 이념적 갈등의 대립 등의 요인으로 거론해 보았다.

마지막으로 북한에 의한 대남테러 문제이다. 북한의 대남테러는 과거의 사례나 변하지 않고 있는 남한에 대한 적화통일전략 전술이나 대남 테러를 전담하고 있는 조직의 건재, 북한이 처하고 있는 대내외 환경 등을 종합적으로 고려할 때 지속될 것으로 예상되어 여전히 우리나라에 가장 큰 위협요인이 될 것이다. 다만 앞으로 북한은 국지적인 군사도발을 통하여 대남 위협을 계속 자행할 것이 예상되는바 소위 '제4세대 전쟁'에 대비한 군사적 차원에서 다루어야 한다는 의미에서 거론하였다.

제1절 이슬람과 기독교의 갈등

헌팅턴(Samual P. Huntington)은 1992년 미국의 시사잡지 『Foreign Affairs』에 "문명의 충돌"이란 글을 통해 국제세계는 이념 대신에 종교가 그 자리를 차지하는 문명충돌론을 제기했다. 또 1996년에는 『문명의 충돌: 세계질서의 재편』(The Clash of Civilizations and The Remaking of World Order)이라는 책을 통해 냉전의 종언(終焉)과 함께 국제질서의 가장 심각한 쟁점은 문명 간의 충돌이 될 것이라고 주장했다. 헌팅턴은 문명권을 구분하는 1차적 기준은 종교이고, 오늘날 직면하고 있는 문명의 충돌은 종교적 갈등 문제에서 비롯된다고 하였다. 헌팅턴은 이를 서구와 이슬람의 전통적인 문명의 충돌로 설명한다. 그는 문명권을 구분하는 1차 기준으로 기독교권, 이슬람권, 유교권, 불교권, 힌두권 등으로 나누어지고 이 외에 라틴 아메리카권, 아프리카권(비이슬람), 일본권 등으로 나누어진다고 했다.[1] 이슬람은 자기 문화의 우월성을 확신하고 서구의 침투에 맞서 이슬람의 순수성을 지키고자 서구의 종교에 대해 반대하는 것이 아니라 그들의 세속주의와 도덕적 타락의 가치가 이슬람 사회에 들어오는 것을 두려워하고 거부한다는 것이다. 따라서 오늘날의 세계에 정치적 갈등의 배후에는 이러한 문명 간의 충돌이 자리를 잡고 있다는 것이다.

오늘날 문명은 정착생활, 언어, 혈연, 종교, 생활방식 등 다양한 문화적 특성과 동질성을 기준으로 하지만 핵심 변수로 종교를 선택했다. 서구에서 발생했던 대규모 종교적 분열과 종교 전쟁의 사례에서 볼 수 있듯이 서구의 충돌이 정치적인 사건으로 보이지만 결국엔 종교에서 비롯되고, 전 세계의 다양한 이념 사이의 충돌과 갈등이 결국엔 종교 간 충돌의 양상을 보이고 있다. 세계가 직면하고 있는 문명 충돌의 핵심요인이 종교적 갈등에서 비롯되고 이는 결국 민족 간의 대립과 마찰로 나타난다. 특히, 기독교와 이슬람의 뿌리 깊은 대립은 아랍과 이스라엘의 생존권 다툼에서 비롯하여 기독교와 이슬람 간의 대립으로 확대 발전되

---

1) Samuel P. Huntington, *The Clash of Civilizations and The Remaking of World Order* (New York: Simon & Schuster, 2003), pp. 23-25, 36, 207-265.

었다. 이슬람 원리주의는 알라신이 만든 신성한 세계를 서구사회의 기독교 문명이 오염시켰다고 주장하며 서구사회를 타도대상으로 삼았기 때문이다. 또한 조던-바이치코프(Jordan-Bychkov)와 도모쉬(Domosh)도 1999년 출판된 『The Human Mosaic』에서 종교, 언어, 민족, 정치 등 다양한 주제로 문명을 분석한 결과 앞으로 종교로 인한 충돌 가능성을 예측하면서 종교분쟁은 제3차 세계전쟁(World War III)이 될 것으로 설명하고 있다.[2)]

이처럼 헌팅턴의 문명충돌론, 조던-바이치코프와 도모쉬의 종교분쟁론 등은 현재 국제사회에서 발생되고 있는 국제테러의 원인에 대한 설명으로서 충분한 설득력을 가지고 있다. 탈냉전으로 정치적 이데올로기에 의한 분쟁은 사라졌지만 민족주의의 분출, 대량살상무기의 확산, 지역적·인종적 차별, 종교 갈등의 심화 등 다양한 요인에 의하여 오히려 국지적 분쟁과 국제테러는 심화되는 양상을 보이고 있다. 민족과 문명, 종교적 이데올로기를 기반으로 한 지역 패권주의적 경향이 정치적 갈등의 심화와 더불어 문명 간의 충돌로 상징되고 있다. 특히 기독교권과 이슬람권의 대립과 갈등은 인류의 미래에 대한 희망과 안전에 위협요소로 다가오고 있다.

다음은 이슬람과 기독교와의 갈등 역사를 살펴보고 장차 우리나라에서의 종교갈등 문제를 예측해본다.

Ⅰ. 이슬람과 기독교의 갈등 역사

이슬람과 기독교의 관계는 역사적으로 1400년 동안 이슬람이 강성하여지면 기독교는 침체기를 맞았고, 기독교가 팽창하면 이슬람 세력의 위축을 가져오는 시소게임의 형태로 반복되었다. 때로는 평화적 공존의 시기도 있었지만 대체로 이들의 관계는 극심한 경쟁과 갈등의 연속이었다.

7~8세기는 이슬람의 정복사업이 활발하던 시기였다. 632년에서 661년 사이에는 이슬람의 통치권이 무함마드 친척들이나 가까운 동료들에게 넘어간 소위 '정통 칼리프 시대'로 시리아, 이라크, 이집트, 그리고 페르시아가 이슬람 세력의 지

2) Terry G. Jordan-Bychkov and Mona Domosh, *The Human Mosaic: A Thematic Introduction to Cultural Geography*, New York: Longman(1999).

배하에 들어갔다. 우마이야 왕조가 성립되고 초기에는 국내정비 및 비잔틴 제국과의 국경분쟁으로 대규모의 정복전쟁은 없었으나 내란 평정 후 대규모의 정복전쟁을 진행하여 중앙아시아와 북인도를 정복하고, 모로코와 지브롤터 해협을 넘어 이베리아 반도를 정복했다. 무함마드의 사후 1백 년에 해인 732년에 우마이야 왕조의 영토가 최대로 달해 이슬람 세력이 아시아, 아프리카, 유럽의 3대륙에 다다랐다. 당시 기독교인들은 무슬림으로 전향해야 한다는 압박이 끊이지 않아 대부분 개종하였지만 상당수는 서기(書記)의 일과 번역의 일과 기타 정부의 여러 잡동사니 행정사항들을 처리하면서 비교적 고위 관직에 올랐다. 반대로 이슬람은 아라비아 반도 내의 유대인들에 대해서는 참혹한 폭력을 휘둘렀다.

11~13세기 동안에는 십자군전쟁이 있었다. 1095년에서 1272년 간 성지를 회복하겠다는 목표로 7차례의 원정이 있었다. 교황 우르반 2세에게 이슬람은 기독교인으로 개종시키기보다 오히려 적으로 정복시켜야 하는 존재였다. 1차 십자군운동(1096) 당시 이슬람을 이단자로 여겨 이들을 살해해도 무죄로 여겼고 살해자가 오히려 칭송과 영광을 받을 정도였다. 1099년 십자군은 마침내 예루살렘으로 진격하여 거의 500년 만에 성지를 되찾았고, 이슬람에 대한 증오와 원한에 대한 화풀이에 나섰다. 그러나 기독교의 십자군 전쟁은 이슬람의 세력을 약화시키지 못했고 오히려 1453년 동방교회의 영적인 중심지였던 콘스탄티노플까지도 이슬람에게 점령을 당하게 되었다. 결국 십자군 전쟁으로 이슬람의 진출을 저지하지 못하고 오히려 기독교를 더욱 증오하게 만드는 계기가 되어 오점을 남겼고 이미지가 손상되었다. 십자군 전쟁 참여국간의 다툼과 분열로 말미암아 내내 불명예스러운 것이 되었다.

1299년부터 1922년까지 오스만 제국의 시대다. 1258년 술탄(sultan)이 실권을 잡고 국가를 지배하는 이슬람 제국은 완전히 붕괴되었다. 칭기즈칸의 손자가 이끄는 몽골 군대가 바그다드를 점령하여 도시를 불태우고, 주민들을 학살하고, 칼리프와 그 가족들을 처형하면서 이슬람이 몰락하였다. 그러나 오래가지 않아 세 개의 새로운 이슬람 제국이 일어났는데 이스파한을 수도로 하는 이란 제국이 북으로는 중앙아시아, 동으로는 아프가니스탄까지 뻗어 나갔다. 인도의 델리를 수도로 하는 무굴 제국과 콘스탄티노플을 이스탄불로 개명하여 수도로 삼은 오스만 제국이다. 오스만 제국은 1453년 콘스탄티노플을 함락하고 오늘날 터키라고 불리는 소아시아의 대부분을 정복하고, 6년 후 세르비아와 보스니아를 정복하였다. 16세기 초에는 헝가리 대부분 지역을 합병하면서 1683년까지 유럽의 대부분을 지배하였고, 북아프리카, 남부 러시아, 아라비아 반도까지 뻗어 나갔다. 오스만 전함들은 무적의 스페인 해군도 공격하여 이슬람은 기독교도들에게 또다시 혐오와 공포의 대상이 되었다.

17세기부터 20세기까지는 서구 기독교 열강의 식민주의 시대다. 이 식민주의는 한 나라의 정치적 주권을 다른 지역의 주권과 영토에 확장시키는 의미를 가지기 때문에 제국주의 혹은 팽창주의와 거의 같은 의미로 쓰이고 있다. 17세기 말에서 20세기 중반에 이르는 식민지 시대는 십자군 전쟁 때보다 더 큰 영향력을 기독교와 이슬람의 관계에 주었다. 터키, 이란과 아프가니스탄을 제외한 거의 모든 이슬람 국가가 유럽의 기독교 열강의 식민지나 보호령이 되었다. 당시 유럽의 열강들은 그들의 강력한 해군력을 이용하여 영향력을 확대해 나가 식민지를 탄압했지만 그들은 문명과 물질적 진보를 식민지 사람들에게 나누어주고 기독교의 신앙을 전파했다. 하지만 이슬람 교인들은 그들의 국가가 쇠퇴했음에도 불구하고 대부분 이슬람교 신앙을 견고히 유지하고 있어 전해준 복음에 저항하고 있었다.

오늘날 진행되고 있는 '테러와의 전쟁'도 9・11테러 직후 부시 대통령이 비유한 십자군전쟁(Crusade)처럼 현대판 기독교문명과 이슬람문명 간 충돌의 연장선으로 볼 수 있다.

Ⅱ. 기독교 문명과 이슬람 문명

문명은 문화와 대치(對置)되는 것으로 정신적 가치와 물질적 가치로 구분하는 견해도 있고, 문화의 복합체로서 문명을 이해하는 의견도 있다. 또 문화가 전통과 개별성을 강조하고 과거 지향적인 의미가 있다고 한다면, 문명은 미래 지향적이며 인류의 진보와 이성의 보편성을 강조하는 개념으로 사용되고 있기도 한다. 여기서는 문명을 국가나 단체의 전통과 관습을 포함한 포괄적인 정신적・물질적 진보된 상태를 말하는 것으로 이해하고자 한다.

1. 기독교 문명과 근본주의(Christian fundamentalism)[3]

기독교는 불교, 이슬람교와 함께 세계 3개 종교의 하나이다. 2017년 세계 선교통계(Status of Global Christianity, 2017)에 따르면 지구촌 75억 인구 중 기독교(천주교, 개신교 포함) 신앙인이 24억 7,956만여 명으로 세계 전체 인구의 약 33%를 차지하여 종교 중 가장 많은 수를 차지하고 있다.[4] 이러한 기독교의 사상은 그리스 사상과 더불어 유럽을 중심으로 하는 서구문명의 사상을 대표하는 조류로서 서구사회의 정신적 지주가 되어 왔고 자본주의의 발전수단으로 역할을 해 왔다. 서구문명은 자본주의의 합리적 조직과 경영, 산업가들의 신념과 가치관, 창의적 생산 활동 등의 기독교의 보편주의 사상이 자본주의 경제조직에 접목되면서 발달을 가져 왔다. 따라서 기독교는 서구사회에서 단순한 종교적 역할에 그치지 않고 정치, 경제, 사회, 문화, 예술, 교육, 사상 등 인간의 모든 활동분야에서 많은 영향을 끼쳤고 서구문명의 바탕이 되었다. 오늘날 초강대국인 미국 역시 유럽의 영향권에서 기독교사상을 배경으로 국가 탄생과 문화적 성장을 통해 미국식 민주주의 발전의 모델로서 전 세계에 적지 않은 영향을 주었다.

초기 기독교의 사상은 신(神) 중심의 세계 사상이었다. 정치체제는 기독교의 하부구조로 종교가 우선시되는 신정일치(神政一致)의 사회구조를 형성하였고, 중세에 들어와서는 하느님의 절대적 진리에 대한 믿음이 더욱 강조되면서 개인의 행복과 인류의 평화는 전적으로 신의 의지로 귀착되었다. 그러나 산업혁명 이후의 근대국가로 진입하면서 과학기술의 발전과 자본주의 경제의 발달에 따라 종교적 권위를 대신하는 세속적인 권위가 반기독교적인 요소와 함께 나타나기 시작하여 경험적이고 인간중심적인 사회체제가 형성되기 시작하였다. 근대 이후의 서구사회는 기독교 사상을 배경으로 하는 인간중심의 세속적 조직이 정치, 경제, 사회, 문화 등 전 분야에서 활발하게 진행되었고, 인간의 존엄성이 보장되는 오늘

---

3) Fundamentalism이란 용어는 1910년에서 1915년 사이 미국 시카고 출판사가 간행한 90편의 수필집 제목인 『The Fundamentals: A Testimony To The Truth』에서 유래되었다고 한다(위키백과). 우리말로 근본주의 혹은 원리주의로 번역되고 있는데 통상 기독교는 근본주의로, 이슬람은 원리주의로 사용하여 여기서는 그 용어를 그대로 사용하기로 한다.

4) "Status of Global Christianity, 2017, in the Context of 1900 - 2050", CENTER FOR THE STUDY of Global Christianity(2017) (http://www.gordonconwell.edu/ockenga/research/documents/StatusofGlobalChristianity2017.pdf) 참조.

날의 민주주의가 확립되기 시작하였다. 이러한 민주주의 사상은 기독교 정신으로부터 출발하고 기독교의 보편적 사상에 의해 많은 영향을 받았다. 즉 오늘날 서구의 민주주의는 기독교정신의 단계적 발전을 통해 형성된 인간중심의 정치체제라고 볼 수 있다. 따라서 기독교의 보편주의(普遍主義)는 서구사회 문명을 특징짓는 사상으로 자리를 잡게 된다.

이러한 보편주의는 인간의 가치와 평등을 강조하면서, 구원의 메시지로서 인류의 평화를 전체의 공동체 의식으로 부각시키면서 비서구권으로 확대해 나갔다. 비서구인들에 대한 서구문명의 전파과정에서 수용자의 답습여부에 따라 갈등과 조화를 만들어 내고, 이질적 문명의 전파가 순조롭지 않은 경우 갈등과 마찰이 발생하게 된다. 특히, 기독교 정신의 우월성을 강조하는 서구 신진국의 경우 인류의 구원과 세계평화라는 역사적 사명감을 가지고 비민주성, 인권, 여성의 권리, 저개발, 핵문제 등을 기독교의 정신과 연계하면서 민주주의와 인권문제를 앞세워 서구식 국가발전 모델을 강요하게 되었다. 이 과정에서 배타성이 강한 집단에게는 정치적 종속관계를 강요하는 것으로 간주되어 반항적인 각종 테러를 유발하는 계기가 되었다.

기독교의 근본주의는 19세기 말에서 20세기 초부터 영국과 미국의 보수적 복음주의 신학자들이 자유주의 신학에 반대하면서 주창한 기독교 신학사조를 말한다.[5] 즉 근본주의란 자신을 신앙의 근본적인 것을 옹호하는 것이다. 이 용어는 1911년 미국에서 생겨났지만 분위기는 이미 19세기 말부터 자유주의적 이념에 대한 반작용으로 미국을 중심으로 생겨났고 20세기에 와서 크게 확산되었다. 근본주의자는 자신을 현대 세속화된 세계 및 다른 기독교인들로부터 스스로를 구분하는 독특한 방식의 생활과 믿음을 가진 집단이다. 특징은 신앙과 영혼구원에 대한 호전적인 방어로 세속화된 사회로부터 자신은 다르다는 점이다. 즉 근본주의자의 핵심 강령은 '세상으로부터의 분리'(separation from the world)이다. 또한 근본주의에서는 자유주의 신학, 진화론, 사회주의(공산주의)를 불경스러운 삼위일체로서 기독교에 있어 무서운 위협으로 간주하고 있다. 그들은 엄격한 윤리적 생활을 강조하고 예수 재림에 대한 강한 믿음을 가지며 자신만을 특별히 선택받은 선민(選民)이라고 생각하는 만큼 배타성도 강하다. 그들에게 타협과 동화(同化)는

---

5) 위키백과(https://ko.wikipedia.org/wiki/) 참조.

가장 혐오스러운 단어들이다.[6] 심지어 UN조차도 민주주의와 자본주의의 적(敵)인 공산주의의 힘의 도구라고 낙인찍어 이를 거부한 바 있다.

이처럼 근본주의가 신앙적 열정을 고취하고 교회성장에 기여한 부분이 있지만 그 배타주의와 특수주의 성향 때문에 다른 종교집단과의 갈등과 긴장을 야기하고, 다원화된 현대사회에서의 적응력을 약화시키는 역기능도 있었다. 비록 개신교 근본주의가 호전적인 공격성을 직접 표출하지는 않으나 이교도의 국가나 민족을 응징하는 정치적 공세나 군사 공격에 대하여는 강력한 도덕적 정당성을 부여하고 있다. 특히 미국의 개신교 근본주의는 지금까지 미국이 감행한 걸프전, 아프간전 등 모든 전쟁의 가장 든든한 후원자가 되어 왔다. 결국 근본주의 역시 철저한 종교적 배타성으로 기독교와 이슬람교 갈등의 가장 강력한 배경 중에 하나라는 사실을 이해해야 할 것이다.

2. 이슬람 문명과 원리주의(Islamic fundamentalism)

앞에서 본 것처럼 이슬람교는 기독교에 이어 세계에서 두 번째로 많은 신앙인을 가지고 있는 종교로 중동, 아프리카, 인도, 동남아시아 등을 중심으로 지구촌 4분의 1에 해당하는 57개국에 분포되어 세계적인 단일 문화권을 형성하고 있다. 이슬람교의 신 알라(Allāh)는 역사적으로 천사 가브리엘을 통해 무함마드 자신에게 계시를 준 창조주이며 유일무이(唯一無二)한 존재이다. 따라서 무함마드는 아랍민족의 최고의 신(神)이며 세계의 신으로 간주되고 있다. 이슬람교는 인간의 창조에서 최후의 심판과 내세에 이르기까지 기독교와 같은 맥락에 있지만, 예수를 마호메트와 함께 신이 아닌 예언자로 생각하며 신과 인간의 직접 접촉과 구원을 주장하고 있고, 유일신인 알라에 대한 절대적인 복종을 강요하고 있다. 이처럼 종교가 중심이 된 이슬람 문명은 아라비아의 척박한 조건에서 두터운 문화적 하부구조를 갖지 못한 상태에서 시작하여 종교적 융성을 이루기까지는 개방적 자세로 주변문화를 적극적으로 수용하고 자기화함으로써 급속한 발전을 이룬 공존과 상생의 생산물이었다. 따라서 이슬람 문명은 1400여년이나 존속되어 그 범세계적 가치를 과시해왔을 뿐만 아니라 미래의 대안(代案)문명으로까지 거론되고

6) Nancy Ammerman, *Bible Believers: Fundamentalists in the Modern World*(Mar 1988).

있다. 이슬람 문명은 오랜 세월에 걸쳐 다양한 문화, 언어, 역사, 종족에 의해 확산되면서 여러 민족과 나라의 다양한 고유문화가 이슬람이라는 용광로에 녹아 만들어진 다원적 문명의 단일화 형태로서 자리를 잡게 되었다. 이 속에는 매우 다양한 민족과 문화적 유산들이 존재하나 이슬람이라는 교리로 통제되고, 코란에 의한 강령들을 따르면서 지리적으로 서로 밀접하게 인접하고 있어 결속력이 다른 문명권에 비해 높다.

무슬림들은 가족(Family)의 개념으로 관계형성을 하고 친밀도를 유지하며, 이러한 과정을 명예심과 충성심으로 나타내면서 가족과 명예(Honor)를 중요한 덕목으로 생각한다. 그러나 이러한 덕목이 위협을 받는 경우에는 공격적인 양상이 된다. 이슬람 문명권은 아랍제국을 이슬람권으로 강제통합하면서 중앙집권적이고 범세계적인 문명권으로 발전하면서 평화와 평등의 가치를 표명하였으나 도전적이고 패권주의적인 교리의 확장과정에서 항복과 개종을 요구함으로써 종교적 포용성이 상실되고 타문명과의 마찰과 충돌을 불러일으켰다. 특히 코란은 이슬람을 전하는데 있어 방해되는 모든 사람들을 상대로 싸우는 것을 의무로 기록하고 있어 폭력을 종교적으로 정당화시키고 있다. 내부적으로는 가족의 관계로 결속을 강화하고 있으나 교리확장 과정에서 타문화의 유입이나 이질문화에 대한 접촉은 무력적인 탄압과 굴복으로 다스렸다. 특히, 1960년대 이후 중동에서 이슬람 원리주의가 부활하면서 투쟁적이고 전투적인 양상은 더욱 두드러지게 나타났다.

이슬람 원리주의(Islamic fundamentalism)는 외세(종교 포함)를 배격하고, 부패한 세속주의 정권을 척결하여 회교 율법 즉 코란에 따른 정교일치(政敎一致)로 회교질서를 확립하고 궁극적으로 회교국가를 건설하는 것을 목표로 하는 종교적 이상주의를 말하는 것이다. 즉, 이슬람의 교리를 바탕으로 정치・사회적 질서를 바로 잡고, 이슬람 공동체의 순수성을 지켜나가며, 코란의 근본정신으로 돌아가자고 하는 운동을 말한다. 이후 이들은 현재의 세속정권을 무너뜨리고 코란을 헌법으로 삼는 이슬람 공화국의 창설을 최대 목표로 하며, 철저한 율법 준수와 신에 의한 통치를 주장하고 반(反)외세, 특히 서구적인 정치사상과 사회제도를 배격한다는 점을 특징으로 하고 있다.

원리주의의 출현 배경은 일찍이 19세기와 20세기 초 유럽 기독교 국가들에 의한 이슬람 국가의 식민지화는 이슬람권의 정치적・종교적 위기를 초래하면서 20

세기 중반을 거치면서 이슬람 세계는 "이슬람으로 돌아오라"(Return to Islam)는 구호 하에 이슬람법이 지켜지는 전통으로 회귀하여 종교질서를 확립하고, 이슬람의 근원으로 돌아가자는 운동으로 나타난 것이다. 이것은 서구 제국주의와 그것의 탐욕스러운 경제 및 이데올로기에 대한 반작용으로 흔히 해석되고 있다. 내적 요인은 이슬람 체제 내부의 불안정이었고, 외적 요인은 이슬람권에 집중된 석유 확보를 위한 서구 기독교 열강들의 진출이었다. 이들은 이러한 내외적 요인에 따라 이슬람 사회가 혼란에 빠져드는 원인을 서구 기독교 이념의 진출에서 찾았고, 이에 대한 반발로 서구 열강을 공격 대상으로 삼았다. 그들은 한편으로는 외세를 배격하고 다른 한편으로는 서구권과 밀착하여 지원을 받던 왕정을 전복시켰던 호메이니의 이란혁명을 모델로 삼고 이슬람 국가 건설을 추구하는 것이다.

원리주의는 신(神)의 개념 해석금지, 종교와 국가의 일치, 이상사회로의 회귀, 경건한 문자주의, 범(凡)이슬람주의, 가부장주의, 서방과 동방 세계 모두에 대한 거부, 권위주의, 기계적 연대감 회복 등을 내세우면서 이슬람 국가 건설을 주장하게 되었다. 원리주의의 호전성에 대해서 그들은 자신을 종교적 핵심이 도전받고 위협받는 것에 대하여 저항하는 전사(戰士)로 보고 무기로 생각할 수 있는 모든 자원을 가지고, 이교자(異教者)를 대상으로 그들의 영역과 집단의 통합을 위해 싸운다. 신의 목적을 수행하도록 명을 받았다는 확신을 가지고 신의 이름으로 싸운다(fight under God)는 신념을 가지고 있다는 것이다. 과거 이집트의 나세르(Gamal Abdel Nasser, 1956-1970 재임) 대통령에 의해 주창되어 한 시대를 풍미했던 아랍 민족주의가 좌절되고, 탈냉전 이후 국제사회가 다극화되면서부터 이슬람권 좌익 세력이 발판을 잃으며 사회적 불안과 좌절감이 심화되어 그 돌파구를 위해 원리주의가 대두되었다는 주장도 있다. 이러한 모든 문제에 대하여 이슬람과 코란 속에서 해결책을 찾지 못한 과격분자들이 테러 행위를 자행하게 된 것이라는 것이다.

실제로 무슬림형제단(MB: Muslim Brotherhood), 알 누스라 전선(ANF), 제마 이슬라미야(JI), 탈레반팔레스타인 무장 단체인 하마스와 지하드, 레바논의 헤즈볼라, 그리고 알 카에다(AQ) 등 현재의 이슬람 테러집단은 거의 예외 없이 이슬람 원리주의를 신봉한다. 20세기 말 소련 등 사회주의 국가들이 무너지면서 미국이 초강대국으로 등장하자 제3세계 국가들, 특히 이슬람권이 불안을 느끼게 되었고 각 국가와 민족은 강한 연대감을 필요로 하게 되었다. 이때 적대적인 외부세력에 대하여 저항하기 위해서는 강력한 이데올로기가 필요했고 여기에서 바로 민족주의와 원리주의가 확산하게 되었다. 따라서 21세기 이슬람권에서는 강력한 종교 이데올로기로서 이슬람 원리주의가 더욱 확산되고 강화되고 있는 것이다.

3. 이슬람과 기독교의 차이

그러면 이슬람과 기독교의 차이는 무엇일까? 역사적으로 기독교와 이슬람은 세 가지 측면에서 유사한 내용을 갖고 있는데 모두 아브라함의 자손이고 유일신을 믿는 종교이며 책의 종교라는 점이다. 하지만 경전과 교리, 예배 의식, 신학 등에서 차이가 있다. 우선 교리에서 출발부터가 다르다. 기독교는 창세기의 아담으로부터 출발점을 삼고 있지만 이슬람은 아브라함으로부터 보고 있다. 기독교는 아브라함을 족장 시대 인물이며 믿음의 아버지로 보고 있는 반면 이슬람은 아브라함을 이스마엘의 아버지로 보는 데서 차이가 난다. 이것이 양 종교의 충돌과 갈등의 원인이 되고 있다. 경전을 비교하면 기독교는 성경으로 두 권의 책인 구약 39권, 신약 27권 등 총 66권으로 40여 명의 저자들에 의하여 구체적으로 하나님의 사역을 기록하고 있다. 이에 비해 이슬람의 경전은 코란(Koran)[7]으로 총 114장으로 아랍어로 기록되어 있고 무함마드가 받은 신의 언어라고 한다. 코란은 한 번에 기록한 것이 아니라 무함마드 사후 632년까지 계속해서 저작된 것으로 알려져 있다. 무함마드는 글을 알지 못해 그의 추종자들이 이를 외우고 있다가 무함마드가 죽고 난 뒤 얼마 후 책으로 펴내어 오늘날까지 전해 내려오고 있다. 코란은 철저하게 아랍어만을 사용하는 것을 전제로 하며 다른 언어를 시용하지 못하도록 하고 있다. 반면에 기독교의 성경은 히브리어, 헬라어와 아랍어로 기록되어 있으며 그 외에 다른 여러 나라의 언어로 번역되어 출판되고 있다.

기독교는 성경을 통하여 창조, 타락, 구속, 부활, 승천(昇天), 재림(再臨)이라는 기독교 세계관을 강조하고 있는 반면 이슬람의 코란은 무함마드가 가브리엘 천사

7) 코란은 어원상 '읽는 것'을 의미하지만, 신학적으로 말하면 구체화된 '신의 말씀'이다. 보통 '알-키탑(al-Kitab)'이라고 말하거나, '성서'의 의미를 담아 '알-키탑 알-무깟다스(al-Kitab al-Muqaddas)'라고도 부르지만, 가장 널리 불리는 명칭은 '알-꾸란 알-카림(al-Quran al-Karim: 고귀한 코란)'이다(두산백과).

를 통해 받은 계시라고 하지만 성경의 내용과 여러 가지 비슷한 점을 발견할 수 있다고 한다. 신학측면에서 무함마드와 예수를 보는 관점이 다르다. 이슬람에서는 기독교의 예수 그리스도가 예언자에 불과하다고 말한다. 선지자로 인정하고 있지만 기독교는 그가 성육신(聖肉身)한 것으로 보고 있다. 이슬람은 인간의 구원은 선한 행위(자카트)로 구원을 받을 수 있지만 성경은 인간의 행위로는 구원을 받을 수 없고 오직 하나님을 믿는 믿음과 그의 은혜로 구원받는다고 한다. 코란은 인간을 약하게 창조하였고 공동체의 도움으로 알라(Allah)의 뜻에 복종함으로 알라를 기쁘게 할 수 있다고 한다. 그러나 성경은 사람이 원죄 때문에 스스로 아무것도 할 수 없고 하나님의 구원이 필요할 뿐이다. 기독교의 삼위일체 교리는 매우 중요한데 성부(聖父), 성자(聖子), 성령(聖靈)으로 나눈다. 이슬람에서 알라는 절대적인 의미에서 유일무이(唯一無二)하다. 기독교는 철저하게 개인 구원이다. 이슬람에서 구원의 책임은 개인보다는 집단의 문제로 보고 서로 연합된 이슬람 국가를 만들려고 한다. 성경은 예수가 십자가에서 죽고 부활했음을 증거한다. 그러나 이슬람에서는 예수는 십자가에서 죽지 않았고 알라가 살아 있는 예수를 들어 올려 자연사한 것으로 본다.[8]

이처럼 기독교와 이슬람은 유사한 점이 많지만 그에 못지않게 다른 내용이 많다. 이러한 차이로 인하여 기독교와 이슬람은 하나의 길로 갈 수 없다. 이 차이가 기독교와 이슬람의 대립과 갈등의 원인을 제공할 뿐 아니라 전쟁과 테러, 폭력을 정당화하고 조장하는 이유가 되고 있음을 알 수 있다. 역사적으로도 양 종교의 지도자들은 대화를 통해 친선과 협력이 필요하다는 것을 인식해 왔으나 폭력과 테러, 기독교 교회에 대한 거부감과 이슬람에 대한 편견으로 인한 불만과 비판이 끝나지 않고 있는 것이다.

4. 두 문명의 충돌과 테러

문명의 충돌은 결국 지구적 규모에서 펼쳐지는 종교와 민족 간의 분쟁이다. 역사적 과정에서 살펴보았듯이 상이한 문명에 속하는 국가들과 집단들의 관계는 대체로 적대적인 성향을 띠며 충돌양상을 나타내고 있다. 종교는 문명의 핵심으

8) 장훈태 외, 앞의 책, pp. 155-168.

로서 그 역할을 해 왔고, 극단주의는 문명충돌의 점화원이 되고 있다. 특히, 기독교와 이슬람의 대립과 마찰은 십자군 전쟁이후 지속되어오고 있고 현대의 9・11 테러가 대표적으로 지금도 세계 곳곳에서 무차별 테러로 확산되고 있는 추세이다. 기독교의 보편주의 사상이 저개발국으로 전파되는 이상 이슬람 원리주의도 코란을 헌법으로 하는 이슬람 국가의 설립을 포기하지 않을 것이다. 서구 자본주의가 민주주의 논리로 이슬람권에 진출한다면 무슬림은 적극적인 대항을 무력적인 방법으로 시도할 것이며 이로 인한 테러의 발생과 확산은 역사적으로 증명되어 왔고, 앞으로도 지구 곳곳에서 발생할 것이다. 문명의 포기는 민족을 포기하는 것과 같기 때문에 이에 대한 저항과 테러는 미래에도 증폭될 것이다.

다음에서는 앞에서 살펴본 이스라엘과 팔레스타인 분쟁, 9・11테러를 제외하고 현재 세계 곳곳에서 진행되고 있는 두 문명의 충돌과 갈등지역을 대표적인 곳을 중심으로 살펴본다.

(1) 아프가니스탄 및 이라크 전쟁

아프가니스탄은 1996년 9월 26일 탈레반 정부가 막강한 군사력을 기반으로 국토의 80% 이상을 점령한 뒤 이슬람공화국을 선포하였으나 국내의 여러 종족이 다양한 분쟁을 일으키며 내전이 그치지 않고 있다. 구(舊) 소련의 침입과 간섭, 그리고 오랜 내전으로 아프가니스탄의 국토는 황폐화되고, 민생은 극도의 궁핍 속에서 헤어나지 못하고 있다. 모든 아프가니스탄 종족들은 종족 구조를 해체시키고 중앙집권제를 수립하려는 중앙정부에 대해 무조건적으로 반대했으며, 이제까지 아프가니스탄에서는 중앙 권력을 장악한 종족이 기존의 종족적 권위 구조를 대신하려는 어떠한 노력도 실시하지 않아 수많은 난민들이 양산되고 있는 실정이다. 그러한 가운데 2001년 미국은 9・11테러를 이유로 하여 아프가니스탄을 침공하여 탈레반 정부를 해산시켰고, 친미 정부를 선거를 통하여 세워 놓았으나 주변 이슬람 국가와 국내 반군세력에 의해 다시 미국을 중심으로 하는 서방권과 이슬람의 세력의 격전장이 되고 있다.

이라크는 1991년 4월 걸프전(1차 이라크 전쟁) 종결 이후 국제사회로부터 불법적인 대량살상무기(WMD)를 보유하거나 개발하고 있다는 강한 의심을 받아 2002년 1월 부시 미국 대통령으로부터 세계 평화를 위협하는 '악의 축'(惡의 軸, Axis of evil)으로 지목했다. 미국은 2003년 3월 20일 이라크 대한 공습을 개시하여 2010년 8월 24일 공식 종전을 선언했다. 7년간의 이라크전을 치르는 동안 이라크인은 최소 10만 명에서 최대 200만 명까지 사망하였고, 미군은 4,400명의 목숨을 잃어 2차 세계대전 이후 가장 치열한 전쟁으로 기록되었다. 그러나 전쟁 과정에서 수많은 실패와 예상치 못한 사태들이 발생했고, 그 여파로 이라크 내에 수많은 반군 조직이 생겨나 상처만 안겨준 전쟁으로 평가되고 있다.

(2) 보스니아 사태

보스니아는 구(舊)유고 연방이 해체될 즈음인 1992년 3월 3일 보스니아-헤르체고비나는 국민투표를 통해 독립을 선포하였으나 곧 분쟁의 시작이었다. 독립을 주도한 세력은 보스니아 이슬람 정부와 이들과 협조한 크로아티아인들이었으나 보스니아의 약 30%를 차지하는 세르비아인들이 국민투표에 불참하면서 보스니아에서 분리 독립을 주장하며 곧바로 3월 4일 독립을 선언하였다. 세르비아를 주축으로 하는 신유고 연방은 이러한 사태를 3년 7개월을 방치하여 보스니아 전체 인구 430여만 명 중에서 20여만 명이 죽고 250여만 명이 난민으로 전락하는 인종 청소가 자행되었다. 나중에 평화 협정안이 체결되었으나 전체 인구의 30%에 불과한 세르비아계에게 전체 영토의 49%를 배당하는 것으로 보스니아 사태의 해결과 평화라는 구실 아래 인구의 대부분이 무슬림인 보스니아의 입지를 약화시키려는 의도가 있다고 비난을 받고 있다.

(3) 필리핀 모로 분쟁

필리핀 남부의 민다나오 섬과 술루 군도를 중심으로 하는 모로 분쟁이다. 필리핀 남부에는 '모로'(필리핀 무슬림)라는 소수 민족이 스페인에 의해 식민지가 되기 이전의 이슬람국의 재건을 목표로 분리 독립을 주장하는 700만 명 이상의 필리핀 무슬림들이 있다. 모로는 다종족 사회인 필리핀에서 인구 85% 이상의 카톨릭교도에 대항하는 민다나오와 술루 지역의 13개의 다양한 문화적·언어적 집단들로 구성되어 있는 다인종의 민족이다. 필리핀은 과거 스페인의 식민지로 기독교도들이 기득권을 차지하게 되었고, 식민통치를 받아들이지 않았던 민다나오와 술루 제도에는 기득권 밖으로 밀려난 모로들이 거주하면서 가장 빈곤한 20개주 중 14개를 포함하고 있다. 이 지역은 97%가 무슬림으로 이루어져 모로 이슬람 해방전선(MILF: Moro Islamic Liberation Front)을 중심으로 분리 독립을 주장하고 있다. 1996년 9월 평화협정을 통해 1972년부터 시작된 24년의 유혈충돌과 내전은 마감되었으나 필리핀 정부의 약속 이행 문제와 평화협정에 불복한 아부샤프 그룹(ASG: Abu Sayyaf Group)의 통제 문제로 여전히 갈등의 불씨가 남아 있는 상황이다.

(4) 동티모르 사태

인도네시아 동쪽 끝 순다 열도의 일부인 티모르섬은 16세기 초 포르투갈에 강점된 후 포르투갈과 네덜란드에 의해 동서로 분할되었다. 17세기 이래 서티모르는 인도네시아를 통치한 네덜란드, 동티모르는 포르투갈의 지배를 받았다. 서티모르는 제2차 세계대전 후 독립한 인도네시아의 영토로 자동 편입되었고, 동티모르는 1974년 포르투갈이 민주화되면서 식민주의를 포기하자 1975년 독립을 선언했다. 독립선언 직후 인도네시아가 강제 점령하고 1976년 5월 일방적으로 27번째 주로 편입시켰다. 그 후 동티모르의 독립운동과 유혈탄압이 계속되어 1991년의 독립요구 주민집회를 인도네시아군이 무차별 발포하여 508명이 사살되었다. 지속적인 독립운동의 결과 1999년 1월 주민투표로 78.5%가 독립을 찬성하였으나 이에 불복하는 인도네시아군과 민병대가 살육과 방화를 자행하여 인구의 1/3이 학살되었다. 주민 학살이 극에 달하자 유엔은 1999년 9월 7500명 규모의 다국적 평화유지군을 파견하였고(한국도 상록수부대 420명을 파견하여 2003년 10월까지 활동), 나아가 10월 25일 동티모르 독립을 위한 유엔동티모르과도행정기구(UNTAET)를 설립하여 2002년 5월 20일 21세기 최초의 독립국이 되었다. 이는 기본적으로 기독교와 이슬람의 충돌이다. 인도네시아의 4대 종족 중 아체(Atieh)족은 독립심이 강한 민족으로 일찍부터 네덜란드의 식민통치에 항거해 1873년부터 1942년까지 처절한 무장 항쟁을 벌였다. 1953년부터 이슬람국가를 지향하는 다룰 이슬람(Darul Islam) 운동으로 비화되어 인도네시아는 현재 동남아 이슬람의 메카로 세계 최대의 이슬람 국가가 되었다. 반면에 동티모르는 인구 81만명 중 가톨릭 신자가 91.4%로 기독교 국가로 지금도 두 국가 간에 유혈 충돌이 끊이지 않고 있다.

(5) 아르메니아－아제르바이잔 분쟁

이 분쟁은 카프카즈(Kavkaz)산맥 남쪽에 위치한 두 나라가 각각 기독교와 이슬람교를 믿고 있는 데 따른 것이다. 두 국가의 분쟁의 근원은 아제르바이잔 영토 내에 자리 잡고 있는 아르메니아계 자치주 나고르노 카라바흐(Nagorno-Karabakh)에서 비롯되었다. 1988년 기독교의 섬을 이루고 있는 아제르바이잔 내 나고르노 카라바흐주(州)가 독립을 하겠다고 나선 것이 발단이 되어 그때부터 6년간 계속된 양국 간의 전쟁으로 약 2만 명이 숨지고 1백만 명 이상의 난민이 발생하였다. 나고르노 카라바흐 자치주는 주민 대부분이 아르메니아인이란 점을 내세워 독립 또는 아르메니아로의 편입을 주장하고 있는데 아제르바이잔 정부로서는 받아들이기 어려운 요구였던 것이다. 1994년 유럽안보협력기구(OSCE)가 평화유지군을 파견하는 등 중재에 나서 휴전엔 합의했지만 종전은 안 된 상태로서 불안한 휴전이 계속되고 있는 상황이다. 2016년 5월 양국 정상들이 회담을 갖고 나고르노 카라바흐를 둘러싼 영토 분쟁 해소 방안을 논의했으나 지난 4월 양측 간의 무력 충돌로 군인 75명이 숨지는 사태가 있었고, 인접국인 터키가 아제르바이잔을, 러시아는 아르메니아를 지원하고 있어 양국 분쟁은 국제적 갈등으로 비화될 가능성도 점쳐지고 있다.

Ⅲ. 우리나라 이슬람과 기독교의 충돌

우리나라의 경우 공격적인 해외 선교로 2017년 말 현재 전 세계 170개국에 27,436명의 선교사가 해외에서 활동하고 있고, 2006년에서 2017년까지 12년 동안 매년 평균 약 천여 명씩 증가하고 있다. 지역별로 보면 한국 선교사들이 가장 많이 활동하는 지역은 아시아 지역으로 전체 선교사의 53%에 달하고 있고, 2015년 대비 가장 많은 증가를 보인 지역 역시 동남아시아로 318명이 증가 파송되었으며, 이어 중동 73명, 북아프리카 58명이 각각 증가하였음을 알 수 있다. 그중에서 동남아시아, 중앙아시아 지역과 중동과 북아프리카 지역의 대부분이 이슬람권으로 이러한 지역에 대한 공격적인 선교가 여전함을 말해주고 있다. 특히 지금도 분쟁이 진행 중인 중동과 북아프리카 지역은 파견 선교사 비율이 전체에서 차지하는 비율이 각각 4.86%(1,388명), 2.13%(611명)으로 나타나 여전히 테러의 위협에 노출되어 있는 실정이다. 특히 이러한 공식적인 통계 이외에 훨씬 많은 수가 현지에서 활동하고 있는 현실을 감안할 때 그만큼 테러에 의한 피해가 높아질 수 있다. 실제로 2004년 이라크 김선일 피랍살해사건, 2007년 아프가니스탄 피랍사건, 2009년 예멘 여행객 자살폭탄 테러사건, 2010년 타지크스탄 한국교회 폭탄테러사건, 2014년 이집트 시나이반도 버스폭탄테러사건 등의 테러가 발생하였다.[9)]

국내적으로도 1990년 이후 외국인 체류 인구가 급속하게 증가하고 있는데 이는 노동력 부족 때문이다. 1986년 아시안 게임과 1988년 서울올림픽 이후 국제무대에서 한국의 이름이 알려지기 시작할 무렵 국내 노동시장에는 산업별 노동력 이동현상이 일어나면서 제조업 분야에 심각한 인력난을 초래했고, 가난과 실업으로 노동력을 해외에 공급해야 하는 아시아의 많은 국가 노동자들이 '코리안 드림'을 품고 한국으로 밀려왔다. 2016년 말 현재 국내에 체류하고 있는 외국인은 총 2,049,441명으로 최근 5년 간 매년 9.2%의 증가율을 보이고 있다. 우리나라의 전체 인구 대비 체류외국인 비율도 2012년 2.84%에서 2016년 3.96%으로 매년 증가하고 있다. 특히 이슬람국가로 불리는 외국인 중에 우즈베키스탄이 전체 외국인(2,049,441명)의 2.7%(54,490명)로 가장 많고, 인도네시아 2.3%(47,606명), 방글라데시 0.8%(15,482명), 파키스탄 0.6%(12,639명), 카자흐스탄 0.6%(11,895명), 말레이시아 0.4%(7,698명) 등 총 149,810명으로 중국을 제외한 체류 외국인의 14.5%에 달하고 있다.[10)]

또한 국내 이슬람 문화도 넓게 퍼지고 있다. 1970년대 중동 건설 붐을 타고 연 인원 100만 명에 달하는 한국 근로자들이 중동에 진출하고 그중 1,700여 명의 근로자들이 무슬림이 되어 귀국하면서 정부의 지원으로 1976년 5월 서울 이태원에 한국 최초의 이슬람 중앙 성원이 완공되었다. 이를 교두보로 1980년 초 부산에 제2성원, 1981년 경기 광주에 제3성원, 1986년에는 안양시에 제4성원, 전주시에 제5성원을 건립하였다. 또한 1977년에 당시 삼릉로라는 도로의 명칭을 테헤란로로 바꾸었고 1980년 5월 당시 최규하 대통령이 사우디아라비아를 공식

9) 자세한 내용은 제5장 제3절 참조.
10) 자세한 내용은 제6장 제2절 참조.

방문하여 칼리드 국왕(재위 1975-1982)과 한국에 이슬람대학을 설립하는 데 공사비 일체를 제공 받아 경기도 용인에 세우기로 약속한 바 있다. 현재는 전국에 50~60개의 임시 예배소가 설치되어 있고, 국내에 20만여 명(한국인 5만여 명, 외국인 15만여 명)의 이슬람 인구가 있고, 2050년에는 전 인구의 0.7%(34만 여명)가 될 것으로 예측하기도 하고[11] 또 다른 견해는 10년 내에 이슬람 인구가 100만, 2050년에는 300만~400만 명이 될 것으로 예상하기도 한다.[12]

또한 저출산 문제로 우리나라의 경우 최근 10년의 출산율이 평균 1.2명이다. 이에 반해 이슬람의 무슬림들은 자기 국가에서 평균 출산율이 5.0~8.0명이고, 유럽거주 무슬림의 경우 평균 출산율이 2.2명임을 감안할 때 우리나라의 출산율이 턱없이 낮다. 반면에 우리나라의 이슬람 가정은 다산(多産)으로 산아제한을 하지 않기 때문에 가능하면 많은 자녀들을 낳아서 자녀는 무조건 무슬림이 되는 이슬람 교리로 무슬림의 숫자를 늘려가는 것이다.

최근에는 우리나라에서 무슬림의 할랄식품(Halal Food)에 대한 관심이 고조되고 있다. 2020년의 경우 세계인구 4명당 1명이 무슬림이고 이들이 소비하는 식품인 할랄 푸드 시장이 약 2조 5천$로 우리나라 GDP의 18%가 되는 상황으로 식품업계의 관심이 고조되고 있다. 정부 차원에서도 이러한 국제적 추세에 발마추어 관련 산업 지원에 힘을 쏟고 있다. 이러한 한국의 이슬람에 대한 관심고조 현상을 이용하여 한국의 이슬람들은 이슬람 문화에 대한 거부감을 없애는 데 힘을 기울이고 있다.[13]

이러한 여러 가지 추세를 볼 때 향후 한국에서 이슬람의 인구가 증가하고 이슬람 문화가 확산될 것은 예상되고, 이로 인한 이슬람과 기존의 기독교와의 갈등과 충돌은 충분히 예측할 수 있다. 실제로 다음과 같은 몇 가지 사례에서도 이 같은 조짐을 확인할 수 있다.

2009년 9월 국회에 제출된 「이슬람채권법」 일명 수쿠크법 추진과정이 대표적이다. 수쿠크(Sukuk)는 이슬람의 독특한 채권형태를 가리키는 용어로 보통의 채권 경우는 이자를 통해 이익을 얻지만, 이슬람 율법인 샤리아(Shariah)는 이자를 금지하고 있어 사업수익을 통한 배당으로 이익을 지급하는 채권을 말한다. 당시

11) 자세한 내용은 제6장 제3절 참조.
12) 최윤식, 『2020-2040 한국교회 미래지도』(생명의말씀사, 2013).
13) 자세한 내용은 제6장 제3절 참조.

정부에서는 수쿠크가 발행되면 외환자금 조달 창구의 다변화되어 1997년 IMF 외환위기나 2008년 글로벌 금융위기 때 외화자금 조달의 위험성을 줄일 수 있고, 대(對)중동 경상수지 적자를 줄이는 효과도 있다는 명목으로 현행 「조세특례제한법」을 개정하려고 했다. 즉 2009년 9월 정부가 「조세특례제한법」 일부 개정안인 일명 「수쿠크 법안」이 국회에 제출되었다. 현행 「조세특례제한법」 제21조에 의해 국가, 지방자치단체, 내국법인이 발행하는 외화표시채권의 경우 소득세와 법인세가 면제되고 있다. 하지만 이슬람채권의 경우 수쿠크를 통한 자금융통은 형식상 거래의 외형을 띠고 있으므로 양도세, 취·등록세, 법인세, 부가가치세 등의 세금이 부과되고 있다. 따라서 이자소득세를 면제해주는 일반 외화표시 채권보다 금리가 높아져 채권 발행의 의미가 없어지기 때문에 수쿠크와 외화표시 채권의 조건을 똑같이 맞추기 위해 각종 세금을 면제해주자는 게 「수쿠크 법안」의 골자다. 그러나 현재까지 이 법이 사실상 사장되고 있는 이유는 이슬람 채권에만 세금 특혜를 주는 것은 형평성에 맞지 않다는 것이고, 특히 기독교계에서는 이슬람채권을 도입하려고 법을 개정하는 것 자체에 부정적인 입장을 보이고 있다. 수쿠크 발행과 운용이 이슬람 신자들로 구성된 '샤리아 위원회'의 통제를 받는다는 점을 지적하면서 수쿠크 자금은 거래가 끝난 뒤 그 내용을 폐기하도록 하는 '하왈라'란 방식으로 송금되고, 거래 수익 중 2.5%는 '자카트'란 명목으로 기부되는데 이 돈이 테러자금으로 전용될 가능성을 배제할 수 없다는 것이다. 이는 국내에 거주하고 있는 무슬림 인구가 약 30여만 명인 상황에서 이슬람교의 경제력이 커질 것을 우려한 한국기독교총연맹 등 보수적 기독교계와 일부 정치인들의 반대에 막혀 결국 무산된 사례다. 그러나 한국의 이 같은 움직임과는 달리 미국 같은 기독교 국가는 물론이고 유대계 투자은행인 골드만삭스(GS: The Goldman Sachs Group)마저 이슬람자금 유치와 수쿠크 발행에 나설 만큼 세계 금융시장에서 이슬람 자본의 중요성이 커진 점을 감안할 때 이 문제는 앞으로도 우리나라의 종교적·정치적 논쟁의 불씨가 될 가능성이 크다고 할 수 있다.

2015년 8월에는 정부가 전북 익산에 50만평 규모로 조성 중인 국가식품크러스트 단지 내에 할랄식품(Halal Food) 테마단지를 조성하려던 계획이 무산되었다. 계획을 바꾼 표면적인 이유는 입주예정 업체들이 적다는 것이지만, 실제는 할랄단지 지정이 졸속으로 추진된 데다 기독교계와 시민단체들의 극심한 저항에 직면했기 때문이라는 것이다. 정부 계획이 발표된 이후 보수 기독교 단체와 시민단체들은 익산시청 등지에서 반대 집회를 여는 등 거세게 반발하면서 이슬람에 대해 잠재적인 테러리스트 또는 범죄자로 매도·혐오하여 결국 정책이 무산되었다.

또한 우리나라의 경우 이슬람과 기독교 간의 갈등뿐만 아니라, 기독교와 불교 등 상호간에 타종교에 대한 배척과 비방, 폄하행위가 곳곳에서 발생하고 있다.

2010년 10월에는 '찬양인도자학교'라는 단체 소속의 개신교 청년들이 봉은사에서 개신교식 예배를 드리고 불교를 폄훼하는 '봉은사 땅밟기'라는 동영상을 제작하여 물의를 빚었다. 이어서 '동화사 땅밟기'라는 제목의 동영상이 급속히 퍼졌다. 대구기독교총연합회가 제작한 이 영상은 총 7분 30초 분량으로, 템플스테이에 대한 정부 지원 반대와 불교테마공원 설립 반대 등을 내세우며 대구 팔공산에 위치한 동화사를 '사탄의 숭배지'로 세워진 곳이라며 비난했고, 일부 개신교인들은 같은 해 7월 불교국가 버마에서 한 법당에 둘러앉아 손을 잡고 찬송가를 부르며 예배를 보는 이른바 '미얀마(버마) 땅밟기' 영상을 제작·유포하였다. 2014년 7월에는 인도 부다가야의 마하보디대탑에서 한국 선교단 3명이 찬송가를 부르다가 승려에게 발각되어 쫓겨난 일이 있었다. 이러한 사건이 사회적으로 논란이 되자 선교단체인 인터콥(Inter CP)[14]의 최바울 목사는 공개적으로 땅밟기 운동을 옹호하였다. 이 밖에도 매년 여름 라마단(단식) 기간이 되면 한남동 이슬람 서울중앙성원에 몰려가 땅밟기를 하는 신도도 있다.

2010년 10월에는 KTX 울산구간 신설역 명칭을 '울산역(통도사)'로 병기하기로 했던 계획이 개신교 단체의 반발로 무산된 사례도 있다. 2011년 11월에는 불교계 재단이 운영하는 동국대학교에서 일부 기독교 신자들이 학내에서 선교하며 스님들과 충돌하면서 제지하는 스님을 업무방해·모욕죄 등으로 경찰에 고소하는 사건도 있었다. 이들은 학내 불상에 붉은 페인트로 십자가를 긋고 '오직 예수'라고 적어놓는가 하면, 법당 안에서 대소변을 배설하고 문짝을 파손했다. 제등행렬에 사용할 코끼리 등(燈)에 불을 질러 전소시키기도 하고, 야간에 여러 대의 대형버스를 타고 들어와 학내 광장에서 종교 집회를 갖고 사라지기도 했다.

외국의 경우, 지난 1989년 영국 작가 샐먼 루시디(Salman Rushdie)의 장편소

---

14) 인터콥(Inter CP)은 1980년 KTM(Korea Tent maker Mission)을 시작으로 1983년 최바울 목사 주도의 대학생(서울대, 외대 중심) 선교운동으로 출발. 이슬람지역 개척선교를 목표로 40개국 600여명 선교사를 파견하여 공격적 선교로 비판을 받고 있다(예레미아 이단연구소).

설 '악마의 시'(The Satanic Verses)로 서구와 이슬람 문명의 충돌이 일어났다. 언론의 표현의 자유를 명분으로 하는 유럽과 종교의 신성함을 고수하는 이슬람의 대결이었다. 당시 루시디는 마호메트를 풍자하고 코란을 악마의 계시로 빗대어 소설화하여 유럽에서 문학적 평가를 받았으나 이슬람권은 마호메트를 모독하는 행위라면서 이 소설의 판매 및 번역을 금지하고, 이란의 최고지도자 호메이니(Ruhollah Khomeini)는 1989년 2월 루시디에게 사형을 선고하고, 100만 달러의 현상금을 내걸기도 했다. 유럽 각국과 이란은 서로 자국 대사를 소환했으며, 영국과 이란은 단교했다.

2005년 9월에는 덴마크 최대 일간지 '율란츠 포스텐(Jyllands Posten)'에 실린 12컷짜리 만화에 무함마드가 머리에 심지에 불이 붙은 폭탄모양의 터번을 얹는 모습과 자폭공격으로 죽어 천당에 온 이에게 "처녀가 다 떨어졌다"고 말하는 모습 등 이슬람에 대한 냉소적 내용이 담긴 만화들이 게재됐다. 표현의 자유를 위해 이런 만평을 게재했다고 주장했으나 이슬람권이 반발해 사우디아라비아, 요르단, 시리아, 이집트 등은 지난 달 말 덴마크 주재 자국 대사들을 소환했고, 리비아는 지난 주 덴마크 주재 대사관을 폐쇄했다. 중동에서는 덴마크 상품 불매운동이 시작됐다. 사태가 확대되자 율란츠 포스텐사(社)는 사과 성명을 발표했음에도 불구하고 팔레스타인 무장단체들은 덴마크 국기를 불태우는 등 격렬하게 시위를 벌였다.

2005년 5월에는 미국 시사주간지 뉴스위크가 이슬람권 테러 용의자 500여 명을 수용하고 있는 쿠바의 관타나모 기지에서 미군들이 용의자들을 자극하기 위해 코란을 변기에 넣고 물을 내리는 등 모독 행위를 했다고 보도한 것이다. 보도 직후 아프가니스탄과 파키스탄에서 시작된 반미시위는 중동 전역을 휩쓸어 20여 명이 사망하고 수백 명이 부상했다. 또한 2011년 아프간 주둔 육군 병사 6명이 지난 2월 20일 바그람 공군기지 내 도서관에서 최대 100여권의 코란과 경전을 불태운 것이다. 두 사건은 아프간 전역에서 시민들의 격렬한 항의시위를 야기해 30여명이 사망하고, 아프간 내무부 청사 내에서 미군 2명이 사살되는 등 유혈사태로 번졌다. 결국 미국은 오바마 대통령이 직접 나서 사과하고, 관련 병사에 대해서 행정처벌을 내렸다. 2012년 9월에도 프랑스 풍자 전문 주간지 샤를리 앱도에 마호메트가 휠체어에 앉아 있고, 다른 면에는 발가벗은 마호메트가 치욕적인 자세로 엎드려 있는 만화가 게재되어 출간되자 이슬람 모독 영화로 성난 이슬람 교도들은 다시 한 번 들끓고, 레바논에서는 무장단체 헤즈볼라가 조직한 1만명의 시위대가 운집했다.

이처럼 종교·민족 간, 문명 간의 충돌은 전세세가 공통적으로 직면하고 있는 문제로 향후 국가대테러 정책에서 반드시 고려해야 하는 중요한 정책변수가 되고 있다. 특히 기독교권과 이슬람권의 대립과 갈등은 천년 이상 계속되어 왔고 11세기 기독교가 일으킨 십자군 전쟁을 기점으로 두 문명 간의 충돌은 시작되었고 지금도 국제정치적 양상으로 표면화되고 있고 인류안보에 위협요소로 다가서고 있다. 따라서 우리나라도 여기에서 예외가 될 수 없고 우리사회의 기독교 문화와 이슬람 문화가 정면으로 충돌하는 미래를 상상할 수 있어 이에 대한 장기적 관점에서 대응해야 할 것이다.

제2절 자생테러의 출현

Ⅰ. 자생테러 개념

자생(自生)테러(homegrown terrorism)란 자국에서 태어나고 성장한 국민이 자국정부와 국민을 상대로 테러를 자행했을 때를 일컫는 말이다.[15] 즉 자기 자신의 힘으로 어떠한 목적과 주의를 관철시키거나 자신의 주장을 알리기 위해 자국을 상대로 폭력을 행사하는 행위를 말한다. 이 용어는 미국에서 처음으로 등장하였는데 지난 2001년 9·11테러 이후 미국에서는 「국토안보법」(Homeland Security Law, 2002)을 제정하였고 2007년에는 「폭력적 급진화와 자생테러 예방법」(Violent Radicalization and Homegrown Terrorism Prevention Act, 2007)을 새로이 제정하였다. 이 법에 의하면 자생테러란 "미국이나 미국의 어떤 소유물 내에서 태어나 성장하거나 하는 기반을 갖고 있는 어떤 집단이나 개인이 정치적·사회적 목적을

15) Ashlie Perry & Binneh s Minteh, "Home Grown Terrorism in the United States (US): Causes, Affiliations and Policy Implications", *Division of Global Affairs*, Newark Campus (Jan. 8, 2014), pp. 1-9.

위해 미국 정부나 시민 또는 그것의 어떤 부분을 위협하거나 강요하기 위하여 무력이나 폭력을 사용하거나 계획하는 것"을 말한다고 정의하고 있다.[16] Spaaij, R.(2012)는 '독자적으로 행동하며, 조직화된 테러단체나 네트워크에 속하지 않으면서, 리더나 지휘체계상 명령을 받지 않고 활동하며, 테러전술이나 방법도 외부의 지휘명령을 받지 않고 독립적으로 구상하고 실행하는 개인에 의한 정치적 폭력행위'로 정의한다.[17]

자생테러는 급진과격화(Radicalization)에 의하여 발생하고 지하드나 지하드 사라피 이념은 서방국가에서 태어난 젊은 남녀를 자발적 전사로 만들어 그들이 나고 자란 국가에 대하여 테러를 자행하게 하는 동력요인이다. 최근에 발생한 2016년 미국 플로리다 주 올랜드 총기사건, 2015년 프랑스 동시다발 테러, 2015년 영국런던 지하철, 2013년 4월 보스턴 마라톤 테러 등을 대표적인 자생테러사건으로 보고 있다. 이 같은 사례는 테러범이 현지에서 태어나고 자란 이민 2~3세대로 자국민이고 어떤 테러 조직에 의한 지시나 사주가 없이 혼자 스스로 테러를 감행했다는 공통점이 있다. 소위 외로운 늑대(Lone Wolf)[18]에 의한 테러다. 다른 용어로는 고독한 투사(lone-wolf fighter), 지도자 없는 저항자(leaderless resistance) 또는 실체 없는 조직원(phantom cell)로 불리기도 하고, 한국어로는 '독불장군'이라는 말이 있으나 부정적 의미는 없다. 이러한 점에서 자생테러는 전통적 의미의 테러와 구분된다.

Tomas Precht(2007)는 다음의 <표>에서 보는 바와 같이 서구사회의 발전 경험을 토대로 자생테러를 발생시키는 세 가지 요인을 주장하였다. 즉 배경요인(background factors), 촉발요인(trigger factors), 기회요인(opportunity factors)으로 분류하였다.[19]

---

16) he term homegrown terrorism means the use, planned use, or threatened use, of force or violence by a group or individual born, raised, or based and operating primarily within the United States or any possession of the United States to intimidate or coerce the United States government, the civilian population of the United States, or any segment thereof, in furtherance of political or social objectives.(sec.899A. Definitions).

17) Ramon Spaaij, 『Understanding Lone Wolf Terrorism: Global Patterns, Motivations, and Prevention』, London/New York: Springer(2012).

18) 외로운 늑대는 외부 명령이나 자료・정보를 지원받지 않고 혼자 테러를 자행하는 사람을 뜻한다. 이 용어는 1990년대 백인우월주의자 알렉스 커티스(Alex Curtis)와 톰 메츠거(Tom Metzger)가 처음 사용했고, 지하활동이나 세포조직의 익명으로 정부 또는 표적을 공격하는 전사를 "lone-wolf"라고 불렀다고 한다(위키백과).

〈자생테러를 발생시키는 요인〉

범위	요인
배경요인	• 서구사회에서의 무슬림으로서의 정체성 위기 • 개인적 고통 • 차별의 경험과 상대적 박탈요인(사회적 불만족,빈곤 등) • 살아가는 환경과 친구(분리와 평행사회) • 소외와 정의롭지 못하다는 지각 • 이슬람 테러에 대한 무슬림들 간의 비판적인 토론의 상대적 부재
촉발요인	• 서구의 대외정책과 유발적인 사건들 • 지하드의 신화와 행동에 대한 욕구 • 카리스마있는 사람이나 정신적인 조언자의 존재
기회요인	• 이슬람 사원 • 인터넷과 위성방송채널 • 학교, 대학, 청소년클럽 또는 일자리 • 교도소, 놀이활동, 까페·바 또는 서점

출처: Tomas Precht, 위의 책, p. 6.

Ⅱ. 자생테러 특징

자생테러는 테러의 주체, 대상, 요구 조건 등에서 전통적 의미의 테러와 다른 다음과 같은 특징을 가진다.

첫째, 테러를 자행하는 주체가 자국민이다. 즉 테러범은 과거는 주로 급진적 사상을 가진 테러조직에 의해 선발되고, 양성·훈련된 전문적인 전투요원인 데 반해 자생테러범은 그 사회에서 태어나고 성장하여 정상적인 사회 활동을 통해 인정받은 직업이나 지식인, 대학생 등이다. 국외에서 교육과 훈련을 통해 양성된 것이 아니라 자국 내에서 스스로 성장하면서 이슬람 성전(聖戰, Jihad)과 같은 급진화(Radicalization) 과정을 겪으면서 자생적으로 만들어진 것이다. 테러를 자행하는 개인이나 조직이 전통적인 카리스마적인 지도자가 있는 그런 조직이 아니라 스스로 독자적으로 행동을 한다는 것이다. 국가의 특정 정책이나 입법, 종교 등에 불만을 품은 시민이 자신의 불만을 테러라는 폭력수단을 사용하여 표출한다는

19) Tomas Precht ,"Home grown terrorism and Islamist radicalisation in Europe", *Research report funded by the Danish Ministry of Justice* (December 2007), p. 6.

것이다. 그들 대부분은 그들이 속한 지역사회에서 오랫동안 거주하고 생활하고 있었음에도 불구하고 지역주민들과의 종교나 인종 등이 달라 이웃과 적극적으로 어울리는 데 곤란을 겪는 이방인(異邦人, outsider)에 머무는 등의 특징이 있다. 즉, 편집증적으로 외국인에 대한 혐오를 가지는 경우, 그 사회의 동화정책(同化政策) 적응에 실패한 경우, 종교적으로 소수자인 경우 등이다.

자생테러범을 다음과 같이 세 가지 유형으로 구분할 수 있는데 ① 서방국가에 좀 더 행복한 삶을 위해 이민을 간 사람들이거나 그들의 2-3세대 자녀들, ② 무슬림의 공동체 안에서 생활하는 이민자 그룹의 제2-3세대. 즉 출신국의 전통과 종교, 이민국의 가치관, 가정생활과 문화의 충격을 경험하게 되고 이로 인해 개인의 고립감을 증폭시키며 이슬람에 대한 조롱과 비웃음에 대해 적극적으로 대응하겠다는 신념을 갖게 되는 경우다. ③ 급진적 이슬람(Radical Islam)으로 개종하는 사람들. 즉 결혼이나 친구의 압력, 그리고 교도소 수감기간 중에 접한 이슬람 의식 등 매우 다양한 이유로 급진적 이슬람주의로 전환하는 경우 등이다.[20]

둘째, 테러의 대상이나 목표에서 특징이 있다. 전통적인 테러의 경우 테러의 대상은 테러의 목적과 구체적인 연관성을 가지는 정치 행위의 상징성이 있었으나 자생테러의 경우 불특정 다수나 일상생활에 모두가 이용하는 공공시설물을 대상으로 한다는 것이다. 즉 무차별적인 공격이다. 과거의 테러는 상징적 도구로써 불만을 야기하는 지배층을 목표로 폭발물을 이용하여 공격하거나 이런 상징적 정치 행위의 연장선에서 목표가 정해져 주거하는 건물이나 그것을 상징하는 대상이 목표가 되었다. 따라서 테러범의 입장에서는 이러한 목표물을 선정하고 접근하는 데 경찰의 경비나 보안 검색 등으로 힘들게 되었다. 암살자의 선정이나 특정인에 대한 공격은 말할 것도 없고, 필요한 대상 건물의 선정과 폭발물을 이용한 공격 또한 필요 물자 조달과 운송, 자금 확보의 어려움, 장기간의 준비 등으로 많은 제약이 있었다. 그러나 자생테러의 경우 이러한 정치적 상징물이나 대상이 아니라 일반 대중을 상대로 무차별적으로 자행하기 때문에 표적을 찾는 데 어려움이 없고, 특별한 준비가 없이 주변의 인화물질이나 도시가스 등의 생활도구를 활용하여 쉽게 테러를 자행할 수 있다는 점에서 확연한 차이가 있다. 단순한 기존 사

20) Andrew Lebovich and Brian Fishman, "Countering Domestic Radicalization", *International Security*(JUNE 23, 2011).

회 질서에 대한 불만, 개인의 종교적 이상주의에 심취 등을 위해 불특정 다수에게 보다 파괴적이고 무분별한 공격을 자행하는 것이다. 미국에서 벌어진 무차별 총기난사는 남녀를 불문하고 지하드라는 명분으로 직접 얼굴을 보지도 않고 대상을 공격하고 있는 것이다. 시민들의 동요와 혼란은 말할 것도 없다는 점이다.

셋째, 테러의 목적이나 요구조건이 불분명하다는 것이다. 과거의 테러는 동료수감자의 석방이거나 주둔군대의 철수 등 구체적인 요구조건이나 테러의 목적이 있었으나 자생테러는 목적이 불분명하고 구체성이 없다는 것이다. 자생테러범은 종교적 급진주의적 사고에 관련된 사람으로 자신의 신념과 종교 등을 내세우며 대상을 무차별적으로 공격한다. 따라서 구체적인 테러의 동기를 찾기가 어렵다. 또한 이슬람 및 급진주의적 사고에 관련되어 자신들의 신념과 종교 등을 내세우며 공격하는 행위로 목적을 특정화하기 쉽지 않다는 것이다. 특히 자생테러범은 대부분 그들이 속한 지역사회에서 오랫동안 거주하고 있었기 때문에 지역주민들이 평소의 행동으로 니들의 테러 동기를 식별해 내는 데 곤란을 겪는 등의 특징이 있다.

넷째, 주로 소셜 미디어를 즐겨 사용한다. 자생테러범은 개인적인 불만, 정치적 또는 사회적 상황에 대한 분노와 좌절 등을 겪으면서 사회적 고립과 심리적 갈등으로 다른 사람과 관계 형성을 피하게 되고, 소외와 고립으로 컴퓨터와 네트워크에 몰입한다. 주로 혼자 생활하면서 외부세계와 소통을 말보다 글로써 나타내는 경우가 많다.

Ⅲ. 대표적 해외사례

1. 2004년 스페인 마드리드 열차 폭파

스페인 마드리드에서 스페인 총선거를 3일 앞둔 2004년 3월 11일 오전 6시 39분, 마드리드 남부 아토차 역(驛)의 4개의 교외선 통근열차에서 10개의 폭발물이 연쇄적으로 폭발하여 190여 명이 사망하고 2천여 명이 부상당하는 테러가 발생하였다. 총선을 앞두고 스페인 경찰의 특별경계가 내려진 상황에서 수도 한 복판에서 일어난 대규모의 폭발사고로 전 세계는 충격이 컸다. 스페인 당국의 발표에 의하면 국제테러집단에 의한 테러가 아니고 스페인에 거주하는 시민들에 의해 일어난 자생테러로 밝혀졌다. 주범인 자말 주감(Jamal Zougam)은 한때 알 카에다 조직원으로 훈련을 받은 사실은 있지만 나머지 공범들은 모로코에서 이민 온 2세대들로서 스페인 사회에 즉응하지 못한 무슬림으로 성장한 스페인 국적자들이었다. 이들이 스페인 국적자임에도 스페인 자국민을 대상으로 공공시설인 철도역을 대상으로 테러를 감행하였다는 사실은 전형적인 자생테러로 보기에 충분하다.

2. 2005년 영국 런던 지하철 테러

2005년 7월 7일 오전 8시 40분 런던 중심부의 4곳에서 지하철 연쇄폭탄 폭발 사건이 발생하여 56명이 사망하고 7백여 명이 부상당하였다. 범인은 모두 4명으로 파키스탄계 이민자로 현장에서 자폭하였다. 모두 영국에서 태어나 자란 이슬람계 영국 국적자들이었다. 범인 중 모하메드 시디크 칸(30세)은 빈민층 이민 자녀와 장애아를 돕는 초등학교 보조교사였고, 셰자드 탄위르(22세)는 성공한 이민 가정의 2세였다. 테러범들은 모두 이슬람교를 신봉하는 이민 2세들로 영국에서 정상적인 사회구성원으로 성장하여 생활하였지만 테러에 적극적으로 가담한 것으로 보아 기존의 본토 영국인으로부터 차별과 멸시를 당한 경험이 있고 이슬람원리주의에 심취했다는 것이다.

3. 2009년 미국 포트후드 총기난사

2009년 11월 5일 미국 텍사스 주 포트후드(Fort Hood)에서 일어난 총격사건으로 13명이 사망하고, 30명이 부상당했다. 범인은 군의관인 소령 하산(Nidal Malik Hasan)으로 이슬람 원리주의에 심취한 자였다. 그는 7월 중순 포트 후드 기지로 배치된 지 며칠 만에 기지 인근 무기판매점에서 이번 범행에 사용한 권총을 1,100달러에 구입하였다. 사건 당일 포트후드 해외 파병소에서 "Allahu Akbar"(아랍어: 알라는 위대하다)"를 외친 후 레이저맥스를 단 권총을 꺼내 난사하기 시작, 존 개퍼니 대위(56세)는 하산을 막으려 했으나 총에 맞아 치명상을 입었고, 의료보조원 마이클 캐힐과 로건 버넷 예비역 상병도 의자와 책상으로 방어하려 했으나 역시 총에 맞고 사망했다. 총격을 계속하던 범인은 기지의 민간경찰에게 4발의 총격을 맞고 쓰러져 하반신이 마비되었고 2013년 8월 사형 판결을 받고 현재 복역 중에 있다. 범인은 평소 이라크 및 아프간전에 반대한다는 뜻을 강하게 표명해 왔고 월터리드 병원에서 근무하면서 전쟁터에서 돌아온 병사들을 통해 전쟁의 참상을 알고 자신도 이 전쟁에 참여해야 한다는 것을 고통스러워했다고 한다. 사건 6개월 전에는 폭탄테러범을 신성시하는 글을 인터넷에 올리기도 하였다. 이는 이슬람으로서 미군에 복무하는 군인으로서 미국의 정책에 대한 반감으로 촉발된 자생테러였다. 미국은 9.11 테러 이후 중동지역의 언어와 문화를 아는 인력을 확보하기 위해 이슬람 출신 장병들을 적극적으로 모집하여 현역 미군 140만 명 중 현재 약 3천6백여 명의 이슬람 장병들이 복무하고 있어 이들의 처리에 관심을 기울이고 있다.

4. 2011년 노르웨이 연쇄테러

2011년 7월 22일 오후 3시 22분 노르웨이 수도 오슬로의 행정부 건물과 총리집무실 등에서 폭발사건이 일어나 7명 사망하고, 이어서 수도로부터 30km 떨어진 우토야에서 노동당 청소년 캠프에 대한 무차별 총격으로 최소 80여 명이 사망하여 모두 90여 명이 사망하는 연쇄테러가 발생했다. 범인은 14세에서 25세 사이의 청소년 600명이 참여하고 있는 캠프에 경찰복장을 하고 나타나 소녀들만 모아놓고 무차별 총기를 난사했고, 경찰이 진입하기 전까지 1시간 동안 섬 전체를 장악하며 학살을 일삼았다. 범행을 일으켰던 청년 빅(Behring Breivik)은 백인우월주의자로 1992년 나토가 세르비아에 행한 폭격이 기독교인을 학살하기 위한 것이었다고 주장하고 이민자들 때문에 더러워진 유럽을 구하여 순수한 백인 유럽 문화를 만들겠다는 등의 목적으로 테러를 감행했다고 진술했다. 이는 노르웨이의 다문화 이민정책에 반감을 가진 자생테러였다. 결국 이 사건은 기독교와 이슬람교 간의 종교충돌과 다문화주의에 대한 극심한 불만을 가진 자생테러범의 소행이라 할 수 있다.

5. 2013년 미국 보스턴 마라톤 테러

2013년 4월 15일 오후 2시 50분경 미국 매사추세츠주 보스턴(Boston)에서 개최된 '2013 보스턴 마라톤'에서 결승선 직전에 두 개의 사제 폭탄이 터져 관중들과 참가자 및 일반 시민 3명이 사망하고 최소 264명이 부상당했다. 범인은 러시아 체첸공화국에서 2001년 미국으로 온 이민가정 출신 타메르란(26세)와 조하르(19세) 형제로 검거 과정에서 형 타메르란은 총격 사망했고, 동생 조하르는 중상을 입고 체포되어 2015년 사형이 선고됐다. 범인들은 체첸 인근 Dagestan에 거주하다 2001년 형은 15살, 동생은 8살 때 미국으로 와 11년을 살았다. 사살 당시 형은 26살로 미국에서 학교를 다녔고 결혼해 아이까지 있었으며 레슬링과 권투를 하면서 올림픽 권투선수가 되는 것이 꿈이었다고 한다. 그러나 술은 신의 뜻에 어긋난다며 마시지 않았고 담배는 끊었으며, 미국 친구가 한명도 없었다고 한다. 또한 2009년에는 여자 친구를 때려 가정폭력혐의로 체포된 일이 있어 시민권을 받지 못했다. 동생은 체포당시 매사추세츠 주립대학 의대 2학년이었다. 미 수사당국은 이 사건을 전형적인 자생테러로 보고 있다.

6. 2016년 프랑스 니스 테러

2016년 7월 14일 밤 10시 30분경 프랑스 남부 휴양도시 알프마리팀주 니스(Nice)의 해변에서 프랑스의 혁명기념일(바스티유의 날) 축제 행사에 모인 군중을 향해 대형 흰색 트럭 한 대가 60~70km/h정도의 속도로 돌진하면서 84명이 사망하고 2백여 명이 다쳐 최소 284여명의 사상자가 생겼다. 범인은 31세의 튀니지계 프랑스 남성 모하메드 라후에유 부렐(Mohamed Lahouaiej Bouhlel)으로 현장에서 총격 사살되었다. 범인은 튀니지에서 태어나 2005년 니스로 이주한 이슬람교도로 배송트럭 운전사로 일했다고 한다. 범인은 “Allahu Akbar”(아랍어: 알라는 위대하다)를 외치며 1.8km에 걸쳐 질주를 벌인 것은 물론 총격까지 가했다. 테러범은 사건 현장에 있던 경찰들과 총격전을 벌이다 사살됐다. 사건 이후인 7월 16일 이슬람 수니파 무장조직 이슬람국가(IS)는 온라인 매체를 통해 자신들이 니스 테러의 배후임을 자처했다. 현지 이주민이 대형트럭을 사용하여 불특정 다수를 공격하였다는 점에서 자생테러의 한 사례이다.[21)]

21) 이상 외국사례는 네이버 지식백과, 위키백과를 참고했다.

Ⅳ. 우리나라의 자생테러 출현 가능성

우리는 제6장 제4절에서 우리나라의 경우 테러 위협이 될 수 있는 묻지마 범죄에 대하여 발생현황과 원인, 대표적 사례 등을 이미 살펴보았다. 문제는 이러한 묻지마 범죄가 과연 자생테러로 진화·발전할 가능성이 있느냐? 하는 것이다. 결론은 우리나라도 자생테러가 발생할 수 있는 여건이 충분히 성숙되어 있다는 것이다.

우선 세계 최고 수준을 가진 인터넷 및 스마트폰 사용 환경이 국제적 수준보다 빨리 진행되고 있고, 국제결혼과 이민·귀화, 이주노동자의 증가 등으로 다문화 사회로 급속하게 진입하고 있기 때문이다. 특히 외국 이주민 1세대뿐 아니라 2·3세대의 경우 교육과 정치·종교 전반에 걸쳐 자기 정체성의 혼란과 한국 주류사회와의 충돌 등으로 동화되지 못할 경우 자생테러범으로 전략할 소지가 크다. 특히 우리나라 무슬림의 경우 동남아 지역뿐만 아니라 북아프리카 지역에서 다양한 교파가 들어와 있어 이슬람국가(IS) 외에도 알려지지 않은 이슬람 극단주의 테러조직과의 연계 가능성을 가지고 있다고 보아야 한다. 특히 2만여 명을 넘어서는 불법체류 무슬림에 대한 철저한 동향관리가 필요한 대상이다. 또한 3만여 명에 육박하는 북한 이탈주민들은 국내 정착생활에 비교적 높은 만족도를 보이고 있으나, 눈에 보이지 않는 멸시와 차별로 인한 우리 사회에 대한 불만자도 상당한 것으로 나타나고 있다.

사회적으로도 비행 청소년이 줄어들지 않고 있고, 인터넷 중독과 같은 신종 사회병이 발생하고 있을 뿐 아니라 도덕적 규범성이 떨어지면서 폭력과 쾌락을 지향하는 문화가 촉진되고 있다는 것이다. 이는 결국 이러한 사회에 적응하지 못하는 청소년을 양산하고 이들은 동시에 사회적 불만을 증폭시켜 준다. 이러한 결과 사회 부적응 청소년의 경우 사이버공간, 특히 소셜 미디어를 통해 우리사회에 대한 극도의 반감을 가지고 폭력적 테러를 찬양하고 미화하는 극단주의 테러집단에 연결될 수도 있다는 것이다. 이는 제2 또는 제3의 김군이 나타날 개연성을 배제할 수 없다는 것이다. 실제로 국정원에서 IS에 가담하려 한 내국인 2명이 추가로 적발하여 여권을 무효화하고 출국금지 조치를 했으며[22], 김군 사건이 보도된 후 그의 트윗 계정 팔로워가 대폭 증가하고 심지어 그와 접촉한 IS 모집책과 접

촉하는 사례도 있는 것으로 보아 가능성이 잠재되어 있다고 판단된다.[23)]

이러한 관점에서 우리사회의 발전된 사이버환경에서 자생테러범의 등장 가능 요인으로 소셜 미디어(SNS) 이용의 확산, 다문화사회 진입, 외국인 범죄 증가, 탈북자 동화문제, 사이버 폭력 증가, 이념적 갈등의 대립 등으로 정리해 보고자 한다.

1. 소셜 미디어(SNS: social networking service) 이용의 확산

소셜 미디어는 카카오톡(Kakao Talk), 트위터(Twitter), 페이스북(Facebook) 등에 가입한 이용자들이 서로 정보와 의견을 공유하는 플랫폼을 가리키는 용어로 초창기에는 대부분 친교를 목적으로 서비스를 이용해 왔으나 최근에는 정보 공유와 정보 전달의 중요한 수단이 되고 있다. 이 과정에서 커뮤니티가 중요한 역할을 하게 되었고, 인터넷에 넘치는 수많은 정보가 각종 커뮤니티를 통해 걸러지면서 베스트 게시물로 선정되고, 이것이 SNS로 유통되면서 순식간에 다수에게 전파되게 되었다. 이는 각 커뮤니티의 자유게시판이 콘텐츠 보급의 새로운 장으로서 영향력이 확대되서 커뮤니티는 뉴스와 정보가 결합된 새로운 미디어로 발전하게 되었다.

우리나라의 경우 국민들의 스마트폰의 보급 확대와 함께 세계 최고수준의 인터넷 환경(2016년 7월 기준, 우리나라 인터넷 이용자는 4,364만명, 인터넷 이용률 88.3%, 스마트폰 보유율은 88.5%, 디지털 TV보급률 82.2%, 모바일기기 보유율 67.9%)은[24)] 주요 연락수단이 전자우편에서 인스턴트 메신저(IM)로 변화하는 추세이다. SNS이용자가 10대와 20대를 위주로 급속하게 성장하고 있고 최근에는 30-40대 이상 중장년층의 SNS이용률이 두드러지게 증가하고 있다. 우리나라는 MIM(Mobile Instant Messenger)의 영향력이 사회 전반에 영향력을 키우면서 쇼핑은 물론 금융 분야까지 진출함으로써 지리적 한계를 극복함과 동시에 산업 경계를 허무는 현상이 심화되고 있고 이러한 추세는 앞으로도 계속 이어질 것으로 전망된다.

이와 함께 소셜 미디어 확산에 따른 사회적 부작용과 역기능도 무시하지 못한다. SNS의 익명성과 전파성을 무기로 하는 사이버 폭력이 범죄와 테러로 발전하

---

22) 연합뉴스(2015.10.20.).

23) 윤봉한 외, "국내에서의 '외로운 늑대'(Lone Wolf) 테러리스트 발생 가능성에 관한 연구", 『한국전자거래학회지』, 제20권 제4호(2015), pp. 142-143.

24) "2016년 인터넷이용 실태조사", 한국인터넷진흥원(2016), pp. 25-30.

고 있는 것이다. 유럽 RAND(RAND Europe, 2013)가 분석한 보고서에 따르면, 인터넷은 범죄자들의 급진 의식화를 이룰 수 있는 기회를 증대시켜 주며, 특히 SNS의 양(兩)방향성이 급진 의식화의 반향실(反響室, echo chamber) 즉 사이비 공간에서 자신의 이념에 동조 또는 지원하는 사람을 찾아내 교류함으로써 신념화가 더욱 증폭되는 구실을 함으로써 급진 의식화가 더욱 촉진된다고 하였다. 소셜 미디어가 소통도구로 사용되다 손쉽게 법질서를 위협하는 범죄도구가 될 수 있어 사생활 침해 등의 개인적 수준에서 타인의 명예훼손·허위사실 유포 등 사회적 범죄로 발전하여 사이버 테러행위, 악의적 여론전파를 통한 국론 분열 및 국익 저해 등 국가안보 침해 범죄로 이행될 수 있다는 것이다.[25] 문제는 자기 통제력이 약한 청소년의 경우 시간이 흐를수록 사이버공간에 더 많이 의존하게 되어 인터넷을 통해 무분별하게 전파되는 IS 등 테러조직의 선전물에 무방비하게 노출된다는 것이다.

오늘날 인터넷을 이용한 테러활동의 90퍼센트는 소셜 네트워크를 이용해서 이루어진다. 테러조직이 활동하는 소셜 미디어 토론방은 참가자들의 신원을 노출시키지 않을 뿐 아니라 테러단체 구성원들과 사이버 성전(cyber jihad)과 관련한 질문을 하거나 도움을 받을 수 있는 직접 대화를 나눌 수 있는 기회를 제공하기도 한다. 알 카에다와 연대세력들은 사회적으로 고립된 젊은이들의 분노를 조종할 목적으로 인터넷 활용을 늘리면서, 그들을 급진 의식화시키고 분명한 목적의식을 갖도록 유도한다. 이들은 소셜 미디어 공간에서 국내 자생테러를 촉구하며, 테러를 선동하는 메시지를 지령(指令)으로 유포함으로써 더 많은 개인들이 서구문명을 대상으로 테러를 자행하는 의지를 갖도록 한다. 인터넷을 테러를 위한 의식을 고양시키기 위한 목적으로 활용할 뿐 아니라, 실제 테러를 실행토록 독려하는 도구로도 이용하고 있는 것이다.[26] 인터넷이 우리 생활과 밀접한 관계를 형성하기 이전에는 젊은 무슬림들이 테러단체 조직원들을 직접 대면하는 방법으로 모병되고 급진 의식화되었으나, 소셜 미디어의 등장으로 이러한 활동은 훨씬 용이하게 달성할 수 있게 되었다. 이를 통해 사회와 격리된 사이버공간에 심취하면서 자신

---

25) Ines von Behr, Anaïs Reding, Charlie Edwards, Luke Gribbon."Radicalisation in the digital era(2013). pp. vi-viii, 31-36.

26) Homeland Security Institute, "Recruitment & Radicalization of School-Aged Youth" (23 April 2009), pp. 1-3.

의 존재감을 인정받고 사회적 열패감과 동화되지 못하는 외로움을 급진성향 이념으로 무장하여 테러행위 기술을 습득하거나 모방하여 과격한 행동으로 나타날 수가 있다. 오늘날 대부분의 이슬람 테러리스트가 10대 중반에서 20대 중반 나이에 해당하는 남성이고, 여성들은 주로 인터넷을 이용하여 이슬람 투쟁사상 전파 등과 같은 보조적 지원 역할을 하고 있다는 연구결과가[27] 이를 반증한다.

급진 이슬람 테러단체가 운용하는 웹사이트는 1990년대 후반에 10여개에 불과하던 것이 2003년에는 2,600여개를 넘어 섰으며, 이후 계속 증가하여 2014년 1월 현재 8천여 개를 상회하는 것으로 파악되고 있다.[28] 외로운 늑대의 테러리스트 진화양태를 살펴보면 9·11테러 사건 이전에는 주로 급진 테러단체에서 활동하다가 이탈한 자가 대부분이었으나, 9·11이후에는 주로 인터넷이나 온라인 소셜 미디어 공간에서 이루어지는 것으로 변화하였다. 이들은 9·11 테러 사건을 전후해서 공통적으로 개인 또는 정치적인 불만(분노)이 가장 큰 원인으로 사회가 정의롭지 못하며, 불공정한 사회를 극복하고 공정한 사회를 만들어 가기 위해서는 폭력보다 더 좋은 방법은 없다고 인식하고 있는 것이다. 급진 테러단체에 대하여 가지는 동질감은 9·11사태 이후 현저히 약화되는 경향을 나타내는 대신, 온라인 또는 케이블 텔레비전에서 찾게 된 이념적 동종 부류 조직의 지침을 수용하고 동조하는 정도가 심화된 것으로 나타났다. 대부분이 인터넷 공간에서 빈라덴과 알 카에다의 영향을 크게 받은 것으로 나타났다. 테러공격에 대한 의도 게시는 이메일·메신져·유튜브 등을 크게 활용한 것으로 순교한 이슬람 테러리스트의 동영상이나 사진을 게시하는 것과 동일한 방식이다. 이러한 테러 암시는 대테러 수사요원들이 가장 주목해야 할 부분이기도 하다. 이를 포착할 수 있다면 사건의 발생을 사전 예방할 수가 있기 때문이다.

2. 구체적 생성요인

우리 사회의 자생테러범이 출현할 구체적 요인은 다문화사회 진입, 외국인 범

27) Bakker, E., "Jihadi Terrorists In Europe", Netherlands Institute of International Relations, 2006.12. pp. 35-43.

28) Weimann, G., "Terror on the Internet; the New Arena , the New Challenges", United States Institute of Peace Press, 2006, p. 27.

죄 증가, 탈북자 동화문제, 사이버 폭력 증가, 이념적 갈등의 대립 등으로 앞에서 여러 번 다룬 내용으로 여기서는 간단히 살펴본다.

(1) 다문화사회로의 진입

우리나라의 경우 결혼과 직장, 이민 등을 통해 우리 사회에 유입된 수많은 외국인들이 직·간접적으로 형성한 문화적 특성과 다양성을 의미한다. 다문화 통계가 작성된 2008년부터 2015년 11월까지 집계된 다문화 형성 외국인의 변화현황을 살펴보면, 2008년 891,341명이었던 다문화 형성 외국인의 수가 2011년에는 1,265,006명으로 42%나 증가하였고, 2015년 11월 현재 1,711,013명으로 92%나 증가하고 있는 것으로 나타났다. 이로 인해 다문화 가정에서 출생하는 출생아 수는 2008년 13,443명으로 우리나라 전체 출생자수의 2.9%에 해당하였으나 2016년의 경우 19,431명으로 전체의 4.8%를 차지할 정도로 증가하였다. 이로 인해 우리나라의 초·중·고등학교에 재학 중인 다문화 학생 수도 급속히 증가하고 있다는 실정이다.[29)]

문제는 다문화가정 학생 수가 급속하게 증가하고 있지만 이들의 학업 및 행동에서 다양한 형태로 부적응하고 있어 스스로 소외계층화되는 경향을 보이고 있다. 실제로 다문화가정 학생이 일반 학생들에 비해 괴롭힘으로 인한 위험에 더 많이 노출되고 있는 것으로 나타나 정체성 혼동, 편견, 집단 따돌림 등으로 낮은 자존감과 우울, 무기력감을 느끼거나 자살충동까지 받으며 학교를 중도 포기하게 되는 등 사회문제가 되고 있다.[30)] 이처럼 외국인이나 외국인과 결혼한 한국인 2세들에 대한 차별과 편견 등의 문제가 나타나고 있는 것이다. 이들을 대상으로 인터넷 SNS를 통한 표현의 소통과 정보공유의 장으로서 이용된다면 긍정적일 수 있겠지만, 커뮤니티에서의 배제되거나 자신의 의견을 충분히 표현하지 못하는 상황에서는 오히려 차별성이나 편견을 주는 계기가 될 수도 있다. 때문에 같은 처지에 있는 다문화 구성원끼리 폐쇄적 커뮤니티를 형성하여 이슬람 테러조직의 급진 의식화에 노출될 가능성이 있는 것이다.

이는 2015년 11월 프랑스에서 발생한 테러사건이 보여주듯이 최근 발생하고

29) 세부 내용은 제8장 제3절 참조.
30) 오인수, "다문화가정 학생의 학교 괴롭힘 피해 경험과 심리 문제의 관계; 심리적 안녕감의 매개효과를 중심으로", 『아시아연구』, 제15권 제4호(2014), pp. 231-232.

있는 이슬람 극단주의 테러사건의 배경에는 무슬림 이민자들에 대한 국가의 통합 노력에도 불구하고 그 사회 체제에 편입되지 못하고 있는 데서 비롯된 문제라는 것을 인식해야 한다. 특히, 우리나라의 경우 기독교와 이슬람의 갈등이 표면화되고 이를 이슬람에 대한 공격으로 받아들이면 이슬람 정의를 추종하고 동조하는 대상자를 상대로 차별과 편견을 부추겨 외로운 늑대형의 자생 테러가 발생할 가능성을 배제할 수 없다.

(2) 외국인 범죄의 증가

지속적으로 증가하고 있는 체류외국인 증가와 불법체류자 증가로 외국인 범죄가 빈발하고 있는 문제도 자생테러와 연관되어 주목해 보아야 한다. 법무부의 출입국·외국인정책본부의 통계에 따르면 2016년 말 현재 국내에 체류하고 있는 외국인은 총 2,049,441명으로 2015년 대비 8.5%가 증가하였고, 최근 5년간 매년 9.2%의 증가율을 보이고 있다. 이러한 증가 추세는 앞으로도 저출산 고령화 사회로 인한 외국노동력 증가, 국제결혼 증가로 인한 결혼이민자 증가, 외국국적동포 유입, 유학생증가 등 합법 체류자뿐만 아니라, 직장 등으로 인한 불법체류자까지 국내 체류외국인 수는 지속적으로 증가할 것으로 예상된다. 우리나라의 전체 인구 대비 체류외국인 비율은 2012년 2.84%에서 2016년 3.96%으로 매년 증가하고 있다. 이와 비례해서 국내에 불법 체류하는 외국인도 증가하여 불법 체류자수는 2016년 말 208,971명으로 불법 체류율이 평균 11.4%를 차지하고 있다.

우선 입국관련 외국인범죄가 2011년부터 2016년까지 우리나라의 「출입국관리법」을 위반한 행위로 강제퇴거, 출국 명령, 출국 권고, 통고처분, 고발 등 각종 위반행위가 매년 증가하고 있어 연평균 11%가 증가하는 것으로 나타났다. 다음으로 외국인이 국내에서 체류하는 중에 일으킨 범죄와 특정한 범죄를 목적으로 입국하는 경우를 포함한 살인, 강도, 강간, 절도, 폭력, 마약 등 폭력범죄는 2006년부터 2016년까지 매년 평균 11% 이상 꾸준히 증가하고 있다.

국회정보위원회 자료에 따르면 2010년 이후 7년간 국내에서 국제 테러단체와 연계된 혐의를 받고 강제 추방된 외국인이 9개국 71명에 달하는 것으로 밝혀졌다. 이들은 모두 알 카에다나 헤즈볼라 등 이슬람 극단주의 테러세력과 연결되어 있었고 모두 9개국으로 방글라데시, 우즈베키스탄, 키르기스스탄, 파키스탄 출신이 많았으며 마약, 밀수 등을 일삼는 국제범죄조직과 연계됨 혐의로 적발되어 추방된 사람은 5천 574명에 이르는 것으로 알려졌다.[31)]

이러한 결과로 국내에 체류하는 외국인이 사이버 공간에서 우리나라를 비난하거나 저주하는 글이 32.9%나 차지하고 있어 우리 사회나 개인에 대한 증오, 원한, 불만을 나타내는 내용의 글이 다수 게시되고 있다는 것을 보여준다. 인터넷 이용자를 대상으로 한 SNS 이용실태 조사결과, 우리나라에 거주하는 외국인 인터넷 이용자들도 욕설, 비속어가 담긴 글이 45.7%로 가장 높게 나왔고, 확인되지 않은 사실이나 루머를 담은 글이 40.4%, 비난하거나 저주하는 글이 32.9%, 비웃고 헐뜯는 글이 27.1%로 대부분 부정적인 내용이 다수였다.[32)]

이러한 상황에서 세계 최고의 정보통신 환경은 사회적으로 소외감에 빠진 청소년층을 사이버 공간으로 유인함으로써 인터넷을 통해 범죄조직 또는 테러조직과의 직·간접적인 접촉 범위를 확대시켜 주고 있고, 이를 통해 범죄정보를 수집하고, 사제 폭탄 등 범죄수단의 마련을 쉽게 하는 등 자생적인 테러범의 출현을 조성하는 환경이 잘 조성되어 있다고 볼 수도 있다. 또한, 체류외국인의 경우 경제적인 처우나 열악한 생활환경, 차별대우와 편견, 부당해고, 임금체불 등의 불만이나 인격적 무시에 따른 돌출적인 폭력행위 가능성도 상존하고 있다. 또한 이주노동자나 그 가족에 의한 범죄가 점점 흉포화되고 범죄율도 높아지고 있어 사회 경각심을 높여주고 있다. 또한 앞에서 살펴 본 바와 같이 아직까지 우리나라가 다문화 학생들이 물질·정신적으로 건강하게 성장할 수 있는 환경적 토대를 갖추지 못한 점도 이들이 주류 한국문화로 동화되는 데 커다란 장애가 되고 있다.

이처럼 우리사회와 국제간 인구 유동성이 과거에 비해 매우 높아지는 추세에 있고, 실제로 이슬람 극단주의 세력 연계혐의로 외국인이 추방된 사례가 있는 점으로 보아 향후에도 자생테러와의 연계 가능성을 지속적으로 관찰해야 할 것이다.

(3) 탈북민 동화(同化) 문제

북한 이탈주민은 90년대 중반 북한의 식량사정 악화를 계기로 꾸준히 증가해오다가 최근 10년간 연도별 탈북자 입국 현황을 합하여 누계한 결과 2017년 12

31) KBS 뉴스(2017.11.2.).
32) "2011년 인터넷윤리문화실태조사 요약보고서", 한국인터넷진흥원(KISA)(2012), pp. 2-25.

월 현재 총 31,339명이다. 탈북 청소년도 증가추세로 2013년말 현재 10세에서 19세 이하 탈북 청소년은 3,851명으로 전체 탈북자 수의 14.7%를 점유하고 있다. 최근 3년간 전국의 탈북자 가정 학생 수는 2012년 1,992명, 2013년 2,022명, 2014년 2,183명, 2015년 2,475명으로 지속적인 증가추세를 보이고 있다.[33] 2015년 한국교육개발원에서 발표한 자료를 보면, 10세부터 19세미만 탈북 청소년 3,823명 중 59.0%(2,254명)만 정규 학업과정이나 대안학교에 등록하여 재학하고 있는 것으로 나타난다. 나머지 41%(1,569명)는 학업을 준비 중에 있거나 포기한 것으로 보인다. 2015년 기준 탈북청소년의 학업 중단율은 2.2%로 일반학생 학업 중단율(0.8%)보다 2.7배 가량 높았다. 탈북청소년 초등학교 학업 중단율은 0.2%, 중학교는 2.9%인 데 비해 고등학교는 7.3%로 상급학교로 진학할수록 학업 중단율이 높다. 고등학교 학업 중단율 7.3%는 일반 청소년 고등학교 학업 중단율 1.4%의 5.4배나 되는 것으로 나타났다.[34] 이유는 대부분이 남북한 학제와 학력 차이, 제3국 체류에 이은 국내 체류기간 동안의 긴 학습공백, 생활양식의 차이 등으로 인한 것으로 보인다. 이러한 탈북 청소년은 우울증에 시달리고 비행청소년 문제로 이어지는가 하면, 취학 및 편입 포기에 취업의 어려움까지 가중되고 있어 사회문제가 되고 있다. 또한 재학 중인 학생들조차 다문화가정 학생과 다름없이 언어문제나 문화적 차이, 정체성 문제로 다른 학생들로부터 괴롭힘을 당할 위험에 많이 노출되어 있다. 괴롭힘과 부적응 문제로 학교를 떠나 사회문제를 야기하는 경우도 증가하고 있다.

탈북민들은 앞으로도 남북 간의 정치적 지형의 변화나 북한체제의 변동과 관계없이 분단이 극복되는 시점까지 항상 지속될 수밖에 없는 민족적 상수로 보아야 한다. 이들은 반세기 이상 분단되었던 남북 간의 정치・사상・문화의 이질성과 균열을 치유하고 동질성을 유도하여 통일의 교두보 역할을 감당할 수 있는 인적 자산으로, 정치・사회・경제 등 제 방면에서 우리와 함께 평등한 민주주의를 향유할 수 있도록 하는 적극적인 동화 정책이 필요하다. 탈북 청소년들이 언어와 문화적 이질감으로 한국 일반사회로 동화되지 못하는 점이나, 상당수가 정규 학교과정에서 이탈하고 있는 현실은 이들이 사회적 불만세력으로 성장할 수

33) 『탈북청소년 교육백서』, 한국교육개발원(2015), pp. 3-20.
34) 한겨레(2016.7.31.).

있는 커다란 요인이 될 수가 있다. 죽음의 사선을 넘어 온 이들은 한국사회에 대한 희망이 사라질 경우 잃어버릴 것이 없는 존재가 되어 극단적 사회 위협세력으로 성장할 수가 있다. 더구나, 북한은 언제든지 이들 탈북자들의 국내 정착을 대남테러를 위한 기회로 이용하려고 기도하고 있다는 사실도 우리 정부의 정책적 대응을 어렵게 할 것으로 보인다.

(4) 사이버 폭력의 증가

우리나라 청소년 범죄의 특성은 강력범죄 등 증가추세가 두드러지고, 재범이상 중범자의 비율이 증가하고 있는 것이다. 결손 가정의 증대로 인한 보살핌의 부족과 학교와 사회생활에 대한 부적응으로 건전사회 시스템에서 이탈하는 청소년이 줄어들지 않고 있다. 잠재적 위험군으로 분류되는 청소년 폭력, 비행, 가출, 학교 부적응 등 행태가 지속되고 있는 것이다. 특히, 청소년의 정신장애(mental disorder) 발생증가율이 연 100%를 상회하고 있고, 국민건강보험공단이 2009년부터 2013년 주의력 결핍 과잉행동장애(ADHD)로 인한 진료환자의 66%가 10대 환자인 것으로 나타났다.[35] 또 인구 10만 명당 자살하는 사람을 나타내는 자살률의 경우 9~24세 청소년의 사망원인으로 2007년(929명, 8.6%)이후 고의적 자해(자살)가 가장 많아 현재까지 계속 1위를 유지하고 있다.[36] 이러한 1위 자살률은 심각한 사회문제로 대두되고 있다. 이와 함께 청소년들의 SNS로 대표되는 인터넷 공간에 대한 의존 정도의 증가로 사이버폭력 등 무형의 폭력범죄 발생률이 높아지고 있다는 것이다. 방송통신위원회와 한국인터넷진흥원이 2015년 초・중・고등학생 및 학부모, 교사, 일반인 등 총 5천명을 대상으로 진행한 사이버폭력 실태조사에 따르면 최근 1년간 초・중・고 학생 17.2%가 사이버폭력 피해 경험이 있으며, 17.5%가 사이버폭력 가해 경험이 있다고 응답하였다. 사이버폭력 유형은 '사이버 언어폭력'이 15.8%로 가해경험이 대부분이며, 2014년 대비 3.4% 증가한 것으로 조사되었다. 이 외에도 '사이버 따돌림', '사이버 명예훼손', '사이버 스토킹' 등도 2~3%로 발생한 것으로 나타났다. 사이버폭력 유형 중 언어폭력이 가장 심각한 것으로 나타났다. 사이버폭력 가해이유에 대해 '상대방이 먼저 그런 행동

---

35) H/World(2016.9.27.).

36) 『2017 청소년 통계』, 통계청・여성가족부(2017), p. 52.

을 해서 보복하기 위해'를 주된 이유로 응답했으며, 다음으로 '상대방이 싫어서, 상대방에게 화가 나서'라고 응답한 비율이 높게 나타났다. 사이버폭력 피해 이후 학생들은 '가해자에게 복수를 하고 싶었다'(31.7%), '우울・불안하거나 심한 스트레스를 받았다'(18.4%), '공부를 하고 싶지 않고 학교에 가기 싫었다'(10.6%) 등의 심리를 경험했다고 응답하였다. 결과적으로 학생들의 사이버폭력의 피해는 주로 잘 알지 못하는 사람으로부터 피해를 당하는 것으로 나타났으나, 피해 이후 '보복', '우울・스트레스' 등 부정적 감정이 발생함에도 불구하고 '신고 대응 등'의 적극적인 조치를 하지 않고 있는 것으로 나타났지만 사회적 불만 요인화되고 있다는 것을 알 수 있다.[37)]

이러한 사이버 폭력에 대한 조사결과는 사이버 폭력이 심각한 사회문제가 되고 있으며, 나아가 우리나라의 인터넷 사용요령과 윤리의식에 대한 예방교육과 지도가 미흡한 현실을 보여주고 있다. 청소년들이 자신의 행위가 범죄를 구성한다는 사실조차 인식하지 못하면서, 인터넷이 가지고 있는 편의성을 십분 활용하면서, 익명성과 비대면성을 이용하여 인터넷에 심취하고 있다는 사실을 보여주고 있다.

(5) 이념적 갈등의 대립

흔히 우리사회를 이념적 스펙트럼이 매우 큰 사회라고 하는데, 이는 분열과 대립이 해소되지 않고 지속된다는 의미라고 말할 수 있겠다. 이념이나 신념은 쉽게 변하지 않으며, 다른 이념은 철저하게 배격하는 특징을 가지고 있다. 이슬람 극단주의 세력이 여타 종교를 종교로 인정하지 않고 '배신자'라고 규정하며 "이를 타도하여 없애 버리는 것이 성전(jihad)"이라고 주장하는 것과 같다. 사상적으로 북한을 추종하거나 동조하는 사람들에게 우파로 분류되는 계층은 "꼴통 보수"임과 동시에 "미제의 앞잡이"가 된다. 극단적 애국주의 관념을 가진 사람들에게는 북한 주장에 경도되는 경향이 곧 "빨갱이"이고 "간첩"이 되는 것이다.

다음의 <표>에서 볼 수 있듯이 우리나라의 주요 커뮤니티도 정치성향에 따라 극좌, 좌, 우로 나누어져 있다. 대표적인 극좌성향은 아고라, 루리웹, 오늘의

37) "2015 사이버폭력 실태조사 결과 보고서", 방송통신위원회・한국인터넷진흥원(2016), pp. 15-18.

유머 등이 있고, 우성향은 일베저장소, 클리앙 등이 있다. 이 중 진보적 '아고라'와 보수적 일간베스트(일베) 사이트는 현재 우려하고 있는 만큼 과격하거나 급진의식화 수준에 이르지 않고 있는 것으로 확인되고 있다. 급진성의 경우 아고라 사이트가 전체적으로 일베에 비해 높은 수준을 보였고, 사회적 위험성은 오히려 일베 사이트가 더 위협적인 것으로 나타났다. 아고라 회원이 일베 회원에 비해 급진 의식화의 정도가 높은 것으로 나타나 외로운 늑대 테러리스트로 진화할 가능성이 더 높다고 해석이 된다. 그러나 이러한 분석결과에도 불구하고 소셜 미디어 공간에서 이루어지고 있는 급진 의식화 과정을 종합적으로 분석한 것으로 보기는 어렵다고 본다.[38] 이들은 사이버 상에서 서로 빈번하게 부딪히며 서로를 비난하고 때로는 사이버폭력을 행사하기도 한다. 특히 이념 또는 신념의 동화로 나타나는 사회적 관계망이나 네트워크로 연결되는 단체 또는 조직은 폭력성을 동반

〈국내 주요 커뮤니티현황〉

(단위: 만명)

순위	이름	방문자수	개설연도	주제	정치성향
1	디시인사이드	487	1999	모든 주제	없음
2	네이트판	438	2006	유머. 연예 등	없음
3	뽐뿌	303	2005	전자기기	좌
4	아고라	257	2004	정치. 사회	극좌
5	일간 베스트(일베)	191	2009	모든 주제	우
6	인벤	161	2004	게임	중도
7	MLB파크	161	2001	스포츠	좌
8	루리웹	138	2000	게임	극좌
9	보배드림	136	2000	자동차	중도
10	클리앙	132	2001	전자기기	우
11	오늘의 유머	71	2001	유머	극좌
12	베스티즈	27	2001	연예. 일상	좌
13	웃긴대학	22	1998	유머	중도

출처: 매일경제(2013.8.24.).

38) 윤봉한, 2015, "사이버공간에서 외로운 늑대의 급진 의식화 실태에 관한 연구", 고려대학교 정보경영공학전문대학, 박사논문, pp. 144-146.

한 급진 의식화에 동참할 수 있는 기회를 충분히 제공하게 된다. 급진 의식화는 친구나 아는 사람들을 중심으로 이루어지는 소규모 친목단체나 사회단체 내부에서 자체적으로 이루어질 수도 있으며, 지휘명령 체계를 갖춘 단체 속에서도 쉽게 이루어지게 된다. 즉 대부분의 조직 메커니즘은 사회화와 조직화로 결속이 되며, 지휘 체계하에서 계층화 및 구분화를 통해 신념화 수준이 강화되고 일상적인 도덕성 기준이 해체되도록 함으로써 폭력적 극단활동으로 이어지도록 하는 것이다. 서방에서의 외로운 늑대의 극단적 테러활동의 근원이 종교적 배경에 있다면 우리나라의 경우 대부분의 경우 정치적 신념에 따른 이념적 배경에 큰 원인을 두고 있다고 볼 수 있다.

특히, 인터넷 공간에서 북한을 추종하여 활동하는 종북(從北) 네티즌들은 당국의 관심이나 관리가 부족할 경우 종북 이념을 쫓아 극단적 행동을 자행할 가능성이 매우 높다고 보아야 한다. 이들은 북한이 직영하는 반제민전 웹사이트 '구국전선'과 조평통 웹사이트 '우리민족끼리' 및 '려명', 김일성 종합대학 인터넷 사이트 '우리민족강당' 등에서 주체사상, 김일성·김정일 선집, '노동신문' 등 북한 원전이나 자료들을 '펌'하여 국내 인터넷에 종북 사조를 확산시키며 급진 이념을 수용하고 있다. 최근에는 주로 유튜브와 트위터에 개설된 북한 계정에서 종북 문건을 열람, 확산시키고 있는 경향을 보인다. 2011년 이후 종북 네티즌들이 '사이버민족방위사령부' 등 인터넷 카페를 개설하여 북한의 3대 세습을 찬양하고 적화통일을 지지하는 등 활동타 적발된 사례가 다수 있으며, 최근에는 유튜브와 트위터 등 소셜 미디어에 개설된 북한 사이트를 추종하고 있는 사례도 늘어나고 있다.

3. '외로운 늑대' 출현 가능성

지금까지 우리사회에서 SNS사용이 스마트폰의 보급과 더불어 단순한 소통과 정보공유의 수단을 넘어 통신수단 기능으로 확산되고 있다는 사실을 살펴보았다. 이와 함께 소셜 미디어 사용 확산으로 발생하는 여러 가지 정치·사회적 부작용에 대해서도 알아보았다. 특히 테러조직이 최근 들어 소셜 미디어 공간을 테러수단으로 이용하고 있다는 사실에 대해서도 살펴보았다. 그 결과 소셜 미디어의 공개된 플랫폼이 증오의 메시지를 확산시키고, IS와 같은 극단주의 단체들이 선전선동, 급진 의식화, 신규 조직원 모병, 사이버 지하드를 독려하고 DDoS공격과 데이터 해킹을 촉구하는 등으로 활용되고 있다. Katie Cohen 등(2014)은 외로운 늑대가 되어 테러 범죄를 저지르거나 장차 외로운 늑대로 변화될 잠재적 인물을 식별해 내기 위한 지표(indicator)로 ① 매우 극단적인 내용이 게시된 웹사이트에서 활동하는 인물, ② 급진적인 내용을 단순 열람만 하지 않고 이러한 내용을 직접 게시하거나 게시된 글에 동조하는 댓글을 올리는 인물, ③ 테러를 자행할 수 있다는 속내를 드러내거나 테러 의도를 예고하는 인물, ④ 특정 인물이나 업무에 지나치게 집착을 보이는 자 등을 제시하고 있다.[39)]

이러한 측면에서 볼 때 우리나라는 전통적으로 테러리스트들의 테러 도구로 이용되는 총기나 화약에 대한 통제와 관리를 위한 법제 및 사회 시스템이 매우 잘 기동하고 있어 상대적으로 자유스러운 미국이나 서구 국가들에 비해 테러리스트들이 준동할 가능성이 억제되고 있다고 볼 수 있다. 또한, 인종적으로 이슬람 민족과 연결성이 없는 단일민족이라는 민족적 특성과 서구 기독교 문화와 성격을 달리하는 유교 중심의 문화와 종교적 중립성, 이슬람교의 핵심인 중동국가와의 지리적 격리 및 소극적인 이슬람 극단주의 세력과 접촉기회 등 많은 요소들도 테러로부터 안전한 사회를 유지하도록 하고 있는 것으로 판단된다. 하지만, 최근 극단주의 이슬람 테러를 주도하는 이슬람국가(IS) 세력은 전 세계를 대상으로 1-2명으로 조직된 '외로운 늑대'를 동원하여 '묻지마 테러'에 치중하고 있다는 점을 주목하여야 한다. 이들 외로운 늑대 테러리스트는 이슬람 국가에서 태어나서 성장한 자들이 아니며 테러 대상 국가에서 태어나 교육을 받고 성장한 자국민이라는 데 커다란 문제가 있는 것이다. 이와 함께 소셜 미디어에 손쉽게 접속할 수 있는 인터넷환경은 사회적으로 원한이나 분노를 가진 계층이 쉽게 테러집단이나 그 대변 세력들과 접촉을 하도록 해 주고 있다.

이상에서 살펴 본 바와 같이 우리나라는 아직까지 급진 의식화 수준을 넘어 자생테러로 발전할 수 있는 사회적 요인은 심각한 수준은 아니라고 본다. 다만, 여러 가지 사회 환경으로 보아 앞으로 테러리스트가 자생하거나 외국에서 유입하여 외로운 늑대 테러가 발생할 가능성을 전혀 배제할 수 없다. 미국을 비롯한 서방 국가들이 대응 방법을 찾지 못하고 있는 이슬람 극단주의로 무장한 외로운

---

39) Katie Cohen et al., "Detecting Linguistic Markers for Radical Violence in Social Media", *Terrorism and Political Violence*, Vol.26, No.1, (2014), pp. 246-256.

늑대 테러도 국내에서 발생한 사실이 없지만, 우리나라가 미국이 주도하는 이슬람국가 대상 대테러 전쟁에 지원국으로 가담하고 있고 미국을 상징하는 미군과 군사시설이 존재하고 있어 이에 대한 자생테러 발생 가능성을 충분히 예측할 수 있다. 다음에서는 그러한 조짐을 구체적 사건 사례를 통해 살펴본다.

실제로 2015년 1월 우리 국민 김 군(당시 18세)이 ISIS에 가담하기 위해 자진하여 터키 이스탄불을 통해 시리아 북부에 위치한 이슬람 극단테러조직에 외국인 전투원으로 자진 가입한 사례가 있다. 김 군은 초등학교를 졸업 후 중학교를 중퇴하고 자가에서 혼자 공부를 해 왔으나 수차례 고입 검정고시에 실패하였다. 그는 초등학교 재학시절 급우와 여학생들로부터 많은 괴롭힘과 따돌림을 당했고 평소에 부모와는 직접 대화도 하지 않고 필요한 경우 쪽지로 의견을 나눌 정도로 관계가 단절된 상태였다. 소위 '은둔형 외톨이'가 되었다. 2015년 1월 출국 당일 김 군은 터키의 이스탄불을 거쳐 남동부의 시리아 접경 가지안테프(터키어: Gaziantep) 주(州)에 도착하여 1박을 한 후 다음 날 아침 식사 후 "킬리스(터키어: Kilis)를 여행하고 싶다"며 버스로 이동하여 메르투르 호텔(Hotel Merkur)에 투숙하였으며, 킬리스 도착 이튿날인 2015년 1월 10일 아침식사 후 현지 모집책을 만나 시리아로 갔다. 현재 행적은 확인되지 않고 있으나 전투 중 사망한 것으로 추정한다. 김 군은 2013년 1월 수니파 이슬람전사를 뜻하는 'sunni mujahideen'으로 트위터 계정을 개설하고 이슬람과 접촉을 시도하였다. 2014년 3월에 "ISIL 가입" 의사를 처음으로 트윗 하였고, 같은 해 9월초부터 이슬람국가(ISIL)의 사이버 모집책으로 추정되는 'habdou5038'라는 계정 인물과 상호 트윗을 주고받다 2014년 11월부터는 보안성이 높은 'Surespot'을 사용하였다. 그의 컴퓨터에서 이슬람과 관련된 즐겨찾기(65개), 사진(47매)과 다수의 이슬람 관련 검색 기록이 확인되었고, "이슬람교는 모두가 평등하다. 개종하고 나서 마음의 평화를 느낀다"라고 하였으며, '반드시 죽여할 인물'로 급우 A군과 가족 등 2명을 꼽고 있었다고 한다. 기록으로 보아 SNS를 통해 이슬람교로 개종하고 급진 의식화를 통해 지하드(jihad)에 심취한 것으로 추정된다. 이는 앞에서 살펴본 타인과 어울리지 못하고 혼자 생활하면서 생긴 개인의 좌절과 분노가 국제테러단체 가입이라는 형태로 표출된 사례로 볼 수 있다.

2014년 12월 전북 익산성당에서 개최된 소위 종북 토크 콘서트 현장에 사제폭발성 물건을 투척한 사건도 대상 장소가 민간인들이 참석하는 집회 현장이었다는 점에서 '외로운 늑대'형 테러라는 논란이 제기되고 있다. 사건을 저지른 고등학생 오 모(18세)군은 황산성분으로 만든 폭발성 물질을 준비하는 과정부터 사건을 벌인 후 경찰에 연행되는 과정, 조사과정 및 불구속 결정으로 석방되는 모든 과정을 소지한 스마트 폰으로 촬영하여 일간베스트 등 계정에 유포하기도 하였다.

오 군은 당시 종북 논란 중심에 있던 토크쇼를 방해하기로 마음먹고 질산칼륨 등으로 도시락폭탄(3개)과 냄비폭탄을 준비하였다가 행사 당일 토크쇼에서 '친북 성향 발언'을 한 신 모씨에게 "북한이 지상낙원이라고 했느냐?"라고 묻고, 곧바로 냄비 폭탄을 들고 단상으로 접근하다가 주변의 제지로 현장에서 폭발하였다. 오 군은 행사 전날 인터넷에 "드디어 인생의 목표를 발견했다. 신○○ 폭사 당했다고 들리면 난 줄 알아라. 봉길 센세의 마음으로 ...내일이 기대된다", 라는 글과 폭발물 제조에 사용한 화약약품 등을 촬영한 사진을 게시하였다. 또, 방송사에 전화하여 취재를 요청하는 등 범행을 사전에 예고하였다. 경찰서에 연행된 직후와 석방된 후에도 인터넷에 인증사진을 올렸다. 오 군의 행위가 테러행위에 해당하는가에 대해 약한 상대를 응징하는 혐오범죄, 증오범죄로 보는 견해도 있으나 북한이라는 우리의 적대세력을 전제하고 있다는 점, 개인적 신념에 어긋나는 행위를 불법적인 수단으로 응징하려 했다는 점, 폭발물을 사전에 준비하고 폭발물 투척과정을 전후하여 범행을 예고하고 이를 실행한 다음 경찰서 연행과정, 조사과정 및 석방과정에 이르기까지 모든 내용을 인터넷에 게시 공포한 사실 등에서 정치적 동기에 의한 급진 의식화의 형태로 규정할 수 있을 것이다.

2015년 3월초 무방비의 주한 미 대사를 살인 또는 상해할 의도를 가지고 무장 폭력을 행사한 김기종(55세)의 행위 역시 '외로운 늑대'형의 테러임이 분명하다. 사건 당시 범인은 그해 2월 17일 "주한 미 대사 초청강연회" 초청장을 접수한 후 "전쟁훈련 중단을 위해 미국 대사에게 물리력을 행사 하겠다"는 의지를 굳히고, 2일 국회도서관에서 "남북대화 가로막는 전쟁훈련 중단하라" 등의 유인물 40여 매를 제작하였으며, 행사 당일 아침에는 테러를 위한 과도와 준비한 유인물을 소지하고 행사장에 입장하여 무방비 상태에 있었던 미국 대사를 과도로 테러한 후에는 "전쟁훈련 반대합니다, 키 리졸브" 등 구호를 외치기도 하였다.

김씨는 4형제 중 장남으로 출생하여 1984년 2월 서울 모 대학 법학과를 졸업하였다. 그의 동생은 "형과 얼굴을 본 지 4-5년이 이상 지났다"고 하여 가족들과 교류가 전혀 없었음이 확인되었다. 그는 2007년 청와대 앞 1인 시위 도중 분신을 하여 전신 1/4가량에 2-3도 화상을 입은 전력이 있다. 2010년 7월에는 일본대사에게 투석한 혐의로 처벌받은 적도 있다. 지금까지 '청소년평화통일 숲 가꾸기 행사'차 7회 방북하였고, 당시 왕재산 간첩단 인천총책 임 모가 동행하였다. 독신으로 기초생활 수급자 지원금을 받아 생활하고 있었고, 뇌전증 발작 질환을 앓고 있었다. 그는 "10일 전부터 (범행을) 준비해 왔다"면서 "김일성은 항일운동을 했고 38선 이북을 접수한 뒤 자기 국가를 건설해 현재까지 잘 이끌어오는 걸 봤을 때 20세기 훌륭한 민족 지도자로 생각한다, 남에는 (김일성만큼 훌륭한 사람이) 없다", "우리나라는 반식민지 사회, 북한은 자주적인 정권이다"라고 주장한 사실이 있고, 경찰은 그의 집에서 김정일의 '영화예술론' 등 이적문건도 확보하였다. 실제 그는 2010년 일본 대사 투석사건으로 사회적인 주목을 받게 되자 매우 기뻐했다고 알려져 있다. 프로파일 전문가들은 그가 운동권 내 위상을 제대로 인정받지 못하고 분신 후유증을 가지고 있는 사실을 언급하며 "오랜 좌절과 분노는 종종 폭력적 범죄와 연결된다"고 진단했다.

북한은 미 대사를 상해한 2015년 3월 5일 사건 직후 신문, 방송, 인터넷을 통해 "전쟁광 미국에 가해진 응당한 징벌", "정의의 칼 세례"라며 김 씨의 범죄행위를 영웅화하고 칭송하였다. 또한 북한은 2010년 일본대사 투석 사건시에도 "민족적 분노의 분출" 등으로 그를 칭송하였다. 이러한 북한 반응과 집에서 압수한 북한서적 등으로 볼 때 김씨는 북한에 동조하고 있는 종북인물로 판단된다. 범인은 사건을 벌이기 10일 전부터 대상 장소를 연구하고 테러도구를 이중으로 준비하는 등 철저한 준비과정을 거쳤고, 실질적으로 대한민국 최고의 우방국가 외교관을 대상으로 하였다는 점에서 반미를 겨냥한 외로운 늑대형 테러행위로 볼 수 있다.[40]

2014년 전북 익산성당 사례는 우리나라의 보수우익을 대변할 수 있다는 점에서, 2015년 주한 미 대사 사례는 반대로 좌익성향 세력에 의한 행위였다는 점에서 시사하는 바가 크다고 하겠다. 2005년 김군 사례는 "친구를 만나러 터키에 간

40) 이상 세 가지 사례분석은 윤봉한, "사이버공간에서 외로운 늑대의 급진 의식화 실태에 관한 연구", 고려대학교 정보경영공학전문대학, 박사논문(2015), pp. 102-113. 참고하였음.

다", "갔다 와서 열심히 공부 하겠다"며 부모를 안심시키고, 주변에서 전혀 낌새를 차리지 못한 가운데 독자적인 결정에 따라 시리아를 통해 극단주의 테러조직 이슬람국가(IS) 가담한다. 김군은 사회에 대한 증오와 원한, 검정고시 연속 실패에 따른 좌절감 등으로 주변과 단절되면서 스스로 이슬람을 추종하여 개종하고 그들의 테러 이념과 목적을 자발적으로 받아들인 전형적인 '외로운 늑대'(Lone Wolf)형 테러범이 된 것이다. 이 과정에서 인터넷과 트위터 · 페이스 · 유투브 등 소셜 미디어가 결정적인 역할을 하였다.

이 같은 사례는 이미 우리나라도 외로운 늑대형 테러가 발생할 수 있는 여건이 충분하다는 것이다. 국제결혼과 이민 · 귀화, 이주노동자의 증가 등으로 다문화 사회로 급속하게 진입하고 있고, 세계 최고 수준을 가진 인터넷 및 스마트폰 사용 환경이 국제적 정보화 사회가 빨리 진행되고 있기 때문이다. 다만 위의 세 가지 사례에서 범인은 공히 충격적인 행위에 앞서 인터넷 공간 등을 통해 자신들의 행위를 암시하고 예고한 사실이 드러나고 있어 정부나 관계기관에서는 이러한 사전예고에 대한 충분한 정보수집이 가능하도록 시스템을 갖추어야 할 것이다. 이는 곧 이러한 사건의 재발 방지를 위해서는 우리사회의 전반적인 시스템을 재정비하고 시스템을 제대로 작동시키는 데 필요한 적절한 장비의 추가 보완이 필요하다는 것을 시사한다고 할 수 있다.

제3절 북한의 대남(對南)테러

Ⅰ. 제4세대 전쟁

1. 제4세대 전쟁 개념

제4세대 전쟁(Fourth Generation Warfare)은 글자 그대로 현대전의 4번째 세대에 해당되는 전쟁형태이다. 사전 상의 의미는 새로운 형태의 비정규전 등을 통칭하는 용어로 정의하고 있고,[41] 우리군에서는 '국가나 비국가단체가 군사 및 비군사적인 제반 수단을 활용, 적의 정책결정자를 공격하여 정치적 의지를 굴복시킴으로써 정치적 목적을 달성하려는 장기적인 전쟁'으로 정의하고 있다.[42] 전쟁 이론에서 이 개념을 가장 먼저 제기한 학자는 린드(William S. Lind)로 "이념이나 종교에 기조해서 적의 정신문명(culture)을 직접적으로 공격하며, 언론 조작을 통해 고도로 정교한 심리전을 수행하는 첨단기술을 활용한 테러리즘의 형태"라고 정의 했다. 근대국가의 출발점으로 보는 1648년 베스트팔렌조약을 기점으로 시작하여 4번째에 해당되는 전쟁이 바로 제4세대 전쟁이다. 즉 1세대전쟁은 나폴레옹 전쟁 당시로 주로 군대가 횡대와 종대에 의한 밀집대형을 이용한 전쟁형태이고, 2세대전쟁은 제1차 세계대전 당시 엄청난 화력 위주의 소모전 형태이며, 3세대전쟁은 제2차 세계대전 당시 독일군의 전차군단과 같은 기동전 형태의 전쟁형태이다.[43] 따라서 제4세대 전쟁은 이전의 전쟁형태(인력전, 화력전, 기동전)와는 상이한 형태의 전쟁이라고 할 수 있다. 그는 이를 설명하기 위하여 테러리즘을 제4세대 전쟁의 형태로 보았다. 즉 전쟁주체가 국가가 아니라 특정한 이념이나 종교를 공유하는 비국가 행위자(nonstate actors)이고, 목표가 군사력을 파괴(destruction)가 아니라 전쟁의지를 붕괴(disruption)시키는 것이며, 수단으로 군사적 수단뿐만 아니라 각종 비군사적인 수단들을 사용하는 비정규적인(irregular) 방식을 추구한다는 것이다.[44]

비정규전은 정규전과 대비되는 개념으로 적지역 또는 적이 점령한 지역 내에서 현지 주민들의 영향력을 얻기 위해 적의 전투력과 산업시설 능력 및 적의 사기를 감소시키기 위하여 공개적으로 수행하는 군사적 또는 준군사적 전투작전이다. 즉, 적의 군사력이나 영향력과 의지를 분쇄하고 관련 주민들에 대해 정당성을 획득하기 위하여 군사 분야를 포함하여 이외의 분야도 동원하여 간접적이고 비대칭적 접근으로 행하는 전투형태를 말한다. 저강도 분쟁(LIC: Low Intensity Conflict)이라는 용어를 사용하기도 한다.[45] 이는 정규전에 비해 전쟁의 격렬함이

---

41) 「시사상식사전」(서울: 박문각, 2012).

42) 성윤환, 「지상군 발전세미나: 북한의 새로운 도발양상」(대전: 육군본부, 2012), p. 17.

43) William S. Lind et al. "The Changing Face of War: Into the Fourth Generation," Military Review, 69(October 1989), pp. 2-11.

44) Thomas X. Hammes, "Fourth Generation Warfare Evolves, Fifth Emerges", *Military Review*(May-June 2007), pp. 14-23.

45) 저강도 분쟁이란 국제테러 · 반란 · 폭동 등의 직 · 간접적 원인으로 발생하는 군사 분쟁의 한

덜한 형태로 반란전(insurgency), 반란진압작전, 비대칭전쟁(asymmetrical warfare), 분란전, 대테러전 등으로 불리기도 한다. 이러한 제4세대 전쟁 방식은 베트남 전쟁이나 현재 미국이 아프가니스탄과 이라크에서 직면하고 있는 알 카에다와 이라크 반군 세력과의 싸움도 이러한 전쟁의 한 방식이다.

2. 제4세대 전쟁 등장 요인

이러한 제4세대 전쟁이 등장하게 된 요인은 다음과 같다.

첫째, 세계 질서가 탈냉전 이후 지구촌의 세계화(globalization)이다. 세계화란 국제 사회에서 국가 간 상호의존성이 증가함에 따라 세계가 단일한 사회 체계로 나아가는 현상을 의미한다. 이러한 추세로 인한 국가권력이 쇠퇴하면서 이에 대체되는 각종 비국가행위자(Non-State Actor)가 등장하였다. 즉 국가가 아닌 소규모 집단, 다국적 기업, 비정부기구(NGO), 국제기구 등을 말한다. 그때까지의 국제관계는 기본적으로 국가들 간의 공식적 외교 혹은 외교정책을 통해서 이루어졌고, 국가는 이러한 국제관계를 독점해 오고 있었다. 그러나 국가 상호간의 의존이 심화되면서 외국과 직접 거래하는 다국적기업들이 생겨났을 뿐 아니라 국경을 초월해서 공통의 목적을 위해 결성되는 국제단체들까지 생겨나기 시작하였다. 이들은 비 안보분야에서 두드러지게 나타나 초국가적 관계를 형성하기 시작했다. 이러한 추세는 세계화라는 커다란 물결과 함께 더욱 강화되었고, 기술적 진보에 의한 통신수단과 정보네트워크의 발달로 이들이 활동할 수 있는 공간과 정보, 그리고 의사소통 수단을 가져다줌으로써 영향력을 넓히는 데 중요한 계기를 제공했다. 비국가행위자로서 알 카에다 같은 국제테러집단이나 국제혁명조직, 종교적 극우단체, 인종분리주의자, 무기밀매조직, 마약거래조직 등도 나타나 안보를 위협함으로써 자기의 직접적 이익이나 관심을 충족하려고 하였다. 이들 조직은 세계화와 정보화에 편승하여 그 위세를 확장하면서 제4세대 전쟁을 보편화시키는 요인이 되었다.

형태로 국가 간의 무력충돌인 고강도분쟁(high intensity conflict)에 대한 대비 개념이다. 분쟁의 형태를 일반적으로 저강도(Low) → 중강도(Mid) → 고강도(High)로 구분할 때 저강도 분쟁은 정치적·경제적 소규모 갈등에서부터 재래식 전쟁의 이전까지로 1970년대 초 미국에서 처음으로 등장한 개념이다. 저강도 분쟁은 총력전이 아닌 제한된 목적·의도로 군사력을 사용하는 테러와 국제범죄, 사이버 정보전쟁 등의 다양한 형태를 포함하고 있다.

둘째, 경제적 요인으로 경제력이 없다면 전쟁을 지속 수행하기 어렵다. 일반적으로 경제수준이 높은 국가가 낮은 국가에 비해 상대적으로 전쟁지속 능력이 높기 때문에 승리할 확률이 높은 것이 사실이다. 경제력 자체가 전쟁 자체에 영향을 주었다고 할 수는 없지만 전쟁 지속능력과 무기 체계라는 측면에서 경제력은 전쟁에 영향을 주고 있다고 볼 수 있다. 그러나 베트남 전쟁의 경우 미국의 패배는 제4세대 전쟁의 하나인 바로 '게릴라전'이다. 전면전을 통해서 승리를 거둘 수 없는 상대적 약소국이 가장 경제적으로 활용할 수 있는 전쟁 수행방법이다. 재래식 전쟁의 경우는 막대한 전쟁비용과 전투기, 전차와 같은 최신무기 등을 요구하지만 게릴라전이나 테러리즘같은 경우는 휴대용으로 기동성이 좋고, 극소수의 인원만으로도 군사력에 큰 타격을 입힐 수 있다. 대규모의 정규군에 대항하여 제한된 인원과 장비로 소규모 지역을 중심적으로 전투행위를 벌이는 것이다. 따라서 상대적으로 경제력이 부족한 쪽에서 효과적으로 수행할 수 있는 가장 좋은 방법이라고 할 수 있다.

셋째, 사회적으로 탈냉전시대에 접어들어 주권의 개념이 약화되면서 인권문제와 연계되는 경향을 보였다. 국가가 자국의 국민을 보호할 의지가 없거나 보호할 수 없을 때 국제사회는 외교적인 방법이나 무력을 사용하여 인도주의 차원에서 관여를 하게 됨으로써 국제사회의 인도주의 차원의 개입이 증가하고 있다. 여기에 기존언론의 성장과 영향력을 발휘하면서 약자들을 대변하여 이들에 대한 상대적 박탈감 증가와 강대국과 약소국간의 경제력 격차 심화로 인한 불평등이 국제적 이슈화로 표면화되었다. 또한 국제적 이슈가 전통적인 군사적 위협보다 대량살상무기(WMD), 테러, 해적, 지구 온난화, 환경오염, 자연 재해 등 초국가적 위협이 증대되었고, 자원·종교·인종문제 등 안보 위협요인이 복잡하고 다양해졌다. 이러한 위협이 변하면서 전장(戰場)이 확장되고 변화하고 있다. 과거와는 달리 전선(戰線)이 아닌 국가 전체로 확대되었다. 이에 따라 이 같은 국제적 문제에 대해 계산된 이익이나 국가를 위해서가 아닌 종교와 같은 신념에 중점을 두고 자신이 옳다고 믿는 것을 위해 죽음을 불사하고 자들이 생겨나게 되었다. 이들의 행동은 전쟁의 화력이나 병력운용 차원과 같은 기존의 전술적인 차원보다는 주민의 장기적인 이념적, 정치적 지지에 크게 의존한다는 점에서 이전의 전쟁양상과 구분된다. 특히 오늘날 민주국가는 사람, 상품, 서비스와 아이디어의 흐름이 자유로운 개방성, 광대한 인프라구조, 네트워크 등을 가지고 있어 테러와 같은 제 4세대 전쟁에 매우 취약하다.

넷째, 기술적 요인으로 최근 과학기술의 발달로 인터넷을 중심으로 하는 정보화 시대가 현실화되면서 다차원, 동시적인 네트워크 혁명이 가능하여 지구촌이 하나의 공동체가 되었다. 인류는 다양한 발명품을 만들어내고, 과학을 통해서 삶을 풍요롭게 만들어왔지만 전쟁을 위해 끊임없이 무기를 개발하여 끔찍한 희생을 초래하였다. 친숙한 인터넷 기술도 해킹기술로 발전하여 사이버전에서 활용될 수 있고, 우주선 발사 기술도 대륙간 탄도미사일 발사에 응용될 수 있다. 또한 첨단 IT기술의 발전으로 전쟁에서 활용되는 시스템에도 발전을 가져와 정책결정 과정을 크게 단축시키고 기동과 타격체제와의 동시 통합성을 달성할 수 있게 만들었다. 이러한 과학기술의 발전이 결국 제4세대 전쟁이 대두되게 된 이유가 되고 있다.[46)]

Ⅱ. 북한의 제4세대 전쟁 가능성

그렇다면 오늘날 우리나라의 현실을 고려할 때 한반도에서의 제4세대 전쟁이 가능할 것인가?

우선 북한의 제4세대 전쟁 수행 능력은 병력 규모만 보면 110만여 명이 넘는 세계 4위 규모의 군사력을 보유하고 있지만 경제력을 포함한 총체적인 국력에서는 한국과 비교 자체가 무의미할 정도로 뒤떨어져 있다. 때문에 소위 비대칭 전력을 강화해 기습전, 배합전, 속전속결전(速戰速決戰)을 중심으로 하는 군사전략을 유지하고 있다. 북한은 육군 전력의 약 70%를 평양~원산선 이남 지역에 배치하여 언제든지 기습공격을 감행할 태세를 갖추고 있다. 전방에 배치된 170밀리 자주포(6백문)와 방사포(5천5백여 문), 최근 개발된 300밀리 방사포(10여 문)는 수도권은 물론 중부권 지역까지 공격이 가능하다. 서해 북방한계선 북측 해안 지역과 전선 지역에 122밀리 견인방사포 등 포병 전력을 증강하였다. 특수전 병력은 현재 20만여 명에 달하는 것으로 평가된다. 특수전 부대는 땅굴과 비무장지대를 이용하거나 잠수함, 공기부양정, AN-2기, 헬기 등 다양한 침투수단을 이용하여

46) Max Boot, 『*War Made New: Technology, Warfare, and the Course of History, 1500 to Today*』(New York: Gotham Books, 2006) 참조.

전·후방지역에 침투하여 주요 부대·시설 타격, 요인 암살, 후방 교란 등 배합 작전을 수행할 것으로 판단된다.

전략적 공격능력을 보강하기 위해 핵, 탄도 미사일, 화생방무기를 지속적으로 개발하고 있다. 1980년대 영변 핵시설의 5MWe 원자로를 가동한 후 폐연료봉 재처리를 통해 핵 물질을 확보하였고, 이후 2006년 10월, 2009년 5월, 2013년 2월, 2016년 1월과 9월, 2017년 9월 등 6차례의 핵실험을 감행하였다. 폐연료봉 재처리 과정을 통해 핵무기를 만들 수 있는 플루토늄을 50여 Kg 보유하고 있는 것으로 추정되며, 고농축 우라늄(HEU60) 프로그램도 상당한 수준으로 진전되고 있는 것으로 평가된다. 1970년대부터 탄도미사일 개발에 착수하여 1980년대 중반 사거리 300km의 스커드-B와 500km의 스커드-C를 배치하였고, 1990년대 후반에 사거리 1,300km의 노동미사일을 배치하였으며, 2007년 사거리 3,000km 이상의 무수단 미사일을 배치하였다. 장거리 미사일을 개발하기 위해 1998년에는 대포동 1호를 발사하고, 2006년과 2009년, 2012년 4월과 12월, 2016년 2월에는 대포동 2호를 발사하였으며, 2012년 이후 ICBM급의 KN-08을 3차례, KN-14를 1차례 대외 공개하였다. 이 탄도미사일은 한국 영토 대부분을 타격할 수 있다. 또한 북한은 1980년대부터 화학무기를 생산하기 시작하여 현재 약 2,500~5,000톤의 화학무기를 저장하고 있는 것으로 추정되며 탄저균, 천연두, 페스트 등 다양한 종류의 생물무기를 자체 배양하고 생산할 수 있는 능력도 보유하고 있는 것이다.[47]

또한 북한은 평양의 지휘자동화대학, 김책공대, 평양 컴퓨터기술대학 등의 졸업생 중에서 우수인력을 선발하여 사이버전쟁 요원으로 양성·운용 중이다. 현재 양성한 전문 해커만도 1천7백여 명, 프로그램 개발 등 지원인력도 13개 조직 4천3백여 명 기타 8백여 명 등 총 6,800여 명의 사이버전 인력을 양성하고 있다. 또 대남 심리전을 위해 분단이래 지금까지 한국을 제국주의 침략자인 미국의 괴뢰정권이 지배하는 미해방 지역으로 매도하면서, 민족공조, 우리민족끼리 등과 같은 사이트를 통해 한국 내부의 동조·추종세력을 선동하여 국론분열을 획책하고 있다.

제4세대 전쟁의 주체를 탈냉전과 세계화로 인해 급부상한 비국가행위자들로 규정하고 있다. 비국가행위자들은 테러조직 네트워크나 국제 범죄조직과 불법적

---

47) 『2016 국방백서』(서울: 국방부, 2017), pp. 18-29.

인 무장단체들을 가리키는 것이다. 우리나라의 실질적인 위협을 고려할 때 주체는 북한과 그 지원을 받는 종북세력이라 할 수 있다. 즉 북한이 목표로 하는 한반도 공산화를 달성하기 위해 조직과 선전공작의 심리전을 통해 종북세력을 배후에서 조종해 남남갈등 증폭과 반정부 투쟁을 선동하며, 군사적으로는 국지도발과 전자전 및 사이버전 공세로 남한내 혼란을 조성하여 여건이 충분히 조성됐다고 판단할 때 무력으로 적화통일을 시도하는 것이다. 북한은 남한 내 종북세력을 사주 및 지원하여 우리 사회 내에 지지기반을 구축하고, 나아가 우리 국민의 안보의식을 약화시켜 적화통일에 유리한 여건을 조성하기 위해 이 같은 전쟁을 획책한다는 것이다. 이와 병행하여 잠수함에 의한 천안함 폭침과 장사정포에 의한 연평도 포격도발 등 저강도 군사도발을 감행한다는 것이다. 이러한 북한의 제4세대 전쟁은 향후에도 더욱 다양하고 빈번하게 자행할 가능성이 높다.

북한 스스로도 대규모 재래식 전쟁에 의해서는 승산이 없다는 것을 어느 정도 인정하고 있음을 고려할 때 이 같은 제4세대 전쟁 발발 가능성은 한층 높다고 할 수 있다. 김정은이 최근 북한 내의 테러역량을 결집하라고 지시한 사실[48]과 평소 상대방이 예측할 수 없는 시간·장소·방법으로 공격하는 방식을 선호하는 것으로 보아 IS와 같은 국제테러단체로 위장을 해서 2015년 11월의 파리 테러사건과 같이 대도시 중심부에 대한 테러를 자행할 가능성도 배제할 수 없다. 특히 국제적으로 9·11테러 이후 미국의 대테러전 수행과 불량국가에 대한 강경조치, 중동과 북아프리카 등에서의 아랍국가 붕괴, 중국과 러시아와의 관계 등을 고려할 때 체제붕괴 위협에 대비할 필요가 있다. 또한 북한 내부적으로 중국의 영향력 저하, 여전한 경제난과 식량난으로 인한 김정은 체제의 불안정성, 주민통제의 한계로 인한 탈북과 민생범죄의 증가 등으로 북한체제 안정화에 주력하면서 전략적 수세국면 극복을 위한 대응전략으로 이러한 제4세대 전쟁을 이용할 가능성이 있다. 또 한국은 북한에 대한 적대감이 약화되면서 급속한 정보화·개방화 사회로 변하여 상대적으로 선전·심리전에 취약하고, 종북세력의 발호로 이러한 전쟁을 수행할 여건이 성숙되어 있다고 보는 것이다. 이러한 북한을 둘러싸고 있는 대내외 환경과 군사정책, 전쟁양상의 변화를 고려할 때 제4세대 전쟁을 도발할 가능성이 충분하다 할 것이다. 즉 지속적 대남도발로 남남갈등을 유발하고, 비대

48) YTN "뉴스 정면승부"(2016.3.3.).

칭전력을 적극 활용하여 대남적화를 위한 결정적 시기 조성하고, 기회가 되면 백령도 등 수도권 도서지역을 우선 점령하고 이어서 한반도 전역을 공산화할 것을 시도할 것이다.

Ⅲ. 예상되는 대남도발 양상

북한은 지금까지 육성해 놓은 비대칭전력이나 보유하고 있는 제4세대 전쟁 수행 수단을 고려해 볼 때, 기습적인 국지도발이나 예기치 못한 다양한 대남테러를 시도할 가능성이 있다. 즉 국지도발로 대칭전력으로서의 우리 군에 대한 선제적 사이버테러로 군사전자 장비를 교란시켜 기습적인 도발을 감행할 수 있다. 또 북한이 전통적으로 사용해 온 독극물 주사 등을 사용한 요인 암살이나 사제폭발물을 이용한 다중이용시설 방화나 폭파 등을 예상해 볼 수 있다. 이 외에도 정찰국 예하의 공작원을 침투시켜 국내의 주요 요인에 대한 테러를 가할 수 있으며, 대한민국 내의 좌경세력과 연계한 국가 중요시설(원자력 발전소 등)에 대한 도발, 한·미간의 갈등과 미국 내에서 주한미군 철수 여론 조성을 위한 주한 미군 및 미군 시설물에 대한 도발, 산업시설 파괴와 항공기, 선박, 각종 운송시스템에 대한 GPS 교란 등 다중이용시설에 대한 도발, DDos 대란과 같은 사이버 상에서의 도발 등의 다양한 형태의 도발이 가능할 것이다.

첫째, 북한은 국지도발(局地挑發, Local Provocations)을 감행할 것이다. 과거 김일성시대부터 한국의 후방지역에서의 유격전 감행을 강조하면서 특수작전부대를 지속적으로 증강시켜 와서 현재 6개 경보병 여단 등 총 20여 만명의 특작병력을 보유하고 있다. 이러한 특수작전부대는 우리의 후방지역에 해상으로 은밀하게 침투시킨 후 혼란을 조성하기 위한 게릴라활동을 자행할 가능성이 있다. 국지도발 양상은 2010년 이전까지는 대체로 일반적으로 예상되는 유형, 즉 특수부대 침투 후에 특수임무 수행의 양상이었다. 하지만 최근의 2010년 천안함 피격[49]이

49) 천안함은 1,200톤급 초계함(PCC)으로 2010년 3월 26일 21:22경 서해 북방한계선 근해에서 북한군에 대한 감시·대응태세를 수행하던 중 북한군의 어뢰 공격으로 피격 침몰되어 승조원 총 104명 중 58명은 구조되고 46명이 사망 또는 실종하였다(『천안함 피격사건 백서』(서울: 대한민국 정부, 2011, pp. 20-23).

나 연평도 포격,[50] 2015년 목함지뢰 도발사건[51] 등은 이전의 유형과는 달라 향후 전개양상도 변화가 있을 것이다.

우선 국지도발은 북한지도부의 의지에 의해 감행될 것이다. 김정은 권력 승계 이후 유일지배체제를 공고화하고 체제를 안정시키는 데 주력하고 있는 가운데 제7차 노동당대회를 통해 김정은 시대의 본격적인 개막을 선언하였다. 이로서 남북관계의 주도권을 확보하기 위해 화전양면전술을 구사하고 국제사회의 제재와 고립으로부터 탈피하기 위해 핵과 탄도미사일을 비롯한 대량살상무기 개발, 재래식 전력 증강, 접적지역 무력도발, 사이버공격과 소형무인기 침투 등의 국지 도발을 통해 핵보유국으로서의 지위와 위치를 확보하려 할 것이다. 요구되는 목적과 필요성이 도래 시는 상황을 조성해서라도 국가급 수준에서 국지전 도발에 총력을 기울일 것이다.

국지도발은 주체가 노출되지 않게 감행할 것이다. 사전에 기도를 노출하지 않고 은폐하고 기만을 실시하여 기습적인 방법으로 전개할 것이며, 최악의 경우 도발주체가 노출될 경우에도 실증적 흔적을 제거함으로써 도발주체의 식별을 어렵게 하거나 혼란케 하여 효과적인 대응을 하지 못하도록 할 것이다. 한국군의 자위권 행사에 빌미를 주는 시설이나 주한미군이나 미군 시설 등의 공격으로 국제적 비난과 선제공격의 빌미가 될 수 있는 대상과 수단을 피할 것이다. 때문에 표적선별에 신중하여 정밀한 타격방법과 민간인 살상 등의 피해를 최소화하여 국제적 비난과 미군 개입과 대응 빌미를 주지 않으려 할 것이다. 즉 도발 증거 확보 곤란 및 시간 소요로 즉각 대응의 제약, 원거리에서 직간접 도발로 우리군의 대응수단 제한, 북한이 사주한 국내외 세력에 의한 도발 등으로 인해 응징의 방법, 수준 대상구분을 모호하게 만드는 도발을 할 것이다.

탈북자로 위장하여 침투시키는 방법도 생각할 수 있을 것이다. 이는 지금까지의 공작원 직접 침투에 비해 공작원 양성에 소요되는 시간이나 비용이 상대적으

50) 2010년 11월 23일 오후 2시 34분 북한은 연평도에 대한 76.2mm 평사포, 122mm 대구경 포, 130mm 대구경 포 총 170여 발을 무차별 가해 우리 해병대원 2명이 전사하고, 민간인 2명이 사망하는 외 다수의 부상자와 민간 가옥 상당수가 소실되었다.

51) 2015년 8월 4일 경기도 파주의 휴전선 철책 지역에서 비무장지대 순찰을 돌던 국군장병 2명이 북한이 매설한 목함지뢰 폭발로 다리가 절단되는 사고가 발생하였다. 이에 대한 대응 조치로 8월 10일 대북 확성기방송을 재개하였고, 이후 3일간의 마라톤 협상으로 남북은 유감을 표명하고 확성기방송을 중지하기로 한 '8.25합의'를 타결하였다.

로 저렴하여 선호할 수 있을 것으로 예상된다. 이들은 민간인 등으로 신분을 위장하여 자연스럽게 활동하면서 종북세력 및 고정간첩과 연계하여 사제폭발물(IED)을 이용한 인구 밀집지역의 도시 기반시설을 파괴하거나 또는 일반 주유소의 폭발이나 다중시설 방화 등을 자행하여 한국사회를 극도의 공황(panic)상태에 빠지게 함으로써 마비시키려 할 것이다. 남한의 극도로 혼란과 대응능력 소진상황을 이용하여 대규모 특수부대를 투입하여 소요를 일으키고, 파괴활동을 다양화하면서 전국적으로 확대할 것이다.

둘째, 요인암살(要人暗殺, assassination)・납치와 같은 테러다. 이러한 행위는 북한이 전통적으로 선호해온 행태로 현재까지도 김정남 피살사건(2017.2)에서 볼 수 있듯이 수시로 주요 정치지도자들을 대상으로 사용해 오고 있는 수법이다. 이는 극도로 훈련된 소수 인원으로 은밀히 계획하고 자행함으로 배후를 쉽게 추적하기 어렵고 주요 인사 암살로 인한 공포와 사회적 혼란의 목적을 달성 할 수 있는 장점이 있다. 지금까지 북한은 네 번이나 한국의 대통령 암살을 기도한 적이 있다. 첫 번째는 1968년 1월 21일, 박정희 대통령을 암살할 목적으로 김신조 등 51명의 무장공비가 청와대를 기습한 사건이고, 두 번째는 1970년 6월 6일 현충일에 박정희 대통령을 암살할 목적으로 국립현충원 입구 정문에 원격조종 폭발물을 설치했으나 실패한 사건이며, 세 번째는 1974년 8월 15일 광복절에 역시 박정희 대통령을 암살할 목적으로 기념식장에서 조총련계 문세광이 권총으로 저격한 사건이며, 네 번째는 1983년 10월 9일, 미얀마를 방문 중인 전두환 대통령을 암살하기 위해 기도한 아웅산국립묘지 폭파 사건이다. 이외에도 북한은 1997년 2월 김정일 전처 조카인 이한영을 성남 자택에서 총격 피살하였고, 해외에서 최은희・신상옥 부부 납치(1978년), 미국 유학생 이재환 납치(1987년), 중국선교사 안승운 목사 납치(1995년 7월), 프랑스 윤정희 부부 납치(1977년) 등을 자행했다. 최근에도 2010년 1월 정찰총국 공작원 2명이 탈북자로 위장 침투하여 황장엽 암살을 기도하다 적발되었고, 2011년 대북 인권운동가 박상학 암살을 기도하였으며,[52] 2011년 8월 중국 단둥에서 대북 선교활동을 하던 김창환 목사가 피살

---

52) 탈북자 출신으로 대북 인권활동에 종사하고 있는 박상학(자유북한연합 대표)을 암살하기 위해 '탈북자동지회'(당시 회장: 김덕홍) 사무국장으로 근무하던 안학영을 포섭하여 2011년 9월 초 박상학을 서울 강남 소재 음식점으로 유인하여 살해하려는 계획을 세우고 준비를 마쳤으나 잠복 중이던 수사관에게 체포되었다(안학영 1심 판결문, 서울중앙지판 2012.4.4. 2011고합1282,

되었다. 2017년 2월 김정일의 장남이자 김정은의 이복형인 김정남을 말레이시아 수도인 쿠알라룸푸르 공항에서 피살된 사건도 북한의 소행으로 밝혀졌다. 이 같은 북한의 요인테러는 배후를 규명하기가 어렵고, 대부분 해외에서 이루어져 예방과 추적에 한계가 있으며 적발되어도 언제나 자진해서 입북했다는 일방적 주장으로 책임을 묻기가 어려운 실정으로 이를 십분 활용할 가능성이 농후하다. 배후가 쉽게 드러나지 않는다 점에서 선호할 가능성이 있다.

셋째, 다중이용시설에 대한 방화나 폭파다. 이는 테러를 감행하기가 상대적으로 쉽고, 테러 도구도 일상생활에서 쉽게 구할 수 있는 것이어서 가장 선택하기 좋은 테러 유형이다. 최근 들어 사제폭발물의 제조 기술이 발달되어 공항 검색과정에서 쉽게 적발되지 않을 뿐더러 탐지견도 냄새 맡지 못하는 무색무취의 플라스틱 폭발물이 많이 유통되고 있고, 국내에서도 인터넷 등을 통하여 제조기술이나 방법이 손쉽게 접할 수 있어 불순분자들이 도시지역에서 사용하기 용이하기 때문이다. 그리고 대중이 집결되는 공공시설물에 대한 방화나 연속적인 폭파는 짧은 시간 안에 해당지역뿐만 아니라 도시 및 국가 전체를 쉽게 혼란과 공황에 빠지게 할 수도 있기 때문이다. 또한 현대의 고도화된 산업사회에서는 원자력발전소 및 대형공업단지 등이 일반인 에게도 쉽게 공개되고 있어 이들 시설물에 대한 접근이나 공격도 상대적으로 용이하게 되었다고 볼 수 있다.

이 밖에도 사이버테러,[53] 탄저균과 같은 생화학무기를 활용한 테러나 백령도 등 공해 상에서의 어선 충돌을 가장한 해상에서의 테러 등을 예상해 볼 수 있다.

---

pp. 2-4.)

53) 제10장 참조.

제12장

대응전략

여기서는 이러한 미래의 테러위협에 대한 대응전략을 다루었다. 국가마다 테러의 위협이 다르고 대처하는 방식이 다른데 여기서는 우리나라의 환경과 현실에 맞게 전략을 제시해 보았다.

우선 테러에 대한 대응의 가장 중요한 첫 번째 원칙은 법과 원칙이다. 민주주의 핵심 원리인 법의 지배와 법치국가 구현은 동서를 막론하고 현대 정치사상의 가장 중요한 이론이다. 법치국가는 정당한 법의 지배로 국가권력이 행사되는 국가로 모든 국가권력의 행사가 법적으로 구속되어 자의적인 행사가 금지되는 국가를 말한다. 이러한 법을 무시하는 테러에 대한 대응은 강력한 법적 처벌이 가장 먼저이고, 다음은 테러를 자행한 집단이나 개인에 대한 철저한 응징과 보복이다. 이러한 보복의 사례로 뮌헨올림픽 선수촌 테러사건에 대한 이스라엘의 보복, 로커비 사건에 대한 미국의 보복 등을 살펴보았다. 이를 바탕으로 북한의 대남도발에 대한 철저한 응징과 억제의 문제를 거론해 보았다.

다음으로 미래의 우리사회의 테러에 대한 대응전략으로 법과 원칙적 대응과 병행하여 공정한 사회의 실현을 위한 노력과 다양성 · 공존의 원리가 살아 있는 사회를 만드는 문제를 거론하였다. 이는 결국 정의(正義)의 문제로 테러는 본질적으로 차별과 편견, 부당한 대우로부터 출발한다는 이론에 근거한다. 오늘날 우리사회가 사회적 분배와 복지의 문제, 급격한 민주화에 따른 전통적 가치의 파괴, 세대간 · 남녀간의 갈등, 인권과 정의에 관한 기준과 오해, 양극화 되어가는 빈부 격차 등으로 인한 사회갈등이 첨예화되고 있다. 이를 극복하고 공정한 사회를 가기위한 대안으로 기회의 균등, 능력에 비례한 차등배분(差等配分), 절대빈곤의 해소 등을 통해 공정사회를 위한 법치국가 구현을 제시하였다. 결론적으로 테러 없는 안전한 대한민국의 건설을 위해서는 차별과 편견이 없는 사회정의를 실현하고, 다양성과 공존의 원리를 통해 사회적 갈등을 극복하고 통합하는 노력이 절실히 요구되는 시점이다.

제1절 법과 원칙

Ⅰ. 법의 지배와 민주주의

법의 지배(rule of law) 및 법치주의(法治主義, nomocracy)의 원리는 서구 국가들에서 다양한 정치적·사회적 상황을 배경으로 형성되었다. 이 원리는 한 국가의 통치가 사람이나 통치자의 자의(恣意)에 의한 지배가 아닌 법에 의해 지배되는 국가를 말하는 것이다. 즉 법치국가(Rechtsstaat)는 정당한 법의 지배로 국가권력이 행사되는 국가로 국민의 기본권을 보장하기 위하여 모든 국가권력의 행사가 법적으로 구속되어 자의적인 행사가 금지되는 국가를 말한다. 일반적으로 1215년 영국의 대헌장(Magna Carta)이 법의 지배가 탄생하는 기원으로 본다. 당시 영국의 John왕은 제후들이 주장한 봉건적 권리를 승인하는 가운데 법에 의하지 아니하고는 체포, 구속, 법외방치 또는 추방당하지 아니한다고 선언하였다. 이 대헌장은 국왕과 국민이 참여하여 작성한 문서로 각각의 이해관계를 기반으로 만들어진 한계에도 불구하고 개인과 국가(권력) 간의 관계에 대한 합의를 내용으로 하였다. 핵심은 국가권력을 제한하여 일정한 형식에 기속되게 하는 것으로 국가가 국민에게 물리적·재정적 부담을 지우기 위해서는 반드시 법적 근거를 필요로 한다. 즉 죄형법정주의와 조세법률주의가 그것이다. 이때 "법"이란 국왕과 귀족 및 시민의 의사, 그들 간의 합의가 곧 법률이었다. 이렇게 탄생한 '법의 지배' 원리는 향후 헌법 및 법질서의 발전에 획기적 전환을 가져왔고, 국민주권을 이념적 기초로 하는 민주주의가 정착되면서 보편적 효력을 갖게 되었다. 이때 법(앞)의 평등이란 초기에는 국왕과 귀족에게 제한되었으나 이후 모든 국민에게 적용되었다. 이로써 개인은 자신의 지위와 이익의 변화를 예측할 수 있게 되었고, 자신의 행위로 인한 책임을 스스로 가지게 되었다.

시기에 차이가 있지만 이 같은 자기 책임으로 분쟁이 발생한 경우 독립한 제3의 기관, 즉 사법부에 의하여 분쟁이 조정되어야 한다는 이념과 제도가 뒤따랐다. 계몽주의 시대의 정치사상가 몽테스키외(Montesquieu, 1689-1755)는 1748년

『법의 정신』(De l'esprit des lois)에서 입법·사법·행정의 삼권분립을 주장하였다. 프랑스의 경우 정치 혁명을 통하여 구체제(ancient regime)를 극복하고, 국민주권의 이념이 확립되었다. 즉 정치적 혁명을 지도했던 가치들이 헌법 원리로 편입되었으며, 또 기본권이 헌법적 권리로 법제화되었으나 국가운영에 있어서 핵심요소로 승화되지는 않았다. 이처럼 프랑스의 경우 법의 지배 원리가 의회주권과 균형을 유지하고 있었던 영국과는 차이가 있다. 프랑스의 영향을 받아 19세기 중반 이후 독일에서도 헌법을 제정하는 시도가 있었지만 결실을 맺지는 못했다. 독일은 국민주권에 기초한 헌법을 제정하는 대신 중간단계로 입헌군주정을 거치게 되어 법의 지배의 원리가 헌법 원리로 편입되지 못하고 법치행정의 형태로 실현되는 구조적인 한계를 가졌다. 이후 독일은 1919년 바이마르헌법이 제정되면서 법치국가의 원리가 헌법 원리로서 위상을 갖게 되었다. 법치국가원리가 행정의 합법성을 확보하는 데 그치지 않고, 입법권을 포함하여 모든 국가권력의 합헌성을 심사하는 기능을 보유하게 되었다. 또한 영국의 산업혁명 역시 법치국가원리의 전개에 중요한 의미를 가졌는데 이는 산업혁명이 국민 경제생활 영역에서 괄목할 만한 진전을 가져왔으나 새로운 사회문제를 수반하였다는 것이다. 즉 질병, 산업재해, 장애, 사망 등의 문제는 이제까지 개인의 자율에 맡긴 영역이었으나 이를 사회적 기본권과 경제 질서로 대표되는 헌법적 차원으로 승화되면서 국가의 기능범위가 현저히 확대되었다. 따라서 법치국가원리도 지금까지 국가권력의 제한에 중점을 두었으나 오히려 국가권력의 확대에 초점이 옮겨가는 계기가 되었다. 이제 국가가 복지와 같은 실질적인 목적을 갖고, 이것이 헌법질서에 편입될 때 법의 지배원리가 제대로 기능한다는 것이다. 이러한 국가목적이 헌법구조에 편입되면서 법치국가원리는 민주주의 및 복지국가 원리 등에서 긴장 혹은 경쟁관계에 들어서게 되었다.

미국의 경우 이러한 법치주의 영향으로 세계 최초의 삼권분립 국가가 탄생하게 되었다. 1787년 필라델피아(Philadelphia) 헌법제정회의(Constitutional Convention)에 모인 각주의 대표들은 기존의 연방규약(articles of confederation) 체제보다 더 강력한 미국연방헌법(Constitution of the United States)이 채택되었고, 이 연방헌법에 따라 1789년 3월 4일 새 정부가 출범하였다. 미국 헌법은 전문(前文, Preamble), 7개 조(條, Article), 21개 항(項, Section)으로 구성되어 있고, 수정조항(Amendment)

이 27개 조항이 있다. 전문(前文)은 더욱 완전한 연방을 형성하고 정의를 확립하기 위한 미합중국의 헌법 제정 의의를 선언하고 있다. 제1조(입법부)는 상원과 하원, 양원으로 구성되는 의회의 권한과 의원 선출방식을 규정하고 있고, 제2조(행정부)는 행정권을 보유한 대통령의 선출방식, 임기, 권한 및 의무를 규정하고 있으며, 제3조(사법부)는 연방대법원과 하급법원의 설치 및 사법권 범위를 규정하고 있다. 이처럼 연방헌법의 7개의 조항 중 제1조, 제2조, 제3조가 각각 입법부, 행정부, 사법부에 관한 규정이다. 나머지 조항 중에서 국민의 기본권에 관한 규정은 재판에 의하지 않은 처벌과 소급처벌을 금지하는 규정과 인신보호영장제, 다른 주(州)로 들어가는 비거주자에 대한 차별금지 정도였다. 이후 1791년 수정헌법을 통하여 소위 미국식 권리장전(Bill of Rights)으로 부르는 8개 조항의 시민의 권리보호를 상세하게 규정하게 되었다. 즉, 제1조는 종교, 언론, 출판, 집회 및 청원의 자유, 제4조, 제5조, 제6조는 일련의 적법절차조항(due process clause)으로 부당한 수색과 압수의 금지와 영장제도(제4조), 대배심(grand jury)에 의한 기소, 이중위험(double jeopardy)의 금지, 형사상 불리한 진술(self-incriminatiai)의 거부 등과 적법절차에 의하지 않은 생명, 자유 또는 재산의 박탈을 금지하고, 정당한 보상 없는 사유재산의 수용을 금지(이상 제5조), 신속한 공개재판을 받을 권리, 배심재판을 받을 권리, 혐의 내용을 통고받을 권리, 불리한 증인과 대심(對審)할 권리, 변호인의 도움을 받을 권리 등(이상 제6조)을 규정하고 있다. 제7조는 일정한 민사배심재판을 받을 권리를 보장하고, 제8조는 과다한 보석금 및 벌금과 잔혹하고 이상한 형벌(cruel and unusual punishment)을 금지한다. 제9조는 헌법이 열거하는 일정한 권리 외에 시민이 보유하는 다른 권리를 부인하거나 경시하여서는 안된다고 규정하고, 제10조는 헌법이 연방정부에 위임하지 않거나 주정부에 금지하지 않은 권한은 주정부 또는 시민에게 유보된다고 규정한다. 이러한 미국에 있어서 법의 지배 원칙은 이후 발전하여 개인의 자유와 권리의 보장을 넘어 국가기관의 자의적 권력행사에 대한 견제장치와 의회의 입법권 행사에 대한 제한까지를 포함하는 위헌법률의 사법심사에의 길을 열어놓아 오늘날까지 전 세계에 큰 영향을 미치고 있는 것이다.

오늘날 법치국가는 형식적인 면에서 법률의 우위와 담보, 행정의 합법성, 권력분립과 사법부의 독립 등을 내용으로 하고, 실질적으로 기본권의 직접적 효력의 보장과 법적 안정성과 명확성, 국가공권력행사의 예측가능성과 투명성, 비례성의 원칙 또는 과잉금지 등이 포함되어 있어야 한다. 또한 오늘날 법치국가는 민주적 법치국가와 사회적 법치국가의 모습을 동시에 지녀야 한다. 민주적 법치국가는 시민적 합의를 통하여 법질서를 지속적으로 유지·발전을 시도하는 국가로서, 절차적 정의에 입각하여 민주적 특권을 법의 이념에 구속시킨다. 의회는 민주적 절차에 의하여 구성됨으로써 정당성을 확보하고, 이를 근거로 정치적결정과 입법권을 행사한다. 민주적 절차에 의한 다수의 의사는 법률만 정당화시키는 것이 아니라, 입법자 자신도 구속시킨다. 즉, 의회는 입법권을 행사할 때 가능한 민주적 합의를 도출하여 국민의 기대와 희망에 상응하는 법을 만들고 발전시켜야 하고, 국민의 광범위한 합의를 갖는 법질서를 유지시켜야 하는 의무가 있는 것이다. 자유민주적 기본질서뿐만 아니라 재화의 분배에 있어서 형평의 원칙을 적용하는 사회적 정의를 실현하기 위한 사회적 기본권의 규정 등을 통한 사회적 법치국가로 발전하고 있다.[1)]

사회적 법치국가의 개념은 독일의 바이마르헌법의 사회권을 바탕으로 실정법의 영역에 등장하였는데 인간의 기본적 생계의 보장과 공정, 공평한 분배의 원리를 적용하여 사회적 정의를 추구하는 국가체제를 말한다. 사회적 법치국가의 목표는 사회적 정의의 실현으로 국가는 갈등과 분쟁을 해결하여 사회적 평화를 유지시키고, 사회적 약자를 위하여 법적 근거를 토대로 상회 모순되는 이해관계를 조정하여 구체적 평등을 실현시켜야 한다. 사회보장의 원리는 국가와 국민, 국민과 국가라는 양자의 관계 속에서 인간을 배려하는 사회적 원칙이다. 여기서 생존배려에 대한 의료보험, 연금보험 또는 실업보험 등이 사회적 안전성과 관련하여 문제가 된다. 사회적 법치국가는 경제적 가능성의 범주 내에서 적합한 사회보장에 대한 시민의 법적 청구권을 보장한다. 그러나 사회적 법치국가는 질서유지를 위한 전통적 국가의 과제를 도외시하지 않고 사회공동체의 유지를 위한 미래지향적 국가의 모습이다. 이때 헌법은 사회의 평화, 집단간의 조정과 사회적 정의의 실현을 위하여 사회적 법치국가에게 과제를 부여하고 있고, 정의는 헌법의 다른 기본적 원리들처럼 사회적 가치로 해석되고 판단기준이 된다.

---

1) 김상겸, “법치국가원리의 역사와 구성요소에 관한 고찰”, 『아·태 공법연구』 제5권(1998), pp. 173-218 참조.

법이란 인간이 공동체를 이루고 살면서 질서를 구축하고 분쟁을 평화롭게 해결하기 위한 최선의 제도라고 할 수 있다. 그렇기 때문에 법의 준수는 공동체의 질서를 위한 필수적인 방법이다. 법은 우리가 지키기로 약속한 규범이며, 이를 위반하였을 경우 이에 상응하는 법적 책임을 진다. 오늘날 국가는 국민의 위임을 통하여 법을 위반한 개인에게 법적 책임을 묻고 강제력을 갖고 이를 이행한다. 헌법은 한 국가에 있어서 최고규범을 의미한다. 오늘날 헌법은 국가의 모든 실정법에 대하여 우위의 원칙에 적용을 받는다. 국가는 국민의 정치적 결단을 통하여 국가공동체의 기본질서를 구축하여 헌법을 제정한다. 이. 헌법은 국민의 의사를 절차를 통하여 이끌어낸 내용이다. 이렇게 제정된 헌법에는 국가의 정치질서를 담고, 이를 민주주의와 법치주의를 통하여 규범화하며 국민의 기본권과 이를 보장할 국가권력의 조직과 권한을 포함함으로써 국가권력을 통제한다. 우리 헌법도 제1조 제1항은 대한민국이 민주공화국이라고 선언함으로써 민주주의 원리에 따라 국가권력이 구성되고 작용이 이루어진다는 것을 확인하고 있다.

Ⅱ. 우리나라 헌법의 제정과정 및 법치주의 구현

우리나라는 1945년 8월 15일 일제의 식민지에서 벗어났지만 국민주권의 원칙에 의거하여 자유민주주의와 시장경제를 바탕으로 하는 국가를 만든 것은 아니었다. 이후 제헌의회(制憲議會)가 구성되고 1948년 7월 17일에 대한민국의 헌법을 제정 · 공포함으로써 자유민주주의 국가로 탄생하였다. 이 헌법에 따라 국회의 선거로 대통령과 부통령이 선출되고 국무총리, 대법원장 등의 임명을 위한 국회의 인준에 이어 대한민국정부가 수립 · 선포되었으며, 이를 국제연합(United Nations)이 승인하여 주권을 가진 독립 국가로서 자리잡았다. 이어 정부조직법 등 국가의 기본 법률이 제정되면서 근대의 민주국가로서의 조직과 체제가 갖추어진 것이다. 이 모든 것이 제헌헌법 내지 건국헌법의 덕택이었다. 이 제헌헌법은 1948년의 제정 이후 9차례의 개정을 거치면서 자유민주주의라는 가치를 기초로 한반도의 남과 북으로 분단된 이 공동체를 극복하고자 좌파와 우파의 이데올로기라는 대립을 겪으면서 대한민국의 국가적 정통성과 국민의 복리 향상을 위하여 전진해 왔다. 우리 헌법도 법치국가원리에 대한 명문의 규정은 없지만 법치국가원리를 구체화하여 기본권 보장, 권력분립제도, 입법 작용의 헌법 및 법률의 기속, 행정의 합법성, 사법적 권리보호, 공권력 행사의 예측가능성의 보장과 신뢰보호의 원칙 및 비례의 원칙 등을 규정하고 있는 것이다. 이러한 모든 요소들은 서로 동등한 위치에 있고 상호 보완작용을 하여 전체로서 통일적인 법치국가를 이룬다. 따라서 하나의 요소를 다른 요소보다 중시하거나 무시하는 경우, 그것은 법치국가의 정신에 정면으로 배치된다고 할 수 있다. 우리 헌법이 법치국가원리를 구체화한 내용은 다음과 같다.

첫째, 기본권 보장은 법치국가원리의 핵심근거일 뿐만 아니라 직접적이고 본질적인 내용에 속한다. 헌법이 추구하는 이념적 지표와 최고의 가치는 국민의 자유와 권리의 보장에 있으며, 이를 실질적으로 보장하기 위하여 적법절차 규정을 두고 있다. 우리 헌법은 제2장(제10조에서 제37조까지)에는 인간의 존엄과 가치를 선언하고 이를 실현하기 위하여 평등의 원리, 자유권, 참정권 및 사회적 기본권 등을 직접 규정하고 있다.

둘째, 권력분립제도로 국가권력의 부패와 타락을 방지하기 위하여 국가권력의 제한과 분산으로 견제와 균형을 통해 국민 개개인의 자유와 권리를 보호하려는 것이다. 우리 헌법도 입법(제40조), 행정(제66조) 및 사법(제101조)을 규정하여 3권 권력분립제를 실현하고 있다.

셋째, 입법 작용의 헌법 및 법 기속으로 법률의 제정은 헌법과 법의 범위 내에서 행해져야 한다는 것이다. 우리 헌법은 위헌법률심사제(제107조, 제111조)에서 이를 규정하고 있다. 즉, 법률의 위헌여부가 재판의 전제가 되는 경우만 위헌심사를 할 수 있는 구체적 규범통제의 방식을 취하고 있다.

넷째, 행정의 합법성은 행정은 법률에 근거하여 규정된 절차에 따라 행해져야 한다는 것이다. 이른바 법률의 우위와 법률의 유보의 원칙이다. 법률의 우위는 곧 법률의 적용여부가 집행권의 임의에 맡겨져 있는 것이 아니라 의무로 부과되어 있음을 의미하고, 또한 행정활동에 있어서 법률이 그 한계로서 작용하고 있음을 의미하는 것이다. 법률의 유보는 모든 국가 활동은 헌법과 법률에 기초하여야 한다는 것을 말한다. 특히 행정권에 의한 국민의 권리와 재산권을 침해하는 경우에는 반드시 법률의 수권이 있어야 한다는 원칙을 말한다. 우리 헌법은 광범위한 행정입법권을 부여하고 있으면서도 법치국가원리에 반하는 포괄적 위임입법의 금지(제75조) 및 명령・규칙・처분에 대한 위헌・위법심사제(제107조 제3항)를 규정함으로써 행정의 합법성을 보장하고 있다.

다섯째, 사법적 권리보호는 헌법의 기본원리인 법치주의는 법(률)의 우위, 행정의 합법성에 더하여 공정한 사법절차의 보장이 있을 때 비로소 완성된다는 것이다. 즉 신속하고 공정한 재판을 통해 국민의 권리구제가 가능하도록 독립된 법원을 가지고 있어야 한다. 우리 헌법은 국가배상청구권(제29조), 손실보상청구권(제23조 제3항), 형사보상청구권(제28조), 청원권(제26조), 헌법소원심판청구권(제107조 제1항) 등을 규정하여 사법적 권리구제절차를 마련하고 있다.

여섯째, 공권력행사의 예측가능성의 보장과 신뢰보호의 원칙이다. 법치국가원리의 내용으로서 법적 안정성은 무엇보다도 국가질서에 법이라는 안정된 기준과 형식을 부여함으로서 법을 통한 질서, 법을 통한 평화유지라는 법치의 목적을 실현시키는 것이다. 따라서 법적 안정성을 추구하는 자유민주주의 및 법치국가에 있어서의 공권력 행사의 예측가능성의 보장과 신뢰보호의 원칙은 헌법의 기본원칙이다. 우리 헌법은 집행권과 사법권에 대한 법률주의(제89조, 제96조, 제102조 제2항 등)를 규정함으로서 간접적으로 공권력행사에 대한 예측을 가능하게 하고 있고, 법률의 소급효를 금지하고 형벌의 불소급과 일사부재리원칙(제13조)을 규정함으로서 국민의 신뢰를 보호하고 있다.

일곱째, 비례의 원칙은 기본적으로 국가권력의 행사를 통해 달성하고자 하는 결과와 그 목적의 달성을 위해 선택하는 수단 사이의 합목적성을 의미한다. 이러한 비례성의 원칙은 기본권을 직접 제한하는 국가적 활동은 물론 기본권 실현이라는 국가의 존립 목적과 국가권력 행사의 모든 영역에서 고려되는 원칙이다. 우리 헌법은 특히 제37조 제2항의 기본권을 제한하는 입법시에 기본권 제한의 목적・형식・방법 및 내용상의 한계를 분명히 하고 있다. 이밖에도 국가비상사태가 발생하여 대통령이 국가긴급권을 발동하는 경우에도 그 요건을 엄격하게 제한함(제76조, 제77조)과 동시에 그에 대하여 국회가 사후적으로 통제할 수 있도록 함으로서(제76조 제3항・제4항・제5항, 제77조 제4항・제5항) 비례의 원칙을 넘어서지 않도록 과잉 발동을 억제하고 있다.

여덟째, 국가의 국민보호 의무를 다양한 차원에서 규정하고 있다. 국가의 의무를 규정하는 형태로는 재외국민에 대한 보호의무(제2조 제2항)를 필두로 신체장애자 및 질병·노령 기타의 사유로 생활능력이 없는 국민에 대한 보호의무(제34조 제5항), 재해로부터의 국민보호 의무(제34조 제6항), 여성과 연소자의 근로에 대한 보호(제32조 제4항 및 제5항) 등을 규정하고 있다. 또 국민의 권리를 규정하는 형태로는 평등권(제11조) 및 신체의 자유(제12조)를 필두로 하는 자유권적 기본권 목록 외에 형사보상청구권(제28조), 국가배상청구권(제29조), 범죄피해자구조청구권(제30조) 등 국가의 국민보호 의무를 입법적으로 구체화하기 위한 청구권적 기본권 등을 두고 있다. 그러나 재외국민에 대한 보호의무와 법률유보를 규정한 헌법 제2조 제2항에도 불구하고 재외국민보호에 관한 법은 아직까지 이루어지지 않고 있다.

Ⅲ. 법의 지배 위기와 테러

위에서 살펴본 것처럼 중세 후반에 들어오면서 법치국가 원리가 정착되면서 공공복리를 위한 필요한 법률의 제정과 그 법률에 대한 복종을 시민의 의무로 규정하게 되면서 구체화되어진다. 이는 헌법이라는 법적체계로서 구체화되고 이를 통해 국가권력을 기속하는 기본권과 국가목표에 대하여 지속적인 합의를 도출해내게 된다. 무엇이 정당하며, 또 무엇이 법적이고, 무엇이 합법적인가를 규정하는 법의 본질과 관계되며, 그것은 입법·행정기관과 사법제도라는 공적인 시스템으로 제도화된다. 이러한 정치적 삼위일체는 국가가 정의를 실현하는 과정으로 세 요소를 기능적, 제도적으로 독립시키는 것을 의미한다. 따라서 이들 세 요소가 자율성을 상실하여 충분히 기능을 하지 못하면 정의의 실현은 곤란하게 된다. 법과 정의와의 관계는 객관적 정의가 등장하면서 정의가 법의 근거와 기준으로 인식되면서 법제도는 항상 정의의 문제와 연결되게 된다.

그러면 무엇이 법인가? 전통적인 견해에 의하면 법은 명령이고 당위이고, 국가의 강제력을 전제로 하는 규범을 말한다. 또 정의(正義)란 무엇인가? 정의는 후술 예정인 인간이 추구하는 최고의 가치이다. 따라서 이런 도식에 의하면 법의 핵심에 있는 정의에 의하여 법이 내리는 명령은 인간의 최고의 선이기 때문에 복종해야 한다는 결론에 도달한다. 그러나 인류의 역사가 보여주듯이 법이 항상 정의로운가하는 의문이 생기면서 법의 지배에 위기가 발생한다. 근대국가에 들어오면서 법이란 홉스의 말처럼 시민을 지배하는 도구이고, 칸트는 오히려 국가란 법 아래에서 다수의 인간에 의한 결사체로 법은 국가권력을 통제하는 도구라고 말하였다. 이러한 견해는 법치국가에서 그대로 적용되고 법이 국가권력을 통제하는 수단으로서 작용한다는 것을 보여준다. 그러나 국가에서 법은 정치적 영향력 속에서 어떠한 정치적 견해가 더 큰 영향을 미치는가에 의하여 결정된다. 이때 두 견해에 갈등이 발생하는 경우, 한편에서는 국가권력을 인정하여 국가의 편에 서서 지지하고, 다른 한편에서는 국가권력을 불신하여 시민을 위하여 지지하게 된다. 따라서 오늘날 다원적, 자유적 민주국가에서 법질서는 그 정당성을 확보하는 것이 무엇보다 중요하다.

법의 정당성은 법의 내용이 정의에 합치되어야 한다는 것을 의미한다. 법의 내용이 정의에 입각해야한다는 것은 인류사회에서 법이 이상적 가치를 가져야 한다는 것을 말한다. 법이 정당성을 확보하기 위해서는 법의 내용만 정의롭게 규정되는 것만으로 충족되는 것은 아니다. 이미 현행 헌법 하에서 헌법재판소는 위헌법률심판을 통하여 헌법에 합치되지 않는 법률에 대해서는 위헌결정을 내림으로써 효력을 상실시키고 있다. 법이 정당하기 위해서는 법의 제정부터 적용까지 절차적으로도 정당해야 한다는 것이다. 즉 절차적 정의까지 확보되어야 법의 명령에 사람들이 복종하게 된다. 이를 위해서는 입법자의 역할이 중요하다. 즉 입법자가 정의의 관철을 위하여 노력할 때 법은 정의를 실현하는 수단이 된다. 이때 입법자는 민주적 정당성을 가져야 하는데 민주적 선거절차를 통하여 합법성과 정당성을 획득하여야 한다. 바로 이런 입법자의 절차적 정의 실현행위가 다수결의 원리에 따라서 합법적이고 민주적 절차를 거친다는 것을 넘어서, 민주적 의사를 수렴하면서 비판을 거침으로서 그 결정의 질을 높이고 가치를 확보해야 법의 지배 원리를 구현한다는 것이다. 법의 정당성을 입법자 스스로 자신의 결정을 시민에게 주장할 수 없을 때 실정법은 권위를 상실하고 효력도 잃게 된다. 따라서 법의 정당성 확보는 민주적 절차에 의하여 정당성을 확보한 입법부가 자신의 작업과 결정에 대하여 책임의무를 가질 때 가능하다. 즉, 실정법의 정의는 입법자가 결정의 과정에서 상충되는 시민의 의견을 어떻게 수렴하느냐에 달려 있다.

이처럼 법의 지배의 원리는 이제 새로운 도전에 처하게 되었다. 법의 지배의 원리가 가능하기 위한 전제조건에 변화가 생겼다. 국가목적을 실현하는 민주주의적 과정에 정당한 제도적, 절차적 및 도구적 기준을 형성하고 적용하는 과정이 너무 형식화되었다는 것이다. 당초 법의 지배는 국가로부터 개인의 기본권을 보호하기 위하여 국가와 구별되는 개인에 자율성이 부여되어 이에 대한 국가의 개입은 원칙적으로 금지되었다. 제도적으로 권력분립과 의회에 의한 입법, 사법부의 독립, 개인의 의사결정 과정에 참여 등이 그것이다. 특히 민주주의적 의사결정 과정을 구속할 수 있는 국민주권의 원칙이다. 민주주의 실현을 위해서는 정치적 동질성이 전제되어야 하는 한편 동시에 시민사회의 정치적 다원성이 어느 정도 존재하여야 한다. 헌법에 의하여 민주주의가 도입되었지만 해당 사회에 전반적으로 정치적 동질성이 결여되어 있어 이념과 정책이 극단적으로 분열되어 파편화되어 민주주의의 실현을 어렵게 하고 있다. 그 결과 민주주의의 불안정은 그만큼 민주주의적 의사결정의 결과인 법, 그리고 법의 지배의 불안정을 가져온다.

헌법적으로 다양한 정치적 이념의 존재 및 경쟁이 보장되어 있지만 현실적으로 시민사회가 전적으로 하나의 지배적인 이념에 의하여 경도되고, 또 그것을 지향하여 실질적으로 정치적 다원성이 결여되어 있는 경우에도 민주주의의 실현 가능성은 낮다. 특정한 가치가 독점적이고 지배적인 위치를 갖는 경우 이는 본질적으로 민주주의 뿐 아니라 법의 지배원리와도 조화될 수 없다. 사회주의 헌법, 또 이슬람사회 등 종교국가의 헌법이 이러한 예에 해당한다. 법의 지배의 원리가 정치권력 및 정치과정에 구속력을 갖기 위해서는 다음과 같은 이중적인 과제를 제기한다.[2)]

첫째, 법의 지배원리 자체의 과제이다. 법의 지배원리는 헌법원리로서 제도적 및 절차적 요소를 담고 있다. 법은 정치의 산물이지만 동시에 정치에 대한 구속력을 가져야 한다. 법은 어느 정도 정치과정의 산물이다. 그러나 법은 동시에 자신의 존재기반인 정치를 구속하여야 한다. 이는 법의 지배원리의 가장 어려운 과제이다. 정치과정을 통하여 제정된 법률이 이제 자신의 형성기반인 정치에 대해서 구속력을 가져야 한다는 것이 법의 지배의 도전적 과제이다. 이러한 과제를 가능하기 위해서는 법이 정치로부터 독자성을 가져야 한다. 법이 정치 및 정책을

2) 전광석, "法의 支配와 民主主義- 歷史的 및 理論的 斷想 -", 『연세 공공거버넌스와 법』 제2권 제1호(2011), pp. 1-18 참조.

실현하는 수단으로 기능할 뿐 아니라 정치 및 정책을 지도하는 기능을 수행하여야 한다. 정치와 법의 갈등에 있어서 정치가 헌법적으로 명확히 우월한 지위를 갖는다면 우리가 이해하는 민주주의, 그리고 법의 지배의 원리와는 거리가 멀다. 이러한 상황에서 법의 지배의 원리는 개인에게 예측가능성을 부여하는 기능, 즉 법적 안정성에 있어서도 불안정하다. 사실상 단일 가치가 지배하거나 혹은 규범적으로 단일 가치가 지배하여야 하는 상황이라면 조정이 필요한 갈등, 그 당연한 결과로서 이를 조정하는 과정에 적용될 헌법원리가 존재 할 필요가 없기 때문이다. 이 경우 법의 지배의 원리는 정치적 가치에 종속될 수밖에 없으며, 그 결과 법적 안정성을 보장하는 기능에 있어서도 제한적이다. 중국과 북한과 같은 1당 지배국가 또는 특정 종교가 지배하는 이란·이라크·시리아·아프가니스탄 등 중동의 이슬람국가 등에서는 법의 지배 원리가 정치에 예속되는 위기가 발생한다. 테러와 관련하여 현재 중동국가에서 벌어지고 있는 양상은 소위 국가 차원의 무장공격이나 테러행위다. 북한에 의한 대남테러 역시 마찬가지 논리다. 이의 명분은 민족해방이나 제국주의 타도 등이다. 이는 현재까지 국제적으로 논의되고 있는 포괄적인 대테러협약 체결에서 문제가 되고 있는 테러에 대한 개념의 통일에 어려움을 겪고 있는 이유이기도 하다.

둘째, 민주주의의 제도의 과제이다. 민주주의는 가치의 다양성에서 출발한다. 이를 위해서는 민주주의 자체가 공론의 장을 제공할 수 있어야 한다. 여기에서 다원적인 가치가 표출되어 상대방을 설득할 기회를 갖고, 또 상대방에 의하여 설득될 수 있는 열린 자세가 갖추어져 있어야 한다. 가치의 다원성을 수용할 태세가 되어 있지 않다면 '법의 지배'의 원리는 의미가 없다. 단일의 가치가 지배한다면 가치 간의 긴장관계도, 또 이를 조정할 기능원리도 존재할 필요가 없기 때문이다. 민주주의의 원리인 다수결의 원칙은 다수의 의사를 존중하는 것이기 때문에, 이러한 다수의 지배를 위해서는 절차적 정의가 확립되어야 한다. 절차적 정의가 없는 단순한 다수의 지배는 자의적 지배나 폭력적 지배가 될 가능성이 많다. 과거 20세기 사회주의 국가들의 사례가 이를 증명한다. 따라서 민주주의에서 다수의 지배를 위해서는 정당한 절차가 보장되어야 하고 다양한 견해를 표출하고 이를 수렴할 수 있는 법과 제도가 있어야 한다. 소수의 보호를 위한 제도를 마련하는 것은 다수의 횡포를 통제함으로써 자유와 평등에 입각한 민주주의의 이념을 실현하기 위한 것이다. 앞에서 살펴본 바와 같이 법의 지배원리는 민주주의에 비해서 오랜 논의 및 제도화의 역사를 갖고 있다. 법의 지배원리와 민주주의는 역사적으로, 그리고 이론적으로 기원이 다르다. 두 원리가 각각의 특징을 보유하면서 진화하여 왔다. 법의 지배원리가 독자적인 헌법원리이지만, 헌법질서에서 민주주의와 상호연관 속에서 비로소 실현될 수 있다는 구조적인 문제 때문이다.

주지하는 바와 같이 민주주의는 고대 그리스의 도시국가의 형성과정에서 생겨났다. 기원전 8-9세기경 그리스에는 폴리스(polis)라는 도시국가가 형성되었다. 처음의 폴리스의 정치형태는 왕정이었으나 기원전 7세기까지는 귀족정(貴族政)으로, 그리고 기원 전 6-5세기에 걸쳐서는 일부분의 폴리스에서는 민주정치가 수립되었다. 아테네의 경우에는 기원전 7세기 후반 평민들의 경제력이 성장되고 군사적 역할이 확대됨에 따라서 그들의 정치참여에 대한 요구가 증대되었다. 이러한 요구는 당시의 지배세력인 귀족정의 구성원인 귀족세력을 위협하게 되었다. 이와 같이 귀족과 평민이 대립을 하는 과정에서 새로이 권좌에 등장한 참주(僭主, tyrants)들이 등장하였으며 기원전 6세기 초 솔론(Solon)이 조정자로서의 개혁을 실시한다. 이후 기원전 6세기 말 아테네 민주주의 아버지로 일컬어지는 클레이스테네스(Cleisthenes)의 개혁으로 민주정치의 기반이 형성되었다. 페르시아 전쟁을 기점으로 당시 군인으로 복무한 무산자(無産者)와 평민의 사회적 경제적 역할이 커짐에 따라서 그들의 정치적 발언권이 증대되었다. 이러한 변화로 고대 아테네에서의 무산자와 평민들이 포함된 형태의 민주정치의 제도적 실현이 가능하게 하였다. 이렇듯 그리스 민주주의 정치체제는 도시 국가의 정치질서의 변화의 과정에서 소수에 의한 지배가 아닌 다수에 의한 지배에 대한 선호를 근간으로 하여 형성되었다. 이는 통치의 권한을 기존의 소수의 귀족이나 과두지배자들 혹은 왕이나 참주 등과 같은 특정 계급의 사람들이 향유하던 것을 당시 도시국가의 시민에게까지 확장시킨 것이다. 즉 정치적 참여주체의 범위에 대한 확장을 가능케 한 원동력이 되었던 것이다. 또한 시민이 통치에 참여하고 통치에 대한 주권적인 권한을 행사가 가능하게 된 정치체제로 변화하게 되었다. 이로써 민주주의를 나타내는 데모크라시(democracy)라는 표현은 '민중, 인민'을 뜻하는 '데모스'(Demos)와 '정치, 통치, 지배' 등을 뜻하는 '크라티아'(Kratia)가 합쳐진 말을 통해서도 확인할 수 있다. 즉 인민에 의한 지배를 뜻한다.

테러와 관련하여 이러한 다수의 지배를 근간으로 하는 민주주의가 이와 같은 제도를 도입하고 실현하기 위해서는 한편으로 해당 사회에 정치적 동질성이 전제되어야 하며, 다른 한편 동시에 시민사회의 정치적 다원성이 어느 정도 존재하여야 한다. 표면적으로 모순되는 것으로 보이는 두 요청이 예민한 균형을 유지하여야 한다. 여기서 이러한 균형을 일부 소수자가 폭력으로 파괴한다면 민주주의와 법치주의는 위기에 처할 수 있다. 민주주의 핵심 원리인 다수결의 원리를 실현하는 과정에서 민주적 의사의 수렴이 소수자의 다양한 비판을 거침으로서 그 결정의 질을 높아지는 것이고 정당한 법의 지배 원리를 구현하는 것이다. 그러나 이러한 민주적 의사결정을 일부의 소수자가 부정하고 이를 폭력으로 무효화할 때 일부 소수자에 의한 폭력 이것이 테러 문제다. 특히 현재 유럽 등 서구사회에서 발생하고 있는 자생테러, 소위 '외로운 늑대'에 의한 테러의 기저는 이러한 법치주의의 위기에서 오고 있는 것이다.

제2절 보복(報復)의 원리

Ⅰ. 정당한 전쟁(正戰, just war) 의미

정당한 전쟁에 관한 이론(正戰論, The Just War Doctrine)은 4-5세기경 사상가 아우구스티누스(Aurelius Augustinus, 354-430)에 의해 최초로 체계화되었다. 이후 토마스 아퀴나스(Thomas Aquinas, 1225-1275) 등의 법학자들을 거쳐 근대 초기에 비토리아(Francisco de Vitoria)나 수아레스(Francisco de Suárez) 등 신학자들에 의해 전개되었고, 현대의 라인홀드 니버(Reinhold Niebuhr)와 폴 렘지(Paul Ralsey)와 같은 인물에 의해 계속 이어지고 있다.[3] 정전의 문제는 법학과 철학적인 차원의 문제로 오랜 인간의 역사를 통하여 전시(戰時)에 의도적이고 계획적인 살해가 정당화 될 수 있는지, 그 경우 언제 그것이 가능하고 가능하지 않은 것인지 결정할 필요가 있는 것이다. 이는 전쟁을 정의(正義)라는 도덕적 관점에서 과연 어떤

3) 신원하, 『전쟁과 정치: 정의와 평화를 향한 기독교윤리』(서울: 대한기독교서회, 2003), p. 133.

전쟁이 정당하고 부당한지를 논하고자 하는 견해로, 어떠한 경우 전쟁이 허용되는가의 문제(right to go to war, jus ad bellum)와 전쟁에 있어서 지켜야 할 한계의 문제(right conduct in war, jus in bello)를 설명하는 이론이라고 할 수 있다. 전자는 전쟁이 정당화되는 것은 어떠한 경우인가 하는 문제를, 후자는 전쟁수행과정에 있어서 어떠한 행위가 정당한 것인가 하는 문제를 다룬다. 이때 전쟁이 허용되는 경우는 ① 정당한 명분(a just cause)이 있어야 하고, ② 합법적인 권위(a legitimate authority)가 있어야 하며, ③ 공식적인 선언(a formally declared)이 있어야 하며, ④ 평화를 가져오기 위한 의도(a peaceful intention)가 있어야 하며, ⑤ 최후의 수단(a last resort)이어야 하며, ⑥ 성공 가능성(hope of success)이 있어야 하면, ⑦ 상대방 공격에 대한 비례성(proportionality)이 있어야 한다는 것이다.[4] 이러한 조건들이 갖추어져야만 비로소 그 전쟁은 정당한 정의로운 전쟁이 될 수 있는 것이다. 전쟁에서 지켜야 할 한계는 ① 비전투원은 전쟁의 대상에서 제외해야 하고, ② 포로와 죄수는 인도적으로 대우해야 하며, ③ 국제적인 조약과 관례는 지켜져야 한다는 것이다. 이는 전쟁을 수행하면서 지켜야 할 최소한의 원칙을 규정한 것으로 이렇게 해야만 전쟁의 정당성이 윤리적으로 확보된다는 것이다. 이처럼 정당한 전쟁이 되기 위해서는 위의 두 가지 이론이 동시에 적용되어야 정당성을 인정받을 수 있다는 것이다. 이 이론은 이러한 기준을 만족하고 있는지의 여부를 과연 누가 판정하느냐의 문제와 전쟁의 양쪽 당사자가 서로 정당성을 주장하는 경우 어떻게 다루어야 할 것인가 하는 문제가 발생한다. 또한 전쟁 그 자체가 악이라는 평화주의의 반론에 대해서 충분한 해답을 제시할 수 없다는 점도 문제로서 지적되고 있다.

전쟁에 관해 최초로 체계적으로 저술한 독일의 사상가 클라우제비츠(Carl von Clausewitz, 1780-1831)는 전쟁이란 "나의 의지를 실현하기 위해 적에게 굴복을 강요하는 폭력행위"라고 정의했다.[5] 이처럼 전쟁의 목적은 나의 의지를 실현하기 위해 폭력을 사용하는 것으로 따라서 전쟁의 정당성 같은 것은 중요하지 않다는 반론이 있다. 문제는 현실 세계에서 인류의 역사가 시작된 이래 전쟁이 없었던 시기는 거의 없었다. 전쟁이 없는 평화로운 세상, 그것은 어느 시대를 막론하고

4) J. Patout Burns, 『*War and its discontents: pacifism and quietism in the Abrahamic traditions*』(Washington, D.C.: Georgetown University Press, 1996.), pp. 111-112.
5) Carl von Clausewitz, *Von Kriege*, 김만수 역, 『전쟁론』(서울: 갈무리, 2008), p. 46.

인류의 희망이었으나 현실적으로 전쟁이 그치는 날이 없었다. 인류의 역사는 전쟁의 역사라고 봐도 과언이 아니다. 인간이 살아가는 것 자체가 정치이기 때문에 전쟁은 수단을 달리한 정치의 연속으로 전쟁은 그 자체로 인간이 살아가는 것과 관련이 있다.

미국의 정치학자 '케네스 왈츠'(Kenneth Neal Waltz, 1924년~2013년)는 『인간, 국가, 전쟁』(Man, the State, and War, 1959), 『국제정치이론』(Theory of International Politics, 1979)에서 국가 간 관계에 있어서 가장 궁극적인 관심은 바로 생존, 즉 국가의 안보라고 주장한다. 국가는 자기 자신의 생명을 위태롭게 하면서까지 권력이나 경제적 이득, 영광을 추구하지는 않을 것이다. 국가는 생존 이외의 다른 어떤 목적을 위하여 생명의 위협을 무릅쓰지는 않을 것이다. 국제사회에서 국가들은 그 생존을 위해서 도덕성보다 더욱 중요한 것이 자국의 안보이고 이익이다. 따라서 국가 간의 갈등은 끊이질 않고 전쟁도 없어지지 않는 것이다. 국제사회의 갈등을 조정해온 종교를 기초로 한 도덕과 규범이 존재하고 있고, 이것이 없다면 아마도 전쟁은 클라우제비츠가 말한 '절대전쟁'의 상태와 유사하게 진행될 것이다. 즉 더욱 잔인하게 되고 대량살상과 같은 비극적인 결과를 초래할 수도 있다는 것이다. 이런 비극적인 결과를 피하기 위해서 발전한 것이 정당전쟁론이다.

최근 2001년 미국의 9·11테러와 2015년 프랑스의 파리테러가 발생하여 무고한 시민의 대량희생으로 국제적 비난이 가중되면서 국제사회 및 안보환경의 변화에 따라 전쟁의 정당성이 다시 강조되고 있다. 특히 미국이 주도하는 '테러와의 전쟁'(War on Terror)이 진행되면서 전쟁의 정당성의 문제가 다시 제기되고 있다. 이처럼 전쟁은 항상 있어 왔고 하나의 국제적인 현상으로 국가 간의 전쟁이나 국가 이하의 단위나 민족 사이에 일어나고 있다. 전쟁은 정당하다는 주장 하에 여러 가지 형태의 폭력을 사용하는 일이 불가피하다. 개인 간의 폭력은 폭력이지만, 국가 간이나 집단 간에 사용되는 폭력은 조건이나 이유도 다양하고, 상황에 따라 다르기 때문에 국가라는 제도 하에서 이루어지는 제도적 폭력을 의미하는 입장이라고 할 수 있다. 국제적 정당성은 국제정치에의 참여 자격과 적합한 행동에 관한 국제사회의 합의를 반영한다. 국가행동의 정당화 과정은 국제사회의 핵심원칙과 일련의 국제규범에 기초하여 이뤄지는 정치적 영역으로 정당한 것으로 간주되려면 국제사회에 의해 합리적으로 수용 가능한(reasonably accepted) 것으로 여겨져야 한다는 것이다.[6] 이때 도덕적 힘(moral force)은 전쟁에서 다루어지는 여러 주제 중에서 가장 중요한 것으로 모든 국제적 의사를 결집하는 정신적 힘이다. 여기서 말하는 도덕적 힘이란 것은 정당성의 영향을 받는 것이다. 국제사회에서 국가이익으로 정의되는 권력(power)을 추구한 정치학자 모겐소(Hans J. Morgenthau)도 국제정치에서 권력을 규제하는 도덕의 의미를 간과하지 않았다.[7]

국제적 정당성의 중요성은 물론 강력한 힘을 가져야 가능하다. 현실주의 입장에서 볼 때 가장 중요한 힘은 물질적 능력, 특히 군사력을 말한다. 강력한 힘이 없이 도덕적 동기와 수행을 말하는 것은 허울에 불과하다. 국제적 정당성을 얻기 위해서는 상대방 국가를 상대로 전쟁을 치르고 승리할 만큼의 충분한 군사력을 갖추어야 한다. 이런 힘은 향후 자신의 질서에 대한 외부의 도전에 대응하는 데도 필요하다. 기본적으로 힘이 갖추어진 상태에서 도덕성을 말해야 한다는 것이다. 특히 테러활동의 증가와 대량살상무기 확산과 같은 다양한 초국가적 위협에 대처하기 위해서는 국가의 생존을 결정짓는 강력한 군사력을 필요로 한다. 여기서 오늘날 새로운 형태의 전쟁에서 도덕성 문제는 전투원과 비전투원의 분리가 쉽지 않다는데 있다. 19세기까지는 어느 정도 전투원과 비전투원의 구분이 가능했으나 현대전은 전후방의 구분이 없고, 현실적으로 생화학 무기나 장거리 미사일 같은 대량살상무기는 이의 구분이 무의미하게 만든다. 특히 핵폭탄의 경우는 말할 것도 없다. 앞에서 본 정의로운 전쟁의 조건들을 보면, 상당히 현실에서 이루기 어렵다. 전투원끼리 서로 부딪치며 싸우던 시대에는 가능할 수도 있지만, 오늘 날과 같이 무기가 발달하여 장거리 미사일이나 공중 폭격을 통해 적과는 제대로 마주쳐보지도 못한 채 당하는 전쟁에서는 정의로운 전쟁의 조건에 맞추어 전쟁을 한다는 것이 거의 불가능하다. 이 원칙은 현대전쟁에 적용할 수 없고 그러면 정의로운 전쟁 자체는 불가능해진다.

정의로운 전쟁이라고 한다면 적어도 어떤 행위가 가져올 결과에 대해 면밀히 숙고해야 한다. 따라서 비전투원의 피해가 커지면서 전쟁의 도덕성 논란은 커져가고 있다. 동시에 이 문제는 테러의 경우도 포함되는데 소수가 자신의 의사를

---

6) Ian Clark, *Legitimacy in International Society* (New York: Oxford University Press, 2005), pp. 2-3.

7) Hans J. Morgenthau, 『*Politics among Nations: The Struggle for Power and Peace*』(New York: A. A. Knopf: Distributed by Random House, 1985), chap. 16.

관철시키기 위해서 펼치는 테러전쟁은 정당한 전쟁의 의미를 더욱 복잡하게 만든다. 국제정치의 운용에 있어 도덕성의 역할을 배제시키는 국제체계의 관행을 극복할 수 있는 도덕적인 근거를 제공할 것을 요구한다. 이에 대해 왈쩌(Michael Walzer)는 중요한 두 가지 기준을 제시한다. 첫째, 전쟁은 정치・경제・외교 등 국력의 여타 수단이 위력을 발휘하지 못하는 순간에 사용되어야 한다. 이는 전쟁이란 최후의 수단(ultima ratio)이 되어야 한다는 것을 말한다. 둘째, 전쟁에서 군인과 민간인이 입게 될 희생은 추구하는 전쟁 목표의 의미와 비교해 커서는 안된다.[8] 이를 통해 보면 정의로운 전쟁은 갈등을 해결하는 한 방식이 아니라, 상대방의 부정의와 불의를 해소하기 위한 최후의 수단으로만 인정되어야 한다.

Ⅱ. 보복의 역사

보복(報復, retaliation)의 역사는 구약 성경에서 "눈은 눈으로", "이는 이로"란 기록으로부터 시작하여 인류역사에 많은 사례가 등장한다. 카톨릭은 오랫동안 정당한 전쟁(Just war)을 용인하겠다는 공식입장을 채택해왔으나 최근 정당한 전쟁이론을 폐기하고 비폭력적이고 평화적인 '정당한 평화'를 공식 입장으로 채택해야 한다는 움직임이 일고 있다.[9] 국제테러와 관련하여서는 지난 2001년 미국의 9・11테러 이후 오늘날 국제적으로 추진되고 있는 테러와의 전쟁에서 이러한 정당한 전쟁에 관한 이론이 그 의미가 발휘되고 있다. 소위 국제테러 조직에 대한 응징과 보복이 그것이다. 여기서는 많은 보복의 역사 사례 중에서 테러사건에 국한하여 살펴보고자 한다. 테러조직이나 단체에 대한 보복의 사례는 무수히 많지만 공개적으로 알려지지 않은 것도 있고, 공식적으로 보복으로 표명되지 않고 있는 것이 대부분이다. 다음에서는 국제테러로 피해를 당한 국가가 실시한 대표적인 보복의 사례를 몇 가지 소개하고자 한다.

---

8) Michael Walzer, 『Just and Unjust Wars: A Moral Argument with Historical Illustrations』, 권영근 외 역, 『마르스의 두 얼굴』(서울: 연경문화사, 2007), p. 41.
9) Pat Cunningham, "Nonviolence and Just Peace"(2016.6.10.)(http://www.withoutwar.org).

1. 뮌헨올림픽 선수촌 테러

이 사건은 1972년 독일 뮌헨에서 열린 제20회 올림픽에서 아랍 테러단체 '검은 9월단' 소속의 테러범 8명이 수류탄과 기관총으로 무장하고 9월 5일 이른 새벽에 경비가 삼엄한 선수촌의 담장을 넘어 이스라엘 선수단 숙소를 점거하였다. 점거당시 항거하는 이스라엘 선수 2명을 사살하고 9명을 인질로 잡은 뒤 이스라엘 형무소에 수감 중인 236명의 동료의 석방과 안전한 탈출을 요구한 사건이다. 테러범은 요구조건이 3시간 내에 충족되지 않으면 30분 간격으로 인질 2명씩을 사살하겠다고 위협했다. 이에 서독 정부는 요구를 수락하는 체하면서 버스를 제공했고, 테러범들이 이집트로 가기 위해 밤 10시경 버스로 이동하여 공항에서 비행기로 옮겨 타려는 순간 진압작전을 개시하였다. 당시 공항은 특공대로 포위되어 있었고, 5명의 저격수가 배치되었으나 야간으로 작전이 실패하면서 이스라엘 선수 9명을 포함하여 모두 17명이 현장에서 사망한 비극적인 사건이었다.[10)]

이후 골다 메이어(Golda Meir) 이스라엘 여성 총리는 곧바로 공군에게 보복 공격을 하도록 지시하여 팔레스타인 게릴라 기지를 포격하여 수백 명의 팔레스타인인들을 살해하였다. 이어서 이 테러를 기획하고 가담한 범인들을 암살하기 위해 이스라엘 정보기관 모사드(Mossad)와 군대가 합동으로 바요넷(Bayonet)이라 불리는 특수팀을 만들었다. 이 팀의 첫 작전으로 최초로 암살된 사람은 아라파트의장의 조카이며 번역가인 와사르 즈와이델(Abdel Wael Zwaiter)로서 로마의 자택 아파트 안에서 사살되었다. 이후 1973년 4월 9일 베이루트에 있던 PLO와 검은 9월단 간부가 묵고 있던 아파트를 기습하여 카마르 나사라(Kamal Nasser), 유세프 나지르(Muhammad Youssef Al-Najjar), 카마르 아드완(Kamal Adwan) 등 3명의 간부를 살해했다. 이때 암살단은 선박으로 PLO의 본거지인 베이루트로 이동하여 적의 눈을 피하기 위해 절반은 여장(女裝)을 했고 도중에 경비병에게 발각되어 총격전이 벌어지게 되는 과정 끝에 이들 간부 3명을 사살하는 데 성공했다.

당시 이 작전의 지휘관은 나중에 이스라엘 군의 총참모장과 수상이 된 에후드 바락(Ehud Barak)이었다. 이 암살단은 주로 유럽과 중동을 돌아다니면서 팔레스타인 테러단을 추적하여 죽이기 시작하였다. 사건 관련자 알리 하산 살라메(Ali

10) 세부 내용은 제7장 제5절 참조.

Hassan Salameh)가 바람둥이였다는 것에 주목하고 여성 에리카 챔버스(Erika Mary Chambers)를 접근시켜 베이루트의 소재지를 추적하여 1979년 1월 22일 그의 자동차가 통과하는 장소에 차량폭탄을 설치하여 원격조종으로 폭파시켜 살해했다. 이러한 보복작전은 '신의 분노'(Wrath of God)라는 암호명으로 1992년까지 20년 동안 계속되어 얼마나 많은 관련자들을 죽였는지는 알 수 없으나 20명 이상이 암살된 것으로 추정된다. 현재까지 뮌헨 테러사건 관련자 중 암살되지 않고 생존하고 있는 자는 두 명이라고 한다.[11] 때로는 실수를 하였는데 1973년 6월 노르웨이 릴레함메르(Lillehammer)에서 한 모로코인을 이 사건 관련자 '알리 하산 살라메'(Ali Hassan Salameh)로 오인하여 암살하였다가 대원 5명(여성 2명, 남성 3명)이 노르웨이 경찰에 체포되어 2년간 옥살이를 한 끝에 외교적 노력으로 겨우 송환되는 우여곡절도 있었다.[12]

2. 로커비(Lockerbie) 사건

이 사건은 1988년 12월 21일 런던 히드로 공항(London Heathrow Airport)을 출발하여 미국의 뉴욕으로 향하던 팬암항공사 소속의 보잉 747기가 스코틀랜드 로커비 상공에서 공중 폭발하여 270명(탑승자 259명, 로커비 마을 주민 11명)이 숨진 항공기 테러사건이다. 희생자 대부분이 미국인과 영국인이었다. 이후 미국과 영국은 범인을 색출하기 위하여 합동수사팀을 설치하고 50여 개국 관련자 1만4천여 명을 신문하였다. 또한 물적 증거를 찾기 위해 비행기가 폭파되면서 시속 190km/h의 바람으로 흩어진 잔해물을 수거하기 위하여 군인과 경찰을 동원하여 21,289㎢(우리나라 전라도 크기: 20,336㎢)의 면적을 샅샅이 뒤져 일제 도시바 제품의 카세트 라디오의 손톱만한 크기의 회로기판 부품을 찾아내었다. 이것을 단서로 범인이 체코에서 제조된 셈텍스(Semtex)라는 약 1파운드(450그램)되는 플라스틱 폭발물을 카세트 라디오에 부착하여 항공기의 앞부분 수하물 보관소에서 시한장치로 폭파시켜 항공기가 파괴됐다고 결론을 내리고 사건발생 3년 만인 1991년 11월 수사결과를 발표하였다. 범인은 지중해 몰타의 루카공항에서 리비아 항공사

---

11) 스티븐 스필버그 감독은 뮌헨올림픽 테러 사건을 소재로 2005년 영화 〈뮌헨〉을 만들어 팔레스타인 용의자들을 암살하는 이스라엘 정보기관의 보복과 활약상을 그렸다.

12) 홍순남, "뮌헨올림픽 테러사건과 팔레스타인 테러활동의 원인분석", 『대테러연구』 제8집(서울: 경찰청, 1987), pp. 258-261.

직원으로 활동하던 리비아 정보요원 '알리 알 메그라히'(Abdelbaset al-Megrahi, 48세)와 '라멘 할리파 피마흐'(Lamin Khalifah Fhimah, 44세) 2명이었다.

이에 따라 영국과 미국은 이들 용의자의 신병을 인도할 것을 요구했으나 리비아의 최고 지도자 카다피(Muammar Gaddafi)는 처음에는 협의사실 자체를 부인하다 나중에는 재판의 공정성이 의심된다는 이유로 신병인도를 거부했다. 이에 UN은 두 차례의 안보리 결의(제731호, 제748호)를 통해 1992년부터 리비아에 대해 민간항공기 운항금지, 무기 및 특정 석유장비 금수, 해외자산 동결 등의 제재에 들어갔고, 미국과 영국은 끈질기게 신병인도를 요구하여 마침내 넬슨 만델라 당시 남아공 대통령 등의 중재로 제3국인 네덜란드에서 용의자에 대한 재판을 진행한다는 조건으로 1999년 4월 범인 메그라히와 피마흐 등 2명의 신병이 인도되었다. 2000년 5월 3일 이 사건에 대한 첫 재판이 네덜란드에서 스코틀랜드 법에 의해 열려 2001년 1월 31일 결국 메그라히는 무기징역을, 피마흐에게는 무죄를 판결했다(메그라히는 복역 중 전립선암으로 2012년 5월 사망). 사건 발생부터 선고까지 무려 13년이 지난 후에 이 사건에 대한 보복적 응징이 끝이 난 사건이었다. 이후 2003년 8월 리비아가 책임을 시인하고 희생자 1명당 천만 달러, 총 27억 달러 보상금을 지급하되 UN경제제재 해제를 요구하였다. 이후 미국은 1986년부터 리비아를 테러지원국가(state sponsor of terrorism)로 지정하여오다 2004년 6월 트리폴리(Tripoli)에 미국 연락사무소가 설치되었고 2006년 5월 31일 대사관으로 승격하면서 테러지원국 지정을 해제하였다.

3. 9·11테러

이 사건은 2001년 9월 11일, 이슬람 무장 테러 단체인 알 카에다(Al-Qaeda)의 테러범들(총 19명)에 의해 납치된 4대의 민간여객기가 미국 뉴욕의 세계 무역 센터와 워싱턴의 미국 국방부 청사인 펜타곤에 충돌한 사건을 말한다. 여객기 4대 중 2대는 뉴욕의 세계 무역 센터 2개 동에 각각 충돌했고 1대는 워싱턴의 펜타곤에 충돌했다. 나머지 한 대는 미국 동부의 펜실베이니아 외곽에 추락하였다. 이 사건으로 2977명이 사망하였고 6천여 명이 부상당하였으며, 지금도 5만여 명이 각종 암과 호흡기·정신질환으로 고통 받고 있다.

9월 11일 미국 뉴욕의 맨해튼 오전 8시쯤 이곳에서 동북쪽으로 400~500㎞

떨어진 보스턴 로건 국제공항에서 승객 81명과 승무원 11명을 태운 아메리칸항공(AA: America Airline) 소속 B767기 AA11편이 로스앤젤레스를 향해 이륙했다. 항공기가 이륙 후 30분이 경과한 시간에 아랍계로 보이는 승객 서너 명이 자리에서 일어나 조종실 쪽으로 다가가 칼 등의 흉기로 여승무원을 위협하여 조종실로 진입했다. 이들은 조종사를 흉기로 찌른 뒤 범인 한 명이 조종간을 잡고, 항공기의 위치를 관제탑에 알리는 위치발신장치(transponder)를 꺼버렸다. 범인은 자동비행 상태에 있는 항공기의 진행 방향을 뉴욕 맨해튼으로 수정하고 고도를 낮춰, 오전 8시 45분 세계무역센터의 84층과 85층의 중간 부분을 들이받았다. 두 번째 항공기는 첫째 여객기가 보스턴 공항을 이륙한 지 약 14분 뒤쯤 같은 공항 유나이티드 항공(UA: United Airline) 소속 B767기 UA175편 여객기도 LA를 향해 이륙했다. 승객 65명이 탄 이 여객기도 마찬가지로 흉기를 든 테러범들에게 장악돼 정상항로를 이탈하고 뉴욕으로 날아갔다. 오전 9시 3분쯤 미국 CNN이 조금 전의 무역센터 충돌 사고를 생중계하던 시간에 이 여객기가 화면에 들어왔고, 곧장 일직선으로 날아와 순식간에 쌍둥이 빌딩의 무역센터 남쪽 건물에 충돌하고 폭발했다. 세 번째 항공기는 미국 시민이 뉴욕의 항공기 충돌로 넋을 잃고 있는 오전 9시경 워싱턴 DC 덜레스 공항(Washington Dulles International Airport)에서 또 다른 아메리칸항공사의 B757기 AA77편이 LA를 향해 이륙했다. 승객 60명을 태운 이 여객기도 이륙 후 곧바로 테러범들에게 장악되어 오전 9시 43분경 워싱턴의 국방부 청사인 펜타곤(Pentagon) 서쪽 건물 쪽으로 돌진하면서 헬기와 부딪히고, 꼬리 부분이 청사를 치며 폭발했다. 네 번째 항공기는 뉴욕 맨해튼 강 건너편에 있는 뉴저지주의 뉴어크(Newark) 공항에서 오전 8시 유나이티드 항공사 소속 B757기 UA93편으로 승객 45명을 태우고 샌프란시스코를 향해 이륙했다. 이 여객기도 테러범들에게 납치돼 항로를 이탈하자 화장실에 숨은 한 승객이 이 사실을 전화로 외부에 알렸고, 기내 승객과 테러범들 간의 싸움으로 당초 국회의사당을 공격하려 하였으나 실패하고 펜실베이니아 주(州) 생크스빌(Shanksville) 부근의 숲속으로 추락했다.

미국의 부시 대통령은 2001년 9월 16일 오후 3시 30분에 백악관에서 테러와의 전쟁(War on Terror)을 선포하고 이를 십자군전쟁(Crusade)에 비유하며 테러단체와의 대결이 아닌 이슬람과의 대결로 나아갔다. 9월 20일 부시 대통령은 미국을 전복하려는 알 카에다의 지도부와 테러 캠프의 폐쇄를 목적으로 아프가니스탄의 탈레반 정권에게 주는 최후통첩을 하고, 10월 7일 알 카에다와 오사마 빈 라덴을 지원·은닉하고 이들의 양도를 거부하고 있던 아프가니스탄의 탈레반 정권을 상대로 선전포고(宣戰布告)를 했다. 이렇게 테러와의 전쟁의 첫 전투가 아프가니스탄 전장에서 시작되었다. 2002년 연두교서에서 부시대통령은 이라크, 이란, 북한을 '악의 축'(Axis of evil)으로 지명하면서 대량살상무기와 관련된 테러리스트 혹은 테러지원국으로부터의 위협이 있을 경우 선제공격의 필요성을 강조하는 부시 독트린(Bush Doctrine)을 발표하였다. 2003년 3월 20일에는 역시 국제테러집단과 긴밀한 관계를 유지하며 대량살상무기(WMDs)를 개발 중인 것으로 의심받고 있던 이라크의 후세인 정권을 상대로 전쟁에 돌입했다. 미국은 압도적인 군사력의 우위를 바탕으로 탈레반 정권과 후세인 정권을 전복시켰고, 친미 성향의 카르자이(Karzai) 정권과 누리 알 말리키(al-Maliki) 연립정부를 각각 옹립하였다. 이 사건의 주모자 빈라덴(54세)은 미국 특공대에 의해 2011년 5월 2일 새벽 파키스탄의 수도 이슬라마바드 북쪽으로 약 100㎞ 떨어진 아보타바드의 고급 맨션에서 사살되었다.[13] 이러한 부시 독트린은 자위권을 확장하여 공격받기 전에 하는 선제공격을 정당화할 수 있다는 새로운 전략으로서 제시되었고 이는 지금의 테러와의 전쟁에서도 적용되고 있다. 테러와의 전쟁은 주적(主敵)의 개념이 분명하지 않고 시공간적 제약이 없어지면서 대상이 국가가 아닌 테러단체 등 비국가 행위자에게 선포된 새로운 형태의 전쟁으로 볼 수 있다.

4. 파리테러

2015년 11월 13일 프랑스 파리 및 생드니(Saint-Denis) 지역 시내 여섯 곳에서 이슬람 수니파 무장단체 IS가 자행한 자살 폭탄 테러 및 대량 총격 사건으로 130명 여명이 사망하고 300여명이 부상을 당하였다. 테러범들은 세 무리로 나누어 파리 시내 및 북부 교외 생드니의 총 6개 지점에서 동시다발적으로 테러를 일으켰다. 프랑스와 독일의 친선 축구 경기가 열리고 있는 생드니의 스타드드(Stade

13) 제로 다크 서티(Zero Dark Thirty)는 오사마 빈 라덴 암살작전을 소재로 영화화하여 2012년 미국에서 개봉한 것으로 '제로 다크 서티'는 자정이 30분 지난 시각으로 작전개시 시각을 의미한다.

de France) 인근에서 현지 시각으로 밤 9시 20분부터 모두 세 차례의 자살 폭탄 테러가 발생하여 당시 경기를 관람 중이던 프랑수아 올랑드(François Gérard Georges Nicolas Hollande) 프랑스 대통령도 급히 경기장을 빠져나왔다. 그 시각 다른 무리는 파리 제10구역과 11구역의 식당과 카페 등에서 총기를 난사하여 현장에서 40여 명이 사망하였다. 밤 10시 무렵 또 다른 테러범들은 파리 제11구역에 위치한 바타클랑(Bataclan) 극장에 침입하여 당시 록밴드 공연을 관람 중이던 관객 1,500명에게 총기를 난사하여 90여 명이 사망하였고, 미처 극장을 빠져나가지 못한 관람객 60여 명을 인질로 잡고 경찰과 대치하던 중 밤 12시 15분에 대테러 부대를 투입하여 테러범 3명은 자폭하고 1명은 사살되었다. 14일 오전 11시 IS는 공식 성명을 통하여 자신들의 소행임을 인정하였다.

이에 올랑드 프랑스 대통령은 테러를 "프랑스와 프랑스의 가치에 맞서는 전쟁행위"로 규정하고 "테러가 근절될 때가지 공습의 중단이나 휴전은 결코 없다"며 곧바로 국가비상사태(l'tat d'rgence)를 선포하고, 내재적 결의(Inherent Resolve)라는 작전명으로 11월 15일 전투기 2대와 폭탄투하기 10대를 동원하여 250kg 무게의 정밀 유도폭탄 BLU-126을 위주로 시리아 북동부 라카(Raqqa) 지역의 IS 지휘 본부와 훈련 캠프에 대한 대대적인 보복 응징을 감행하였다. 11월 18일에는 프랑스 경찰 특수부대가 파리 북부 교외 생드니의 한 아파트에 은신하던 중이던 이번 테러 총책 '압델하미드 아바우드'(Abdelhamid Abaaoud) 등 2명을 사살하였다. '장 이브 르 드리앙'(Jean-Yves Le Drian) 프랑스 국방장관은 앞으로 IS 공습을 더 강화하기 위하여 프랑스 유일의 핵 항공모함 '샤를 드골'(Charles-de-Gaulle)호까지 투입할 것이라고 예고하며 11월 23일 핵추진 항모를 투입했다. 전 세계에서 원해작전이 가능한 핵추진 항공모함을 보유한 국가는 미국과 프랑스뿐으로 42,000톤급 드골호에는 라팔M과 슈페르 에탕다르 공격 26대와 E-2 조기경보기, 쿠거 대잠헬기 등 모두 전투기 40여를 탑재할 수 있다. 드골호에는 피에르 드 빌리에(Pierre de Villiers) 프랑스군 참모총장이 탑승해 직접 작전을 지휘하였다. 이는 프랑스가 130여 명의 희생자를 낸 IS의 '피의 금요일' 테러에 대한 즉각적이고 강도 높은 보복작전을 편 사례로 지금도 끝나지 않고 있다.

5. 이스라엘의 보복 전략

이스라엘은 지난 1948년 건국 당시부터 무관용(Zero tolerance)정책을 시행해 오고 있다.[14] 이스라엘의 국가안보전략은 이스라엘에 대한 공격은 한 마디로 '눈에는 눈, 이에는 이'의 대응으로 바로 상대방을 응징・보복하는 전략(Tit for Tat)이다. 적이 도발을 하는 경우 반드시 응징・보복을 한다는 믿음을 적에게도, 국민에게도 확신시켜 준다는데 있다. 임박한 위협이든 미래의 잠재적 위협이든 이스라엘의 국가 생존에 위협이 된다고 판단되면 반드시 공격을 감행한다. 필요시 방어보다는 선제공격개념을 적용하는 이유는 무엇보다도 주변 아랍국과 비교해 국토가 협소하기 때문에 먼저 공격하여 전쟁 주도권을 획득해야 하기 때문이다. 개전과 동시에 신속히 적의 영토를 전장화(戰場化)하기 위함이다. 이는 아랍 국가들에 의해 포위된 지리적 조건이나 전략종심(戰略縱深, strategic depth)이 부족한 환경으로 이스라엘 국내에서 전쟁이 전개될 경우 국가의 중심지가 손쉽게 파괴되고 엄청난 수의 인명이 손실되며, 주요 전략시설과 요충지가 상실되는 등 감당하기 어려운 피해를 감수해야 하기 때문이다. 따라서 이스라엘은 우수한 정보 수집능력을 바탕으로 전쟁의 위협을 조기에 판단하고,[15] 가능한 모든 수단을 이용하여 선제공격하여 가급적 최단 시간 내에 적의 전쟁 의지를 말살하려는 것이다.

특히 이스라엘은 성서에 나오는 전설적인 영웅의 이름을 본 딴 삼손옵션(Samson Option)이라는 핵전략으로 적국(敵國)의 선제적 공격으로 국가 존립 자체가 위태로울 때 이에 대항해 최후의 보복 수단으로 핵무기를 사용한다는 전략이다. 즉 구약성서의 삼손이 그랬던 것처럼 이스라엘이 생존하지 못하더라도 적들과 함께 최후를 맞이한다는 것이다. 이스라엘의 핵무기는 전쟁 예방에 사용되지 않는다. 적에 대한 보복의 마지막 수단으로 이스라엘이 국가적 멸망에 직면했을 때 유대인의 국가는 이 지구상에서 생존하지 못할 것이며 적들도 함께 멸망할 것이라는 최후의 무기인 것이다.[16] 이스라엘의 이러한 안보전략의 역사적 뿌

14) Ami Pedahzur and Arie Perliger, 『*Jewish Terrorism in Israel*』, Columbia Studies in Terrorism and Irregular Warfare,(July 2011), p. 28.

15) 이스라엘에서 조기경보를 담당하는 3개의 정보부서는 국외정보를 담당하는 모사드(Mossad), 국내정보를 담당하는 신베트(Shin Bet 또는 Shabak), 군사정보를 담당하는 군정보부(MI)다.

16) Louis Rene Beres, "Israel's Uncertain Strategic Future", *Parameters* (Spring 2007), pp. 39-41.

리는 바로 마사다 항전(Battle of Masada)이다. A.D. 73년 유대 민족은 사해(Dead Sea) 부근 마사다(히브리어로 '요새'라는 뜻)에서 로마군과 대항해 싸웠는데, 굴욕스럽게 노예가 되느니 자결(自決)을 택함으로써 오히려 적에게 정신적 패배의식과 섬뜩한 두려움을 안겨줌으로써 유대민족의 정신을 일깨워 준 전투였다.[17]

하지만 당시 유대인은 로마군에 의해 괴멸됨으로써 유대 왕국은 흔적도 없이 사라지게 되었고 이때부터 이스라엘 민족은 2천여 년 동안 세계 각지에 흩어지게 되는 아픈 역사를 간직하고 있다. 지금도 이스라엘 외교부 홈페이지는 이스라엘군을 소개하면서 "전략적 차원에서 이스라엘군의 독트린은 방어적이지만 전술은 공격이다. 이스라엘의 영토가 넓지 않는 만큼 필요시 이스라엘은 선제 조치를 취해야 하고 공격을 받는다면 전장을 이스라엘이 아닌 적국의 영토로 전환해야 한다"고 소개하고 있다. 결국 이스라엘은 이러한 보복 전략으로 건국이후 약 반세기 동안 주변 아랍 국가의 많은 공격에도 불구하고 강력한 전쟁 억제력(deterrence)을 통해 경제를 발전시키고 국가의 생존을 유지하고 있는 것이다.

이러한 억제력은 공격할 경우 반드시 보복을 당한다는 징벌적인 위협을 가함으로써 적이 스스로 공격을 단념토록 하는 전략이다. 적대 관계에 있는 국가들은 상대방의 믿을 만한 수준의 보복 능력(credible retaliatory capability)을 보고 도발을 통한 이익보다 치러야 할 대가를 크게 만드는 보복 또는 징벌 위협(threat of retaliation or punishment) 때문에 도발을 중단하게 된다는 것이다.[18] 이처럼 적대국이 상대국의 보복할 의지와 능력이 있다고 믿는다면 도발을 감행하지 않는 것이다. 보통 도발에 대한 대응은 받은 피해에 상응하는 것이 일반적인 경우지만 도발자가 반복해서 제한된 군사적 공격을 한다면 이러한 추가 도발에 대한 억제력 확보를 위해 적이 감내하기 어려울 정도의 과도한(disproportionate) 보복이 필요하다.

이스라엘의 안보전략이 우리에게 주는 함의는 북의 반복적인 국지도발에 맞서 반드시 보복공격을 실행에 옮겨야 북의 억제력을 확보할 수 있다는 것이다. 이

---

17) 오늘날 이스라엘 군(IDF)은 모든 교육·훈련 과정을 끝낸 수료식을 반드시 마사다 요새에서 치른다. 이들은 자결로써 민족혼을 지킨 960명의 용사들을 참배하면서 "마사다를 잊지 말자!"는 구호를 외치고 맹세하는 것으로 끝을 맺는다(위키백과).

18) Robert J. Art, Kenneth N. Waltz, 『*The Use of Force: Military Power and International Politics*』 Paperback(January, 2009), p. 60.

효과적인 보복공격을 위해서는 뛰어난 정보 수집능력이 요구되는 만큼 이 분야에 정보·군사자산을 증강할 필요가 있다.

Ⅲ. 보복을 통한 억제

앞에서 살펴본 억제(deterrence)란 원하지 않는 행위를 상대방이 행할 경우 '감내할 수 없는 피해'(unacceptable damage)를 가할 것이라는 보복위협을 통해 상대방이 그 행위를 하지 못하도록 예방하는 것이라 할 수 있다. 이러한 억제이론은 북한과 같은 불량국가나 알 카에다와 같은 테러집단의 경우에 사용할 수 있는 전략이다. 이러한 불량국가나 테러집단의 경우 비합리적이므로 억지이론의 유용성이 제한된다는 주장도 있으나 그들이 추구하는 목적 또는 가치선호(preference)에 있어 우선순위가 있고, 최우선적인 목적 또는 가치선호 달성을 위해 최선의 방책을 선택하기 위하여 나름대로의 손익계산(cost-benefit calculation)의 과정을 거치기 때문에 억제이론이 역시 유용하다는 것이다.[19]

이러한 억제이론이 성공적으로 작동하기 위해서는 몇 가지 조건(3C+R+O)이 필요한데 먼저 상대방을 제압할 수 있는 능력(Capability), 반드시 보복을 실행할 것이라는 믿음(Credibility), 보복의지에 대한 공표(Communication), 공격에 따른 보복의 피해에 대한 합리성(Rationality), 대안의 선택(Option)이 그것이다.[20] 다음에서는 북한의 반복적인 도발을 억제하기 위한 방안으로 핵심적인 세 가지 요소들에 내재된 제한사항들을 살펴보도록 하겠다.

첫째, 보복능력(억지력)의 문제로 억제가 성공하기 위한 필수적인 요소이다. 북한이 국지도발을 감행할 경우 '감내할 수 없는 피해'를 가할 수 있는 역량을 말한다. 문제는 어느 정도의 보복능력을 갖추어야 충분하다고 볼 수 있는가? 어느 정도의 피해가 감내할 수 없는 피해인가? 명확한 기준을 제시하기 어렵지만 보복을 할 경우 정권붕괴 또는 체제소멸 등과 같은 결정적인 피해를 초래할 가능성이 있거나 국가의 사활적 또는 핵심적 이익을 침해하는 경우 등으로 상정해 볼

19) Robert F. Trager and Dessislava P. Zagorcheva, "Deterring Terrorism: It Can Be Done," *International Security,* Vol.30(Winter 2005/06), pp. 87-123.
20) 김열수, 『국가안보』(서울: 법문사, 2015), pp. 183-188.

수 있을 것이다. 다만 국내외적 비난으로 무제한적 보복을 가하기가 어렵고, 핵 억지력으로 인한 제한이 있을 수 있다는 한계도 있다.

둘째, 보복의지(신뢰성)의 문제다. 이는 공격이 있을 경우 강력한 보복을 실행하겠다는 의지로 반드시 보복을 실행할 것이라는 믿음과 신뢰성을 의미한다. 이러한 신뢰성은 이전의 과거 경험, 국가지도자의 성향과 의지, 국민의 여론 등에 많은 영향을 받지만 우리나라의 경우 지금까지의 보복사례 경험, 지도자의 의지, 국민여론의 영향 등 국내정치의 민주주의적 속성에서 기인된다고 할 수 있다. 우수한 장비로 무장하고 고도로 훈련된 군대를 보유하고 강력한 보복의지를 표명하고 있지만, 위기시마다 의사결정과정에서 여론의 분열, 적대적인 언론의 비협조, 특히 추가 보복 또는 확전으로 인한 국민들의 재산과 생명의 손실에 대한 두려움 등 정치적·사회적으로 매우 민감한 정치체제에서 비롯되는 취약점을 가지고 있어 상대방에게 제대로 신뢰를 주지 못하고 있는 부분이 가장 약점으로 인식되고 있다. 따라서 북한은 이러한 국내의 정치적 취약점을 잘 알고 악용하여 끊임없이 지속적이고 반복적인 대남테러를 자행하고 있는 것이다.

셋째, 손익계산의 문제다. 궁극적으로 억제는 침략자의 손익계산에 의해 영향을 받게 되는데 공격으로 기대되는 이익과 그에 따른 손실을 계산하여 공격 여부를 결정하게 된다. 따라서 일반적으로 공격자가 공격의 성공 또는 군사적 승리를 통해 얻게 될 이익보다 강력한 보복을 통해 입게 될 군사적 피해(손실)가 크다고 인식할 경우 억제는 성공적으로 작동하게 된다고 볼 수 있다. 다만 손익계산의 기준은 매우 다양하고 주관적인 것으로 대내외적으로 심각한 정치적 위기를 겪고 있는 침략자의 경우, 공격을 하지 않고 정치적 위기가 장기화됨에 따르는 예상손실이 오히려 공격을 취함으로써 보복으로 입게 될 단기적 손실보다 더 크다고 인식할 수 있을 때는 객관적으로 손실이 도더라도 공격을 할 수 있다는 것이다. 이 경우 심지어 공격이 실패할 가능성이 높다고 예상되더라도 무력공격의 감행 자체가 외교적 협상의 기회를 가질 수 있고 유리한 타결을 가져올 수 있다고 기대하기도 한다. 역사적인 침략사례의 연구를 통해 실제 무력공격은 대내외적으로 성공의 호기가 왔을 때 감행된 것보다 내부적 위기로 인해 공세적인 대외전략 추구의 필요성이 절실할 때 감행된 경우가 훨씬 많았다고 한다. 또한 이 경우 잠재적 침략자가 손익계산에 대한 기준을 자신의 입장에서 정의하고 합리화시키는 한편, 상대방의 보복위협에 대한 정보를 의도적으로 외면하면서 '벼랑끝 전술'(brinkmanship)[21]을 구사한다는 것이다.[22]

Ⅳ. 북한의 대남도발과 억제

1. 대남도발의 성격

북한의 대남도발의 성격은 냉전을 전후로 변화가 있었다. 즉 냉전시기 북한의 도발은 무력에 의한 대남적화전략 달성을 위한 군사적 여건조성에 우선적인 목적을 둔 반면 탈냉전 시기, 특히 김정일 정권 출범 이후 군사도발은 체제의 생존과 안정을 최우선적으로 고려한 소위 생존전략(生存戰略)의 수단으로서 내부적 문제해결 및 협상 유도 등 정치적 목적 달성에 주안을 둔 것으로 평가할 수 있다.

냉전시기 북한의 군사도발은 대체로 전면공세를 통한 대남무력적화통일을 위한 유리한 여건 조성에 그 중점을 두었다고 볼 수 있다. 즉 남한을 무력으로 조기에 흡수통일하기 위한 결정적 시기, 즉 공격의 정점(culminating point)을 조성하기 위한 노력의 일환으로 전개되었다. 실제로 이 시기 북한은 4대 군사노선을 통해 북한의 혁명기지를 강화하는 한편 유사시 베트콩처럼 남한에 침투시킬 8만 명의 특수부대 창설과 3대혁명역량 강화를 토대로 남한정부의 타도에 주안을 두고 남한 내 혼란조성 및 정부의 정통성 약화를 목표로 군사도발을 감행하였다.

80년대 말 구소련과 동구 공산권의 몰락과 90년대 북한 내부 상황악화 등으로 북한의 대남적화전략은 변화를 겪게 된다. 북한은 90년대 김정일 정권 등장 이후 체제의 생존과 안정을 도모하는 생존전략 차원에서 대남도발을 감행하였다. 따라서 이 시기 북한의 군사도발은 기존의 대남적화전략 완성을 위한 군사적 성격을 내포하고 있다기보다 북한 자체 체제안정 도모 및 협상을 통한 생존 유지에 목적을 두는 정치적 성격을 지닌 것으로 보아야 할 것이다. 실제로 북한은 90년대 초반 남북고위급회담을 이용하여 다양한 공동선언과 합의서를 체결하는 한

21) 벼랑끝 전술이란 냉전 당시 미국과 소련이 자주 사용하던 외교 전술의 일환으로 마치 전쟁을 선포하는 것처럼 보여 적국의 양보를 얻어내려는 협상 전술을 말한다.

22) Richard Ned Lebow, 『Between Peace and War: The Nature of International Crisis』 Paperback(February, 1984), p. 276.

편 핵개발에 박차를 가하여 이를 카드로 미국과의 직접협상을 통한 관계개선을 집중적으로 모색하는 전술을 구사하였다. 이후 1994년 제네바합의[23] 타결로 미국과의 직접 협상의 물꼬가 트이게 되자 북한은 남북기본합의서 등 남북 간의 합의사항들을 무시하고 오로지 미국과의 직접협상을 통한 체제안정 추구에만 몰두하게 되었다. 특히 핵개발이 궤도에 오르고 평시작전통제권의 전환을 기점으로 북한은 정전협정 무효화 책동 및 NLL에 대한 본격적인 도발을 감행하였다. 현재까지도 북한이 NLL도발에 집중하는 이유는 NLL이 유엔군사령관에 의해 일방적으로 그어진 분쟁수역이라는 법적 문제점을 내세울 수 있고, NLL을 침범해도 미국·중국·러시아 등 국제사회로부터 큰 지탄을 받지 않을 것이라는 점과 국지적 분쟁에서 평시작전통제권을 행사할 수 없게 된 미국이 적극적으로 개입하지 않을 것이라는 계산을 하고 있기 때문이다. 이는 미국과의 직접 협상을 통해 궁극적으로 북미평화협정을 체결하려는 시도라고 볼 수 있다.

결론적으로 북한의 대남도발은 체제생존을 위한 전략의 일환으로 성격을 규정할 수 있다. 북한의 생존을 위한 요소가 핵심지도부의 충성, 외부정보 및 주민의식의 통제·조작, 대남·대미 협상주도권 확보를 통한 외부지원의 안정적 획득 등에 있다고 볼 때 대남도발은 이러한 요소들의 효과를 제고시키기 위한 주요한 수단으로서 역할을 한다는 것이다. 즉 대남도발을 통해 대담성을 과시하여 지도력을 인정받아 핵심지도부의 충성심을 제고시킬 수 있고, 대외적 긴장조성을 통한 내부체제결속을 도모할 수 있으며, 대남·대미차원의 압박 또는 경색국면 조성을 통한 협상의 주도권을 확보할 수 있는 다목적 전략·전술로 볼 수 있다. 이러한 북한의 생존전략 차원의 정치적 목적 추구와 그 수단으로서 역할을 하는 대남도발은 앞으로도 지속될 것으로 본다.[24]

23) 제네바 합의는 북한과 미국이 1994년 10월 21일 맺은 외교적 합의로 정식명칭은 「북한과 미국간에 핵무기 개발에 관한 특별협약」(Agreed Framework between the United States of America and the Democratic People's Republic of Korea)이다. 북한의 핵개발 포기의 대가로 북미수교, 북미간 평화협정, 북한에 대한 경수로 발전소 건설과 대체 에너지인 중유 공급을 주 내용으로 한다. 이후 2003년 이 협약은 파기되었다(위키백과).

24) 대남도발 지속 가능성 세부 내용은 제4장 제4절 참조.

2. 대남도발에 대한 억제의 실패

남북관계는 특수한 상황으로 남과 북이 상호 실체를 인정하는 과정에서 대결과 협력이라는 이중적 시각이 존재한다. 그동안 북한은 남한에 대하여 다양한 접촉과 교류를 지속하면서도 휴전이후 지금까지 무려 3,040회에 이르는 대남 군사도발을 감행하였고 각종 테러를 4백 70여 건이나 자행하는 대남도발을 지속하고 있는 것이다.[25] 이는 우리의 억제전략이 실패하고 있다는 반증이다. 다음에서는 우리의 이러한 억제전략이 실패한 원인을 살펴본다.

첫째, 보복능력 측면이다. 북한의 대남도발에 대한 억제가 효과적이지 못했던 원인을 억제의 필수요건인 보복능력 측면에서 위협적이지 못했다는 것이다. 즉 우리의 재래식 보복수단을 통한 위협은 결국 북한에게 '감내할 수 없는 피해'를 주기에 충분하지 않았다고 평가할 수 있다. 이유는 우선 한국의 보복 능력이 북한의 정권 붕괴 또는 체제소멸 등과 같은 결정적인 군사적 피해(손실)를 줄 만큼 위협적이지 못했다는 점이다. 한국군의 재래식 군사력은 전체적으로는 물론 도발이 빈번히 발생하고 있는 접적지역 등 국지적 차원에서도 북한군을 압도할 만큼 우위에 있지 않다는 점이다. 현실적으로 대등한 군사력을 소유한 국가의 재래식 보복위협을 심각하게 받아들이기는 어렵다. 게다가 핵을 포함한 대량살상무기를 보유하고 있는 북한의 입장에서는 더욱 그러할 것이다.

또한 한국군의 보복능력은 교전규칙(Rules Of Engagement)[26]에 의해서도 제한을 받는 것이 사실이다. 1953년 휴전협정 이후 유엔군이 자체적으로 만들어 시행한 '정전시 교전규칙'(AROE: Armistice Rules of Engagement)은 우리 군에게도 그대로 적용되어 소위 '비례성의 원칙'에 의해 제한을 받아왔다. 북한군이 도발할 때 비슷한 종류의 무기와 화력을 사용해 대응해야 한다는 것이다. 이는 한국군에게 보복의 강도와 타격표적의 선택에 있어서 레드라인을 인지시킴으로써 한국군의 위협적·응징적 보복에 대한 보다 구체적이고 적극적인 사고를 저해하는 요

25) 북한의 대남도발에 관한 상세한 내용은 제4장 참조.

26) 교전규칙(交戰規則)은 군대가 적군과 마주쳤을 경우에 교전을 개시하고, 계속하여야 할 상황과 그 한계를 설정하기 위하여 발령된 훈령이다. 우리나라의 경우 1953년 휴전협정 이후 유엔군이 자체적으로 만들어 시행한 AROE를 사용하고 있다가 지난 2013년 정전 60년 만에 '평시 교전규칙'을 마련하였다. 이는 기존의 AROE를 토대로 후방지역 무력충돌 때 적용할 수 있는 내용을 보완한 것이다(네이버 백과).

인으로 작용해 왔다. 결국 북한의 입장에서 볼 때 군사도발에 따르는 군사적 피해(손실) 자체가 설혹 실패하더라도 심각한 우려를 자아낼 정도로 컸다고 보기가 어렵다는 것이다. 이 외에도 북한은 우리의 적극적인 보복위협을 회피하기 위해 지속적으로 새롭고 기습적인 도발방법을 개발해 왔다. 예를 들어, 서해상의 직접적인 도발을 통한 승산이 없어지자 천안함 피격과 같은 은밀 타격방법이나 포를 이용한 기습적인 도발을 통해 해상 대응에 주안을 두고 있던 우리의 전략을 교묘하게 회피해 왔다.

둘째, 보복의지 신뢰성 측면이다. 신뢰성 측면에서는 북한의 도발에 대한 우리 군의 미약한 대응이 반복되었다는 것이다. 이러한 우리 군의 무대응에 대한 경험은 북한으로 하여금 우리의 보복의지를 더욱 의심케 했고 그 결과 천안함 피격과 연평도 포격이라는 고강도도발을 초래하게 만든 것으로 볼 수 있다. 신뢰성을 제고시키는 가장 확실한 방법은 바로 보복위협의 즉각적 실행에 있다. NLL뿐만 아니라 북한의 국지적인 군사도발에 대한 우리의 기존 대응은 사실상 북한에 위협이 되지 못했다는 것이다. 보복을 통해 북한을 위협하여 단념시키려는 억지 전략이라기보다는 북한이 추가 도발할 경우 효과적인 전투수행을 통해 북한승리를 거부하거나 완벽한 전투준비태세의 시현을 통해 북한을 단념시키려는 방어 전략의 일환이었다고 할 수 있다. 여기에는 물론 확전의 위험에 대한 우려와 국내 여론 분열 등을 불식시키기 위한 사전대책의 부재가 또한 원인으로 작용했다고 볼 수가 있다.

셋째, 보복의지 공표 측면이다. 우리 군은 보복위협과 관련된 사항들을 북한 측에 구체적인 명시 및 전달이 미흡했다고 평가할 수 있다. 억제에 있어서 신뢰성 확보를 위해서는 직접 또는 간접적인 공약을 통해 억제자의 보복위협 관련 정보, 즉 레드라인과 보복대상 및 수단을 구체적으로 전달하는 것이 필수 요소이다. 북한이 무엇을 위반 침범하면 무엇을 대상으로 어떻게 수단 응징을 할 것이다라는 구체적인 정보를 명확히 명시하여 북측에 전달해야 한다. 지금까지의 사례를 보면, 우리 군은 북한의 NLL침범시 단호하게 대응할 것이며 이로 인해 발생하는 모든 책임은 북한군에 있다라는 수준에서 공표를 해 왔으나 효과를 가져오지 못했다. 이는 한국군의 대응수준과 방법들에 대한 메시지가 결코 도발을 자제해야 할 만큼 위협적이지는 못했음을 보여주고 있는 것이다. 따라서 우선 북한이 도발시에는 반드시 보복위협을 명시한 대로 즉각 실행하기 위한 실전수행태세가 갖추어져야 한다.

넷째, 손익계산 측면이다. 북한의 군사도발에 대한 억제전략이 성공적이지 못했던 또 다른 원인으로는 북한의 대내외적 정치적 목적을 달성하려는 동기가 매우 높다는 점을 들 수 있다. 군사적 실패에 따른 손실(피해)의 미약함에 대한 인식은 북한 정권으로 하여금 공세적 군사도발을 통해 정치적 이익을 더욱 적극적으로 추구하도록 자극했다고 할 수 있다. 북한의 최근 대남도발은 체제 존립과 안정을 추구하는 내부문제와 국제적 고립이 장기화되고 있는 상황을 대남도발을 통해 타파하려는 생존전략 차원에서 모험을 시도한다고 해석될 수 있다. 따라서 현 위기 상황이 개선되지 않는 한 향후에도 북한은 이러한 모험주의를 통해 정치적 이익을 지속적으로 추구할 가능성이 크다. 이러한 높은 정치적 동기는 결과적으로 북한 지도부에게 군사도발을 통한 손실(피해)보다 정치적 이익의 추구를 매우 합리적인 방안으로 인식하게 만들었다고 평가할 수 있다.

3. 효과적인 억제전략 구현 방안

북한에 대한 효과적인 억제전략은 북한이 대남도발을 자행할 경우 군사적 징벌과 처벌을 가함으로써 거부의 능력과 의지를 적극적으로 시현하여 북한이 도발을 통해 얻게 될 이익보다 손실이 클 것임을 명확히 인식시켜 도발을 단념시키는 것이다.

첫째, 핵심가치 식별과 정밀타격이다. 보복위협의 효용성을 최대화시키는 차원에서 보복의 양보다는 질에 초점을 맞추는 방법이다. 비교적 제한된 소규모의 정밀타격 수단을 동원하여 정권 또는 체제유지에 핵심적인 표적에 대한 타격을 가하는 것이다. 북한 정권이 가장 소중하게 여기는 핵심가치(core values)를 식별해 내고 이를 표적화(targeting)하여 정밀타격 수단과 연계시키는 것이다. 물론 북한의 핵심가치를 정확히 파악하는 것이 쉬운 작업은 아니나 김일성주의 체제와 선군사상을 체제생존의 근간으로 인식하는 북한 정권을 생각하면 해답을 찾을 수 있을 것이다. 예를 들면, 김일성 · 김정일의 동상이나 혁명 사적지, 군부의 사기와 관련된 주요 군사시설이나 김정은이 애용하는 특각(전용별장), 핵심지역에 대한 전단 살포 등을 핵심표적으로 볼 수 있겠다. 실제로 효과적인 보복실행을 담당하는 전담기구를 창설하는 것도 고려해 볼 수 있을 것이다.

둘째, 대내외적 정치적 목적 달성을 거부하는 것이다. 군사적으로 보복위협을 최대화하는 방안은 현실적으로 정치적 동기가 매우 강한 북한과 같은 불량국가나 테러집단의 경우 이것만으로 부족하다. 결국 그들이 궁극적으로 추구하는 정치적 목적 자체를 거부하는 것이 병행되어야 한다. 북한의 대남도발은 생존전략의 한 수단으로서 본질적으로 정치적 성격을 내포하고 있다. 즉 체제생존을 위한 대내외적인 정치적 목적을 달성하는 것이 북한의 핵심가치라고 볼 수 있고 이러한 핵심가치의 거부가 억제전략의 필수적이라고 할 수 있다. 북한으로 하여금 군사도발을 통해서는 원하는 것을 얻을 수 없을 뿐더러 오히려 그러한 행위가 정권과 체제의 생존을 위협할 수 있다는 사실을 인식하도록 해야 할 것이다. 구체적 방안으로 우선 지금의 김정은 3대 세습 체제의 위상 유지 및 내부체제 결속 등 대내적 목적 거부를 위한 심리전 대책 마련이 요구된다. 지난 2015년 8월 북한의 목함지뢰 도발에 대한 보복차원에서 재개한 휴전선 전역의 확성기 방송이 북한군의 심리전에 매우 효과적인 것으로 입증된 만큼 심리전 차원의 대북 방송을 이용하는 것도 적극 고려해 볼 수 있다. 또는 평양광장이나 핵심지역에 대한 전단 살포 및 휴전선 일대에 설치된 대북확성기 방송의 전면 실시 등을 생각할 수 있을 것이다. 물론 심리전의 주요내용은 3대 세습의 허구성, 주민착취 및 인권유린 실태, 핵개발로 인한 경제적 어려움과 국제제재 동향, 북한군의 전투적 열세 및 우리의 군사적 우위 사례 등 주민들과 군인들에게 실상을 알리고 체제이완을 고무시키는 데 초점을 맞추면 효과적일 것이다. 필요시 급변사태 관련 내용의 강조와 함께 급변사태 발생시 북한주민들과 군인, 엘리트층까지 포용하고 통일에 대한 긍정적인 기대를 학습시킬 수 있는 내용 등도 포함시킬 수 있을 것이다.

셋째, 보복위협과 유인책의 조화다. 이렇게 보복위협이 강해지더라도 억제가 실패하는 경우가 있을 수 있다. 이유는 우리나라의 내부적 위기가 극심하여 일관된 정책을 추진하기가 어렵거나 보복위협이 오히려 북한을 '벼랑끝 전술'과 같은 극단적인 선택으로 이어질 가능성이 있기 때문이다. 국내외적으로 궁지에 몰린 북한의 경우 이러한 선택에 대한 유혹이 더욱 크다고 볼 수 있다. 따라서 이러한 극단적인 선택을 저지하기 위해 강한 보복위협은 적절한 유인책과 병행될 필요가 있다. 이러한 유인책은 상대방이 현 갈등상황을 zero-sum으로 인식할 경우 아무런 효과가 없고 오히려 굴복의 양상으로 비춰지게 된다. 향후 남북관계는 극단적인 zero-sum게임이 아닌 억제를 위해 어느 정도의 접점을 모색할 수 있는 가능성이 있다. 물론 유화책 역시 억제가 아닌 양보 또는 설득의 모습으로 비춰질 우려도 있지만 강력한 보복위협이 뒷받침될 경우 이러한 염려는 해소될 수 있을 것이다. 북한에게 제시할 수 있는 유화책은 여러 분야에 걸쳐 다양하게 강구될 수 있지만 정권과 체제의 생존에 직접적인 영향을 줄 수 있는 분야가 더욱 효과적일 것이다. 예를 들면, 심각한 식량부족 문제와 관련하여 만약 북한이 대남도발을 하지 않을 경우 매달 일정량의 식량 또는 비료를 제공할 것이라는 메시지를 전달할 수 있을 것이다.

넷째, 적절한 레드라인 설정과 보복의지의 표현이다. 보복위협의 신뢰성을 제고시키기 위해서는 북한이 해서는 안 될 행동과 보복의지에 대한 구체적인 표명이 있어야 한다. 물론 이러한 명시적 표현이 북한에 의해 악용될 가능성이 있다. 그렇다면 과연 어느 정도의 명시가 적절할까? 우선 레드라인과 관련해서는 강력한 보복을 이행하기는 국내적, 국제법적 차원에서 제한되므로 국민들의 지지와 국제법적인 관점을 고려해야 한다. 정당한 자위권 발동에 해당되는 범위로 우리 국민의 생명과 재산, 그리고 영토에 대해 명백한 손실(피해)을 초래했을 경우로 제한할 필요가 있다. 유사시 즉각적인 보복의 수행을 위해서는 평시 우리 국민들에게도 이러한 사항들을 인지시키고 국민들의 지지를 사전에 획득·유지해야 할 것이다. 뿐만 아니라 미국도 우리의 입장에 동의함을 함께 북한에 천명하면 그 효과는 배가될 수 있다.

다섯째, 확전방지 대책 강구다. 보복위협의 적극적 억제가 실시되지 못하는 가장 우려스러운 문제가 확전(escalation)의 가능성이다. 만약 한국군의 보복이 실행될 경우 북한이 훨씬 더 높은 강도의 역 보복을 감행할 때 군과 정부 간에 사전 준비된 대책이 없다면 또 다시 과거처럼 선택의 딜레마에 빠질 수 있다. 예를 들면 적의 도발 원점과 지원세력까지 포함한다는 수준의 언급을 했지만 추가로 만약 북한이 확전을 시도할 경우 정치·군사적 핵심표적까지 포함할 것이라는 메시지를 전달하는 방안을 고려해 볼 수 있겠다.

평시 미국 및 중국과의 외교적 노력을 통해 북한이 확전을 합리적인 선택방안으로 고려할 여지를 사전에 제거할 필요가 있다. 우선 미국과는 생존전략을 추구하고 있는 북한의 입장에서 볼 때 미국의 적극적인 군사적 개입이나 직접적인 군사적 대결은 가장 피하고 싶은 부분일 것이라는 점이다. 따라서 미국을 군사적으로 연루시키는 장치를 마련하는 것은 북한의 확전방지를 위한 현실적으로 대안일 것이다. 중국의 공조 유도를 위해서는 북한의 대남도발에 대한 보복은 정당한 자위권의 행사 수준에 국한될 것이며, 북한의 붕괴 등 한반도 안정을 추구하는 중국의 국익과 어긋나지 않는다는 점을 전달할 필요가 있다. 또한 북한의 대남도발의 강도와 심각성과 함께 중국이 북한의 도발을 방관하거나 동조할 경우는 확전으로 이어질 가능성이 있음을 분명히 이해시킬 필요가 있다. 또 중국이 G-2로서 국제적 위상에 따르는 책임을 강조하고 한반도 무력충돌에 대한 국제법적 책임을 인식시켜 주는 것이다. 예를 들면, 북한의 군사도발은 명백한 정전협정 위반이며 중국은 국제협약인 정전협정의 서명 당사자로서 한반도의 무력충돌에 대해 법적으로도 무관할 수 없음을 강조되어야 할 것이다.[27)]

제3절 공정한 사회

Ⅰ. 정의(正義)의 문제

정의(正義, justice)란 무엇인가? 우리는 지금까지 정의가 무엇인지에 대하여 수없는 질문을 던졌고 답변하였지만 아직도 정의가 구체적으로 무엇인지 확실하게 말할 수 있는 것은 아무것도 없다. 정의(justice)의 어원은 로마 신화에 등장하는 정의의 여신인 유스티치아(justitia)에서 비롯되었다고 한다.[28)] 정의의 어원을 이루고 있는 'just'라는 단어가 그리스어의 '올바른(정의)'이라는 의미와 '공정한(형평성)'이라는 의미를 지니고 있고, '정의(justice)'의 어원에는 '똑바로 세워진(upright)'이

27) 정재욱, "북한의 군사도발과 '적극적 억지전략'의 구현 방향", 『國際政治論叢』 제52집 1호(2012), pp. 137-159 참조.

28) 유스티치아(justitia)는 눈을 가리고 한 손에 칼을 들고 한 손에 저울을 들고 서 있는 로마신화에 나오는 여신을 가리킨다. 칼은 정의를 지키겠다는 결의이고, 저울은 한 편에 치우치지 않는 공정한 판단을 의미하고, 눈을 가린 이유는 심판자의 주관적인 선입관을 갖지 않기 위함이라고 한다.

라는 뜻도 있다고 한다.[29)]

정의에 대한 고찰은 소크라테스, 플라톤, 아리스토텔레스 등이 거론한 가장 오래된 의제임과 동시에 아직도 끝나지 않은 논제이다. 정의는 인류사회에서 항상 가장 높은 이상적인 가치를 갖는 추상성으로 해답을 구하기가 어렵다. 그럼에도 불구하고 정의에 대해서 고대 그리스 이래로 지금까지 이야기하고 있고, 정의의 개념을 구하려는 시도는 계속되고 있다. 고대 중국에서의 '정의'는 정치적 정당성과 종교적 관행의 존중이 합쳐져 만들어진 숙어로 '인간으로서 준수해야 할 도리'라는 윤리적 의미를 말했다.

플라톤(Platōn)은 '정의란 무엇인가'라는 탐구를 본격적으로 시작한 인물이다. 그는 어떻게 정의로운 국가(이상국가)를 이룰 수 있는가를 고민하는 과정에서 개인적 정의(individual justice)와 사회적 정의(social justice)를 구별하여 전자는 각 개인이 그의 능력을 최대한으로 발달시켰을 때에 이루어지고 이를 잘 교육시킴으로서 사회적 정의를 이루는 지는 것으로 생각했다. 즉 이상국가에서의 정의를 지배자, 군인, 일반시민이 각각의 맡은바 업무에 힘쓰고, 거기에 지혜와 용기와 절제가 실현된 조화로운 상태로 말했다.

아리스토텔레스(Aristotelēs, B.C.384년~B.C.322년)는 정의를 사회의 질서라고 했다. 정의로운 것은 법을 지키는 것이며 공정한 것이고, 정의롭지 못한 것은 법을 어기는 것이며 공정하지 않은 것이다고 설명한다. 광의로는 '법에 따르는 것'을 의미하고, 협의로는 '평등 또는 균등'을 말하는데 지위나 재화를 개개인의 가치에 따라 분배하는 '분배적 정의'(distributive justice)와 당사자 간에 발생한 손해를 시정하는 교정적(矯正的) 정의(corrective justice)로 구분했다. 분배적 정의는 제한된 자원을 배분(allocation)함에 있어서 그 결과가 각 개인들이 기대한 기준과 같은지를 따지는 것으로 기준에 미치지 못할 때 부당하다고 인식하나 흥미롭게도 기준보다 더 많은 자원을 받게 되어도 사람들은 여전히 그것을 부당하다고 인식한다는 것이다. 교정적 정의는 당사자 간에 발생한 손해를 시정하는 것이 옳은가 옳지 않는가를 따지는 것으로 잘못에 대해 어떤 처벌을 할지, 피해에 대해 어떤 배상을 할지를 결정한다. 결국 정의는 '동일한 사람을 평등하게, 동일하지 않은 사람을 불평등하게 다루는 것으로 이해되었다.

---

29) 위키백과(https://namu.wiki/).

로마 시대에 와서 법학자 키케로(Marcus Tullius Cicero, BC106 - BC43)는 법의 이념으로서의 정의를 '공익에 따라 각자가 그의 것을 주려고 하는 의지의 습성이다'(Justice renders to everyone his due, 라틴어: Iustitia suum cuique distribuit)라고 하였고, 울피아누스(Ulpianus)는 정의를 "각자에게 자신의 권리를 귀속시키려는 지속적이고 끊임없는 의사"라고 하여 좀 더 객관적으로 접근하고 있다. 이것은 '유스티니아누스 법전'(Justinian's Institutiones)에 수록되어 이후 '각자에게 그의 것을'(to give to each his own, 라틴어: suum cuique tribuere)이라는 간명한 문구로 표현되어 서양 2천년의 사상에서 정의를 총괄적으로 나타내는 공리로서 통용하여 왔다.[30]

중세 후반에 들어오면서 아퀴나스(Thomas von Aquin)에 의하여 인정된 법률적 정의(iustitia legalis)의 등장으로 평균적 정의와 배분적 정의와 함께 개념화되었다. 법률적 정의는 공공복리의 근거를 위한 필요한 법률의 제정과 그 법률의 내용을 위한 입법자의 의무와 법률에 복종해야하는 시민들의 의무를 의미했다.[31] 이때 새롭게 등장한 자연법사상은 인간의 본성으로부터 또는 인간의 존재와 이성으로부터 법의 최고원리를 구하려고 하였다. 그로티우스(Grotius)는 자연법을 정당한 규칙의 체계, 즉 실질적 정의라고 보았고, 홉스(Hobbes)는 '자연법이란 단지 국가의 존재와 내용에 의하여 좌우되는 형식적 법률의 존재를 정당화시켜주는 것'이라고 하였다. 이때부터 법은 정의의 전면에서서 오늘에 이르기까지 정의를 구체화시키는 수단으로서 자리잡고 있다.

근대의 정치사상에 있어서 벤담(Jeremy Bentham)과 밀(John Stuart Mill) 등의 공리주의자는 '최대다수의 최대행복'이란 말로 정의를 설명하였다. 이때 '만인에게 최대의 행복'이라는 벤담(Bentham)식의 공리주의(功利主義)에 대한 인식이 평등사상을 배경으로 하여 공공복리로 발전하였다. 공공복리의 개념은 다수의 이익과

30) 위키백과(https://en.wikipedia.org/wiki/Suum_cuique).

31) 정의의 실현수단으로 법의 등장은 19세기 이후 본격적으로 전개되어 칸트(Kant)와 헤겔(Hegel) 등은 법은 인간의 이성이나 정신으로부터 나온다고 보았다. 칸트는 자신의 『형이상학론』에서 법과 도덕을 구분하여, 법은 자유의 외부적 조건이며 도덕은 내부적인 자세로서 양자는 대립하는 것은 아니고 상호보완적인 것으로 보았다. 헤겔은 법이란 개관적 정신의 중요한 형태로서 정반합(These-Antithese-Synthese)의 세 단계를 통하여 발전한다고 주장하였다. 또 20세기에 와서는 켈젠(Kelsen)은 근본규범으로서 법은 명령이라고 하였고, 법의 내면에는 정의가 자리잡고 있다고 하였다.

개인의 이익간의 형량의 문제를 야기하면서 또 한편에서는 사회에서 경제적 가치를 가진 재화를 어떻게 배분할 것인가 하는 문제를 제기하였다. 여기서 평등과 분배라는 두 요소를 고려하게 되면서 사회적 정의의 개념이 등장한다. 신자유주의자인 경제학자 하이에크(Hayek, 1944)에 의하여 주장된 사회적 정의는 정당화되지 못한 요구까지도 도덕적인 관점에서 동의해야 한다는 것을 목적으로 하기 때문에 달성하기 어려운 일종의 백지개념으로 비판받았으나 오늘날 사회적 법치국가에서는 정치적·사회적 단체들 간에 기본적 요구로서 합의에 의하여 도달할 수 있는 정의라고 보고 있다.[32]

최근에는 롤즈(John Bordley Rawls)가 『정의론』(A Theory of Justice)을 출판하면서 자유, 평등, 복지라는 현대사회의 중요 문제와 관련하여 논해야 하는 주제로서 다시 정의의 개념이 활기를 띠게 되었다. 롤즈는 공리주의와 달리 다수를 위해 개인의 복지나 권리를 희생시키지 않는 '공정으로서의 정의(justice as fairness)'를 주장했다. 롤즈는 일차적으로 개인적인 정의적 성향보다 사회의 기본구조에 관심을 보이고 정의를 사회제도 안에서 실현하는 구체적인 방법으로 두 가지 원칙을 제시한다. 제1원칙은 각자는 다른 사람과 유사한 기본적 자유를 가장 광범위하게 가질 수 있는 평등한 권리를 가져야 한다. 그럼으로써 공리주의적 정책에서 소외를 받거나 피해를 입을 수 있는 소수자를 보호해야 한다. 제2원칙은 사회적·경제적 불평등은 공정한 기회균등의 조건 아래 모든 사람에게 개방된 직책과 직위에 결부되도록 배정되어야 한다는 것이다. 사회의 모든 직책과 직위에 이르는 기회가 그 어떤 사람에게도 차단되어서는 안 된다는 것이 공정한 기회균등의 원칙이다. 정의로운 사회는 우선적으로 자유가 평등하게 보장되어야 하고 사회적 배경이나 자연적 재능의 차이에 의해 개개인 간의 불평등이 생겨나지 않는 사회이다. 이처럼 '공정으로서의 정의'를 사회제도를 통해 실현하는 사회를 일컬어서 '질서정연한 사회'(a well-ordered society)라고 부른다. 만약 불평등이 존재한다면, 그 불평등은 사회적 약자에게 이익을 주는 재분배의 불평등이어야 한다는 것이다.[33]

샌델(Michael Sandel)은 1982년 발표한 '자유주의와 정의의 한계'(Liberalism

32) 김상겸, "헌법에 있어서 정의에 관한 연구", 『비교법 연구』, 통권 제5권(2004), pp. 76-94.
33) John Rawls, 『A Theory of Justice』 (Cambridge, Massachusetts: The Belknap Press of Havard University Press, 1971), 황경식 역, 『사회정의론』(서울: 서광사, 1985) 참조.

and the Limits of Justice)를 통해 기본적으로 자유주의적 관점에서 롤즈의 '공정으로서의 정의'에 관한 원칙들의 한계를 지적하면서 미덕(virtue) 혹은 좋은 삶(the good life)이라는 공동체주의(communitarianism)적 정의론을 주장했다. 기본적으로 자유주의(Liberalism)적 정의를 대신하기보다는 이를 개선하고 보완하는 것이다. 그는 부, 권리, 권력, 그리고 공직과 영광을 정의롭게 분배할 때 3가지 정의를 고려해야 한다고 제안하였다. 결과를 중시하고 복지 또는 공익을 극대화하는 '공리주의적 정의', 개인의 선택의 자유와 권리를 강조하는 '자유주의적 정의'와 사회적 약자가 소외되지 않고 부의 양극화를 야기하지 않는 공정한 사회를 실현하기 위해서 공동체의 진정한 목적에 합당한 '미덕형 정의'이다.

공정한 시민사회의 공공선을 지향하는 시민의 덕을 육성하고 사회적 약자에 대한 배려를 강조하는 진정한 '공동체의 회복'에 중점을 두고 있다. 이를 위해 첫째, 시민들의 삶에서 다양한 계층과 인종이 서로 함께 어울리며 자연스럽게 시민의식, 희생, 봉사 등의 공동체 의식을 증진시키려고 노력한다. 둘째, 돈으로 바꿀 수 없는 삶의 고유한 영역(병역 문제, 자녀 양육, 교육, 병역 문제 등)을 보호하는 경제체제를 지향한다. 셋째, 빈부격차가 심해질수록 소통이 사라지고 시민의 결속감과 덕성이 감소되기 때문에 경제적 불평등을 해소함으로써 시민의 결속감과 덕성을 배양하려고 노력한다. 넷째, 도덕적이고 종교적인 가치(낙태, 흑인 인권 문제 등)들을 무시하거나 회피하지 않고, 다양한 도덕적 신념과 종교적 신념을 상호 존중하는 정치 등을 제안하고 있다.[34)]

Ⅱ. 공정한 사회의 실현

이상과 같이 정의의 개념을 정립하기 위한 인간의 노력은 고대 그리스로부터 현대에 이르기까지 끊임없이 계속되고 있다. 정의는 공동체의 안정적이며 지속적인 유지를 위한 조건이다. 사회적 협력을 통한 부담과 혜택을 어떻게 이끌어 내어 사회 구성원들에게 배분시킬 것인가 하는 문제는 정치철학이나 윤리의 문제이다. 사람들이 중요하게 여기는 절차적 정의는 사회적 평가와 가치, 특히 자신에

34) Michael J. Sandel, 『*Liberalism and the Limits of Justice*』, Cambridge University Press. (June 2012), pp. 175-183.

한 적정한 예우와 존중(courtesy and respect)이 있을 때에만 수용 가능성이 높다고 한다. 누구에게 있어서든지 "정의"는 "자아(ego)"와 접한 관련이 있다. 가치 있는 존재로 존중 받고 있다는 느낌은 물리적 어떤 차별도 수긍할 수 있게 만들지만, 반대로 형식적 평등이 이뤄지는 동안 보이지 않는 가치 비하가 전달될 때 사회적 불평등 지수는 높아지게 된다는 것이다. 결국 사회적 정의는 사회적 커뮤니케이션의 건강한 작동에 상당 부분 의존하여 정의 그 자체보다는 '정의롭다는 느낌(justice feeling)'의 영향력이 더 큼을 보여준다.[35] 정의는 조정과 분배로부터, 각자에게 자신의 몫만, 그리고 평등한 것은 평등하게 불평등한 것은 불평등하게 취급함으로써, 사회의 질서규범에 정당성을 부여하는 기준과 척도가 되고 있다. 이와 함께 오늘날에는 정의를 실현시킬 수 있는 구체적 방법으로 절차적 정의와 공정성과 공평성으로서의 정의가 논의된다.

이처럼 정의의 문제가 시대적으로 지역적으로 각기 거주하는 사회에 따라 다르게 규정되지만 정의는 불합리한 차별에 대한 거부이다. 일반적으로 각자에게 그가 마땅히 받을 몫, 즉 응분의 몫을 받지 못하는 경우다. 이 때 응분의 몫이란 혜택과 부담을 모두 지칭하는 것이다. 따라서 정의란 어떤 사람이 당연히 받아야 할 혜택과 당연히 져야 할 부담을 다른 사람에게 돌아가게 하는 것이라고 할 수 있다. 위의 존 롤즈(J. Rawls)의 사회정의도 기본적인 사회제도 내에서 권리와 의무를 할당하는 방식에서 사회공동체에 돌아가는 혜택과 부담의 적절한 배분을 말하는 것이다. 이때 만약 부득이하게 불평등하게 결정되는 경우 그 혜택은 약자에게 배분되어야 한다는 것이다. 공리주의자들은 사회전체의 총효용이 극대화된다면 어떤 배분원칙도 받아들일 수 있다는 입장인데 생산에 기여한 자는 곧 총 효용의 극대화에 기여한 자이고, 그들은 총 효용의 증가를 위해 개인적으로 보다 많은 노력을 하였기 때문에 그에 대해 보상을 받았기 때문이다.

이러한 배분 문제는 다음과 같은 제약 때문에 발생한다. 첫째, 희소성의 제약으로 이것은 정부가 구성원들의 욕구와 원망을 만족시키기에 충분한 재화와 가치들을 보유하고 있지 못하다는 사실이다. 일반적으로 국민의 많은 욕구는 대부분 민간영역에서 사적으로 해결되지만 그렇지 못한 경우 공적 영역에서 정부가 해결

35) Linda J. Skitka / Faye J. Crosby, "Trends in the Social Psychological Study of Justice", *Personality and Social Psychology Review*, Vol.7, No.4(2003), pp. 282-285.

해야 하는 대상이 되는 것이다. 이들 공공문제들 중에서 일부만이 정부의 관심의 대상이 되는 정책의제로 채택되기 때문이다. 둘째, 가치의 불일치로 사회 구성원들이 서로 상호작용하여 공동체의 이익을 창출하지만 동시에 이때 이익을 내 것과 네 것으로 분명하게 구분하여 따지는 관계라는 점이다. 따라서 사람들 사이에는 이에 대한 가치의 배분의 생각으로 인한 이익갈등이 첨예하게 대립될 가능성이 있다. 셋째 일반적으로 사람들은 시장의 자원배분 활동에 대해서는 호의적으로 평가하는 데 반해, 정부의 자원배분 활동은 매우 비판적인 시각으로 평가하는 경향이 있다는 점이다. 왜냐하면 정부의 가치배분 활동이 자신들의 선택의사와 관련 없이 일방적으로 이루어지는 것으로 이해하기 때문이다. 이처럼 응분의 몫을 결정하는 것은 매우 복잡한 개별 상황에 따라 별도의 기준을 거쳐야 하는데 그 이유는 각자는 그의 공과에 따라, 필요에 따라, 그의 권리에 따라야 동등하게 취급되어야 하기 때문이다. 그러나 현실적으로 모든 의미의 분배기준을 열거하거나 아니면 모두를 포괄하는 이러한 하나의 기준을 선택할 수 없으며 각각의 분배기준은 서로 양립하기 어려운 상충되는 성격을 갖고 있다. 이러한 이유로 정의의 문제는 시대별로 사회마다 다른 분배기준이 선택될 수 있음을 인정하는 것이 바람직하다.

오늘날 한국사회는 사회적 분배와 복지의 문제, 급격한 민주화에 따른 전통적 가치의 파괴, 세대간·남녀간의 갈등, 인권과 정의에 관한 기준과 오해, 양극화되어가는 빈부 격차 등이 나타나고 있고, 이러한 사회갈등을 조정하고 통합하기 위한 정부의 노력이 필요한 시점이다. 공정한 사회는 사회로부터 받은 결과에 대한 반대급부의 책임을 하고자 하는 노블레스 오블리주(noblesse oblige)[36)]의 정신이 살아있는 사회를 말한다. 사회적 정의의 문제에서 평등을 논하지 않을 수 없고, 평등을 위한 사회적 분배의 문제를 두고 정의를 말하기가 어렵다. 결국 분배는 공공선의 가치에 두고 공공복리를 실천하는 데 있어서 공평성이라는 원칙과 정의의 가치를 가지고 실행하여야 공정한 사회에 대한 신뢰가 높아지는 것이다. 공정한 사회를 위한 국가의지의 원칙은 법치와 절차에 대한 존중, 편법과 변칙의 제거, 사회 양극화의 완화, 사회적 갈등의 해소 등과 같이 원칙을 지켜서 사회적

36) 프랑스어로 "귀족성은 의무를 갖는다"는 의미로 부와 권력, 명예는 그 사회에 대한 책임과 함께 해야 한다는 것이다. 즉 사회지도층에게는 사회에 대한 책임이나 국민의 의무를 모범적으로 실천하는 높은 도덕성이 요구된다는 의미이다(위키백과).

합의와 신뢰를 구축하는 것이다. 결국 공정한 사회를 만들기 위한 이러한 분배는 응분의 몫을 어떻게 결정하는 것이 정의로운가와 관련된 각자의 생각이 다름에 따른 것으로 이를 바탕으로 정리하면 다음과 같다.

첫째, 기회의 균등이다. 이는 생산에 기여한 만큼 분배를 받는 것이 공정하려면 먼저 모든 사람에게 생산에 참여할 수 있는 기회가 균등하게 주어져야 한다. 기회균등이란 사람들이 자신의 능력을 발휘할 수 있는 기회, 나아가서는 사회에 기여할 수 있는 기회가 평등하게 주어져야 한다는 것을 의미한다. 이러한 기회균등이 이루어져 있지 않다면 기회의 불평등에서 비롯되는 사람들 간의 사회에 대한 기여도의 차이와 그에 따르는 불평등한 배분을 인정할 수 없다. 따라서 기회의 평등은 형평의 원칙에 의거한 배분을 수용하는 데 있어서 매우 중요한 전제조건이라고 할 수 있다. 민주사회에서의 평등은 이러한 참여와 분배에 있어서의 기회균등을 의미한다. 타고난 선천적인 재능은 어쩔 수 없지만 자본주의 사회에서 생산에 참여하여 소득을 얻을 수 있는 기회는 원천적으로 교육과 재산에 의하여 결정된다. 기회가 평등하게 주어지더라도 남보다 더 좋은 환경에 처해 있는 사람들의 경우 그렇지 못한 사람들보다 자신의 능력을 발휘하고 사회에 대한 기여도를 높이는 것이 수월할 것이며 그렇다면 궁극적으로는 남들보다 많은 배분몫을 받게 될 것이다. 따라서 기회의 평등을 보다 효과적으로 보장하기 위해서는 이러한 조건의 평등이 이루어져야 한다.

이처럼 기회균등은 어느 정도의 차등적 배분을 허용하는 다른 정의(正義) 개념과 달리 각자에게 똑같은 몫의 배분을 요구하는 평등규범이다. 이는 인간의 존엄성에 대한 자연법적 신념이나 혹은 인간의 이성(理性)에 대한 신뢰에 의하여 정당화되고 사회 구성원들 사이의 협동과 결속을 고무하는 성향이 있다.

둘째, 능력에 비례한 차등배분(差等配分)이다. 능력(ability)은 선천적인 요소와 후천적인 요소가 결합되어 있다. 선천적 능력은 인간의 통제범위를 벗어난 것이기 때문에 원칙적으로 배분의 기준으로 사용할 수 없다. 그러나 후천적으로 얻어지는 능력은 배분정의를 실현하는 수단으로 사회적 의미를 가지게 된다. 이때 노력은 많은 경우 개인의 자발적인 의지의 문제로 후천적으로 얻어지는 능력의 문제와 결부시키게 된다. 결국 노력을 배분원칙으로 보기 위해서는 그것을 개인적인 문제로 볼 것인가 아니면 환경적인 문제로 볼 것인가가 중요한 것이다. 만일 노력을 개인적인 문제로만 본다면 이는 기존의 불평등을 그대로 인정하자는 것이고 환경적인 문제로 본다면 평등논리로 이어진다. 또한 노력을 배분원칙으로 삼을 경우에는 많은 노력을 하였음에도 실제로 성과가 없을 경우에 노력에 따른 배분이 과연 정의로운가의 문제도 있다.

차등배분은 개인의 공과라는 관점에서 보아 동일한 범주에 속하는 사람들을 동등하게 대우할 것을 요구하는 실질적 규범이다. 이는 각자에게 그의 능력과 공과에 비례하여 자원을 배분하는 것으로 개인의 공적과 그에 대한 보상 비율이 다른 사람과 같으면 두 사람은 형평 관계에 있다. 다만 이러한 차등분배는 경쟁시장의 자원배분만을 정당한 것으로 여기는 것이고 인간의 삶의 영역을 경제적 가치로 보기 때문에 기득권자와 강자의 이익을 대변할 위험성이 있다. 이는 같은 것은 같게, 다른 것은 다르게 대우하는 것이 정의라고 하는 아리스토텔레스의 정의론(正義論)에 맞는 논리다. 결국 능력에 따른 배분원칙은 능력에 부여된 불평등한 사회적 의미를 그대로 인정해야 한다는 논리로 이어져 매우 보수적인 주장으로 연결된다. 따라서 그것을 어떻게 개념화하든 전체적으로 불평등 논리라 할 수 있고 세부적인 기준을 개인적인 문제로 보는가 아니면 환경적인 문제로 보는가에 따라 정의의 문제에 접근하는 관점이 다르다 할 수 있다.

셋째, 절대빈곤의 해소다. 절대빈곤이란 인간다운 생활을 하는 데 필수불가결한 최소한의 물질적인 조건이 충족되지 못한 상태를 말한다. 여기에는 음식물, 옷, 주거, 의료, 교육 및 교통이 포함된다. 이는 경제적인 면에서 최소한의 기본적인 인권이 충족되어야 함을 말한다. 현실적으로 절대빈곤을 벗어나지 못하는 빈민들이 존재하는데 가격기구가 불완전하여 생산에 기여한 만큼 정당한 임금을 받지 못하는 경우도 있고, 교육과 재산에서 평등한 기회를 갖지 못하는 경우도 있으며, 기회균등의 원칙이 실현되어도 선천적인 자질상의 결함으로 인해 빈곤에서 벗어날 수 없는 경우도 있다. 정의 관점에서 보면 이유 여하를 막론하고 모든 사람들에게 최소한의 인간다운 생활을 보장하는 것은 공동체로서 마땅히 감당해야 할 의무이다. 이때 인간의 어떤 욕구를 어느 수준에서 충족시킬 것인가에 대한 공동체의 합의가 필요하다. 욕구를 배분적 정의의 차원에서 다루어져야 할 문제인가 아니면 인본주의적 차원에서 다루어져야 할 문제인가이다. 만일 욕구가 정의의 문제라면 그것은 권리로 이어져 사회에 대해 자원을 요구할 수 있는 청구권을 가지며 사회는 그 사람에게 자원을 제공할 의무를 지게 되는 것이다. 반면에 욕구가 단순히 인도적인 차원의 문제라면 청구권을 가질 수 없다. 하지만 욕구라는 결핍상태에 이르는 과정에서 개인보다는 사회에 책임이 있다면 사회는 그에 대해 책임을 져야 하는 것이 정의의 관념에 맞는다는 것이다.

넷째, 공정사회를 위한 법치정의 구현이다. 법치국가가 추구하는 최고의 목표는 정의의 실현이다. 법치국가를 통해 사회적 정의를 구현라고 결국 공정한 사회를 만드는 것이 법의 목적이다. 정의가 없는 법치국가는 불법국가이기 때문에 정의는 법치국가를 평가하는 척도이다. 법치국가의 실현에는 실정헌법의 효력이 절대적으로 중요하다. 장식적인 헌법이나 명목적인 헌법을 가지고 있다면 결코 법치국가라고 말할 수 없다. 그래서 헌법의 실질적 규범력이 중요하고, 이런 헌법은 국가의 최고 규범으로 정의를 관철하는 데 기여한다. 법치국가는 권력분립원칙과 국민의 대표기관에 의하여 제정된 법률에 의하여 규율되는 헌법국가에서 자유에 기초하여 정의라는 이념의 실현을 목표로 한다. 법치국가원리를 구성하는 헌법 규정은 국가생활에서 총체적인 기준과 형태를 부여한다. 법은 자의적이 아니라 인간의 이성에 기초하여 정당성을 확보하고 정의에 따른 내용을 담고 있기 때문에 법치국가는 법우선의 원칙이 국가생활을 지배한다. 법의 지배는 인간의 자의적 행사를 막으며, 국가권력이 헌법에 복종하는 것은 평등과 법적 안정성에 최소한의 기준을 세우는 데 있어서 필수적이다.

우리 헌법도 이러한 공정사회를 규정하고 이를 실현하기 위한 제도적 장치를 마련하고 있지만, 현실은 그렇지 못하다. 그동안 여러 분야에서 법치를 강조하였음에도 법치가 제대로 실현되지 못하고 있는 것은 우리 사회가 공정사회가 아니라는 것을 반증하는 것이다. 민주화 과정을 통하여 국민의 자유와 권리가 신장되고 생활의 수준이 향상되었으나 이에 걸맞은 수준의 법치가 실현된 것이라고 보기는 어렵다. 우리 사회는 아직도 국민의 법의식이 정착되어 있지 않고, 법질서를 가장한 위법과 탈법이 수시로 일어나고 있다. 그런데 누구도 법치가 제대로 실현되지 않는 것에 대하여 심각하게 생각하는 것 같지는 않다. 이는 국가나 사회에서 준법의식을 강조하거나 준법의식을 고취시킬 정책을 구체적으로 추진하지 않는 것에서 알 수 있다. 이 문제는 우리 사회의 유교문화 전통으로 오랫동안 사회를 형성·유지해왔던 의식의 전환이 제대로 이루어지지 못하였다는 이유도 있으나 증폭되고 있는 사회갈등을 미연에 방지하고 공정한 사회를 이루기 위해 반드시 해결해해야 하는 과제가 되고 있다.

결론적으로 사회정의는 효율성과 공평성이 모두 실현된 상태이고 만일 이러한 공평성과 효율성이 서로 배치된다면 사회정의는 실현될 수 없다. 우리사회에서는 경제성장 혹은 효율성을 위해서 공평한 분배가 희생될 수밖에 없다는 주장도 있으나 공평한 분배는 경제성장을 방해하는 것이 아니라 오히려 촉진시킨다. 능력에 따른 차등배분 원칙이 준수되면 모든 사람들은 자신의 몫을 늘리기 위해 열심히 생산에 참여하지 않을 수 없게 되고 따라서 생산의 효율성이 촉진되고 경제성장도 높아진다. 자신을 위해 일할 때 가장 열심히 하는 것은 인간의 본성으로 인류역사상 자본주의 경제가 가장 빠른 성장을 실현한 것도 바로 이 때문이다. 즉 자본주의는 이기심이라는 인간의 본성을 생산에 가장 잘 활용하는 경제체제인 것이다.

많은 연구결과들은 테러범은 불공정한 사회에서 오는 자신의 정치적·사회적 또는 개인적 불만이나 원한, 박탈감을 폭력이라는 수단을 통해 얻고자 하고, 자신이 속한 사회나 국가에 소요를 일으키거나 정책에 변화를 가져옴으로써 이를 해소하려는 의도를 가지고 테러를 자행하는 것으로 파악하고 있다. 따라서 이러한 공정한 사회를 실현하는 것은 종국적으로 우리사회를 건강하게 만들어 자생테러와 같은 온상이 되지 않는 토양이 되도록 하는 것이다.

제4절 다양성과 공존

Ⅰ. 다양성의 의미

다양성(多樣性, Diversity)이란 말은 찰스 다윈(Charles Robert Darwin, 1809-1882)의 시대에 이르러 의미가 실리기 시작했는데 그는 1859년에 출간된 『종의 기원』(On the Origin of Species)에서 생물학적 다양성이 환경에 적응하고 생존하기 위해 절대적으로 필요하다고 보았다. 다윈과 동시대에 활동한 존 스튜어트 밀

(John Stuart Mill, 1806-1873) 또한 『자유론』(自由論, On Liberty, 1859)에서 관습의 전제(despotism of custom)로 인해 정체된 동양 특히 중국을 유럽과 대비하면서 유럽인들이 계속해서 진보할 수 있었던 이유를 '성격과 문화의 현저한 다양성'에서 찾았다.[37] 이처럼 다양성은 인간세계를 풍부하고 다채롭게 만듦으로써 심미적으로 바람직하고, 또 상상력과 창의성과 호기심을 자극하여 독창적인 정신이 등장할 수 있게 하며 상이한 사고방식들의 건강한 경쟁을 고취함으로써 진보를 가능케 한다는 것이다. 이처럼 서구에서 다양성이란 말은 초기 15세기 무렵은 주로 부정적인 의미로 사용되다가 19세기 이후 긍정적인 의미로 바뀐 것으로 드러난다.

인간사회의 다양성은 내용면에서 인종, 민족, 종교, 언어, 성별, 나이, 계급, 신념 등 이루 다 열거할 수 없을 정도로 많은 갈래로 나눌 수 있다. 이 중에서 어떤 범주가 상대적으로 더 중요한지는 구체적인 역사적 맥락에서 따져볼 일이지만, 대부분 문화를 중요하게 부각시켰다. 이는 문화를 인간에 관한 모든 것을 포함하는 개념으로 사용했고 근본적으로는 근대 민족국가의 부상이 강력한 배경이 되었다고 봐야 할 것이다. 민족국가는 문화적 동질화 정책을 통한 민족 또는 국민의 형성과 그러한 민족 또는 국민이 주권을 행사하는 정치체제를 말한다. 그리고 그것의 대외적 표출이 제국주의 침탈 역사에 대한 저항이다. 이러한 대내외적 과정은 빈번한 민족 간 갈등과 충돌을 수반했는데, 그것을 촉발한 도화선 역할을 한 것 또한 언어나 종교 등과 같은 문화적 요소가 있었다. 지배민족은 소수민족 또는 피지배민족의 언어, 역사, 종교 등을 자신의 것에 포섭하는 동화정책을 시행함으로써 그들의 민족적 정체성을 고사시키는 전략을 구사했다. 이러한 동질화 정책에 반대하는 집단은 정치적으로 배제, 억압, 탄압되고 경제적으로 차별받았으며 심한 경우 학살에 처해졌다. 이처럼 근대 민족국가의 부상 및 제국주의의 발호 과정에서 문화의 다양성이 중요한 관심사로 대두되었다. 오늘날 문화다양성은 근대 민족국가 형성과정과 최근의 세계화에 따른 대규모 국제적 이동에 따라 서로 다른 종족이 한 국가 안에 공존하게 된 현실을 맞이하게 된 것이다.

---

37) 위키백과(https://ko.wikipedia.org/wiki/).

Ⅱ. 다양성의 수용

우리사회도 최근 세계사의 전개나 문화 현상의 분포, 문화적 다양성이 날로 심화되는 사회에 다양한 구성원들이 서로 이해하고 관용하며, 공존·연대할 수 있는 시민적 자질을 함양해야 한다. 특히 그중에서 종교는 문화적 다양성의 주요 요인 중 하나일 뿐 아니라, 그 어떤 다양성 요인보다 강한 사회 분열과 갈등 유발 잠재력을 지니고 있다. 그러므로 사회갈등에 있어서의 종교의 역할을 토론하고 종교적 관용성 함양을 목표로 해야 한다. 최근 종교적 근본주의의 확대, 기성종교의 급진화 혹은 보수화, 종교 교리와 관련된 주제들의 정치 쟁점화, 사회와 국가의 종교적 다양성 증가, 종교인과 비종교인의 간의 간극 확대 등이 복합적으로 갈등의 원인을 제공하고 있다. 특히 이슬람 장기 체류 외국인이 날로 늘고 있으며 그들 중 상당수가 우리 사회의 다수 종교가 아닌 낯선 종교를 배경으로 하고 있다. 또한 직장이나 학교에서 피부색, 모국어, 종교 등이 다른 직장 동료나 학급 친구와 더불어 생활해야 하는 것은 평소 당연시 여겨 왔던 식습관이나 에티켓, 신체 언어, 시간 개념 등의 재조정을 요구할 수도 있다. 그리고 이러한 불편함은 관련 인물에 대한 부정적 감정을 낳기 쉽다.

종교로 인한 갈등의 문제와 관용의 필요성에 대한 교육은 과거사나 해외의 일이 아니라 현재 우리사회에서 시민적 일상생활의 맥락 속에서 가르쳐야 할 것이다. 한국사회에서 종교적 다양성이 심화되고 있는 현재, 종교간 대화 및 상생을 위한 노력은 선택이 아닌 필수의 문제이다. 다원적 종교상황에서 자기 종교의 우월성만을 강조하고 타종교와의 대화를 거절하거나 배척할 때, 민족의 분열, 국가와 민족 간의 전쟁, 국가 분리 등 참혹한 결과가 초래될 수 있음을 이미 충분히 경험했다. 다원적 종교상황에서 사회적 통합과 평화적 공존을 위해서는 종교간 상호 공존을 위한 노력은 선택이 아닌 의무임을 자각해야 한다. 자신의 종교와 다른 종교와의 동등한 관계를 어떻게 인식하고 이해하며, 함께 공존할 수 있을 것인가 하는 문제이다. 이는 현대의 종교 다원화상황에서 각 종교의 신자들이 다른 종교의 존재와 가치를 인정하면서도 어떻게 자기 종교의 절대성에 대한 확신을 상실하지 않고 그들과 공존할 수 있는가 하는 문제이다. 우리는 종교 간의 대화를 통해 소외되고 비인간화된 사람들을 돌보고 보살피며 함께 그들의 이웃이 되는 일을 찾아야 한다. 그리고 생태계의 문제, 남북통일 문제, 사회 정의 문제, 인권과 빈곤의 문제 등을 함께 해결해 가는 협력자들이 되어야 한다. '문명의 충돌'로 상징되는 서구와 이슬람의 충돌, 그리고 세계 곳곳에서 끊임없이 야기되는 종교 간의 충돌이라는 비극적 현실을 넘어서서 오늘날 한국사회에 존재하는 '종교적 다양성'을 포용하기 위한 노력이 필요하다.

최근 일본에서는 다문화공생(Multicultural Coexistence)이라는 용어가 2005년부터 새롭게 등장하였다. 이는 1990년대부터 일본에 이주하는 외국인의 급속한 증대를 배경으로 등장하여 개념적으로 '서로 다른 문화적 배경을 가진 사람들이 차이를 인정하고 존중하며 대등한 관계를 형성하는 것'으로 정의된다. 1995년 고배대지진을 계기로 인권의 관점에서 외국인을 지원하는 시민단체 활동을 통해 확산된 이 용어는 외국인 집주(集住) 지역을 중심으로 지방자치체 차원에서도 다문화공생을 슬로건으로 한 정책이나 사업 등을 전개함에 따라 더욱 넓은 범위에서 쓰이게 되었다. 2004년 말 일본 인구 중 외국인의 비율은 1.55%로, 이민을 받아들인 서구 국가들에 비해 아직 미미한 수준이지만, 일본은 그동안 한국과 같이 비교적 동질적인 사회를 유지해 왔기 때문에 외국인의 급증 현상은 일본 사회에 외국인의 인권보장과 사회통합이라는 새로운 과제를 던지게 되었다. 경제적 측면에서도 일본의 급격한 고령화를 고려할 때 향후 외국인 노동자의 수용은 불가피하며, 이로 인한 사회적 갈등을 최소화하고 사회 안정을 확보할 수 있는 이주민의 수용 혹은 통합의 방식이 모색되어야 했다. 다시 말해 일본인과 다양한 민족적, 문화적 배경을 가진 집단들의 공존이라는 관점에서 다문화공생을 논하는 경향이 주가 되었다.

내용면에서 다문화공생은 외국인들이 실제로 생활하는 지역의 구성원으로서 갖추어야 할 기본적인 주체의식을 함양과 동시에 지역사회가 외국인들을 이해하고 그들의 능력을 지역발전을 위하여 활용함으로써 도움이 될 수 있다는 점을 강조하고 있다. 기본구조는 외국인의 적응을 돕기 위한 커뮤니케이션 지원과 지역에서 생활하는데 필요한 거주, 교육, 노동환경, 의료·보건·복지 등의 지원이다. 특징은 지방정부가 주체가 되어 지역의 다양성을 반영하기 위한 아래로부터 위로의 의견 전달, 중앙정부 차원에서의 위로부터 아래로의 정책방향의 제시 및 권고를 통하여 실시하고 있다. 그러나 이렇게 '다문화공생' 개념이 확산되었다고 해서, 일본에 체류하는 외국인과 민족적 소수자의 인권이 보장되고 종래의 내셔널리즘을 극복할 새로운 이념이 확립된 것은 아니지만 다만 이러한 문제가 국가의 중요한 문제로 인식하는 계기가 되었다는 점에서 긍정적인 측면이 있다.

한국도 일본보다 약간 늦긴 했지만 외국인 이주민들이 급증하여, 정부 차원에서 이에 대처하기 위한 다양한 정책들이 제시되고 있음은 앞에서 이미 살펴보았다.[38] 지방자치체를 중심으로 다양한 조직과 네트워크로 구축된 일본의 다문화공생 체제는 우리 사회를 위하여 필요한 정책적 시사점을 주고 있다. 일본 정부는 중앙정부, 지방정부, 기업, 지역주민 간 다문화공생 거버넌스 체제를 중시하면서 대안을 모색하고 있고, 지방조례가 각 주체의 역할을 명기하고 있어서 역할이 명확하며, 다문화도시 네트워크가 잘 구축되어 지자체간 다양한 정보와 교류가 원활하다는 것이다. 결국 일본은 이를 통해 균등한 기회의 보장으로서 자유민주적 다문화주의를 지향하고 있다. 외국인 이주자들이 일본의 지역사회 생활에 적응할 수 있도록 다양한 언어를 지원하고 문제 해결에 필요한 상담과 의견 수렴에 초점을 두고 있으며, 이러한 기회의 보장 원칙을 넘어서서 복지를 직접 보장해주기 위한 것은 아니라는 것이다. 서구의 시각이 아닌 동양의 시각에서 추진되는 일본의 사례에서 우리도 다양성을 수용하는 계기로 활용되어야 할 것이다.

Ⅲ. 공　존

1. 공존의 의미

공존(共存)의 문제는 위와 같은 다양성이 함께 하는 것을 전제로 한다. 인류의 역사는 '다름'과 '같음'에 따른 전쟁과 평화의 반복이었다고 할 수 있다. 다름은 정복의 대상이었고, 같음을 이유로 단결과 단합을 추구하여 왔다. 인간이 공동체를 구성하여 존재하는 한 개인이든, 민족이든, 국가든 같음을 매개로 하여 결합하고 평화를 유지하였던 반면에 다름은 이유로 반목하고 전쟁을 일삼아 왔다. 다름은 개인과 개인의 소단위에서 시작하여 국가와 국가 사이의 단위로 확대되어진다. 이에 기인하여 폭력과 전쟁이 유발되고, 대량학살에 의한 수많은 전쟁의

38) 다문화정책 세부 내용은 제8장 제3절 참조.

발단이 되었다. 제1차 세계대전과 제2차 세계대전이 그 사례이다. 다름이 국가와 국가 사이, 민족과 민족 사이에 발생하면 전쟁으로 발전하고, 국내에서 발생하면 대립과 갈등을 야기하게 된다. 여기서는 우리나라 국내에서 미래에 발생할 테러 가능성에 초점을 두고 생각한다. 다름의 영역에서는 대립과 갈등이 존재하기 마련이다. 사회적 강자와 약자로서의 갈등, 빈부의 갈등, 도시와 농촌 간의 갈등 등으로 공동체의 와해, 빈곤의 확대, 경제체제의 붕괴 등의 많은 문제를 양산하고 있다. 이러한 갈등에 대하여 국가가 미온적이거나 방치하게 되면 분열과 갈등의 만연으로 인하여 국가존속의 문제로 확대된다. 이러한 문제를 방지하기 위한 국가적 차원의 노력과 응방안의 실천이 절실히 필요한 시점이다.

공존이라는 점에서 볼 때 입법은 법적 장치의 마련을 통하여 국가행위가 계층 간의 대립과 갈등을 제거하고 화합하고 통합하는 기능을 수행할 수 있도록 하여야 한다. 국민 개개인이 서로 다른 지위와 역할로 인하여 대립과 갈등할 수 있는 여지를 사전에 제거하여 더불어서 함께 잘 살 수 있도록 하는 입법정책이 수립되어야 한다. 역사적으로 어느 시대나 어느 국가에 있어서도 계층 간의 대립과 갈등이 있어 왔고, 앞으로도 계속될 것이다. 이를 어떻게 조화롭게 극복하고 더불어 잘 사는 국가를 건설하느냐의 문제는 그 시대의 정책목표를 어떻게 잡고 어떻게 구체적으로 실행하느냐에 따라 달라진다. 우리가 직면하고 있는 계층 간의 대립과 갈등은 무수히 많다. 예컨대, 대기업과 중소기업, 부자와 가난한 자, 도시와 농촌, 수도권과 지역, 사업자와 노동자, 남자와 여자, 노인세대와 젊은 세대, 남북대치에 있어서의 남한과 북한 간 등 다양한 영역에서 나타나고 있다.

이러한 문제를 해결하기 위한 방안들 또한 무수히 많이 제시되고 있다. 기업과 중소기업의 문제는 동반성장을 통하여, 부자와 가난한 자의 문제는 가난한 자의 소득 지원과 향상을 통하여, 도시와 농촌의 문제는 농촌개발을 통한 생활편익의 향상을 통하여, 수도권과 지방의 문제는 균형발전을 통하여, 사업자와 노동자의 문제는 공동이익의 창출을 통하여, 남자와 여자의 문제는 차별 없는 사회를 통하여, 노인세대와 젊은 세대의 문제는 세대 간의 형평성의 제고를 통하여 해결을 할 수 있다고 한다. 그러나 각론에 들어가면 이러한 문제의 해결은 쉽지가 않다. 각자의 주장이 다르고 각 계층 간의 이해가 다르고 첨예하게 대립되는 양상을 띠고 있기 때문이다. 이러한 문제를 해결하지 않고서 방치하거나 점점 더 심화시키게 된다면, 공동체를 통하여 보장받고 있는 안전과 자유를 확보할 수 없을 뿐만 아니라 더 이상 지속적인 국가발전을 이루어 내지도 못하게 된다.

UN에서도 1987년 4월에 유엔환경계획(UNEP)의 결의로 설치된 '환경과 개발에 관한 세계위원회(WECD)'가 '우리 공동의 미래(Our Common Future)'라는 이른바 브룬트란트보고서(the Brundtland Report)[39]를 발간하여 '지속 가능한 발전'(SD: sustainable development) 문제를 최초로 제기하였다. 물론 이의 핵심은 지구의 환경을 보호하면서 장기적 성장을 가능하기 위해서는 자연자원을 파괴하지 않는 경제적인 성장을 창출하기 위한 방안으로 제안되었다. 처음 용어가 등장한 것은 미래 세대가 그들의 필요를 충족시킬 능력을 저해하지 않으면서 현재 세대의 필요를 충족시키는 발전으로 정의되었다. 그 후 이 용어는 세대간 형평성, 사회적 통합, 삶의 질, 국제적 책임 등의 영역에서 그 의미를 확장하고 있다. 즉 세대간 형평성을 위해 현 세대의 풍요를 위해 다음 세대에게 부담을 주지 않는 범위에서 각종 사회보장제도와 안정적 재정구조가 필요하고, 사회적 통합을 위해 사회적 부를 균등하게 분배하고 정치참여의 기회를 고르게 주어 사회구성원들이 공동체적 의식과 가치관을 갖추도록 해야 한다. 삶의 질 향상을 위해 개개인의 잠재력 개발과 직업에 대한 만족, 쾌적한 주거환경, 친환경적이고 안전한 농산물 확보, 사회적 인정, 건강 유지 등이 필요하고, 국제적 책임을 위해 환경보전, 빈곤퇴치 등을 전 지구적 차원에서 추진하고 협력해야 한다는 것이다. 이러한 국제적 노력도 결국 더불어서 함께 살아가는 공동체의 삶에 있어서 공존의 의미와 가치를 전 지구적 차원에서 구현하려는 노력의 일환으로 볼 수 있다.

공존의 의미는 궁극적으로는 사회통합을 지향한다. 주류집단의 기본적인 심리는 기존의 사회구성과 체재를 정당화하고 유지하고자 비주류집단에 대한 편견과 차별을 나타낼 수밖에 없으며, 반면 비주류집단은 자신들이 어느 범주, 집단에 소속되는 것만으로도 모욕감과 무시의 경험을 하게 되는 것이 집단의 심리이다. 집단의 다수를 떠나서 상호간 배려의 입장에서 인식되고 행동되어야 장기적인 호혜관계가 지속될 수 있으며 다문화사회의 공존의식을 제고하는 것이 된다. 시민교육을 통한 다문화사회에 대한 사회인식 변화가 필요한 이유가 여기에 있다.

39) 당시 WCED의 위원장을 맡았던 전 노르웨이의 수상 브룬트란트(Brundtland)의 이름을 따서 '브룬트란트보고서'라고도 불린다.

2. 우리사회와 공존

한국사회는 아직까지 외국인 이주자들이 자신들의 정체성을 강하게 주장할 정도로 집단화되어 있지 않아 유럽처럼 폭동과 테러 같은 사건들이 보이고 있지 않는 것은 다행스러운 일이다. 그러나 정도의 차이는 있겠으나 서울의 구로구와 경기도 안산시의 원곡동처럼 이주민 집단거주지가 전국적으로 약 30여 곳에 달하고, 빠른 외국인 이주민 증가율을 감안한다면 이주민 집단화는 피할 수 없는 현실이 될 것이다. 그리고 그들의 집단적 요구에 따른 사회적 갈등과 고통도 우리사회가 감내해야 할 것이다. 이는 결국 유럽처럼 자생테러나 종교적 극단주의에 의한 국제테러로부터 자유로울 수 없는 사회가 될 수밖에 없는 것이 현실이다. 이를 사전에 예방하고 대처하기 위한 노력이 다문화사회의 공존의 과제가 되고 있다.

첫째, 이주자의 집단화 문제다. 이 문제는 이주자 집단 간의 문제뿐만 아니라 다문화사회를 구성하는 우리 모두에도 해당되는 문제이다. 이러한 집단화 현상도 오랜 역사성을 가지면 민족과 인종이 가지는 정체성의 차이에서 자연히 정착되겠지만 그러한 사회가 되기까지 적지 않은 문화의 충돌과 타협이 있게 마련이다. 이러한 맥락에서 한국사회가 적극적인 다문화사회로 나아가기 위해서는 외국인 거주지의 집단화를 위한 경계지점에서 소통의 공간을 조성하여 사회적 갈등을 적극적으로 풀어 나가야 한다는 과제를 가진다. 다시 말해서 점차 집단화되어가는 집단 간의 구분을 약하게 하고, 경계지대를 통하여 절충의식을 강화하여 다문화사회의 집단화에 따른 충돌과 갈등을 예방하기 위하여 공존을 위한 소통의 공간은 늘 열어 두어야 한다는 것이다.

둘째, 한국사회의 다문화인구 비율이 빠르게 증가하고는 있지만 아직까지 한국사회가 갖는 다문화 공존의식은 약하다. 유럽 다문화 선진국에 비하면 한국은 다문화인구의 비율이 낮은 편이고, 다문화정책 예산 또한 국가 전체예산에서 차지하는 비중이 미미한 수준이다. 하지만 한국사회의 다문화로 인한 사회문제는 예외 없이 반다문화주의, 외국인혐오 등으로 나타나고 있다. 즉 이주노동자로 인한 내국인 실업문제, 국제결혼에 따른 문제, 다문화가정에 대한 복지정책 등에 대하여 혐오하는 여론이 서서히 나타나고 있다. 이러한 현상은 다문화사회를 먼저 경험하고 있는 유럽, 일본 등에서도 당연히 나타나고 있는 문제다. 다문화가정과 외국인 이주노동자의 가정으로부터 시작하여 가난한 나라의 여성과 결혼하여 낳은 자녀들의 피부색과 경제적·교육적 수준 등에서 열등하다고 생각하고 그들을 무시, 편견, 집단따돌림과 억압한다는 것이 사회적 문제인 것이다.

셋째, 우리사회는 오랫동안 단일문화에 익숙해져있어 다양한 다른 나라의 문화와 상호 소통하는 기회를 갖지 못하였다. 따라서 다수자와 소수자 사이에서 오는 문화적 갈등이나 사회적 연대감의 부족과 같은 데서 발생하는 사회갈등의 극복 경험이 부족한 것이 현실이다. 한 사회에 정착한 다양한 문화는 사회 발전을 위한 자원이 될 수 있지만, 한편으로는 대립과 갈등의 원인이 될 수도 있다. 더욱이 다문화사회로의 급격한 변화는 문화충돌과 사회갈등이 일어날 가능성이 높아지며, 이에 따른 사회적 문제를 해결하고 통합하기 위해서는 사회적 비용 또한 증가하게 된다. 한국사회의 사회통합을 저해하는 사회갈등의 소재는 시기별로 유형을 달리하는데 건국 이후 60년대까지는 경제적으로 절대적 빈곤이 불만이었지만 70~80년대는 한국의 분단 상황에서 오는 이념갈등이 주된 불만이었다. 1990년대 이후 특히 IMF 사태 이후부터 지금까지는 계층 간의 갈등 등이 사회적 불만 요소로 대두되고 있다. 이러한 갈등의 원인은 우리사회의 저출산과 고령화의 급속한 진행, 노동시장의 불안정성 증가와 함께 압축성장과 지역불균형 발전의 폐해로부터 찾을 수 있다. 따라서 우리사회는 계급 불평등과 권력의 정당성, 도덕적 통합이라는 근대사회의 문제와 함께 시민권의 확대, 사회복지의 문제, 다문화사회의 다양한 정체성의 공존과 관용 등의 현대사회의 문제가 중첩되어 나타나고 있다. 사회는 항상 갈등을 기반으로 성장해왔지만 이를 사전에 예방하고 조정하는 것이 공존의 조건이다.

넷째, 공존이란 서로 인정하며 함께 사는 것이고 사회적 약자에 대하여 다수자의 관용이 있어야 공존은 시작된다. 소수집단의 사회적 통합에 저촉되는 다문화권의 주장과 소극적인 참여는 주류사회로부터 배제가 시작되고 장기화 되면서 소수집단의 반발은 폭력으로 나타날 수 있다. 한국의 다문화정책은 원칙적으로 외국인들의 영구거주를 제한하고 있다. 즉 이주자들을 한국사회의 구성원으로 인정하는 데 있어 매우 제한적인 것을 말한다. 이러한 이유로 소수자에 대한 지원 역시 결혼이주여성의 가정을 중심으로 제한적이고 이주근로자들의 집단화 과정에서 전개될 수 있는 정체성의 요구는 한국사회가 예상하고 논의되어야 할 과제이다. 이것은 기존의 인식 체계인 고정관념에서 벗어나 조화로운 공존의 다문화사회로 나아가기 위해서는 스스로 인식하고 개인적으로 성찰되어야 할 부분이다. 권위의식이 강한 한국적 특성이라고 변명하기에 앞서 상대방을 인식할 때, 범주화로 시작하는 자신의 고정관념을 의심하고 스스로 내면화된 자신의 편견으로부터 해방되어야 한다. 그리고 재인식되어야 한다. 다문화사회에서 다름에 대한 인정과 무시의 차이는 공존의식을 위한 개인적 인식이 중요한 기준이 되고 있다. 따라서 편견의식에 대한 경계와 함께 다문화 시민교육에 있어서도 먼저 강조되어야 할 과제이다. 국민 개개인의 입장에서 각자가 처한 위치와 지위에서 공존을 위한 것이 무엇인지를 생각하고 실천하는 것이 중요한 것이다.

다섯째, 국가차원의 대책이 필요하다. 다원화되고 다양성이 확대되고 있는 현실사회에서 공존을 국민 개개인에 맡겨둘 수 없는 일이다. 국가적 차원에서의 노력이 전제되어야만 그 실현이 가능한 것이다. 국가적 차원에서의 노력을 전제로 본다면 공존은 우선적으로 입법을 통하여 제도적 장치를 마련하여야 하는 것이다. 공존은 입법에 있어서의 중요한 목표가 되어야 하는 것이다. 따라서 입법을 통하여 헌법의 규정에 의하여 도출가능한 공존의 내용을 보다 체계적이고 구체화하여야 하며, 공동체생활에서 야기될 수 있는 계층 간의 대립과 갈등의 해결로서의 공존의 가치의 규정화를 통하여 각 영역에서 잘 실현될 수 있도록 하여야 하는 것이다. 공존은 입법에 있어서 그 무엇보다도 중요한 중심 목표이자 과제가 되고 있다.

3. 법에서의 공존 구현

우선 우리나라 헌법과 법체계에서 이러한 공존의 논리가 어떻게 구현되어 있는지 살펴본다. 다수와 소수, 사회적 강자와 약자, 최대한 보장과 최소한 보장, 사법적 적극주의와 사법적 소극주의 및 자유권과 사회적 기본권으로 나누어 본다. 이를 통하여 다름을 완화시키거나 같음의 울타리 안으로 문제를 포용하고 포섭하려고 하는 경우에 있어서 판단의 준거로 작용하게 된다. 즉 헌법은 이러한 다름을 방치하는 것이 아니라 같음의 수준으로 고양하거나 공존할 수 있도록 공동체질서를 구성하도록 하고 있는 것이다.

우리 헌법 전문(前文)에는 "안으로는 국민생활의 균등한 향상을 기하고 밖으로는 항구적인 세계평화와 인류공영에 이바지함으로써"라고 선언하고 있다. 헌법 전문은 헌법의 본문 앞에 위치한 서문으로 헌법제정의 역사적 의미와 지도이념, 기본적 가치, 목적과 제정과정 등이 기술되어 있어 규범적인 의미로 가진다. 여기서 국민생활의 균등한 향상을 제시한 것은 공정한 사회와 약자에 대한 배려의 의미로 해석할 수 있다. 헌법 제2장 국민의 권리와 의무를 규정하는 기본권 조항에는 평등권을 규정하는 헌법 제11조 제1항에는 "모든 국민은 법 앞에 평등하다. 누구든지 성별·종교 또는 사회적 신분에 의하여 정치적·경제적·사회적·문화적 생활의 모든 영역에 있어서 차별을 받지 않는다"고 하여 다름으로 인한 차별을 금지하고 있다. 공존의 문제로서의 평등은 주 대상이 사회적 약자 또는 소수자이다. 약자 또는 소수자에게도 기회를 제공하는 것이라 말할 수 있다. 이러한 평등원칙을 통하여서 공존을 실현하여야 한다는 국가의 약속이다.

헌법 제23조 제2항의 재산권보장은 "재산권의 행사는 공공복리에 적합하도록 하여야 한다"라고 규정하여 재산권에 관한 사적 유용성과 처분권능을 보장하면서도 가난한 자와의 공존을 위하여 재산권의 행사에 공공복리 적합성의 의무를 부과하고 있다. 이는 가진 자와 못가진 자와 사회적 갈등의 야기를 방지하여 공공복리의 실현을 통한 공존을 위한 것이라 할 것이다. 특히 토지의 소유에 있어서 자본주의를 근간으로 하는 헌법의 정신과 가치를 유지하면서 그 이용에 있어서 유용하고 활용성을 높여서 갈등을 제거하고 궁극적으로 공존의 길을 모색하도록 하고 있는 것이다. 또 헌법 제31조 제1항의 교육을 받을 권리는 "모든 국민은 능력에 따라 균등하게 교육을 받을 권리를 가진다"라고 규정하여 교육의 기회에 있어서 차별받지 않음과 동시에 교육을 통하여 공동체에서 공존할 능력을 배양할 수 있게 하고 있다. 교육은 국가 속에서 공존을 위한 하나의 과정이고 교육을 받을 권리는 국민이 인간으로서의 존엄과 가치를 가지며 행복을 추구하고 인간다운 생활을 영위하는 데 필수적인 전제이다. 따라서 민주국가에서 교육을 통한 국민의 능력과 자질의 향상은 바로 그 나라의 번영과 발전의 토대가 되는 국가의 중요한 과제로 규정하고 있는 것이다. 사회적·경제적 약자도 능력에 따른 실질적 평등교육을 받을 수 있도록 적극적인 정책을 실현해야 할 국가의 의무를 규정한 것이다. 이처럼 교육을 받을 권리는 국민 개개인의 권리임과 동시에 국가의 의무이다.

헌법 제32조 제1항의 근로의 권리는 "모든 국민은 근로의 권리를 가진다. 국가는 사회적 · 경제적 방법으로 근로자의 고용의 증진과 적정임금의 보장에 노력하여야 하며, 법률이 정하는 바에 의하여 최저임금제를 시행하여야 한다"라고 규정하고 있고, 제33조 제1항에는 "근로자는 근로조건의 향상을 위하여 자주적인 단결권 · 단체교섭권 및 단체행동권을 가진다"라고 규정하고 있다. 근로의 권리를 보장하는 취지는 원칙적으로 개인과 기업의 경제상의 자유와 창의를 존중함을 기본으로 하는 시장경제 원리를 경제의 기본질서로 채택하면서, 노사 당사자가 상반된 이해관계로 말미암아 계급적 대립과 적대적 관계로 나아가지 않고 공존하기 위한 헌법적 장치이다. 노사간 교섭과 타협의 조정과정을 거쳐 분쟁을 평화적으로 해결하게 함으로써 결국 근로자의 이익과 지위의 향상을 도모하는 사회복지국가 건설의 과제를 달성하고자 함이다.

헌법 제9장 경제조항에서는 제119조 제2항에는 "국가는 균형있는 국민경제의 성장 및 안정과 적정한 소득의 분배를 유지하고, 시장의 지배와 경제력의 남용을 방지하며, 경제주체 간의 조화를 통한 경제의 민주화를 위하여 경제에 관한 규제와 조정을 할 수 있다"라고 규정하여 경제의 민주화를 통하여 경제주체간의 공존을 도모하고 있다. 이를 위하여 국가는 적정한 소득의 분배, 시장의 지배와 경제력의 남용 방지, 독과점규제 및 공정 거래 등을 시행하고 있다. 경제주체간의 조화를 통한 경제의 민주화는 공정한 사회정의를 구현하기 위해 필수불가결한 요구이다. 헌법 제123조 제3항-제4항의 중소기업과 농 · 어민의 보호 규정은 "국가는 중소기업을 보호 · 육성하여야 하고, 농 · 어민과 중소기업의 자조조직을 육성하여야 하며, 그 자율적 활동과 발전을 보장한다"라고 규정하고 있다. 중소기업을 국가적 차원에서 보호 · 육성하여 국가의 발전의 과실을 취득하는 데 있어서 소외된 농 · 어민과 중소기업과의 공존을 도모하기 위함이라 할 것이다. 헌법 제124조의 소비자보호운동은 "국가는 건전한 소비행위를 계도하고 생산품의 품질향상을 촉구하기 위한 소비자보호운동을 법률이 정하는 바에 의하여 보장한다"라고 규정하여 기업에 비하여 상대적 약자인 소비자를 보호하고 있다.

헌법 규정 이외에도 사회복지 관련법이 있다. 이를 통하여 모든 국민은 질병, 장애, 노령, 실업, 사망 등의 사회적 위험으로부터 보호받고 인간다운 생활을 누리기 위하여 제공되는 사회보험, 공공부조, 사회서비스 및 복지제도의 혜택을 받을 수 있다. 구체적인 「사회복지법」으로는 국민건강보험법, 고용보험법, 국민연금법, 사학연금법, 기초노령 연금법, 노인장기요양보험법, 군인연금법 등이 있고, 공공부조를 위해 국민기초생활보장법, 의료급여법, 건강가정기본법, 저출산·고령사회기본법, 장애인 등에 대한 특수교육법, 한부모가족지원법 등이 있으며, 복지 관련법으로는 청소년기본법, 아동복지법, 특수교육진흥법, 최저임금법, 근로기준법, 사회복지서비스법 등이 있다.

결국 공존이란 다만 인간으로서 존재하는 것만을 의미하는 것이 아니라 더불어 살아가는 데 있어서 하나의 주체로서의 역할을 하면서 사는 것을 의미하는 것이다. 정부의 입장에서 법에서의 공존 구현 노력과 함께 다음과 같은 정책의 의지도 중요하다.

첫째, 공정한 심판자의 역할이다. 우리 사회의 불공정 구조의 개선에 대한 정부의 강력한 의지와 노력이 있어야 한다. 불공정의 심화 및 방치는 공존을 해치는 주범이다. 이는 결국 심각한 사회갈등으로 국가 존재 자체의 부정으로 나타나게 된다. 국가존재의 부정은 적법한 행정의 집행과 정당한 공권력의 행사조차도 따르지 않게 만들게 된다. 이를 보다 원천적으로 해결하기 위하여서는 입법을 통하여 이와 같은 불공정의 해결을 위한 법적·제도적 장치의 마련이 필요하다. 위에서 살펴본 헌법상에 보장된 인간다운 생활을 할 권리의 실질적 실현과 그 구체화라는 점에서 노령, 질병, 장애, 실업, 사망 등 각 영역에서의 그 대상자의 보장과 사회적 위험으로부터 안전의 확보를 입법화하고, 그 보장의 정도와 수준을 이와 같이 공존의 개념에 보다 적합할 수 있도록 구체적으로 규정함으로써 보다 완전한 형태로서의 공존을 지향하여야 할 것이다.

둘째, 현국가의 지향 방향은 복지국가를 실현하는 데 있다. 빈곤, 질병 및 노령의 문제는 어느 사회에서 있어 왔던 일이다. 이 문제는 더 이상 개인의 문제가 아니라 국가의 문제다. 국가적 재정능력에 맞는 빈곤과 질병에 대처하는 것이다. 그리고 계층 간의 공존의 문제로서 빈곤층에 대한 복지혜택을 확대하는 데 있어서 합리적인 방안의 선택이 필요한 것이다. 이러한 문제의 해결을 위한 입법에 있어서 개개인에게 어느 정도의 복지혜택을 주느냐는 공존의 문제와 연결된다.

셋째, 노사화합을 이루는 노동문화를 구축하여야 한다. 노사 간의 대립과 갈등은 생산성을 저하하게 되고, 기업의 국외이탈로 국부의 손실을 가져와 경제침체 및 경제의 퇴보를 가져오게 된다. 노동자와 사용자는 다를 수밖에 없는 것이지만, 경영자는 책임의식을 가지고 기업을 운영하고 근로자는 생산력 제고를 통하여 더 많은 임금을 받을 수 있는 근로문화를 구축하여야 한다. 노동조합의 경우 불법파업을 자행하는 경우에 엄정한 법의 집행이 이루어질 수 있도록 하여야 한다. 이를 통하여 반목과 갈등을 해소하고 만족하고 즐거운 공존이 이루어지는 노사문화를 구축하도록 하여야 할 것이다.

이처럼 우리사회가 직면한 빈부격차와 빈곤의 확대, 계층·세대 간의 대립, 대기업과 중소기업, 사용자와 노동자, 도시와 농촌 등 다양한 영역에서 나타나고 있는 갈등의 문제를 풀기 위한 정답은 공존에 있다고 하겠다. '더불어 잘 사는 사회', '모두에게 공정한 기회를 주는 사회'의 가치로서의 공존을 심각하게 생각하여야 할 시점이다. 오늘날 세계화시대로 나아가는 한국의 다문화사회는 다양함 속에서 통일성을 이루는 조화로운 공존의 원칙을 함의하고 있어야 하며, 이를 서로가 인정하지 않으면 서로가 공멸한다는 위기감을 가져야 할 것이다.

국민보호와 공공안전을 위한 테러방지법(약칭: 테러방지법)

국민보호와 공공안전을 위한 테러방지법 시행령

「Uniting and Strengthening America by Providing Appropriate Tools Required to Intercept and Obstruct Terrorism Act of 2001」(USA PATRIOT ACT)

국민보호와 공공안전을 위한 테러방지법(약칭: 테러방지법)

[시행 2016.3.3.] [법률 제14071호, 2016.3.3., 제정]

제1조(목적) 이 법은 테러의 예방 및 대응 활동 등에 관하여 필요한 사항과 테러로 인한 피해보전 등을 규정함으로써 테러로부터 국민의 생명과 재산을 보호하고 국가 및 공공의 안전을 확보하는 것을 목적으로 한다.

제2조(정의) 이 법에서 사용하는 용어의 뜻은 다음과 같다.

1. "테러"란 국가·지방자치단체 또는 외국 정부(외국 지방자치단체와 조약 또는 그 밖의 국제적인 협약에 따라 설립된 국제기구를 포함한다)의 권한행사를 방해하거나 의무 없는 일을 하게 할 목적 또는 공중을 협박할 목적으로 하는 다음 각 목의 행위를 말한다.

가. 사람을 살해하거나 사람의 신체를 상해하여 생명에 대한 위험을 발생하게 하는 행위 또는 사람을 체포·감금·약취·유인하거나 인질로 삼는 행위

나. 항공기(「항공법」 제2조제1호의 항공기를 말한다. 이하 이 목에서 같다)와 관련된 다음 각각의 어느 하나에 해당하는 행위

1) 운항중(「항공보안법」 제2조제1호의 운항중을 말한다. 이하 이 목에서 같다)인 항공기를 추락시키거나 전복·파괴하는 행위, 그 밖에 운항중인 항공기의 안전을 해칠 만한 손괴를 가하는 행위

2) 폭행이나 협박, 그 밖의 방법으로 운항중인 항공기를 강탈하거나 항공기의 운항을 강제하는 행위

3) 항공기의 운항과 관련된 항공시설을 손괴하거나 조작을 방해하여 항공기의 안전운항에 위해를 가하는 행위

다. 선박(「선박 및 해상구조물에 대한 위해행위의 처벌 등에 관한 법률」 제2조제1호 본문의 선박을 말한다. 이하 이 목에서 같다) 또는 해상구조물(같은 법 제2조제5호의 해상구조물을 말한다. 이하 이 목에서 같다)과 관련된 다음 각각의 어느 하나에 해당하는 행위

1) 운항(같은 법 제2조제2호의 운항을 말한다. 이하 이 목에서 같다) 중인 선박 또는 해상구조물을 파괴하거나, 그 안전을 위태롭게 할 만한 정도의 손상을 가하는 행위(운항 중인 선박이나 해상구조물에 실려 있는 화물에 손상을 가하는 행위를 포함한다)

2) 폭행이나 협박, 그 밖의 방법으로 운항 중인 선박 또는 해상구조물을 강탈하거나 선박의 운항을 강제하는 행위

3) 운항 중인 선박의 안전을 위태롭게 하기 위하여 그 선박 운항과 관련된 기

기 · 시설을 파괴하거나 중대한 손상을 가하거나 기능장애 상태를 야기하는 행위

라. 사망 · 중상해 또는 중대한 물적 손상을 유발하도록 제작되거나 그러한 위력을 가진 생화학 · 폭발성 · 소이성(燒夷性) 무기나 장치를 다음 각각의 어느 하나에 해당하는 차량 또는 시설에 배치하거나 폭발시키거나 그 밖의 방법으로 이를 사용하는 행위

1) 기차 · 전차 · 자동차 등 사람 또는 물건의 운송에 이용되는 차량으로서 공중이 이용하는 차량

2) 1)에 해당하는 차량의 운행을 위하여 이용되는 시설 또는 도로, 공원, 역, 그 밖에 공중이 이용하는 시설

3) 전기나 가스를 공급하기 위한 시설, 공중의 음용수를 공급하는 수도, 전기통신을 이용하기 위한 시설 및 그 밖의 시설로서 공용으로 제공되거나 공중이 이용하는 시설

4) 석유, 가연성 가스, 석탄, 그 밖의 연료 등의 원료가 되는 물질을 제조 또는 정제하거나 연료로 만들기 위하여 처리 · 수송 또는 저장하는 시설

5) 공중이 출입할 수 있는 건조물 · 항공기 · 선박으로서 1)부터 4)까지에 해당하는 것을 제외한 시설

마. 핵물질(「원자력시설 등의 방호 및 방사능 방재 대책법」 제2조제1호의 핵물질을 말한다. 이하 이 목에서 같다), 방사성물질(「원자력안전법」 제2조제5호의 방사성물질을 말한다. 이하 이 목에서 같다) 또는 원자력시설(「원자력시설 등의 방호 및 방사능 방재 대책법」 제2조제2호의 원자력시설을 말한다. 이하 이 목에서 같다)과 관련된 다음 각각의 어느 하나에 해당하는 행위

1) 원자로를 파괴하여 사람의 생명 · 신체 또는 재산을 해하거나 그 밖에 공공의 안전을 위태롭게 하는 행위

2) 방사성물질 등과 원자로 및 관계 시설, 핵연료주기시설 또는 방사선발생장치를 부당하게 조작하여 사람의 생명이나 신체에 위험을 가하는 행위

3) 핵물질을 수수 · 소지 · 소유 · 보관 · 사용 · 운반 · 개조 · 처분 또는 분산하는 행위

4) 핵물질이나 원자력시설을 파괴 · 손상 또는 그 원인을 제공하거나 원자력시설의 정상적인 운전을 방해하여 방사성물질을 배출하거나 방사선을 노출하는 행위

2. "테러단체"란 국제연합(UN)이 지정한 테러단체를 말한다.

3. "테러위험인물"이란 테러단체의 조직원이거나 테러단체 선전, 테러자금 모금 · 기부, 그 밖에 테러 예비 · 음모 · 선전 · 선동을 하였거나 하였다고 의심할 상당한 이유가 있는 사람을 말한다.

4. "외국인테러전투원"이란 테러를 실행 · 계획 · 준비하거나 테러에 참가할 목적으로 국

적국이 아닌 국가의 테러단체에 가입하거나 가입하기 위하여 이동 또는 이동을 시도하는 내국인 · 외국인을 말한다.

5. "테러자금"이란 「공중 등 협박목적 및 대량살상무기확산을 위한 자금조달행위의 금지에 관한 법률」 제2조제1호에 따른 공중 등 협박목적을 위한 자금을 말한다.
6. "대테러활동"이란 제1호의 테러 관련 정보의 수집, 테러위험인물의 관리, 테러에 이용될 수 있는 위험물질 등 테러수단의 안전관리, 인원 · 시설 · 장비의 보호, 국제행사의 안전확보, 테러위협에의 대응 및 무력진압 등 테러 예방과 대응에 관한 제반 활동을 말한다.
7. "관계기관"이란 대테러활동을 수행하는 국가기관, 지방자치단체, 그 밖에 대통령령으로 정하는 기관을 말한다.
8. "대테러조사"란 대테러활동에 필요한 정보나 자료를 수집하기 위하여 현장조사 · 문서열람 · 시료채취 등을 하거나 조사대상자에게 자료제출 및 진술을 요구하는 활동을 말한다.

제3조(국가 및 지방자치단체의 책무) ① 국가 및 지방자치단체는 테러로부터 국민의 생명 · 신체 및 재산을 보호하기 위하여 테러의 예방과 대응에 필요한 제도와 여건을 조성하고 대책을 수립하여 이를 시행하여야 한다.

② 국가 및 지방자치단체는 제1항의 대책을 강구함에 있어 국민의 기본적 인권이 침해당하지 아니하도록 최선의 노력을 하여야 한다.

③ 이 법을 집행하는 공무원은 헌법상 기본권을 존중하여 이 법을 집행하여야 하며 헌법과 법률에서 정한 적법절차를 준수할 의무가 있다.

제4조(다른 법률과의 관계) 이 법은 대테러활동에 관하여 다른 법률에 우선하여 적용한다.

제5조(국가테러대책위원회) ① 대테러활동에 관한 정책의 중요사항을 심의 · 의결하기 위하여 국가테러대책위원회(이하 "대책위원회"라 한다)를 둔다.

② 대책위원회는 국무총리 및 관계기관의 장 중 대통령령으로 정하는 사람으로 구성하고 위원장은 국무총리로 한다.

③ 대책위원회는 다음 각 호의 사항을 심의 · 의결한다.

1. 대테러활동에 관한 국가의 정책 수립 및 평가
2. 국가 대테러 기본계획 등 중요 중장기 대책 추진사항
3. 관계기관의 대테러활동 역할 분담 · 조정이 필요한 사항
4. 그 밖에 위원장 또는 위원이 대책위원회에서 심의 · 의결할 필요가 있다고 제의하는 사항

④ 그 밖에 대책위원회의 구성 · 운영 등에 필요한 사항은 대통령령으로 정한다.

제6조(대테러센터) ① 대테러활동과 관련하여 다음 각 호의 사항을 수행하기 위하여 국무총리 소속으로 관계기관 공무원으로 구성되는 대테러센터를 둔다.

1. 국가 대테러활동 관련 임무분담 및 협조사항 실무 조정

2. 장단기 국가대테러활동 지침 작성·배포
3. 테러경보 발령
4. 국가 중요행사 대테러안전대책 수립
5. 대책위원회의 회의 및 운영에 필요한 사무의 처리
6. 그 밖에 대책위원회에서 심의·의결한 사항

② 대테러센터의 조직·정원 및 운영에 관한 사항은 대통령령으로 정한다.

③ 대테러센터 소속 직원의 인적사항은 공개하지 아니할 수 있다.

제7조(대테러 인권보호관) ① 관계기관의 대테러활동으로 인한 국민의 기본권 침해 방지를 위하여 대책위원회 소속으로 대테러 인권보호관(이하 "인권보호관"이라 한다) 1명을 둔다.

② 인권보호관의 자격, 임기 등 운영에 관한 사항은 대통령령으로 정한다.

제8조(전담조직의 설치) ① 관계기관의 장은 테러 예방 및 대응을 위하여 필요한 전담조직을 둘 수 있다.

② 관계기관의 전담조직의 구성 및 운영과 효율적 테러대응을 위하여 필요한 사항은 대통령령으로 정한다.

제9조(테러위험인물에 대한 정보 수집 등) ① 국가정보원장은 테러위험인물에 대하여 출입국·금융거래 및 통신이용 등 관련 정보를 수집할 수 있다. 이 경우 출입국·금융거래 및 통신이용 등 관련 정보의 수집에 있어서는 「출입국관리법」, 「관세법」, 「특정 금융거래정보의 보고 및 이용 등에 관한 법률」, 「통신비밀보호법」의 절차에 따른다.

② 국가정보원장은 제1항에 따른 정보 수집 및 분석의 결과 테러에 이용되었거나 이용될 가능성이 있는 금융거래에 대하여 지급정지 등의 조치를 취하도록 금융위원회 위원장에게 요청할 수 있다.

③ 국가정보원장은 테러위험인물에 대한 개인정보(「개인정보 보호법」상 민감정보를 포함한다)와 위치정보를 「개인정보 보호법」 제2조의 개인정보처리자와 「위치정보의 보호 및 이용 등에 관한 법률」 제5조의 위치정보사업자에게 요구할 수 있다.

④ 국가정보원장은 대테러활동에 필요한 정보나 자료를 수집하기 위하여 대테러조사 및 테러위험인물에 대한 추적을 할 수 있다. 이 경우 사전 또는 사후에 대책위원회 위원장에게 보고하여야 한다.

제10조(테러예방을 위한 안전관리대책의 수립) ① 관계기관의 장은 대통령령으로 정하는 국가중요시설과 많은 사람이 이용하는 시설 및 장비(이하 "테러대상시설"이라 한다)에 대한 테러예방대책과 테러의 수단으로 이용될 수 있는 폭발물·총기류·화생방물질(이하 "테러이용수단"이라 한다), 국가 중요행사에 대한 안전관리대책을 수립하여야 한다.

② 제1항에 따른 안전관리대책의 수립·시행에 필요한 사항은 대통령령으로 정한다.

제11조(테러취약요인 사전제거) ① 테러대상시설 및 테러이용수단의 소유자 또는 관리자는 보안장비를 설치하는 등 테러취약요인 제거를 위하여 노력하여야 한다.

② 국가는 제1항의 테러대상시설 및 테러이용수단의 소유자 또는 관리자에게 필요한 경

우 그 비용의 전부 또는 일부를 지원할 수 있다.

③ 제2항에 따른 비용의 지원 대상·기준·방법 및 절차 등에 필요한 사항은 대통령령으로 정한다.

제12조(테러선동·선전물 긴급 삭제 등 요청) ① 관계기관의 장은 테러를 선동·선전하는 글 또는 그림, 상징적 표현물, 테러에 이용될 수 있는 폭발물 등 위험물 제조법 등이 인터넷이나 방송·신문, 게시판 등을 통해 유포될 경우 해당 기관의 장에게 긴급 삭제 또는 중단, 감독 등의 협조를 요청할 수 있다.

② 제1항의 협조를 요청받은 해당 기관의 장은 필요한 조치를 취하고 그 결과를 관계기관의 장에게 통보하여야 한다.

제13조(외국인테러전투원에 대한 규제) ① 관계기관의 장은 외국인테러전투원으로 출국하려 한다고 의심할 만한 상당한 이유가 있는 내국인·외국인에 대하여 일시 출국금지를 법무부장관에게 요청할 수 있다.

② 제1항에 따른 일시 출국금지 기간은 90일로 한다. 다만, 출국금지를 계속할 필요가 있다고 판단할 상당한 이유가 있는 경우에 관계기관의 장은 그 사유를 명시하여 연장을 요청할 수 있다.

③ 관계기관의 장은 외국인테러전투원으로 가담한 사람에 대하여 「여권법」 제13조에 따른 여권의 효력정지 및 같은 법 제12조제3항에 따른 재발급 거부를 외교부장관에게 요청할 수 있다.

제14조(신고자 보호 및 포상금) ① 국가는 「특정범죄신고자 등 보호법」에 따라 테러에 관한 신고자, 범인검거를 위하여 제보하거나 검거활동을 한 사람 또는 그 친족 등을 보호하여야 한다.

② 관계기관의 장은 테러의 계획 또는 실행에 관한 사실을 관계기관에 신고하여 테러를 사전에 예방할 수 있게 하였거나, 테러에 가담 또는 지원한 사람을 신고하거나 체포한 사람에 대하여 대통령령으로 정하는 바에 따라 포상금을 지급할 수 있다.

제15조(테러피해의 지원) ① 테러로 인하여 신체 또는 재산의 피해를 입은 국민은 관계기관에 즉시 신고하여야 한다. 다만, 인질 등 부득이한 사유로 신고할 수 없을 때에는 법률관계 또는 계약관계에 의하여 보호의무가 있는 사람이 이를 알게 된 때에 즉시 신고하여야 한다.

② 국가 또는 지방자치단체는 제1항의 피해를 입은 사람에 대하여 대통령령으로 정하는 바에 따라 치료 및 복구에 필요한 비용의 전부 또는 일부를 지원할 수 있다. 다만, 「여권법」 제17조제1항 단서에 따른 외교부장관의 허가를 받지 아니하고 방문 및 체류가 금지된 국가 또는 지역을 방문·체류한 사람에 대해서는 그러하지 아니하다.

③ 제2항에 따른 비용의 지원 기준·절차·금액 및 방법 등에 관하여 필요한 사항은 대통령령으로 정한다.

제16조(특별위로금) ① 테러로 인하여 생명의 피해를 입은 사람의 유족 또는 신체상의 장애 및 장기치료를 요하는 피해를 입은 사람에 대해서는 그 피해의 정도에 따라 등급을 정하

여 특별위로금을 지급할 수 있다. 다만, 「여권법」 제17조제1항 단서에 따른 외교부장관의 허가를 받지 아니하고 방문 및 체류가 금지된 국가 또는 지역을 방문·체류한 사람에 대해서는 그러하지 아니하다.

② 제1항에 따른 특별위로금의 지급 기준·절차·금액 및 방법 등에 관하여 필요한 사항은 대통령령으로 정한다.

제17조(테러단체 구성죄 등) ① 테러단체를 구성하거나 구성원으로 가입한 사람은 다음 각 호의 구분에 따라 처벌한다.

1. 수괴(首魁)는 사형·무기 또는 10년 이상의 징역
2. 테러를 기획 또는 지휘하는 등 중요한 역할을 맡은 사람은 무기 또는 7년 이상의 징역
3. 타국의 외국인테러전투원으로 가입한 사람은 5년 이상의 징역
4. 그 밖의 사람은 3년 이상의 징역

② 테러자금임을 알면서도 자금을 조달·알선·보관하거나 그 취득 및 발생원인에 관한 사실을 가장하는 등 테러단체를 지원한 사람은 10년 이하의 징역 또는 1억원 이하의 벌금에 처한다.

③ 테러단체 가입을 지원하거나 타인에게 가입을 권유 또는 선동한 사람은 5년 이하의 징역에 처한다.

④ 제1항 및 제2항의 미수범은 처벌한다.

⑤ 제1항 및 제2항에서 정한 죄를 범할 목적으로 예비 또는 음모한 사람은 3년 이하의 징역에 처한다.

⑥ 「형법」 등 국내법에 죄로 규정된 행위가 제2조의 테러에 해당하는 경우 해당 법률에서 정한 형에 따라 처벌한다.

제18조(무고, 날조) ① 타인으로 하여금 형사처분을 받게 할 목적으로 제17조의 죄에 대하여 무고 또는 위증을 하거나 증거를 날조·인멸·은닉한 사람은 「형법」 제152조부터 제157조까지에서 정한 형에 2분의 1을 가중하여 처벌한다.

② 범죄수사 또는 정보의 직무에 종사하는 공무원이나 이를 보조하는 사람 또는 이를 지휘하는 사람이 직권을 남용하여 제1항의 행위를 한 때에도 제1항의 형과 같다. 다만, 그 법정형의 최저가 2년 미만일 때에는 이를 2년으로 한다.

제19조(세계주의) 제17조의 죄는 대한민국 영역 밖에서 범한 외국인에게도 국내법을 적용한다.

부칙 〈제14071호, 2016.3.3.〉

제1조(시행일) 이 법은 공포한 날부터 시행한다. 다만, 제5조부터 제8조까지, 제10조, 제11조, 제14조부터 제16조까지는 공포 후 3개월이 경과한 날부터 시행한다.

제2조(다른 법률의 개정) ① 통신비밀보호법 일부를 다음과 같이 개정한다.

제7조제1항 각 호 외의 부분 중 "국가안전보장에 대한 상당한 위험이 예상되는 경우"를

"국가안전보장에 상당한 위험이 예상되는 경우 또는 「국민보호와 공공안전을 위한 테러방지법」 제2조제6호의 대테러활동에 필요한 경우"로 한다.
② 특정 금융거래정보의 보고 및 이용 등에 관한 법률 일부를 다음과 같이 개정한다.
제7조제1항 각 호 외의 부분 중 "조사 또는 금융감독 업무"를 "조사, 금융감독업무 또는 테러위험인물에 대한 조사업무"로, "중앙선거관리위원회 또는 금융위원회"를 "중앙선거관리위원회, 금융위원회 또는 국가정보원장"으로 한다.
제7조제4항 중 "금융위원회(이하 "검찰총장등"이라 한다)는"을 "금융위원회, 국가정보원장(이하 "검찰총장등"이라 한다)은"으로 한다.
③ 특정범죄신고자 등 보호법 일부를 다음과 같이 개정한다.
제2조제1호에 바목을 다음과 같이 신설한다.
바. 「국민보호와 공공안전을 위한 테러방지법」 제17조의 죄

국민보호와 공공안전을 위한 테러방지법 시행령

[시행 2016.6.4.] [대통령령 제27203호, 2016.5.31., 제정]

제1장 총칙 및 국가테러대책기구

제1조(목적) 이 영은 「국민보호와 공공안전을 위한 테러방지법」에서 위임된 사항과 그 시행에 필요한 사항을 규정함을 목적으로 한다.

제2조(관계기관의 범위) 「국민보호와 공공안전을 위한 테러방지법」(이하 "법"이라 한다) 제2조제7호에서 "대통령령으로 정하는 기관"이란 다음 각 호의 기관 또는 단체를 말한다.

1. 「공공기관의 운영에 관한 법률」 제4조에 따른 공공기관
2. 「지방공기업법」 제2조제1항제1호부터 제4호까지의 사업을 수행하는 지방직영기업, 지방공사 및 지방공단

제3조(국가테러대책위원회 구성) ① 법 제5조제2항에서 "대통령령으로 정하는 사람"이란 기획재정부장관, 외교부장관, 통일부장관, 법무부장관, 국방부장관, 행정자치부장관, 산업통상자원부장관, 보건복지부장관, 환경부장관, 국토교통부장관, 해양수산부장관, 국민안전처장관, 대통령경호실장, 국가정보원장, 국무조정실장, 금융위원회 위원장, 원자력안전위원회 위원장, 관세청장 및 경찰청장을 말한다.

② 법 제5조에 따른 국가테러대책위원회(이하 "대책위원회"라 한다)의 위원장(이하 "위원장"이라 한다)은 안건 심의에 필요한 경우에는 제1항에서 정한 위원 외에 관계기관의 장 또는 그 밖의 관계자에게 회의 참석을 요청할 수 있다.

③ 대책위원회의 사무를 처리하기 위하여 간사를 두되, 간사는 법 제6조에 따른 대테러센터(이하 "대테러센터"라 한다)의 장(이하 "대테러센터장"이라 한다)이 된다.

제4조(대책위원회의 운영) ① 대책위원회 회의는 위원장이 필요하다고 인정하거나 대책위원회 위원(이하 "위원"이라고 한다) 과반수의 요청이 있는 경우에 위원장이 소집한다.

② 대책위원회는 재적위원 과반수의 출석으로 개의(開議)하고, 출석위원 과반수의 찬성으로 의결한다.

③ 대책위원회의 회의는 공개하지 아니한다. 다만, 공개가 필요한 경우 대책위원회의 의결로 공개할 수 있다.

④ 제1항부터 제3항까지에서 규정한 사항 외에 대책위원회 운영에 관한 사항은 대책위원회의 의결을 거쳐 위원장이 정한다.

제5조(테러대책 실무위원회의 구성 등) ① 대책위원회를 효율적으로 운영하고 대책위원회에 상정할 안건에 관한 전문적인 검토 및 사전 조정을 위하여 대책위원회에 테러대책 실무

위원회(이하 "실무위원회"라 한다)를 둔다.

② 실무위원회에 위원장 1명을 두며, 실무위원회의 위원장은 대테러센터장이 된다.

③ 실무위원회 위원은 제3조제1항의 위원이 소속된 관계기관 및 그 소속기관의 고위공무원단에 속하는 일반직공무원(이에 상당하는 특정직·별정직 공무원을 포함한다) 중 관계기관의 장이 지명하는 사람으로 한다.

④ 제1항부터 제3항까지에서 규정한 사항 외에 실무위원회 운영에 관한 사항은 대책위원회의 의결을 거쳐 위원장이 정한다.

제6조(대테러센터) ① 대테러센터는 국가 대테러활동을 원활히 수행하기 위하여 필요한 사항과 대책위원회의 회의 및 운영에 필요한 사무 등을 처리한다.

② 대테러센터장은 관계기관의 장에게 직무 수행에 필요한 협조와 지원을 요청할 수 있다.

제2장 대테러 인권보호관

제7조(대테러 인권보호관의 자격 및 임기) ① 법 제7조제1항에 따른 대테러 인권보호관(이하 "인권보호관"이라 한다)은 다음 각 호의 어느 하나에 해당하는 대한민국 국민 중에서 위원장이 위촉한다.

1. 변호사 자격이 있는 사람으로서 10년 이상의 실무경력이 있는 사람
2. 인권 분야에 전문지식이 있고 「고등교육법」 제2조제1호에 따른 학교에서 부교수 이상으로 10년 이상 재직하고 있거나 재직하였던 사람
3. 국가기관 또는 지방자치단체에서 3급 상당 이상의 공무원으로 재직하였던 사람 중 인권 관련 업무 경험이 있는 사람
4. 인권분야 비영리 민간단체·법인·국제기구에서 근무하는 등 인권 관련 활동에 10년 이상 종사한 경력이 있는 사람

② 인권보호관의 임기는 2년으로 하고, 연임할 수 있다.

③ 인권보호관은 다음 각 호의 경우를 제외하고는 그 의사에 반하여 해촉되지 아니한다.

1. 「국가공무원법」 제33조 각 호의 결격사유에 해당하는 경우
2. 직무와 관련한 형사사건으로 기소된 경우
3. 직무상 알게 된 비밀을 누설한 경우
4. 그 밖에 장기간의 심신쇠약으로 인권보호관의 직무를 계속 수행할 수 없는 특별한 사유가 발생한 경우

제8조(인권보호관의 직무 등) ① 인권보호관은 다음 각 호의 직무를 수행한다.

1. 대책위원회에 상정되는 관계기관의 대테러정책·제도 관련 안건의 인권 보호에 관한 자문 및 개선 권고
2. 대테러활동에 따른 인권침해 관련 민원의 처리
3. 그 밖에 관계기관 대상 인권 교육 등 인권 보호를 위한 활동

② 인권보호관은 제1항제2호에 따른 민원을 접수한 날부터 2개월 내에 처리하여야 한다. 다만, 부득이한 사유로 정해진 기간 내에 처리하기 어려운 경우에는 그 사유와 처리 계획을 민원인에게 통지하여야 한다.

③ 위원장은 인권보호관이 직무를 효율적으로 수행할 수 있도록 필요한 행정적·재정적 지원을 할 수 있다.

④ 대책위원회는 인권보호관의 직무 수행을 지원하기 위하여 지원조직을 둘 수 있으며, 필요한 경우에는 관계 중앙행정기관 소속 공무원의 파견을 요청할 수 있다.

제9조(시정 권고) ① 인권보호관은 제8조제1항에 따른 직무수행 중 인권침해 행위가 있다고 인정할 만한 상당한 이유가 있는 경우에는 위원장에게 보고한 후 관계기관의 장에게 시정을 권고할 수 있다.

② 제1항에 따른 권고를 받은 관계기관의 장은 그 처리 결과를 인권보호관에게 통지하여야 한다.

제10조(비밀의 엄수) ① 인권보호관은 재직 중 및 퇴직 후에 직무상 알게 된 비밀을 엄수하여야 한다.

② 인권보호관은 법령에 따른 증인, 참고인, 감정인 또는 사건 당사자로서 직무상의 비밀에 관한 사항을 증언하거나 진술하려는 경우에는 미리 위원장의 승인을 받아야 한다.

제3장 전담조직

제11조(전담조직) ① 법 제8조에 따른 전담조직(이하 "전담조직"이라 한다)은 제12조부터 제21조까지의 규정에 따라 테러 예방 및 대응을 위하여 관계기관 합동으로 구성하거나 관계기관의 장이 설치하는 다음 각 호의 전문조직(협의체를 포함한다)으로 한다.

1. 지역 테러대책협의회
2. 공항·항만 테러대책협의회
3. 테러사건대책본부
4. 현장지휘본부
5. 화생방테러대응지원본부
6. 테러복구지원본부
7. 대테러특공대
8. 테러대응구조대
9. 테러정보통합센터
10. 대테러합동조사팀

② 관계기관의 장은 제1항 각 호에 따른 전담조직 외에 테러 예방 및 대응을 위하여 필요한 경우에는 대테러업무를 수행하는 하부조직을 전담조직으로 지정·운영할 수 있다.

제12조(지역 테러대책협의회) ① 특별시·광역시·특별자치시·도·특별자치도(이하 "시·

도"라 한다)에 해당 지역에 있는 관계기관 간 테러예방활동에 관한 협의를 위하여 지역 테러대책협의회를 둔다.

② 지역 테러대책협의회의 의장은 국가정보원의 해당 지역 관할지부의 장(특별시의 경우 대테러센터장을 말한다. 이하 같다)이 되며, 위원은 다음 각 호의 사람이 된다.

1. 시 · 도에서 대테러업무를 담당하는 고위공무원단 나급 상당 공무원 또는 3급 상당 공무원 중 특별시장 · 광역시장 · 특별자치시장 · 도지사 · 특별자치도지사(이하 "시 · 도지사"라 한다)가 지명하는 사람
2. 법무부 · 환경부 · 국토교통부 · 해양수산부 · 국민안전처 · 국가정보원 · 식품의약품안전처 · 관세청 · 검찰청 및 경찰청의 지역기관에서 대테러업무를 담당하는 고위공무원단 나급 상당 공무원 또는 3급 상당 공무원 중 해당 관계기관의 장이 지명하는 사람
3. 지역 관할 군부대 및 기무부대의 장
4. 지역 테러대책협의회 의장이 필요하다고 인정하는 관계기관의 지역기관에서 대테러업무를 담당하는 공무원 중 해당 관계기관의 장이 지명하는 사람 및 국가중요시설의 관리자나 경비 · 보안 책임자

③ 지역 테러대책협의회는 다음 각 호의 사항을 심의 · 의결한다.

1. 대책위원회의 심의 · 의결 사항 시행 방안
2. 해당 지역 테러사건의 사전예방 및 대응 · 사후처리 지원 대책
3. 해당 지역 대테러업무 수행 실태의 분석 · 평가 및 발전 방안
4. 해당 지역의 대테러 관련 훈련 · 점검 등 관계기관 간 협조에 관한 사항
5. 그 밖에 해당 지역 대테러활동에 필요한 사항

④ 관계기관의 장은 제3항의 심의 · 의결 사항에 대하여 그 이행 결과를 지역 테러대책협의회에 통보하고, 지역 테러대책협의회 의장은 그 결과를 종합하여 대책위원회에 보고하여야 한다.

⑤ 지역 테러대책협의회의 회의와 운영에 관한 세부사항은 지역 실정을 고려하여 지역 테러대책협의회의 의결을 거쳐 의장이 정한다.

제13조(공항 · 항만 테러대책협의회) ① 공항 또는 항만(「항만법」 제3조제1항제1호에 따른 무역항을 말한다. 이하 같다) 내에서의 관계기관 간 대테러활동에 관한 사항을 협의하기 위하여 공항 · 항만별로 테러대책협의회를 둔다.

② 공항 · 항만 테러대책협의회의 의장은 해당 공항 · 항만에서 대테러업무를 담당하는 국가정보원 소속 공무원 중 국가정보원장이 지명하는 사람이 되며, 위원은 다음 각 호의 사람이 된다.

1. 해당 공항 또는 항만에 상주하는 법무부 · 농림축산식품부 · 보건복지부 · 국토교통부 · 해양수산부 · 국민안전처 · 관세청 · 경찰청 및 국군기무사령부 소속기관의 장
2. 공항 또는 항만의 시설 소유자 및 경비 · 보안 책임자
3. 그 밖에 공항 · 항만 테러대책협의회의 의장이 필요하다고 인정하는 관계기관에 소속

된 기관의 장

③ 공항·항만 테러대책협의회는 해당 공항 또는 항만 내의 대테러활동에 관하여 다음 각 호의 사항을 심의·의결한다.

1. 대책위원회의 심의·의결 사항 시행 방안
2. 공항 또는 항만 내 시설 및 장비의 보호 대책
3. 항공기·선박의 테러예방을 위한 탑승자와 휴대화물 검사 대책
4. 테러 첩보의 입수·전파 및 긴급대응 체계 구축 방안
5. 공항 또는 항만 내 테러사건 발생 시 비상대응 및 사후처리 대책
6. 그 밖에 공항 또는 항만 내의 테러대책

④ 관계기관의 장은 제3항의 심의·의결 사항에 대하여 그 이행 결과를 공항·항만 테러대책협의회에 통보하고, 공항·항만 테러대책협의회 의장은 그 결과를 종합하여 대책위원회에 보고하여야 한다.

⑤ 공항·항만 테러대책협의회의 운영에 관한 세부사항은 공항·항만별로 테러대책협의회의 의결을 거쳐 의장이 정한다.

제14조(테러사건대책본부) ① 외교부장관, 국방부장관, 국토교통부장관, 국민안전처장관 및 경찰청장은 테러가 발생하거나 발생할 우려가 현저한 경우(국외테러의 경우는 대한민국 국민에게 중대한 피해가 발생하거나 발생할 우려가 있어 긴급한 조치가 필요한 경우에 한한다)에는 다음 각 호의 구분에 따라 테러사건대책본부(이하 "대책본부"라 한다)를 설치·운영하여야 한다.

1. 외교부장관: 국외테러사건대책본부
2. 국방부장관: 군사시설테러사건대책본부
3. 국토교통부장관: 항공테러사건대책본부
4. 국민안전처장관: 해양테러사건대책본부
5. 경찰청장: 국내일반 테러사건대책본부

② 제1항에 따라 대책본부를 설치한 관계기관의 장은 그 사실을 즉시 위원장에게 보고하여야 하며, 같은 사건에 2개 이상의 대책본부가 관련되는 경우에는 위원장이 테러사건의 성질·중요성 등을 고려하여 대책본부를 설치할 기관을 지정할 수 있다.

③ 대책본부의 장은 대책본부를 설치하는 관계기관의 장(군사시설테러사건대책본부의 경우에는 합동참모의장을 말한다. 이하 같다)이 되며, 제15조에 따른 현장지휘본부의 사건 대응 활동을 지휘·통제한다.

④ 대책본부의 편성·운영에 관한 세부사항은 대책본부의 장이 정한다.

제15조(현장지휘본부) ① 대책본부의 장은 테러사건이 발생한 경우 사건 현장의 대응 활동을 총괄하기 위하여 현장지휘본부를 설치할 수 있다.

② 현장지휘본부의 장은 대책본부의 장이 지명한다.

③ 현장지휘본부의 장은 테러의 양상·규모·현장상황 등을 고려하여 협상·진압·구

조·구급·소방 등에 필요한 전문조직을 직접 구성하거나 관계기관의 장에게 지원을 요청할 수 있다. 이 경우 관계기관의 장은 특별한 사정이 없으면 현장지휘본부의 장이 요청한 사항을 지원하여야 한다.

④ 현장지휘본부의 장은 현장에 출동한 관계기관의 조직(대테러특공대, 테러대응구조대, 대화생방테러 특수임무대 및 대테러합동조사팀을 포함한다)을 지휘·통제한다.

⑤ 현장지휘본부의 장은 현장에 출동한 관계기관과 합동으로 통합상황실을 설치·운영할 수 있다.

제16조(화생방테러대응지원본부 등) ① 보건복지부장관, 환경부장관 및 원자력안전위원회 위원장은 화생방테러사건 발생 시 대책본부를 지원하기 위하여 다음 각 호의 구분에 따른 분야별로 화생방테러대응지원본부를 설치·운영한다.

1. 보건복지부장관: 생물테러 대응 분야
2. 환경부장관: 화학테러 대응 분야
3. 원자력안전위원회 위원장: 방사능테러 대응 분야

② 화생방테러대응지원본부는 다음 각 호의 임무를 수행한다.

1. 화생방테러 사건 발생 시 오염 확산 방지 및 제독(除毒) 방안 마련
2. 화생방 전문 인력 및 자원의 동원·배치
3. 그 밖에 화생방테러 대응 지원에 필요한 사항의 시행

③ 국방부장관은 관계기관의 화생방테러 대응을 지원하기 위하여 대책위원회의 심의·의결을 거쳐 오염 확산 방지 및 제독 임무 등을 수행하는 대화생방테러 특수임무대를 설치하거나 지정할 수 있다.

④ 화생방테러대응지원본부 및 대화생방테러 특수임무대의 설치·운영 등에 필요한 사항은 해당 관계기관의 장이 정한다.

제17조(테러복구지원본부) ① 국민안전처장관은 테러사건 발생 시 구조·구급·수습·복구활동 등에 관하여 대책본부를 지원하기 위하여 테러복구지원본부를 설치·운영할 수 있다.

② 테러복구지원본부는 다음 각 호의 임무를 수행한다.

1. 테러사건 발생 시 수습·복구 등 지원을 위한 자원의 동원 및 배치 등에 관한 사항
2. 대책본부의 협조 요청에 따른 지원에 관한 사항
3. 그 밖에 테러복구 등 지원에 필요한 사항의 시행

제18조(대테러특공대 등) ① 국방부장관, 국민안전처장관 및 경찰청장은 테러사건에 신속히 대응하기 위하여 대테러특공대를 설치·운영한다.

② 국방부장관, 국민안전처장관 및 경찰청장은 제1항에 따른 대테러특공대를 설치·운영하려는 경우에는 대책위원회의 심의·의결을 거쳐야 한다.

③ 대테러특공대는 다음 각 호의 임무를 수행한다.

1. 대한민국 또는 국민과 관련된 국내외 테러사건 진압
2. 테러사건과 관련된 폭발물의 탐색 및 처리

3. 주요 요인 경호 및 국가 중요행사의 안전한 진행 지원

4. 그 밖에 테러사건의 예방 및 저지활동

④ 국방부 소속 대테러특공대의 출동 및 진압작전은 군사시설 안에서 발생한 테러사건에 대하여 수행한다. 다만, 경찰력의 한계로 긴급한 지원이 필요하여 대책본부의 장이 요청하는 경우에는 군사시설 밖에서도 경찰의 대테러 작전을 지원할 수 있다.

⑤ 국방부장관은 군 대테러특공대의 신속한 대응이 제한되는 상황에 대비하기 위하여 군 대테러특수임무대를 지역 단위로 편성·운영할 수 있다. 이 경우 군 대테러특수임무대의 편성·운영·임무에 관하여는 제2항부터 제4항까지의 규정을 준용한다.

제19조(테러대응구조대) ① 국민안전처장관과 시·도지사는 테러사건 발생 시 신속히 인명을 구조·구급하기 위하여 중앙 및 지방자치단체 소방본부에 테러대응구조대를 설치·운영한다.

② 테러대응구조대는 다음 각 호의 임무를 수행한다.

1. 테러발생 시 초기단계에서의 조치 및 인명의 구조·구급

2. 화생방테러 발생 시 초기단계에서의 오염 확산 방지 및 제독

3. 국가 중요행사의 안전한 진행 지원

4. 테러취약요인의 사전 예방·점검 지원

제20조(테러정보통합센터) ① 국가정보원장은 테러 관련 정보를 통합관리하기 위하여 관계기관 공무원으로 구성되는 테러정보통합센터를 설치·운영한다.

② 테러정보통합센터는 다음 각 호의 임무를 수행한다.

1. 국내외 테러 관련 정보의 통합관리·분석 및 관계기관에의 배포

2. 24시간 테러 관련 상황 전파체계 유지

3. 테러 위험 징후 평가

4. 그 밖에 테러 관련 정보의 통합관리에 필요한 사항

③ 국가정보원장은 관계기관의 장에게 소속 공무원의 파견과 테러정보의 통합관리 등 업무 수행에 필요한 협조를 요청할 수 있다.

제21조(대테러합동조사팀) ① 국가정보원장은 국내외에서 테러사건이 발생하거나 발생할 우려가 현저할 때 또는 테러 첩보가 입수되거나 테러 관련 신고가 접수되었을 때에는 예방조치, 사건 분석 및 사후처리방안 마련 등을 위하여 관계기관 합동으로 대테러합동조사팀(이하 "합동조사팀"이라 한다)을 편성·운영할 수 있다.

② 국가정보원장은 합동조사팀이 현장에 출동하여 조사한 경우 그 결과를 대테러센터장에게 통보하여야 한다.

③ 제1항에도 불구하고 군사시설에 대해서는 국방부장관이 자체 조사팀을 편성·운영할 수 있다. 이 경우 국방부장관은 자체 조사팀이 조사한 결과를 대테러센터장에게 통보하여야 한다.

제4장 테러 대응 절차

제22조(테러경보의 발령) ① 대테러센터장은 테러 위험 징후를 포착한 경우 테러경보 발령의 필요성, 발령 단계, 발령 범위 및 기간 등에 관하여 실무위원회의 심의를 거쳐 테러경보를 발령한다. 다만, 긴급한 경우 또는 제2항에 따른 주의 이하의 테러경보 발령 시에는 실무위원회의 심의 절차를 생략할 수 있다.

② 테러경보는 테러위협의 정도에 따라 관심·주의·경계·심각의 4단계로 구분한다.

③ 대테러센터장은 테러경보를 발령하였을 때에는 즉시 위원장에게 보고하고, 관계기관에 전파하여야 한다.

④ 제1항부터 제3항까지에서 규정한 사항 외에 테러경보 발령 및 테러경보에 따른 관계기관의 조치사항에 관하여는 대책위원회 의결을 거쳐 위원장이 정한다.

제23조(상황 전파 및 초동 조치) ① 관계기관의 장은 테러사건이 발생하거나 테러 위협 등 그 징후를 인지한 경우에는 관련 상황 및 조치사항을 관련기관의 장과 대테러센터장에게 즉시 통보하여야 한다.

② 관계기관의 장은 테러사건이 발생한 경우 사건의 확산 방지를 위하여 신속히 다음 각 호의 초동 조치를 하여야 한다.

1. 사건 현장의 통제·보존 및 경비 강화
2. 긴급대피 및 구조·구급
3. 관계기관에 대한 지원 요청
4. 그 밖에 사건 확산 방지를 위하여 필요한 사항

③ 국내 일반테러사건의 경우에는 대책본부가 설치되기 전까지 테러사건 발생 지역 관할 경찰관서의 장이 제2항에 따른 초동 조치를 지휘·통제한다.

제24조(테러사건 대응) ① 대책본부의 장은 테러사건에 대한 대응을 위하여 필요한 경우 현장지휘본부를 설치하여 상황 전파 및 대응 체계를 유지하고, 조치사항을 체계적으로 시행한다.

② 대책본부의 장은 테러사건에 신속히 대응하기 위하여 필요한 경우에 관계기관의 장에게 인력·장비 등의 지원을 요청할 수 있다. 이 경우 요청을 받은 관계기관의 장은 특별한 사유가 없으면 요청에 따라야 한다.

③ 외교부장관은 해외에서 테러가 발생하여 정부 차원의 현장 대응이 필요한 경우에는 관계기관 합동으로 정부 현지대책반을 구성하여 파견할 수 있다.

④ 지방자치단체의 장은 테러사건 대응 활동을 지원하기 위한 물자 및 편의 제공과 지역주민의 긴급대피 방안 등을 마련하여야 한다.

제5장 테러예방을 위한 안전관리대책

제25조(테러대상시설 및 테러이용수단 안전대책 수립) ① 법 제10조제1항에서 "대통령령으로 정하는 국가중요시설과 많은 사람이 이용하는 시설 및 장비"(이하 "테러대상시설"이라 한다)란 다음 각 호의 시설을 말한다.

1. 국가중요시설: 「통합방위법」 제21조제4항에 따라 지정된 국가중요시설 및 「보안업무규정」 제32조에 따른 국가보안시설
2. 많은 사람이 이용하는 시설 및 장비(이하 "다중이용시설"이라 한다): 다음 각 목의 시설과 장비 중 관계기관의 장이 소관업무와 관련하여 대테러센터장과 협의하여 지정하는 시설
   가. 「도시철도법」 제2조제2호에 따른 도시철도
   나. 「선박안전법」 제2조제10호에 따른 여객선
   다. 「재난 및 안전관리 기본법 시행령」 제43조의8제1호・제2호에 따른 건축물 또는 시설
   라. 「철도산업발전기본법」 제3조제4호에 따른 철도차량
   마. 「항공법」 제2조제1호에 따른 항공기

② 관계기관의 장은 법 제10조제1항에 따른 테러대상시설에 대한 테러예방대책과 법 제10조제1항에 따른 테러이용수단(이하 "테러이용수단"이라 한다)의 제조・취급・저장 시설에 대한 안전관리대책 수립 시 다음 각 호의 사항을 포함하여야 한다.

1. 인원・차량에 대한 출입 통제 및 자체 방호계획
2. 테러 첩보의 입수・전파 및 긴급대응 체계 구축 방안
3. 테러사건 발생 시 비상대피 및 사후처리 대책

③ 관계기관의 장은 테러대상시설 및 테러이용수단의 제조・취급・저장 시설에 대하여 다음 각 호의 업무를 수행하여야 한다.

1. 테러예방대책 및 안전관리대책의 적정성 평가와 그 이행 실태 확인
2. 소관 분야 테러이용수단의 종류 지정 및 해당 테러이용수단의 생산・유통・판매에 관한 정보 통합관리

제26조(국가 중요행사 안전관리대책 수립) ① 법 제10조제1항에 따라 안전관리대책을 수립하여야 하는 국가 중요행사는 국내외에서 개최되는 행사 중 관계기관의 장이 소관 업무와 관련하여 주관기관, 개최근거, 중요도 등을 기준으로 대테러센터장과 협의하여 정한다.

② 관계기관의 장은 대테러센터장과 협의하여 국가 중요행사의 특성에 맞는 분야별 안전관리대책을 수립・시행하여야 한다.

③ 관계기관의 장은 국가 중요행사에 대한 안전관리대책을 협의・조정하기 위하여 필요한 경우에는 대책위원회의 심의・의결을 거쳐 관계기관 합동으로 대테러・안전대책기구

를 편성·운영할 수 있다.

④ 제2항에 따른 안전관리대책의 수립·시행 및 제3항에 따른 대테러·안전대책기구의 편성·운영에 관한 사항 중 대통령과 국가원수에 준하는 국빈 등의 경호 및 안전관리에 관한 사항은 대통령경호실장이 정한다.

제27조(테러취약요인의 사전제거 지원) ① 테러대상시설 및 테러이용수단의 소유자 또는 관리자(이하 "시설소유자등"이라 한다)는 관계기관의 장을 거쳐 대테러센터장에게 테러예방 및 안전관리에 관하여 적정성 평가, 현장지도 등 지원을 요청할 수 있다.

② 대테러센터장은 제1항에 따른 요청을 받은 경우 관계기관과 합동으로 테러예방활동을 지원할 수 있다.

제28조(테러취약요인의 사전제거 비용 지원) ① 국가기관의 장은 법 제11조제2항에 따라 테러취약요인을 제거한 시설소유자등에 대하여 비용을 지원하려는 경우에는 다음 각 호의 사항을 종합적으로 고려하여 비용의 지원 여부 및 지원 금액을 결정할 수 있다.

1. 테러사건이 발생할 가능성
2. 해당 시설 및 주변 환경 등 지역 특성
3. 시설·장비의 설치·교체·정비에 필요한 비용의 정도 및 시설소유자등의 부담 능력
4. 제25조제3항제1호에 따른 적정성 평가와 그 이행 실태 확인 결과
5. 제27조제1항·제2항에 따른 적정성 평가, 현장지도 결과
6. 그 밖에 제1호부터 제5호까지의 사항에 준하는 것으로서 국가기관의 장이 대테러센터장과 협의하여 정하는 사항

② 제1항에 따라 지원되는 비용의 한도, 세부기준, 지급 방법 및 절차 등에 관하여 필요한 사항은 대책위원회의 심의·의결을 거쳐 국가기관의 장이 정한다.

제6장 포상금 및 테러피해의 지원

제29조(포상금의 지급) ① 법 제14조제2항에 따른 포상금(이하 "포상금"이라 한다)은 제30조에 따른 포상금심사위원회의 심의·의결을 거쳐 관계기관의 장이 지급할 수 있다.

② 법 제14조제2항에 따른 신고를 받거나 체포된 범인을 인도받은 관계기관의 장은 지체 없이 관할 지방검찰청 검사장이나 지청장 또는 군 검찰부가 설치되어 있는 부대의 장에게 그 사실을 통보하여야 하며, 검사 또는 군 검찰부 검찰관은 신고를 한 사람이나 범인을 체포하여 관계기관의 장에게 인도한 사람(이하 "신고자등"이라 한다)에게 신고 또는 인도를 증명하는 서류를 발급하여야 한다.

③ 관계기관의 장은 테러예방에 기여하였다고 인정되는 신고자등을 포상금 지급 대상자로 추천할 수 있다. 이 경우 그 대상자에게 추천 사실을 통지하여야 한다.

제30조(포상금심사위원회의 구성 및 운영) ① 포상금의 지급에 관한 사항을 심의하기 위하여 대테러센터장 소속으로 포상금심사위원회(이하 "심사위원회"라 한다)를 둔다.

② 심사위원회는 위원장 1명과 위원 8명으로 구성한다.

③ 심사위원회의 위원장은 대테러센터 소속의 고위공무원단에 속하는 일반직공무원(이에 상당하는 특정직·별정직 공무원을 포함한다)이 되며, 심사위원회 위원은 총리령으로 정하는 관계기관 소속 4급 상당 공무원 중 관계기관의 장이 지명하는 사람이 된다.

④ 심사위원회의 위원장은 포상금 지급에 관한 사항을 심의할 필요가 있을 때 회의를 소집한다.

⑤ 심사위원회는 다음 각 호의 사항을 심의·의결한다.

1. 포상금 지급 여부와 그 지급금액
2. 포상금 지급 취소 및 반환 여부
3. 그 밖에 포상금에 관한 사항

⑥ 심사위원회는 심의를 위하여 필요하다고 인정될 때에는 포상금 지급 대상자 또는 참고인의 출석을 요청하여 그 의견을 들을 수 있으며, 관계기관에 대하여 필요한 자료의 제출을 요청할 수 있다.

⑦ 제1항부터 제6항까지에서 규정한 사항 외에 심사위원회 운영에 관한 세부사항은 총리령으로 정한다.

제31조(포상금 지급기준) ① 법 제14조제2항에 따른 포상금은 다음 각 호의 사항을 고려하여 1억원의 범위에서 차등 지급한다.

1. 신고 내용의 정확성이나 증거자료의 신빙성
2. 신고자등이 테러 신고와 관련하여 불법행위를 하였는지 여부
3. 신고자등이 테러예방 등에 이바지한 정도
4. 신고자등이 관계기관 등에 신고·체포할 의무가 있는지 또는 직무와 관련하여 신고·체포를 하였는지 여부

② 포상금의 세부적인 지급기준은 대책위원회의 의결을 거쳐 위원장이 정한다.

③ 관계기관의 장은 하나의 테러사건에 대한 신고자등이 2명 이상인 경우에는 제2항에 따른 지급기준의 범위에서 그 공로를 고려하여 배분·지급한다.

④ 관계기관의 장은 제3항의 경우 포상금을 받을 사람이 배분방법에 관하여 미리 합의하여 포상금 지급을 신청하는 경우에는 그 합의한 내용에 따라 지급한다. 다만, 합의된 비율이 현저하게 부당한 경우에는 심사위원회의 심의·의결을 거쳐 관계기관의 장이 이를 변경할 수 있다.

제32조(포상금 신청 절차) ① 포상금은 그 사건이 공소제기·기소유예 또는 공소보류되거나 관계기관의 장이 제29조제3항에 따라 추천한 경우에 신청할 수 있다.

② 검사 또는 군 검찰부 검찰관은 법에 따른 포상금 지급대상이 되는 사건에 관하여 공소를 제기하거나 제기하지 아니하는 결정을 하였을 때에는 지체 없이 신고자등에게 서면으로 그 사실을 통지하여야 한다.

③ 포상금을 받으려는 사람은 총리령으로 정하는 신청서에 다음 각 호의 서류를 첨부하

여 관계기관의 장에게 신청하여야 한다.

1. 제29조제2항에 따른 증명서
2. 제2항 또는 제29조제3항 후단에 따른 통지서
3. 공적 자술서

④ 제3항에 따른 신청은 제2항 또는 제29조제3항 후단에 따른 통지를 받은 날부터 60일 이내에 하여야 한다.

⑤ 포상금을 신청하려는 사람이 2명 이상인 경우에는 신청자 전원의 연서(連署)로써 청구하여야 한다.

제33조(포상금 지급 절차) ① 관계기관의 장은 심사위원회가 심의·의결한 사항을 기초로 포상금 지급 여부와 지급금액을 결정한다.

② 관계기관의 장은 포상금 지급대상자에게 결정 통지서를 보내고 포상금을 지급한다.

③ 제1항 및 제2항에서 규정한 사항 외에 포상금 지급 등에 관하여 필요한 사항은 총리령으로 정한다.

제34조(포상금 지급 취소 및 반환) ① 관계기관의 장은 포상금을 지급한 후 다음 각 호의 어느 하나에 해당하는 경우에는 심사위원회의 심의·의결을 거쳐 그 포상금 지급 결정을 취소한다.

1. 포상금 수령자가 신고자등이 아닌 경우
2. 포상금 수령자가 테러사건에 가담하는 등 불법행위를 한 사실이 사후에 밝혀진 경우
3. 그 밖에 포상금 지급을 취소할 사유가 발생한 경우

② 관계기관의 장은 제1항에 따라 포상금의 지급 결정을 취소하였을 때에는 해당 신고자등에게 그 취소 사실과 포상금의 반환 기한, 반환하여야 하는 금액을 통지하여야 한다.

③ 제1항 및 제2항에서 규정한 사항 외에 포상금 반환에 관하여 필요한 사항은 총리령으로 정한다.

제35조(테러피해의 지원) ① 법 제15조제2항에 따라 국가 또는 지방자치단체가 지원할 수 있는 비용(이하 "피해지원금"이라 한다)은 신체 피해에 대한 치료비 및 재산 피해에 대한 복구비로 한다.

② 테러로 인한 신체 피해에 대한 치료비는 다음 각 호와 같고, 치료비 산정에 필요한 사항은 총리령으로 정한다.

1. 신체적 부상 및 후유증에 대한 치료비
2. 정신적·심리적 피해에 대한 치료비

③ 테러로 인한 재산 피해에 대한 복구비는 「재난 및 안전관리 기본법」 제66조에 따른 사회재난 피해 지원의 기준과 금액을 고려하여 대책위원회가 정한다.

④ 제2항에 따른 치료비와 제3항에 따른 복구비는 대책위원회의 심의·의결을 거쳐 일시금으로 지급한다.

⑤ 제2항부터 제4항까지에서 규정한 사항 외에 피해지원금의 한도·세부기준과 지급 방

법 및 절차 등에 관하여 필요한 사항은 대책위원회가 정한다.

제36조(특별위로금의 종류) ① 법 제16조제1항에 따른 특별위로금은 다음 각 호의 구분에 따라 지급한다.

1. 유족특별위로금: 테러로 인하여 사망한 경우
2. 장해특별위로금: 테러로 인하여 신체상의 장애를 입은 경우. 이 경우 신체상 장애의 기준은 「범죄피해자 보호법」 제3조제5호, 같은 법 시행령 제2조, 별표 1 및 별표 2에 따른 장해의 기준을 따른다.
3. 중상해특별위로금: 테러로 인하여 장기치료가 필요한 피해를 입은 경우. 이 경우 장기치료가 필요한 피해의 기준은 「범죄피해자 보호법」 제3조제6호 및 같은 법 시행령 제3조에서 정한 중상해의 기준을 따른다.

② 대책본부를 설치한 관계기관의 장은 제1항에 따른 특별위로금을 대책위원회의 심의·의결을 거쳐 일시금으로 지급한다.

③ 제1항제1호에 따른 유족특별위로금(이하 "유족특별위로금"이라 한다)은 피해자가 사망하였을 때 총리령으로 정하는 바에 따라 맨 앞 순위인 유족에게 지급한다. 다만, 순위가 같은 유족이 2명 이상이면 똑같이 나누어 지급한다.

④ 제1항제2호에 따른 장해특별위로금(이하 "장해특별위로금"이라 한다) 및 제1항제3호에 따른 중상해특별위로금(이하 "중상해특별위로금"이라 한다)은 해당 피해자에게 지급한다.

제37조(특별위로금의 지급기준) ① 유족특별위로금은 피해자의 사망 당시(신체에 손상을 입고 그로 인하여 사망한 경우에는 신체에 손상을 입은 당시를 말한다)의 월급액이나 월실수입액 또는 평균임금에 24개월 이상 48개월 이하의 범위에서 유족의 수와 연령 및 생계유지 상황 등을 고려하여 총리령으로 정하는 개월 수를 곱한 금액으로 한다.

② 장해특별위로금과 중상해특별위로금은 피해자가 신체에 손상을 입은 당시의 월급액이나 월실수입액 또는 평균임금에 2개월 이상 48개월 이하의 범위에서 피해자의 장해 또는 중상해의 정도와 부양가족의 수 및 생계유지 상황 등을 고려하여 총리령으로 정한 개월 수를 곱한 금액으로 한다.

③ 제1항 및 제2항에 따른 피해자의 월급액이나 월실수입액 또는 평균임금 등은 피해자의 주소지를 관할하는 세무서장, 시장·군수·구청장(자치구의 구청장을 말한다) 또는 피해자의 근무기관의 장의 증명이나 그 밖에 총리령으로 정하는 공신력 있는 증명에 따른다.

④ 제1항 및 제2항에서 피해자의 월급액이나 월실수입액이 평균임금의 2배를 넘는 경우에는 평균임금의 2배에 해당하는 금액을 피해자의 월급액이나 월실수입액으로 본다.

⑤ 제1항부터 제4항까지에서 규정한 사항 외에 특별위로금의 세부기준·지급 방법 및 절차 등에 관하여 필요한 사항은 대책위원회가 정한다.

제38조(특별위로금 지급에 대한 특례) ① 장해특별위로금을 받은 사람이 해당 테러행위로 인하여 사망한 경우에는 유족특별위로금을 지급하되, 그 금액은 제37조제1항에 따라 산정

한 유족특별위로금에서 이미 지급한 장해특별위로금을 공제한 금액으로 한다.

② 중상해특별위로금을 받은 사람이 해당 테러행위로 인하여 사망하거나 신체상의 장애를 입은 경우에는 유족특별위로금 또는 장해특별위로금을 지급하되, 그 금액은 제37조제1항에 따라 산정한 유족특별위로금 또는 같은 조 제2항에 따라 산정한 장해특별위로금에서 이미 지급한 중상해특별위로금을 공제한 금액으로 한다.

제39조(피해지원금 및 특별위로금 지급 신청) ① 법 제15조 또는 제16조에 따라 피해지원금 또는 특별위로금의 지급을 신청하려는 사람은 테러사건으로 피해를 입은 날부터 6개월 이내에 총리령으로 정하는 바에 따라 지급신청서에 관련 증명서류를 첨부하여 대책본부를 설치한 관계기관의 장에게 제출하여야 한다.

② 법 제15조 또는 제16조에 따른 피해지원금 또는 특별위로금의 지급을 신청하려는 사람이 둘 이상인 경우에는 다음 각 호의 구분에 따라 신청인 대표자를 선정할 수 있다. 이 경우 같은 순위의 사람이 둘 이상이면 같은 순위의 사람이 합의하여 신청인 대표자를 정하되, 합의가 이루어지지 아니하는 경우나 그 밖의 부득이한 사유가 있으면 신청인 대표자를 선정하지 아니할 수 있다.

1. 사망한 피해자에 대한 피해지원금 및 특별위로금: 총리령에서 정하는 바에 따라 맨 앞 순위인 유족 1명
2. 생존한 피해자에 대한 피해지원금 및 특별위로금: 생존한 피해자(생존한 피해자의 법정대리인을 포함한다)

③ 피해지원금 및 특별위로금의 지급 신청, 지급 결정에 대한 동의, 지급 청구 또는 수령 등을 직접 하기 어려운 사정이 있으면 다른 사람을 대리인으로 선임할 수 있다.

④ 대책본부를 설치한 관계기관의 장은 제1항에 따라 피해지원금 또는 특별위로금의 지급신청을 받으면 그 관련 서류 등을 검토하고 서류 등이 누락되거나 보완이 필요한 경우 기간을 정하여 신청인(제2항에 따른 신청인 대표자, 제3항에 따른 대리인을 포함한다. 이하 같다)에게 보완을 요청할 수 있다.

제40조(피해지원금 및 특별위로금 지급 결정) ① 대책본부를 설치한 관계기관의 장은 대책위원회의 심의·의결을 거쳐 피해지원금 및 특별위로금의 지급 신청을 받은 날부터 120일 이내에 그 지급 여부 및 금액을 결정하여 신청인에게 결정 통지서를 송부하여야 한다. 이 경우 해당 관계기관의 장은 대책위원회가 피해지원금 또는 특별위로금의 지급에 관하여 심의·의결한 날부터 30일 이내에 지급 여부 등을 결정하여야 한다.

② 제1항에 따른 결정에 관하여 이의가 있는 신청인은 결정 통지서를 받은 날부터 30일 이내에 총리령으로 정하는 바에 따라 이의 신청서에 그 사유를 증명할 수 있는 자료를 첨부하여 대책본부를 설치한 관계기관의 장에게 제출하여야 한다.

③ 제2항에 따른 이의 신청에 관하여는 제1항을 준용한다. 이 경우 제1항 중 "120일"은 "60일"로 본다.

제41조(피해지원금 및 특별위로금 지급 제한) 대책본부를 설치한 관계기관의 장은 테러사건으

로 피해를 입은 사람에게 과실이 있다고 판단되는 경우 대책위원회의 심의·의결을 거쳐 그 과실의 정도에 따라 피해지원금 및 특별위로금을 지급하지 아니하거나 금액을 줄여 지급할 수 있다.

제42조(피해지원금 및 특별위로금 지급) ① 제40조제1항에 따라 결정 통지서를 받은 신청인이 피해지원금 또는 특별위로금을 받으려는 경우에는 다음 각 호의 서류를 첨부하여 총리령으로 정하는 바에 따라 대책본부를 설치한 관계기관의 장에게 지급을 신청하여야 한다.

1. 지급 결정에 대한 동의 및 신청서
2. 인감증명서(서명을 한 경우에는 본인서명사실확인서를 말한다)
3. 입금계좌 통장 사본

② 피해지원금 및 특별위로금은 대책본부를 설치한 관계기관의 장이 지급하되, 그 실무는 국고(국고대리점을 포함한다)에 위탁하여 처리하게 할 수 있다.

③ 대책본부를 설치한 관계기관의 장은 제1항에 따른 동의 및 신청서를 받은 날부터 90일 이내에 피해지원금 및 특별위로금을 지급하여야 한다. 다만, 90일 이내에 지급할 수 없는 특별한 사유가 있는 경우에는 지급 기간을 연장할 수 있으며, 그 사유를 신청인에게 통지하여야 한다.

제43조(피해지원금 및 특별위로금 환수) 대책본부를 설치한 관계기관의 장은 피해지원금 및 특별위로금을 받은 사람이 다음 각 호의 어느 하나에 해당하는 경우에는 받은 금액의 전부 또는 일부를 환수하여야 한다.

1. 테러사건에 가담하는 등 불법행위를 한 사실이 사후에 밝혀진 경우
2. 거짓이나 그 밖의 부정한 방법으로 받은 경우
3. 잘못 지급된 경우

제44조(다른 법령에 따른 급여 등과의 관계) 테러로 인하여 신체 또는 재산의 피해를 입은 사람과 피해를 입은 사람의 유족 또는 신체상의 장애 및 장기치료가 필요한 피해를 입은 사람이 해당 테러 행위를 원인으로 하여 다른 법령에 따라 신체 또는 재산의 피해에 대한 치료비, 복구비, 특별위로금 또는 이에 상당하는 지원을 받을 수 있을 때에는 그 받을 금액의 범위에서 법 제15조제2항에 따른 치료비·복구비 또는 법 제16조제1항에 따른 특별위로금을 지급하지 아니한다.

제7장 보 칙

제45조(고유식별정보의 처리) 관계기관의 장은 다음 각 호의 사무를 수행하기 위하여 불가피한 경우 「개인정보 보호법 시행령」 제19조에 따른 주민등록번호, 여권번호, 운전면허의 면허번호 또는 외국인등록번호가 포함된 자료를 처리할 수 있다.

1. 법 제9조에 따른 테러위험인물에 대한 정보 수집, 대테러조사 및 테러위험인물에 대한 추적 등에 관한 사무

2. 법 제12조에 따른 테러선동·선전물 긴급 삭제 등 요청에 관한 사무
3. 법 제13조에 따른 외국인테러전투원에 대한 규제 등에 관한 사무
4. 법 제14조에 따른 신고자 보호 및 포상금 지급 등에 관한 사무
5. 법 제15조에 따른 테러피해의 지원 등에 관한 사무
6. 법 제16조에 따른 특별위로금 지급 등에 관한 사무

부칙 〈제27203호, 2016.5.31.〉

이 영은 2016년 6월 4일부터 시행한다.

「Uniting and Strengthening America by Providing Appropriate Tools Required to Intercept and Obstruct Terrorism Act of 2001」(USA PATRIOT ACT)[1]

TITLE Ⅰ－ENHANCING DOMESTIC SECURITY AGAINST TERRORISM

Sec.101. Counterterrorism fund.

Sec.102. Sense of Congress condemning discrimination against Arab and Muslim Americans.

Sec.103. Increased funding for the technical support center at the Federal Bureau of Investigation.

Sec.104. Requests for military assistance to enforce prohibition in certain emergencies.

Sec.105. Expansion of National Electronic Crime Task Force Initiative.

Sec.106. Presidential authority.

TITLE Ⅱ－ENHANCED SURVEILLANCE PROCEDURES

Sec.201. Authority to intercept wire, oral, and electronic communications relating to terrorism.

Sec.202. Authority to intercept wire, oral, and electronic communications relating to computer fraud and abuse offenses.

Sec.203. Authority to share criminal investigative information.

Sec.204. Clarification of intelligence exceptions from limitations on interception and disclosure of wire, oral, and electronic communications.

Sec.205. Employment of translators by the Federal Bureau of Investigation.

Sec.206. Roving surveillance authority under the Foreign Intelligence Surveillance Act of 1978.

Sec.207. Duration of FISA surveillance of non-United States persons who are

---

1) 미국의 「애국법」은 총 10개의 장(title)과 각 장에 부속된 총 156개의 조문(section, sec)으로 구성(총 131면)된 방대한 법이다. 여기서는 각 조문의 제목만 소개한다.

agents of a foreign power.

Sec.208. Designation of judges.

Sec.209. Seizure of voice-mail messages pursuant to warrants.

Sec.210. Scope of subpoenas for records of electronic communications.

Sec.211. Clarification of scope.

Sec.212. Emergency disclosure of electronic communications to protect life and limb.

Sec.213. Authority for delaying notice of the execution of a warrant.

Sec.214. Pen register and trap and trace authority under FISA.

Sec.215. Access to records and other items under the Foreign Intelligence Surveil lance Act.

Sec.216. Modification of authorities relating to use of pen registers and trap and trace devices.

Sec.217. Interception of computer trespasser communications.

Sec.218. Foreign intelligence information.

Sec.219. Single-jurisdiction search warrants for terrorism.

Sec.220. Nationwide service of search warrants for electronic evidence.

Sec.221. Trade sanctions.

Sec.222. Assistance to law enforcement agencies.

Sec.223. Civil liability for certain unauthorized disclosures.

Sec.224. Sunset.

Sec.225. Immunity for compliance with FISA wiretap.

TITLE III-INTERNATIONAL MONEY LAUNDERING ABATEMENT AND ANTI TERRORIST FINANCING ACT OF 2001

Sec.301. Short title.

Sec.302. Findings and purposes.

Sec.303. 4-year congressional review; expedited consideration.

Subtitle A-International Counter Money Laundering and Related Measures

Sec.311. Special measures for jurisdictions, financial institutions, or international transactions of primary money laundering concern.

Sec.312. Special due diligence for correspondent accounts and private banking accounts.

Sec.313. Prohibition on United States correspondent accounts with foreign shell banks.

Sec.314. Cooperative efforts to deter money laundering.

Sec.315. Inclusion of foreign corruption offenses as money laundering crimes.

Sec.316. Anti-terrorist forfeiture protection.

Sec.317. Long-arm jurisdiction over foreign money launderers.

Sec.318. Laundering money through a foreign bank.

Sec.319. Forfeiture of funds in United States interbank accounts.

Sec.320. Proceeds of foreign crimes.

Sec.321. Financial institutions specified in subchapter II of chapter 53 of title 31, United States code.

Sec.322. Corporation represented by a fugitive.

Sec.323. Enforcement of foreign judgments.

Sec.324. Report and recommendation.

Sec.325. Concentration accounts at financial institutions.

Sec.326. Verification of identification.

Sec.327. Consideration of anti-money laundering record.

Sec.328. International cooperation on identification of originators of wire transfers.

Sec.329. Criminal penalties.

Sec.330. International cooperation in investigations of money laundering, financial crimes, and the finances of terrorist groups.

Subtitle B – Bank Secrecy Act Amendments and Related Improvements

Sec.351. Amendments relating to reporting of suspicious activities.

Sec.352. Anti-money laundering programs.

Sec.353. Penalties for violations of geographic targeting orders and certain record keeping requirements, and lengthening effective period of geographic targeting orders.

Sec.354. Anti-money laundering strategy.

Sec.355. Authorization to include suspicions of illegal activity in written employment references.

Sec.356. Reporting of suspicious activities by securities brokers and dealers; in vestment company study.

Sec.357. Special report on administration of bank secrecy provisions.

Sec.358. Bank secrecy provisions and activities of United States intelligence agencies to fight international terrorism.

Sec.359. Reporting of suspicious activities by underground banking systems.

Sec.360. Use of authority of United States Executive Directors.
Sec.361. Financial crimes enforcement network.
Sec.362. Establishment of highly secure network.
Sec.363. Increase in civil and criminal penalties for money laundering.
Sec.364. Uniform protection authority for Federal Reserve facilities.
Sec.365. Reports relating to coins and currency received in nonfinancial trade or business.
Sec.366. Efficient use of currency transaction report system.

Subtitle C – Currency Crimes and Protection

Sec.371. Bulk cash smuggling into or out of the United States.
Sec.372. Forfeiture in currency reporting cases
Sec.373. Illegal money transmitting businesses.
Sec.374. Counterfeiting domestic currency and obligations.
Sec.375. Counterfeiting foreign currency and obligations.
Sec.376. Laundering the proceeds of terrorism.
Sec.377. Extraterritorial jurisdiction.

TITLE IV – PROTECTING THE BORDER

Subtitle A – Protecting the Northern Border

Sec.401. Ensuring adequate personnel on the northern border.
Sec.402. Northern border personnel.
Sec.403. Access by the Department of State and the INS to certain identifying in formation in the criminal history records of visa applicants and appli cants for admission to the United States.
Sec.404. Limited authority to pay overtime.
Sec.405. Report on the integrated automated fingerprint identification system for ports of entry and overseas consular posts.

Subtitle B – Enhanced Immigration Provisions

Sec.411. Definitions relating to terrorism.
Sec.412. Mandatory detention of suspected terrorists; habeas corpus; judicial review.
Sec.413. Multilateral cooperation against terrorists.
Sec.414. Visa integrity and security.
Sec.415. Participation of Office of Homeland Security on Entry-Exit Task Force.

Sec.416. Foreign student monitoring program.

Sec.417. Machine readable passports.

Sec.418. Prevention of consulate shopping.

Subtitle C – Preservation of Immigration Benefits for Victims of Terrorism

Sec.421. Special immigrant status.

Sec.422. Extension of filing or reentry deadlines.

Sec.423. Humanitarian relief for certain surviving spouses and children.

Sec.424. "Age-out" protection for children.

Sec.425. Temporary administrative relief.

Sec.426. Evidence of death, disability, or loss of employment.

Sec.427. No benefits to terrorists or family members of terrorists.

Sec.428. Definitions.

TITLE V – REMOVING OBSTACLES TO INVESTIGATING TERRORISM

Sec.501. Attorney General's authority to pay rewards to combat terrorism.

Sec.502. Secretary of State's authority to pay rewards.

Sec.503. DNA identification of terrorists and other violent offenders.

Sec.504. Coordination with law enforcement.

Sec.505. Miscellaneous national security authorities.

Sec.506. Extension of Secret Service jurisdiction.

Sec.507. Disclosure of educational records.

Sec.508. Disclosure of information from NCES surveys.

TITLE VI – PROVIDING FOR VICTIMS OF TERRORISM, PUBLIC SAFETY OFFICERS, AND THEIR FAMILIES

Subtitle A – Aid to Families of Public Safety Officers

Sec.611. Expedited payment for public safety officers involved in the prevention, investigation, rescue, or recovery efforts related to a terrorist attack.

Sec.612. Technical correction with respect to expedited payments for heroic public safety officers.

Sec.613. Public safety officers benefit program payment increase.

Sec.614. Office of Justice programs.

Subtitle B – Amendments to the Victims of Crime Act of 1984

Sec.621. Crime victims fund.

Sec.622. Crime victim compensation.

Sec.623. Crime victim assistance.

Sec.624. Victims of terrorism.

TITLE VII – INCREASED INFORMATION SHARING FOR CRITICAL INFRASTRUCTURE PROTECTION

Sec.701. Expansion of regional information sharing system to facilitate Federal State-local law enforcement response related to terrorist attacks

TITLE VIII – STRENGTHENING THE CRIMINAL LAWS AGAINST TERRORISM

Sec.801. Terrorist attacks and other acts of violence against mass transportation systems.

Sec.802. Definition of domestic terrorism.

Sec.803. Prohibition against harboring terrorists.

Sec.804. Jurisdiction over crimes committed at U.S. facilities abroad.

Sec.805. Material support for terrorism.

Sec.806. Assets of terrorist organizations.

Sec.807. Technical clarification relating to provision of material support to terrorism.

Sec.808. Definition of Federal crime of terrorism.

Sec.809. No statute of limitation for certain terrorism offenses.

Sec.810. Alternate maximum penalties for terrorism offenses.

Sec.811. Penalties for terrorist conspiracies.

Sec.812. Post-release supervision of terrorists.

Sec.813. Inclusion of acts of terrorism as racketeering activity.

Sec.814. Deterrence and prevention of cyber-terrorism.

Sec.815. Additional defense to civil actions relating to preserving records in response to Government requests.

Sec.816. Development and support of cyber-security forensic capabilities.

Sec.817. Expansion of the biological weapons statute.

TITLE IX－IMPROVED INTELLIGENCE

Sec.901. Responsibilities of Director of Central Intelligence regarding foreign intelligence collected under Foreign Intelligence Surveillance Act of 1978.
Sec.902. Inclusion of international terrorist activities within scope of foreign intelligence under National Security Act of 1947.
Sec.903. Sense of Congress on the establishment and maintenance of intelligence relationships to acquire information on terrorists and terrorist organizations.
Sec.904. Temporary authority to defer submittal to Congress of reports on intelligence and intelligence-related matters.
Sec.905. Disclosure to Director of Central Intelligence of foreign intelligence-related information with respect to criminal investigations.
Sec.906. Foreign terrorist asset tracking center.
Sec.907. National Virtual Translation Center.
Sec.908. Training of government officials regarding identification and use of foreign intelligence.

TITLE X－MISCELLANEOUS

Sec.1001. Review of the department of justice.
Sec.1002. Sense of congress.
Sec.1003. Definition of "electronic surveillance".
Sec.1004. Venue in money laundering cases.
Sec.1005. First responders assistance act.
Sec.1006. Inadmissibility of aliens engaged in money laundering.
Sec.1007. Authorization of funds for dea police training in south and central asia.
Sec.1008. Feasibility study on use of biometric identifier scanning system with access to the FBI integrated automated fingerprint identification system at overseas consular posts and points of entry to the United States.
Sec.1009. Study of access.
Sec.1010. Temporary authority to contract with local and State governments for performance of security functions at United States military installations.
Sec.1011. Crimes against charitable americans.
Sec.1012. Limitation on issuance of hazmat licenses.

찾아보기

ㄱ

ㄴ

ㄷ

ㄹ

ㅅ

ㅇ

ㅈ

ㅊ

ㅋ

ㅌ

ㅍ

ㅎ

저자약력

■ **권 순 구**

››› 학력

영남대학교 행정과 졸
중국 중앙민족대학 졸, 법학석사
가천대학교 대학원 행정과 졸, 행정학 박사
미국 FBI 인질구출과정(HRT: Hostage Rescue Team) 연수
미국 협상기법과정(The Reid Technique) 연수

››› 경력

전 국가공무원 대테러분야 근무
전 국민안전처 대테러분야 정책자문위원장
현 한국국가안보 · 국민안전학회 자문위원
현 한국테러학회 회원
현 국가민방위재난안전교육원 · 법무연수원 대테러분야 초빙교수
현 평택대학교 · 동양대학교 국가안보 · 대테러학 교수

한국對테러학 – 위협과 대응 –

2018년 5월 25일 초판 인쇄
2018년 6월 1일 초판 1쇄 발행

저 자 권 순 구
발행인 배 효 선
발행처 도서출판 法 文 社
주 소 10881 경기도 파주시 회동길 37-29
등 록 1957년 12월 12일/제2-76호(윤)
전 화 (031)955-6500~6 FAX (031)955-6525
E-mail (영업) bms@bobmunsa.co.kr
(편집) edit66@bobmunsa.co.kr
홈페이지 http://www.bobmunsa.co.kr
조 판 법 문 사 전 산 실

정가 40,000원 ISBN 978-89-18-03260-3